»Man muß dem *Ergebnis des verflossenen* Krieges wirklich in's Auge sehen. Es ist die Niederlage, *das Ausscheiden Deutschlands als europäische Großmacht*, nachdem der unbewußte Versuch – ich sage ausdrücklich *unbewußte* Versuch – mit England um die Weltherrschaft zu ringen, von vornherein gescheitert war. Wenn man um die Weltherrschaft *kämpfen* will, muß man dies von langer Hand her vorausschauend mit rücksichtsloser Konsequenz vorbereiten. Man darf nicht hin und her schaukeln und eine Friedenspolitik treiben, sondern man muß restlos Machtpolitik treiben. Dazu gehört aber, daß der Grund und Boden, auf dem man steht, im Innern wie nach Außen fest und unerschütterlich bleibt. Wir haben unbewußt nach der Weltherrschaft gestrebt – das darf ich natürlich nur im allerengsten Kreise sagen, aber wer einigermaßen klar und historisch die Sache betrachtet, kann darüber nicht im Zweifel sein – *ehe* wir unsere Kontinentalstellung fest gemacht hatten. Denn das, was Bismarck vorbereitet hatte, konnte er infolge seiner Entlassung nicht weiter kräftigen und stärken und von seinen Epigonen gab es nur einen, der die Dinge mit kristallheller Klarheit sah, das war der verstorbene Generalfeldmarschall Graf von Schlieffen.«

(W. Groener, Vortrag über die Lage, gehalten im Großen Hauptquartier am 19. 5. 1919, BA, N 42/12)

FRITZ FISCHER

KRIEG DER ILLUSIONEN

Die deutsche Politik von 1911 bis 1914

8 Übersichtskarten

DROSTE VERLAG DÜSSELDORF

Schutzumschlag: Hannes Jähn
© 1969 Droste Verlag und Druckerei GmbH, Düsseldorf
Gesamtherstellung: Clausen & Bosse, Leck
Printed in Germany. Buch-Nr. 00200

Inhaltsverzeichnis

VORWORT

Im Vorwort zu meinem Buch über die deutsche Kriegszielpolitik im Ersten Weltkrieg, das 1961 unter dem Titel »Griff nach der Weltmacht« erschien [1], habe ich darauf hingewiesen, daß im Rahmen des Themas die Vorkriegsentwicklung Deutschlands nur »in einigen Linien« gezeichnet werden konnte, »da eine erschöpfende Darstellung der deutschen Vorkriegspolitik ein weiteres Buch beanspruchen würde«. Dieses Buch lege ich hiermit vor.

Die darin gestellte Aufgabe erschien mir um so wichtiger, als in der Kontroverse, die durch mein Buch ausgelöst wurde, ein Teil der Fachkollegen, vor allem – mit wenigen Ausnahmen – die deutschen, ihr Augenmerk fast ausschließlich auf die ersten zwei Kapitel des Buches, die Vorkriegsentwicklung und die Julikrise, gerichtet haben. Insbesondere meinten einige Kritiker, zwischen der deutschen Politik vor und nach Kriegsausbruch einen deutlichen Wandel konstatieren und die Aktionen Deutschlands im Ersten Weltkrieg nur als Reaktionen auf das Vorgehen der Ententemächte beschreiben zu können. Mit der Behauptung, »es gäbe kein deutsches Expansionsprogramm« (Andreas Hillgruber), hat man sich bemüht, das Thema »deutscher Imperialismus vor 1914« entweder ganz zu leugnen oder in einer Weise zu verengen, daß es allein zu einer Angelegenheit der »bösen« Alldeutschen wurde. Für Gerhard Ritter schrumpfte 1964 das Problem des deutschen Imperialismus in der Vorkriegszeit und sogar im Kriege zusammen auf »Wunschträume deutscher Patrioten«, eine These, von der sich selbst ähnlich argumentierende Historiker wie Hans Herzfeld absetzten.

---

[1] 2. Aufl. 1962, 3. überarbeitete Aufl. 1964, Sonderausgabe 1967; ferner eine amerikanische, englische, französische, italienische Ausgabe erschienen, eine japanische in Vorbereitung.

Trotz der immer noch bestehenden Tabuisierung unbequemer Tatbestände der jüngeren deutschen Geschichte hat sich in den letzten Jahren eine gewisse Versachlichung des Meinungsstreites angebahnt. Das Ergebnis dieser Bemühungen ist aber bisher keine aus den Quellen gearbeitete neuere Gesamtdarstellung, die die aufgeworfene Frage nach der Kontinuität in der deutschen Politik vor und nach 1914 weitergeführt hätte; es gibt · nur Zusammenstellungen der bisherigen Kontroverse (zuletzt Wolfgang Schieder) oder aber Darstellungen ohne eigene Forschung (Peter Graf Kielmannsegg). Eine Ausnahme macht darin nur das neue dreibändige Werk, das von einer Arbeitsgruppe unter der Leitung von Fritz Klein von der Deutschen Akademie der Wissenschaften in Berlin herausgegeben wurde.

Das hiermit vorgelegte Buch ist eine monographische Behandlung der deutschen Innen- und Außenpolitik in den Jahren 1911 bis 1914; dabei wird die Politik der europäischen und außereuropäischen Mächte in dem Maße in die Betrachtung einbezogen, wie sie für das Handeln der Reichsregierung und für das Selbstverständnis der sie tragenden gesellschaftlichen Gruppen von Belang war. Im übrigen muß, bei Anerkennung gewisser gemeinsamer Entwicklungslinien für alle Großmächte im Zeitalter des »Imperialismus«, gewarnt werden vor einem Modelldenken, das die jeweils sehr verschiedenen historischen Gegebenheiten unterschätzt und den geschichtlichen Prozeß in das Prokrustesbett sozialwissenschaftlicher und politologischer Kategorien zu zwängen versucht. Eine eigene Untersuchung für Deutschland ist notwendig, weil sich im Deutschen Reich seit den 80er Jahren eine Sonderentwicklung vollzog, die ihm eine drängende Unruhe verlieh; denn hier wurde die Spannung zwischen der alten monarchisch-feudalen und der neuen bürgerlich-kommerziellen Struktur im rasch aufgestiegenen Industriestaat nie ganz ausgetragen; hier konnte die soziale Frage unter dem Druck des Bündnisses von Junkertum und Schwerindustrie bis 1914 in voller Schärfe fortbestehen; und hier erfolgte schließlich der Eintritt in das Zeitalter der Weltpolitik und Weltwirtschaft zu einem relativ ungünstigen Zeitpunkt, als die Welt schon weitgehend unter die etablierten Mächte verteilt war.

Insofern will die hier vorgelegte Untersuchung auch einen Beitrag zum Problem der Kontinuität in der politischen und sozialen Entwicklung des Deutschen Reiches seit der Spätbismarckzeit liefern. Sie zeigt die enge Verbindung von wirtschaftlichem Aufstieg und politischem Anspruch in einem ungebrochenen, durch die Vorkriegskrisen seit 1905 nicht gehemmten, sondern im Gegenteil gesteigerten Prozeß – anders als Herzfeld es sehen will, der eine Revision der deutschen »Weltpolitik« für die Jahre vor dem Kriege behauptet. Ja, spätestens seit 1911, so glaube ich zeigen zu können, wurden Kräfte eines neuen völkischen Nationalismus freigesetzt, die

das Gefüge des alten bürokratischen Obrigkeitsstaates aufzubrechen drohten.

Weiterhin glaube ich den Nachweis bringen zu können, daß das Zusammenspiel von Wirtschaft und Politik keine nachträglich konstruierte Hy-
pothese ist, sondern ein Faktor, der die diplomatischen Aktionen ebenso
wie die Tendenzen der inneren Politik ganz wesentlich mitbestimmte; daß
sogar gewisse soziale Gruppen Entscheidungen erzwangen, die man gemeinhin nur der »über den Gruppeninteressen« stehenden hohen Bürokratie zuschreiben möchte. Damit ist die Frage nach dem sozialen Standort der Regierung und des Monarchen gestellt, und von hierher erfahren
auch die Problemkreise »Parlamentarisierung« und »Demokratisierung«,
die spätestens seit 1912 die Diskussion bestimmten, erst ihre eigentliche Di-
mension. Gerade die sogenannte »Politik der Diagonale« Bethmann Hollwegs zeigt an, daß die Regierung ihre Entscheidungen eben nicht in einem
luftleeren Raum zu treffen vermochte, sondern daß sie ganz konkrete soziale Gegebenheiten und Machtverhältnisse berücksichtigen mußte.

Damit wird erneut das Problem des Primats der Innenpolitik aufgeworfen. Eine erfolgreiche imperialistische Außenpolitik sollte die Machtstellung der herrschenden Schichten sichern, ja man hoffte, die verschärften sozialen Spannungen durch einen Krieg zu lösen. Durch eine dann er-
folgende Nationalisierung der Massen würden auch die bisher abseits stehenden Teile der Nation in den monarchischen Staat integriert werden.
(Warnungen Bethmann Hollwegs, der im Gegenteil als Ergebnis eines
Krieges eine Demokratisierung, die er selbst nicht wünschte, voraussah,
bestätigen nur, wie verbreitet jenes Gedankengut war.) Die innenpolitische Krise war seit 1912 jedenfalls offenbar geworden. Für den Entschluß
zum Kriege 1914 waren neben den innenpolitischen Motiven vor allem
militärische Erwägungen ausschlaggebend, die ihrerseits wieder abhängig
waren von wirtschaftlichen und machtpolitischen Zielsetzungen. Alle diese Faktoren – im Hinblick auf die Massen wie auf den Kaiser auch solche
psychologischer Natur – mußte die Regierung in ihr Kalkül einbauen.
Überschaut man alle diese Antriebe, so läßt sich eine deutliche Kontinuität der Zielsetzungen in der Vorkriegszeit und im Kriege erkennen.

Der gleiche Dynamismus mitsamt seinen innenpolitischen Komponen-
ten, mit dem die Führung des Reiches 1897 zur »Weltpolitik« aufgebro-
chen war, blieb auch im Jahre 1914 ohne Bruch wirksam. Wie damals war
das Ziel die Hoffnung auf ein »Größeres Deutschland« und auf die Bewahrung des konservativen Systems. Die Illusionen jener Konzeption von
1897 führten zu den Illusionen von 1914.

In der Stellung eines akademischen Lehrers in einem sogenannten Mas-
senfach an einer großen Universität, der durch Vorlesungen, Seminare und
Prüfungen voll in Anspruch genommen ist, zumal das historische Interesse

sich heute besonders stark auf die neueste Geschichte konzentriert, war dieses Buch nur mit reger Unterstützung aus dem Kreise meiner Studenten und Doktoranden zu schreiben. Der Deutschen Forschungsgemeinschaft danke ich, daß sie meine Arbeit durch eine Sachbeihilfe unterstützt und mir die Mitarbeit erst von Jutta Kirschstein-Freund, später von Dirk Stegmann ermöglicht hat. Ihnen beiden möchte ich an dieser Stelle herzlich danken, ebenso meinen Assistenten Barbara Vogel und Peter Borowsky, die neben der Arbeit im Seminar dieses Buch fördern halfen. Nicht zuletzt möchte ich meinen Schülern Peter-Christian Witt, Klaus Wernecke und Jochen Jacke danken, dem letzteren vor allem für seine Mühe bei der Überarbeitung von Anmerkungen und Register. Professor Dr. Adolf Gasser, Universität Basel, danke ich für fördernde Kritik und freundschaftlichen Zuspruch.

Hamburg, im August 1969 *Fritz Fischer*

Die Grundlagen des Wilhelminischen Deutschland

»Die Hakatisten in Posen und Westpreußen, die Scharf-
macher der Schwerindustrie, die junkerlichen Bureaukra-
ten in den Ministerien und Provinzialregierungen, das
waren die konkreten Träger dieses innenpolitischen
Machtsystems, dessen Komplement nach außen ... jene
alldeutsche Bewegung wurde.«

*Friedrich Meinecke, Die deutsche Katastrophe.
Betrachtungen und Erinnerungen, Wiesbaden 1946,
S. 39.*

I. KAPITEL

Vom Agrarstaat zum Industriestaat –
Der Zwang zum Export

»Um die Führung im Welthandel kämpfen miteinander die drei germanischen Völker und Frankreich. Diese Wettbewerber haben vieles vor uns voraus! England fundiert seinen Export im wesentlichen mit auf seinem gewaltigen Kolonialbesitz, ohne den es in den Ziffern der Ausfuhr längst von Deutschland überholt worden wäre. Die Vereinigten Staaten von Nordamerika haben die gewaltige Konsumkraft dieses großen Staatenkomplexes und seiner 90 Millionen Einwohner als Untergrund ihres Exports für sich; sie können auf dem Weltmarkt vielfach unterbieten, weil ihnen die Grundlage des inneren Bedarfs dauernd die Möglichkeit der gewaltigen Weiterentwicklung ihrer Industrie darbietet. Frankreich, das allerdings eines Bevölkerungszuwachses entbehrt, ist andererseits als Land der Rentner in der Lage, durch die Gewährung von Anleihen an andere Staaten die Berücksichtigung der französischen Industrie bei staatlichen Lieferungen in großem Maße zu erzwingen ... während Deutschland, dessen wachsende wirtschaftliche Prosperität vollkommen im eigenen Bedarf der Industrie aufgeht, gerade in der Gegenwart davon absehen muß, sich in dieser Beziehung zu weit zu engagieren.«[1]

Mit diesen Worten umriß 1913 Gustav Stresemann Anspruch und Dilemma des Wilhelminischen Deutschland, das sich seit den neunziger Jahren, den Tagen der Handelsvertragspolitik Caprivis und der Weltpolitik Bülows, aus dem geschlossenen Agrarstaat der achtziger Jahre des 19. Jahrhunderts zu dem imperialen Industriestaat neudeutscher Prägung des Jahres 1913 gewandelt hatte. Das Selbstbewußtsein und der Machtanspruch Deutschlands konnten sich auf imponierende Zahlen gründen, die der deutsche Staatssekretär des Innern, Clemens von Delbrück, im Januar 1914 vor den Parlamentariern des Deutschen Reichstages ausbreitete: im Jahre 1880 hatte die deutsche Einfuhr 2,8, im Jahre 1912 10,69 Milliarden Mark betragen, die Ausfuhr war im gleichen Zeitraum von 2,92 auf 8,96 gestiegen, 1913 betrug sie 10,080 Milliarden Mark. Ein Vergleich mit Frankreich, Großbritannien und den Vereinigten Staaten zeige, daß Deutschland in seinem Gesamthandel noch im Jahre 1891 mit Frankreich und den Vereinigten Staaten auf einer Stufe gestanden habe, von Großbritannien jedoch noch um 75 Prozent übertroffen worden sei. Heute habe Deutschland die beiden zuerst genannten Länder weit überflügelt und sei dem britischen Gesamthandel nahegerückt, denn dieser übertreffe den französischen

---

1 Gustav Stresemann, Handel und Industrie, in: Das Jahr 1913. Ein Gesamtbild der Kulturentwicklung, hrsg. D. Sarason, Leipzig/Berlin 1913, S. 200 f.

um 92 Prozent, den amerikanischen um 44 Prozent und den deutschen nur noch um 16 Prozent. Das gleiche Bild zeige sich auf dem inneren Markt:

>»Ein Bild für die innere Entwicklung der Wirtschaftsverhältnisse bietet die Steigerung der landwirtschaftlichen Produktionen, die Steigerung der berg- und hüttenmännischen Produktionen, insbesondere von Kohle und Eisen, und die Zunahmen auf dem Gebiete des Verkehrswesens bei Eisenbahnen, Post, Telegraphie, Telephon, Schiffahrt, Kapitalsentwicklung u. dergl. mehr.[2]«

Das deutsche Dilemma – Kapitalmangel wegen steigender Produktionsziffern – klammerte der Staatssekretär des Innern aus: was Stresemann als Verbandssyndikus nicht unterschlagen wollte, bemäntelte die Regierung im Zeichen des 25jährigen Regierungsjubiläums des Kaisers mit Optimismus.

Deutsche Wirtschaft in der Expansion

Tatsächlich hatte sich das Gesicht Deutschlands in wenigen Jahrzehnten wesentlich verändert; der Anspruch der »jungen« Weltmacht Deutschland gründete sich auf die dynamische Entwicklung seiner Bevölkerungszahl und seiner Produktionsziffern. Während Frankreich zwischen 1870 und 1914 in seiner Bevölkerung stagnierte (von 38 Mill. nahm es nur auf 40 Mill. [1915] zu) und auch England seine Bevölkerungsziffer nur wenig erhöhen konnte (1870: 26 Mill., 1910: 40 Mill.), steigerte Deutschland seine Bevölkerungszahl zwischen 1871 und 1914 von 41 Mill. auf 66 Mill. Von 1900 bis 1910 war der durchschnittliche jährliche Geburtenüberschuß auf 866 000 angewachsen – eine Zahl, die auf seiten der nationalen Rechten bereits die Forderung nach neuem »Lebensraum« lautwerden ließ. Gemeinsam kamen 1912/13 Helfferich, der Direktor der Deutschen Bank, und Steinmann-Bucher, der Herausgeber der ›Deutschen Industriezeitung‹, zu dem Ergebnis, daß Deutschland in bezug auf seine Bevölkerungsziffer nicht pessimistisch in die Zukunft zu sehen brauche. Helfferich betonte, daß der jährliche Geburtenüberschuß stärker als in allen großen europäischen Staaten, Rußland ausgenommen, ja selbst größer als in den Vereinigten Staaten sei, und Steinmann-Bucher hatte die »ganz sichere Aussicht«, daß Deutschland »ein Volk von solcher Größe« werde, »daß es sich selbst vor der Massenentwicklung der östlichen Völker nicht zu fürchten brauche«. Er war der festen Überzeugung, daß Deutschland »um die Mitte des Jahrhunderts bei einer Bevölkerungszahl von gegen 100 Mill.« angelangt sein werde, und er sah darin die »Grundlage unserer Weltmachtstellung«[3].

2 RT, Bd. 292, S. 663 ff., 20. 1. 14.
3 Vgl. Karl Helfferich, Deutschlands Volkswohlstand 1888–1913, Berlin 3. Aufl. 1914, S. 13 ff. Arnold Steinmann-Bucher, Die künftige Bevölkerungszahl Deutschlands, DIZ 49, 7. 12. 12, S. 843 ff.

Grundlage des wirtschaftlichen Aufschwungs war der ineinanderverwobene und verflochtene Ausbau der Großeisen-, Stahl- und Bergbauindustrie. Angekurbelt durch die 5 Milliarden Mark französischer Kriegsentschädigung, durch Rüstungsaufträge und den verkehrswirtschaftlichen Ausbau des Deutschen Reiches und Europas konnte die deutsche Kohleförderung zwischen 1870 und 1914 verachtfacht werden, während England die seine nur noch verdoppelte. Dieser Zuwachs wurde nur noch von den Vereinigten Staaten überboten. Die Steigerung der Kohleproduktion (Stein- und Braunkohle) betrug zwischen 1886 und 1911 in Millionen t [4]:

	1886	1911	Steigerungsrate
USA	103,1	450,2	336 %
Großbritannien und Irland	160,0	276,2	72 %
Deutschland	73,7	234,5	218,1 %

Hinzu trat die Intensivierung der Eisen- und Stahlproduktion: So stieg die deutsche Roheisenerzeugung von 4,02 Mill. t (1887) auf 19,29 Mill. (1913), eine Zunahme von 480 %, die nur noch mit der Steigerung in Amerika um 368 % vergleichbar ist. Dabei darf freilich nicht vergessen werden, daß Amerika 1887 in absoluten Ziffern bereits eine fast doppelt so hohe Produktion wie Deutschland aufzuweisen hatte (nämlich 6,52 Mill. t) und 1913 mit 31 Mill. t an der Spitze der Roheisenproduktion der Welt lag. Die Roheisenproduktion (für die USA in gross tons) betrug [5]:

	Deutschland	USA
	Mill. t	Mill. gross tons
1907	13,05	25,781
1908	11,81	15,873
1909	12,92	25,410
1910	14,79	27,298
1911	15,53	23,313
1912	17,87	29,752
1913	19,29	31,000

England konnte seine Roheisenproduktion nur noch um 30,6 % von 7,68 Mill. t (1887) auf 10,03 Mill. t. (1911) erhöhen, das heißt, es lag jetzt um fast 50 % hinter Deutschland zurück. – Noch imponierender war die Entwicklung der deutschen Stahlerzeugung. Auf Grund der neuen Herstellungsverfahren (Thomas, Siemens-Martin-Hochöfen) nahm die Produktion von 0,95 Mill. t (1886) um 1335 % auf 13,69 Mill. t (1910) zu.

---

4 Karl Helfferich, Deutschlands Volkswohlstand 1888–1913, S. 61.
5 Arthur Feiler, Die Konjunkturperiode in Deutschland 1907–1913, Jena 1914, Anhang S. 184–201.

Damit wurde Deutschland freilich immer abhängiger von der Rohstoff-
zufuhr (Eisenerz und Stahlveredler wie Mangan pp.) (161,3 Mill. Mark
Einfuhr 1910 gegenüber 5,7 Mill. Mark 1872). Parallel zu diesem Aufschwung der deutschen Kohle- und Stahlproduktion ging ihre Vertru-
stung und Monopolisierung vor sich; 1893 kam es zur Gründung des Rheinisch-Westfälischen Kohlensyndikats unter der Führung Emil Kirdorfs
und der Gelsenkirchener Bergwerks-AG, das alle wichtigen Kohlenzechen
zusammenfaßte und bald den deutschen Kohlenmarkt weitgehend mono-
polisierte; das Syndikat hielt die Preisgestaltung, zum Teil gegen den Widerstand der staatlichen Kohlezechen und der Verbraucher, rigoros in Händen. Diese Vertrustungs- und Monopolisierungstendenz wiederholte sich
auch auf dem Stahlsektor: 1904 wurde der Stahlwerksverband gegründet, dem alle wichtigen Werke, vornehmlich die westfälischen Konzerne,
aber auch die Saarhütten und die oberschlesischen Großbetriebe, angehörten. Zu diesen Großkartellen mit ihrer Tendenz, zum Trust weiterzuwachsen, die nur mit der parallelen und noch gesteigerten Entwicklung in den
USA vergleichbar ist, traten die kleineren Syndikate hinzu; das Kalisyn-
dikat, das Rheinisch-Westfälische Eisensyndikat (seit 1896), das Schienen-
syndikat, die Syndikate für Werkzeugmaschinen und Walzwerkerzeugnis-
nisse, um nur die wichtigsten zu nennen. Die Entwicklung der Stahlproduktion der führenden Industrienationen zwischen 1886 und 1910 zeigt folgende Statistik [6]:

	1886	1910	Zunahme in %
USA	2,604	26,512	910,3
Deutschland	0,954	13,698	1335,0
England	2,403	6,106	154,1
Frankreich	0,427	3,390	692,9
Rußland	0,241	2,350	871,2

Zu diesem Aufschwung der Schwerindustrie und der stark expandieren-
den Maschinenbauindustrie gesellten sich die neuen »jungen« Industrien,
die chemische, die Elektro- und die optische Industrie. Die drei großen
Chemiefirmen: Bayer, Hoechst und Badische Anilin- & Soda-Fabriken,
schon 1904 durch ein loses Kartell verbunden, hatten durch die Entwicklung bahnbrechender technischer Verfahren schon vor 1914 die führende
Stelle in Europa errungen, und die deutsche chemische Industrie stellte
mit einem Exportwert von 1042 Mill. Mark im Jahre 1913 einen wichtigen Teil der deutschen Ausfuhr (bei einer Gesamtausfuhr von 10 Milliarden Mark [7]).

---

6 Walther G. Hoffmann, Das Wachstum der deutschen Wirtschaft seit der Mitte des 19. Jhs., Berlin, Heidelberg, New York 1965, S. 522.
7 Ibid., S. 226.

Noch stärker war die Konzentration in der schnell aufstrebenden Elektroindustrie. 1883 war mit einem Kapital von 5 Mill. Mark die deutsche Edison-Gesellschaft für angewandte Elektrizität von Emil Rathenau gegründet worden, die seit 1887 unter dem neuen Namen Allgemeine Elektricitäts-Gesellschaft (AEG) firmierte und ihr Kapital im gleichen Jahr auf 12 Mill. erhöhte. Die AEG stand von vornherein in enger Beziehung zu ihren Finanzhäusern, der Deutschen Bank (mit ihr nur zeitweise), den Gebrüdern Sulzbach (Frankfurt), Delbrück & Leo in Berlin, der Nationalbank für Deutschland und der Berliner Handelsgesellschaft (Carl Fürstenberg), auf die sich die AEG seit 1889 (als Emil Rathenau in ihren Verwaltungsrat eintrat) vornehmlich stützte. Das Konkurrenzunternehmen, Siemens und Halske, später auch Siemens-Schuckert, wurde vor allem von der Deutschen Bank unter Georg von Siemens finanziert, der schon durch familiäre Bindungen der Firma nahestand. Schon früh hatte sich die AEG mit dem führenden amerikanischen Elektrokonzern General Electric über die Teilung des Weltmarktes verständigt; denn beide Konzerne hatten auf der amerikanischen Hemisphäre bzw. in Europa auf ihren Bereichen (Starkstromtechnik, Dynamobau) eine Art Monopolstellung. Allein die AEG hatte bis 1904 ihr Aktienkapital auf 100 Mill. Mark erhöht und erreichte bereits 1910 ein Exportvolumen von über 120 Mill. Mark.

Dieser gewaltige deutsche Wirtschaftsaufschwung war nur möglich geworden durch die Entwicklung des deutschen Bankwesens seit der ersten Gründung von Aktienbanken in den 50er und vor allem in den 70er Jahren. 1913 beherrschten die sogenannten vier D-Banken: die Deutsche Bank, die Dresdner Bank, die Disconto-Gesellschaft und die Bank für Handel und Industrie (Darmstädter Bank) den deutschen Kapitalmarkt. Die kleineren Institute wurden entweder aufgesogen (so erhöhte die Deutsche Bank 1914 ihr Aktienkapital von 200 Mill. Mark auf 250 Mill. Mark durch Fusion mit der Bergisch-Märkischen Bank, und die Disconto-Gesellschaft fusionierte zur gleichen Zeit mit dem A. Schaafhausenschen Bankverein und erhöhte so ihr Kapital auf 300 Mill. Mark) oder konnten sich nur in enger Zusammenarbeit mit den großen Instituten behaupten. In dem Zeitraum 1895 bis 1900 vergrößerten allein die sechs größten Banken Berlins die Zahl ihrer Depositenkassen und Wechselstuben von 27 auf 53 [8]. Das Aktienkapital der Großbanken vervielfachte sich im Laufe einer Generation [9].

---

8 Jakob Rießer, Die deutschen Großbanken und ihre Konzentration, 2. Aufl. Jena 1913, passim.
9 Vgl. Adolf Weber, Depositen Banken und Spekulationsbanken, München/Leipzig 1922, S. 75; Art. »Banken« (Georg v. Schanz) in: Wörterbuch der Volkswirtschaft, 3. Aufl. 1911, S. 332; Bankarchiv 12, 15. 3. 14.

			1900	1909	1913
Schaafhausenscher Bankverein	gegr. 1848:	15,6	100	145	...
Darmstädter Bank	gegr. 1853:	17,1	105	154	160
(Bank für Handel und Industrie)					
Disconto-Gesellschaft	gegr. 1856:	30,0	130	170	200
Berliner Handelsgesellschaft	gegr. 1856:	45,0	90	110	110
Deutsche Bank	gegr. 1870:	15,0	150	200	200
Dresdner Bank	gegr. 1872:	9,6	130	180	200
Nationalbank für Deutschland	gegr. 1881:	20,0	60	80	...
(Angaben in Mill. Mark)					

Vor allem die Disconto-Gesellschaft unter Hansemann und später Salomonsohn und über sie die Norddeutsche Bank (Max von Schinckel) war eng mit der rheinisch-westfälischen Schwerindustrie verzahnt: durch ihre Verbindung zur Gelsenkirchener Bergwerks AG (Kirdorf), zum Bochumer Verein (Baare), zur Phoenix-AG (Beukenberg), zu den Rheinischen Stahlwerken (Haßlacher), zur Burbacher Hütte (Stumm) und zu Aumetz-Friede (Klöckner) war sie 1914 zur ausschlaggebenden Bank auf dem schwerindustriellen Sektor geworden. Ähnlich lagen die Verhältnisse bei der Dresdner Bank (Gutmann, Nathan), die mit August Thyssen und Stinnes zusammenarbeitete und auch in der oberschlesischen Großindustrie Henckel-Donnersmark, Königs- und Laurahütte (Hilger) Fuß faßte, ferner mit der chemischen Industrie, Krupp und den Deutschen Waffen- und Munitionsfabriken verbunden war. Die Deutsche Bank (Gwinner, Helfferich), die Bank für Handel und Industrie (bis 1905 Riesser) und die Berliner Handelsgesellschaft (Carl Fürstenberg) waren stärker mit den Interessen der Elektro-, Textil- und Erdölindustrie und auch noch dem Bahnbau (Bagdad-Bahn) verbunden; daneben arbeitete aber auch die Deutsche Bank eng mit Krupp und dem Essener Bergwerksverein zusammen. Eine klare Scheidung und Zuordnung der Großbanken zu den einzelnen Produktionszweigen läßt sich nicht durchführen, wenn auch die Hauptrichtung der wechselseitigen Verzahnungen angegeben werden kann.

Hinzu traten die einflußreichen Privatbanken wie Max Warburg & Co., das Haus Mendelssohn und Sal. Oppenheim & Cie.; untereinander waren diese Gruppierungen der Banken und der großen Konzerne in mannigfacher Weise verbunden; denn in den Aufsichtsräten der großen Eisen- und Stahlkonzerne saßen die Direktoren der Großbanken (besonders Salomonsohn und Schinckel) und umgekehrt (Kirdorf, Beukenberg, Haßlacher und Jencke, um nur die wichtigsten zu nennen).

Schutzzoll und Handelsverträge – Weltmarkt oder Mitteleuropa?

Im Jahre 1888, zur Zeit des Regierungsantritts Wilhelms II., war die wirtschaftliche Situation in Deutschland unbefriedigend: die Auswirkungen der großen Depression des Jahres 1873 bestimmten noch die wirtschaftliche Situation und dämpften die Unternehmungslust von Handel und Industrie. Zwar hatte sich im Schutze der Zölle seit 1879 in den achtziger Jahren ein innerbetrieblicher Ausbau und eine allgemeine Konzentrationsbewegung vollzogen und gleichzeitig sich das Bedürfnis der Exportindustrie auf den freien und ungehinderten Zugang auf den Weltmarkt gesteigert. Eine Neuorientierung der Handelspolitik war aber durch das ständige Unterstützungsbedürfnis der Agrarier verhindert worden. Die ständig höher gesetzten Agrarzölle – die für die preußischen Großgrundbesitzer die direkten Subventionen ersetzten – verhinderten eine Herabsetzung der Kampfzölle, vor allem von seiten Rußlands. Bismarck, der unterstützt von Schwerindustrie und Großlandwirtschaft den Übergang zum Schutzzoll erzwungen hatte, fand aus diesem Dilemma keinen Ausweg: wie eine Erlösung mußte für die Industrie darum Caprivis Handelsvertragspolitik kommen. Das System der Bismarckschen Handelspolitik war eine sogenannte autonome Zollpolitik gewesen, von 1879 bis 1892 behielt sich das Deutsche Reich freie Hand vor, seine Zölle nach Belieben zu erhöhen. Auf den ersten Schutzzolltarif von 1879 folgten neue Zollsteigerungen in den Jahren 1885 und 1887. Insgesamt war die Handels- und Zollpolitik der 80er Jahre in Europa geprägt durch ein umfassendes Konventionalsystem, das von Zoll- und Handelsverträgen bestimmt wurde, die Frankreich 1881 mit der Schweiz, Belgien, Norwegen, Schweden, Spanien, Portugal und den Niederlanden (1884) abgeschlossen hatte. Deutschland, das aufgrund des Artikels 11 des Frankfurter Friedens von 1871 die Meistbegünstigung mit Frankreich besaß, kamen wegen dieses Systems automatisch alle Vergünstigungen zugute, die Frankreich aufgrund seines Handelsvertragssystems genoß. Zum 1. Februar 1889 kündigte Frankreich, wesentlich aus Mißstimmung gegen die deutschen Zollerhöhungen der 80er Jahre und aus Rücksichtnahme gegenüber seinem Bündnispartner Rußland, seine sämtlichen Handels- und Zollverträge; damit war eine völlig neue Lage geschaffen, vollends, weil inzwischen vor allem Rußland und die Vereinigten Staaten ihre Zollsätze kräftig hinaufgeschraubt hatten. Um der Gefahr eines Zollkrieges aller gegen alle wirksam begegnen zu können, tat deshalb auch eine neue Orientierung der deutschen Handelspolitik not; hinzu kam, daß die Steigerung der Lebensmittelpreise in Deutschland infolge des Anstiegs der deutschen Getreidepreise zu Beginn der 90er Jahre die Unzufriedenheit der deutschen Sozialdemokratie noch gesteigert hatte, die deswegen zusammen mit freihändlerischen Gruppen eine Ermäßigung oder sogar Abschaffung des bestehenden Schutzzollsystems befürwortete. Die Niederlage des Kartells in den Wahlen von 1890 schuf dann auch für eine »Neuorientierung« eine günstige Basis: Sozialpolitik, Parteipolitik und Handelspolitik mußten vor einem »Deadlock« stehen, »wenn sie nicht in ein neues Fahrwasser gerieten.[10]« Das grundsätzlich Neue der Caprivischen Handelspolitik bestand darin, daß die Zollautonomie erstmals zugunsten einer langfristigen Tarifvertragspolitik durchbrochen wurde. Jetzt wurden erstmalig Tarifverträge (Verträge mit gebundenen Zöllen) abgeschlossen, und zwar mit einer Laufzeit von zwölf Jahren, eine Form der Handelspolitik, die für die Exportindustrie und den Handel viel günstiger als die einfachen Meistbegünstigungsverträge waren, da die Zölle innerhalb der Laufzeit des Vertragswerkes nicht ohne Zustimmung des andern Vertragspartners erhöht werden durften. Während im Falle der Meistbegünstigung dem Exporteur durch plötzliche Zollerhöhungen ein Teil seines Absatzmarktes verlorengehen konnte, hatte er jetzt durch den Tarifvertrag die Gewähr, daß keine Zollerhöhung während der Laufzeit des Vertrages im allgemeinen stattfinden konnte. Allerdings erfolgte diese Politik nach 1891 zunächst nur gegenüber den Staaten, die man durch wirtschaftliche Stärkung gleichzeitig politisch enger mit dem Deutschen Reich verbunden wissen wollte. Das waren als erster Staat Österreich-Ungarn, weiterhin Italien, Rumänien, Serbien, Bulgarien, die Schweiz; Rußland mußte – nach einem eineinhalbjährigen Zollkrieg ebenso wie den Getreideexportländern USA und Argentinien – der ermäßigte Getreidezoll ebenfalls zugestanden werden, was die ursprüngliche Intention der deutschen Regierung erheblich störte. Der russischen Regierung, die verlangt hatte, daß ihr die neuen deutschen Vertragszölle ohne irgendwelche größeren Gegenzugeständnisse eingeräumt würden, wurde diese Begünstigung auf Druck der deutschen Agrarier zunächst strikt verweigert; daraufhin wandte Rußland auf die deutsche Einfuhr den russischen Maximaltarif an, das heißt, es kam zum Zollkrieg. Aber das Interesse der deutschen Industrie am russischen Markt war so stark, daß der Reichstag gegen den Protest der Agrarier (Gründung des Bundes der Landwirte 1893) doch am 16. März 1894 den Handelsvertrag ratifizierte.

Hinter der Caprivischen Handelspolitik stand die Idee eines engeren zollpolitischen Zusammenschlusses Mitteleuropas gegen das britische Weltreich, gegen Rußland und vor allem gegen die Vereinigten Staaten. Das sprach Caprivi deutlich im Reichstag aus:

»Wollen die europäischen Staaten ihre Weltstellung aufrechterhalten, so werden sie nicht umhin können, eng aneinander sich anzuschließen. Es ist nicht un-

---

10 Rudolf Stadelmann, Der neue Kurs in Deutschland, in: GWU 4, 1953, S. 547 f.

möglich, daß die Zeit kommen wird, wo sie einsehen werden, daß sie Klügeres zu tun haben, als sich gegenseitig das Blut auszusaugen, weil sie im wirtschaftlichen Kampf um das Dasein genötigt sein werden, all ihre Kräfte einzusetzen.[11]«

Caprivi wollte den Dreibund ausdrücklich zu einer »ligue commerciale« ausgestalten; nur Rußland, dem man ja die ermäßigten Getreidezölle auch hatte zugestehen müssen, durchbrach dieses mitteleuropäische System. Graf Waldersee notierte am 17. März 1894:

> »Ich stehe völlig auf dem Standpunkt des Fürsten Bismarck, daß der Vertrag mit Österreich der ominöse Fehler war, der den mit Rußland schließlich nach sich ziehen mußte. Letzteres hat Caprivi nicht geglaubt, als er mit Österreich abschloß; er wollte ja einen *mitteleuropäischen Zollbund* (Hervorhebung v. Verf.), der sich also auch gegen Rußland richtete.[12]«

Diese Argumentation – Mitteleuropa gegen Rußland, England und die Vereinigten Staaten – beherrschte seit 1879 zunehmend das Denken und die Argumentation der führenden Nationalökonomen und der Beamten in der handelspolitischen Abteilung des Auswärtigen Amtes und des Ministeriums für Handel und Gewerbe.

Diese seit 1879 zunehmende neomerkantilistische Strömung sah in der Gründung einer mitteleuropäischen Zollunion das beste Gegenmittel gegen die Erdrückung durch die großen Wirtschaftsgebiete der Vereinigten Staaten, Rußlands und eines eventuell durch eine Zollunion zusammengefaßten britischen Empires.

Sehr stark von freihändlerischen Vorstellungen durchsetzt war damals noch die Argumentation von Albert Schäffle, der einen »Allerweltsfreihandel« noch für verfrüht hielt, und daher als Zwischenstufe einen mitteleuropäischen Zollbund wünschte, der jedoch keine Ausschließungspolitik treiben, keine hohen Zollmauern errichten sollte. Er forderte nur eine »Sammlung eines großen Teils des festländischen Europas zu gemeinsamer, jedoch nicht protektionistischer Handelspolitik, zum Zwecke vermehrter Anregung der Konkurrenz im Innern, zum Zwecke der Sicherung des eigenen europäischen Marktes für die Europäer, zum Zwecke des Ersatzes für den unausbleiblichen relativen Rückgang des Exportes in den überseeischen Gebieten, ... zum Zwecke eines gleichen Verhaltens gegen Erdteilsvölkerwirtschaften, welche uns gegenüber in ganz verschiedenem Grade und aus ganz verschiedenem Grunde gefährlich sind.[13]« Hier finden sich noch freihändlerische Vorstellungen wie die Ablehnung von Protektionszöllen und das Ideal des freien Wettbewerbs, aber es drängen sich schon die mer-

11 RT, Bd. 118, S. 3308, 10. 12. 91.
12 Alfred v. Waldersee, Denkwürdigkeiten des General-Feldmarschalls Alfred Grafen von Waldersee; Hrg. H. O. Meisner, Stuttgart u. Berlin, 1922 f.; Bd. 2, S. 311.
13 Albert E. F. Schäffle, Die amerikanische Konkurrenz im Lichte des jüngsten Census der Vereinigten Staaten, in: ZfgSW 42, 1886, S. 110.

kantilistischen Gedanken von der Sicherung des inneren Marktes, der Unsicherheit des Exports und schließlich die Lehre von den drei Weltreichen in den Vordergrund.

Wesentlich deutlicher ausgedrückt waren die merkantilistischen Auffassungen von der Entwicklung der Weltwirtschaft, die zur Gründung eines mitteleuropäischen Zollbundes drängten, bei Richard Kaufmann 1886[14]. Nach seiner Meinung würden die europäischen Staaten bald einen Kampf mit den USA, China und England auszutragen haben und »in jenem Kampfe schließlich untergehen, wenn sie es nicht verstehen, eine Form zu finden, in der sie mit vereinten Kräften dem Anprall die Stirn bieten« können. Diese Form sollte nach Kaufmanns Vorschlägen ein mitteleuropäisches Zollbündnis sein, als dessen »natürlichen Kristallisationskern« er Deutschland und Österreich-Ungarn ansah. Ein solches Zollbündnis würde einem doppelten Zweck dienen: »erstlich, die inneren Schranken womöglich ganz, jedenfalls teilweise wegzuräumen, und zweitens, die Schranken gegen das gemeinschaftliche Ausland zu verstärken.« Außer Österreich-Ungarn und Deutschland erschienen Kaufmann für dieses Bündnis noch geeignet: die Schweiz, Frankreich, Italien, die Balkanstaaten, Belgien und vor allem auch Holland, das durch diesen Bund eine enge Verbindung zu seinem deutschen Hinterland bekäme. »Die holländischen Kolonien aber, die zu halten auf die Dauer Holland zu schwach sein dürfte, würden, wie sie nach jenen Hinterländern ihre Produkte mit großem Vorsprung vor jeder Konkurrenz zu senden in die Lage kämen, zu neuem Glanze erblühen.«

Wie Kaufmann so riet auch Schmoller[15] Holland, sich einem mitteleuropäischen Bündnis unter deutscher Führung anzuvertrauen, wenn es nicht wie Spanien seine Kolonien verlieren wollte. Ernst v. Halle, Vortragender Rat im Reichsmarineamt, schlug 1901 in seinem Aufsatz »Die volks- und seewirtschaftlichen Beziehungen zwischen Deutschland und Holland« eine Marinekonvention sowie ein Zoll- und Verkehrsbündnis zwischen Holland und Deutschland vor, in das beim Zustandekommen von Greater Britain auch die holländischen Kolonien einzubeziehen wären. Diese Verbindung war nach Halle die logische Konsequenz aus der Tendenz zur Bildung von Weltreichen. Holland müsse sich in solch einer Zeit auf seinen stärkeren Nachbarn stützen, »um nicht eines Tages politisch und wirtschaftlich in eine verzweifelte Lage zu geraten«[16]. In zwei, 1884 und 1885 vor Kaufmann erschienenen Schriften über Deutschland und den

---

14 Richard Kaufmann, Der mitteleuropäische Zollverein, in: ZfgSW 42, 1886, S. 530 ff.; vgl. auch für die folgenden Zitate.
15 Gustav Schmoller, Die wirtschaftliche Zukunft Deutschlands und die Flottenvorlage, Vortrag vom Jan. 1900, zit. Zwanzig Jahre dt. Politik 1897–1917, Berlin 1920, S. 17.
16 Ernst v. Halle, Die volks- und seewirtschaftlichen Beziehungen zwischen Deutschland und Holland, in: Volks- und Seewirtschaft, Reden und Aufsätze, Bd. 2: Weltwirtschaftliche Aufgaben und weltpolitische Ziele, Berlin 1902, S. 49.

Orient [17] betonte auch Paul Dehn, daß Deutschland und Österreich-Ungarn der Kern des von ihm geplanten mitteleuropäischen Wirtschaftsgebietes werden müßten. Dehn bezog Frankreich nicht in seine Pläne mit ein, sondern rechnete es zu den konkurrierenden Weltreichen. Dagegen würde das Kerngebiet des Dreibundes Deutschland–Österreich–Italien »durch den Hinzutritt der Schweiz, Belgiens und Hollands im Westen und Polens und Litauens im Osten glücklich abgerundet«. Die Hoffnung auf Polen und Litauen gründete Dehn auf den angeblich sich abzeichnenden Plan einer Binnenzollgrenze zwischen Altrußland sowie Polen und den Ostseeprovinzen.

Dehns persönliches Anliegen war der Orient, den er nicht in sein mitteleuropäisches Projekt miteinbezog, der aber mitteleuropäisches Einflußgebiet und Grundlage einer deutschen Weltmachtstellung sein sollte. Damit Mitteleuropa ein blühendes Land mit einem großen Absatzmarkt zum Nachbarn hätte, sollte es die Türkei und die Balkanstaaten wirtschaftlich fördern: »Diese Hilfe aber wird anzubringen und darzubringen sein nicht als Opfer, sondern als ein Gebot der Interessen; denn Mitteleuropa krankt, wenn der Orient verfällt, und gesundet, wenn der Orient sich endlich wieder kräftigt.«

Die Hauptvertreter des Neomerkantilismus begrüßten die neuen Handelsverträge Caprivis, weil sie ihnen als ein Weg erschienen, das mitteleuropäische Wirtschaftsgebiet gegen die Weltreiche zusammenzuschließen. Wenn man erwarten sollte, daß die Zollsenkungen ihnen als ein Verrat am Prinzip des Schutzes der nationalen Arbeit erscheinen mußten, so stimmten im Gegenteil Nationalökonomen wie Schmoller oder Schäffle gerade diesen Zollsenkungen zu, weil sie den Weg zu Mitteleuropa erleichterten.

So schreibt Schmoller 1890: »Die Einsicht, daß wir auf der Bahn schutzzöllnerischer Zollkämpfe der europäischen Staaten untereinander und unter dem Drucke der russisch-amerikanischen Handelspolitik in den nächsten Jahrzehnten einer wirtschaftlichen Krise entgegentreiben, gegen welche die von 1873–1885 nur ein schwaches Vorspiel war, wird zunächst nur den hellsten Köpfen erwachsen.« Er begrüßte daher die Zollsenkungen, weil sie die Handelsverträge ermöglichten, die eine gewisse Aussicht für mitteleuropäisches Zusammengehen boten. Er hielt jedoch die allgemeine Meistbegünstigungsklausel nicht für ein genügend starkes Band, um das mitteleuropäische Vertragssystem zusammenzuhalten, sondern forderte

»eine Differenzierung der Meistbegünstigung in eine höhere und eine niedrigere Art für die nächststehenden und für die fernerstehenden Staaten. Die unwi-

---

17 Paul Dehn, Deutschland und der Orient in ihren wirtschaftspolitischen Beziehungen, 2 Tle., München und Leipzig 1884, Tl. 1; S. XXXV; S. VII, ders., Deutschland und die Orientbahnen, in: Schmollers Jahrbuch 9, II, 1885, S. 423 ff.

derstehliche Tendenz auf Bildung größerer Marktgebiete, die trotz politischer Selbständigkeit der Teile fähig sind, gegenüber den großen Welthandelsreichen mit Nachdruck für ihre gemeinsamen wirtschaftlichen Interessen aufzutreten, nötigt uns in Europa aber zu einer Neubildung völkerrechtlicher Art, die in die alten Schablonen und Vertragsformen nicht hineinpaßt, die weder Staatenbund, noch Meistbegünstigung, sondern ein drittes, Neues, zwischen beiden ist.[18]«

So soll denn die Meistbegünstigung erster Klasse für »nächststehende Staaten« vor allem dazu dienen, die zentraleuropäischen Staaten, besonders Deutschland und Österreich-Ungarn, zusammenzuhalten, denn »es ist heute eine unsinnige Schablone, daß wir Österreich und die Schweiz ganz ebenso behandeln wie Rußland und die USA« [19].

Auch Albert Schäffle setzte große Hoffnungen auf Caprivis Zollsenkungen und die Handelsverträge für die europäische Zollvereinigung:

»Die weitere Rückbildung des Agrar- und Industrie-Hochschutzsystems wird auch ganz besonders geeignet sein, die handelspolitische Zusammenfassung der alten Welt (samt ihren dauernd möglichen Kolonien) gegenüber einer gigantischen Übermacht Nordamerikas und Rußlands, deren die Panamerikaner und die Panslawisten trunkenen Zukunftsmutes schon voll sind, so erfolgreich als nüchtern entgegenzuwirken.«

Dieser Handelsvertragsbund würde nach Schäffle auch als Kampforganisation auftreten können; denn »wenn einmal Europa zur geschlossenen Individualität im System der Weltwirtschaft handelspolitisch gesammelt sein und sich wirklich fest, wenn auch nur vertragsweise zusammengeschlossen haben würde, so wäre man imstande, gegen die Brutalität von anderer Seite mittels Differentialbelastung (mittels allgemein höherer General-Tarife) wirksam zu reagieren« [20].

Diese Pläne waren auch nach 1894 nicht tot: H. Herkner, der Kathedersozialist, plädierte 1895 in der ›Frankfurter Zeitung‹ für die »Vereinigten Staaten von Europa« [21], und Schäffle forderte im gleichen Jahr die Schaffung von Mitteleuropa gegen die USA, England und Rußland. Die Hauptsorge blieben die angelsächsischen Länder, die extremen Schutzzölle der Vereinigten Staaten und die Pläne zu einem britischen Zollverband. Das Ereignis, das Freihändler wie Neomerkantilisten mit Sorge als Zeichen der völligen Abschließung des amerikanischen Marktes betrachteten, war schon der extrem schutzzöllnerische Mac Kinley-Tarif von 1890 gewesen, der eine durchschnittliche Zollerhöhung von 48 % gebracht hatte. Dieser Tarif sowie die nachfolgende Handelspolitik der USA mit dem

18 Schmoller, Neuere Literatur über unsere handelspolitische Zukunft, in: Schmollers Jb. 15, 1890, S. 281.
19 Schmoller, Die Epochen der Getreidehandelsverfassung und -politik, Schmollers Jb. 20, 1896, S. 695.
20 Albert E. F. Schäffle, Zur wissenschaftlichen Orientierung über die neueste Handelspolitik, in: ZfgSW 49, 1893, S. 132.
21 Heinrich Herkner, Die Vereinigten Staaten von Europa, in: FZ, Nr. 140, 21. 5. 95.

Dingley-Tarif von 1897, der den Mac Kinley-Tarif zum Teil noch übertraf, riefen heftige Anschuldigungen der deutschen Nationalökonomen und verschiedene Vorschläge für Kampfmaßnahmen gegen die Vereinigten Staaten hervor. Besonders bezeichnend für diese antiamerikanische Stimmung in der deutschen Nationalökonomie der damaligen Zeit war eine heftige Äußerung Adolph Wagners:

> »Dies Land und Volk schroffsten nationalen ›Wirtschaftsegoismus‹ unter Führung seiner Industriemagnaten und Trustvorstände ist zu allem fähig, und wird auch, sobald es seinen Vorteil dabei sieht, Baumwollausfuhrzölle einführen, am Ende auch einmal Kornausfuhrzölle, wenn es einigermaßen durchführbar erscheint, z. B. wenn die Union allein oder fast allein für den Getreidebezug Europas in Betracht käme.[22]«

Bereits 1895 hatte der Alldeutsche Verband die »Schaffung eines unter deutschem Einfluß stehenden geschlossenen mitteleuropäischen Wirtschaftsgebietes« gefordert, in Front gegen das »Angelsachsentum« und die »Slawische Vormacht Rußland«[23]. Mit diesen Anschauungen, die in der Folgezeit vor allem der Verbandsvorsitzende und nationalliberale Reichstagsabgeordnete Hasse, Professor der Statistik an der Universität Leipzig, propagierte, standen die Alldeutschen durchaus nicht allein: Theodor Schiemann forderte in den ›Preußischen Jahrbüchern‹ 1896 als Ziel deutscher Politik »eine zentraleuropäische Zoll- und Wirtschaftsunion«, die »Lösung der kolonialen Frage im großen Sinne«, die Demütigung Englands, die »Fortführung der Dreibundpolitik« sowie die »Eindämmung des übermächtigen russischen Einflusses.[24]« Ebenso sprachen die Nationalökonomen Karl Rathgen (1896) und Paul Voigt (1898) in den ›Preußischen Jahrbüchern‹ von der »Notwendigkeit eines mitteleuropäischen Zollbundes und eines sich selbst genügenden Wirtschaftsgebietes.[25]« Würde Deutschland diese Ziele nicht erreichen, so würde es auf den Rang einer Macht zweiter Klasse absinken. Die Kathedersozialisten Francke, Sering und Wagner schlossen sich diesen Vorstellungen an[26].

Gustav Schmoller sprach 1899 (in einem Flottenvortrag in Berlin) aus, daß es, um ein engeres handelspolitisches oder sogar zollpolitisches Bündnis mit Österreich-Ungarn und der Schweiz zu erreichen, keiner maritimen Machtmittel bedürfe, aber schon für die skandinavischen Reiche und Holland gestalte sich die Lage anders; ihnen gegenüber wäre man, wolle

22 Adolph Wagner, Agrar- und Industriestaat. Die Kehrseite der Industriestaaten und die Rechtfertigung agrarischen Zollschutzes mit besonderer Berücksichtigung der Bevölkerungsfrage, Jena, 1. Aufl. 1901, 2. Aufl. 1902, S. 152 f.
23 Alfred Lehr, Zwecke und Ziele des Alldeutschen Verbandes (1895), in: Kundgebungen, Beschlüsse und Forderungen des ADV 1890–1902, Flugschriften des ADV 14, S. 76.
24 Theodor Schiemann, (Pseudonym index), Deutschland und die Weltpolitik, in: PrJbb, Bd. 85, 1896, S. 114; Schiemann verstand seinen Plan für Mitteleuropa unter Einschluß Frankreichs.
25 Karl Rathgen, Über den Plan eines britischen Reichszollvereins, in: PrJbb 86, 1896, bes. 523 ff.; Paul Voigt, Deutschland und der Weltmarkt. in: PrJbb 91, 1896, bes. 278 ff.
26 Vgl. die Aufsatzsammlung: Handels- und Machtpolitik, Reden und Aufsätze, hrsg. von Schmoller, Sering, Wagner, 2 Bde. Stuttgart 1900.

man ein Zoll-, Handels- und Kolonialbündnis abschließen, nur bündnisfähig als Seemacht (schon deshalb bedürfe Deutschland einer starken Flotte). Nur so könne »dem überspannten Raubmerkantilismus und einer Teilung der Erde durch die drei Weltmächte« entgegengetreten werden[27]. 1900 forderte er als ersten Schritt zu einer mitteleuropäischen Zollunion die Herstellung eines europäischen Getreidezollschutzes mit der Spitze gegen die USA[28].

Als Caprivi im Reichstage seine Handelsvertragspolitik verteidigte, hatte er auch die Zustimmung der bürgerlichen Parteien und eines Teils der wirtschaftlichen Verbände gefunden. Der Zentrumsabgeordnete Reichensperger betonte die Notwendigkeit einer mitteleuropäischen Zollkoalition, der Sozialdemokrat Singer sprach von einer Konstituierung der Vereinigten Staaten von Europa, der Nationalliberale Möller (der spätere preußische Handelsminister [1901–1905]) erklärte, Mitteleuropa müsse sich auch handelspolitisch zusammenschließen. Diese Gedanken der »Vereinigten Staaten von Europa« gegen die USA wurden auch vom Kaiser 1896/97 aufgegriffen[29].

Scharf ablehnend verhielt sich der Freisinnige Eugen Richter:

»In dem Kommissionsbeschluß (des Reichstages vom Mai 1895 betr. Kündigung des dt.-argentin. Handelsvertrages) ist auch der Gedanke eines europäischen Zollbundes gestreift worden, um der ›überseeischen Konkurrenz mit Erfolg einen Damm entgegenzusetzen‹. Es lohnt nicht, auf dieses Phantasieprojekt näher einzugehen. Unter den einzelnen Staaten Europas widerstreiten ebenso die verschiedenen wirtschaftlichen Verhältnisse, wie die verschiedenen finanziellen Interessen einem Zusammenschluß zu einem Zollbunde. Das freihändlerische England würde von vornherein einem solchen Zollbunde sich verschließen.[30]«

Der Bund der Industriellen, der Teile der Export- und Fertigindustrie Deutschlands in sich vereinigte, sprach sich in einer Erklärung vom 21. Oktober 1901 weiterhin für eine »nachdrückliche Verfolgung des Gedankens einer europäischen Zollunion gegenüber den Vereinigten Staaten aus«, und am 12. November 1901 beschloß der Vorstand, die Vertretung von Handel und Industrie in den Handelsstaaten Europas zu einer Konferenz zur Frage der Errichtung einer europäischen Zollunion gegen die Vereinigten Staaten bzw. zu einer gemeinschaftlichen Delegiertenversammlung dieser Vertretungen aufzufordern. Diesen Vorschlag hatte bereits am 23. Oktober 1901 der Industrielle Club in Wien und die österreichische Zentralstelle zur Wahrung der land- und forstwirtschaftlichen Inter-

27 Gustav Schmoller, Die wirtschaftliche Zukunft Deutschlands und die Flottenvorlage, in: Handels- und Machtpolitik, Bd. 1, S. 33.
28 G. Schmoller, Grundriß der allgemeinen Volkswirtschaftslehre, Bd. 1, Leipzig 1900, S. 637.
29 Alfred Vagts, Deutschland und die Vereinigten Staaten in der Weltpolitik, New York/London 1935, Bd. 1, S. 22 ff.; vgl. auch S. 299 ff.
30 Artikel »Handelsverträge«, in: Eugen Richter, Politisches ABC-Buch, Jg. 1896, S. 198.

essen gemacht[31]. Diesen Vorstößen der freihändlerischen Kreise gegenüber verhielt sich das Direktorium des Centralverbandes Deutscher Industrieller, der die Interessen der Eisen-, Stahl- und Kohle- und der Textilindustrie vertrat, direkt ablehnend: Es erklärte in einer Resolution vom 14. Dezember 1901, daß bei »derartigen unpraktischen Bestrebungen« nicht auf eine Mitwirkung der deutschen Schwerindustrie gerechnet werden könne[32]. Damit zog die Schwerindustrie am gleichen Strang wie die deutschen Agrarier. Hatten die österreichischen Agrarier und hier besonders die ungarischen Großgrundbesitzer für eine Zollunion plädiert[33], so glaubten die deutschen Agrarier nur bei einer sehr hohen gemeinsamen Außenzollinie und gleichzeitigen Konzessionen für den Verkehr zwischen Österreich-Ungarn und Deutschland einer solchen Lösung zustimmen zu können. Klapper, einer der Agitatoren im Bund der Landwirte, und der hessische BdL-Führer Lucke hatten zwar in den 90er Jahren eine solche Lösung durchaus noch unterstützt, endgültig hatten sich dann jedoch die deutschen Agrarier 1899 bereits gegen einen Zollbund mit Österreich erklärt; diese Zurückhaltung der deutschen Agrarier kam nicht von ungefähr, mußten sie doch ihre ökonomische und soziale Machtstellung durch die ungarischen Landwirte eingeschränkt sehen. Zudem verhieß ihnen die Steigerung der Einnahmen aus dem Einfuhrscheinsystem und die Erhöhung der Getreidezölle im neuen Zolltarif neue Einnahmequellen und die staatliche Garantie direkter Subventionen. Auf der anderen Seite waren die österreichischen Industriellen mit Ausnahme einiger Industrien (Glas, Leinen, Möbel und einiger anderer Spezialartikel) zudem für eine volle Zollunion auch nicht zu haben, mußten sie doch mit Recht befürchten, von der hochentwickelten deutschen Industrie aufgesogen zu werden. Ein gemeinsamer Ausfuhrtarif mußte bei der Schutzbedürftigkeit der österreichischen Industrie vollends ein Ding der Unmöglichkeit sein: Der österreichische Nationalökonom Philippovich plädierte auf der Tagung der Gesellschaft der österreichischen Volkswirte im Jahre 1900 dann auch nur unter der Voraussetzung von Zwischenzöllen zugunsten der österreichisch-ungarischen Industrie für ein Zollbündnis[34]. Zu den handelspolitischen Problemen kamen erschwerend noch die sozialpolitischen und die Fragen der Valuta und der Finanzen hinzu. Nicht zuletzt auch aus diesen Gründen – der Furcht vor einer internationalen Arbeiterschutzgesetzgebung und Arbeiterversicherung – erschienen vor allem der deutschen Schwerindustrie diese Gedanken äußerst suspekt. Auch hier bewährte sich also das Bündnis von Großindustrie und Junkertum in dem Sinne, daß beide Partner mit unterschiedlicher Moti-

---

31 HuG, Nr. 4, 2. 11. 01, S. 45; Nr. 7, 23. 11. 01, S. 83 f.
32 HuG, Nr. 11, 21. 12. 01, S. 141.
33 Vgl. Karl Diehl, Zur Frage eines Zollbündnisses zwischen Deutschland und Österreich-Ungarn, Jena 1915, S. 16 ff.
34 Ibid., S. 27 ff.

vation einer mitteleuropäischen Zollunion oder einer Wirtschaftsgemein-
schaft der zwei Kaiserreiche reserviert, wenn nicht direkt ablehnend gegenüberstanden. Generell war die Diskussion dadurch aber nicht zum Stillstand gekommen: In der Mitteleuropadiskussion gingen weiterhin mehrere Konzeptionen nebeneinander her, die sich zum Teil ergänzten: die kleine Lösung, ein »wirtschaftliches Großdeutschland« (Karl Diehl), weiter
der Gedanke eines mitteleuropäischen Wirtschaftsverbandes und zuletzt,
quasi als Maximallösung, die Idee einer europäischen Zollunion (Kern:
Deutschland und Österreich-Ungarn, die Niederlande, die drei skandinavischen Staaten, die Schweiz, Italien, die Balkanhalbinsel unter Einschluß
der europäischen Türkei, zum Teil auch noch unter Hinzutritt Frankreichs).
Dieser letzte Gedanke erfuhr dann noch eine spezifische politische Variante: die Hoffnung auf einen mitteleuropäischen Staatenbund.

Das deutsche Dilemma: Forcierter Aufschwung und Kapitalmangel

Unter dem Eindruck der Caprivischen Handelsvertragspolitik kam es zu
einem raschen Aufschwung der deutschen Industrie. Nach den Jahren der
Depression seit 1873 kam es endgültig 1895 zu einer neuen Phase der
Hochkonjunktur, die bis 1900 andauerte: »Auf fast allen Gebieten der
Wirtschaft war ein Aufschwung zu verzeichnen. Mit der Erhöhung der In-
dustriegewinne ging eine Steigerung der Löhne und Gehälter Hand in
Hand.[35]« In diesem Jahrzehnt zwischen 1895 und 1905 verwandelte
sich die wirtschaftliche Struktur der »jungen« Weltmacht Deutschland
endgültig von dem Agrarstaat der 70er und auch noch der 80er Jahre zu
dem aufblühenden Industriestaat; und jetzt erst kam es auch zu einer
deutlichen Verbesserung der Lage der handarbeitenden Schichten.

Der deutsche Aufstieg schien unaufhaltsam. England, der alten Vormacht, schien es bestimmt zu sein, in das zweite Glied abzusinken. Im Zuge der Miquelschen Sammlungspolitik von 1897 kam es wieder zu einer
Annäherung von Industrie und Landwirtschaft; wie die Agrarier eine Erhöhung der Agrarzölle, so erklärten nun auch große Teile der Schwerindustrie und die Textilindustrie eine Erhöhung der Industriezölle für erforderlich, um die englische und amerikanische Konkurrenz vom deutschen Inlandsmarkt fernzuhalten. Hinzu kam, daß sich nach dem Kon-
junkturanstieg der Jahre 1895 bis 1900 eine deutliche Abschwächung der
Konjunktur vollzog, die auch durch staatliche Maßnahmen zur Stützung
der Konjunktur, wie die Flottengesetze von 1897 und 1900, nur zum geringen Teil aufgefangen werden konnte.

---

35 Hans Fürstenberg, Carl Fürstenberg, Die Lebensgeschichte eines deutschen Bankiers 1870–1914,
Berlin 1931, S. 359.

Die im Dezember 1902 im Reichstag verabschiedeten Zolltarifsätze (Mindesgetreidezölle für Weizen 5,50 M und 5,00 M für Roggen pro Dz) benachteiligten die stark exportinteressierten Industrien: die Maschinen- und Kleineisenindustrie, die Tuch- und Wollindustrie. Schon 1900 waren die chemischen Fabriken ebenso wie die Papier verarbeitende Industrie aus dem Centralverband deutscher Industrieller ausgetreten, da sie sich mit der Schwerindustrie, die die agrarische Hochschutzzollpolitik mit vertrat, in einem unüberbrückbaren Interessengegensatz befanden [36].

Mit dem Rüstzeug dieses Zolltarifs trat dann die deutsche Reichsregierung in Handelsvertragsverhandlungen ein. Besonders schwierig gestalteten sich dabei die Verhandlungen mit Rußland, da die russischen Unterhändler nicht bereit waren, die neuen deutschen Getreidezölle zu akzeptieren. Erst durch den russisch-japanischen Krieg und die infolgedessen immer prekärer werdende finanzielle Lage Rußlands, die die russische Regierung zur Aufnahme einer neuen Anleihe auf dem deutschen Geldmarkt zwang, wurde die russische Regierung zum Einlenken bestimmt. Ende Juli 1904 wurde der neue deutsch-russische Handelsvertrag unterzeichnet, und auf der Grundlage dieses für Deutschland außerordentlich günstigen Kompromisses wurde auch mit Österreich-Ungarn, Italien, Belgien, der Schweiz, Rumänien und Serbien abgeschlossen. Ende Januar 1905 wurden die neuen Verträge dem Reichstag zugeleitet, und am 22. Februar wurden sämtliche Vorlagen gegen den Widerstand der Sozialdemokraten, der süddeutschen Volkspartei und einiger Freisinniger angenommen. Diese Handelsverträge traten zum 1. März 1906 in Kraft und hatten wieder eine Laufzeit von 12 Jahren, sie liefen also Ende Februar 1918 ab.

Mit den neuerlichen Tariferhöhungen waren vorerst die Mitteleuropa-Ideen auf Eis gelegt. Schmoller tadelte diese Rückkehr der deutschen Handelspolitik zum Hochschutzzoll; sie erschien ihm als Rückschritt gegenüber der Handelsvertragspolitik Caprivis:

>»Hätte die deutsche Reichsregierung von 1894 an den Gedanken einer mitteleuropäischen Zollunion weiter wie 1890–1894 gepflegt, statt die Hochschutzzollagitation zu dulden, zu streicheln und zu fürchten, so wären wir heute in besserer handelspolitischer Lage, so stände man kräftiger den wirtschaftlichen Riesenmächten und aussichtsvoller der mitteleuropäischen Vereinigung gegenüber.[37]«

Der wirtschaftliche Aufstieg verlief jedoch stetig weiter. Deutschland schien zur Weltmacht berufen – zur Weltmacht berechtigt. Doch für diesen Aufstieg wurde Kapital in immer größerem Umfang benötigt. Und dieses Kapital wurde immer knapper. Die forcierte Expansion seiner Industrie

---

36 Vgl. VMB des CdJ, 100, Mai 1905, S. 59 f. Schon 1890 war der Verein zur Wahrung der Interessen der chemischen Industrie Deutschlands aus dem CdI ausgetreten.
37 G. Schmoller, Grundriß der allgemeinen Volkswirtschaftslehre, Tl. 2, Leipzig 1904, S. 637.

und die Finanzierung von Exportaufträgen für diese Industrie überstiegen in zunehmendem Maße die Finanzkraft der deutschen Kreditinstitute, zumal seit der Jahrhundertwende der Import von Kapital aus den kapitalstarken Ländern Frankreich und England infolge der politischen Spannungen ständig zurückging. Diese Lage verschlechterte sich noch durch die Investitionen der deutschen Industrie auf dem Elektro- und Chemie-Sektor, weil diese Industriezweige wegen ihrer technologischen Entwicklung besonders kapitalbedürftig waren. Die Probleme für die deutsche Wirtschaft erhöhten sich noch dadurch, daß ein großer Teil der Exporte und Investitionen in fremden Staaten überhaupt nur dadurch möglich wurde, daß sich Deutschland bereit fand, auf dem Anleiheweg diese Investitionen wenigstens zu einem Teil vorzufinanzieren. Hierdurch erhöhte sich zwar der deutsche Auslandsbesitz – und zwar sowohl in Form von ausländischen Anleihen wie auch in Form von Produktionsanlagen im Ausland – ständig, aber ebenso beständig wurde hierdurch eine Verknappung und Verteuerung des Kapitals in Deutschland bewirkt.

Zu diesen Schwierigkeiten beim deutschen Außenhandel trat noch eine steigende Rohstoffabhängigkeit der deutschen Industrie, die vor allen Dingen von der Schwerindustrie mit wachsender Sorge betrachtet wurde. Die Versuche, durch Beteiligung in französischen und russisch-polnischen Erzlagern und durch das Erschließen kolonialer Rohstoffbasen hier eine grundlegende Besserung der Lage zu schaffen, brachten Deutschland dabei in Gegensatz zu den übrigen Industrie- und Kolonialnationen. 1907 klagte Emil Kirdorf, Vorsitzender des Rheinisch-Westfälischen Kohlensyndikats und der Gelsenkirchener Bergwerks-AG, darüber, daß es für die deutsche Industrie »von Tag zu Tag schwerer« würde, »sich den berechtigten Platz auf dem Weltmarkt zu verschaffen«, wobei er auf die ungünstige Rohstoffversorgung verwies [38].

Die Gefährdung der Politik der »offenen Tür« und das Wiederaufleben der Mitteleuropa-Idee

Die Klagen deutscher Industrieller über die steigenden Schwierigkeiten für den deutschen Export vor allem seit 1910 lassen sich auf verschiedene Faktoren zurückführen. Die Handelsverträge mit Schweden und Portugal empfand man als Enttäuschung; Belgien und Frankreich drohten mit Zollerhöhungen. In den Vereinigten Staaten hatte der Protektionismus mit dem Payne-Aldrich-Tarif vom August 1909 einen neuen Sieg errungen; Holland hatte 1910 seine Zölle erhöht; von dem von Kanada erhobenen

---

38 VMB des CdI, 107, Nov. 1907, S. 83 ff.

Zuschlagzoll, der Importe aus Deutschland erschwerte, konnte sich das Deutsche Reich nur durch ein Abkommen vom Februar 1910 befreien, in dem Kanada auf landwirtschaftliche Produkte der Minimalsatz des Zolltarifgesetzes von 1902 gewährt wurde. Die Zeitschrift ›Sächsische Industrie‹, das Organ des Verbandes Sächsischer Industrieller (Stresemann-Gruppe), brachte im April 1910 ihren Unmut auf die Formel:

> »Das Deutsche Reich mit seinen 65 Millionen Einwohnern, seiner vielbeneideten glänzenden Wirtschaftsentwicklung, seinem wachsenden Reichtum und seiner gewaltigen Kaufkraft hat sich von einem kleinen Staat nach dem anderen zu Verhandlungen nötigen lassen, über die man sich nicht in Deutschland, sondern nur im Auslande freuen konnte. Wie lange noch?[39]«

Auf der Delegiertenversammlung des Centralverbandes am 12. April 1910 analysierte Bueck, der Generalsekretär des Verbandes, die Handelsbeziehungen mit Schweden, Portugal, England und den USA dahingehend, »in den weitesten industriellen Kreisen sei die Ansicht vertreten..., daß die neuen Handelsverträge nicht günstig für sie ausgefallen sind.[40]« Vor allem die Handelsbeziehungen zu den USA hätten sich äußerst kompliziert und für Deutschland wenig vorteilhaft gestaltet, weil nicht ein genereller Meistbegünstigungsvertrag, sondern nur ein Vertrag zu erreichen gewesen war, der auf dem Prinzip der gegenseitigen Begünstigung beruhte. Praktisch bedeutete diese Abmachung, daß Deutschland den USA generell die niedrigeren Zollsätze seines Tarifs hatte zugestehen müssen, um einen Zollkrieg zu vermeiden und nicht durch die Anwendung der amerikanischen Maximaltarife vom amerikanischen Markt verdrängt zu werden.

Zu den handelspolitischen Schwierigkeiten kamen stärker werdende Abwehrversuche Frankreichs gegen ein zu starkes Engagement der deutschen Schwerindustrie in den französischen Minettefeldern. Der Erwerb französischer Erzfelder war bereits im Jahre 1900 durch die Deutsch-Luxemburgische Bergwerksgesellschaft (Stinnes) und den Thyssenkonzern eröffnet worden. Die Schwerpunkte des deutschen Interesses lagen in der Normandie und im Becken von Longwy-Briey; hier waren 1910 alle großen Werke vertreten: Phoenix-Haspe-Hoesch-Konsortium, Gelsenkirchen, Röchling, Klöckner, Stinnes, Dillinger-Hütte, Burbacher-Hütte, Gutehoffnungshütte, Thyssen.

Als Antwort auf die Abschließungstendenzen in den USA, England und Rußland wurde im Deutschen Reich erneut die Idee eines mitteleuropäischen Wirtschaftsraumes als Abwehrmaßnahme aufgenommen. Der 1904 von dem Nationalökonomen Julius Wolf gegründete Mitteleuropäi-

---

39 Sächsische Industrie 14, 25. 4. 10, S. 216.
40 DIZ, Nr. 16, 16. 4. 10, S. 239.

sche Wirtschaftsverein schloß sich an Überlegungen der Caprivischen Handelspolitik und an die älteren Ideen der Spätbismarckzeit an. Nur ein zoll- und handelspolitisch geeintes Mitteleuropa schien gegenüber den »großen Märkten« der Vereinigten Staaten, des Britischen Reichs und Frankreichs bestehen zu können. Aufgrund der Widerstände in Österreich-Ungarn und in Deutschland war an eine Verwirklichung der zollpolitischen Einigung Mitteleuropas zunächst gar nicht zu denken; doch zeigt die Zusammensetzung des Gründungspräsidiums, wie weitverbreitet die Mitteleuropaidee war. Ihm gehörten neben Nationalökonomen wie Wolf, Pohle und Tschierschky der Vorsitzende des Krupp-Direktoriums Roetger, der Vizepräsident des Reichstages Paasche an, weiterhin Männer wie Ballin (Hapag), Bassermann (Nat.-Lib.), Spahn (Zentrum), Wirth (Vorsitzender des BdI) und Vopelius (Vorsitzender des CdI), außerdem Vertreter der Stummschen Hüttenwerke, von Siemens & Halske sowie Henkkel-Donnersmarck und der Vorsitzende des Alldeutschen Verbandes Claß (seit 1908) [41]. Der Mitteleuropäische Wirtschaftsverein konzentrierte sich zunächst auf verkehrspolitische und handelsgesetzliche Aufgaben, Schlichtungsprobleme etc., Fragen, die als Vorstufe zu der erstrebten wirtschafts- und zollpolitischen »Allianz« betrachtet wurden. Nach 1905, im Zuge der neuen Serie von Handelsverträgen, bestand ja ohnehin wenig Aussicht auf eine zollpolitische Vereinigung der in Frage kommenden Staaten. Dennoch blieb ›Mitteleuropa‹ immer als mögliche Alternative für die deutsche Handelspolitik im Gespräch. Der Nationalökonom Professor v. Halle (der erst im Reichsmarineamt, dann im Reichsschatzamt tätig war) entwarf in der ›Deutschen Wirtschaftszeitung‹ [42] (herausgegeben von dem Syndikus der Ältesten der Kaufmannschaft von Berlin und dem Direktor des Stahlwerksverbands) im Januar 1905, kurz bevor die Handelsverträge endgültig vom Reichstag verabschiedet wurden, die Perspektiven einer Entwicklung, für die seiner Meinung nach auch Europa im Zeitalter eines neuen merkantilen Imperialismus sich handelspolitisch umformen müsse. Bedrohung und Vorbild zugleich sind ihm die USA und Großbritannien, die sich beide durch die Angliederung neuer Wirtschaftsgebiete sowohl ausreichende Rohstoffbasen als auch weitreichende Exportmärkte gesichert hätten. Auch in Frankreich sei die Tendenz unverkennbar,

> »vor allem in Algier, dem benachbarten Tunis, Marokko und weiterhin in dem sonstigen französischen, so ungeheuer erweiterten Kolonialreich eine geschlossene, selbstgenügsame Wirtschaftseinheit zu schaffen«.

Und Halle empfiehlt gegenüber diesen Tendenzen für ein Mitteleuropa unter deutscher Führung folgende Modelle:

---

41 Vgl. Hartmut Kaelble, Industrielle Interessenpolitik in der Wilhelminischen Gesellschaft, CdI 1895–1914, Berlin 1967, S. 157.
42 Ernst v. Halle, Zur handelspolitischen Lage, in: DWZ, Nr. 2, 15. 1. 05, bes. S. 79 ff.

»Mag man darauf hinzielen, einen mitteleuropäischen Zollbund unter Einbeziehung skandinavischer Reiche und Hollands zu schaffen, etwa in Abgrenzung gegen den neuerdings gelegentlich erörterten französisch-iberischen Zollbund und das große Slawenreich, oder mag man sich dem Gedanken eines engeren wirtschaftspolitischen Zusammenschlusses von Nord- und Mitteleuropa unter Einbeziehung von Rußland als der großen Getreidekammer, oder gar dem zunächst chimärisch erscheinenden Gedanken eines Zusammengehens mit Frankreich zuwenden.«

Die Zukunft, so folgert Halle, werde sich mit den vorhandenen zollpolitischen Gebilden in Europa nicht begnügen: neuere, bessere müßten an deren Stelle treten. Repräsentativ sind in diesem Zusammenhang auch die Ausführungen eines der führenden nationalliberalen Publizisten, des Schmoller-Schülers Arthur Dix. In einem Aufsatz von 1910 mit dem Titel »Deutschlands wirtschaftliche Zukunft in Krieg und Frieden« griff er die alten Mitteleuropa-Pläne wieder auf [43]. Als erster Schritt zu den »Vereinigten Staaten von Europa« sollte ein »Zollverein von Zentraleuropa« entstehen. Dix wies darauf hin, welch »eminente Wichtigkeit« ein wirtschaftspolitisches Zusammengehen von Mitteleuropa für die Zukunft gewinnen könne, weil dadurch eine »feste Garantie gegen die Erdrückung Mitteleuropas durch die Riesenstaaten«, und zwar vor allem durch die USA gegeben sei. Er griff dabei auf Pläne Schmollers aus dem Jahre 1900 zurück, zunächst einen sogenannten Getreidezollbund zu schaffen. Des weiteren referierte er ähnliche Ansichten des österreichischen Nationalökonomen und Herrenhausmitgliedes v. Philippovich, der unter Aufrechterhaltung einzelner Binnenzölle (um die österreichische Industrie zu schützen) ebenfalls ein großes mitteleuropäisches Wirtschaftsgebiet gefordert hatte. Dix wandte sich gegen eine staatsrechtliche Einigung Europas: »Von einem mitteleuropäischen Staatenbunde wäre wenig oder nichts, von einem Zollbunde alles zu erwarten.« Da Dix die baldige Verwirklichung dieses Zieles skeptisch beurteilte, forderte er die Aufrechterhaltung des freien Wettbewerbs auf dem Weltmarkt und wies Deutschland dabei die Aufgabe zu, gegenüber den kleineren Staaten als »Freund und Beschützer bedrohter Selbständigkeit« aufzutreten.

Für den Fall eines Krieges wies Dix darauf hin, daß sich aus der geographischen Lage wie der wirtschaftlichen Situation des Deutschen Reiches die Notwendigkeit einer »offensiven Kriegführung« ergebe. Da der moderne Krieg ein viel engeres Zusammenspiel von Wirtschaft und Staat als in früheren Zeiten erfordere, propagierte Dix die Idee, einen »ständigen volkswirtschaftlichen Beirat« beim Kriegsministerium bzw. beim Großen Generalstab einzurichten. Dieser Vorschlag wurde in den folgenden Jah-

---

43 Arthur Dix, Deutschlands wirtschaftliche Zukunft in Krieg und Frieden, Jahrbücher f. Nationalökonomie und Statistik, 3. Folge, Bd. 40, 1910; Zitate: S. 461–466, 480.

ren ausgiebig diskutiert. Das Problem der volkswirtschaftlichen Kriegsvorsorge im allgemeinen von Bankiers, Publizisten und Nationalökonomen nach der zweiten Marokkokrise von 1911 noch intensiver behandelt. Allerdings kam es weder zu der Institutionalisierung der wirtschaftlichen Kriegsvorbereitung in Form eines »Volkswirtschaftlichen Beirats«, noch konnten sich die aus Kreisen des Wirtschaftslebens und der Wissenschaft vorgetragenen Anregungen bei den regierungsinternen Vorbereitungen durchsetzen.

Infolge der Marokkokrise von 1911 wurde der Optimismus, unter dem Prinzip der offenen Tür weiterhin unbeschränkt auf dem Weltmarkt konkurrieren zu können, noch stärker gedämpft als vordem. Frankreich hatte sich bereits überragenden politischen und ökonomischen Einfluß in Marokko gesichert und die deutschen wirtschaftlichen Interessen trotz der Abmachungen des Algeciras-Vertrages entscheidend zurückgedrängt.

Im gleichen Jahr faßte der Nationalökonom Franz Gehrke die Schwierigkeiten für die deutsche Außenhandelswirtschaft in der folgenden Umschau zusammen [44]:

> »In Ost- und Südasien bedroht uns die Konkurrenz Japans, ebenso in Australien. Unsere Fabrikatenausfuhr nach Amerika leidet unter der Hochschutzzollpolitik der Vereinigten Staaten, welche die Konkurrenz bis auf einige Spielwaren und Ramschartikel zu unterbinden streben, während sie gleichzeitig Mittelamerika zu ihrer wirtschaftlichen Domäne machen und in Brasilien zu unserem Schaden Fuß fassen. Der englische Markt endlich bedroht unseren Außenhandel mit weiteren Einschnürungen, wenn der Plan eines zu einer wirtschaftlichen Einigung zusammengeschlossenen ›Größeren Britanniens‹ verwirklicht wird.«

Deswegen müsse man nach neuen Absatzgebieten suchen. Gehrke wies zunächst auf Afrika hin, das aber Süd- und Ostasien nicht ersetzen könne, da es schwach bevölkert sei und außerdem unter englisch-französischem Einfluß stehe. Ein weiterer außereuropäischer Markt sei Kleinasien und der vordere Teil von Asien; diese Gebiete seien wegen ihrer Rohstoffarmut kaum imstande, eine eigene industrielle Produktion aufzubauen und von daher stets auf die Einfuhr von Fertigfabrikaten aus den Industrieländern angewiesen. Als weiteres Exportgebiet komme Kontinentaleuropa in Betracht. Hier müsse Deutschland vor allem auf seine Nachbarn einen größeren Handelseinfluß ausüben. Deutlich zeichnen sich in dieser Analyse die drei Stoßrichtungen der deutschen Wirtschaftspolitik ab: Mittelafrika, Vorderer Orient, Mitteleuropa [45].

Aber nicht nur unter Nationalökonomen suchte man nach einem Aus-

---

44 Franz Gehrke, Die Aussichten und die Sicherung des deutschen Außenhandels, in: Jahrbücher für Nationalökonomie und Statistik, 3. Folge, Bd. 41, Jena 1911, S. 376 ff.
45 Vgl. Gehrke, Deutschlands zukünftige und jetzige Absatzgebiete, zit. Germania, Nr. 107, 11. 5. 11.

weg für die deutsche Handelspolitik, sondern zur gleichen Zeit traten auch die führenden industriellen Interessenverbände mit neuen Vorschlägen hervor. Der Bund der Industriellen glaubte, daß das bisherige handelspolitische Instrumentarium nicht ausreichte, um Deutschland im Kampf mit den anderen Nationen bestehen zu lassen. Er empfahl daher die Abschaffung der allgemeinen Meistbegünstigung, wie sie zum Beispiel mit Frankreich aufgrund älterer Verträge bestand. Diese Überlegungen unterstützte auch der Generalsekretär des CdI, Bueck, der ebenfalls für eine »durchgreifende Änderung unserer Handelspolitik« plädierte und die Erhöhung der Zollsätze für industrielle Fertigprodukte in dem Handelsvertragstarif forderte. Zudem müsse als Waffe ein viel höherer Generaltarif geschaffen werden, um den »solange gegen uns verübten Druck und Zwang zu vergelten« [46].

---

46 H. A. Bueck, Zur Änderung der deutschen Handelspolitik, in: Der Tag, Nr. 206, 208, 210 (drei Folgen), 2. 9.–7. 9. 11.

II. KAPITEL

Die Vorherrschaft von Junkertum und Großindustrie: Konservative Ordnung und sozialistische Bedrohung

Von Bismarck bis Caprivi

Politik und Gesellschaft des Deutschen Kaiserreichs von 1871 wurden von denselben konservativen Kräften geprägt, die auch schon Preußens Gesicht bestimmt hatten. Wohl hatte Bismarck in den ersten Jahren des neuen Reichs auch nationalliberal gesinnte Politiker an der Regierung beteiligt und sich der nationalliberalen Partei im Reichstag bedient, um gegen den organisierten deutschen Katholizismus den Kulturkampf zu führen, um dem neuen Reich eine moderne Wirtschaftsgesetzgebung zu geben und bisweilen, um den Konservativen zu zeigen, daß er sich auch der konservativen Partei nicht unterordnen wollte; doch am Ende der siebziger Jahre wurden die liberalen Minister entlassen, die aufsteigende sozialistische Partei durch das Sozialistengesetz von 1878 unterdrückt und schließlich der Übergang vom fast unbeschränkten Freihandel zum Schutzzoll vollzogen, weil die Agrarier und die Großindustriellen davon überzeugt waren, daß der Freihandel ihren wirtschaftlichen Interessen nicht mehr entsprach, ja, daß der Freihandel für die Großgrundbesitzer gefährlich war, weil er ihnen die materielle Basis für ihre soziale Vorherrschaft entziehen konnte. Es war nur konsequent, daß Bismarck den Reichstag, in dem sich eine bedeutende Minderheit gegen diese Umorientierung der Reichspolitik gesträubt hatte, durch die Schaffung eines Volkswirtschaftsrats, in dem Vertreter der Interessen über die wirtschafts- und sozialpolitische Gesetzgebung befinden sollten, entmachten wollte [1].

Im Jahre 1879 hatten die Nationalliberalen dieser Politik Bismarcks noch Widerstand entgegengesetzt, doch in der Mitte der 80er Jahre unterwarfen auch sie sich der Bismarckschen Politik, während die Linkslibera-

---

1 Vgl. Helmut Böhme, Deutschlands Weg zur Großmacht, Köln/Berlin 1966, S. 575 f.; Julius Curtius, Bismarcks Plan eines Volkswirtschaftsrates, Heidelberg 1919.

len zwar ihre Opposition aufrecht erhielten, sich aber zugleich über die Grundsätze einer oppositionellen Politik zerstritten und ihre Kräfte in mehrere Einzelgruppen aufsplitterten. Der Kartellreichstag von 1887 offenbarte mit der Verbindung der beiden konservativen Parteien und der Nationalliberalen dann endgültig, daß sich die Nationalliberalen und mit ihnen die Großindustrie an die herrschenden sozialen Gruppen assimiliert hatten.

Konservative Kräfte beherrschten die Gesellschaft des Kaiserreichs; denn sowohl das Offizierkorps wie auch die Bürokratie waren fast ausschließlich konservativ. Die Säuberungsmaßnahmen, die das Heer in den sechziger Jahren von den liberalen Landwehroffizieren befreit hatten, hatte für die Bürokratie der preußische Innenminister von Puttkamer in den achtziger Jahren vorgenommen[2]. Eine weitere beharrende Kraft waren die protestantischen Landeskirchen, und zwar insbesondere die Kirche der Altpreußischen Union mit dem Evangelischen Oberkirchenrat an der Spitze, die entschlossen waren, allen Liberalisierungstendenzen in Politik und Gesellschaft entgegenzuwirken. Auch die katholische Kirche hatte grundsätzlich die gleiche Position, auch sie war konservativ, auch sie dachte an die Bewahrung des Bündnisses von Thron und Altar genauso wie an die Bewahrung der vorhandenen sozialen Abstufungen im Volke. Das Mißtrauen, ja der in manchen protestantischen Kreisen verbreitete Haß gegen das Zentrum als politischer Vertretung des deutschen Katholizismus speiste sich aus vielen Quellen, aber mangelnde konservative Gesinnung hatte nie zu den Vorwürfen gehört, die gegen den Katholizismus erhoben wurden. Und trotz der vielen Vorbehalte, die gerade in preußisch-konservativen Regierungskreisen gegen das Zentrum bestanden, hatte das Zentrum seit 1879 immer wieder zu den »Regierungsparteien« gehört, da es für eine die konservativen Interessen begünstigende Wirtschafts- und Sozialpolitik eingetreten war. Seit den Reichstagswahlen von 1898 war – selbst wenn die Regierung gewollt hätte – ein bedingungsloser Kampf gegen das Zentrum, etwa als Neuauflage des Kulturkampfes, schon deswegen nicht mehr möglich, weil eine parlamentarische Mehrheitsbildung ohne oder gegen das Zentrum nahezu aussichtslos war[3]. Konservative und Nationalliberale mußten dabei hinnehmen, daß sich das Zentrum jedes Zugeständnis auf wirtschaftspolitischem Gebiet auch mit Konzessionen in kirchlichen und sozialpolitischen Fragen honorieren ließ.

Die Gesellschaft des Deutschen Kaiserreichs wurde vom Adel, dem Offizierkorps und der Bürokratie geprägt, wobei der adlige Offizier der vor-

---

2 Vgl. Eckart Kehr, Das soziale System der Reaktion in Preußen unter dem Ministerium Puttkamer, in: Primat der Innenpolitik, Berlin 1965, S. 64–86.
3 Vgl. Richtlinien des Preußischen Staatsministeriums vom 30. 12. 97 für die Wahlen von 1898. abgedr. bei H. J. Puhle, Agrarische Interessenpolitik und preußischer Konservatismus, Anlage 17, S. 329 ff.

nehmen Garderegimenter das gesellschaftliche Leitbild aller übrigen Schichten wurde. Ihm suchte sich auch das deutsche Bürgertum anzupassen; seine Spitzen – insbesondere die reich gewordenen Industriellen – ahmten in ihrem Lebensstil den adligen Offizier nach und strebten häufig genug danach, selber in den Adel aufgenommen zu werden. Bismarck und in noch stärkerem Maße Wilhelm II. haben diese Assimilierungsbestrebungen durch Nobilitierungen gefördert. Der Kaiser zog reiche Industrielle, Bankiers und Kaufleute in großer Zahl an den Hof. Männer wie Krupp und sein Schwiegersohn von Bohlen und Halbach, wie die Gebrüder Stumm, wie Gwinner und Helfferich von der Deutschen Bank, wie Max v. Schinckel und Carl Fürstenberg oder wie die oberschlesischen Industriemagnaten Henckel-Donnersmarck, Pleß und Hatzfeld gehörten nun ebenso selbstverständlich zur Umgebung des Kaisers wie die zumeist aus preußischen Junkerfamilien entstammenden Offiziere und hohen Beamten [4].

Einen ähnlichen Prozeß der Assimilierung machte auch eine große Anzahl jüdischer Familien mit. Zumeist waren sie von ihrem angestammten Glauben zum Christentum übergetreten, ehe sie durch Nobilitierung und Verleihung von Ordensauszeichnungen in den Kreis der zur Gesellschaft gehörenden Familien aufgenommen wurden, aber es gab auch Ausnahmen wie Gerson v. Bleichröder, der bei seinem jüdischen Glauben blieb und dennoch geadelt wurde. Trotzdem blieb die Stellung dieser jüdischen Familien innerhalb der konservativen Gesellschaft des Deutschen Reiches äußerst problematisch. Die Tatsache, daß der Kaiser Ballin, Emil und Walther Rathenau, Max Warburg, Salomonsohn, Fürstenberg oder Friedländer-Fuld empfing und auf ihren Rat hörte, konnte nämlich nicht darüber hinwegtäuschen, daß die adlige Gesellschaft, Minister, Bürokraten und Offiziere ihnen die Gleichberechtigung versagten und in diesen Kreisen ein latenter Antisemitismus vorherrschte, während sich in breiten mittelständischen und bäuerlichen Schichten, die ihre soziale Stellung durch die fortschreitende Industrialisierung bedroht sahen, ein offener Antisemitismus breitmachte. Die meisten Schlagworte der späteren antisemitischen Agitation in der Weimarer Republik und im Dritten Reich sind im Wilhelminischen Deutschland geprägt worden.

Ein nicht unbeträchtlicher Teil dieser assimilierten jüdischen Familien, die in innenpolitischen Fragen zumeist eine vorsichtig liberalkonservative, zum Teil aber auch eine prononciert linksliberale Haltung einnahmen, vertrat außenpolitisch das Programm der imperialistischen deutschen Weltpolitik und ordnete sich auch insofern voll in die Hauptströmung der deutschen Politik vor 1914 ein.

---

4 Vgl. Nikolaus v. Preradovich, Die Führungsschichten in Österreich und Preußen (1804–1918), Wiesbaden 1955, vgl. auch Lysbeth W. Muncy, The Junker in the Prussian Administration under William II, 1888–1914, Providence 1944.

Das Bündnis von Junkertum und Großindustrie hat in einer ersten Phase von 1879 bis 1891 die politische Situation im Deutschen Reich bestimmt. Die Auseinandersetzung um die Caprivische Handelsvertragspolitik hatte dieses Bündnis gesprengt; denn die Zollpolitik des neuen Kanzlers begünstigte die Interessen der Industrie und forderte damit den erbitterten Widerstand der Agrarier heraus, die im Zeichen der landwirtschaftlichen Krise seit 1891 und wegen der Übermacht der Getreideexportstaaten Rußland, Argentinien und der Vereinigten Staaten bei einer Herabsetzung der Getreidezölle um ihre ökonomische und soziale Vormachtstellung bangten. Die Agitation des 1893 gegründeten Bundes der Landwirte, als einer wirkungsvollen pressure group, der die Mehrheit der bäuerlichen Grundbesitzer organisierte und sie für großagrarische Interessen einzusetzen verstand, vertiefte den Gegensatz zur Industrie[5]. Da sich jedoch bei einem anhaltenden Kleinkrieg zwischen Industrie und Landwirtschaft und zwischen den sie repräsentierenden politischen Parteien eine geordnete Regierungsgewalt nicht aufrecht erhalten ließ, versuchte eine Gruppe im preußischen Staatsministerium unter Führung des Finanzministers Miquel, die alte Bündniskonstellation wiederherzustellen. Die Schlagworte von einer angeblichen Bedrohung der Gesellschaft und des Staates durch die sozialdemokratisch beeinflußte Arbeiterschaft und von der Notwendigkeit einer deutschen Weltpolitik, die eine Zusammenfassung aller Kräfte erfordere, dienten dabei zur Begründung dieser Sammlungspolitik. Auch der Kaiser, der über die Opposition der Agrarier gegen den Monarchen persönlich verletzt war, wurde mit diesen Argumenten zu einer »Versöhnung« mit den Agrariern und zum Verzicht auf eine Politik der sozialen Reformen gezwungen. Die Festigung des alten Bündnisses 1897 hatte neben ideologischen auch interessenpolitische Gründe. Vertreter der deutschen Schwerindustrie wie Bueck, Kirdorf, Beumer und Jencke empfanden sich als Erben der Politik Bismarcks, deren Ziel die Interessensolidarität der »schaffenden Stände« gewesen war. Noch kurz vor seinem Tode hatte Bismarck in einem Artikel der ›Hamburger Nachrichten‹ deutlich gemacht, daß sich die Schwerindustriellen zu Recht auf ihn beriefen. Bismarck empfahl ein Zusammengehen der »produktiven Stände«, der »Bienen..., mögen sie Getreide, Webstoffe oder Metalle erzeugen«, gegen die Masse des Volkes, die »Drohnen«, die allerdings »im Parlamente das große Wort führen«. Ziel dieser Interessenkoalition müsse die Beseitigung der Gefahr einer »latenten Parlamentsherrschaft« sein, was am besten durch die »Bekämpfung

---

5 Für den Bund der Landwirte vgl. jetzt H. J. Puhle, Agrarische Interessenpolitik und preußischer Konservatismus, Hannover 1966.

und Unschädlichmachung der Sozialdemokratie« geschehe[6]. Antisozialistische Parolen und die Aufforderung, die eigenen Interessen gegen die unerwünschte Einmischung derjenigen, die keinen Besitz hatten, zu verteidigen, dienten in Bismarcks Argumentation als Begründung für seine antiparlamentarische Haltung und als Aufforderung an die besitzenden Schichten, durch die Sammlung der »produktiven Stände« jeden Angriff auf die bestehende Ordnung, die ihnen ein politisches und soziales Machtmonopol verliehen hatte, abzuwehren. Die Bereitschaft zur »Sammlungspolitik« war auf seiten der Industrie und der Landwirtschaft vorhanden, zumal sich beide Seiten bewußt waren, daß sie für die Durchsetzung ihrer Wünsche und Forderungen jedenfalls im Reichstag der Unterstützung der anderen Gruppe bedurften. Über die Hauptzielsetzungen und vor allen Dingen über die Prioritäten der Sammlungspolitik war mit dieser grundsätzlichen Stellungnahme jedoch noch nichts entschieden. Wünschten die Industriellen vor allen Dingen einschneidende Maßnahmen gegen die Koalitionsfreiheit der Arbeitnehmerschaft (Zuchthausvorlage 1899), so interessierte die Landwirtschaft dieses Problem nur mittelbar, da die Gesindeordnung eine Koalition der landwirtschaftlichen Arbeitnehmerschaft verhinderte. Dem Ausbau des innerdeutschen Wasserstraßennetzes, wie er im Interesse der deutschen Industrie von der Regierung geplant war, wollten die Agrarier in keinem Fall zustimmen, weil sie darin die Gefahr sahen, daß von den Nordseehäfen billigere ausländische Agrarprodukte auf dem kostensparenden Wasserweg in das Innere Deutschlands geliefert würden und dadurch ihre dort bisher unangefochtene Monopolstellung gefährdet werden könnte. Auch für die im Zuge der Weltpolitik forcierten Planungen für eine große deutsche Schlachtflotte konnten sich die landwirtschaftlichen Interessenten nicht begeistern. Die Industrie stand dagegen den Wünschen der Agrarier auf einschneidende Erhöhungen der Agrarzölle zurückhaltender gegenüber, weil man die Schwierigkeiten sah, die für den deutschen Export durch solche Maßnahmen entstehen müßten, und zugleich befürchtete, daß erhöhte Agrarzölle auch erhöhte Lebenshaltungskosten und damit ebenso unvermeidlich die Forderung nach höheren Löhnen bedeuteten. Über Flottenbau, Mittellandkanal und Zolltarif haben sich Agrarier und Industrielle und ihre politischen Vertretungen zwar gestritten, und häufig sah es eher nach einem Auseinanderbrechen der Interessenkoalition als nach einem beide Seiten befriedigenden Kompromiß aus, aber trotz aller Schwierigkeiten kamen ein die jeweils hauptinteressierte Gruppe befriedigendes Flotten- und Zolltarifgesetz und sogar der Mittellandkanal bis Hannover zustande. Die »Kardorff-Mehrheit« des Zolltarifgeset-

---

6 H. Hofmann, Fürst Bismarck 1890–1898, Bd. 2, Berlin 1913, S. 406 ff.; Artikel Bismarcks in den HN vom 11. 3. 97.

zes von 1902 stellte sich trotz aller Divergenzen als eine in sich geschlossene Mehrheit dar, die sich wohl untereinander um die Vorteile ihrer unsozialen Politik stritt, sich aber darin einig war, daß alle anderen sozialen Gruppen an diesen Vorteilen nicht partizipieren sollten. Schwerindustrie und Großgrundbesitz hatten ihre soziale Lage nicht nur behauptet, sondern auch noch ausbauen können: Der erhöhte Getreidezoll (5.50 Mark für den Doppelzentner Weizen, 5.00 Mark für Roggen als Minimalzölle statt bisher 3.50, 7.50 bzw. 7.00 Mark als Maximalzölle) bedeutete eine Staatssubvention für die Großagrarier, und der Roheisenzoll garantierte der Schwerindustrie weiterhin die Beherrschung des Binnenmarktes und auch noch die Möglichkeit, durch Dumping auch auf dem Exportmarkt konkurrenzfähig zu bleiben. Benachteiligte dieser Politik waren die primär am Export interessierten Fertigwarenindustrien und die breiten Konsumentenschichten, deren Lebenshaltung noch verteuert wurde.

Kardorff-Mehrheit und Linksliberalismus: Antisozialismus als Klammer der bürgerlichen Parteien

Bei den beiden konservativen Parteien war der antisozialistische Impuls deutlich mit dem antiliberalen verbunden. Ihr Kampfruf hieß: gegen die rote und goldene Internationale, gegen den Umsturz, Juden und Börse. Die konservative Partei, geleitet von Ernst v. Heydebrand und der Lasa, unterstützt durch die Agitation des Bundes der Landwirte unter Roesicke und Frhrn. v. Wangenheim mobilisierte mit diesem Slogan auch breite mittelständische Schichten. Der antisemitische Bezugspunkt, den vor allem der Bund der Landwirte vehement herausstellte[7], verbreiterte die Basis der Partei bis hinein in den sog. Neuen Mittelstand, das heißt die Angestelltenbewegung. So stand der Deutschnationale Handlungsgehilfenverband der Partei sehr nahe[8]. Auch die parteipolitische Vertretung des Alten Mittelstandes, wie die antisemitischen Gruppierungen »Wirtschaftliche Vereinigung« und die Deutsch-Soziale Partei, lehnten sich an die Konservativen Partei an. Die Freikonservative Partei (Reichspartei) unter der Führung Wilhelm von Kardorffs, später des Frhrn. Oktavio von Zedlitz-Neukirch, war ebenfalls von der Notwendigkeit überzeugt, kompromißlos gegen die Sozialdemokratie vorzugehen. Gerade von der Reichspartei ging dann auch 1904 die Gründung des Reichsverbandes gegen die Sozialdemokratie aus, der unter der Führung des alldeutschen Generals Eduard v. Liebert (MdR) stand und bis Kriegsausbruch agitierte[9].

7 Puhle, Agrarische Interessenpolitik, S. 111–142; Der militante Antisemitismus der Agrarier.
8 Vgl. Iris Hamel, Völkischer Verband und nationale Gewerkschaft; Die Politik des DNHV 1893–1933, Hamburg 1966.
9 Dieter Fricke, Der Reichsverband gegen die Sozialdemokratie von seiner Gründung bis zu den Reichstagswahlen von 1907, ZfG 7, 1959, H. 2, S. 237 ff.

Zu einem Kompromiß mit den Trägern der Macht war auch das nationalliberale Großbürgertum bereit, nicht nur wegen seiner wirtschaftlichen Interessen, sondern auch weil es sich ebenfalls von dem Aufstieg der organisierten Arbeiterschaft bedroht fühlte. Vor allem der rechte Flügel der Nationalliberalen Partei, der sich um die schwerindustriellen Interessen sammelte und seine Basis in der Fraktion im Preußischen Landtag besaß, verband den Kampf gegen die Sozialdemokratie mit der Forderung nach »Weltpolitik«. Eine starke Mittelgruppe der Partei unter Führung von Bassermann und Stresemann, hinter der vor allem die Interessen der Banken und der Exportindustrien standen, war in ihrer Taktik gegenüber der Sozialdemokratie weit weniger radikal. Hier hoffte man auf eine Entwicklung der Sozialdemokratie zu einer nationalen Arbeiterpartei nach dem Muster der englischen Labour Party und suchte diesen Prozeß nicht zuletzt auch durch die Propagierung imperialistischen Gedankenguts zu beschleunigen. Der linke Parteiflügel, der sogenannte Jungliberalismus, trat seit 1909 sogar für eine Zusammenarbeit mit der »Umsturzpartei« auf Einzelgebieten ein, blieb aber innerhalb der Partei einflußlos.[10]

Ebenso zwiespältig war das Verhältnis des Zentrums zur Sozialdemokratischen Partei; in wirtschaftspolitischen und weltanschaulichen Fragen bestand ein unüberwindbarer Gegensatz, jedoch nahm sein linker Flügel in Fragen der Sozialpolitik eine entgegenkommendere Haltung ein. Mit Rücksicht auf die Christlichen Gewerkschaften und die katholischen Arbeiter im Ruhrgebiet und in Oberschlesien konnte es sich das Zentrum nicht leisten, allzu weit hinter den sozialpolitischen Forderungen der Sozialdemokraten zurückzubleiben. Der industrielle Flügel der Partei (um die rheinischen und schlesischen Industriellen wie Graf Ballestrem und August Thyssen) war relativ schwach. Ihren stärksten Rückhalt besaß die Partei bei den Bauern und im gewerblichen Mittelstand. Diese beiden mittelständischen Gruppierungen verfochten kontinuierlich eine scharf antisozialistische Politik. Die auseinanderstrebenden Gruppen des Zentrums, dieser hinsichtlich ihrer sozialen Zusammensetzung am wenigsten homogenen Partei des Kaiserreichs, versuchte mit nicht geringem Erfolg der mitgliedstarke »Volksverein für das katholische Deutschland« zusammenzuhalten. Bis 1914 blieb dabei eine vehemente Gegnerschaft zur Sozialdemokratie lebendig, die z. T. auch dazu diente, die Integrationskraft solcher Parolen für die eigene Partei zu nutzen. Bezeichnend dafür ist eine Äußerung von Matthias Erzberger, eines Mannes, der sozialpolitisch und in Fragen der Erweiterung der Rechte des Reichstages auf dem linken Flügel seiner Partei stand:

---

10 Theodor Eschenburg, Das Kaiserreich am Scheideweg, Berlin 1929, S. 268 f.; Exposé Junck 1909.

»Das größte Problem, das der inneren Politik des Reiches zur Lösung gestellt
ist, ist die Zertrümmerung der gewaltigen Macht der Sozialdemokratie; hinter
dieser Kernfrage des innerpolitischen Lebens stehen alle anderen zurück ...
Rechte, Zentrum und Nationalliberale müssen ihn (das heißt den Kampf gegen
die Sozialdemokratie) ... mit aller Entschiedenheit und allen Konsequenzen
aufnehmen und geschlossen führen – im Interesse des Staatsganzen. Es gibt
keine notwendigere Aufgabe der Gegenwart als diese, und die zukünftige Generation würde uns nie von der Schuld des Parteiegoismus, der berechtigten Anklage der politischen Kurzsichtigkeit und Unfähigkeit lossprechen können,
wenn diese Parteien versagen wollten.« [11]

Obgleich die Linksliberalen an ihren alten Forderungen auf Einführung eines freiheitlichen Wahlrechts in Preußen, auf Herbeiführung einer
freihändlerischen Handelspolitik und auf Umgestaltung des Regierungssystems im Reich im Sinne einer Parlamentarisierung festhielten und in
programmatischen Erklärungen auf Parteitagen oder im Reichstag diese
Forderungen immer wieder als Hauptziele ihrer Politik bezeichneten,
mußten sie sich damit abfinden, daß es im Reich keinen Parlamentarismus
und keinen Freihandel und in Preußen kein gleiches und geheimes Wahlrecht gab. In den von ihnen mit großen parlamentarischen Mehrheiten beherrschten preußischen Kommunen verhinderten die Linksliberalen selbst
eine Änderung des ihnen hier ein Machtmonopol verleihenden Dreiklassenwahlrechts, ebenso wie es in Preußen die beiden konservativen Parteien
taten. Das hinderte die Linksliberalen indes keineswegs daran, mit den
Sozialdemokraten bei Reichstagswahlen und auch bei Wahlen zu den
Landtagen gemeinsame Sache zu machen – und zwar zumeist aufgrund
eines ungeschriebenen Übereinkommens zwischen den beiden Partnern –;
eine Anerkennung der Forderungen der Sozialdemokratie oder gar ein
Bündnis zwischen Liberalen aller Schattierungen und den Sozialdemokraten, wie Friedrich Naumann es unter dem Schlagwort eines »Blocks von
Bassermann bis Bebel« gefordert hatte, um auch einer imperialistischen
deutschen Politik den notwendigen innenpolitischen Rückhalt zu verschaffen, bedeutete diese Politik aber nicht. Insofern ordneten sich auch die
Linksliberalen in die Phalanx der übrigen bürgerlichen Parteien ein, die
alle einen antisozialistischen Kurs verfochten und sich doch alle nicht
scheuten, notfalls mit Hilfe der Sozialdemokratie eigene Vorstellungen
durchzusetzen.

Allerdings bestanden innerhalb der linksliberalen Parteien gewisse Unterschiede hinsichtlich der Intensität der antisozialistischen Politik. Während die Freisinnige Vereinigung unter Eugen Richter den Kampf gegen
rechts und links, das heißt gegen Junkertum und Sozialdemokratie auf
ihre Fahnen geschrieben hatte und im wirtschaftspolitischen Raum immer

11 Matthias Erzberger in: Der Tag (rot), 13. 5. 1914, auszugsweise zit.: Klaus Epstein, Matthias
Erzberger und das Dilemma der deutschen Demokratie, Berlin/Frankfurt 1962, S. 113; ebenso
K. Westarp, Konservative Politik, Bd. 1, S. 338.

Vertreterin eines reinen Manchesterliberalismus geblieben war – jedenfalls soweit staatliche Eingriffe in die Wirtschaftspolitik sozialpolitische Maßnahmen beinhalteten –, war die Freisinnige Volkspartei, die vornehmlich die Interessen von Börse, Banken und freihändlerischer Kaufmannschaft in sich vereinigte, ebenso wie die Süddeutsche Volkspartei, in der die demokratischen Traditionen Badens und Württembergs gepflegt wurden, eher geneigt, zumindest ein taktisches Zusammengehen mit den Sozialdemokraten zu praktizieren [12]. Als sich die drei linksliberalen Parteien 1910 zur Fortschrittlichen Volkspartei vereinigten, hatten sie gerade das Experiment einer Koalition mit den Nationalliberalen und den Konservativen im sogenannten Bülow-Block hinter sich. Diese Vereinigung hatte im wesentlichen auch auf einer schroff antisozialistischen Politik beruht, und erst nach ihrem Auseinanderbrechen und dem Pakt zwischen Zentrum und Konservativen, dem sogenannten schwarz-blauen Block, besannen sich die Linksliberalen wieder darauf, daß liberale Politik in Preußen wie im Reich niemals mit, sondern immer nur gegen die Konservativen durchzusetzen gewesen war. Nun waren für sie auch die Sozialdemokraten wieder durchaus annehmbare Partner im Kampf gegen Zentrum und Konservative, und die Idee einer Abwehrfront aller Liberalen und der Sozialdemokratie gegen die Mehrheit der reaktionären Parteien im Reichstag wurde erneut vor allem von linksliberaler Seite propagiert und von rechtssozialdemokratischer Seite zustimmend aufgegriffen.

Die Behandlung der Sozialdemokratie stellten die Regierung und die bürgerlichen Parteien vor große Schwierigkeiten; ständig schwankten sie zwischen einer Repressionspolitik und Versuchen, die Arbeitermassen entweder der Sozialdemokratie abspenstig zu machen oder aber die sozialdemokratische Partei selbst von ihrem politischen Programm, in dessen Mittelpunkt die Umwandlung der bestehenden Gesellschaftsordnung stand, abzubringen. Bismarck versuchte die Vernichtung der Partei durch die Verbindung von Sozialistengesetz und Sozialpolitik zu erreichen. Als 1890 das Sozialistengesetz gegen seinen Willen nicht mehr verlängert wurde und die sozialdemokratische Partei zum erstenmal seit 1878 wieder ungehindert ihren Wahlkampf führen konnte, zeigte sich schon in dem Wahlergebnis – die Sozialdemokraten erhielten zum erstenmal die meisten Stimmen –, daß diese Politik gescheitert war.

Die Politik des »Neuen Kurses« – inauguriert von Kaiser Wilhelm II. und seinem neuen Kanzler Caprivi – sollte die Arbeiterschaft durch Verzicht auf direkte Unterdrückungsmaßnahmen und durch die Bereitschaft zu weiteren sozialpolitischen Maßnahmen für den bestehenden Staat ge-

---

12 Zur Geschichte des Linksliberalismus bis 1918, vgl. neuerdings Ludwig Elm, Zwischen Fortschritt und Reaktion, Geschichte der Parteien der Liberalen Bourgeoisie in Deutschland 1893–1918, Berlin 1968.

winnen. Auch dieser Versuch scheiterte, weil es nicht gelang, die Arbeiterschaft von der Sozialdemokratie abzuspalten, solange jede substantielle
Änderung des politischen, sozialen und wirtschaftlichen Systems des deutschen Kaiserreichs unterblieb. Seit dem sozialdemokratischen Wahlsieg
kam der Kaiser, der sich schon als sozialer Volkskaiser gesehen hatte, sehr
schnell wieder unter den Einfluß seiner konservativen und schwerindustriellen Umgebung; jetzt plädierte er, in extremer Umkehr seiner Politik von 1890, für die sogenannte Zuchthausvorlage von 1899, die das Koa-
litionsrecht der Arbeiterschaft radikal einzuschränken versuchte, vom
Reichstag jedoch nicht angenommen wurde [13]. Bülow hat wie seine Vorgänger Hohenlohe und Caprivi in dieser Frage eine vorsichtige Politik
verfochten. Die immer wieder von Konservativen und schwerindustriellen
Teilen der Nationalliberalen erhobene Forderung auf Unterdrückung der
Sozialdemokratie und der Freien Gewerkschaften stieß bei ihm auf wenig
Entgegenkommen, da er die Auffassung vertrat, daß eine erfolgreiche
Bekämpfung der politischen und gewerkschaftlichen Organisationen der
deutschen Arbeiterschaft nur möglich wäre, wenn die bürgerlichen Parteien
geschlossen hinter der Regierung ständen. Die Erfahrungen mit dem Sozialistengesetz und mit allen späteren Versuchen, auf gesetzlichem Wege
die politischen Möglichkeiten der Sozialdemokratie einzuschränken, hatten deutlich gemacht, daß an dem Widerstand großer Teile der Linksliberalen, der Nationalliberalen und vor allen Dingen auch des Zentrums solche Ausnahmegesetze scheitern mußten. Die ablehnenden Parteien leitete
dabei die Überlegung, daß solche Ausnahmegesetze den Zusammenhalt
der Sozialdemokratie nur verstärken und die Tendenzen innerhalb der
Sozialdemokratie, die den bestehenden Staat nicht mehr grundsätzlich ablehnten, schwächen konnten, und daß ihnen die Zerschlagung der Sozialdemokratie kaum Vorteile bringen konnte, sondern zum Beispiel im
Reichstag nur die konservativen Kräfte stärken mußte. Gerade für das
Zentrum war die Aufrechterhaltung einer parlamentarisch ungeschwäch-
ten Sozialdemokratie die Garantie dafür, selber für Mehrheitsbildungen
unentbehrlich zu bleiben. Eine erfolgreiche Bekämpfung der Sozialdemokratie in Form einer dauernden parlamentarischen Schwächung gelang daher nicht; denn der Erfolg Bülows bei den Januarwahlen von 1907, als die
Sozialdemokratie bei einer stark gesteigerten Wahlbeteiligung zum erstenmal wieder relativ an Stimmen verlor und von 81 Mandaten auf 43 zurückging, ging auf eine, wie sich zeigen sollte, einmalige und unwiederholbare
Konstellation zurück. Mit mehr Berechtigung als auf eine »Eindämmung«
der Sozialdemokratie bei den Wahlen konnten die Kathedersozialisten
und weite Kreise im liberalen Bürgertum, ja selbst Mitglieder der Re-

---

13 Vgl. Karl Erich Born, Staat und Sozialpolitik seit Bismarcks Sturz, Wiesbaden 1957.

gierung, auf die »Mauserung« der Sozialdemokratie von einer »Umsturzpartei« zu einer Partei der sozialen Reform hoffen [14].

Die Sozialdemokratie zwischen Revolution und Reformismus: Auseinandersetzung zwischen Partei und Gewerkschaften

Seit der Nichterneuerung des Sozialistengesetzes im Jahre 1890 und seit der Neubildung der Freien Gewerkschaften und der Errichtung der Generalkommission im Jahre 1891 entwickelte sich parallel zu dem ständigen Anwachsen der Wählerzahlen der Sozialdemokratie und der Zunahme der Mitgliederzahl in den sozialistischen Gewerkschaften eine Diskrepanz zwischen den im Parteiprogramm von Erfurt 1891 erneut bekräftigten sozialrevolutionären Parolen und der tatsächlichen Politik der deutschen Sozialdemokratie. Das Ziel einer Umwandlung der kapitalistischen Gesellschaftsordnung in eine sozialistische, klassenlose Gesellschaft wurde zwar weiterhin als das einzig mögliche Endziel der sozialdemokratischen Partei und aller ihrer Gliederungen – als solche galten auch die Gewerkschaften – hingestellt, und auf allen Parteitagen und im Reichstag in Grundsatzerklärungen des Parteivorstandes oder der Fraktionssprecher propagiert, doch tatsächlich betrieb gerade die Parteiführung und mit ihr die Mehrheit der Reichstagsfraktion eine Politik, die sich nicht darauf beschränkte, ein Endziel anzuvisieren, sondern welche die realen Interessen der Arbeiterschaft in der Gegenwart vertrat. Die Beobachtung dieser Haltung der Führer der Sozialdemokratie veranlaßte Eduard Bernstein zu dem Versuch, die Diskrepanz zwischen dem Erfurter Programm und der tatsächlichen politischen Praxis durch eine Neuformulierung der politischen Ziele zu überbrücken, Bestrebungen, die unter dem Namen »Revisionismus« bekannt geworden sind [15]. Diese Richtung wurde bekämpft von dem linken Flügel der Partei, der die Reinerhaltung der sozialistischen Lehre im Sinne von Karl Marx als seine Hauptaufgabe ansah und die Arbeiten der Reichstagsfraktion ständig mit Mißtrauen betrachtete, weil sie in der praktischen Parlamentsarbeit aufzugehen schien. Für die linke Gruppe war daher der reformistische Kurs der Gewerkschaftsführer ein Stein des Anstoßes, weil diese sich in ihrem Wunsche, für die von ihnen vertretenen Arbeiter höhere Löhne und größere soziale Sicherheit durchzusetzen, häufig zur Kooperation mit gemäßigten bürgerlichen Gruppen bereit zeigten und damit auf eine grundsätzliche Bekämpfung der bestehenden Gesellschaftsordnung verzichteten. Die gegensätzlichen Auffassun-

---

14 Vgl. den Brief Schmollers an Bülow, 10. 2. 07, zit. Bülow, Denkwürdigkeiten, Bd. 2, S. 286 f.
15 Peter Gay, Das Dilemma des demokratischen Sozialismus, (dt.) Nürnberg 1954.

gen in der sozialdemokratischen Partei über die jeweils zu verfolgende politische Strategie und Taktik wurden vor dem Ersten Weltkrieg allerdings niemals voll ausgetragen. Der Einfluß der Parteiführung unter August Bebel, Paul Singer, Wilhelm Liebknecht, Ignaz Auer sorgte dafür, daß die Gegensätze durch Kompromißformeln überbrückt wurden. Diese Kompromißformeln schienen zumeist den Linken in der Partei recht zu geben; denn es verging fast kein Parteitag vor 1914, bei dem die revisionistischen Theoretiker oder die reformistischen Gewerkschaftler nicht wegen ihrer Äußerungen oder tatsächlichen politischen Handlungen getadelt wurden. An zwei politischen Fragen entzündeten sich die politischen Gegensätze insbesondere; einmal war das Problem des politischen Massenstreiks zum Zankapfel zwischen den Gewerkschaften und den Parteidoktrinären geworden, da es die Gewerkschaften ablehnten, sich in dieser Frage von der Partei ihren Kurs vorschreiben zu lassen. Die Gewerkschaften lehnten die Möglichkeit eines politischen Massenstreiks zwar nicht grundsätzlich ab, doch bestanden sie darauf, daß sie und nicht die Partei in dieser Frage die Führung haben sollten. Nach langen Auseinandersetzungen erreichten sie dann 1905 von der Partei die Anerkennung ihrer Gleichberechtigung. Mit dieser Entscheidung hatte sich – trotz des prinzipiellen Eintretens der Parteiführung unter Bebel für einen politischen Massenstreik – der Standpunkt der Gewerkschaften durchgesetzt und der Streik wurde niemals als Mittel zur Erkämpfung politischer Rechte eingesetzt [16]. Der zweite große Streitpunkt in der Partei war das Problem der Budgetbewilligung. Die Reichstagsfraktion und mit ihr die überwiegende Mehrheit der Partei beharrten auf dem Standpunkt, daß die sozialdemokratische Partei aus grundsätzlicher Opposition gegen das bestehende gesellschaftliche, politische und wirtschaftliche System kein Budget und keine Steuern oder Abgaben bewilligen durfte, weil in jeder solchen Bewilligung eine Anerkennung des Systems gesehen wurde.

Diese prinzipielle Stellungnahme der Parteimehrheit hinderte in den süddeutschen Staaten die Landtagsfraktionen allerdings nicht daran, häufiger dem Budget oder doch Budgetteilen zuzustimmen. Auf den Parteitagen der Gesamtpartei – so in Nürnberg 1908 – wurde dieses Verhalten zwar von der überwiegenden Mehrheit der Parteitagsdelegierten scharf getadelt, aber die Delegierten aus Baden, Bayern, Hessen und Württemberg erklärten, sie fühlten sich in der speziellen Landespolitik nicht an die Beschlüsse der Gesamtpartei, sondern nur an die Beschlüsse ihrer Landesorganisationen gebunden. Ähnlich wie in der Massenstreikfrage setzten sich also auch bei der Budgetbewilligung die Revisionisten durch.

---

16 Günter Griep, Über das Verhältnis von Sozialdemokratie und freien Gewerkschaften 1905/06 in Deutschland, ZfG 11 (1963), S. 915 ff.

Für die Entwicklung der Sozialdemokratie wurden die Reichstagswahlen von 1912 entscheidend, da die Partei nun mit 110 Mandaten die größte Partei geworden war und in ihr die stark praxis-orientierten Gewerkschaftler zusammen mit den süddeutschen Revisionisten die Mehrheit besaßen, während die traditionell besonders »radikale« Parteiorganisation Preußens in der Reichstagsfraktion stark unterrepräsentiert war. Von nun an war die Taktik der Partei mehr darauf ausgerichtet, das Schwergewicht ihrer 110 Reichstagsmandate in der konkreten Gesetzgebung des Reichstages zum Tragen zu bringen. Daß der Parteiführung dabei das im Programm der Partei aufgestellte Ziel der Umwandlung der bestehenden Gesellschaftsordnung aus dem Blick geraten konnte, das tadelten die Kritiker innerhalb der Partei; aber gerade auf diese Entwicklung setzte ein Teil des Bürgertums seine politischen Hoffnungen; denn wenn die Sozialdemokratie auf die grundsätzliche Bekämpfung des bestehenden Staates verzichtete, so sah man die Möglichkeit, sie als Verbündeten gegen den reaktionären Konservatismus zu gewinnen, der bisher die politische Herrschaft des Liberalismus in Deutschland verhindert hatte [17].

Schwerindustrie und Sozialdemokratie: Die Aufrechterhaltung des »Herr-im-Hause«-Standpunktes

Die Differenzen innerhalb der Sozialdemokratie über die Taktik und Strategie, sowie über die Endziele der eigenen Politik waren vor allen Dingen unter den Kathedersozialisten mit großer Aufmerksamkeit verfolgt worden. Die in der »Gesellschaft für soziale Reform« und im »Verein für Sozialpolitik« vereinigten Gelehrten und sozialpolitischen Praktiker sahen sich durch die Entwicklung in der Sozialdemokratie in ihren eigenen Vorstellungen bestätigt. Sie hatten immer vor Repressalien gewarnt und dafür eine Politik sozialer Reformarbeit, die den als berechtigt angesehenen Forderungen der Arbeiterschaft entgegenkam, empfohlen und waren dabei häufig in Konflikt mit den Vereinigungen der deutschen Industrie geraten, deren Unmut sich zuletzt bei den Beratungen über die »Zuchthausvorlage« in hemmungslosen Angriffen Stumms auf die Führer der Kathedersozialisten entladen hatte [18].

Die Vertreter der deutschen Schwerindustrie lehnten alle Organisationen der Arbeiterschaft – gleich ob es sich um die Sozialdemokratie oder um die sozialistischen oder christlichen Gewerkschaften handelte – ab, da jede Organisierung der Arbeiterschaft ihre eigene Position bedrohte. Auf

---

17 Naumann, Die politischen Parteien, Berlin 1910; vgl. auch Naumanns Artikel in der ›Hilfe‹.
18 Vgl. Dieter Lindenlaub, Richtungskämpfe im Verein für Sozialpolitik, Wiesbaden 1967, S. 57 ff.

einer gemeinsamen Tagung des »Vereins für Sozialpolitik« und der »Gesellschaft für soziale Reform« im Herbst des Jahres 1905 prallten die gegensätzlichen Standpunkte der bürgerlichen Sozialreformer und der Industriellen hart aufeinander. Während von den Kathedersozialisten die künftige Entwicklung der deutschen Sozialdemokratie von einer Partei des »Umsturzes« zu einer Partei der »Reformen« optimistisch eingeschätzt wurde und zur Beschleunigung dieser Vorgänge von den Unternehmern Zugeständnisse an die Arbeiterschaft verlangt wurden, lehnten die Industriellen unter Führung Emil Kirdorfs eine solche Politik ab. Kirdorf erklärte unter Berufung auf Bismarck, jede Nachgiebigkeit gegenüber den Forderungen der Gewerkschaften und der Sozialdemokratie gefährde nur die bestehende Gesellschaftsordnung. Diese Ausführungen bezogen sich auf die Behandlung des großen Bergarbeiterstreiks vom Frühjahr, als nicht nur die Kirchen die Gewerkschaften unterstützt hatten, sondern auch die preußische Regierung zugunsten der streikenden Arbeiter eingegriffen und durch die Berggesetznovelle eine Reihe von arbeitsrechtlichen Bestimmungen allgemeinverbindlich festgelegt hatte.

Durch die Entscheidung der Regierung sahen sich die Industriellen in ihren Rechten beeinträchtigt; denn sie hatten immer eine tarifvertragliche Regelung der Arbeits- und Lohnbedingungen für die Arbeiterschaft abgelehnt und darauf bestanden, mit allen Arbeitern Einzelverträge zu schließen. Die Durchbrechung dieses Prinzips durch die Regierung bedeutete in ihren Augen eine Gefährdung des Staates und der bestehenden Gesellschaftsordnung, die ihnen auch in materieller Hinsicht so viele Vorteile sicherte.

Auch in den folgenden Jahren beharrte die deutsche Industrie auf dem Standpunkt, daß die Arbeitgeber allein zu bestimmen hätten und Verhandlungen mit den Führern der in den Gewerkschaften organisierten Arbeiterschaft auf keinen Fall in Frage kämen. Und da sie allein nicht mehr die Macht besaßen, dieses Prinzip durchzusetzen, verlangten sie die Unterstützung des Staates gegen Gewerkschaften und Sozialdemokratie. In seiner Abschiedsrede als Generalsekretär des CdI erklärte Bueck im Jahre 1910, die »Niederwerfung und Zertrümmerung« der deutschen Sozialdemokratie sei eine der Hauptaufgaben der deutschen Industriellen: »Erreichen Sie dieses Ziel, so werden Sie von den kommenden Geschlechtern gepriesen werden als die Retter des Staates und der Gesellschaft, als die Retter der hohen Kultur, der wir uns rühmen.[19]«

---

19 VMB des CdI 120, Jan. 1911, S. 66.

Steuerpolitik im Interesse der Agrarier und die Reichsfinanzreform von
1909: Die konservative Machtbehauptung

Die Vormachtstellung der Konservativen, vor allem der Großagrarier,
wurde ähnlich wie durch die Schutzzollpolitik auch durch die Steuerpolitik der Regierung abgesichert. Wie bei der Schutzzollpolitik prallten auch
bei der Steuerpolitik des Deutschen Reiches die Interessengegensätze zwischen den agrarischen und industriellen Kreisen aufeinander. Zwar lag
verfassungsmäßig die Kompetenz für die meisten Steuerarten, die geeignet waren, in direkter Weise in Vermögens- und Einkommensverhältnisse
der Staatsbürger einzugreifen, bei den Bundesstaaten, doch hatte das Reich
durch seine ausschließliche Gesetzgebungskompetenz über die sogenannten
Verbrauchs- und Verkehrssteuern einen beträchtlichen Einfluß auf die Entwicklung von Industrie, Handel und Landwirtschaft [20]. Besonders stark
fielen hierbei die Branntwein- und Zuckersteuer (in geringerem Maße auch
die Biersteuer) und andererseits die Börsensteuern der verschiedensten Formen ins Gewicht. Durch die technische Erhebung der Branntwein- und
Zuckersteuer war dafür gesorgt, daß die Interessen der landwirtschaftlichen Produzenten, die zum Teil mit den konservativen Abgeordneten
identisch waren, gewahrt wurden. Bei der Branntweinsteuer garantierte
das sogenannte Kontingent einer etwa 4000 meist ostelbische Großgrundbesitzer umfassenden Schicht seit der Einführung der Branntweinsteuer
1887 jährlich einen Extragewinn von rund 36 Mill. M. Die Zuckersteuer
war geteilt in eine nur von dem in den inländischen Verkehr gebrachten
Zucker zu erhebende Verbrauchsabgabe und eine Materialsteuer, welche die
gesamte Produktion zu tragen hatte. Die Materialsteuer war von vornherein zur Förderung des Zuckerexports durch Prämienzahlung vorgesehen. Sie hatte zur Folge, daß Deutschland den durch keine Zölle geschützten
englischen Mark mit deutschem Zucker zu Preisen überschwemmte, die im
Niveau weit unter den inlandsdeutschen lagen. Zu dieser auch durch den
Gesetzgeber von vornherein intendierten Exportprämie trat nun aber
noch eine weitere; denn die Materialsteuerrückvergütung ging von dem
Ausbeuteverhältnis für Rüben von 1867 aus und ließ die technische Entwicklung der letzten Jahrzehnte außer acht. Tatsächlich wurden dadurch
beim Zuckerexport $2/_3$ mehr Steuern rückvergütet, als gezahlt worden
waren.

Die Einzelstaaten konnten sich die direkten Steuern, vor allem die Ein-
kommens-, Vermögens- und die Grundsteuern vorbehalten und sie trotz
heftiger Kämpfe und Forderungen der linken Parteien des Reichstags bis

---

20 Vgl. dazu die in Kürze erscheinende Arbeit meines Schülers Peter-Christian Witt, Die Finanzpolitik des Deutschen Reiches 1903–1913, Diss. Hamburg 1968 (Masch.).

1918 fast ausschließlich behaupten. Dadurch waren die interessierten besitzenden Kreise gegen eine angemessene Heranziehung zu den Lasten des Reiches gesichert (entsprechend dem Ausspruch des Junkers Elard von Oldenburg-Januschau: Steuern von den Besitzenden dürfen nicht dem Reichstag der Besitzlosen ausgeliefert werden).

Die so einseitig fundierten Einnahmequellen des Staates gerieten im Laufe der Entwicklung in ein wachsendes Mißverhältnis zu den Anforderungen des Reichshaushalts, besonders wegen der sich sprunghaft steigernden Militärausgaben und zum Teil der Sozialausgaben (Invalidenversicherung). Dadurch wurden immer von neuem Versuche zur Neuordnung des Finanzwesens des Reiches notwendig, wobei Bismarck über Zollerhöhungen und Monopolvorhaben (Branntwein- und Tabakmonopol) versucht hatte, die reichseigenen Einnahmen zu steigern, sich aber nicht durchsetzen konnte; ähnliche Versuche unter Caprivi und Hohenlohe, Reichsmonopole zu errichten, scheiterten gleichfalls. Erst Bülow unternahm unter dem Zwang der ständig durch die Militärausgaben steigenden Fehlbeträge im ordentlichen Haushalt des Reiches den Versuch, das Reich auf eine ausreichende finanzielle Grundlage zu stellen – und stürzte damit Deutschland in den die letzten Jahre vor dem I. Weltkrieg beherrschenden und mit äußerster Erbitterung geführten innenpolitischen Konflikt, der ihn zusammen mit seinem Fehlgriff in der Daily-Telegraph-Affäre das Amt kostete und seinen Nachfolger vor ernste innerpolitische Schwierigkeiten und Belastungen stellte.

Die Ablehnung des Bülowschen Finanzsanierungsprogramms bedeutete unmittelbar das Ende des Bülow-Blocks und den Sturz des Kanzlers; das Zentrum wurde wieder an die Regierung herangezogen, und zwar unter dem neuen Kanzler v. Bethmann Hollweg, der sich nun auf eine »schwarzblaue« Mehrheit der »Ritter und Heiligen« stützte. Diese Koalition brachte die Reichsfinanzreform in einer Weise zustande, die in erster Linie das mobile Kapital (Banken und Börse) und breite Konsumentenschichten belastete. Die ursprüngliche Regierungsvorlage hatte neben den Verbrauchssteuern, wie Branntwein-, Tabak-, Bier-, Wein-, Schaumwein- und Leuchtmittelsteuer, auch eine Erhöhung der Matrikularbeiträge der Bundesstaaten und vor allen Dingen die Ausdehnung der Erbschaftssteuer auf Kinder und Ehegatten vorgesehen. Die Erbschaftssteuer wurde aber von den Konservativen abgelehnt und ihretwegen Bülow gestürzt. Als Ersatz für den dadurch entstehenden Ausfall setzte die neue Mehrheit eine weitere Vermehrung der Verbrauchssteuern und die Belastung des »mobilen« Kapitals durch Stempelabgaben auf Schecks und Quittungen, Effekten und Wechsel und durch die Talonsteuer durch. Eine so weitgehende Abwälzung der neuen Steuern auf die breiten Massen führte zu großen Protestdemonstrationen der Sozialdemokratie, die durch die antisoziale Steuerpolitik

der Reichstagsmehrheit einen vorzüglichen Agitationsstoff für den Wahlkampf und zur Mobilisierung neuer Wählerschichten gewann, zumal sie
darauf hinweisen konnte, daß die weitere Belastung der Gegenstände des
täglichen Bedarfs die ohnehin schon bestehende Teuerung der Lebensmittel weiter verschärfen mußte. Daß die Sozialdemokraten der »schwarz-
blauen« Mehrheit eine einseitige Interessenpolitik vorwarfen, war von
allen Seiten erwartet worden; die erbitterten Angriffe aus Kreisen der
Börse, des Handels und der Industrie und der sie repräsentierenden Parteien aber kamen für die Agrarier, die konservativen Parteien und das
Zentrum doch überraschend. Diese Gruppen beklagten sich vor allen Dingen nach dem Fiasko, das sie bei den Reichstagswahlen von 1912 erleben
sollten, darüber, daß eine handlungsfähige bürgerliche Einheitsfront gegen die Sozialdemokratie durch die Politik der liberalen Parteien und der
Interessenvertretungen von Handel und Industrie verhindert worden sei.
Bei ihrer Kritik übersahen sie freilich, daß erst ihre eigensüchtige Politik
im Jahre 1904 das Auseinanderbrechen der bürgerlichen Einheitsfront ver-
schuldet hatte.

Bethmann Hollweg akzeptierte nach seiner Berufung zum Reichskanzler die von dem schwarz-blauen Block durchgeführte Finanzreform und
leistete noch als Vizepräsident des Preußischen Staatsministeriums, da
Bülow sich weigerte, die verfassungsmäßige Gegenzeichnung zu den Ge-
setzen und nahm die neue Parteikonstellation, wie sie sich aus der Haltung zur Reichsfinanzreform ergeben hatte, als Ausgangsbasis für seine
Innenpolitik hin.

Der Hansabund 1909: Sammlungspolitik gegen rechts

In der Abwehr gegen die neue Koalition von Zentrum und Konservativen,
die nach der Episode des Bülow-Blocks die konservative Vorherrschaft in
Preußen-Deutschland zu zementieren schien, formierte sich im Juni 1909
der Hansabund für Gewerbe, Handel und Industrie als eine äußerlich
mächtige antikonservative Sammlungsbewegung. Im Hansabund fanden
sich die einflußreichsten Vertreter aus Deutschlands Handel, Gewerbe,
Bankwesen und Industrie zusammen; hinzu traten die Organisationen des
»Alten« und des »Neuen« Mittelstandes, d. h. von Handwerk, Kleingewer-
betreibenden, Detaillisten, Handlungsgehilfen und Privatangestellten, mit
Ausnahme des mitgliederstarken Deutschnationalen Handlungsgehilfenverbandes. Die Vielfalt der im Hansabund vertretenen Interessen verhinderte allerdings von vornherein eine einheitliche politische Kampfrichtung.
Die Schwerindustrie hatte den Hansabund nur unterstützt, weil sie sich
hierdurch einerseits eine bessere Vertretung ihrer Interessen gegenüber den

Parteien erhofft hatte, andererseits um der Gefahr zu begegnen, daß die neue Organisation allzustark die Interessen der Banken, der Export- und Fertigindustrie wahrnehmen und einseitig den Kampf gegen die Landwirtschaft beginnen könnte. Die Führer der Schwerindustrie dachten nämlich keineswegs daran, das alte Bündnis mit der Landwirtschaft aufzukündigen, war es ihnen doch klar, daß es nur mit der Unterstützung der Agrarier und der Regierung gelingen könnte, ihre Schutzzollwünsche durchzusetzen. An einer liberalen Gesellschaftspolitik, wie sie der Präsident des Hansabundes, Rießer, unterstützt von den Vertretern des Bundes der Industriellen im Präsidium, Hirt und Steche [21], wünschte, hatten die Vertreter des Centralverbandes der Industriellen im Hansabund [22] ohnehin kein Interesse. Darüber hinaus stieß die Einbeziehung der Vertreter des »Neuen« Mittelstandes, der Angestelltenschaft, durch die Leitung des Hansabundes auf die Ablehnung der Großindustriellen, die in den Angestellten nur einen neuen sozialpolitischen Gegner erblickten. Diese Spannungen innerhalb des Hansabundes wurden im Februar 1910 bei der Diskussion der Regierungsvorlage zur Änderung des preußischen Wahlrechts deutlich. Die Führung des Hansabundes und der Bund der Industriellen traten für die Einführung der direkten Wahl und für eine gerechtere Einteilung der Wahlkreise ein. An der Einteilung der Wähler in drei Klassen wollten auch sie nichts ändern, nur sollte nach ihren Vorstellungen nun nicht mehr allein die Steuerleistung für die Zuweisung des einzelnen auf eine der drei Klassen entscheidend sein, sondern es sollte dafür Sorge getragen werden, daß unabhängig von der Steuerleistung auch andere Kriterien, wie Alter, Bildung und selbständige oder verantwortliche Position im Erwerbsleben, mitberücksichtigt wurden. Diese Vorstellungen gingen über die Regierungsvorlage hinaus, in der nur die Einführung der direkten Wahl und einige kleinere Änderungen der Klasseneinteilung vorgeschlagen worden waren. Die Vertreter der Schwerindustrie wollten dagegen noch hinter die Regierungsvorlage zurückgehen. In einem von 180 Industriellen unterzeichneten Aufruf wurde im Februar 1910 neben der Beibehaltung der indirekten Wahl auch nachdrücklich gegen die in linksliberalen Kreisen lautgewordenen Wünsche auf Einführung der geheimen Stimmabgabe plädiert [23]. Die Schwerindustrie begrüßte es daher auch, daß selbst die bescheidenen Reformvorschläge der Regierung an der Intransigenz der Konservativen und

21 Hirt war Vorstandsmitglied des BdI und gleichzeitig Vorsitzender des Ortsverbandes Leipzig des Verbandes Sächsischer Industrieller; Steche war Vorsitzender des Verbandes Württembergischer Industrieller und Präsidialmitglied des BdI.
22 Roetger war der einzige Vertreter des CdI im Präsidium des Hansabundes; im 36-köpfigen Direktorium des Hansabundes saßen weitere fünf Direktoriumsmitglieder des CdI: Kirdorf, Hilger, v. Rieppel, Semlinger, Vogel. Auch L. Röchling (Vorsitzender des Stahlwerksverbandes) saß im Direktorium des Hansabundes.
23 Vgl. zu diesem Komplex die in Kürze erscheinende Arbeit meines Schülers Dirk Stegmann, Parteien und Verbände 1897–1918, Studien zur Sammlungspolitik im Wilhelminischen Deutschland, Diss. Hamburg 1968 (Masch.).

des Zentrums scheiterten. Bereits im Frühjahr 1910 führte die Sorge um die Erhaltung der bisherigen Wirtschafts- und Handelspolitik die Großindustrie und die Landwirtschaft wieder zusammen. Der Bund der Landwirte, die führende agrarische Interessenorganisation, fürchtete, daß aus der Hansabundpolitik eine Neuauflage der Caprivischen Handelsvertragspolitik entstehen könnte, und auch die deutsche Schwerindustrie opponierte gegen jede Änderung der Wirtschaftspolitik. Unter den Auswirkungen der Konjunkturkrise von 1907/08 hatte nicht nur der Export gelitten, sondern entscheidend war der Rückgang des Industriegüterabsatzes auf dem Binnenmarkt gewesen, und daher war es das erste Ziel der Industrie, den Absatz auf dem Binnenmarkt wieder zu verstärken, was auch durch einen hohen Zollschutz ermöglicht werden sollte. Auf der Delegiertentagung des CdI im April 1910 zeigte sich in den Erklärungen der anwesenden Vertreter der deutschen Landwirtschaft und der Schwerindustrie die Gemeinsamkeit der Interessen. Graf Schwerin-Löwitz, der Präsident des Deutschen Landwirtschaftsrats, beschwor wieder die »Bismarcksche Wirtschaftspolitik des Schutzes der nationalen Arbeit« und als Vertreter des CdI betonte Beumer, daß sich schon »angesichts des gemeinsamen Feindes, der Sozialdemokratie, die Produktivstände vertragen« müßten [24].

Nach einer kurzen Verstimmung zwischen Schwerindustrie und Landwirtschaft unmittelbar nach der Finanzreform im Sommer 1909 hatten die gemeinsamen wirtschaftlichen und politischen Interessen den Weg für eine erneute Zusammenarbeit zwischen den beiden Gruppen geebnet.

Die Aufrechterhaltung des agrarisch-großindustriellen Bündnisses und die Taktik der Regierung Bethmann Hollweg

Diesen Präliminarien folgten bald praktische Schritte. Von vornherein hatte die Schwerindustrie keinen Zweifel daran gelassen, daß sie ihre Selbständigkeit innerhalb des Hansabundes nicht aufzugeben gedenke. Statt einen zentralen Hansabundwahlfonds zu unterstützen, schuf sie vielmehr einen eigenen Wahlfonds zur Unterstützung industriefreundlicher Kandidaten für die im Januar 1912 fälligen Reichstagswahlen. Von diesem Zeitpunkt an, als sich ein großer Wahlerfolg der Sozialdemokratie aufgrund der Ergebnisse der Nachwahlen seit der Reichsfinanzreform von 1909 abzeichnete, konzentrierte sich das Bestreben der Schwerindustrie und der Landwirtschaft darauf, auch den Hansabund auf eine gemeinsame antisozialistische Kampfstellung festzulegen. Rießer konnte indes im Oktober 1910 verhindern, daß der Hansabund, wie er sich ausdrückte, eine Taktik

---

24 VMB des CdI 118, Mai 1910, S. 148 ff.

gegenüber der Sozialdemokratie einschlug, die der des Reichsverbandes gegen die Sozialdemokratie entsprach. Das konnte sich der Hansabund um so weniger leisten, als die Parteien, auf die er sich in erster Linie stützte – Nationalliberale und Fortschrittliche Volkspartei –, nicht gewillt waren, ihre Opposition gegen rechts aufzugeben. Gerade die von Schwerindustrie und Landwirtschaft geforderte Sammlung gegen links mußte zwangsläufig auf eine Stärkung der konservativen Gruppen, des schwarzblauen Blocks, hinauslaufen, was den Zielen der Nationalliberalen und Linksliberalen zuwiderlief und ihnen verwehrt hätte, die starke Unzufriedenheit mit der antisozialen Reichsfinanzreform, wie sie auch breite mittelständische Kreise durchdrang, für sich parteipolitisch zu nutzen. Gerade auch Bassermann, dem Rießer ideologisch nahestand, hoffte mit der antifeudalen Sammlungsparole den Einfluß seiner Partei endlich wieder zu stärken und die drohende Stagnation der Wählerschichten zu überspielen. In diesem Sinne riet W. Rathenau dem nationalliberalen Parteiführer schon im Januar 1911, sich den Hansabund vorzuspannen [25].

Nach dem Appell des Kaisers zur Einigung des bürgerlichen Lagers (Marienburger Rede) und der gleichzeitigen Sammlungsparole der Regierung vom Sommer 1910, die beide darauf zielten, das geschlossene Zusammenstehen des bürgerlichen Lagers gegen die Sozialdemokratie und zum Schutz des bisherigen Systems der Wirtschaftspolitik zu garantieren, geriet die Politik des Hansabundes und der Nationalliberalen sowie der Fortschrittlichen Volkspartei unter schweren Beschuß. Das wurde vollends deutlich, als die Hansabund-Führung um Rießer und den BdI im Vorfeld der Reichstagswahlen ihre Stellung gegenüber der Sozialdemokratie programmatisch festlegte. Schon im Frühjahr 1911 hatte die Großindustrie dem Hansabund quasi ein Ultimatum gestellt und dabei rundheraus erklärt, die Tätigkeit des Bundes auf dem Gebiet der Wirtschaftspolitik sei »wenn nicht direkt überflüssig, so doch mindestens kaum nötig oder besonders verdienstlich«. Zum anderen habe man bei ihm auf sozialpolitischem Gebiet eine auffallende Schwäche konstatieren müssen; gegenüber dem »Terrorismus, dem die Arbeitswilligen heute ausgesetzt sind«, wäre eine gesetzgeberische Aktion angebracht [26].

Rießer ließ auf dem Hansatag am 12. Juni 1911 keinen Zweifel, der Hansabund wolle sich nicht einseitig gegen die Sozialdemokratie festlegen lassen: die Ausgabe einer allgemeinen Stichwahlparole gegen die Sozialdemokratie lehnte er ab, sofern es sich nicht um Hansabund-Kandidaten handle, die man schon in der Hauptwahl unterstützt hatte (so blieb

---

25 Walter Rathenau, Tagebuch 1907–1922, hrsg. Pogge-v. Strandmann, Düsseldorf 1967, S. 119; Eintragung 3. 1. 11.
26 Vgl. die oben erwähnte Diss. meines Schülers Dirk Stegmann; Parteien und Verbände 1897–1918, (Masch.) S. 203 ff.

die Möglichkeit offen, eventuell in der Stichwahl einen Sozialdemokraten einem Vertreter des schwarz-blauen Blocks vorzuziehen, was auf der anderen Seite erwarten ließ, daß die Sozialdemokratie in der Stichwahl bei für sie ungünstiger Wahlaussicht den Liberalen gegen den Rechtsblock unterstütze). Vollends der Appell Rießers, die Sozialdemokratie müsse zur »Mitarbeit im Staatsleben, insbesondere auch in den Parlamenten und in der Selbstverwaltung« herangezogen werden, machte den offenen Konflikt unabwendbar. Die Großindustrie verließ geschlossen den Hansabund; voran ging Roetger als Vorsitzender des Direktoriums des BdI, es folgten Kirdorf, Hilger, Semlinger, v. Rieppel; nur Vogel (sächsischer Textilindustrieller) wie Duisberg als Vertreter der chemischen Industrie blieben. Die rheinisch-westfälische Industrie ebenso wie die Saarindustrie und die oberschlesische Schwerindustrie zogen sich vom Hansabund zurück und bildeten zum Teil selbständige Organisationen: bereits im Juli 1911 wurde eine solche Gruppe im industriellen Westen gegründet unter der Führung Kirdorfs, der alle maßgebenden Repräsentanten der westfälischen Industrie, u. a. Baare, Beukenberg, Hugenberg, Kleine, Olfe, Stinnes, Klönne, Klöckner, Springorum, und dazu einzelne Regionalbanken, wie die Essener Kreditanstalt, beitraten. Auch die Altonaer Gruppe unter der Führung des Maschinenbauindustriellen Menck (1911 stellv. Vorsitzender des Vereins dt. Arbeitgeberverbände) trat aus. Die Vertreter der Banken hingegen blieben im Hansabund – im Direktorium saßen weiterhin Helfferich (Deutsche Bank), List (Bleichröder), Müller (Dresdner Bank), Rießer (Darmstädter Bank), Salomonsohn (Discontogesellschaft), Ritter von Rasp (Bayer. Versicherungsbank) u. a. m. Im Gesamtausschuß blieben weiterhin Louis Hagen (Kölner Bankier und »König der Aufsichtsräte«), F. von Mendelssohn, der Privatbankier Richter, Paul von Schwabach (Berliner Handelsgesellschaft) und Max Warburg (Warburg & Co.). Von den Großbankiers verließ allein Max v. Schinckel (Norddeutsche Bank/Discontogesellschaft) den Hansabund, er war bereits frühzeitig aus der Leitung seines Hamburger Zweigvereins ausgeschieden, weil er mit den sozialpolitischen Anschauungen Rießers und seiner Taktik gegenüber der Sozialdemokratie nicht einverstanden war. Schinckel repräsentierte den Typus des feudal-konservativen Bankiers und stand mit seinen politischen Anschauungen der Schwerindustrie besonders nahe.

Auch die Haltung des sogenannten Alten Mittelstandes zum Hansabund blieb schwankend: sein größerer Teil schuf sich, unterstützt vom Bund der Landwirte und der Schwerindustrie, im September 1911 im sogenannten Reichsdeutschen Mittelstandsverband, der die Hansabundpolitik scharf bekämpfte, eine neue Plattform; nur ein Teil der Handwerkerschaft, vornehmlich in Berlin, verzichtete auf eine solche Sezession.

Die Regierung und vor allem der Kaiser nahmen die Rede Rießers vom

12. Juni 1911 mit äußerster Mißbilligung auf; so wurde die Einladung Rießers beim Kaiser zur Regatta in Kiel sofort rückgängig gemacht. Die offiziösen ›Berliner Politischen Nachrichten‹ wiesen dann auch darauf hin, daß sich der Hansabund in der Frage der Stichwahlparole in einem »unlösbaren Widerspruch« zur Regierung befände, da diese Stellungnahme auf die »Stärkung der Gegner der jetzt in Kraft bestehenden Politik gleichmäßigen Schutzes der nationalen Arbeit hinauslaufen« müsse. Wenn die dem Hansabund nahestehende Presse sich darüber enttäuscht zeigte, daß der Kanzler den Kampf gegen die Sozialdemokratie von neuem zum Kernpunkt seiner Politik mache und damit den Weisungen von Großindustrie und Junkertum gehorche, so war dies nur allzusehr berechtigt. Die bestehenden sozialen Machtverhältnisse ließen der Regierung keinen anderen Weg offen, wollte sie nicht ihr eigenes Todesurteil unterschreiben [27].

---

27 Vgl. die Pressekommentare im Juni 1911 nach dem Austritt führender Industrieller des Centralverbandes deutscher Industrieller, vor allem in: HN, Nr. 274, 14. 6. 11, nochmals: Hansabund und Presse.

III. KAPITEL

Vom Großmacht- zum Weltmachtsanspruch:
Das Selbstverständnis der »Nation«

Die glänzende Kette der preußisch-deutschen Waffenerfolge in drei relativ kurzen und rasch aufeinander folgenden Kriegen, aus deren letztem
das Reich triumphierend hervorgegangen war, und die Schiedsrichterrolle,
die dieses Reich Ende der 70er Jahre im Bewußtsein der deutschen Öffentlichkeit (Berliner Kongreß 1878) einnahm, hatten einen nationalen Stolz
in Deutschland entstehen lassen, in dem sich die lang aufgestaute Sehnsucht
nach Macht, Ansehen und Geltung widerspiegelte. Aus einer von den benachbarten Mächten abhängigen politischen Provinz war die erste Macht
Europas geworden. Der Glanz der preußischen und der unter preußischer
Führung errungenen Siege bedeutete einen tiefen Einschnitt in der geistigen Tradition Deutschlands: mit vollem Bewußtsein wurde die deutsche
Geschichte umgeschrieben und auf Berlin ausgerichtet. Deutsch wurde preu-
ßisch. Im Geschichtsunterricht aller Schulen wurde an die Blütezeit des
ersten deutschen Kaisertums von Otto dem Großen bis Friedrich Barbarossa erinnert, und das damalige »Deutschland« zur Schutz- und Vormacht
Europas erklärt. In diese Tradition wurden 1871 die Hohenzollern als
verpflichtete Erben eingeordnet. Was dazwischen lag, betrachtete man als
die Zeit der Schwäche und des Zankes, des Niederganges von Macht und
Größe. Aber nicht nur die einzelstaatlichen Traditionen wurden ausge-
löscht bzw. umgebogen und auf Preußen ausgerichtet; auch die liberale
Überlieferung des frühen 19. Jahrhunderts wurde zurückgedrängt und
abgewertet in den 80er Jahren von Bismarck und dann in noch höherem
Maße durch den neuen Byzantinismus und Militarismus der 90er Jahre,
wie es so unterschiedliche Persönlichkeiten wie Theodor Fontane, Theodor Mommsen oder Otto Harnack in kritischer Auseinandersetzung mit
dem neuen Deutschland bezeugen. Fontane schrieb am 2. 11. 1896 an seinen Freund Friedländer:

»Alles, was jetzt bei uns obenauf ist, entweder heute schon oder es doch vom Morgen erwartet, ist mir grenzenlos zuwider: dieser beschränkte, selbstsüchtige, rappschige Adel, diese verlogene oder bornierte Kirchlichkeit, dieser ewige Reserveoffizier, dieser greuliche Byzantinismus. Ein bestimmtes Maß von Genugtuung verschafft einem nur Bismarck und die Sozialdemokratie, die beide auch nichts taugen, aber wenigstens nicht kriechen.[1]«

Und Otto Harnack beklagte 1908, daß

»der Typus des heutigen Deutschen ... im politischen Leben ... nichts anderes« wolle, »als der für ihn geltenden Autorität folgen«. Als Hauptursache dieser Sinnesart sah er »das Vorwiegen des militärischen Geistes« an, der »wohl in keinem Kulturvolk ... gegenwärtig so stark entwickelt (sei) wie in dem deutschen ... Ich meine damit nicht so sehr die unmittelbare Wirkung, die Reserveoffiziere und Mitglieder von Kriegervereinen zu erfahren haben ..., ich meine die mittelbare Wirkung, die sich darin zeigt, daß das im Militärwesen absolut herrschende Prinzip der Subordination in das übrige Leben hinübergetragen wird.«

Da nun aber die Träger dieser Autorität in Armee und Bürokratie »fast ausnahmslos konservativ« seien, sei damit der »konservativen Anschauung ein Übergewicht im ganzen sozialen Leben gesichert«. Diese Wertung des deutschen Militarismus auch im gesellschaftlichen Bereich – die sich weit von der Apologetik eines Gerhard Ritter mit seiner Verengung des Militarismus auf Übersteigerung soldatischen Geistes innerhalb der Armee abhebt – erweiterte Harnack noch durch den Hinweis auf »das falsch verstandene und einseitig entwickelte nationale Gefühl«, das sich in Deutschland breitgemacht habe. Die »politische Selbstentäußerung der deutschen Intelligenz und der naturgemäß liberalen Schichten« führt Harnack auf den »starken historischen Wurzelboden: die gewaltige Tätigkeit Bismarcks« zurück; insgesamt – und dieses Votum gilt uneingeschränkt bis 1918 – konstatierte er die »geringe Werbekraft politisch-liberaler Ideen«[2].

Und in tiefer Resignation schrieb Theodor Mommsen 1899 in einer »Testamentsklausel«: »... (ich) wünschte ein Bürger zu sein. Das ist nicht möglich in unserer Nation, bei der der einzelne, auch der beste, über den Dienst im Gliede und den politischen Fetischismus nicht hinauskommt.[3]«

In dieser Ausprägung des antidemokratischen Obrigkeitsstaats preußisch-deutscher Observanz wurde selbst die eigene jüngere Vergangenheit verleugnet: das Jahr 1848 wurde 50 Jahre später diffamiert als »Jahr der Schande« und das politische Erbe der Aufklärung ging verloren, obwohl gerade noch diese Bewegung auch für das ältere Preußen von hoher Bedeutung gewesen war. Statt dessen gewannen für den preußisch-deutschen Pa-

---

1 Fontane an Friedländer, 2. 11. 96, zit. Briefe an Friedländer, hrsg. v. K. Schreinert, Heidelberg 1954, S. 305.
2 Otto v. Harnack, Der Niedergang des Liberalismus in Deutschland, März, 3. 8. 1908, S. 179 ff.
3 Abgedruckt in: Alfred Heuss, Theodor Mommsen und das 19. Jahrhundert, Kiel 1956, S. 282 ff. (Beilage).

triotismus immer mehr darwinistische, neoidealistische und zunehmend irrationalistische Lehren an Boden. Sie ließen die Deutschen als »Herrenvolk« einer germanischen Welt erscheinen, die die erschöpfte romanische Welt überholte mit dem Auftrag, sich der noch nicht reifen, aber doch schon bedrohlich erstarkenden slawischen Rasse entgegenzusetzen.

Rassegedanke und »deutsche Sendung«

Während die Gründung des Kaiserreiches eine in Deutschland bis dahin unerreichte Konzentration politischer und wirtschaftlicher Macht schuf, verbreitete sich in weiten Kreisen das Bewußtsein vom Verfall deutschen Geistes und deutscher Kultur. Die äußere Machtentfaltung habe – so zum Beispiel der viel gelesene Jenenser Philosoph Rudolf Eucken – eine Verflachung des Lebens herbeigeführt, die sich in dem Streben der Menschen nach materiellem Wohlstand und äußeren Erfolgen zeige. Dabei seien die ideellen, also »wirklichen« Werte des Lebens immer mehr verlorengegangen.

Dem Siegeszug von Industrialisierung und Kapitalismus ging ein Kulturpessimismus parallel, der gegenüber rationalem Gewinnstreben, politischem und wirtschaftlichem Liberalismus die alten, guten Werte der vorkapitalistischen Welt beschwor. Zwar wirtschaftete man in Deutschland kapitalistisch und freute sich über die dabei errungenen Erfolge, aber man tat es mit schlechtem Gewissen. Hier liegt ein Motiv für die schroffe Ablehnung der pazifistischen Tendenzen in der westlichen Welt vor. Als degeneriert im Vergleich zu den mittelalterlichen Idealen von Ritter- und Heldentum verachtete und verlachte man sie. Im Bewußtsein der Zeitgenossen stellte das Schlagwort »Händler und Helden«[4] diesen Gegensatz formelhaft dar.

Eucken und mit ihm viele andere (Max Wundt!) forderten deshalb die Rückbesinnung auf die deutsche idealistische Bewegung, die man als Blütezeit deutscher Art und deutschen Wesens ansah, wobei die damals vorhandenen demokratischen Bestrebungen ignoriert wurden. Den Idealismus verstand man weniger als philosophisches System, sondern vielmehr als eine Art Lebensgefühl, ein Gefüge von Empfindungen und Werten, eine Art Ersatzreligion für die gebildeten Schichten. Von Kant war nur der kategorische Imperativ übriggeblieben, und dieser wurde wiederum reduziert auf die Verpflichtung zum Gehorsam gegenüber der bestehenden staatlichen Ordnung. »Kaum verhüllte autoritäre Macht einerseits und wirklich-

---

4 Vgl. den gleichlautenden Titel eines Werkes von Werner Sombart, Händler und Helden, Patriotische Besinnungen, München/Leipzig 1915.

keitsfremde Geistigkeit andererseits – waren die beiden Aspekte des kaiserlichen Deutschland. Verbunden wurden beide Bereiche durch die Idealisierung der Macht.[5]«

Am deutlichsten wurde diese Rückwendung zu einer verklärten Vergangenheit in der Fichte-Renaissance, die von den Säkularfeiern der Kriege gegen Napoleon einen starken Impuls erhielt. Es war Fichtes »Deutschtumsphilosophie«, der sich das Wilhelminische Deutschland verpflichtet fühlte. Der Deutsche ist hiernach »der ursprüngliche, und nicht in einer willkürlichen Satzung (Demokratie) erstorbene Mensch«[6]. Im deutschen Volk sei deshalb unter allen Völkern der Keim der menschlichen Vervollkommnung am entschiedensten angelegt, und ihm sei deshalb der »Fortschritt in der Entwicklung derselben aufgetragen worden«[7]. Hier zeigt sich die von Georg Lukács für die Wilhelminische Zeit festgestellte Tendenz, »die gesellschaftliche und politische Zurückgebliebenheit Deutschlands als höhere staatliche und kulturelle Form zu verherrlichen«[8].

Die Abkehr vom rationalen Naturrecht und die Berufung auf die Besonderheit des deutschen Volkstums wurde durch die Aufnahme des Rassegedankens ergänzt. Die Weltgeschichte erhielt durch die Theorien Gobineaus eine naturwissenschaftliche, biologische Grundlage. In Deutschland wurde seine Lehre aufgegriffen, weil man darin die wissenschaftliche Bestätigung einer Überlegenheit der germanischen Rasse und hier besonders des deutschen Volkes sah. In Verbindung mit dem Darwinschen Gedanken vom »Kampf ums Dasein« steigerten die Lehren Gobineaus in Deutschland das kulturelle Sendungsbewußtsein: Hatte nicht das deutsche Volk mit seinem Sieg über Frankreich gerade seine Überlegenheit unter Beweis gestellt?

> »Der mächtigere Staat ist der bessere«, schrieb der Hegelianer Adolf Lasson 1871, »sein Volk ist das bessere Volk, seine Kultur ist die überlegenere Kultur. Wer besiegt wird, muß einsehen, daß er es verdient hat. Der Sieger kann überzeugt sein, daß er der bessere von beiden ist.«

Der Krieg galt ihm als Wettbewerb physischer und moralischer Qualitäten. Das hatte Lasson schon in seiner 1868 erschienenen Schrift ›Das Culturideal und der Krieg‹ propagiert, wo es hieß:

> »Das eiserne Zeitalter verlangt ein eisernes Geschlecht ... Zwischen Staaten gibt es nur *eine* Form des Rechts: das Recht des Stärkeren ... Ein rechter Krieg für des Staates wahre Lebensinteressen fördert die Entwicklung in wenigen Jahren um Jahrzehnte, belebt alle gesunden Kräfte und drängt alles schleichende Gift zurück.[9]«

---

5 Vgl. Fritz Stern, Kulturpessimismus als politische Gefahr, Bern u. a. 1963, S. 17.
6 Zit. Hermann Lübbe, Politische Philosophie in Deutschland, Basel/Stuttgart 1963, S. 200.
7 Zit. Stern, Kulturpessimismus, S. 331.
8 Georg Lukács, Von Nietzsche zu Hitler oder Der Irrationalismus in der deutschen Politik, Frankfurt a. M. 1966, S. 105.
9 Adolf Lasson, Das Culturideal und der Krieg, Berlin 1868, S. 3 ff.

Diese Selbstsicherheit war nicht zuletzt der Niederschlag der zahllosen wissenschaftlichen und pseudo-wissenschaftlichen Schriften, die bei scharfer Ablehnung des »westlichen« Liberalismus und Rationalismus, die geheimen Kräfte von »Blut und Boden« als die bestimmenden Mächte des Lebens priesen und das deutsche Volk, den »reinsten Vertreter der germanischen Rasse« als den zukünftigen Retter Europas oder sogar der Welt hinstellten, wenn es nur seinem eigenen Wesen treu bleibe.

Die größte Breitenwirkung und den größten Einfluß auf das geistige Leben im Wilhelminischen Deutschland hatte, neben den nationalliberalen Historikern wie Heinrich von Treitschke und Heinrich von Sybel, Houston Stewart Chamberlain, besonders durch sein 1899 erschienenes Werk über »Die Grundlagen des 19. Jahrhunderts«, das bis 1912 schon zehn Auflagen erreicht hatte. Seine große Wirkung beruhte darauf, daß er die verschiedenen Zeitströmungen, vor allem die Rassentheorie und die Lebensphilosophie, in sein System einarbeitete. Seine Weltanschauung war eine Verbindung von Empirismus und einer mystischen Intuitionsphilosophie. Einerseits sah Chamberlain die Ergebnisse der Darwinschen Tier- und Pflanzenzuchtversuche auch in der Menschheitsgeschichte bestätigt, andererseits glaubte er, die Kriterien für die Bestimmung der rassischen Qualität eines Menschen nicht aus der Naturwissenschaft gewinnen zu können, sondern nur aus der Intuition dieses Menschen selbst:

»Unmittelbar überzeugend wie nichts anderes ist der Besitz der ›Rasse‹ im eigenen Bewußtsein. Wer einer ausgesprochen reinen Rasse angehört, empfindet es täglich.« [10]

Die Rasse war für Chamberlain das dominierende Prinzip der Geschichte. Er sah seit dem 3. Jahrhundert die germanische als die allein kulturschöpferische Rasse aus dem infolge der römischen Weltherrschaft entstandenen und von der katholischen Kirche konservierten »Völkerchaos« emporsteigen. Ihr gehöre dann die Zukunft, wenn man sie von den antigermanischen, das heißt in erster Linie den jüdischen Elementen befreie. Von allen germanischen Völkern sei besonders das deutsche zur Weltherrschaft berufen. Könne es sich nicht durchsetzen, so sei es zum Untergang verdammt.

»Beherrscht Deutschland nicht die Welt..., so verschwindet es von der Karte; es handelt sich um ein Entweder-Oder [11].«

Von seinem kulturkritischen Ansatz her erstrebte Chamberlain auch eine Erneuerung der christlichen Religion. In Gegnerschaft zum Judentum und

10 Houston Stewart Chamberlain, Die Grundlagen des 19. Jahrhunderts, München 1899, Bd. 1, S. 320.
11 H. St. Chamberlain, Politische Ideale, 3. Aufl., München 1926, S. 39.

zur römisch-katholischen Kirche, deren Glaubenslehren er irreligiös, weil rationalistisch, materialistisch und seelenlos, nannte – als Entsprechung zum westlich-demokratischen Prinzip –, strebte er eine ›echte‹ germanisch-arische, das heißt aristokratische Religion an. Erst wenn dadurch Judentum und katholische Kirche überwunden seien, bestehe die Voraussetzung dafür, daß die Germanen auch ihren politischen Herrschaftsanspruch durchsetzen könnten.

Chamberlains Vorbild für seinen Versuch der Erneuerung des Christentums war Paul de Lagarde [12], der das Christentum von der »paulinisch-jüdischen Verfälschung« zu reinigen unternommen hatte, um einen im Volkstum wurzelnden »deutschen Glauben« zu ermöglichen. Wie Lagarde bemühte sich auch Chamberlain, die arische Abstammung Christi nachzuweisen. Christus war für ihn die Lichtgestalt, die sich von den Fesseln des Judentums befreit habe und die die anderen Offenbarungen Gottes in Menschengestalt, Buddha, Homer, Shakespeare, Kant, Goethe und Wagner, weit überstrahle.

Kaiser Wilhelm II. war in seinen religiösen Anschauungen maßgeblich von Chamberlain beeinflußt. In einem Brief an Prof. Delitzsch, in dem er seine Auffassung auf diesem Gebiet »für ihn und für alle Menschen« [13] klarlegen wollte, unterschied er zwei Arten göttlicher Offenbarung: eine rein religiöse, die auf die spätere Erscheinung des Messias vorbereitete, und eine fortlaufende historische Offenbarung Gottes im Menschengeschlecht. Seine Aufzählung der Menschen, die Gott »ausgesucht und seiner Gnade gewürdigt« habe, deckt sich weitgehend mit der Chamberlains, nur daß der Kaiser noch seinen Großvater, »Wilhelm den Großen«, hinzuzählte. Schon in seinem ersten Brief an Chamberlain vom Dezember 1901 sprach Wilhelm II. Chamberlain seinen lebhaften Dank dafür aus, daß er ihm die Erklärung für längst schon »dunkel Geahntes« gegeben und die Wege gewiesen habe, »die verfolgt werden sollen zum Heil der Deutschen und damit zum Heil der Menschheit«. Er bezeichnete Chamberlain als seinen »Streitkumpan und Bundesgenossen im Kampf der Germanen gegen Rom, Jerusalem usw. Das Gefühl, für eine absolut gute, göttliche Sache zu streiten, bringt die Gewähr des Sieges! [14]«

Die Wendung zum Irrationalismus und die Rückführung aller Kultur auf den Volkstumsgedanken zeigt sich besonders konsequent in zwei Büchern vom Beginn der 90er Jahre: in Julius Langbehns ›Der Rembrandtdeutsche‹, einem »Bestseller« der Wilhelminischen Aera, und der geistesverwandten Schrift Friedrich Langes, ›Reines Deutschtum‹ (der Verfasser

12 Vgl. Stern, Paul de Lagarde und eine nationale Religion, in: Kulturpessimismus, S. 25 ff.
13 Zit. Chamberlain, Briefwechsel mit Kaiser Wilhelm II., Bd. 2, München 1928, S. 188.
14 Wilhelm II. an Chamberlain, 31. 12. 01, ibid., S. 141 ff.

war später Chefredakteur der deutschnationalen ›Deutschen Zeitung‹, die von der Industrie unterstützt wurde). Beide schlossen sich in ihren Anschauungen Paul de Lagarde an; Langbehn forderte eine bodenständige deutsche Kunst in Ablehnung aller modernen, destruktiven Tendenzen, wie sie seiner Meinung nach im Impressionismus und im Ästhetizismus der Neuromantik eines Hofmannsthal, Rilke und George in Erscheinung traten. Friedrich Lange, glühender Verehrer Bismarcks und Gründer des Deutschbundes, proklamierte eine bewußte deutsch-nationale Politik in Abwehr aller westlich-demokratischen Einflüsse, die ihm als Erzeugnis des »jüdischen« Liberalismus verwerflich und für deutsche Verhältnisse verdammenswert erschienen.

Neomerkantilismus und die neue Weltreichslehre

Neben die geschichtsphilosophische, zunehmend rasseideologisch argumentierende Betrachtungsweise im Sinne Lassons, Treitschkes und Chamberlains trat eine mehr geographisch-geopolitische, an der Realität der modernen wirtschaftlichen Entwicklung orientierte Imperialismus-Konzeption. Diese einflußreiche Strömung wurde von einer Generation von Historikern, Nationalökonomen und Geographen getragen, die konsequent die neue »Weltpolitik« seit Mitte der 90er Jahre mitformulieren half und dabei Theoreme entwickelte, die an die Stelle des alten, auf Europa beschränkten Mächtesystems ein neues mondiales Weltstaatensystem mit neuen Größenordnungen rückten, in dem sich Deutschland einen Platz erkämpfen müsse.

Im Vorwort zu seiner Schrift ›Deutscher Imperialismus‹ (1912) bestimmte Arthur Dix den Imperialismus als »Weltmacht-Wachstumswille«. Die Feststellung, »daß auch der deutsche Imperialismus sich aktiv betätigen muß, wenn wir uns nicht mehr und mehr zurückgedrängt sehen wollen«, begründete Dix damit, Deutschland habe »wohl den meisten Anlaß, nach fruchtbringender Betätigung des imperialistischen Gedankens zu streben, da es unter den großen Kulturmächten über das stärkste natürliche Volkswachstum und über die stärkste volkswirtschaftliche Entwicklung verfüge«. – Die Forderung des Tages müsse deshalb lauten: *»Wir haben nur eine Wahl: zu wachsen oder zu verkümmern!* [15]*«* (Im Original gesperrt.)

Diesen Anschauungen vom Weltstaatensystem fühlten sich so verschiedenartige Historiker wie Hans Delbrück (in zahlreichen politischen Korrespondenzen in den von ihm als Nachfolger Treitschkes herausgegebe-

---

[15] Arthur Dix, Deutscher Imperialismus, Leipzig 1912, S. 1 und 5.

nen ›Preußischen Jahrbüchern‹), Max Lenz (›Die großen Mächte‹, 1900), Erich Marcks (›Die imperialistische Idee der Gegenwart‹, 1903), Otto Hintze (›Imperialismus und Weltpolitik‹, 1907) und Hermann Oncken (›Amerika und die Großen Mächte‹, 1907) gleichermaßen verpflichtet. Sie alle waren davon überzeugt, eine Neuaufteilung der Welt müßte dazu führen, daß England seine bisherige Suprematie aufzugeben gezwungen wäre, und daß das Deutsche Reich in einem neuen Weltstaatensystem als gleichberechtigte Macht sich etablieren müsse. Das Ziel des deutschen Imperialismus hat – nach Dehio – bei allen diesen Historikern immer darin bestanden, England aus seiner »Suprematie« zu verdrängen [16].

Insgesamt lassen die hier aufgezählten Stimmen – die nur einen kleinen Ausschnitt bieten und vor allem Nationalökonomen, Wirtschaftsführer, Publizisten und Politiker ausgespart lassen – bereits deutlich werden, daß die These unhaltbar ist, wonach nichts »schwieriger sei, als genau festzustellen, was sich die höhere deutsche Bildungswelt vor dem Kriege unter deutscher ›Weltpolitik‹ und ›Weltmacht‹ konkret vorgestellt hat« [17]. Wenn Gerhard Ritter dann die Ansicht ausspricht, man habe nur nach der Gleichberechtigung mit England gestrebt, so liegt in dieser Formulierung eine Verschleierung des Problems, denn »Gleichberechtigung« war nichts als das Schlagwort des deutschen Imperialismus, den es doch gerade zu analysieren gilt. Auch die These, daß »Rußland und Amerika als künftige ›Weltmächte‹ im Bewußtsein des Durchschnittsdeutschen noch kaum eine Rolle spielten«, entspricht nicht den Tatsachen. Ritter wie Dehio gestehen das Vorhandensein des deutschen Strebens nach »Gleichberechtigung« mit England zu und umschreiben damit den neuen Machtanspruch des Wilhelminischen Deutschland. Ritter aber leugnet dabei rundweg jeden »Expansionismus«, entweder direkt oder indem er ihn als »Wunschtraum« der Nation abtut, während Dehio das Problem dadurch zu lösen versucht, daß er zwischen der »Weltpolitik« vor dem Weltkrieg und einem kontinental ausgerichteten Expansionsstrebens im Weltkrieg unterschied. Tatsächlich jedoch bestanden Weltpolitik und Kontinentalpolitik schon seit den 90er Jahren nebeneinander, es lassen sich nur in der Betonung des Primats der einen oder der anderen Richtung Akzentunterschiede feststellen.

In seiner Freiburger Antrittsvorlesung hatte Max Weber 1895 gefordert:

»Wir müssen begreifen, daß die Einigung Deutschlands ein Jugendstreich war, den die Nation auf ihre alten Tage beging, und seiner Kostspieligkeit halber

---

16 Vgl. Ludwig Dehio, Ranke und der deutsche Imperialismus, HZ 170, 1950, S. 307–328. Dehio hat diese ideologische Gebundenheit weiterverfolgt in seinem Aufsatz: Gedanken über die deutsche Sendung 1900–1918, HZ 174, 1952, S. 479–502.
17 Gerhard Ritter, Eine neue Kriegsschuldthese? Zu Fritz Fischers Buch ›Griff nach der Weltmacht‹, in: HZ 194, 1962, S. 648.

besser unterlassen hätte, wenn sie der Abschluß und nicht der Ausgangspunkt einer deutschen Weltmachtpolitik sein sollte.[18]«

Diesen Appell nahm Hans Delbrück im gleichen Jahr auf und fragte, wo denn eine deutsche Weltmachtpolitik bisher aufzufinden sei:

»In den eigentlichen Wettbewerb der Weltpolitik, die einem großen Volke Befriedigung gewähren kann und der Nachkommenschaft einmal eine große Zukunft sichert, in eine solche Weltpolitik sind wir noch gar nicht eingetreten.[19]«

Ein Jahr später war Delbrück schon optimistischer, in einem anonymen Aufsatz[20] präsentierte er ein großes machtpolitisches Aufteilungsprogramm, in dem er Kleinasien mit den griechischen Inseln, Konstantinopel, Gallipoli, den Bosporus und den Hellespont Rußland zuweisen, Polen als Entschädigung an Österreich-Ungarn geben wollte und endlich dem Deutschen Reich eine erweiterte Basis in Europa durch die Hinzunahme von Estland, Livland, Kurland und einen verbindenden Landstrich an Kowno vorbei zwischen Kurland und Ostpreußen verschaffen wollte. Die Entfesselung eines »Weltkrieges« zur Gewinnung der baltischen Provinzen lehnte Delbrück indes ab. Er schien auf eine friedliche Entwicklung der Dinge zu setzen, wollte er doch weiter in seinen »Politischen Träumereien« an England Ägypten, an Frankreich Marokko und den Kongostaat, an Italien Tripolis verteilen, Metz an Frankreich zurückerstatten und dafür Luxemburg für das Deutsche Reich eintauschen. Das Gewicht dieser Aussagen wird erst deutlich, wenn man ihre Kontinuität bis in den Weltkrieg hinein verfolgt: Max Weber bekannte sich in einem Vortrag am 22. Oktober 1916 ausdrücklich zu seinen alten Anschauungen, wenn er feststellte:

»Wollten wir diesen Krieg nicht riskieren, nun, dann hätten wir die Reichsgründung ja unterlassen und als ein Volk von Kleinstaaten weiter existieren können«[21].

Und Hans Delbrück griff im August 1915 seine alten Vorstellungen wieder auf, wenn er anläßlich seiner Forderung nach Angliederung der Ostseeprovinzen, Suwalkis und Kownos ausrief:

»Alte Ideale steigen da vor uns auf, die Erlösung des alten deutschen Koloniallandes vom Joch der Moskowiter! Schon vor Jahrzehnten habe ich mich in einer politischen Träumerei in diesen Jahrbüchern soweit verstiegen.[22]«

In den gleichen ›Preußischen Jahrbüchern‹ forderte 1896 Rudolf Martin eine Kolonialpolitik großen Stils, die mit einer Verstärkung der militärischen Machtstellung in Europa Hand in Hand gehen müsse:

18 Max Weber, Gesammelte Politische Schriften, 2. erw. Auflage, Tübingen 1958, S. 23.
19 Hans Delbrück in: PrJbb 81, 1895, S. 390 (Polit. Korresp.).
20 Vir pacificus (H. Delbrück), Politische Träumereien, PrJbb 83, 1896, S. 1 ff.
21 Weber, Ges. Politische Schriften, S. 172.
22 Zit. F. Fischer, Griff nach der Weltmacht, 3. Aufl., Düsseldorf 1964, S. 208.

»Deutsche Größe ist eben ohne Militär nicht denkbar. Die Gesamtheit aller Verhältnisse weist das deutsche Volk auf den Krieg, den großen Vater alles Guten.« [23]

Diese Anschauungen entfernen sich nicht weit von den sogenannten alldeutschen Vorstellungen, deren Vertreter zu diesem Zeitpunkt übrigens auch noch Max Weber und Hans Delbrück waren. Den »wirtschaftlichen Kampf ums Dasein« (von dem gleichlautend Max Weber, Rudolf Martin und Friedrich Naumann sprachen) wollte man hier durch die doppelte Stoßrichtung »Mitteleuropa *und* Überseepolitik« bestehen, diese Parole hatte der alldeutsche Verbandsvorsitzende und nationalliberale Reichstagsabgeordnete Hasse seit 1894 ausgegeben. Diese Forderung unterstützten so unterschiedliche Geister wie die Nationalökonomen Paul Voigt, Karl Rathgen, Gustav Schmoller, Max Sering und Ernst Francke, also Kathedersozialisten, liberale Imperialisten und der Schwarm der alldeutschen Publizisten wie Dehn, Hasse, Peez. Paul Voigt brachte den Kern dieser Anschauungen 1897 auf eine Formel, die er später auch in dem Sammelband ›Handels- und Machtpolitik‹ 1900 wiederholte:

»Wenn Deutschland ... nicht von den emporkommenden Großmächten des 20. Jahrhunderts zu einer Macht von sekundärer Bedeutung herabgedrückt werden ... will, so muß es sich zu der Überzeugung durchringen, daß die Erweiterung des deutschen Wirtschaftsgebietes im Wege des Zollanschlusses einzelner Nachbarstaaten und durch Ausdehnung unseres Kolonialbesitzes die wichtigste Aufgabe der deutschen Wirtschafts- und Handelspolitik ist.[24]«

Also Übersee- *und* Kontinentalpolitik! Francke, der spätere einflußreiche Vorsitzende der Gesellschaft für Soziale Reform, ein Freund Albert Ballins, nannte typisch für die Zeit die »Bildung von Weltreichen mit der Tendenz in sich geschlossener Wirtschaftsgebiete« [25]. Max Sering, der bedeutende Agrar-Ökonom, verband 1900 die Forderung nach einem Zollbund mit »143 Millionen Menschen« (einschließlich Italiens, eine Möglichkeit, die er jedoch skeptisch beurteilte) mit der Maxime, Deutschland brauche außerdem als »Erweiterung des eigenen Territoriums ... Kolonien«. Daß die Hoffnung auf einen mitteleuropäischen Zoll- oder Wirtschaftsverband dabei immer die deutsche Vorherrschaft implizierte, war für alle Nationalökonomen selbstverständlich:

»Die wirtschaftliche Überlegenheit, die das größere Territorium verleiht, muß mit der Zeit auch zur politischen Übermacht und Vorherrschaft führen.[26]«

23 Rudolf Martin, Mehr Lohn und mehr Geschütze, PrJbb 83, 1896, S. 283 ff.
24 Paul Voigt, Deutschland und der Weltmarkt, in: Handels- und Machtpolitik, Bd. 1, S. 207.
25 Ernst Francke, Weltpolitik und Sozialreform, ibid., Bd. 1, S. 111.
26 Max Sering, Die Handelspolitik der Großstaaten und die Kriegsflotte, ibid., Bd. 2, S. 33, 40.

Auch Schmoller hoffte, daß das Deutsche Reich neben den »drei erobernden, riesenhaften Weltreichen« England, USA und Rußland durch eine Verbreiterung seiner Basis in Mitteleuropa im Zuge zollpolitischer Bündnispolitik sowie durch die Schaffung von »Ackerbaukolonien« und »Kultivationsgebieten« Raum für eine neue »Weltpolitik« gewinnen könnte: im gleichen Atemzug wandte er sich gegen die »chauvinistische« Weltmachtpolitik des aggressiven Flügels im Alldeutschen Verband[27].

Auch Albert Schäffle, der frühere österreichische Handelsminister und spätere Tübinger Nationalökonom, sprach 1897 von einem sich herausbildenden »Neomerkantilismus« (den er seit 1878 datierte), Adolph Wagner von dem »Abschluß großer wirtschaftlicher Weltreiche, die sich innerhalb ihrer Sphäre selbst genügen« (1900); in derselben Linie lagen die Arbeiten von Oldenberg (Deutschland als Industriestaat, 1897), Troeltsch (Neueste Veränderungen im deutschen Wirtschaftsleben, 1899). Posadowsky, der Staatssekretär des Innern, griff diese Ideen in seiner Reichstagsrede vom 14. Dezember 1899 ebenfalls auf. Der Gedanke einer »Verbreiterung unserer volkswirtschaftlichen Basis« (Paul Voigt) und zugleich die Forderung nach Kolonien als Themen dieses neuen Selbstverständnisses waren so verbreitet, daß nicht noch die gleichlautenden Ausführungen Karl Rathgens, Karl Lamprechts oder Friedrich Naumanns referiert werden sollen.

Die Mitteleuropaideologie, die, wie gezeigt, bereits in der Bismarckzeit aufgekommen war, richtete sich von Anfang an vor allem gegen die aufstrebende neue Wirtschaftsmacht der Vereinigten Staaten sowie gegen England und Rußland; Caprivis Handelspolitik war von diesen Ideen bestimmt gewesen, und auch in der Folgezeit wurden diese Gedanken in Regierungskreisen diskutiert. Lusensky, Vortragender Rat im Preußischen Handelsministerium, stellte aber schon 1897 fest, daß die Regierung bei aller Sympathie für solche Pläne ihnen keinesfalls nähertreten könne, da im Ausland sonst leicht der Verdacht einer deutschen Hegemoniepolitik entstehe. Der Kaiser jedoch griff die Mitteleuropaidee, die sich zu diesem Zeitpunkt bisweilen schon mit der Vorstellung der »Vereinigten Staaten von Europa« als quasi politischer Obereinheit verband[28], mit der ihm eigenen politischen Impulsivität sogar öffentlich auf, ohne Rücksicht auf die mögliche Wirkung im Ausland: 1901 brachte er seine Anschauung gegenüber dem französischen Journalisten und Historiker Ségur auf der »Hohenzollern« auf die Formel: »Europäischer Zollverein, eine Zollinie gegen die Vereinigten Staaten.« Dann müsse England sich endgültig ent-

27 Gustav Schmoller, Die wirtschaftliche Zukunft Deutschlands und die Flottenvorlage, ibid., Bd. 1, S. 32.
28 Vgl. Ernst Francke, Zollpolitische Einigungsbestrebungen in Mitteleuropa während des letzten Jahrzehnts, in: Schr. V. f. Soz. Pol., 90, Leipzig 1900, S. 189 ff.

scheiden, ob es zusammen mit Mitteleuropa gegen die USA oder zusammen mit den USA gegen Mitteleuropa gehen wolle [29].

Die Popularität der Weltreichslehre war so groß, daß der freisinnige Nationalökonom Heinrich Dietzel in einem Aufsatz in der Zeitschrift ›Die Nation‹ mit dem Titel »Die Theorie von den drei Weltreichen« (1900) diese Ideologien angriff und ad absurdum zu führen versuchte. Weder glaubte er an die Formierung eines Greater Britain (was tatsächlich auch nicht eintrat) noch an die »amerikanische Gefahr«, statt dessen hoffte er auf eine Entspannung in der Wirtschaftspolitik und eine Liberalisierung der Zolltarife. Dietzel war jedoch mit diesen Ansichten hoffnungslos isoliert; daneben war er übrigens ebenso Imperialist und Flottenenthusiast wie seine Opponenten, wenn er feststellte:

> »An sich ... kann das Programm, welches die ›Kathedermarinisten‹ aus ihrer Theorie von den drei Weltmächten und dem Neomerkantilismus ziehen, von jedem Liberalen unterzeichnet werden.« [30]

Und Theodor Mommsen schrieb am 20. Dezember 1898 an A. Dix:

> »Könnten wir unserer Nation etwas schaffen, wie der englischen das Greater Britain, so wäre das ein unaussprechlicher hoher Gewinn.[31]«

Diese Lehre von den drei Weltreichen war nicht eine bloß utopische Konstruktion, sondern sie orientierte sich an der weltwirtschaftlichen Entwicklung, wie sie sich gegen Ende des 19. Jahrhunderts darstellte.

Die drei großen Wirtschaftsgebiete Rußland, USA und das britische Empire – von Frankreich war weniger die Rede – schienen auf dem Wege zu sein, ein wirtschaftliches und politisches Übergewicht über jene Staaten zu gewinnen, deren innerer Markt zu klein war und die daher auf fremde Zufuhren angewiesen waren. Auch außerhalb Deutschlands wurden diese Theorien vertreten. Joseph Chamberlain führte in einer Rede vom 31. März 1897 aus:

> »Mir scheint, daß die Richtung der Zeit dahin geht, alle Macht in den Händen der großen Reiche zu vereinigen. Die kleineren Länder, die, welche nicht fortschreiten, scheinen bestimmt zu sein, in eine untergeordnete Stellung zu rücken.[32]«

Als die wesentlichste Aufgabe des Deutschen Reiches stellten die deutschen Neomerkantilisten fest, gelte es, sich gegenüber den Weltreichen Rußland, England und den USA, »die mit ihrer Ländergier, ihrer See- und Land-

29 Zit. L. Bosc, Zollalliancen und Zollunionen in ihrer Bedeutung für die Handelspolitik der Vergangenheit und Zukunft, Berlin 1907, S. 320.
30 Heinrich Dietzel, Die Theorie von den drei Weltreichen, Berlin 1900, Sonderdruck, S. 8 (zuerst in: ›Die Nation‹, 1900).
31 Mommsen an Dix 20. 12. 98, zit. Arthur Dix, Deutscher Imperialismus, Vorspann-Widmung.
32 Joseph Chamberlain, Rede am 31. 3. 97, zit. Schmollers Jb. 21, 1897, S. 1383.

macht, ihrem Handel, ihrem Export, ihrer expansiven Kraft alle anderen kleineren Staaten herabdrücken, ja sie zu vernichten, wirtschaftlich einzuschnüren, ihnen das Lebenslicht auszublasen drohen[33]«, wirtschaftlich und politisch zu behaupten. Allein sei es dazu allerdings nicht in der Lage; jedoch war man der Überzeugung, daß die Abschließungsmaßnahmen der Weltreiche eine Annäherung der »mitteleuropäischen Staaten zu Schutz und Trutz gegen gemeinsame Gefahren« notwendig machen würden[34]. Mitteleuropa würde ein viertes Weltreich werden.

Über die wirtschafts- und handelspolitischen Aspekte hinaus wurde dem Zollbund eine entscheidende kulturgeschichtliche Bedeutung zugeschrieben:

»Wer aber weitsichtig genug ist, einzusehen, daß die Signatur der Weltgeschichte des 20. Jahrhunderts bestimmt sein wird durch die Konkurrenzkämpfe des russischen, englischen und amerikanischen und etwa noch des chinesischen Weltreichs und durch ihre Aspirationen, alle anderen kleineren Staaten von sich abhängig zu machen, der wird auch in einem mitteleuropäischen Zollbunde nicht bloß den Kern sehen, der die politische Selbständigkeit dieser Staaten, sondern überhaupt die höhere und alte europäische Kultur vor dem Untergange rettet.[35]«
»Auch die Ziele aller höheren geistigen, sittlichen und ästhetischen Kultur, aller sozialer Fortschritt hängt davon ab, daß im 20. Jahrhundert nicht die ganze Erde zwischen die drei Weltreiche aufgeteilt und etwa ein brutaler Neomerkantilismus begründet werde.[36]«

Entscheidend war bei der überwältigenden Mehrzahl aller Imperialisten immer eine Politik des Sowohl-als-auch, der Kontinental- *und* der Überseepolitik, wenn auch bisweilen das eine oder andere überwog. War die Schar der deutschen Historiker und Nationalökonomen in der Folgezeit stärker an der Überseepolitik interessiert – sie bewegten sich damit im Gefolge der Bülow-Tirpitzschen »Welt- und Flottenpolitik« –, so betonten die Alldeutschen immer wieder den Primat einer europazentrisch orientierten Weltpolitik, obwohl es auch hier eine Richtung gab, die eine deutsche Machterweiterung primär in Übersee suchte. Paul Dehn stellte 1901 in einem Artikel ›Weltpolitik‹ heraus, daß die deutsche

»Weltpolitik ... naturgemäß vor der Hand ganz überwiegend eine europäische sein« müsse »mit dem Ziele, die Staaten des europäischen Festlandes in irgendeiner Form, wenn auch nur mit ihren wirtschaftlichen Interessen, so zusammenzufassen, daß sie gegenüber Großbritannien, dem russischen Reich und der nordamerikanischen Republik, einiger und zugleich ebenbürtiger als bisher dastehen können.[37]«

---

33 Nach einer Formulierung Gustav Schmollers, zit. bei Ernst Francke, Zollpolitische Einigungsbestrebungen in Mitteleuropa während des letzten Jahrzehnts, in: Schr. V. f. Soz. Pol., 90, Leipzig 1900, S. 256.
34 Ibid., S. 255.
35 Schmoller, Neuere Literatur über unsere handelspolitische Zukunft, in: Schmollers Jb. 15, 1891,
36 Schmoller, Die Wandlungen der europäischen Handelspolitik im 19. Jh., in: Schmollers Jb. 24, 1900, S. 382.
37 Paul Dehn, Weltpolitik, in: ABl 17, 27. 4. 1901, S. 205.

Erst wenn Deutschland durch »friedliche Verständigung« die »Führung« auf dem europäischen Festland erreicht habe, könne eine gesicherte Weltpolitik betrieben werden; andernfalls bestehe die Gefahr, daß das Deutsche Reich als »Weltmacht« und schließlich sogar als »Großmacht« abdanken müsse.

Den offiziellen Optimismus, wie ihn die Regierung in der Ära Bülow–Tirpitz propagierte, teilte der Alldeutsche Verband im allgemeinen nicht, angesichts der geringen bisherigen Erfolge. Hatte der Bankier Carl Fürstenberg behauptet: »Deutschland war Weltmacht, ja manche Deutsche schienen sich einzureden, daß es auf dem Wege sei, *die* Weltmacht zu werden«[38], so meldete gegenüber solchem Optimismus der Alldeutsche Verbandsvorsitzende Hasse schon Ende 1899 Zweifel an:

> »Weltpolitik ist gar nichts anderes als die naturgemäße, notwendige Politik einer Weltmacht. Ja, sind wir denn aber eine Weltmacht? Die Frage kann leider noch nicht bejaht werden. Fest aber steht, daß wir eine werden müssen ... Deutschland wird Weltmacht sein oder es wird nicht sein.[39]«

Der rechte Flügel im Verband, der sich um den Mainzer Rechtsanwalt Claß sammelte, forderte bereits 1904 die Verbandsleitung zur »nationalen Opposition« gegen die »Schwäche« der Regierung Bülow auf. Am ungeschminktesten drückten die sogenannten »wilden« alldeutschen Publizisten, für die der Verband nicht die »Verantwortung« übernahm, ihre politischen Forderungen aus. Josef Ludwig Reimer zum Beispiel propagierte 1905 in seiner Schrift ›Ein pangermanisches Deutschland‹:

> »Alles kommt darauf an, daß Deutschland mit der Unterwerfung Frankreichs die unbedingte Hegemonie in Mittel- und Westeuropa erlange unter gleichzeitiger oder unmittelbar folgender Einverleibung der deutschen Provinzen Österreichs in irgendeiner unseren germanischen Rassenansichten entsprechenden Form. Der natürliche Druck dieses neuen deutschen Reiches wird so groß sein, daß sich – nolens volens – die umliegenden kleineren germanischen Staaten unter Bedingungen werden anschließen müssen, die wir bestimmen ... Wir wollen und wir müssen wollen: ein germanisches Stammreich deutscher Nation, ein Weltreich germanischer Stämme unter der Hegemonie des deutschen Volkes.[40]«

Unter dem Schlagwort der »Weltpolitik« vereinigten sich Wirtschaftsimperialismus und politischer Machtanspruch:

> »Die Signatur der Zeit ist Expansion, Expansion wirtschaftlicher Natur und dann zu deren Unterstützung und Vergrößerung politische Expansion«, schrieb

---

38 Hans Fürstenberg, Carl Fürstenberg, Die Lebensgeschichte eines deutschen Bankiers 1870–1914, Berlin 1931, S. 361.
39 Ernst Hasse, Weltpolitik, in: ABl 36, 3. 9. 99, S. 291.
40 Josef Ludwig Reimer, Ein pangermanisches Deutschland, Berlin 1905, zit. nach Kurt Stechert, Wie war es möglich? Stockholm 1945, S. 204.

der Leipziger Kulturhistoriker Karl Lamprecht. »Der wirtschaftliche Machtinstinkt hat sich in den politischen umgesetzt und der Einheitsbewegung folgten die Zeiten der Weltpolitik.[41]«

Der Historiker Erich Marcks erklärte:

>»Wirtschaft und Macht sind auf das Innigste vermählt, und die Macht gewinnt dabei noch sichtbarer und sicherer als das Wirtschaftsleben.[42]«

Marcks sah außerdem den alten Liberalismus im Verbleichen; und auch der Sozialismus, der sich dem neuen »nationalen Imperialismus« entgegenwerfe, werde schwer durchdringen können in einer Welt, die nicht von dem Ideal ewigen Friedens beherrscht sei, sondern von »der gesteigerten Wirklichkeit schneidender Völkergegensätze«[43]. Die dadurch geschaffene Atmosphäre des Kampfes müsse auch in Deutschland – das darin an altpreußische Traditionen anknüpfe – bejaht werden: denn der Imperialismus sei der »starke Erzieher«, der vielleicht auch zu einer inneren Gesundung, das heißt einer Nationalisierung der Massen, führen könnte.

Jede neue internationale Krise brachte für die Diskussion über die Grundlagen der deutschen Weltpolitik, über das Verhältnis von Übersee- und Kontinentalpolitik, einen neuen Höhepunkt. »Deutsches Wesen ist Vorwärtsstreben im frischen fröhlichen Kampf um den Platz an der Sonne«, stellte Ende 1905 zur Zeit der Marokkokrise der Vorsitzende des Kruppdirektoriums Roetger fest, wobei für ihn die Motive für künftige Kriege ausschließlich in wirtschaftlichen Konflikten lagen[44].

Die Agrarier standen dem neuen Imperialismus und der Weltpolitik anfangs kritisch gegenüber. Ihr nationales Gefühl regte sich vor allem dann, wenn sie ihre eigenen Marktvorteile geschmälert sahen. Dann jedoch scheuten sie nicht davor zurück, nationale und rassische Ressentiments zu mobilisieren. Zur Zeit des deutsch-russischen Zollkrieges 1894 agitierte der »Bund der Landwirte« rabiat gegen den Handelsvertrag mit Rußland:

>»Gerade die Annahme dieses Vertrages mit den halbbarbarischen Russen, diesen Schlächtern von Kroze und Henkersknechten des baltischen Deutschtums, mit diesen tartarisch-mongolischen Halbasiaten, deren Zurückwerfung bis jenseits des Urals eine Aufgabe der europäischen Kulturwelt wäre,[45]«

müsse auf alle Fälle verhindert werden. Im Zuge der Erhöhung der Getreidezölle (Dezember 1902) söhnte man sich endgültig mit der Weltpolitik aus, nach dem Motto: uns Agrariern die Zölle, der Industrie die Flotte.

41 Karl Lamprecht, Deutsche Geschichte, 2. Erg.-Bd., 2. Hälfte, Berlin 1902–04, S. 11 ff.
42 Erich Marcks, Die imperialistische Idee in der Gegenwart (Vortrag Dresden 1903), in: Männer und Zeiten, Bd. 2, Leipzig 1911, S. 271.
43 Ibid., S. 291.
44 VMB des CdI 102, Jan. 1906, S. 11.
45 Korr. des BdL 15. 3. 94, zit. Wippermann, Geschichtskalender 1894, Bd. 1, S. 74.

Der deutsche Anspruch auf eine Führungsrolle wurde auch im Jahrzehnt vor Kriegsausbruch immer aufrechterhalten, auch im gemäßigten Lager. Paul Arndt, Freihändler und liberaler Imperialist, betonte 1908:

> »Hinter keinem dieser Konkurrenten darf das deutsche Volk in der Verfolgung hoher Ziele zurückbleiben. Es muß den Ehrgeiz haben, sich als das erste unter den Völkern der Erde zu erweisen, als das edelste, kühnste, freieste ... Weltwirtschaft und Weltpolitik sind unauflöslich miteinander verknüpft.«

Und er resümierte noch einmal die innenpolitische Komponente des deutschen Imperialismus:

> »Eine großzügige Weltpolitik, der das Volk freudig zustimmt, wird unser inneres politisches Leben von vielem Unerfreulichen, das jetzt die großen Massen erbittert, befreien.[46]«

Ideologie der Rußlandfeindschaft

Beiden Richtungen der deutschen Außenpolitik, Übersee und Mitteleuropa, war gemeinsam das Erfordernis, die Basis des Deutschen Reiches in Europa auszubauen. Die Stellung Deutschlands in der Mitte des Kontinents zwischen Rußland und Frankreich, das russisch-französische Bündnis und das Anwachsen Rußlands, bevölkerungsmäßig und wirtschaftlich, galten vielen als Beweis für die Unvermeidlichkeit eines Krieges zwischen Rußland und Deutschland. Diese Vorstellungen wurden vor allem von baltendeutschen Emigranten verbreitet. Neben ihrer publizistischen Arbeit wirkten sie auch durch vielfältige persönliche Beziehungen zu führenden Militärs und Politikern auf die Willens- und Meinungsbildung in Deutschland. Die von tiefer Abneigung gegen Rußland und die Russen getragene publizistische Tätigkeit dieser innenpolitisch konservativ-ständisch orientierten Gruppe, die im Zuge der Russifizierungspolitik der zaristischen Regierung seit den 70er und 80er Jahren nach Deutschland gekommen war, begann seit der Spätbismarckzeit das traditionelle Rußlandbild der preußischen Konservativen zu verwandeln. Die alte Vorstellung von der freundschaftlichen Verbundenheit der Dynastien der Romanows und der Hohenzollern seit der Napoleonischen Epoche und in der Reichsgründungszeit wurde durch ein die Gegensätzlichkeit Deutschlands und Rußlands betonendes, mit sozialdarwinistischem und völkischem Gedankengut imprägniertes Rußlandbild abgelöst. Die Furcht vor dem russischen Koloß und der seit Napoleons Niederlage lebendige Mythos seiner Unbesiegbarkeit verband sich mit der Geringschätzung der halbasiatischen Barbarei der Russen und

---

46 Paul Arndt, Deutschlands Stellung in der Weltwirtschaft, Leipzig 1908, S. 117 und 120.

der Überzeugung von ihrer kulturellen, wirtschaftlichen und militärischen Unterlegenheit. Die baltischen Publizisten stellten die Ostseeprovinzen Rußlands als »deutsche Wacht an der Grenze des Slawentums« dar und bezeichneten die Russifizierungspolitik als »Sturm auf die äußersten Vorposten deutschen Volkstums« im »alten Kampf zwischen Slawentum und Germanentum« [47].

Dieser Bedrohung der »germanischen Kultur« galt es, nach der Meinung dieser Gruppe, durch einen Präventivkrieg rechtzeitig entgegenzutreten; ein solcher Krieg wurde moralisch erhöht zu einem Entscheidungskampf zwischen hoher und niedriger Kultur. Diese Rußlandideologie führte folgerichtig zu der Vorstellung, daß kein Friede zwischen Rußland und Deutschland von Dauer sein könne, daß es deshalb die Aufgabe jeder deutschen Regierung sei, das Deutsche Reich auf diesen Krieg vorzubereiten. Die bedeutendste und aufsehenerregendste Schrift zu diesem Gedankengang erschien anonym im Jahre 1890 mit dem Titel »Videant consules, ne quid res publica detrimenti capiat«. Der Verfasser war General Friedrich von Bernhardi, der im Frühjahr 1912 mit seinem Buch »Deutschland und der nächste Krieg« wiederum großes Aufsehen erregte. Bernhardi, die sich anbahnende russisch-französische Annäherung vor Augen, forderte, die deutsche Aufrüstung zu forcieren:

»sobald das aber erreicht sein wird – und wenn wir energisch vorgehen, kann das in kürzester Zeit der Fall sein – fordern wir von unserer Staatsleitung, daß sie zielbewußt den Krieg herbeiführt und nicht abwartet, bis wir abermals militärisch überholt sind«.

In zwei aufeinanderfolgenden Phasen des Krieges gelte es zunächst

»mit Frankreich ab(zu)rechnen und sich (zu) vergleichen, um danach alle lebendigen Kräfte des Volkes für die großen germanischen Kulturaufgaben gegen Rußland in die Wagschale werfen zu können.«

Diese großen germanischen Kulturaufgaben sollten darin bestehen,

»das slawische Barbarentum endgültig auf sein natürliches Aktionsgebiet, den asiatischen Osten und Südosten zurückzuwerfen und die westeuropäische Kultur vor panslawistischer Vergewaltigung zu sichern« [48].

Welches Aufsehen die von den Baltendeutschen getragene Publizistik (Bernhardis Eltern kamen übrigens aus Estland) erregt hat, läßt sich aus einer Kritik Maximilian Hardens aus dem Jahr 1896 ablesen:

---

47 Ein verlassener Bruderstamm, Vergangenheit und Gegenwart der baltischen Provinzen. Von einem Balten, Berlin 1889, S. 212.
48 Friedrich v. Bernhardi, Videant consules, ne quid res publica detrimenti capiat, Kassel 1890, S. 36 u. 37, vgl. auch Bernhardi, Denkwürdigkeiten aus meinem Leben, S. 119.

»Die Balten, die unter dem Schutz der Anonymität in der deutschen Presse tätig sind, haben schon Schlimmes angestiftet und uns mehr als einmal einem Kriege nahegebracht. Einem Kriege wofür? In erster Linie doch nur für die Interessen einzelner Baltenbarone...[49]«

Tatsächlich hatte in diesem gleichen Jahr 1896 – es war das Jahr der Krügerdepesche – in den ›Preußischen Jahrbüchern‹, der bedeutendsten historisch-politischen Monatsschrift in Preußen-Deutschland, ein anderer baltischer Emigrant, unter dem Pseudonym »Vindex« eine kriegerische Artikelfolge mit dem Titel ›Deutschland und die Weltpolitik‹ veröffentlicht. Das Leitmotiv dieser Aufsätze war die Feststellung:

»Unfertig sind wir und hungrig, gezwungen durch unsere geographische Lage, durch den ärmeren Boden, ... durch den erstaunlichen Zuwachs unserer Bevölkerungsziffer ... kurz – durch unser Eintreten in eine neue Phase der Entwicklung gezwungen, uns auszubreiten und Raum zu gewinnen für uns und unsere Söhne.[50]«

Als Ziel für die deutsche Politik forderte der Verfasser eine

»zentraleuropäische Zoll- und Wirtschaftsunion, die Lösung der kolonialen Fragen im großen Sinne, die Demütigung Englands, die Erhaltung des Friedens mit den uns verbündeten Mächten Österreich-Ungarn und Italien, die Eindämmung des übermächtigen russischen Einflusses«[51].

Der Verfasser war der Historiker Theodor Schiemann (geb. 1847), der 1887 aus Reval »gewissermaßen als publizistischer Gesandter der Ostseeprovinzen nach Deutschland gekommen« war. In Berlin fand er die Unterstützung Treitschkes, der ihm die Universitätslaufbahn ebnete und außerdem zur Mitarbeit an den ›Preußischen Jahrbüchern‹ heranzog. Ab 1888 war Schiemann als Lehrer an der Kriegsakademie und ab 1889 auch als Archivar im Preußischen Geheimen Staatsarchiv tätig. An der Kriegsakademie wurde er mit führenden Offizieren des preußischen Heeres bekannt. Fast täglich traf er mit Mitgliedern des Großen Generalstabes zusammen; auch Generalfeldmarschall Graf Waldersee, Generalstabchef bis 1891, und dessen Nachfolger Generalfeldmarschall Graf Schlieffen gehörten zu seinem Bekanntenkreis, außerdem sein baltischer Landsmann Hugo von Freytag-Loringhoven (der im Ersten Weltkrieg Generalquartiermeister und von 1916–18 stellvertretender Chef des Generalstabes wurde) und der schon genannte Kavalleriegeneral Friedrich von Bernhardi. Schiemann habilitierte sich und wurde 1892 Professor auf dem neu eingerichteten Extraordinariat für osteuropäische Geschichte an der Universität Berlin. Gleichfalls seit 1892 war er politischer Redakteur der ›Kreuzzeitung‹. Schiemanns regelmäßige Wochenübersichten in der ›Kreuzzeitung‹

---

49 Maximilian Harden, Herr Professor Schiemann, in: Die Zukunft, Bd. 17, 1896, S. 383.
50 Vindex (Theodor Schiemann), Deutschland und die Weltpolitik, PrJbb 85, 1896, S. 153 f.
51 Ibid.

haben die Vorstellungen der politisch führenden Konservativen, Adel, Militär, höhere Beamte, Geistliche, Industrielle, Agrarier, in hohem Maße geprägt. Vor allem durch diese journalistische Tätigkeit an der ›Kreuzzeitung‹ öffneten sich Schiemann ausgezeichnete Beziehungen zum Auswärtigen Amt. Besonders eng war seine Verbindung zum Vortragenden Rat Fritz v. Holstein. Seit 1904 war Schiemann häufig Gast des Kaisers auf dessen jährlicher Nordlandreise. 1906 wurde Schiemann ordentlicher Professor für osteuropäische Geschichte. Schiemann erwarb sich eine solche Vertrauensstellung im Auswärtigen Amt, daß er von 1909 bis zum Kriegsausbruch damit beauftragt war, den Schriftwechsel zwischen dem russischen Außenministerium und der russischen Botschaft in London, den das Auswärtige Amt von einem Agenten, einem Baltendeutschen (Sekretär an der russischen Botschaft in London) laufend erhielt, zu übersetzen [52].

Schiemanns Einfluß war so groß, daß Bülow in ihm einen Rivalen in seinem Bemühen um die Gunst des Kaisers sah und ihn deshalb am Hof auszuschalten suchte. Der Kaiser hat sich in seinen Erinnerungen sehr anerkennend über Schiemann ausgesprochen:

»Mein besonderes Vertrauen gehörte dem Professor Schiemann. Ein aufrechter Balte, Vorkämpfer des Deutschtums gegen slawische Überhebung, scharfblickender Politiker und glänzender Historiker und Schriftsteller ist Schiemann von mir andauernd in rebus politicis und in bezug auf historische Fragen zu Rate gezogen worden. Ich verdanke ihm manche Orientierung, hauptsächlich über den Osten.[53]«

Auch Schiemanns Rußlandbild ist geprägt durch die Vorstellung der moralisch-geistigen Überlegenheit der deutschen Kultur gegenüber der russisch-slawischen: Schiemann spricht von den Russen als einem barbarischen Volk, von ihrer »Gleichgültigkeit gegen die Pflicht«, »die ein unvermeidliches slawisches Kennzeichen« sei, vom »Fundamentalsatz«, daß »Rechtsgefühl dem russischen Genius fremd sei« und dem »Bedürfnis, zu zerstören, das tief in der russischen Natur begründet« sei. Schiemann vertrat die Ansicht, daß Rußland aus vielen auseinanderstrebenden Elementen zusammengesetzt sei und nur durch die brutale Autokratie des Zaren zusammengehalten werde. Aus der Lehre des Wirtschaftshistorikers v. Haxthausen, der Rußland in vier Zonen aufteilte (Großrußland, Kleinrußland, die Westgebiete, die Turkvölkergebiete), der aber durchaus nicht an eine Aufteilung des russischen Staates gedacht hatte, schloß Schiemann, das Gefüge des Vielvölkerstaates sei so morsch, daß bei Ausbruch eines Krieges sein innerer Zerfall sich nicht vermeiden lasse. Neue Nahrung fand diese Zuversicht durch das Anwachsen der revolutionären Strömun-

---

52 Vgl. Klaus Meyer, Theodor Schiemann als politischer Publizist, Frankfurt a. M./Hamburg 1956, S. 63 u. 173.
53 Kaiser Wilhelm II., Ereignisse und Gestalten aus den Jahren 1878–1918, Leipzig/Berlin 1922, S. 165 f.

gen, wie sie bei der Revolution 1905/06 erstmals erfolgreich aufwallten. In den russischen Ostseeprovinzen, in denen Letten und Esten gegen die meist deutschen streng monarchistisch gesinnten Gutsbesitzer rebellierten, überlagerte die Nationalitätenfrage die soziale Revolutionsbewegung. Schiemann trat in diesen Monaten zusammen mit Hans Delbrück für Hilfsmaßnahmen zugunsten der bedrängten Baltendeutschen ein und für eine Intervention deutscher Marinekräfte und preußischer Truppen mit dem Ziel, die Provinzen zu annektieren. Damals äußerte der Kaiser in einem Gespräch mit Schiemann:

> »Falls in Rußland demnächst alles drunter und drüber geht, dann lasse ich die baltischen Provinzen unter keinen Umständen im Stich, sondern komme ihnen zu Hilfe, und sie müssen dann dem Deutschen Reich angegliedert werden.«

Schiemann entgegnete darauf, er

> »würde diesen 7. Juli (1905) nie vergessen und wollte gern sterben«, wenn er »den Tag des Einmarsches der Preußen in die baltischen Provinzen erlebte« [54].

Freilich hoffte Wilhelm II., daß der Zar sich behaupten würde, und er schreckte auch schon aus Furcht vor den deutschen Sozialdemokraten vor einer Aktion zurück.

In den Jahren nach 1906 trat in Schiemanns publizistischer Tätigkeit das Baltikum in den Hintergrund. Die Marokkofrage und der Balkan erregten jetzt das politische Interesse, ohne daß deshalb Schiemanns Rußlandkonzeption an Einfluß verloren hätte. Bei seiner fortbestehenden engen Verbindung mit den Offizieren des Generalstabes ist die Behauptung nicht überspitzt, Schiemanns einseitiges Rußlandbild habe mit dazu beigetragen, daß politische und militärische Führungskreise in Berlin sich über die militärische Stärke Rußlands täuschten. Im Jahre 1909 schrieb Bernhardi bezeichnenderweise: »daß Rußland zum Kriege unfähig, bestätigte mir neulich auch Schiemann, der es wissen kann« [55].

Schiemann blieb immer ein Anhänger eines Präventivkriegs, nicht zuletzt aufgrund seiner konservativen Überzeugung, daß ein Krieg das beste Heilmittel gegen Demokratie und Sozialismus sei. So gehörte er 1905 zur Fronde der Präventivkriegsbefürworter, wie Bülow berichtet: »Gegenüber den uns drohenden inneren und äußeren Gefahren, so versicherte Schiemann dem Kaiser, sei ein frischer, fröhlicher Krieg das einzige Auskunftsmittel.[56]« Auch während der Bosnischen Krise 1908/09 war Schiemann für einen Krieg. Bernhardi schrieb damals:

> »... auch Schiemann sieht in einer entschlossenen Kriegspolitik unsererseits das einzige Mittel, um unser moralisches Prestige, die Macht des Königtums, die Si-

54 Bülow, Denkwürdigkeiten, Bd. 2, S. 243; Meyer, Theodor Schiemann, S. 144.
55 Friedrich v. Bernhardi, Denkwürdigkeiten aus meinem Leben, S. 332.
56 Zit. Bülow, Denkwürdigkeiten, Bd. 2, S. 81.

cherheit unserer politischen Lage und die innere Einheit der Nation wieder herzustellen. Frankreich seien wir überlegen, und Rußland sei außerstande, Krieg
zu führen. Sobald es in einen großen Krieg verwickelt werde, breche im Innern
gärende Revolution aus.[57]«

Im Blick auf Deutschlands geographische Lage zwischen Ost und West
wurde Schiemann zum Befürworter eines deutsch-englischen Bündnisses
oder doch Neutralitätsabkommens gerade wegen seiner Rußlandfeindschaft. Auch hierin berührte sich Schiemann mit der Meinung des Kaisers.
Bethmann Hollwegs politisches Weltbild war dieser Konzeption ebenfalls
verwandt, nur daß bei ihm – anders als bei Schiemanns Geringschätzung
Rußlands – der Alptraum vor der wachsenden Stärke des russischen Kolosses eine große Rolle spielte.

Ein anderer baltendeutscher Publizist, der neben Theodor Schiemann
das Rußlandbild der deutschen Öffentlichkeit entscheidend prägte, war
Paul Rohrbach (geb. 1869 in Kurland). Rohrbach hatte von 1887 an in
Dorpat Theologie studiert und emigrierte 1890 nach Berlin. Dort machte
er die Bekanntschaft Hans Delbrücks, der ihn als Mitarbeiter für die ›Preußischen Jahrbücher‹ gewann und ihn eine Reihe von Studienreisen nach
Rußland, Asien, Afrika und Amerika, vor allem aber in den Vorderen
Orient unternehmen ließ. Rohrbachs Berichte über seine Reisen in den
›Preußischen Jahrbüchern‹ machten ihn bekannt als Experten für Ruß-
land-, Nahost- und Kolonialfragen. Rohrbachs Rußlandbild basierte auf
der Untersuchung der wirtschaftspolitischen Lage Rußlands. Von dieser
Fragestellung aus kam er zum gleichen Ergebnis wie Schiemann; auch er
hielt Rußland für einen Koloß auf tönernen Füßen. In einer Artikelfolge
über das »System Witte«, in den ›Preußischen Jahrbüchern‹ [58], prophezeite
Rohrbach den bevorstehenden Zusammenbruch der russischen Wirtschaft.
Auch die Aufbauarbeit in Rußland nach dem russisch-japanischen Krieg
ließ Rohrbach nicht sein abwertendes Urteil über das Zarenreich revidieren:

> »Von Rußland kann man heute sagen, daß seine Kraft militärisch wie finanziell
> fast allgemein überschätzt wird, daß ihm sehr wahrscheinlich noch große innere
> Erschütterungen bevorstehen, und daß es vielleicht noch eine Zeit offenbarer
> politischer Kraftlosigkeit erleben wird, während derer es im Rate der Natio-
> nen wenig bedeutet«,

schrieb er im Juni 1913; allerdings räumte er ein, »auf die Dauer« würde
Rußland sich als »ein national-politisches Massengebilde erster Ordnung«
behaupten – wobei er auf die Weite des Raumes und seine Bodenschätze
hinwies, die es Rußland ermöglichten, sich »irgendeinmal ... auch finan-

---

57 Zit. Bernhardi, Denkwürdigkeiten aus meinem Leben, S. 294.
58 Paul Rohrbach, Rußland in der Krisis, Landwirtschaft und Schutzzölle, in: PrJbb 107, 1902,
   S. 102 ff., S. 575 ff.; ders., Die wirtschaftliche Notlage und der Protektionismus in Rußland,
   ibid. 108, 1902, S. 367; ders., Die innere Lage, ibid. 110, 1902, S. 551.

ziell, volkswirtschaftlich und technisch bis auf die Stufe der anderen großen Weltvölker zu entwickeln«[59]. Wie Schiemann forderte Rohrbach unermüdlich eine »Befreiung« der baltischen Provinzen aus der russischen Herrschaft und ihre Angliederung an Deutschland, im Vorkrieg wie im Krieg. 1907 notierte er in seinem ›Weltpolitischen Wanderbuch‹, er habe schon 1890 darum gewettet, daß Dorpat nach 20 Jahren wieder deutsch sein werde: »noch drei Jahre also![60]«

Neben seiner antirussischen Propaganda setzte Rohrbach sich außerdem für die deutsche »Weltpolitik« ein, wie zum Beispiel in den Büchern ›Der deutsche Gedanke in der Welt‹, ›Deutschland unter den Weltvölkern‹ und ›Zum Weltvolk hindurch‹. Ähnlich wie Karl Lamprecht verband er dabei die Verfolgung wirtschaftlicher Interessen mit einem kulturellen Missionsgedanken: er forderte »eine kraftvolle Beteiligung des deutschen Geistes an der vor sich gehenden Umgestaltung der Welt«[61]. Voraussetzung der deutschen Weltpolitik waren für Rohrbach (ähnlich wie für Schiemann und Delbrück) gute Beziehungen Deutschlands zu England. Wenn Großbritannien sich jedoch dem geistigen und machtpolitischen Anspruch Deutschlands entgegenstellen würde, dann sah Rohrbach die kriegerische Auseinandersetzung als unvermeidlich an:

»sollte es vom Schicksal bestimmt sein, daß wir nicht an das Ziel gelangen, ein Weltvolk zu werden, dann darf darüber nicht die Proklamation der englischen Suprematie, sondern dann muß die Sprache der Geschütze entscheiden«[62].

Ein dritter Vertreter der Baltendeutschen im Reich, der vor allem im Krieg auf die deutsche Bildungsschicht und auch direkt auf Wilhelm II. erheblichen Einfluß hatte, war der Tübinger Historiker Johannes Haller, der nach 1918 durch seine ›Deutsche Geschichte‹ die Generation der Weimarer Zeit nachhaltig beeinflußte. Geboren 1865 auf der Insel Dagö bei Estland, studierte er von 1883 ab in Dorpat Geschichte und ging 1890 nach Berlin. In seinen 1960 veröffentlichten Erinnerungen berichtet er über diesen Augenblick:

»Wer im Jahre 1890, aus Rußland kommend, die preußische Grenze überschritt, der trat in eine bessere Welt; an dieser Grenze prallten slawisch-mongolische Halbkultur mit deutsch-abendländischer Gesittung hörbar aufeinander.[63]«

Den Überzeugungen Schiemanns gleich vertrat Haller die Meinung, »daß dem Russen im Allgemeinen der kategorische Imperativ fehlte, der das Rückgrat der deutschen Sittenbegriffe bildet«. Während er vor dem Krieg

59 Zit. Rohrbach, Zum Weltvolk hindurch, Stuttgart 1914, S. 20. Der Artikel stammt aus den PrJbb vom Juni 1913.
60 Rohrbach, Weltpolitisches Wanderbuch 1897–1915, Königstein/Leipzig 1916, S. 80.
61 Rohrbach, Der deutsche Gedanke in der Welt, Düsseldorf/Leipzig 1912, S. 228.
62 Ibid., S. 191.
63 Johannes Haller, Lebenserinnerungen. Gesehenes, Gehörtes, Gedachtes, Stuttgart 1960, S. 74, 69.

publizistisch nicht in Erscheinung trat, wurde Haller im Kriege zum glühenden Propagandisten für eine entscheidende Schwächung Rußlands durch Abtrennung der Ostseeprovinzen, einschließlich Estlands, und durch Abtrennung der Ukraine [64].

Schiemanns, Rohrbachs und Hallers Anschauungen blieben im wissenschaftlichen Raum indes nicht unangefochten. Die Gegnerschaft eines jüngeren Berliner Kollegen Schiemanns, seines Nachfolgers als Leitartikler der ›Kreuzzeitung‹ seit 1914, Otto Hoetzsch, zu diesen Lehren kulminierte während des Krieges in einer scharfen Kontroverse zwischen Haller und Hoetzsch über die Beurteilung des russischen Staates. Haller ging dabei soweit zu behaupten: »Wer die bestehende russische Gefahr leugnet, der ist selbst eine Gefahr, die russische Gefahr im deutschen Hause« [65] (1917). Hoetzsch sah – und er hatte das vor dem Weltkrieg (1912) in einem Buch über das moderne Rußland ausführlich dargestellt – im russischen Reich einen einheitlichen Staatskörper als Ergebnis eines organischen Wachstumsprozesses, er warnte in diesem Buch davor, die innere Kraft und den Zusammenhalt des russischen Staats zu unterschätzen. So vorherrschend waren damals die gegenteiligen Ideen, daß eine Warnung dieser Art dringlich erschien [66]. In einem Aufsatz über Theodor Schiemann (1918) nannte Hans Delbrück Hoetzsch, der immer wieder auf die traditionellen freundschaftlichen Beziehungen zwischen Deutschland und Rußland verwiesen hatte, einen »Russenenthusiasten«.

Im Oktober 1913 hatte Hoetzsch, trotz der reservierten Haltung des Auswärtigen Amtes seinem Plan gegenüber, die Deutsch-Russische Gesellschaft gegründet. Wenn er im Kriege, nach der Marneschlacht im Herbst 1914, vor einer Abtrennung der Randstaaten und überhaupt vor zu weitgehenden Annexionen russischer Gebiete warnte, so nicht allein, weil er es für eine »ganz unhistorische Maßnahme« hielt, sondern vor allem weil er fürchtete, daß dadurch freundschaftliche Beziehungen Deutschlands zu Rußland für immer unmöglich gemacht würden, die das Deutsche Reich seiner Ansicht nach dringend für den Zusammenschluß der europäischen Großmächte »gegen die englische Weltherrschaft« brauchte. Die Rußlandfreundschaft Hoetzschs ging Hand in Hand mit einer entschiedenen Englandfeindschaft:

»Die Lebensinteressen aller dieser (europäischen) Mächte und die Rußlands lassen sich vereinigen«, so schrieb er im Dezember 1914, »die Deutschlands und Englands, eines Englands, das ein englisches Weltjoch für sein Lebensinteresse hält und verficht, nicht [67].«

64 Vgl. den Aufsatz von Haller, Die Deutschen in Rußland, Kriegshefte der Süddt. Monatshefte, Sept. 1915, S. 611–622.
65 Haller, Die russische Gefahr im deutschen Hause, Stuttgart 1917, S. 94.
66 Vgl. Otto Hoetzsch, Rußland. Eine Einführung auf Grund seiner Geschichte von 1904 bis 1912, Berlin 1913.
67 Artikel in der PrKZ, 23. 12. 14; zit. Meyer, Theodor Schiemann, S. 207.

IV. KAPITEL

Von Bismarck zu Bethmann: Um die englische Neutralität

Deutschland zwischen Rußland und England – Der Ausgang der Aera Bismarck

Schon wenige Jahre nach dem deutsch-französischen Krieg zeichnete sich in der Krieg-in-Sicht-Krise von 1875 die Möglichkeit eines russisch-französischen Zusammengehens ab, während zugleich England dank der undurchsichtigen, auf Einschüchterung Frankreichs gerichteten Politik Bismarcks auf die Seite der beiden kontinentalen Nachbarn Deutschlands zu treten schien. Obgleich die Krise dann doch nicht zu einer Neuordnung der Bündniskonstellationen in Europa führte, so war sie doch ein deutliches Zeichen für latent vorhandene Gegensätze zwischen Rußland und Deutschland, die durch die ganz verschiedenartigen wirtschaftspolitischen Interessen Rußlands und Deutschlands noch verschärft wurden. Der Übergang Rußlands als eines Schuldnerlandes zu einem maßvollen Schutzzollsystem datierte zwar schon von 1867; die wirtschaftlichen Gegensätze begannen sich aber erst voll auszuwirken, als Deutschland im Zuge der zunehmenden Industrialisierung an einem starken Industriegüterexport interessiert war und im Interesse seiner Landwirtschaft zugleich auf die Autarkie in der Getreideversorgung hinarbeitete und damit den deutschen Markt für eines der Hauptexportgüter Rußlands zu blockieren begann. Zugleich begann französisches Geld das deutsche Kapital in Rußland zu ersetzen, wodurch sich die russische Wirtschaftspolitik zwangsläufig auch auf eine Zusammenarbeit mit Frankreich ausrichtete [1].

Diese interessenpolitischen Divergenzen konnte Fürst Bismarck auch nicht dadurch überspielen, daß er wieder die Parole ausgab, Deutschland und Rußland müßten zusammen mit Österreich-Ungarn als Hüter der monarchischen Ordnung gegen die revolutionären Kräfte auftreten, zumal da die Gegensätze zwischen Rußland und Österreich-Ungarn wegen

---

[1] Vgl. Helmut Böhme, Deutschlands Weg zur Großmacht, Köln 1966, S. 444.

des Balkans und der Türkei sich als unüberwindlich erwiesen und Deutschland bereits für die Donaumonarchie und gegen das Zarenreich optiert hatte. Gegenüber Wilhelm I., der sich gegen die Aufgabe der traditionell freundschaftlichen Beziehungen zu Rußland gesträubt hatte, setzten sich Bismarck und Moltke mit dem Hinweis auf angebliche Kriegsbedrohungen von seiten der russischen Armee sowie eines Teils der führenden Schichten der russischen Gesellschaft und mit dem Hinweis auf russisch-französische Bündnissondierungen durch[2].

Die Gefahren, die von der angeblich kriegslüsternen Haltung der russischen Armee und den gleichzeitigen Rüstungen Frankreichs ausgehen sollten, dienten für Bismarck Anfang 1877 als Argument, um über den britischen Botschafter in Deutschland, Lord Odo Russell, der britischen Regierung ein Neutralitätsabkommen anzubieten.

Bismarck beschrieb dem Botschafter, daß Rußland immer »aggressiver« werde und Deutschland zu militärischer Vorsorge auch an seiner Westgrenze gezwungen sei. Nach dieser Einleitung stellte Bismarck die direkte Frage nach der Haltung Englands für den Fall, daß Deutschland »ungerecht von Rußland und Frankreich angegriffen werde?« »Von einer Coalition sich bedroht zu fühlen, macht nervös!«, fügte Bismarck hinzu und leitete damit zu seinem Bündnisangebot über:

»Wir würden es aber nicht sein, hätten wir die Gewißheit, uns nicht ohne Bundesgenossen zu finden«,

oder wenigstens die Sicherheit, daß

»England alles neutral ansehen werde wie 1870. Bei Englands Überlegenheit zur See we could stand it – selbst ohne Österreich[3].«

Russell wich einer Antwort aus, indem er das Gespräch wieder in allgemeine Bahnen zurücklenkte. Am 2. Februar teilte er offiziell die Ablehnung Englands mit.

Die Gefahr eines allgemeinen Krieges verebbte bald wieder, denn Rußlands militärische Aktivität richtete sich allein gegen die Türkei; Bismarck aber erwog als Verbreiterung der mitteleuropäischen Basis des Deutschen Reiches ein Schutz- und Trutzbündnis mit Österreich-Ungarn (1877), das eine »dauernde organische Verbindung« zwischen beiden Reichen schaffen sollte, vor allem auch in »wirtschaftlichen und sozialpolitischen Dingen«. Allerdings erhielt der Zweibund von 1879 dann doch nur den Charakter eines Defensivbündnisses[4].

---

2 Vgl. Sigrid Kumpff-Korfes, Bismarcks »Draht nach Rußland«, Berlin 1968, S. 35 ff.
3 AA-Bonn I. ABi, Nr. 57 secr., Vol. I, Protokoll v. d. Hand Bülows, des Staatssekretärs d. Äußeren vom 27. 1. 1877; zit. nach Böhme, Deutschlands Weg zur Großmacht, S. 442.
4 Zit. ibid., S. 443, Wilhelm I. an Bismarck, 4. 2. 1877.

Der Übergang Deutschlands zum Schutzzoll (1879), der zugunsten der deutschen Agrarier den russischen Getreideexport nach Deutschland schwer schädigte, ebenso wie die auch nach dem Berliner Kongreß, auf dem Bismarcks Vermittlung den Unwillen, die Enttäuschung und den Haß der Russen erregt hatte, fortgehenden Balkanwirren zerstörten das deutsch-russische Verhältnis fast völlig. Auch die 1881 nochmals wiederhergestellte Drei-Kaiser-Allianz vermochte keine dauerhafte Annäherung wieder einzuleiten, so daß Bismarck nur noch das überaus labile Doppelspiel von Orient-Entente (von England–Italien–Österreich-Ungarn abgeschlossen zur Aufrechterhaltung des Status quo in Konstantinopel gegen Rußland) und Rückversicherungsvertrag (der den Status quo am Bosporus zugunsten Rußlands gegebenenfalls preisgab) übrigblieb. Dies Vertragssystem konnte aber eine diplomatische, kulturelle und finanzielle Annäherung zwischen Rußland und Frankreich nicht hindern; und zur Zeit der Boulangerkrise (1887) und des hochgehenden Nationalismus in Frankreich wie antideutscher Stimmungen in Rußland drängten der Generalstabschef Generalfeldmarschall Graf Moltke und dann sein Nachfolger General Graf Waldersee auf einen Präventivkrieg gegen Rußland, Forderungen, die Bismarck nur mühsam abwehren konnte und die ihn zu einem zweiten Bündnisangebot an England veranlaßten.

Wie tief antirussische Gefühle in Deutschland in der Mitte der 80er Jahre schon Wurzel geschlagen hatten, zeigt ein Privatbrief des damaligen Sekretärs an der Deutschen Botschaft in Petersburg, Bernhard v. Bülow, des späteren Staatssekretärs des Äußern (seit 1897) und Reichskanzlers (seit 1900) an Friedrich v. Holstein, den Hauptvertreter der Anti-Bismarck-Gruppe und der Präventivkriegsbefürworter im Auswärtigen Amt. Bülow schrieb am 10. Dezember 1887 über die Kriegsziele, die in einem Kampfe mit Rußland errungen werden müßten, wenn eine dauernde Lösung im Machtverhältnis zwischen Rußland und Deutschland erreicht werden sollte:

»Wenn wir mit Rußland kämpfen, so dürfen wir nicht Frieden schließen, ohne dasselbe mindestens für eine Generation unfähig zum Angriffe gegen uns gemacht zu haben... Wir müssen evtl. dem Russen soviel Blut abzapfen, daß derselbe sich nicht erleichtert fühlt, sondern 25 Jahre außerstande ist, auf den Beinen zu stehen. Wir müßten die wirtschaftlichen Hilfsquellen Rußlands für lange hinaus durch Verwüstung seiner Schwarzerd-Gouvernements, Bombardierung seiner Küstenstädte, möglichste Zerstörung seiner Industrie und seines Handels zuschütten. Wir müßten endlich Rußland von jenen beiden Meeren, der Ostsee und dem Pontus Euxinus, abdrängen, auf denen seine Weltstellung beruht. Ich kann mir Rußland wirklich und dauernd geschwächt doch nur vorstellen nach Abtrennung derjenigen Gebietteile, welche westlich der Linie Onega-Bai-Waldaihöhe-Dnjepr liegen.«

Ein solcher Friede würde, sofern es nicht im Falle eines Krieges zum völligen inneren Zusammenbruch Rußlands käme, »nur zu erzwingen sein, wenn wir an der Wolga stünden«. Dann kam Bülow auf das Schicksal Polens bei einem deutsch-russischen Krieg zu sprechen:

>»Ich lasse hierbei die Frage beiseite, ob die Wiederherstellung Polens in irgendeiner Form und die Angliederung der Ostseeprovinzen an uns politisch nützlich wären. Wenn wir Polen wieder ins Leben riefen, so müßten wir dasselbe jedenfalls so konstruieren, daß innerhalb desselben die polnisch-katholischen und die kleinrussisch-orthodoxen Elemente sich ungefähr die Waage hielten und dadurch eine feindliche Politik des wiederhergestellten Polens gegen uns wie eine Aussöhnung desselben mit Rußland ausgeschlossen wäre. Während wir andererseits dann den Augenblick des Krieges benutzen sollten, um aus unseren polnischen Landesteilen die Polen en masse zu exmitieren. Anderenfalls wäre Rußland vielleicht noch ein bequemerer Nachbar als ein wiedererstandenes Polen, das der natürliche Bundesgenosse Frankreichs und Österreichs sein würde. Unsere einzige Friedensgarantie gegenüber den Russen ist die Macht unserer Waffen und unserer Bündnisse.[5]«

Bülows Überlegungen trafen bei Bismarck auf keinerlei Widerspruch, doch notierte er an den Rand des Schreibens, »dergleichen exzentrische Konjekturen muß man nicht zu Papier bringen«, und auch sein Sohn Graf Herbert v. Bismarck, der damalige Staatssekretär des Auswärtigen Amtes, bemerkte zu diesen Auslassungen, »das heißt ja nur Eulen nach Athen tragen«. Reichskanzler und Staatssekretär empfanden die Forderungen Bülows, die drei Jahrzehnte später in den deutschen Kriegszielen gegenüber Rußland wiedererstanden und im Frieden von Brest-Litowsk fast vollständig durchgesetzt wurden, als sozusagen selbstverständliche Ziele deutscher Politik, über die nach Meinung des Reichskanzlers aus Gründen der politischen Opportunität allerdings nicht zu viel gesprochen werden sollte.

Die krisenhafte außenpolitische Situation des Jahres 1887 (Boulangerkrise, Lombardverbot für russische Werte an der Berliner Börse) veranlaßte Bismarck, erneut mit einem Bündnisangebot an England heranzutreten. Als äußerer Anlaß für das Angebot dienten ihm die Auseinandersetzungen zwischen Österreich-Ungarn und Rußland um den Balkan und die Meerengen. Hypothetisch legte er dem Marquis of Salisbury dar, daß Deutschland zwar nie für die Erhaltung der Türkei in den Krieg ziehen würde, daß es aber zum Eingreifen gezwungen wäre, würde es wegen des türkischen Besitzes auf dem Balkan und der Meerengen zum Kriege zwischen Rußland und Österreich-Ungarn kommen, weil Deutschland andernfalls durch die Niederlage Österreich-Ungarns seinen letzten Bündnispartner auf dem europäischen Kontinent verlieren würde. Durch eine solche Entwicklung wäre Deutschland dann Frankreich und Rußland ausgeliefert, die beide nicht wie Deutschland und England zu den »saturierten... und folglich friedliebenden und erhaltenden Mächten« gehörten, sondern

---

5 Bülow an Holstein, 10. 12. 87, zit. Die geheimen Papiere Friedrich v. Holsteins, dt. Ausgabe von W. Frauendienst, Bd. 3, Briefwechsel, Göttingen u. a. 1961, S. 213–216.

aus innen- wie außenpolitischen Gründen eine kriegerische Politik gegenüber Deutschland verfolgten. Aufgrund dieser Voraussetzungen machte Bismarck sein Bündnisangebot an England:

> »Angesichts dieser Sachlage müssen wir die Gefahr, unseren Frieden von seiten Frankreichs und Rußlands getrübt zu sehen, als eine beständige erachten. Unsere Politik wird daher notgedrungenerweise dahin zielen, uns Bündnisse zu sichern, welche sich uns, angesichts der Möglichkeit, gleichzeitig unsere beiden mächtigen Nachbarn bekämpfen zu müssen, darbieten. Falls das Bündnis mit den befreundeten, von denselben kriegerischen Nationen bedrohten Mächten uns nicht im Stiche ließe, so würde unsere Lage in einem Kriege nach beiden Grenzen nicht eine verzweifelte sein.«

Für den Fall, daß Deutschland ohne Bundesgenossen bliebe, werde es allerdings gezwungen sein, sich den Krieg »durch eine freundschaftliche Verständigung mit Rußland zu ersparen«. Diese letztere Bemerkung enthielt eine deutliche Warnung an England, das Bündnisangebot nicht ohne weiteres auszuschlagen, sondern abzuwägen, ob es für die eigenen Interessen günstiger wäre, mit Deutschland als Bundesgenossen seine Orientinteressen gegen Rußland zu verteidigen oder aber durch eine Ablehnung des deutschen Angebots einer Verständigung zwischen Deutschland und Rußland die Wege zu ebnen [6]. Tatsächlich bestand, als Bismarck seinen Brief an Salisbury schrieb, seit einigen Wochen in Form des geheimen Rückversicherungsvertrages eine, wenn auch mühsam wiederhergestellte Verbindung mit Rußland, durch die der Zar und seine Regierung gegen die stark antideutsche Stimmung in der russischen Öffentlichkeit noch an den traditionellen Beziehungen mit Deutschland festgehalten wurden. Allerdings war der Vertrag wohl nur durch die geheime Klausel zu erreichen gewesen, durch die Rußland die diplomatische Hilfe des Deutschen Reichs für den Erwerb Konstantinopels und der Meerengen zugesagt erhielt.

Die Antwort des britischen Premierministers, der von diesen Geheimabmachungen zwischen Rußland und Deutschland nichts wußte, umging geschickt den Kern des Bismarckschen Angebots und beschränkte sich auf eine Diskussion der politischen Alternativen der deutschen und der britischen Politik bei den Auseinandersetzungen um die Türkei. Salisbury betonte, daß die italienisch-österreichisch-ungarisch-britische Mittelmeerallianz »eine wirkungsvolle Schranke gegen jede mögliche russische Aggression darstellen werde«. Folglich stellten sich für ihn keine weiteren Überlegungen über mögliche Bündnisse der europäischen Großmächte [7].

Das Bündnisangebot Bismarcks an England war ein deutliches Symptom dafür, wie verfahren die außenpolitische Situation Deutschlands war. Wenn Bismarck daher nach seinem Rücktritt behauptete, unter ihm habe

---

6 GP 4, Nr. 930, Bismarck an Salisbury, 22. 11. 87.
7 Ibid., Nr. 936, Salisbury an Bismarck, 30. 11. 87.

auch am Ende der 80er Jahre noch ein gutes Verhältnis zwischen Deutschland und Rußland bestanden, so entsprach dies keineswegs den Tatsachen. Dafür ist auch das erneute Bündnisangebot an England im Januar 1889 ein Zeugnis. Bismarck beauftragte den deutschen Botschafter in England, Graf v. Hatzfeld, dem britischen Premierminister Salisbury ein Bündnis zwischen beiden Mächten vorzuschlagen. Mit großer Schärfe hob er die Gefährlichkeit Frankreichs als Gegner Englands hervor und betonte, daß die Interessendivergenzen, die zwischen England und Rußland bzw. Nordamerika bestanden, zwar bedeutend seien, aber wirklich bedrohlich erst dann werden würden, wenn auch Frankreich zu Englands Gegnern zählte. Wenn allerdings ein deutsch-englisches Bündnis bestände, sei England gegen jeden französischen Angriff durch die deutschen Truppen geschützt, und Deutschland andererseits werde sich mit englischer Hilfe gegen einen russisch-französischen Überfall wehren können. Damit dieses deutsch-englische Bündnis voll wirksam würde, verlangte Bismarck zusätzlich von England, daß der Vertrag öffentlich bekanntgemacht würde [8]. Wie schon Ende 1887, so antwortete Salisbury auch jetzt wieder ausweichend, zumal die Voraussetzungen, unter denen Bismarck seinen Bündnisvorschlag gemacht hatte, doch zu phantastisch waren. Ein Krieg zwischen Großbritannien und den USA, in den sich Frankreich zugunsten der USA einmischen konnte, war einfach unwahrscheinlich. So antwortete er Herbert v. Bismarck, der im März 1889 nach London gekommen war, »einstweilen wollen wir sie (d. i. die Bündnisvorschläge) auf dem Tische liegen lassen, ohne Ja oder Nein«.

Auf diese ausweichende Antwort reagierte Herbert v. Bismarck unverhohlen mit einer Drohung:

»Es könnte«, gab er zurück, »nach Jahr und Tag sich eine Konstellation ergeben, in der Frankreich unsere Neutralität nachsuchte, um sich mit England zu messen, und wobei gleichzeitig letzteres (England) ein Kompensationsobjekt nach Rußland hin abgeben könnte. Müßte man dann bei uns die Überzeugung gewinnen, daß wir auf England doch niemals rechnen könnten, so würde England möglicherweise allein bleiben und die pots cassés zu bezahlen haben.«

Doch auch dieser Drohung wich Salisbury aus, wieder lautete seine Antwort: »Einstweilen könne er nichts tun, als möglichst demonstrativ mit uns Hand in Hand zu gehen ...[9]«

Dies geschah tatsächlich, z. B. in der Samoa-Frage, in der Herbert v. Bismarck ein deutsch-englisches Einvernehmen für die im April zusammentretende, von Deutschland, England und den Vereinigten Staaten beschickte Samoa-Konferenz zustande brachte (Samoa-Akte über die Auf-

---

8 Ibid., Nr. 943, Bismarck an Hatzfeld, 11. 1. 89.
9 Ibid., Nr. 945, Herbert v. Bismarck an Bismarck, 22. 3. 89.

teilung der Inseln v. 14. Juni 1889). Anläßlich der Besprechungen, die er damals in London führte, legte ihm der durchaus deutschfreundlich gesinnte Joseph Chamberlain nahe, Deutsch-Südwestafrika aufzugeben, da England den einzigen Hafen dort, die Walfischbai, in Besitz habe, und bot als Kompensation statt dessen Helgoland an (ein Jahr später kam es bekanntlich zum Helgoland-Sansibar-Vertrag, jenem Tausch, der in Deutschland so heftige Kritik und eine Welle von antienglischem Nationalismus auslöste) – Andeutungen, die spürbar machten, welchen Belastungen das deutsch-englische Verhältnis bei Wiederaufnahme einer aktiven deutschen Kolonialpolitik, etwa im burischen Südafrika, im Nahen Orient und in Ostasien bald einmal ausgesetzt sein würde.

Das Zwischenspiel Caprivi – Rußland-Gegnerschaft und Mitteleuropa

Aus dieser Lage zog Bismarcks Nachfolger General v. Caprivi die Konsequenzen. Er wollte eine Stärkung der deutschen Stellung in Mitteleuropa durch eine wirtschaftliche Kooperation der mitteleuropäischen Staaten schaffen, die es ermöglichen sollte, mit England zu einem Ausgleich zu kommen. Die Ausgleichspolitik gegenüber England war zumindest insoweit erfolgreich, als es ihm gelang, die kolonialpolitischen Reibungszonen an einigen Punkten abzubauen. Caprivis Mitteleuropa-Konzeption war außerdem unverkennbar gegen Rußland gerichtet. Daß er im Zuge seiner mitteleuropäischen Handelsvertragspolitik auch dem östlichen Nachbar am Ende – nach einem eineinhalbjährigen Zollkrieg – die Tarife gewähren mußte, die er eigentlich für den mitteleuropäischen Block (Österreich-Ungarn, Italien, Rumänien, Schweiz pp.) hatte reservieren wollen, bedeutete im Grunde eine Niederlage seiner politischen Konzeption; Waldersee, selbst ein glühenderer Rußlandgegner als Caprivi, notierte am 17. März 1894 in sein Tagebuch:

> Er, Caprivi, wollte »einen mitteleuropäischen Zollbund, der sich also auch gegen Rußland richtete. Darauf erklärt Rußland den Zollkrieg, und uns fehlt die Entschlossenheit, ihn durchzuführen, während die Verhältnisse so liegen, daß Rußland hätte nachgeben müssen. Wir haben in der Tat aus Furcht vor Rußland kapituliert und helfen nun, die wirtschaftliche Lage des bis an die Zähne gegen uns gerüstet stehenden Feindes zu verbessern mit völliger Preisgabe der Interessen unserer Landwirtschaft.[10]«

Wenn Caprivi auch seinem primär mitteleuropäisch bestimmten Handelsvertragssystem durch die Einbeziehung der Türkei ein zusätzliches Betä-

---

10 Denkwürdigkeiten des General-Feldmarschalls Alfred Graf v. Waldersee, hrsg. von H. O. Meisner, Stuttgart 1922/23, Bd. 2, S. 311.

tigungsfeld verschaffen wollte, so gab sich doch die aufstrebende deutsche Industrie im Zeichen der beginnenden Hochkonjunktur nicht mit einer solchen Selbstbescheidung – wie sie es auffaßte – zufrieden. Mitte 1894 sah sich Caprivi deshalb veranlaßt, das Auswärtige Amt »um Vorlage einer Denkschrift« zu bitten »über die Sicherung der deutschen Industrie und deutschen Kapitals in Kleinasien und über die Schaffung eines deutschen Kolonialgebietes daselbst im Hinblick auf die Möglichkeit, daß sich Rußland in den Meerengen oder in Konstantinopel festsetzen könnte« [11]. Die Handelspolitische Abteilung des Auswärtigen Amtes legte eine umfangreiche Denkschrift am 19. Juli 1894 mit dem Titel »Sicherstellung der deutschen Interessen für den Fall der Lösung der Dardanellenfrage« vor und konstatierte:

> »Klein-Asien hat Wichtigkeit für uns als Absatzgebiet für die deutsche Industrie, als Unterkunftsstätte für werbende deutsche Kapitalien und als ein hochentwicklungsfähiges Bezugsgebiet für solche notwendigen Importartikel, die wir (wie Getreide, Baumwolle) jetzt aus Ländern beziehen, von denen uns unabhängig zu machen, früher oder später unseren Interessen entsprechen dürfte ... Nach der Lage der Verhältnisse ist gegenwärtig das kapitalistische Interesse das bei weitem überwiegende.[12]«

Eines aber war auch Caprivi und den Diplomaten im Auswärtigen Amt klar, daß eine deutsche Expansionspolitik in Kleinasien immer mit der Gegnerschaft Rußlands und Englands rechnen müsse. Die Probleme der Spätbismarckzeit bestanden also fort und wurden 1895/96 nach dem Sturz Caprivis unter dem neuen als russophil geltenden Kanzler Fürst v. Hohenlohe – er hatte im Zarenreich ausgedehnte Besitzungen – noch verschärft, als nämlich über der Transvaalfrage die deutsch-englischen Interessen wieder aufeinanderprallten. Da auch eine echte Wiederannäherung an Rußland durch den Handelsvertrag nicht gelungen war, der deutsch-russische Zollkrieg vor 1893 im Gegenteil den schon seit 1887 im Gange befindlichen Prozeß der Annäherung Rußlands an das kapitalstarke Frankreich noch beschleunigt hatte, war das Ergebnis der deutschen Außenpolitik in den ersten sieben Jahren nach Bismarcks Abgang negativ. Die distanzierte Haltung Englands bestand weiter fort und Rußland und Frankreich waren seit 1892/94 offiziell Verbündete.

---

11 Caprivi an AA, 24. 3. 94, zit. Wilh. van Kampen, Studien zur dt. Türkeipolitik in der Zeit Wilhelms II., Diss. (Masch.), Kiel 1968, Bd. 2, S. 181.
12 Denkschrift der Handelspolitischen Abteilung vom 19. 7. 94, zit. van Kampen, S. 182 ff.

Die Politik der »freien Hand«, Weltpolitik und Flottenbau – Der An-
spruch auf Gleichberechtigung mit England

In dieser Situation entschloß sich Wilhelm II. mit seinem neuen Staatssekretär v. Bülow, eine Außenpolitik der militärischen Stärke und der freien
Hand zu treiben. Begünstigt durch die großartige industrielle Konjunktur
begann Deutschland, seine Machtansprüche in allen Teilen der Erde anzumelden. Nach dem mißglückten Versuch, mit England in Südafrika die
Kräfte zu messen, dem Debakel der kaiserlichen Telegrammpolitik (Krü-
ger-Telegramm 1896), wandte sich im Jahre 1897 die deutsche politische
Stoßrichtung mit Entschiedenheit und sogar mit anscheinendem Erfolg
zwei Erdräumen zu: Ostasien (Kiautschou) und dem Nahen Osten (Bagdadbahn). Im Jahre 1898 erhob sich der Kaiser auf seiner spektakulären
Damaskus- und Jerusalemreise zum Schutzherrn über 400 Millionen Mohammedaner, und im selben Jahr konnte Bülow seinem »Herrn« mit großer Devotion den Erwerb der Karolinen – winzige Eilande im Stillen
Ozean – melden und den Kaiser mit folgenden Worten feiern:

»Dieser Gewinn wird Volk und Marine ... aneifern, Eurer Majestät weiter zu
folgen auf der Bahn, die zu Weltmacht, Größe und ewigem Ruhm führt.[13]«

Im Zuge solcher weltpolitischen Erwartungen und steigenden Handelsinteressen schuf man als neues Instrument der Weltpolitik die Flotte; ihr
Bau – von Stahlindustriellen angeregt – wurde von Tirpitz energisch
vorangetrieben. Dabei handelte es sich nicht um eine Flotille schneller
Kreuzer, dazu bestimmt, die Handelsrouten der deutschen Schiffahrt oder
die überseeischen Gebiete zu schützen, sondern um eine Schlachtflotte, mit
der man die Gleichberechtigung Deutschlands gegenüber England zu erzwingen und der eigenen Weltpolitik Stärke und Ansehen zu verschaffen
hoffte. – Aktionsradius dieser Schlachtflotte war das nasse Dreieck vor
Helgoland. Admiral v. Tirpitz wies damals offen darauf hin, daß die
deutsche Flotte zu einem Kristallisationskern der kleinen Flottenmächte
Italien, Frankreich, Rußland, gegen England als größter Flottenmacht der
Welt werden könnte.
  Dennoch war es nicht der deutsche Flottenbau, der jede Ausgleichsmög-
lichkeit mit England verschloß, so wenig wie »Handelsneid« oder Kolonial-
streitigkeiten – je größer die deutsch-englische Wirtschaftskonkurrenz
wurde, um so intensiver wurde auch der Wirtschaftsaustausch zwischen
beiden Ländern, und gerade die kolonialen Rivalitäten haben zum Beispiel
England und Frankreich zu einer politischen Entente zusammengeführt.

---

13 DZA Merseburg, Rep 53 B, Nr. 3, Vollzugsmeldung Bülows 25. 2. 99.

Weit mehr waren es die übermächtigen Tendenzen zur politischen und wirtschaftlichen Autarkie, die Deutschland an einer kompromißbereiten Bündnispolitik hinderten. Die innenpolitische Konzeption der Sammlungspolitik, die gegensätzlichste wirtschaftliche und soziale Interessen auszugleichen beabsichtigte, ließ für eine auf internationale Abkommen gestützte Außenpolitik wenig Spielraum – ein Hinweis, wie stark innenpolitische Bedingungen zur Selbstisolierung des Deutschen Reiches beitrugen. So wie das Streben nach Autarkie im Hintergrund der neomerkantilistischen Mitteleuropapläne stand, so war Autarkie der Grundgedanke der Außenpolitik der »freien Hand«, und ließ politische Bündnisse allein mit schwächeren Mächten (Österreich-Ungarn, Italien, Rumänien, Türkei, in den 80er Jahren zunächst auch noch mit Rußland), nicht jedoch mit anderen Großmächten als erwünscht erscheinen.

Deshalb führten auch die 1898 von Joseph Chamberlain – angesichts von Faschoda und des drohenden Konflikts mit den Buren – inaugurierten sogenannten Bündnissondierungen nach mehrfachen Anläufen zu nichts als zu einer weiter wachsenden Entfremdung zwischen Deutschland und England und zuletzt zur Neuorientierung der englischen Politik.

Die Frage des englischen Bündnisses, später wenigstens der englischen Neutralität, zieht sich von 1877–1914 wie ein roter Faden durch die Politik der Reichsleitung. Zwischen Frankreich und Rußland, den beiden anderen kontinentalen Militärmächten eingeengt, stand das Deutsche Reich dauernd unter der Drohung des Zweifrontenkrieges, was wiederum im Auswärtigen Amt ein Bündnis mit England oder ein Neutralitätsabkommen mit ihm um so dringlicher erscheinen ließ.

Verständigung mit Rußland (Kontinentalblockideen) oder Krieg mit Frankreich (die »günstige Gelegenheit« 1905)

Nachdem die Annäherungsversuche zwischen England und Deutschland 1901 endgültig gescheitert waren und das Inselreich sich nun im Bündnis mit Japan von 1902 und in der Entente mit Frankreich von 1904 umorientierte, erwog die Reichsleitung seit 1902 eine Verständigung mit Rußland, die indirekt zugleich zu einer solchen mit Frankreich führen sollte, und damit zu einem Kontinentalblock, mächtig genug, um auch die kleinen europäischen Staaten an sich heranzuziehen. Der Kaiser sprach davon, »Les Etats Unis de l'Europe« zu schaffen, »natürlich unter deutscher Führung«, wie Holstein diese Idee des Kaisers ergänzte[14]. Aber Rußland wollte die relative Sicherheit seines Bündnisses mit Frankreich nicht gegen

---

14 GP 19, Marginalien des Kaisers zu Nr. 6047, Graf v. Arco an Bülow, 11. 8. 04.

ein Zusammengehen mit Deutschland eintauschen, zumal sich dieses mit seiner Zoll- und Handelspolitik gerade anschickte, die Getreideexporte des Zarenreiches zu drosseln und den Ausbau von dessen Industrie zu verhindern. Deutschland begrüßte deswegen den Ausbruch des russisch-japanischen Krieges (Februar 1904), weil dadurch die zaristische Regierung – auf deutsche Loyalität angewiesen – zu größerer Nachgiebigkeit in wirtschaftlichem und politischem Bereich gezwungen werden konnte. Wilhelm II. wurde in den dem Kriege vorausgehenden Monaten und während des Krieges selbst nicht müde, den Zaren der Freundschaft Deutschlands zu versichern, um zum gegebenen Zeitpunkt eine Belohnung für sein freundschaftliches Verhalten und für die wohlwollende Neutralität des Deutschen Reiches zu fordern.

In der Tat versuchte das Auswärtige Amt schon im November 1904 Rußland für ein politisches Bündnis zu gewinnen. Der zweite Versuch erfolgte im Juli 1905 anläßlich der Entrevue von Björkö. Wilhelm II. überreichte dem Zaren einen Vertragsentwurf, der die Pläne des Auswärtigen Amtes vom Herbst wiederaufnahm. Dieser Überrumpelungsversuch gelang zwar gegenüber dem Zaren, nicht aber gegenüber der russischen Regierung, blieb also Episode, obwohl die Reichsleitung die Chancen für ein solches Bündnis noch für weitaus günstiger hielt als ein Jahr zuvor, einmal wegen des Fiaskos der russischen Streitkräfte im Fernen Osten und zum anderen wegen des Erfolges der deutschen Diplomatie gegenüber Frankreich, wie er sich im Sturz des französischen Außenministers Delcassé zeigte[15].

Mit dieser Konzeption überschnitt sich jedoch von Anfang an eine zweite, die den Umweg über ein Bündnis mit dem östlichen Nachbarn für überflüssig oder auch irreal hielt und statt dessen die Bindung von dessen Militärmacht in Ostasien ausnutzen wollte, zur direkten Sprengung des russisch-französischen Bündnisses und zur Störung der englisch-französischen Entente mit Hilfe eines Krieges gegen Frankreich.

Im Auswärtigen Amt hatte sich seit den ersten Nachrichten über die englisch-französischen Kolonialverhandlungen die Bereitschaft verstärkt, Frankreich von dieser sich abzeichnenden Entente abzuhalten. Ende März 1904 riet Bülow Wilhelm II., der im Mittelmeer kreuzte, in Marokko demonstrativ an Land zu gehen. Doch der Kaiser, der um diese Zeit noch der Idee einer unmittelbaren Verständigung mit Frankreich über den Präsidenten Loubet anhing, wollte sich damals nicht auf eine solch riskante Aktion einlassen. Als nun die Ergebnisse des englisch-französischen Abkommens vom 8. April 1904 bekannt wurden, das als wichtigsten Punkt eine Verständigung über Marokko und Ägypten einschloß, kam es im

---

15 Vgl. die Dokumente GP 19 I, Kap. 135; 19 II, Kap. 138; sowie Walter Klein, Der Vertrag von Björkö, Wilhelm II., Bülow und Holstein im Kampf gegen die Isolierung Deutschlands, Berlin 1931, S. 192–227.

Reichstag zu einer Interpellation der Nationalliberalen; sie forderte Aufklärung über die neue Konstellation in der auswärtigen Politik, besonders über den englisch-französischen Vertrag und die Konsequenzen des russisch-japanischen Krieges für Deutschlands Weltstellung. Die Stimmung in Berlin war sehr gedrückt, entgegen dem nach außen gezeigten Optimismus. Baronin v. Spitzemberg, die über persönliche Beziehungen zu den Exponenten der Reichsleitung verfügte, trug am 15. April in ihr Tagebuch ein:

> »Auf dem Auswärtigen Amte herrscht tiefe Niedergeschlagenheit über das französisch-englische Abkommen betreffs Marokko, eine der schlimmsten Niederlagen der deutschen Politik seit dem Zweibunde.[16]«

Bülow — ganz im Gegensatz zur wirklichen Stimmung im Auswärtigen Amt — interpretierte die englisch-französische Verständigung im Reichstag dahingehend, daß das Abkommen keinerlei Spitze gegen eine dritte Macht habe. Zum russisch-japanischen Krieg umschrieb er den Standpunkt der deutschen Regierung von neuem als Willen zur loyalen und ehrlichen Neutralität.

Der Kaiser indessen eröffnete in einer Rede zu Karlsruhe am 28. April, in der er die Einheit der Nation beschwor, daß die neue Situation Deutschland unter Umständen zum Eingreifen in die Weltpolitik zwingen könne. Und drei Tage später, am 1. Mai in Mainz, bei Einweihung einer neuen Rheinbrücke, verband er wiederum die Hoffnung auf Frieden mit dem Hinweis auf Deutschlands Kriegsbereitschaft und Kriegsstärke. Die englische Wochenzeitschrift ›Spectator‹ interpretierte am 9. Mai die Kaiserreden als »Folge der Isolierung«, in der sich Deutschland sich befand:

> »Deutschland ist isoliert, und der deutsche Kaiser sucht durch laute und leidenschaftliche Worte diese Tatsache zu verbergen« — »wie ein Junge auf dem Kirchhof« — ... »Der Deutsche Kaiser renommierte, um seinen Mut zu beleben. Er möchte, daß die Welt etwas zum Diskutieren hätte, damit ihr keine Zeit bliebe zu bemerken, einen wie tiefen Fall Deutschland in seiner Weltstellung in dem letzten halben Jahre getan hat. Man bedenke, wie groß dieser Fall gewesen ist.[17]«

Es kann nicht wundernehmen, daß die Alldeutschen als aktivster Teil des deutschen Bürgertums — nachdem Claß bereits im September 1903 in seiner Schrift ›Bilanz des Neuen Kurses‹ mit der Erfolglosigkeit der »Weltpolitik« abgerechnet hatte — auf einer Sitzung ihres Geschäftsführenden Ausschusses am 9. und 10. April in Gotha eine Denkschrift an Bülow richteten, in der sie als Antwort auf das englisch-französische Abkommen eine Festsetzung des Deutschen Reiches in Westmarokko forderten, weil ange-

---

16 Das Tagebuch der Baronin v. Spitzemberg, hrsg. Rudolf Vierhaus, Göttingen 1961, Eintragung vom 15. 4. 04, S. 439.
17 Schultheß' Europ. Gesch. Kal., 1904, S. 223; Die Kaiserreden vgl. ibid., S. 74, 76 f.

sichts der Bindung der russischen Kräfte in Ostasien die Zeit für Deutschland günstig sei; auf der gleichen Sitzung forderte man eine großzügige Flottenvermehrung. Auf dem Alldeutschen Verbandstag in Lübeck am 27. und 28. Mai 1904 warnte Hasse in einer großen Rede vor der wachsenden Entfremdung zwischen dem nationalen Bürgertum und der Regierung, wobei er darauf hinwies, es könne auch der Fall eintreten, daß sich diese Kritik gegen den Träger der Kaiserkrone richte. In einer Entschließung zur marokkanischen Frage wurde es als eine

> »demütigende Nichtbeachtung des Deutschen Reichs« hingestellt, »daß es bei den Verhandlungen Englands und Frankreichs über die Zukunft Marokkos beiseite gelassen und offenbar wie eine Macht dritten Ranges behandelt worden ist.[18]«

Zugleich erschien im Sommer 1904 die erste Marokkoflugschrift von Claß ›Marokko verloren? Ein Mahnruf in letzter Stunde‹.

Inzwischen war – entgegen den alldeutschen Verdächtigungen – auch die Regierung nicht untätig gewesen. Am 19. April 1904 suchte der Vortragende Rat im Auswärtigen Amt Fürst Lichnowsky im Auftrage des Reichskanzlers den Chef des Großen Generalstabes Graf Schlieffen auf, um ihn darüber zu befragen, ob ein eventueller deutsch-französischer Krieg lokalisiert bleiben könne, d. h. ob der Generalstab die Durchführung eines solchen Krieges ohne die Intervention Rußlands für möglich halte[19]. Schlieffen antwortete noch im April 1904 dem Auswärtigen Amt schriftlich, die Russen hätten zwar ihre Truppen von der Westgrenze nicht abgezogen, doch sei deren tatsächliche Kampfkraft sehr stark geschmälert, weil sie viele Offiziere ebenso wie zahlreiche Freiwillige an die Ostasienfront hätten abgeben müssen. Rußland werde wohl alles versuchen, um einen Krieg gegen Deutschland zu verhindern, und sollte es doch dazu kommen, vor allem wegen seiner Bündnispflichten gegenüber Frankreich, so würde es kaum in der Lage sein, den Krieg ernsthaft zu führen.

Stellte der Große Generalstab also die deutschen Chancen für einen Krieg gegen Frankreich als günstig hin, so zeigte sich das Auswärtige Amt vor allem darum besorgt, aus der ostasiatischen Krise handelspolitisches Kapital zu schlagen. Seit dem Winter 1903 stockten die Verhandlungen über einen deutsch-russischen Handelsvertrag, und so drohte das gesamte Handelsvertragswerk ein Torso zu bleiben, solange der wichtige Vertrag mit Rußland nicht unter Dach kam. Im Auswärtigen Amt hoffte man jetzt auf größere Konzessionen von seiten des Zarenreiches und erzielte tatsächlich Ende Juli 1904 – allerdings erst nachdem Bülow selbst die Lei-

---

18 Entschließung zur marokkanischen Frage 28. 5. 04; zit. 20 Jahre Alldt. Arbeit und Kämpfe, Leipzig 1910, S. 247; Die Eingabe an Bülow vom April 1904, vgl. ibid., S. 238 f.
19 GP 19 I, Nr. 6031 Aufzeichnung Lichnowskys vom 19. 4. 04; Schlieffens Antwort vom 20. 4. 04, ibid., Nr. 6032.

tung der Verhandlungen mit Witte übernommen hatte – ein Abkommen, das den deutschen Wünschen weitgehend Rechnung trug [20]. Deswegen besaß im Jahre 1904 die Konzeption einer freundschaftlichen Annäherung an Rußland höheres Gewicht als der Gedanke einer kriegerischen Auseinandersetzung mit Frankreich.

Im ganzen Jahr 1904, als die militärischen Schwierigkeiten und Rückschläge Rußlands sich häuften und der Kriegseifer des Zaren zu erlahmen drohte, versicherte Kaiser Wilhelm ihm mehrfach, wie wichtig es für Rußland sei, den Krieg an der Landfront durchzuhalten, bis seine Ostseeflotte im kommenden Frühjahr Ostasien erreichen würde. Statt dessen verschlechterte sich die Lage seit Januar 1905 weiterhin. Damals begannen die revolutionären Unruhen und Streiks in Petersburg und anderen Großstädten (Januar 1905 Zug unter Führung des Popen Gapon vor das Winterpalais, März und April erste Aufstände in den Großstädten); im März 1905 fanden die großen vieltägigen verlustreichen Entscheidungsschlachten in der Mandschurei statt, durch die der Krieg für Rußland endgültig verlorenging.

Diesen Moment der äußersten Schwächung Rußlands benutzten Bülow und Holstein, um den zögernden Kaiser zur Landung in Tanger (31. März 1905) zu bewegen und Frankreich zum Krieg zu provozieren. Die Streitfragen, wieweit Frankreich des Marokkoabkommen von 1888 verletzt habe und wieweit Deutschlands wirkliche oder behauptete Wirtschaftsinteressen in Marokko gefährdet seien, traten jetzt ganz in den Hintergrund gegenüber dem entscheidenden Ziel dieser deutschen Aktion, die Entente Cordiale mit Hilfe einer Kriegsdrohung oder eines Krieges zu sprengen. Eben in diesen Monaten fanden die gewohnten Besprechungen Schlieffens und Holsteins besonders häufig statt; in diesen Monaten überarbeitete Schlieffen den seit 1892 konzipierten West-Aufmarschplan mit dem Titel »Angriffskrieg gegen Frankreich«, der unter dem Namen »Schlieffenplan« berühmt geworden ist; und in diesen Monaten sprach der Generalstabschef in intimem Kreise aus, wie die politische Führungsschicht Deutschlands die Stellung des Deutschen Reiches in Europa sah, in welche Vorstellungen sie sich aufgrund der außen- und innenpolitischen Stagnation hineingesteigert hatte. Schlieffen sagte im Sommer 1905:

> »Wir sind umstellt von einer ungeheuren Koalition, wir befinden uns in derselben Lage wie Friedrich der Große vor dem Siebenjährigen Krieg. Jetzt können wir heraus aus der Schlinge. Der ganze Westen Rußlands ist von Truppen entblößt, Rußland ist in Jahren nicht aktionsfähig; wir könnten jetzt mit unserem erbittertsten und gefährlichsten Gegner Frankreich abrechnen und wären dazu wohl voll berechtigt.[21]«

---

20 Vgl. dazu die im Entstehen begriffene Dissertation meiner Assistentin Barbara Vogel über die deutsche Rußlandpolitik 1900–1906.
21 Hugo Roch, Schlieffen. Ein Lebens- und Charakterbild für das deutsche Volk, 5. Aufl. Berlin 1940, S. 40; vgl. G. Ritter, Der Schlieffenplan, München 1956, S. 112 ff.

Gerhard Ritter hat in Auseinandersetzung mit Peter Rassow dessen These zu widerlegen versucht, daß Schlieffen damals auf die politische Reichsleitung im Sinne eines Präventivkriegs eingewirkt habe[22]. Ein gewichtiges Dokument zur Klärung dieser Kontroverse ist ein Bericht des sächsischen Militärbevollmächtigten in Berlin, v. Salza, vom 6. 9. 1905, in dem es heißt, daß nach Mitteilungen eines ihm befreundeten Generalstabsoffiziers

>»allerhöchsten Ortes hier noch immer mit der Möglichkeit eines Krieges gegen die Verbündeten Frankreich und England gerechnet wird. In Folge dessen haben Seine Majestät der Kaiser dem Chef des Generalstabes der Armee und dem Chef des Admiralstabes der Marine den Auftrag erteilt, einen gemeinsamen Feldzugsplan zu entwerfen. Exzellenz Graf Schlieffen vertritt die Ansicht, mit allen zur Verfügung stehenden Kräften des Landheeres gegen Frankreich vorzumarschieren und den Schutz der Küste in der Hauptsache der Flotte zu überlassen ... Die Entscheidung des Krieges fällt in Frankreich und nicht zur See. Hierzu muß die Armee so stark wie irgend möglich sein. 50 000 Mann (die die Marine aus Furcht vor einer Landung englischer Truppen in Dänemark nach Schleswig-Holstein abordnen wollte) weniger können eine schnelle Entscheidung, die wir brauchen, in Frage stellen.[23]«

Der Chef des Admiralstabes der Marine sah indes – so Frhr. v. Salza und Lichtenau »mit größter Besorgnis« einem etwaigen Kriege gegen die englische Flotte entgegen, und auch der Kaiser blieb schwankend, obwohl Schlieffen in der nächsten Zeit die im Skagerrak liegende englische Flotte insgeheim beobachten ließ und sich davon überzeugte, sie werde nicht in Dänemark Truppen landen:

>»Graf Schlieffen (sei) sehr befriedigt über das Ergebnis seiner Erkundigung ... und hoffe, mit seinen Ansichten durchzudringen, da er stets der Meinung gewesen sei, England werde sich wohl hüten, sich mit Deutschland in einen Landkrieg einzulassen und dies Frankreich allein übertragen. Wie Seine Majestät der Kaiser sich nunmehr zu der Frage stellt, war ihm noch nicht bekannt.«

Wichtiger Faktor in den Überlegungen der Politiker und Militärs im Sommer 1905 war – auch das wird in dem eben zitierten Dokument deutlich – die voraussichtliche Stellungnahme Englands in einem deutsch-französischen Krieg. Hatte im Jahre vorher in den deutschen militärischen Überlegungen die Frage, ob und mit welcher Truppenstärke Rußland sich an einem Krieg beteiligen würde, die größte Rolle gespielt, so trat jetzt – nachdem der Winter 1904/05 einen deutsch-englischen War-Scare gebracht hatte – die Frage eines Kriegseintritts Englands an der Seite Frankreichs in den Mittelpunkt. Offensichtlich war es nicht zuletzt die Abneigung der

---

22 G. Ritter, Der Schlieffenplan, S. 202 ff. und ders., Staatskunst und Kriegshandwerk, Bd. 2, S. 239 ff. vgl. Peter Rassow, Schlieffen und Holstein, in: HZ 173, 1952, S. 297–313; vgl. auch Wilhelm Groener, Lebenserinnerungen, Göttingen 1957, S. 84.
23 STA Dresden Kriegsmin. Allg. Armeedepartement, Nr. 1426, Bericht: Salza und Lichtenau an den sächs. Kriegsminister, 6. 9. 05.

deutschen Marinestellen, die noch unfertige Flotte dem Risiko eines Krieges mit England auszusetzen, was den Kaiser am Ende zur Vorsicht bestimmte.

Die Vorbereitungen Schlieffens und die Erwartungen Holsteins erfüllten sich nicht. Im Juni 1905 war Frankreich vor der Kriegsdrohung zurückgewichen, und die Befürchtung, einen Krieg zugleich gegen Frankreich und England führen zu müssen, veranlaßten nun den Kaiser und schließlich auch den Reichskanzler, sich mit dem Erreichten, nämlich mit der Störung der englisch-französischen Zusammenarbeit zu begnügen. Aus dieser Beurteilung der europäischen Situation entstand der Gedanke einer internationalen Konferenz, auf der die deutsche Regierung hoffte, den Bruch zwischen England und Frankreich zu vervollständigen und vor aller Welt sichtbar zu machen. Die Erbitterung Holsteins über dieses Zurückweichen kommt noch 1909 in einer Unterhaltung zum Ausdruck, die er mit dem deutschen Diplomaten von der Lancken führte. Holstein gab darin zu, er habe bis 1904 »ein Heranholen Englands an das franko-russische Bündnis (als) außerhalb der Grenzen der Wahrscheinlichkeit und Möglichkeit liegend« gehalten.

> »Als mir aber – fuhr er fort – diese Gefahr klar vor Augen stand, war ich der Überzeugung, wir müßten, bevor der Ring der anderen Großmächte uns einschnürte, mit aller Energie und mit einem auch vor dem äußersten nicht zurückschreckenden Entschluß versuchen, den Ring zu sprengen. Darum die Tangerreise des Kaisers! Allerdings habe ich dann wieder einen Irrtum in der Abschätzung der letztlich entscheidenden Persönlichkeit gemacht. Ich hätte mir klar darüber sein müssen, daß Fürst Bülow schwerlich, Seine Majestät keinesfalls, zum Letzten sich entschließen würden.[24]«

Nach allem, was wir über Wilhelms II. Verhalten wissen, liebte er wohl große Worte und kriegerische Gesten, schreckte aber vor den Konsequenzen eines deutschen Angriffskrieges zurück, was die politische Konzeption seiner außenpolitischen Berater komplizierte und was seine militärischen Berater enttäuschte.

Als die Revolution in Rußland den Thron zu gefährden schien, der Zar sich im Oktober 1905 zum Erlaß einer Konstitution gezwungen sah und im Dezember ein Moskauer Arbeiteraufstand blutig niedergeworfen wurde, gab der Kaiser im berühmt gewordenen Neujahrsbrief »unter dem wieder angezündeten Tannenbaum« an seinen Kanzler und Vertrauten Bülow nachträglich ein wichtiges Motiv für sein Zaudern bekannt. Die revolutionären Vorgänge in Rußland hatten ihn wieder ganz entschieden auf die Gefährlichkeit einer wachsenden Sozialdemokratie im eigenen Lande gestoßen. Krieg zu führen, ohne die Haltung der sozialdemokratischen Arbeiterschaft dazu vorher sichergestellt zu haben, erschien ihm zu wag-

---

24 Oscar v. d. Lancken-Wakenitz, Meine dreißig Dienstjahre 1888–1918, Berlin 1931, S. 56.

halsig. Der Kaiser schrieb, gegen einen Krieg spreche, daß, abgesehen von nicht erreichten Bündnissen und von noch nicht voll durchgeführter Bewaffnung der Armee, die »Hauptsache« sei,

> »daß wir wegen unserer Sozialisten keinen Mann aus dem Lande nehmen könnten ohne äußerste Gefahr für Leben und Besitz der Bürger ... Erst die Sozialisten abschießen, köpfen und unschädlich machen, wenn nötig per Blutbad, und dann Krieg nach außen, aber nicht vorher und nicht à tempo! [25]«

Am 1. Januar 1906 wurde Graf Schlieffen endgültig in den Ruhestand versetzt, und im Sommer 1906 wurde auch Holstein, zu dessen größter Erbitterung, der erbetene Abschied gewährt.

In dem eben erwähnten Gespräch mit von der Lancken hatte Holstein rückblickend festgestellt, das Hinarbeiten auf die internationale Konferenz von Algeciras sei ein Fehler gewesen, statt dessen hätte man sich mit Frankreich allein und direkt arrangieren sollen, nachdem nun einmal der Krieg als Lösung ausgeschieden war. In der Tat bewies der Verlauf der Konferenz, daß Deutschland sich in eine Isolierung hineinmanövriert hatte. Selbst von seinen Bundesgenossen Italien und Österreich-Ungarn sah es sich nur reserviert unterstützt, und alle Hoffnungen Wilhelms II. auf seinen »Freund«, den amerikanischen Präsidenten Theodore Roosevelt, erwiesen sich als eitel, so daß das deutsche Konferenzziel, die Störung oder den Bruch des englisch-französischen Einvernehmens zu provozieren, in keiner Weise erreicht wurde. Vielmehr bestand diese Entente in Algeciras ihre erste Bewährungsprobe, und darüber hinaus wurde dort der erste Pfeiler für eine Brücke zwischen der englisch-französischen Entente und Rußland errichtet. Da außerdem auch der materielle Ertrag der Abmachungen über Marokko für Deutschland unbefriedigend war, war die Reichsregierung seitdem konferenzallergisch.

Dreadnoughtbau und Verständigung mit England – Kriegskrise 1909

Der Kaiser hatte in der Vorschau das Jahr 1906 als »besonders ungünstig« für eine kriegerische Auseinandersetzung bezeichnet [26]. Mit dem Abschluß der Konferenz von Algeciras waren die äußeren Spannungen vorläufig beigelegt, und Bülow konnte sich mit besonderer Intensität der Klärung der innenpolitischen Lage Deutschlands zuwenden, wie es der Kaiser verlangt hatte. Die Reichstagswahlen des Jahres 1907 wurden von der Reichsleitung mit größter Umsicht und Planung vorbereitet: der Hereroaufstand

---

25 Bernhard v. Bülow, Denkwürdigkeiten, hrsg. Franz v. Stockhammern, Berlin 1930, Bd. 2, S. 197 f.
26 Ibid., S. 197 f.

in Südwestafrika, der den Wahlen den Namen Hottentottenwahlen gegeben hat, der Streit um die Mittel zu seiner Niederwerfung und um das Ausmaß des militärischen Einsatzes wurden als besonders wirksame Stimulantia zur Mobilisierung kleinbürgerlich-konservativer Kreise erkannt und ausgenutzt. Das Stichwort für den Wahlkampf gab die regierungsoffiziöse ›Norddeutsche Allgemeine Zeitung‹ (NAZ) unmittelbar nach der Reichstagsauflösung am 13. Dezember 1906, wenn sie schrieb: Durch die Ablehnung der Kolonialforderungen sei Deutschlands Stellung in der Welt empfindlich getroffen. Südwestafrika sei ein Prüfstein dafür geworden, »ob Deutschland überhaupt der Entwicklung aus einem europäischen Großstaat zur Weltmacht fähig ist« [27].

Wie entscheidend ein großer Wahlsieg der bürgerlichen und konservativen Parteien erachtet wurde, das zeigen die reichlichen Mittel zur Wahlpropaganda, die ihnen aus Industrie- und Bankkreisen zuflossen [28]. Die nationale Parole war erfolgreich. Zum erstenmal seit 1890 war es gelungen, bisherige Nichtwähler zugunsten der bürgerlichen Parteien an die Wahlurne zu bringen, so daß der prozentuale Stimmenanteil der Sozialdemokratie, obwohl sie absolut gesehen Stimmen gewann, zurückging und sie in den Stichwahlen entscheidende Mandatsverluste erlitt. Die Wahlbeteiligung betrug annähernd 85 %, während sie 1903 nicht viel mehr als 76 % betragen hatte, und die Sozialdemokratie erhielt statt 81 nur noch 43 Mandate.

Nach diesem Wahlsieg der bürgerlichen Parteien mit Hilfe der nationalen Parole fühlte sich das gesamte bürgerliche Lager unter Einschluß des Zentrums (mit wenigen Ausnahmen auf linksliberaler Seite) stärker denn je dazu verpflichtet, festere Grundlagen für die deutsche »Weltpolitik« zu schaffen.

Jetzt, nach seinem innenpolitischen Erfolg, glaubte Bülow die im Sommer 1907 abgeschlossene englisch-russische Entente und Interessenabgrenzung in Persien, worauf man in der deutschen Führungsschicht beunruhigt reagiert hatte, »pomadig« hinnehmen zu können. (So sagte er wörtlich.) Vor allem aber ließ er, von Tirpitz und dem Kaiser gedrängt, eine neue Flottenvorlage ausarbeiten, die dem Reichstag 1908 vorgelegt und mit großer Mehrheit [29] angenommen wurde. England hatte auf die deutsche Flottenrüstung seit 1905/06 mit dem Übergang zum Dreadnoughtbau geantwortet, einer marinetechnischen Entwicklung, die zur gleichen Zeit auch in den USA und in Japan eingeleitet wurde. Auch Deutschland war

27 Zit. Schultheß' Europ. Gesch. Kal. 1906, S. 255 ff.
28 Vgl. Dieter Fricke, Der deutsche Imperialismus und die Reichstagswahlen von 1907, ZfG 9, 1961, Heft 3, S. 538–576.
29 Vgl. zu diesem Abschnitt: Hans-Georg Fernis, Die Flottennovellen im Reichstag 1900–1912; Beitr. z. Gesch. d. nachbismarckischen Zeit u. d. Weltkrieges, NF H. 7, Stuttgart 1934.

bereits vor der Kiellegung des ›Dreadnought‹ entschlossen, auf diesen neuen Schlachtschifftyp umzurüsten, steigerte jetzt aber nicht nur ebenfalls seine Schiffsgrößen, sondern auch das Bautempo (Übergang zum Vierertempo) bei gleichzeitiger Herabsetzung der Lebensdauer der Linienschiffe von 25 auf 20 Jahre.

Wilhelm v. Stumm, Botschaftsrat in London und ab 1908 Vortragender Rat im Auswärtigen Amt, der Hauptverfechter dieser Flottenrüstungspolitik im Auswärtigen Amt, erkannte zwar, daß die englische Annäherung an Frankreich und Rußland der Furcht vor der deutschen Flotte, die die englische Hegemonie zur See zu gefährden drohte, entsprungen war. Um so mehr versuchte er aber, das Verhältnis von Ursache und Folge umzukehren und der englischen Politik und Öffentlichkeit »allmählich zum Bewußtsein (zu)... bringen, daß die deutsche Flottenpolitik im ursächlichen Zusammenhange mit der Richtung steht, die die englische Politik in der letzten Zeit Deutschland gegenüber eingeschlagen hat«[30]. Entscheidend für die Flottenkonzeption Stumms war außerdem seine Auffassung, wonach eine deutsche Konzession an England nur in Form einer Verlangsamung der Durchführung des Flottengesetzes erfolgen könne, also »ohne Verringerung des Gesamtsollbestandes« der deutschen Flotte. Aber selbst diese Konzession sollte nur dann zugestanden werden, »wenn sich uns gleichzeitig die bestimmte Aussicht eröffnet, dagegen die Gewißheit einzutauschen, daß wir im Falle kriegerischer Komplikationen England nicht auf der Seite unserer Gegner finden werden«[31].

Die Flottennovelle von 1906 führte zu neuen Ausbrüchen des Navy-Scare in der englischen und deutschen Presse, so daß Eduard VII. und seine politischen Berater bei einem Besuch in Deutschland im Sommer 1908 sich bemühten, Wege zu einer Verständigung zu ebnen. Indes stießen auch vorsichtige Äußerungen in diesem Sinne und über Möglichkeiten, den Flottenbau zu verlangsamen, beim Kaiser auf hartnäckigen Widerstand. Dem Unterstaatssekretär Sir Hardinge machte Wilhelm II. eine solche Szene, daß der Brite das Gespräch schließlich abbrach. Auf dessen dringliche Aufforderung, sich zu einem maritimen Arrangement bereitzufinden, hatte der Kaiser unbelehrbar erwidert: »Then we shall fight, for it is a question of national honour and dignity.[32]« Nachdem der König und Hardinge erfolglos abgereist waren, hielt man auf beiden Seiten weitere Erörterungen über die Flottenfrage für inopportun. Bülow glaubte deshalb auch, den privat vorgetragenen Wunsch Lloyd Georges nach einem Zusammentreffen mit ihm oder dem Kaiser ablehnen zu müssen: die Frage der Ver-

---

30 Vgl. GP 24, Nr. 8213, Aufzeichnung Stumm, pr. 9. 7. 08, Stumm an Bülow, 20. 8. 08; ibid., Nr. 8237.
31 GP 28, Nr. 10 241, Bülow an Metternich, 25. 12. 08, Konzept von Stumm.
32 GP 24, Nr. 8226, Wilhelm II. an Bülow, 13. 8. 08; Telegraphischer Bericht über das Gespräch mit Hardinge, vgl. dazu auch Bülow an Metternich, 22. 9. 08; ibid., Nr. 8248.

langsamung des Schiffbautempos sei noch nicht reif. Ein psychologisch günstiger Moment, von dem der deutsche Botschafter in London Graf Metternich sagte, »man (hätte) mit wenig Nachgeben manches erreichen können«, war mit der Zurückweisung der englischen Vorstöße (u. a. auch Gespräche Cassels mit Ballin) ungenutzt geblieben[33].

Bülow sah wohl die Gefahr, die sich für Deutschland aus einer völligen Entfremdung Englands ergeben könne. Im Juni 1909, kurz vor seiner Ablösung als Kanzler durch Bethmann Hollweg, empfahl er eine Verständigung mit London, »um die zwischen heute und dem Ausbau unserer Flotte liegende Gefahrenzone zu durchschreiten«, weil Deutschland bisher nicht in der Lage sei, »einen Konflikt mit England siegreich zu bestehen«. Diese Gefahrenzone sollte nach Tirpitz' Ansicht »in fünf bis sechs Jahren, also etwa 1915, nach Erweiterung des Kaiser-Wilhelm-Kanals und Fertigstellung der Helgolandposition, überstanden sein«[34]. Die Politik einer Annäherung an England, um »die einzige schwarze Wolke am Horizont« zu vertreiben, wurde seit 1908 zum beherrschenden Problem der deutschen Außenpolitik. Bülows Stellung beim Kaiser war jedoch seit der Daily-Telegraph-Affäre vom Herbst 1908 so erschüttert, daß er seine Bedenken nur noch für die Geschichte anmelden, aber keine neue Politik mehr inaugurieren konnte. Um so mehr sollte das Verhältnis zu England für seinen Nachfolger zur zentralen Frage werden.

Die Annexion Bosniens und der Herzegowina durch Österreich-Ungarn war ein Schritt, der das verbündete Deutschland, vor allem den Kaiser persönlich, äußerst verstimmte, zumal im Blick auf den türkischen Freund und die Hoffnungen, die man auf ihn setzte. Dennoch glaubte sich die deutsche Reichsleitung gezwungen, für ihren Bundesgenossen einzutreten und den Einspruch Rußlands zurückzuweisen. Dabei war die politische Situation des Deutschen Reiches für eine auftrumpfende Außenpolitik so ungünstig wie möglich: Flottengespräche mit England waren gerade im Sande verlaufen, durch die Daily-Telegraph-Affäre hatte das deutschenglische Verhältnis noch eine weitere Belastung erfahren, gleichzeitig war dadurch das Vertrauen des Kaisers in seinen Kanzler schwer erschüttert. Zu allem drohte die Auseinandersetzung um die Finanzreform den »Bülowblock« zu zerbrechen. Die nationale Parole von 1907 hatte sich nicht als stark genug erwiesen, um die über die Steuervorlagen zerstrittenen Konservativen und Liberalen beieinander zu halten. Dennoch waren innerhalb der deutschen Führungskreise die Anhänger derjenigen Richtung

33 Vgl. GP 24, Nr. 8243, Bericht von Schoen an Bülow, 6. 9. 08; Vertrauliche Mitteilung über die Begegnung König Eduards mit Clemenceau und Iswolski; vgl. ibid., Nr. 8231, Telegramm Bülow an AA, 20. 8. 08, ibid., Nr. 8233 f. Schriftwechsel Bülow–August Stein 22. 8. 08.
34 GP 28, Nr. 10 306, Protokoll einer Besprechung im Reichskanzlerpalais am 3. 6. 09 über die Frage einer Verständigung mit England (Teilnehmer Bülow, Bethmann Hollweg, Tirpitz, Moltke, Müller, Wolff–Metternich, Schoen).

stark, die es auf eine kriegerische Entscheidung gegenüber Rußland – und das hieß zugleich gegenüber Frankreich – ankommen lassen wollte. Im Januar 1909 begann im Auftrag der beiderseitigen Souveräne und politischen Leitungen der Briefwechsel zwischen den Generalstabschefs der verbündeten Mittelmächte, General Conrad v. Hoetzendorf und Moltke, zwecks Koordinierung der Pläne beider Armeen im Fall des kontinentalen Krieges. Dieser Briefwechsel riß bis 1914 nie wieder völlig ab und wurde durch gegenseitige Besuche vertieft.

Im Februar 1909 gelangten die deutsch-französischen Verhandlungen über eine Marokkoverständigung zum Abschluß; sie sollten das deutsche Verhältnis zu Frankreich und damit auch zu England bereinigen. Hier spielte die Absage hinein, die sich Iswolski bei seinem Besuch in London im November 1908 geholt hatte, als er die Zustimmung zur Annexion Bosniens mit einer Verstärkung der russischen Machtposition an den Meerengen hatte kompensieren wollen. Sein Mißerfolg förderte in Deutschland die Hoffnung, daß England bei einem deutsch-russischen Krieg neutral bleiben werde. In dieser Situation bekräftigte Deutschland das österreichische Ultimatum an Serbien vom 19. März 1909 durch eine ultimative Anfrage in Petersburg vom 22. März und verlangte eine klare Anerkennung der von Österreich vollzogenen Annexion – die berühmte Pression mit der »schimmernden Wehr«, vor welcher das von Krieg und Revolution noch geschwächte und seiner Ententepartner nicht sichere Zarenreich zurückwich[35]. Die Frage blieb, ob es in ähnlicher Situation noch ein zweites oder drittes Mal zurückweichen würde.

Damals stand Deutschland vor der Entscheidung, ob es sich, ähnlich wie 1905, mit dem errungenen glänzenden diplomatischen Erfolg begnügen oder aus dieser Position der Stärke weiterhin mit Kriegsdrohungen aufwarten sollte. Im April 1909 wandte sich Bülow deswegen an seinen alten Ratgeber Holstein, wenige Wochen vor dessen Tod. Moltke und Conrad, die beiden führenden Militärs, bedauerten sehr, daß man die günstige Gelegenheit von neuem wieder verpaßt habe[36]. Doch selbst wenn Bülow sich zu einem harten Kurs hätte entschließen wollen, so war er doch nicht mehr in der Lage, ihn beim Kaiser durchzusetzen.

Am 26. März 1909, vier Tage nach der ultimativen Anfrage an Rußland, notierte der Hofmarschall Graf Robert Zedlitz-Trützschler:

---

35 GP 26 II, Nr. 9460, Bülow an Pourtalès 21. 3. 09; ibid., Nr. 9464 Pourtalès an AA 22. 3. 09, Nr. 9465, Nikolaus II. an Wilhelm II., 22. 3. 09.
36 Conrad, Aus meiner Dienstzeit, Bd. 1, S. 404; Moltke an Conrad am 19. 3. 09, worin er versichert, er werde »nicht zögern, den Angriff zu machen, um die gleichzeitige österreichische Offensive zu unterstützen«. In einem anderen Brief bezeichnete Moltke die Bosnische Krise als eine Gelegenheit zum Kriege, »die unter so günstigen Bedingungen sich sobald nicht wieder bieten dürfte . . . Immerhin: Exzellenz lassen Sie uns vertrauensvoll in die Zukunft blicken. Solange Österreich und Deutschland Schulter an Schulter stehen, jeder bereit, in dem Ergehen des anderen das ›tua res agitur‹ zu erkennen, werden wir stark genug sein, jeden Ring zu sprengen. An diesem mitteleuropäischen Block kann sich mancher die Zähne ausbeißen.«

»Gestern mittag unterhielt ich mich lange mit General v. Lynker. Nachdem wir die außenpolitischen Kriegsmöglichkeiten besprochen, denen er für uns günstige Chancen sowohl Frankreich wie Rußland gegenüber beimaß, so daß er sogar die Herbeiführung des Krieges im jetzigen Moment für wünschenswert hielt, um aus den inneren und äußeren Schwierigkeiten herauszukommen, entgegnete er auf meinen Hinweis, daß die Nerven des Kaisers schlecht seien und man doch sehr mit seiner schwierigen Persönlichkeit zu rechnen habe: ›Ich stimme Ihnen bei, Moltke fürchtet nicht die Franzosen und die Russen, wohl aber den Kaiser.‹ – Er sagte ferner, daß alles, was uns in den vergangenen 21 Jahren von unserer Höhe heruntergebracht, in letzter Linie auf den Einfluß des Kaisers zurückzuführen sei.[37]«

Ein erfahrener ausländischer Beobachter der deutschen Verhältnisse, der langjährige russische Botschafter in Berlin, Graf Osten-Sacken, gab in diesen Tagen, auch auf Grund der Berichte seiner Militär-, Marine- und Finanzattachés, eine Analyse[38] der inneren und äußeren Beweggründe für die deutsche Kriegsbereitschaft, die den Ansichten des Grafen Zedlitz-Trützschler noch mehr Gewicht verleiht, weil sie die Haltung des Kaisers mit seiner Situation gegenüber den Militärs und der Bevölkerung nach der Daily-Telegraph-Affäre in Verbindung brachte und zugleich die Hoffnungen der herrschenden Schichten auf die innenpolitisch heilsamen Wirkungen eines Krieges erkannte:

»Die Kriegspartei, verleitet durch die unbestreitbare militärische Bereitschaft der Armee und der übrigen Schichten der Gesellschaft, gekränkt in den Gefühlen ihrer traditionellen Ergebenheit dem Obersten Führer gegenüber, hält den Krieg für das einzig mögliche Mittel, um das in den Augen der Volksmassen erschütterte Prestige der monarchischen Macht wiederherzustellen.
Die Stimmung der militärischen Kreise nährt sich von der Überzeugung, daß die gegenwärtige zeitliche Überlegenheit der Armee Deutschland die größten Erfolgschancen verspricht. Solche Überzeugung kann diesen Kaiser verlocken und seiner Außenpolitik militanten Charakter geben.
Andererseits könnte ein siegreicher Krieg wenigstens in der ersten Zeit den Druck der radikalen Bestrebungen im Volke für eine Änderung sowohl der preußischen, wie der Reichsverfassung in mehr liberalem Sinne zurückschlagen.
Das sind – in allgemeinen Zügen – die Symptome des inneren Lebens in Deutschland, die die Ursachen für die militärischen Vorbereitungen erklären können.«

Außenpolitisch konstatierte der Botschafter in der Unterstützung der österreichischen Balkanpolitik wie in einem antirussischen Auftreten in Konstantinopel eine Abwendung des Berliner Kabinetts von seinen »traditionellen freundschaftlichen Beziehungen zu Rußland«, was ihm um so beunruhigender erscheint, als Berlin sich gleichzeitig um eine Annäherung an London bemühe. Der Militärattaché gab dazu die Erläuterung:

---

37 Robert Zedlitz-Trützschler, Zwölf Jahre am deutschen Kaiserhof, Berlin/Leipzig 1924, S. 226.
38 Sbornik sekretnych dokumentov iz archiva byvšago ministerstva inostrannych del (Sammlung geheimer Dokumente aus dem Archiv des ehemaligen Ministeriums für Auswärtige Angelegenheiten) Nr. 1, Dez. 1917/Jan. 1918, Petrograd, Nr. 68, die Beilagen Nr. 69, 70, 71. – Der Bericht des Botschafters an Iswolski ist undatiert; die Berichte des Militär-, bzw. des Finanzattachés sind datiert vom 20. bzw. 21. 1. 1909.

»Das Anwachsen der Seemacht Deutschlands geht so schnell vor sich, daß es die Vorherrschaft auf dem Meere und die Insellage Englands bedroht.«

Das werde entweder zu einer überfallartigen Auseinandersetzung führen oder, falls beide vorziehen, dem Druck auszuweichen, zu einer Absprache. Kommt diese nicht zustande, so wird – glaubte der Russe – Deutschland auf dem Kontinent stillhalten.

»Erfolgt die Absprache, dann werden die Hände Deutschlands auf dem Kontinent dadurch gelöst sein ...«

»Rußland«, so sagte er, »ist nach Krieg und Revolution noch nicht wiederhergestellt, in Frankreich paralysieren Sozialisten und Antimilitaristen die Kampfkraft der Armee.« Die englische Neutralität wie die derzeitige Schwäche Rußlands und Frankreichs seien dann eine große Versuchung für das Reich, »mit einem schweren Schlag sein militärisches Ansehen wiederherzustellen, seine Hegemonie im Dreibund zu festigen ..., die allslawischen Träume zu paralysieren und Frankreich so zu schlagen, daß es für viele Jahre von der politischen Arena geht«.

Bethmann Hollweg als Erbe des Auftrags an Bülow: Die Sozialdemokraten bei der Stange und England neutral halten

Als Nachfolger Bülows, dessen bevorstehende Entlassung seit Ende April als sicher galt, standen zunächst, neben anderen, zwei Kandidaten zur Debatte, Graf v. Monts und Fürst Lichnowsky, von denen der letztere als Kandidat des Kaisers gelten konnte. Bülow selbst schlug als seinen Nachfolger Theobald v. Bethmann Hollweg vor, dem der Ruf eines versierten Innenpolitikers vorausging [39]. Wegen der innenpolitischen Krise, die das Deutsche Reich trotz oder gerade wegen der eben verabschiedeten Finanzreform bedrohte, schied Monts, Verfechter eines harten außenpolitischen Kurses, aus. Eben darum erschien es dem Kaiser ratsam, Bethmann Hollweg zu berufen.

Der neue Reichskanzler, vormaliger preußischer Innenminister und Staatssekretär des Innern, wurde in der Presse, obwohl er sich in außenpolitischen Fragen bisher wenig exponiert hatte, allgemein als gemäßigt und englandfreundlich herausgestellt.

Die Aufgaben, die sich dem neuen Kanzler stellten, waren dieselben, die Bülow zu bewältigen versucht hatte: Zum ersten die Spaltung der

---

39 Friedrich Hiller von Gaertringen, Fürst Bülows Denkwürdigkeiten, Tübingen 1956, S. 221: »Gegen die von mir vorgeschlagene Nachfolge des Staatssekretärs von Bethmann erhob der Kaiser anfangs mancherlei Einwendungen, ließ aber andere von ihm vorgeschlagene Kandidaten schließlich fallen.«

»Nation« durch die Integration der sozialdemokratischen Arbeiterschaft zu überbrücken – eine Aufgabe, die angesichts der Finanzreform, deren Unterzeichnung und Verteidigung Bethmann Hollweg bereits übernehmen mußte, unerfüllbarer denn je zu sein schien – und zweitens die außenpolitische Stellung des Deutschen Reiches im Konzert der Mächte zu verbessern.

Tatsächlich war es von Anfang an Bethmann Hollwegs wichtigstes außenpolitisches Ziel, »die gegen uns gerichtete Koalition auseinanderzubringen«[40], und zwar durch die Herauslösung Englands aus der Entente. Als wesentliches Druckmittel hierzu diente ihm die deutsche Flotte, mit der man das Inselreich einzuschüchtern und zu Kompensationen zu bestimmen hoffte. Wichtigster Träger der Flottenpolitik im Auswärtigen Amt blieb auch unter der Kanzlerschaft Bethmann Hollwegs Wilhelm v. Stumm, derjenige Mitarbeiter des Kanzlers, der dessen Politik gegenüber England am nachhaltigsten beeinflußte. Insofern bedeutete der Amtsantritt Bethmann Hollwegs – ganz abgesehen von der Personalkontinuität im Reichsmarineamt, dort blieb Tirpitz unangefochten Staatssekretär – keinen Einschnitt: an der »Flottendruckpolitik« wurde auch unter ihm festgehalten.

Die beiden Vorstöße Bethmann Hollwegs von 1909/10 und 1911/12, um für deutsche Flottenkonzessionen gegenüber England einen politischen Vertrag einzuhandeln, entsprachen den Vorstellungen von Stumm, wie er sie schon in den letzten Monaten der Kanzlerschaft Bülows konzipiert hatte: Das englische Mißtrauen gegenüber Deutschland – so Stumm – sei »beinahe ausschließlich auf die Besorgnisse zurückzuführen, die das Anwachsen der deutschen Seemacht hervorruft«[41]. Diese »geradezu panische Angst«, die schweren finanziellen Lasten infolge des Two-Power-Standard, die Notwendigkeit, den Großteil der englischen Flotte trotz ihrer überragenden Bedeutung für den Zusammenhalt des Weltreichs einseitig in der Nordsee zu konzentrieren, schienen Stumm Beweis dafür zu sein, »ein wie wertvolles Atout wir in unserer Flottenpolitik England gegenüber in der Hand haben«. Sollte es Deutschland einmal möglich sein, durch Konzessionen auf dem Gebiet der Flottenpolitik »England von seinen Besorgnissen vor der Beeinträchtigung seiner Suprematie durch Deutschland in überzeugender Weise zu befreien«, dann dürfte das nicht geschehen, »ohne vollwertige Gegenleistung von englischer Seite«. (Randbemerkung Bülows: Sehr richtig.) Eine reine Flottenvereinbarung komme aber schon deshalb nicht in Frage, »weil sie der vorteilhaften Lage, in

40 Formulierung von Kurt Riezler, zit. Karl Alexander v. Müller, Mars und Venus, Erinnerungen 1914–19, Stuttgart 1954, S. 35.
41 GP 24, Nr. 8213, Aufzeichnung Stumms, am 5. 7. 08 an Bülow übersandt; für das folgende vgl. ibid., Nr. 8244, Stumm an Bülow, 8. 9. 08.

der wir uns England gegenüber befinden, nicht genügend Rechnung tragen würde«. Vielmehr müsse Deutschland verlangen, »auf anderen Gebieten Kompensationen für die Preisgabe der Vorzugsstellung zu erlangen, die wir gegenüber den englischen Flottennöten haben«. Das russisch-englische Abkommen über Zentralasien lehre, »wie gewinnbringend sich englische Zwangsvorstellungen ausnutzen lassen« (Randbemerkung Bülows: »Sehr beachtenswert«).

Wie stark die Gedanken Wilhelm v. Stumms die Politik des neuen Kanzlers bestimmten, läßt sich deutlich daran ablesen, daß bei der Vorbereitung neuer Verhandlungen auf eine Neutralitätsformel zurückgegriffen wurde, die der Staatssekretär des Äußeren v. Schoen zusammen mit Stumm für dessen Englandsaufenthalt im April und Mai 1909 ausgearbeitet hatte [42]. Forderung und Angebot standen also ganz im Rahmen der bisherigen Englandpolitik; neu war jedoch deren Exponent: Bethmann Hollweg hat ganz bewußt das persönliche Prestige, das er in England genoß, als politisches Mittel eingesetzt. So konnte v. Flotow, damals im Auswärtigen Amt, zu Kiderlen-Wächter sagen [43]:

> »Der Herr Reichskanzler steht etwas auf dem Standpunkte, daß die Engländer Bülow sehr mißtraut hätten, daß er einen Gegensatz dazu konstruieren und nicht den Glauben an mala fides aufkommen lassen müsse.«

Bereits wenige Wochen nach Beginn seiner Kanzlerschaft legte Bethmann Hollweg sein außenpolitisches Programm fest, das er bis zum Kriegsausbruch verfolgte [44]:

1. Deutschland solle versuchen, obwohl sich der Kanzler die Schwierigkeiten nicht verhehlte, ein politisches Agreement möglichst in Form eines Neutralitätsvertrages mit England zu erreichen, in dem »England uns zusagt, neutral zu bleiben, falls wir von Frankreich und Rußland einzeln oder zusammen angegriffen werden, oder falls wir, weil Rußland Österreich-Ungarn angreift, aufgrund unseres Bündnisses der Donaumonarchie beistehen müssen«.
2. Ein Mittel zu diesem Neutralitätsvertrag sei ein Flottenabkommen. Bethmann Hollweg erklärte ausdrücklich, daß das Flottenagreement »für uns nur dann von Wert sei, wenn es uns gleichzeitig eine friedliche Politik uns gegenüber verbürge«.
3. Dennoch solle das Interesse der deutschen Flotte in vollem Maße berücksichtigt werden: Bethmann Hollweg sah es als selbstverständliche Voraussetzung an, »daß die Zugeständnisse, die wir machen, auch vom Standpunkte unserer bisherigen und gegenwärtigen Flottenpolitik aus vertreten werden können«.
4. Ein solches Flottenabkommen, das ein politisches Agreement nach sich ziehe, würde »unsere Stellung im europäischen Konzert entscheidend stärken«.
5. Eine solche Stärkung des politischen Ansehens Deutschlands würde ihm,

42 GP 28, Nr. 10 302 f. Entwurf von Schoen zu einem politischen Abkommen zwischen Deutschland und England, pr. 6. 5. 08.
43 Flotow an Kiderlen, 11. 11. 09. Zit. Jaeckh, Kiderlen-Wächter, Bd. 2, Stuttgart u. a. 1924, S. 74.
44 GP 28, Nr. 10 325, Aufzeichnung Bethmann Hollwegs betr. das außenpolitische Konzept seiner Regierung 13. 8. 09; vgl. dieses Dokument auch für den folgenden Abschnitt.

dem Kanzler, die Vertretung einer von den deutschen »Ultras« als Schwäche angesehenen Flottenpolitik erleichtern.

6. Diese Politik solle möglichst unabhängig vom Reichstag durchgeführt werden (und dürfe deshalb nicht belastet werden durch Abkommen auf anderen Gebieten wie Kolonial- und Bagdadbahnfragen oder durch die Frage eines Handelsabkommens, an das heranzutreten wäre, falls England zum Schutzzoll überginge, um dann wenigstens das Prinzip der Meistbegünstigung diesem Lande gegenüber zu behaupten).

7. Die Verhandlungen müssen so geführt werden, daß für ihr Scheitern immer der andere verantwortlich gemacht werden kann. (»Lehnt England ein vernünftiges Angebot von uns ab, so ist es England, das sich ins Unrecht setzt.«)

Wichtig ist, daß Bethmann Hollweg sich bei diesem Programm auf die Zustimmung des Staatssekretärs im Reichsmarineamt v. Tirpitz berufen konnte. Etwaige Eskapaden Wilhelms II., wie sie ein Jahr zuvor das deutsch-englische Gespräch scheitern ließen, versuchte Bethmann Hollweg auszuschließen, indem er dem Kaiser geschickt zu verstehen gab, er dürfe sich England gegenüber nicht exponieren, »damit er durch ein etwaiges Mißlingen der Verhandlungen nicht belastet« werde [45]. Dieses Programm bildete die Grundlage für die Verhandlungen, die Bethmann Hollweg von Mitte Oktober 1909 an mit dem englischen Botschafter in Berlin Goschen führte. Die englische Regierung strebte dabei nach einem Flottenabkommen, das ihr erlaubte, die Rüstungsausgaben zu vermindern, ohne jedoch gewillt zu sein, das europäische Gleichgewicht aufheben zu lassen; das aber war gerade das Ziel Bethmann Hollwegs, dem es deshalb in erster Linie auf das Neutralitätsabkommen ankam.

Der von Bethmann Hollweg als Nachfolger Schoens im Auswärtigen Amt vorgesehene Gesandte in Bukarest, v. Kiderlen-Wächter, warnte in zwei Memoranden vom Oktober und November 1909 davor, die Verständigungsbemühungen mit Gesprächen über ein Fottenabkommen zu eröffnen, weil dem Auswärtigen Amt dann die Verhandlungsführung von den technischen Behörden – sprich Reichsmarineamt – aus der Hand genommen werde und die dann allzu offen zutage tretenden Meinungsgegensätze zu einem baldigen Abbruch der Gespräche führen könnten. Außerdem schütze ein bloßes Marineabkommen nicht dagegen, daß Deutschland auch fernerhin von England an allen Punkten der Erde in seinen Interessen und Aspirationen behindert werde. Deshalb hatte für Kiderlen ein politisches Abkommen den Vorrang, wobei immerhin das Angebot eines späteren Abkommens über den Flottenbau als Köder benutzt werden sollte. In diesem Sinne schlug er eine schrittweise Annäherung über Fragen zweiter Ordnung (Kolonien, Wirtschaft) vor, an deren Ende dann vielleicht ein allgemeines, ein »eigentliches« Neutralitätsabkommen stehen könnte. Aber selbst hier sei Vorsicht geboten; denn die

---

45 Ibid., Nr. 10 325, S. 214.

Engländer würden wohl auf eine derartige Allgemeinverpflichtung kaum eingehen. Falls sie überhaupt Bereitschaft zeigten, könnte Deutschland ihnen in diesem Punkte weitgehende Konzessionen machen:

> »Es könnte die gegenseitige Neutralitätsverpflichtung beschränkt werden auf den Fall, daß der andere angegriffen wird – sans provocation de sa part –. Auch könnte das vielleicht zur Vermeidung des den Engländern möglicherweise unliebsamen Wortes ›Neutralität‹ so ausgedrückt werden, daß keiner der beiden Paziszenten an dem nichtprovozierten Angriff eines Dritten auf den anderen Paziszenten teilnimmt.[46]«

In seinen Unterredungen mit dem englischen Botschafter Goschen hat Bethmann Hollweg dann allerdings doch gleich seine Karten aufgedeckt und ganz offen den Wunsch Deutschlands nach einem feierlichen Neutralitätsabkommen ausgesprochen – ein Abkommen, für das in der Schublade des Auswärtigen Amtes ein Entwurf schon bereitlag, der die deutschen Intentionen aufs deutlichste erkennen läßt: Es ging der Reichsleitung um die englische Neutralität in einem Kontinentalkrieg[47].

> »Art. 3. Diese Neutralität (eine mindestens wohlwollende) ist auch dann zu beobachten, wenn einer der beiden hohen Vertragschließenden aufgrund bestehender Bündnispflichten in die Lage kommen sollte, an eine dritte Macht Krieg zu erklären.«

Für den Austausch der Verträge vorbereitete Noten gaben zu diesem Artikel Erläuterungen:

> »Die Kaiserliche Regierung bezieht Artikel 3 des Neutralitätsabkommens auf folgende Fälle: a) einen russischen Angriff auf Österreich-Ungarn, b) einen russischen Angriff auf Japan; im Falle a) müßte nach den bestehenden Verträgen Deutschland, im Falle b) England Rußland den Krieg erklären.«
> Dazu war noch folgender Zusatz vorgesehen: »Wir sind überzeugt, daß Österreich-Ungarn Rußland gegenüber keine provokatorische Politik treiben wird, doch werden wir eventuell bestrebt sein, mäßigend auf unseren Verbündeten einzuwirken.«
> »Die Königlich Großbritannische Regierung legt den Artikel 3 des Neutralitätsabkommens in derselben Weise aus wie die Kaiserlich Deutsche Regierung.«

Vermutlich hat das Bedürfnis, sich dem Kaiser durch einen großartigen außenpolitischen Erfolg unentbehrlich zu machen, den Kanzler alle Warnungen Kiderlens in den Wind schlagen lassen. Von dessen Vorschlägen wurde nur derjenige berücksichtigt, der eine Verknüpfung der englischen Flottenbegrenzungswünsche mit dem deutschen Ziel eines politischen Abkommens vorsah. Dieser Gedanke wurde durch das Angebot aufgenommen, gleichzeitige Verhandlungen über die Flotte und über ein Neutrali-

---

46 Jaeckh, Kiderlen-Wächter, Bd. 2, S. 85.
47 GP 28, Nr. 10 350, Bethmann Hollweg an Kiderlen-Wächter, 28. 10. 09, Anlage 1 u. 2.

tätsabkommen zu führen, wobei allerdings das Auswärtige Amt zweifelte, ob Bethmann Hollweg den Kaiser und Tirpitz auf dieser Linie würde festhalten können. Tirpitz seinerseits wollte diese Verhandlungen benutzen, um von den Engländern einen Vertrag über eine 2:3-Relation der deutschen zur englischen Flottenstärke zu erreichen, was ihm einen ungestörten Fortbau der deutschen Flotte ermöglicht haben würde und zugleich das englische Prinzip »two keels to one« untergraben hätte[48]. Wie Kiderlen vorausgesehen hatte, war England zu einer so weitgehenden politischen Bindung, das heißt zu einer grundsätzlichen Zusicherung seiner Neutralität im Falle eines kontinentalen Krieges, nicht bereit. Der Stellvertretende Unterstaatssekretär im Foreign Office, Crowe, bemerkte entrüstet:

> »Der Handel erscheint ein bißchen einseitig, es ist schwer verständlich, wie er uns ehrlich zur Annahme vorgeschlagen werden kann.[49]«

Tatsächlich boten beide dem Artikel 3 zugrunde gelegten Möglichkeiten ausschließlich dem Deutschen Reich Vorteile; denn im Falle a) eines russischen Angriffs auf Österreich-Ungarn und dadurch ausgelöster deutscher Bündnishilfe wäre Deutschland der englischen Neutralität in einem Kontinentalkrieg sicher gewesen. Kein Wort im Text deutete übrigens darauf hin, daß Deutschland gemäß dem Schlieffenplan seine Bündnishilfe für Österreich zu einem Angriffskrieg gegen Frankreich uminterpretieren würde. Von vornherein war es illusorisch zu erwarten, England würde auf Grund einer so vagen Verpflichtung einem deutsch-französischen Krieg mit verschränkten Armen (wie 1870/71) zusehen. (Bei den Verhandlungen von 1911/12 ging es dann auch ausdrücklich um die englische Neutralität bei einem Kriege zwischen Deutschland und Frankreich.) – Und im Falle b) eines russischen Angriffs auf Japan und dadurch ausgelöster englischer Bündnishilfe für Japan konnte das neutrale Deutschland ruhig einem russisch-englischen Kriege zuschauen und eine ertragreiche Schiedsrichterrolle spielen. Auf einen solchen Krieg zwischen dem britischen Löwen und dem russischen Bären hatte die deutsche Regierung bereits 1904, zur Zeit des russisch-japanischen Krieges, große Hoffnungen gesetzt.

Das ein Jahr nach diesem gescheiterten deutsch-englischen Neutralitätsgespräch zwischen Sasonow und Kiderlen ausgehandelte Potsdamer Abkommen (November 1910) verfolgte seinerseits den Zweck, durch Demonstration der deutsch-russischen Freundschaft die englisch-russischen Beziehungen zu lockern. Darin billigte Rußland den Fortbau der Bagdadbahn, dem es bisher widerstrebt hatte, unter der Bedingung, es seien mit deut-

---

48 Vgl. Alfred v. Tirpitz, Der Aufbau an der deutschen Weltmacht, Hamburg 1924, S. 168 f., Tirpitz an Bethmann Hollweg, 4. 11. 09.
49 BD 7, S. 310, Minute von Crowe, 8. 11. 09; zum Schreiben Nr. 204, Goschen an Grey, 21. 10. 09.

scher Unterstützung Stichbahnen zur Erschließung des russischen Interessengebietes in Persien anzulegen, wogegen Deutschland eben diese den Russen 1907 von England zugesprochene Einflußsphäre anerkannte. Das Auswärtige Amt legte dabei großen Wert auf die sofortige Veröffentlichung dieser Abmachungen, weil ihm in erster Linie an dem politischen Effekt einer deutsch-russischen Annäherung gelegen war. Sasonow dagegen wünschte mit der Publikation zu warten, um die darin manifestierte Verständigung mit Deutschland nicht mit einer Abkühlung des russisch-englischen Verhältnisses bezahlen zu müssen.

Bethmann Hollweg sprach den eigentlichen Zweck seiner Rußlandpolitik selbst aus, als er an seinen Freund Eisendecher schrieb:

»In der Besserung unserer russischen Beziehungen sehe ich vor allem ein Sprungbrett für eine Verständigung mit England. Ich arbeite an ihr seit anderthalb Jahren und glaube auch deshalb an sie.
Der Eindruck unserer Potsdamer Aussprache und Vereinbarung mit den Russen ist in London so stark, daß Grey demissionieren will: So enttäuscht ist Grey über die neue russische Annäherung an uns. Er ließ in Petersburg seinen Unmut allzu deutlich erkennen. Auch für uns kündigt Goschen ›Vorschläge‹ an. [50]«

Der Reichskanzler hoffte also, der Verwirklichung seines außenpolitischen Programms um einen guten Schritt nähergekommen zu sein. Er konstatierte eine Lockerung der Entente und ein Wiederanklopfen Englands an die deutsche Tür.

50 AA-Bonn, Nl. Eisendecher Nr. 1/1–7, Bethmann Hollweg an Eisendecher, 27. 12. 10

Deutsche Politik 1911–1914

»Die insulare englische Denkart hat im Laufe der Jahrhunderte einen politischen Grundsatz mit der Kraft eines selbstverständlichen Dogmas ausgestattet, den Grundsatz nämlich, daß England ein arbitrium mundi gebühre, das es nur aufrechterhalten könne durch die unbestrittene Seeherrschaft einerseits und durch das vielberufene Gleichgewicht der Kräfte auf dem Kontinent anderseits. Ich habe niemals gehofft, diesen alten englischen Grundsatz durch Zureden zu brechen. Was ich für möglich hielt, war, daß die wachsende Kraft Deutschlands und das wachsende Risiko eines Krieges England nötigen könnte, einzusehen, daß dieser alte Grundsatz unhaltbar, unpraktisch geworden ist, und einen friedlichen Ausgleich mit Deutschland vorzuziehen. Jenes Dogma aber lähmte immer wieder die Möglichkeit der Verständigung... Die gesamte Situation war eben die: England war zwar bereit, sich über Einzelfragen mit uns zu verständigen, oberster und erster Grundsatz der englischen Politik aber blieb ihm: Deutschland muß in der freien Entfaltung seiner Kräfte in Schach gehalten werden durch die balance of power.«

Bethmann Hollweg im Reichstag, 2. 12. 1914

V. KAPITEL

Marokkokrise 1911 – Der Durchbruch der nationalen Opposition

Im Laufe des Jahres 1910 ließen die Ergebnisse der Reichstagsnachwahlen immer deutlicher erkennen, daß die Sozialdemokratie durch die Wahlniederlage vom Januar 1907 nur vorübergehend zurückgedrängt worden war: Jetzt, unter dem Eindruck der Reichsfinanzreform, die breite Konsumenten-Schichten benachteiligte, gelang es der extremen Linken, auch in Wählerschichten vorzustoßen, die ihr bisher verschlossen waren. Immer deutlicher begann sich für den schwarz-blauen Block die Gefahr eines großen sozialdemokratischen Wahlerfolges abzuzeichnen. Um ihn zu verhindern, gab es für die Regierung zwei Möglichkeiten, entweder durch den Zusammenschluß der bürgerlichen Parteien die alte Sammlungspolitik gegen die rote Gefahr zu erneuern – oder aber unter Rückgriff auf die Wahlkampftaktik Bismarcks (1887 Boulanger), Hohenlohes (1898) und Bülows (1907) außenpolitische Verwicklungen vorzuschieben und damit die nationalen Instinkte zu mobilisieren, ein bereits zur Tradition gewordenes Wechselspiel des »Je-nachdem« –. Im Frühjahr 1911 war jedoch endgültig deutlich geworden, daß Nationalliberale und Freisinnige an ihrem Kampfruf »Front gegen rechts« festzuhalten gedachten. Damit aber war eine Einigung mit Hilfe der antisozialistischen Parole für die kommenden Reichstagswahlen unmöglich geworden. Als Ausweichmöglichkeit bot sich in diesem Augenblick von neuem der nationale Slogan an. Die Taktik der deutschen Regierung in der Marokkokrise muß – wenn auch nicht ausschließlich – unter diesem Gesichtspunkt gesehen werden.

Die Alldeutschen im Dienst der Regierung

Der im Sommer 1910 berufene neue Staatssekretär des Äußeren, Alfred v. Kiderlen-Wächter, erschien der nationalen Rechten als »neuer Bismarck«, der endlich einmal Bewegung in die stagnierenden Wasser der deutschen Außenpolitik bringen würde. Steinmann-Bucher, der Herausgeber der ›Deutschen Industrie-Zeitung‹, rief im Herbst 1910 nach einem »großen nationalen Schlagwort«, und auch Ballin erhoffte sich von Kiderlen »Taten«[1]. Die sich seit dem Frühjahr 1911 abzeichnende Krise der deutschfranzösischen Beziehungen in Marokko konnte der nach außenpolitischen Erfolgen suchenden deutschen Regierung nur gelegen kommen.

Die im Februarabkommen von 1909 zwischen Deutschland und Frankreich vorgesehene wirtschaftliche Zusammenarbeit, zumal in kolonialen Bereichen, war nicht zustande gekommen. Auch mehrten sich die Klagen über die Benachteiligung deutscher wirtschaftlicher Interessen in Marokko durch das nach den Vertragsbestimmungen von Algeciras politisch dominierende Frankreich. Als im Frühjahr 1911 Frankreich innermarokkanische Unruhen zum Anlaß nahm, um Truppen ins Innere Marokkos zu entsenden, war für Kiderlen der Zeitpunkt gekommen, die marokkanische Frage erneut aufzurollen, und sie, wie er hoffte, doch noch zu einem für Deutschland ertragreichen Ende zu bringen. Kiderlen wartete mit Ungeduld darauf, daß französische Truppen zum Entsatz von Fez entsandt würden. Am 15. Mai teilte Cambon Zimmermann mit, daß die französische Regierung Fez durch General Monier entsetzen lasse, was auch am 21. Mai geschah.

Doch bereits einen Monat, bevor die Franzosen durch ihren Einmarsch in Fez die Algeciras-Akte verletzten, hatte Kiderlen-Wächter bei einem Zusammentreffen mit dem Führer der Alldeutschen, Heinrich Claß (in Mannheim am 19. April), dessen propagandistische Macht in den Dienst der Regierung zu stellen versucht[2], indem er ihm versicherte, der Reichskanzler sei durchdrungen von der Bedeutung und dem Einfluß einer starken äußeren Politik auf die innere; »er ist begierig auf einen Erfolg und wird ungeduldig«. Das hieß: die Wahlen rückten immer näher, und in den eineinhalb Jahren seiner Amtstätigkeit hatte der Kanzler noch keinen sichtbaren außenpolitischen Erfolg errungen (die Potsdamer Abmachungen mit Rußland vom November 1910 boten keinen Ersatz für die seit 1897 angekündigten und erwarteten kolonialen Erwerbungen). Und knapp drei Wochen vor dem französischen Einmarsch in Fez, am 2. Mai, hatte

1 Steinmann-Bucher in: VMB des CdJ, 119, Juli 1910, S. 98; vgl. Albert Ballin an Francke, 20. 7. 10; zit. P. Stubmann, Albert Ballin, Berlin 1926, S. 231 f.
2 Vgl. Heinrich Claß, Wider den Strom, Leipzig 1932, S. 178; Kiderlen–Wächter wünschte eine großangelegte Pressekampagne, die nach den Worten von Claß »die auswärtige Politik des Reiches forcieren sollte«.

Kiderlen in einer Denkschrift für Kaiser und Reichskanzler sein Programm entwickelt, wie die französische Intervention zu einem deutschen Erfolg umgemünzt werden sollte[3]. Die französische Festsetzung in Marokko bedeutete seiner Meinung nach das Ende der Algeciras-Akte. Dadurch gewännen alle Signatarmächte, also auch Deutschland, die Handlungsfreiheit hinsichtlich Marokkos zurück. Diese zurückgewonnene Handlungsfreiheit müsse Deutschland dazu benutzen, sich »für die dann folgenden Verhandlungen ein Objekt (zu) sichern, das die Franzosen zu Kompensationen geneigt macht«. Als geeignete »Faustpfänder« sah er die Häfen Agadir und Mogador an; denn »im Besitz eines solchen Faustpfandes, würden wir die weitere Entwicklung der Dinge in Marokko in Ruhe mit ansehen und abwarten können, ob etwa Frankreich uns in seinem Kolonialbesitz geeignete Kompensationen anbieten wird, für die wir dann die beiden Häfen verlassen könnten«. Kiderlens Denkschrift vom 3. Mai wurde am 5. Mai dem Kaiser in Karlsruhe vorgetragen und fand die allerhöchste Zustimmung. »Der Kaiser hat mein Marokko-Programm (auch mit Schiffen für Agadir) gebilligt«, schrieb Kiderlen[4]. Die kaiserliche Zustimmung zu seinem Programm gewann Kiderlen nicht zuletzt durch den Hinweis, welch große innenpolitische Rückwirkung von der Marokko-Krise zu erwarten sei. Im Schlußpassus seiner Denkschrift hatte er nämlich geschrieben:

> »Auch für die weitere Entwicklung der innerpolitischen Verhältnisse bei uns würde es von Bedeutung sein, wenn es gelingen sollte, bei der schwerlich noch aufzuhaltenden Liquidation der marokkanischen Frage für Deutschland greifbare Vorteile herauszuschlagen. Unsere öffentliche Meinung würde mit alleiniger Ausnahme der Sozialdemokratischen Partei das einfache Geschehenlassen der Dinge im Scherifenreiche der Kaiserlichen Regierung zu schwerem Vorwurfe machen, während anderseits mit Sicherheit angenommen werden darf, daß praktische Ergebnisse manchen unzufriedenen Wähler umstimmen und den Ausfall der bevorstehenden Reichstagswahlen vielleicht nicht unwesentlich beeinflussen würden.«

In einer weiteren von Zimmermann angefertigten Denkschrift, mit der sich übrigens Kiderlen »völlig einverstanden« erklärte[5], ist dagegen von einer Alternative die Rede: Durch eine Festsetzung in Südmarokko (vermittels der Entsendung von Kriegsschiffen) werde man entweder Frankreich veranlassen, »akzeptable Kompensationen« zu bieten, oder aber es werde Deutschland »wenigstens vorerst« in Südmarokko ein Gebietsstrich gesichert, »dessen natürlicher Reichtum und anscheinende Mineralschätze

3 GP 29, Nr. 10 549, Denkschrift Kiderlen-Wächters zur Marokkofrage, 3. 5. 11.
4 Jaeckh, Kiderlen-Wächter, Bd. 2, S. 122. Riezler notierte am 30. 7. 11 die Äußerung Bethmann Hollwegs: »Kiderlen ziehe nicht den Krieg in Betracht, sondern wolle es darauf anlegen ...« zit. K. D. Erdmann, Zur Beurteilung Bethmann Hollwegs, GWU 15, 1964, H. 9, S. 534.
5 GP 29, 10 572; vgl. Anm. S. 142.

uns für die französische Herrschaft im übrigen Marokko in annehmbarer Weise entschädigen«.

Gerade der Unterstaatssekretär im Auswärtigen Amt Arthur Zimmermann scheint der Exponent der Kräfte gewesen zu sein, die auf eine Festsetzung in Marokko selbst drängten. Nach der Aufzeichnung von Claß über sein Gespräch mit Zimmermann am 1. Juli 1911 im Auswärtigen Amt ließ dieser verlauten: »Agadir... ist der Zugang zum Sus, dem an Erzen reichsten und landwirtschaftlich wertvollsten Teil Südmarokkos«. Es sei das Ziel der deutschen Politik, »Hand auf das Gebiet zu legen, das Land zu behalten, da wir unbedingt Siedlungskolonien brauchen« [6].

Eine Festsetzung in Marokko wurde also keineswegs von vornherein prinzipiell ausgeschlossen, wie Kiderlen später behauptet hat. In jedem Falle war Kiderlen davon überzeugt, daß vom Ausgang der Marokkokrise Deutschlands Stellung in der Welt abhinge. Am 16. Juni schrieb er an seinen Unterstaatssekretär Zimmermann:

> »Ich will jedenfalls unter keinen Umständen mittun, wenn wir uns jetzt unserer guten Trümpfe nicht bedienen und das marokkanische Problem sich endgültig zu unseren Ungunsten entscheiden lassen. Wir sind dann für lange aus der Welt politisch ausgeschaltet.« [7]

»Endlich eine Tat!«

In der erwähnten Besprechung am Morgen des 1. Juli 1911 teilte Zimmermann dem Führer der Alldeutschen, Justizrat Claß, vertraulich mit [8]: »Jetzt, heute in einer Viertelstunde, platzt die Bombe.« Um 12 Uhr mittags gaben die deutschen Botschafter bei den Mächten der Algeciras-Akte das Einlaufen eines deutschen Kriegsschiffes in den Hafen Agadir bekannt. Diese Machtdemonstration erregte im In- und Ausland ungeheures Aufsehen. Frankreich und England wurden dadurch völlig überrascht. Besonders desavouiert fühlte sich Jules Cambon, der französische Botschafter in Berlin, der noch wenige Tage vorher in Kissingen mit Kiderlen und mit dem Reichskanzler Ende Juni in Berlin gesprochen und bereits Andeutungen über mögliche Kompensationen Frankreichs an Deutschland gemacht hatte und der jetzt gerade in Paris weilte, um sich nähere Instruktionen zu holen. Daß Deutschland so demonstrativ auftrat, hatte, wie schon erwähnt, zwei Gründe: Im Inland wollte man den Glauben verbreiten, man sei zu einer Politik der Stärke zurückgekehrt — so wie man sie

---

6 DZA I, ADV, Nr. 531, Bl. 51, zit. nach Edgar Hartwig, Zur Politik und Entwicklung des Alldeutschen Verbandes von seiner Gründung bis zum Beginn des 1. Weltkrieges (1891–1914), Diss. Jena 1966, S. 188; vgl. ibid., Dok. Nr. 12, Anhang, S. 268 f.
7 GP 29, Nr. 10 572; vgl. auch die Bemerkung Wilhelms II. vom 10. 7. 1911, ibid., S. 177 f.
8 Vgl. Anm. 6.

Bismarck zuzuschreiben pflegte –, um damit die Basis eines nationalen Wahlsieges zu schaffen; das Ausland, vor allem Frankreich, hoffte man durch die »geste provocatoire« unter Druck zu stellen, um es konzessionswilliger zu machen.

Der Panthersprung nach Agadir löste in weiten Kreisen der deutschen Öffentlichkeit, vor allem bei den rechtsstehenden Gruppen, Jubel und Begeisterung aus, worin sich der seit langem angestaute Unmut über die als schwächlich empfundene deutsche Außenpolitik ausdrückte. Das zeigen die Kommentare der einflußreichsten Zeitungsorgane ganz deutlich. Die konservative ›Kreuzzeitung‹ (3. 7. 1911) übertrieb nur wenig, wenn sie schrieb:

> »In Deutschland aber ging ein gewaltiges Aufatmen durch das ganze Volk, als wäre ein böser Traum gewichen, als begänne ein Alptraum resignierten Mißbehagens vor dem Strahl der Morgensonne zu schwinden.«

Die ›Rheinisch-Westfälische Zeitung‹ (2. 7. 1911), ein alldeutsch-schwerindustrielles Blatt, stellte befriedigt fest: »Der deutsche Träumer erwacht aus zwanzigjährigem Dornröschenschlafe…« Bislang seien die »unwürdigen Nachkommen der Helden von 1870« Schritt für Schritt vor den Herausforderungen des Auslandes zurückgewichen, und Deutschland habe eine »Fülle von Demütigungen« hinnehmen müssen:

> »…als ob wir nicht die volksstärkste Nation in Europa wären, als ob wir uns mit unseren berechtigten Machtansprüchen nicht auf ein Heer von 5 Millionen Bajonetten stützen könnten und auf eine Flotte, die nicht mehr zu verachten ist, als ob wir nicht ein Volk seien, dessen Tüchtigkeit und höchster Anstrengung es gelungen ist, die jahrhundertealten Weltvölker auf den Märkten aller Erdteile in steigendem Maße zu überbieten.«

Auch die deutsche Schwerindustrie begrüßte die deutsche Aktion in Marokko, einmal, weil das Vorgehen der Regierung in allerletzter Stunde noch »nationale« Wahlen zu versprechen schien, zum anderen, weil man auch aus wirtschaftlichen Gründen (Erz) an einer Festsetzung in Marokko interessiert war. Die Versorgung des Deutschen Reiches gestalte sich nämlich nach Meinung der rheinisch-westfälischen Großindustriellen immer schwieriger; E. Kirdorf hatte bereits Ende Mai 1911 seinen Befürchtungen recht drastisch in einem Interview mit der ›Täglichen Rundschau‹ (28. 5. 11) Ausdruck verliehen:

> »Was soll denn aus der deutschen Eisen- und Stahlindustrie auf die Dauer eigentlich werden? Was soll werden, wenn unsere einheimischen Erzlager erschöpft sind? Sie und ich werden es nicht mehr erleben, aber der Augenblick kommt! Und die Industrie, die von diesen Erzen abhängig ist, ist bei unserer heutigen Politik zum Tode verurteilt. Ihr Anteil an dem Erzreichtum Marokkos ist für sie eine Lebensfrage. Leider war unsere Diplomatie… nicht in der Lage, unsere Interessen wahrzunehmen. Sie fürchtet die ›Verstimmungen‹, die entstehen könnten…«

Taten die rechtsstehenden Kreise ihre Begeisterung besonders lautstark kund, so zeigte sich doch auch in der mittelparteilichen und linksstehenden Presse eine fast einhellige Zustimmung. »Endlich!« überschrieb der freisinnige ›Berliner Börsenkurier‹ einen Leitartikel; auch das ›Berliner Tageblatt‹ und die ›Frankfurter Zeitung‹, die beiden großen betont demokratisch auf dem linken Flügel der Fortschrittspartei stehenden Blätter, fanden keine Worte des Tadels für eine Aktion, deren fatale Wirkung im Ausland deutlich zu vernehmen war[9].

Die einzige bedeutende Gruppe, die sich deutlich vom Schritt der Reichsregierung absetzte und ihn kritisierte, waren die Sozialdemokraten, die – wie der ›Vorwärts‹ (4. 11. 11) – darin einen »Vorstoß des deutschen Imperialismus« sahen, unternommen zu dem Zwecke, »das Spiel der Hottentottenwahl« zu wiederholen.

In der ›Norddeutschen Allgemeinen Zeitung‹ – dem offiziösen Blatt der Reichsregierung –, die am 1. Juli nachmittags die Meldung von der Entsendung des »Panthers« brachte, war diese Maßnahme mit dem Hilferuf deutscher Firmen begründet worden, die ihre Interessen durch Unruhen im Süden des Landes gefährdet sahen. (Dieser »Hilferuf« war von den Firmen vorher blanco unterzeichnet worden. Sein Text wurde den Unterzeichnern erst nach der Veröffentlichung in der NAZ zugestellt – vom Auswärtigen Amt.) Die deutsche Regierung verfolgte eine andere Taktik: man wollte Frankreich unter Druck setzen, wie der größte Teil der deutschen Presse, auch soweit er nicht vom Alldeutschen Verband oder vom Auswärtigen Amt instruiert worden war, sogleich mehr oder weniger deutlich erklärt hatte, um dann Konzessionen in Marokko selbst oder Kompensationen aus französischem Kolonialbesitz zu erhalten[10].

Nachdem in den Gesprächen zwischen Kiderlen und Cambon in Kissingen am 20. und 21. Juni 1911 nur von Kompensationen »auf anderem Gebiete« (etwa im Orient und in wirtschaftlichen Fragen) die Rede gewesen war, machte Kiderlen am 9. Juli in Berlin unter der Drohung des am 1. Juli erfolgten »Panthersprungs« Cambon gegenüber die ersten Andeutungen über koloniale Kompensationen, worauf Cambon, der immer noch deutsche Ansprüche auf Westmarokko befürchtete, bereitwillig einging. »Es fielen die Worte französischer Kongo und Togo.« Doch schließlich rückte Kiderlen mit der ganzen, schon seit dem 5. Mai feststehenden deutschen Forderung heraus: Am 15. Juli forderte er von Jules Cambon die Herausgabe des ganzen französischen Kongo (Französisch Äquatorial-

9 Vgl. zu diesem Kapitel die Arbeit meines Schülers Klaus Wernecke, Der Wille zur Weltgeltung. Außenpolitik und Öffentlichkeit in Deutschland am Vorabend des Ersten Weltkrieges, Düsseldorf 1969.
10 Vgl. zu diesem Abschnitt die Dokumente: GP, Bd. 29; insbesondere: Anm. S. 174, 177 f.; Nr. 10 598, Aufzeichnung Kiderlen-Wächter, 9. 7. 11; Nr. 10 600, Bethmann Hollweg an Wilhelm II., 10. 7. 11; Nr. 10 607, ders., 15. 7. 11; sowie auch AA-Bonn, Frankreich 102, Nr. 8 secr. Bd. 1, Kiderlen-Wächter an Bethmann Hollweg, 9. 7. 11.

afrika mit der Hauptstadt Brazzaville) als Kompensation für den Verzicht Deutschlands auf territoriale Ansprüche in Marokko. Der Botschafter, berichtete Bethmann Hollweg an den Kaiser, »wollte auf den Rücken fallen«. Schon eine teilweise Abtretung vom Kongogebiet, so erklärte Cambon, werde die französische Regierung schwerlich vor ihrem Parlament verteidigen können. Tatsächlich lehnte am 17. Juli der als deutschfreundlich bekannte und um den Frieden bemühte französische Ministerpräsident Caillaux diese weitgehende Forderung ab.

Kiderlen gegen den Kaiser

Inzwischen aber war der Kaiser, der sich auf seiner üblichen Nordlandreise befand, in der Furcht vor einer englischen Beteiligung am Kriege »umgefallen«. – Rückschauend meinte er am 17. Juli, man hätte im Mai als Antwort auf den französischen Einmarsch sofort mit der deutschen Forderung herauskommen müssen, weil nur damals das englisch-französische Verhältnis kühl genug gewesen sei[11]. Dieses Schwanken beantwortete Kiderlen mit seiner Rücktrittserklärung.

Der Wortlaut dieses Rücktrittsgesuchs [12] zeigt unverhüllt, daß Kiderlen entschlossen war, falls Frankreich nicht auf die weitgehenden Forderungen Deutschlands einginge, die Affäre bis an den Rand des Krieges hochzuspielen. Seiner Meinung nach würden sich die Franzosen nur dann zu einem annehmbaren Angebot entschließen,

> »wenn sie ganz fest überzeugt sind, *daß wir andernfalls zum Äußersten entschlossen sind.* Wenn wir das nicht dokumentieren, erhalten wir für unseren Rückzug aus Marokko kein Äquivalent, das ein Staatsmann vor dem deutschen Volke verteidigen könnte. Das ist wenigstens meine Überzeugung. Wir müssen den ganzen französischen Kongo haben – es ist die letzte Gelegenheit, ohne zu fechten – etwas Brauchbares in Afrika zu erhalten. Noch so schöne Stücke des Kongo mit Kautschuk und Elfenbein nutzen uns nicht; wir müssen bis an den belgischen Kongo heran, damit wir mittun, falls dieser einmal aufgeteilt werden sollte, und damit wir, solange dieses Gebilde noch besteht, durch ihn die Verbindung nach unserem Ostafrika erhalten. *Jede andere Lösung bedeutet für uns eine Niederlage,* die wir nur durch feste Entschlossenheit vermeiden können.«

Für den Fall, daß sich die französische Regierung gegenüber den deutschen Kompensationswünschen weiterhin ablehnend verhielte, entwarf Kiderlen-Wächter folgende Marschroute:

> »Wir bitten Euch (die Franzosen) darum, uns den ganz genauen Termin anzugeben, bis zu dem Ihr Marokko – incl. Casablanca – geräumt haben werdet.

---

11 Vgl. GP 29, Nr. 10 608, Treutler an Bethmann Hollweg, 17. 7. 11.
12 Jaeckh, Kiderlen-Wächter, Bd. 2; S. 128 ff. (von mir gesp. F.F.).

Widrigenfalls werden wir Euch des Vertragsbruches anklagen und dann *mit* allen Mitteln auf Einhaltung eines Vertrages bestehen, den Ihr feierlich unterschrieben habt. Wir können es nicht weiter mit ansehen, daß Ihr uns verhöhnt, indem Ihr in Marokko trotz eines feierlichen Vertrags schaltet und waltet, wie Ihr wollt.«

Kiderlen fügte hinzu, er glaube nicht,

> »daß die Franzosen den Fehdehandschuh aufnehmen« würden, aber sie müßten fühlen, »*daß wir zum Äußersten entschlossen* sind. Ein Aufgeben Marokkos gegen koloniale Grenzregulierungen würde unsere Gegner übermütig machen, daß wir über kurz oder lang sie doch koramieren müßten.«

Sollten diese Überlegungen (um den Ausgang vorauszunehmen: genau dies, ein Aufgeben Marokkos gegen koloniale Grenzregulierungen, trat ein, also die »Niederlage«!) vom Kaiser und vom Reichskanzler nicht geteilt werden, so erbat Kiderlen seinen Abschied. Er begründete das Gesuch folgendermaßen:

> »Ich bin zu sehr innerlich überzeugt, daß ein unbefriedigender Abschluß mit Frankreich unserer äußeren und inneren Politik unabsehbaren Schaden bringen würde, als daß ich dabei mitwirken könnte. Einen befriedigenden Abschluß erreichen wir aber nur, wenn wir bereit sind, *die letzten Konsequenzen zu ziehen,* d. h. wenn die anderen fühlen und wissen, daß wir es sind. Wer im Voraus erklärt, daß er nicht fechten will, kann in der Politik nichts erreichen.«

Und wie zäh Kiderlen an seinen Plänen hing, zeigen die weiteren Aktionen des Staatssekretärs.

Die schon erwähnte ungnädige Äußerung des Kaisers aus Norwegen über Kiderlens harte Linie veranlaßte den Staatssekretär, am 19. Juli ein zweites Rücktrittsgesuch folgen zu lassen [13] und darin seinen Standpunkt noch schärfer zu präzisieren: Es sei von einer ernsten Sprache bis zur direkten Drohung zwar noch ein weiter Weg, »immerhin kann im Verlauf der Verhandlungen, wenn sie von unserer Seite ernsthaft betrieben werden sollen, eine derartige Spannung eintreten, daß wir den Franzosen positiv erklären müssen, daß wir zum Äußersten entschlossen sind. Und wenn dies Wirkung haben soll, müssen wir auch innerlich dazu entschlossen sein.« — Wie Kiderlen sich die mögliche ultima ratio vorstellte, mag aus einem Programm des außenpolitischen Fachredakteurs der agrarisch-konservativen ›Deutschen Tageszeitung‹, Ernst Graf. v. Reventlows, hervorgehen, der direkte Beziehungen zum Staatssekretär bzw. zum Pressereferat des Auswärtigen Amts besaß [14]: In einem Programm von Anfang August, dessen auf Mittelafrika bezogene Gedanken bis ins Detail mit denen Kiderlens übereinstimmten, wägt Reventlow ab, unter welchen Be-

---

13 Zit. ibid., S. 134.
14 Vgl. Wernecke, Deutschlands Weltstellung (Masch.), S. 31 f.

dingungen die Reichsleitung einen Krieg führen könne: Beim Scheitern der deutsch-französischen Verhandlungen sollte der Rückzug der französischen Truppen aus Marokko gefordert werden; »die Weigerung Frankreichs wäre sicher, und es würde im ganzen eine Lage entstehen, auch durch unsere Diplomatie gemacht werden, die unvergleichlich viel günstiger (erg. als die jetzige) für die Führung eines Krieges sein würde«. (Reventlow hat vorher erwogen, daß für einen direkten »Offensivkrieg gegen Frankreich und England« die »persönlichen Voraussetzungen in der Reichsregierung fehlten«, das heißt, daß dafür Kaiser und Kanzler nicht gewonnen werden könnten.)

Die beiden Rücktrittsgesuche Kiderlens wurden vom Kanzler nicht direkt an den Kaiser weitergegeben. In seinem Bericht übernahm er zwar aus ihnen einige kräftige Formulierungen, gab aber im ganzen doch eine deutlich abgeschwächte Darstellung über die von ihm beabsichtigte Politik. Der Tenor seiner Darlegungen war darauf abgestellt, einerseits den Kaiser davon zu überzeugen, man wolle es nicht zum Kriege kommen lassen und die ultima ratio vermeiden, andererseits aber sei ein zähes Verhandeln und ein energisches Auftreten unumgänglich, wenn man etwas erreichen wolle. Nachdem damit die Gefahr einer unmittelbar bevorstehenden Mobilmachung hinweggeräumt schien, gab der Kaiser seine Zustimmung, man solle die Verhandlungen »in bisher befohlener Weise« fortführen.[15]

England greift ein

Im Programm Kiderlens vom 3. Mai fällt auf, daß der Bezug auf England kaum vorhanden ist. Wie der Kaiser später äußerte (am 10. Jan. 1912), habe Kiderlen in seiner schnoddrigen Art auf die Vorhaltung, daß er einen Sturm bei den Engländern auslösen werde, gesagt: »Die schreien doch, ob sie nun noch etwas mehr schreien, ist egal![16]«

Die englische Politik war sich jedoch über die Konsequenzen des deutschen Vorgehens für die englisch-französische Entente im klaren, zumal Rußland keine besondere Aktivität bei der Unterstützung Frankreichs zeigte. In England war man trotz der deutschen Behauptungen, daß die deutsch-französischen Verhandlungen keine englischen Interessen berührten, davon überzeugt, daß lebenswichtige englische Interessen auf dem Spiel standen. Greys engste Berater Crowe und Nicolson hatten am 18. 7. und 21. 7. den Ausschlag für diese Entscheidung gegeben, als sie in gutachtlichen Äußerungen weit über den aktuellen und lokalen Vorgang

15 GP 29, Nr. 10 614, Telegramm des Kaisers an Bethmann Hollweg, 21. 7. 11.
16 Der Kaiser, Aufz. Alex. v. Müller, hrsg. v. Walter Görlitz, Göttingen 1965, S. 106.

hinaus die Machtauseinandersetzung hinter den diplomatischen Verhandlungen, Gesprächen, Forderungen herausstellten [17]. Crowe notierte:

>Deutschland spielt um die höchsten Einsätze. Wenn seine Forderungen entweder am Kongo oder in Marokko oder in beiden Gebieten bewilligt werden, wird das endgültig die Unterwerfung Frankreichs bedeuten. Die Niederlage Frankreichs ist eine für unser Land lebenswichtige Sache. Das Maß der Kompensationen ist Detail. Letzten Endes kommt es auf den Entschluß an, ob man eine deutsche Aggression hinnehmen will, oder sich ihr mit ganzer Tatkraft widersetzen und die Folgen auf sich nehmen.<

Und Nicolson stellte sich auf einen ähnlichen Standpunkt:

>Würde es dahin kommen, daß Frankreich uns mißtraute, so würde es wahrscheinlich versuchen, sich ohne Rücksicht auf uns mit Deutschland zu verständigen, während Deutschland, das unser Zaudern bald entdecken würde, geneigt wäre, weit härtere Bedingungen aufzuerlegen, als gegenwärtig der Fall sein mag. Auf jeden Fall würde Frankreich uns niemals verzeihen, daß wir es im Stiche gelassen hätten, und der ganze Dreiverband würde in die Brüche gehen. Das würde bedeuten, daß wir ein triumphierendes Deutschland sowie ein unfreundliches Frankreich und Rußland hätten, und daß unsere Politik seit 1904, das Gleichgewicht und infolgedessen den Frieden in Europa aufrechtzuerhalten, gescheitert wäre.<

Als die deutsche Regierung keine Anstalten machte, England als Mitunterzeichner des Algecirasvertrages und am Lauf der Dinge interessierte Macht zu verständigen, hielt der britische Schatzminister Lloyd George – nach Absprache mit Sir Edward Grey – noch am selben Tage im Londoner Mansion House eine Rede, die eine deutliche Warnung an Deutschland enthielt, auch wenn der Adressat, Deutschland, nicht genannt war [18].

Das Streben Deutschlands, den Status quo nicht nur durch Erwerbungen in Afrika, sondern auch durch die Verschiebung der Mächtekonstellation auf dem europäischen Kontinent zu verändern, war hier an die Grenze gekommen, die auch schon 1904/05 Deutschland Halt geboten hatte und die Deutschland später in einem erneuten Anlauf 1914 überwinden zu können hoffte. 1911 wichen, wenn nicht Kiderlen, so doch Kaiser und Kanzler vor der englischen Drohung zurück, als sie ihren Irrtum bemerkten.

Es folgte ein heftiger Entrüstungssturm in der deutschen Öffentlichkeit. Als die Interpretation der englischen und französischen Presse vom englischen Kabinett unwidersprochen blieb und auch Asquith in einer Rede vom 27. Juli zwar etwas abwiegelte, aber in der Sache hart blieb und jede Festsetzung Deutschlands in Marokko ablehnte, da wurde England in den Augen der deutschen Öffentlichkeit zum Hauptgegner, weil es als Hindernis auf dem Wege zum erhofften Ziele neuer Kolonien angesehen wurde.

---

17 BD 7, Nr. 607, Aufz. Crowe, 18. 7. 11; ibid., Nr. 269, Aufz. Nicolson, 21. 7. 11.
18 Vgl. dazu den diplomatischen Schriftwechsel in GP 29, S. 197 ff.; insbes. Nr. 10 621, Metternich an Bethmann Hollweg, 22. 7. 11; Zur Erklärung von Asquith am 27. 1. 11, vgl. ibid., Nr. 10 635.

Die ganze bürgerliche Presse bis zu den Linksliberalen attackierte die Briten auf das heftigste; auch die Zentrumspresse, die noch Anfang Juli in ihren Tönen zurückhaltender gewesen war, fuhr jetzt schwere Geschütze auf. Die ›Kölnische Volkszeitung‹ (25. 7. 1911) sprach ein Grundmotiv für den aufwallenden Zorn der Öffentlichkeit aus, wenn sie auf die »sowohl paritätisch (das heißt die Anerkennung deutscher Gleichberechtigung mit England!) als auch wirtschaftlich unerläßliche Expansion« des Deutschen Reiches hinwies, die England zu hindern suche. Das war das Motiv, das in diesen Tagen in immer neuer Abwandlung unausgesetzt auftauchte. Matthias Erzberger behauptete sogar, England sei ein neuer Erbfeind für Deutschland geworden.

Marokko und die nationale Expansion

Viele Stimmen forderten – und wurden darin durch die Pressepolitik des Auswärtigen Amtes bis Mitte Juli bestärkt – kategorisch eine Festsetzung und deutschen Landerwerb in Marokko. Diese Forderung wurde vor allem durch eine groß angelegte Agitation des Alldeutschen Verbandes in die breite Öffentlichkeit getragen, wobei die Flugschrift des Vorsitzenden Claß ›Westmarokko deutsch...‹ eine hervorragende Rolle spielte (in einer Auflage von 60 000 Exemplaren binnen dreier Monate). Die Alldeutschen glaubten fest an Kiderlens Zusage gegenüber Claß, man werde nicht mehr aus Marokko herausgehen. Auch die meisten Presseorgane vertraten die Auffassung, dies sei das amtliche Ziel der leitenden Staatsmänner, zumal die Regierung alle öffentlichen Forderungen nach deutscher Landnahme in Marokko schweigend billigte und ihnen durch kein Dementi entgegentrat.

Erst am 14. Juli erschien in der ›Kölnischen Zeitung‹ ein erkennbar inspirierter Artikel, der vorsichtig die Möglichkeit andeutete, es könnten auch außerhalb Marokkos liegende Kompensationen zur Debatte stehen. Einen Tag später, am 15. Juli, forderte Kiderlen von Cambon den französichen Kongo. Trotz des sehr vorsichtig formulierten Hinweises erhob sich in alldeutschen und nationalliberalen Organen sofort ein scharfer Protest gegen den Kompensationsgedanken. Als im Laufe der folgenden Wochen allmählich klarwurde, daß die deutsche Regierung keine Festsetzung in Marokko beabsichtigte, verschärfte sich diese Protestbewegung. Nicht nur rechtsgerichtete, alldeutsche und nationalliberale, sondern normalerweise im gouvernementalen Lager stehende Presseorgane, Zeitungen der Blockparteien, also der Konservativen wie des Zentrums, forderten von der Regierung nachdrücklich ein Festhalten an Marokko. Das Auswärtige Amt wurde die Geister, die es gerufen hatte, nicht mehr los.

Im Hintergrund dieser Agitation standen in erster Linie industrielle Kreise, namentlich Vertreter der Eisen- und Stahlindustrie, die dabei ihre eigenen wirtschaftlichen Interessen mit den nationalen Belangen Deutschlands identifizierten. Damit befanden sie sich im Einklang mit namhaften Exponenten der deutschen Export- und Fertigwaren-Industrie, wie Bassermann und Stresemann, die mehrfach auf die Gefahr einer Ausschließung Deutschlands von den Auslandsmärkten hingewiesen hatten [19].

Ein u. a. von Fritz Thyssen, Louis Röchling, Emil Kirdorf unterzeichnetes Telegramm vom 27. Juli forderte den Staatssekretär des Äußeren auf, die Versorgung Deutschlands mit Rohstoffen aus und den Absatz deutscher Waren in Marokko sicherzustellen, »mögen auch ernste Folgen entstehen«. Der Centralverband deutscher Industrieller teilte in einem Rundschreiben vom 17. 8. 11 an die Mitglieder des Direktoriums mit [20], der Geschäftsführer, Schweighoffer, sei von Unterstaatssekretär Zimmermann dahingehend unterrichtet worden, daß »Deutschland in Marokko auf politische Einflußnahme völlig verzichte und hierfür von Frankreich eine anderweitige, bisher noch nicht genau abgegrenzte Entschädigung zugebilligt erhalten werde«; inwieweit dabei die wirtschaftlichen Interessen Deutschlands gewahrt seien, entziehe sich der Kenntnis:

> »Es muß jedoch befürchtet werden, daß auch in dieser Hinsicht die deutsche Regierung unter dem Einfluß von Persönlichkeiten, die nicht in der Lage sind, die Interessen der deutschen Industrie in Marokko in vollem Umfange zu würdigen, den Forderungen Frankreichs nachzugeben geneigt sein wird.«

Aus diesem Grunde müßte der CdI noch einmal gegenüber dem Auswärtigem Amt seine Wünsche zur Geltung bringen:

> »Es würde hierbei vor allem zu betonen sein, daß vom Standpunkte der deutschen Nationalwirtschaft aus es als unbedingt erforderlich anzusehen ist, daß unser deutsches Interessengebiet in Marokko nicht nur ungeschmälert erhalten wird, sondern daß auch die Positionen, die sich unsere Unternehmer dort geschaffen haben, aus wirtschaftlichen wie kolonialpolitischen Gründen für die Zukunft vor jeder Gefährdung unbedingt sichergestellt sind.«

Kirdorf ging in seiner Stellungnahme noch weiter, wenn er am 19. 8. 1911 notierte [21]:

> »Mit Vorschlag (s. o.) ... ganz einverstanden; ich würde gern dazu betont sehen, daß Würde und Ansehen des deutschen Reichs verlangt, daß wir neben Frankreich in Marokko dauernd Fuß fassen.«

Lediglich die Stimmen vor allem aus dem linksliberalen Lager und des im Laufe des Augusts von der Regierung mühsam auf ihre Linie zurückgehol-

---

19 Vgl. die Äußerungen von industrieller Seite bei Wernecke, Deutschlands Weltstellung, Diss. (Masch.) S. 26; ibid., S. 123 auch das folgende Telegramm vom 27. 7. 11.
20 DIZ, Nr. 24, 26. 8. 11.
21 Archiv der GBAG, Nr. 45 019, Notiz Emil Kirdorf, 19. 8. 11.

ten Teils der gouvernementalen Presse, die konservativen und Zentrums-
blätter akzeptierten schließlich mittelafrikanische Kompensationen, doch
auch sie waren sich darin einig, daß Deutschland für die Duldung eines
französischen Protektorates im Scherifenreiche eine wirklich bedeutende
Entschädigung zugestanden werden müsse.

Der Kaiser fällt um

Das zeitliche Zusammentreffen von Lloyd Georges Mansion-House-Rede
mit der von da ab allmählich sichtbar werdenden Konzeption der deutschen Regierung wurde weithin als Rückzug empfunden. Es erhob sich
nunmehr laut die Frage nach den Verantwortlichen für dieses neue »Olmütz«, wie ein weitverbreitetes Schlagwort lautete. Zum Haß gegen England trat nun die Anklage gegen die eigene Regierung, der man vorwarf,
sie sei weich geworden. Bezeichnenderweise war für die Auslandspresse
der Kaiser der Mann, auf dessen Rückkehr sie hoffte, von dessen kompro-
mißbereiter, auf Erhaltung des Friedens zielender Haltung sie überzeugt
war. Bei der Rückkehr des Kaisers kam es Ende Juli in Swinemünde offenbar noch einmal zu einer Konfrontation zwischen Wilhelm II. und Kiderlen. Am Spätnachmittag des 28. Juli (also kurz vor der Rückkehr des Kaisers) führte Kiderlen eine weitere Unterredung mit Cambon, in der dieser im Auftrag seiner Regierung (die sich durch den englischen Einspruch
gestärkt fühlte) die deutsche Forderung auf den ganzen französischen
Kongo, auch im Austausch gegen Togo, ablehnte. Kiderlen beharrte auf
seinen Forderungen und betonte, Deutschland würde sich allenfalls auf die
Algeciras-Akte zurückziehen [22]. Am selben Abend äußerte sich Kiderlen
(wenn eine Aufzeichnung des Pressechefs Hammann korrekt ist) sehr pessimistisch zum Reichskanzler, und zwar, wie Hammann in einer Aufzeichnung vom 30. Juli 1911 berichtet, ungefähr mit folgenden Worten: »Unser
Ansehen im Auslande ist heruntergewirtschaftet, wir müssen fechten.[23]« Am
Tage danach begab sich Kiderlen nach Swinemünde, um dem eben dorthin
zurückgekehrten Kaiser Vortrag über die Lage zu halten. Zwar berichtete
Admiral v. Müller in seinem Tagebuch, der Staatssekretär habe in einem
Vortrag an Bord der Kaiserlichen Yacht einen Krieg mit Frankreich jetzt
als sehr inopportun bezeichnet, »da sicher England auf seiten Frankreichs
treten würde und damit unsere Bundesgenossen mehr oder weniger wertlos seien« [24], aber offensichtlich versuchte Kiderlen selbst noch zu diesem
Zeitpunkt, seinen harten Kurs durchzusetzen.

---

22 Vgl. dazu den Bericht von Cambon, in: GP 29, Anm. S. 304 f.
23 Aufz. Hammann, 28. 7. 11, in: Archiv f. Politik und Geschichte, Jg. 1925, S. 547 ff.
24 Der Kaiser, Aufz. Alex. v. Müller, S. 87.

Die Herausgeber der ›Großen Politik‹ behaupten in einer Anmerkung [25], der Kaiser habe in Swinemünde »einem Nachlassen in den Forderungen« (Verzicht auf den nördlichen Teil des Kongo) in omnem eventum zugestimmt, und erwecken damit den Eindruck, als habe die Reichsleitung den Kaiser nachgiebig zu stimmen versucht. Aus einer Unterredung des Leiters der Politischen Abteilung im Auswärtigen Amt, Freiherrn v. Stumm, mit Korvettenkapitän Seebohm, dem Chef der Zentralabteilung des Reichsmarineamtes (der darüber am 2. August an Tirpitz berichtete), geht aber hervor, daß man im Auswärtigen Amt hoffte, der (über die Mansion House Rede und die Absage eines Flottenbesuchs unter Jellicoe) nervös gewordene Kaiser werde »bei der Stange bleiben«. Persönlich war Stumm allerdings der Ansicht, »daß Seine Majestät vor der Übernahme einer großen Verantwortung nicht bestehen werde« [26].

Nach den vorliegenden Quellen war Kiderlen anscheinend noch Anfang August entschlossen, den Franzosen gegenüber hart aufzutreten. An die Baronin Jonina schrieb er (zwecks Information der französischen Regierung), der Kaiser habe ihm feierlich versprochen, auch für »la dernière extremité« bereit zu sein, falls er es für notwendig halte. Er fügte allerdings abschwächend hinzu, er persönlich glaube nicht, daß dies eintreten werde; aber »pour bien traiter, il faut savoir qu'on ne lâchera pas au dernier moment«. Falls seine Freundin auch diesen letzten Satz weitergab, bedeutete das eine Abschwächung in dem Sinne, daß er es nicht auf einen Krieg anlegen wolle, aber der Satz enthielt – so jedenfalls nach Caillaux' Meinung – doch eine versteckte Kriegsdrohung.

Wie immer man Kiderlens Bereitschaft, bis zum Äußersten zu gehen, beurteilen mag und wie sehr er seine anfänglich hochgesteckten Absichten gemäßigt haben mochte, so steht doch fest, daß er eine relative Härte für notwendig hielt und besorgt war, ob der Kaiser durchhalten würde. Von diesen Befürchtungen im Auswärtigen Amt sickerten Anfang August Gerüchte in die Öffentlichkeit durch. Am 4. August brachte die ›Berliner Nationalzeitung‹, die traditionell gute Beziehungen zu Regierungsstellen besaß, einen nach ihrer Angabe von diplomatischer Seite herrührenden Bericht über eine »sehr bedauerliche« Stockung in den Verhandlungen. Wie es in der Meldung weiter hieß, waren Kiderlen und der Reichskanzler aber nicht gewillt, »in dieser für Deutschland so bedeutsamen Stunde zurückzuweichen«. Kiderlen werde lieber die eigene Person als die deutschen Interessen opfern. Man hoffe, es möge in diesem ernsten Augenblick zu keiner Meinungsverschiedenheit unter den für die Leitung der Reichspolitik maßgebenden Persönlichkeiten kommen. Der im letzten Satz enthaltene

---

25 GP 29, S. 305, vgl. auch für den anschließenden Brief Kiderlens an die Baronin Jonina; ibid., S. 305, 315, Anm.
26 Tirpitz, Aufbau der deutschen Weltmacht, S. 200.

Hinweis wurde in der Öffentlichkeit sehr wohl verstanden. Die alldeutsch-schwerindustrielle ›Post‹ (4. 8. 1911) griff ihn in einem Aufsehen erregenden Artikel auf. Unter der Überschrift »Krise und Rückzug« wurde der Artikel der ›National Zeitung‹, der nach Meinung der ›Post‹ aus Kreisen des Auswärtigen Amts stammte, als Ausdruck der Gefühle gewertet, die ein Rückzug Deutschlands in allen nationalen und politisch verantwortlichen Kreisen auslösen mußte: Das freikonservative Blatt sah allerdings den Rückzug schon als eingeleitet an und klagte:

> »Oh, wäre uns dieser Augenblick erspart geblieben, dieser Augenblick unsäglicher Schande, tiefer nationaler Schmach, viel schlimmer als die von Olmütz ... ist das alte Preußentum zugrunde gegangen, sind wir ein Geschlecht von Weibern geworden, regiert von den Interessen einiger rassefremder Händler?«

Es war dabei beispiellos für ein Blatt der konservativ-nationalen Richtung, daß die Zeitung zugleich den Kaiser selbst in unerhörter Weise angriff: Der Kaiser solle, wie man aus der ausländischen Presse höre, die stärkste Stütze der englischen und französischen Politik geworden sein, eine Stütze, viel stärker als 50 französische Divisionen ...» Guilleaume le timide, le valereux poltron! Brandenburg starb am gebrochenen Herzen!« Wenn auch der Kanzler durch Einwirkung auf den Vorsitzenden der Freikonservativen Partei, Fürst Hatzfeld, diesen Artikel als Entgleisung zu brandmarken und die Partei zum Abrücken zu bringen versuchte, so entsprach der Aufsatz doch der Stimmung weiter nationaler Kreise, auch wenn seine Schärfe mißbilligt wurde. Ein weiteres, vielleicht noch wichtigeres Motiv war, wie konservative Organe, so die ›Post‹ und das ›Deutsche Armeeblatt‹ – eines der führenden militärischen Fachorgane – offen gestanden, die Überzeugung, man könne der innerpolitischen Krise nur durch einen Krieg Herr werden, in dessen Gefolge es dann zu einer inneren Gesundung, sprich Nationalisierung der Sozialdemokratie oder deren Vernichtung, kommen würde. Die ›Post‹ (26. 8. 1911) sah in einem Krieg neben der Klärung »unserer prekären politischen Lage« vor allem auch die »Gesundung vieler politischer und sozialer Zustände« gewährleistet, und das ›Deutsche Armeeblatt‹ schrieb lapidar: »Für die inneren deutschen Verhältnisse wäre ein großzügiger Waffengang auch recht gut, wenn er auch den einzelnen Familien Tränen und Schmerzen bringt.[27]« Diese Stimmen dürfen dabei nicht isoliert gesehen werden. Bernhardi vertrat in seinem Buch ›Deutschland und der nächste Krieg‹ die gleiche Überzeugung, und in der Agitation der nationalen Rechten 1912 bis 1914 gehörte dieses Kalkül mit zu den entscheidensten Gesichtspunkten.

Wilhelm II. wollte es nicht zum Kriege kommen lassen, er wünschte

---

27 Zit. von Bebel im RT, Bd. 268, S. 7728, 9. 11. 11.

nur, daß die Verhandlungen nun beschleunigt und mit mehr Nachdruck zu Ende geführt würden. Immerhin wurde die Lage so angespannt, daß man Mitte August eine Verhandlungspause einlegte und Kiderlen sich »doch sehr« mit der Frage beschäftigte, ob England »kriegslustig« sei und »ob es bei einem ernstlichen Konflikt unsererseits mit Frankreich neutral bleiben werde«.[27a] Die maritimen Chancen Deutschlands gegen England und Frankreich streifte er in einem Gespräch mit Korvettenkapitän Seebohm und meinte, man könne doch Marokkos wegen keinen Krieg gegen beide Westmächte zusammen auslösen, sofern diese nicht in Agadir gewaltsam gegen deutsche Schiffe vorgehen würden.

Auch Österreich geht nicht mit

Als in dieser immer noch gespannten Lage Mitte August (17. 8.) der Kaiser seine politischen und militärischen Berater nach Schloß Wilhelmshöhe bei Kassel berief, fiel der Entscheid endgültig gegen den Krieg. Maßgebend hierfür waren offenbar nicht allein Mängel der Seerüstung, sondern auch Fragen der Bündniskonstellation sowie der geistigen Vorbereitung der Nation, in der jedenfalls die Sozialdemokraten einen großen Unsicherheitsfaktor bildeten, die diese Entscheidung bestimmten. Am 28. August 1911, kurz vor dem äußeren Höhepunkt der Krise (dem Sparkassensturm am 9. September), verurteilte Bethmann Hollweg Rathenau gegenüber die Kriegstreibereien, »weil wir im ungünstigsten Moment bezüglich Alliancen« sind[28]. Ganz ähnliche Überlegungen hatte Tirpitz in einem Brief angestellt, den er am 12. August 1911 an Admiral v. Capelle schrieb und worin er konstatierte, daß man nur die Wahl zwischen einem Krieg oder einem mehr oder minder verhüllten Faschoda habe[29]:

>»Es entsteht nun die Frage: wollen wir es auf einen *Krieg* ankommen lassen? Die Frage wird dadurch noch schwieriger, daß wir – um nach der Ansicht Kiderlens den Casus Foederis für den Dreibund zu schaffen – unsererseits an England den Krieg erklären müßten, indem wir darauf rechnen, daß Frankreich alsdann ebenfalls an uns den Krieg erklärt. Ist diese Rechnung richtig? Richtig handeln die Gegner, wenn Frankreich das nicht tut und wartet, bis wir matt sind. Im Geheimvertrag vielleicht Geld und Entschädigungen anbietet. Sind wir dann nicht gezwungen, um Lebensblut zu behalten, unsererseits den Krieg mit Frankreich vom Zaune zu brechen und tritt dann der Casus Foederis für den Dreibund ein? Wird überhaupt der Dreibund mitgehen? ... Hinsichtlich des Seekrieges ist der Zeitpunkt so ungünstig wie möglich. Jedes spätere Jahr bringt uns in eine viel günstigere Lage. Helgoland, Kanal, Dreadnoughts, U-Boote usw.

27a GP 29, S. 318–319.
28 Walther Rathenau, Tagebuch 1907–1922, S. 148.
29 Tirpitz, Aufbau der deutschen Weltmacht, S. 203 ff.

Dazu kommt, daß der Kriegsgrund für uns wenig durchschlagend ist für die Masse.«

Es ist nicht ohne Interesse, daß diese Ausführungen von Tirpitz sofort über den alldeutschen Senator Neumann (Lübeck) der Hauptleitung des Alldeutschen Verbandes mitgeteilt wurden, die hinfort ihre taktische Linie in der öffentlichen Diskussion auf die hier geäußerten Bedenken zuschnitt [30].

Auch der Chef des Marinekabinetts, Admiral Georg Alexander v. Müller, bestätigt Tirpitz' Urteil, soweit es die Bereitschaft der Marine betrifft: Er riet dem Reichskanzler wie dem Kaiser, »diesen Krieg, der wohl auf die Dauer nicht zu vermeiden sei, bis nach Fertigstellung des Kanals hinauszuschieben« [31].

Präziser noch analysierte Bülow gegenüber Rathenau rückblickend die Situation [32]:

»1911 war die Situation viel schlimmer. Die Komplikation würde mit England begonnen haben; Frankreich wäre passiv geblieben, hätte uns zum Angriff gezwungen, dann wäre der Casus Foederis mit Österreich nicht gegeben gewesen – was Aehrenthal den Delegationen aussprach –, dagegen war Rußland zur Mitwirkung verpflichtet.«

Tatsächlich hat die Haltung des verbündeten Österreich-Ungarn für die deutsche Entscheidung eine wichtige Rolle gespielt. Graf Aehrenthal machte kein Hehl daraus, daß er bei Ausbruch eines deutsch-französischen Krieges Marokkos wegen den Bündnisfall nicht als gegeben betrachte. Die Monarchie konnte nach seiner Meinung als neutrale Macht viel bessere Dienste leisten als ein militärischer Verbündeter. Deshalb brachte er der französischen Regierung seine Sympathien mit ihrem Vorgehen von vornherein zum Ausdruck. Die österreichische Regierung erachtete es als besonders wichtig, sich den französischen Geldmarkt für die eigenen Balkan-Interessen offenzuhalten, und schien sogar bereit, eine Unterstützung der französischen Politik in Marokko dafür zuzusagen. Schon am 17. Mai 1911 war in der als offiziös geltenden ›Wiener Sonn- und Montagszeitung‹ ein Artikel erschienen, der sich kritisch über die deutsche Marokkopolitik und das deutsch-österreichisch-ungarische Bündnis ausgelassen hatte. Der Artikel gipfelte in dem Satz: »Von der deutschen Diplomatie und den deutschen Staatsmännern muß daher Österreich-Ungarn erwarten, daß sie nicht noch einmal [wie 1905!] Situationen schaffen, die eine Kriegsgefahr in sich bergen, ohne daß mit der Möglichkeit eines Krieges gerechnet würde.« Das Auswärtige Amt begegnete diesem offiziösen Artikel mit

---

30 Vgl. E. Hartwig, Alldeutscher Verband (1891–1914), S. 197.
31 Der Kaiser, Aufz. Alex. v. Müller, S. 92.
32 Rathenau, Tagebuch, S. 172, Notiz vom 4. 10. 12.

einem äußerst scharfen Angriff in der ›Kölnischen Zeitung‹ (16. 5. 1911): Unter der Überschrift »Verleumdungen« wurde der Artikel der Wiener Zeitung »als ein ganz gefährliches Werkzeug und Hilfsmittel für die Feinde Deutschlands und des Dreibundes« bezeichnet, da das Wiener Blatt es so hinstelle, als »ob die deutsche Politik in blinder Überschätzung ihrer Machtmittel auf Abenteuer ausginge, deren Folgen ein Weltkrieg sein könnte. Es ist die *nichtswürdigste Brunnenvergiftung, die sich denken läßt.*« (Im Original gesperrt.) Wenn auch dieser scharfe Angriff der österreichischen Zeitung für die Auffassung der österreichischen Regierung nicht repräsentativ ist, so steht dennoch fest, daß man in Österreich weithin mit der grundsätzlichen Tendenz der ›Wiener Sonn- und Montagszeitung‹ konform ging. Die österreichische öffentliche Meinung war überdies insgesamt dem deutschen Vorgehen gegenüber durchaus kritisch eingestellt und stützte viel stärker die französische Politik in Marokko. Der deutsche Botschafter in Wien, v. Tschirschky und Bögendorff, resümierte am 31. Mai 1911 denn auch die Auffassung der österreichisch-ungarischen Regierung nach einem Gespräch mit Aehrenthal [33]:

> »Zweifellos besteht hier der Wunsch, die Marokkofrage mit größter Reserve zu behandeln und es solange als irgend möglich zu vermeiden, uns zu Liebe in Gegensatz zu den anderen Vertragsmächten zu treten. Diese Haltung findet ihren Grund und ihre Stütze in der öffentlichen Meinung, die sich mit aller Macht dagegen sträubt, in ein marokkanisches Abenteuer hineingezogen zu werden. Zugleich möchte man mit Frankreich auf gutem Fuße bleiben, mit dem die Monarchie durch manches Interesse, namentlich auch auf wirtschaftlichem Gebiete, verknüpft ist. Endlich mag bei der hiesigen Stimmung ein gewisses Mißtrauen gegen deutschen Tatendrang und leise Mißgunst gegenüber deutschen Erfolgen mitsprechen.«

Im Juli 1911, das heißt wenige Tage nach dem Panthersprung, hielt Graf Khuen im Reichsrat eine mit Beifall bedachte Rede, in der er jede Verpflichtung Österreichs zur Unterstützung Deutschlands in der Marokkofrage ablehnte. Der Versuch Aehrenthals, die Bedeutung dieser Rede in einem Gespräch mit dem deutschen Botschafter v. Tschirschky abzuwiegeln, fiel nach dessen Urteil recht lahm aus. An dieser mäßigenden bzw. direkt ablehnenden Haltung hielt die Wiener Regierung auch in der Folgezeit fest; am 12. Juli 1911 berichtete Tschirschky über ein Gespräch mit Aehrenthal nach Berlin, in dem letzterer zwar die Rede des Grafen Khuen bedauert, im gleichen Augenblick aber auch deutlich gemacht hatte, daß Österreich-Ungarn nur dann bereit sei, »an der Seite Deutschlands« zu stehen, wenn »irgendwie Fragen von europäischer Bedeutung vorlägen... Mehr verlange man gewiß nicht in Berlin, und augenblicklich könne er

---

33 AA-Bonn, Marokko, Nr. 4, Bd. 191, Tschirschky an Bethmann Hollweg, 31. 5. 11; zum folgenden Abschnitt vgl. ibid., Marokko Nr. 4, Bd. 22 secr. Tschirschky an Bethmann Hollweg, 12. 7. 11.

auch für die deutsche Marokkopolitik in konkreter Form nicht Stellung nehmen, da er sie und ihre Ziele nicht kenne«. Das war eine deutliche neue Warnung davor, sich in der Marokkofrage zu weit zu engagieren: Österreich würde unter keinen Umständen »mitgehen«.

Auf keinen Fall durfte also Deutschland als der provozierende Teil erscheinen, wollte es das Bündnis nicht gefährden. Ja, des Bündnisses mit Österreich-Ungarn konnte man nur sicher sein, falls dieses sich selbst bedroht fühlte. Hatte doch schon im September 1910 Bethmann Hollweg dem Kaiser gegenüber geäußert: »Wenn es zum Kriege komme, müsse man wünschen, daß der Angriff auf Österreich gehe, das dann unserer Hilfe bedarf, und nicht auf uns, so daß es dann von Österreichs Entschluß abhängt, ob es die Bündnistreue wahren will.[34]«

Doch noch Krieg?

Als in der zweiten Augusthälfte 1911, wie erwähnt, die deutsch-französischen Verhandlungen von neuem stockten, ja vorübergehend unterbrochen wurden, drohte es noch zu einer entscheidenden Konfrontation zwischen Deutschland und Frankreich zu kommen. Die als inspiriert bekannte ›Kölnische Zeitung‹ wies am 23. August in einem Leitartikel »Zwischen den Schlachten« die französische Regierung nachdrücklich auf die Erregung der deutschen öffentlichen Meinung hin, die ein neuerliches Zurückweichen Deutschlands nicht dulden würde. Doch vor der Wiederaufnahme der Verhandlungen trieb jetzt die Auseinandersetzung in der deutschen Öffentlichkeit einem neuen Höhepunkt zu. Die parteioffiziöse ›Nationalliberale Correspondenz‹ stimmte der Auslassung der ›Kölnischen Zeitung‹ zu und interpretierte: »Nicht um Marokko handelt es sich allein, sondern um die Frage der weltpolitischen Stellung der führenden Kulturvölker, die für die Zukunft entscheidend wird.« Sie verlangte, es müsse bei diesen Verhandlungen das volle Schwergewicht der deutschen Rüstung in die Waagschale geworfen werden. Hätte sich die deutsche Regierung in dieser Situation zum Kriege entschlossen – wobei man voraussetzen darf, daß dieser Entschluß von einer noch stärkeren Propagandaaktion begleitet worden wäre – so wäre ihr zweifellos der weit überwiegende Teil des bürgerlichen Lagers auf diesem Wege gefolgt.

Charakteristisch war dafür die Äußerung der ›Allgemeinen Evangelisch-Lutherischen Kirchenzeitung‹, dem führenden Organ des orthodoxen preußisch-deutschen Protestantismus, die unter dem Motto: »Lieber Krieg als nachgeben« die Stimmung im Lande folgendermaßen schilderte:

---

34 Zit. E. Brandenburg, Von Bismarck zum Weltkrieg, Berlin 1939, S. 542.

»Die Haltung der deutschen Regierung wird inzwischen dem Gros der Patrioten immer unverständlicher ... für das Volk wird die Spannung nahezu unerträglich; es wünscht endlich, wenn unsere Nachbarn nicht in Frieden uns das unserige gönnen, die große Leistungsprüfung, damit von neuem die Plätze in der europäischen Ordnung verteilt werden ... Man interessiert sich überhaupt für nichts anderes mehr, und die einzige Frage des Tages lautet: marschieren wir? [35]«

Die Aufregung um Marokko kulminierte in der zweiten Septemberwoche 1911. Nachdem am 5. September die (offiziöse) ›Kölnische Zeitung‹ mit der Schlagzeile »Krieg oder Frieden?« die Erregung weiter gesteigert und die ›Post‹ am 6. September behauptet hatte, ein Abbruch der deutsch-französischen Verhandlungen stehe bevor, kam es am 9. September, dem »schwarzen Sonnabend«, zu einem völligen Zusammenbruch der Börse. In einigen Städten kam es zu einem regelrechten »Sparkassensturm«. Sogar die Goldreserven der Banken schmolzen zusammen, vor allem durch die Abzüge französischer Kredite.

Besonders erbittert über die »schwächliche« Haltung der deutschen Reichsregierung, vorab über Bethmann Hollweg und den Kaiser, zeigten sich die Alldeutschen, denen in der Marokkoagitation endgültig der Durchbruch zur ›nationalen Opposition‹ gelang, die Schwerindustrie und die mit diesen Gruppen verbündete nationale Presse. Dafür stützten die durch die Krise ernüchterten Kreise der Hochfinanz jetzt die Linie des Kaisers: Gerade die Bankiers wurden nunmehr in den Gang der Verhandlungen eingeschaltet. Clemens Delbrück, Staatssekretär des Innern, Arthur v. Gwinner und Fürstenberg gehörten überdies zur bevorzugten Umgebung des Kanzlers und auch des Kaisers. Fürstenberg, der Herr der Berliner Handelsgesellschaft, Freund Walter Rathenaus, schrieb am 20. September in einem Brief an Ballin [36]: »Die heutige Börse wurde mit arger Beklemmung von uns allen erwartet. Unfreundliche Nachrichten vom Auslande trafen mit außerordentlich schwarzen Berichten über den Geldmarkt in Paris zusammen«. Schon um eine »verschärfte Wiederholung des schwarzen Sonnabends vom 9. September« zu vermeiden, begrüßte Fürstenberg daher die ihm von Zimmermann gemachte Mitteilung, »der Marokkohandel wäre im Prinzip zu gutem Ende geführt und die äußere Regelung könnte in wenigen Tagen folgen«.

Auf diametral entgegengesetzten Ansichten basierte die scharfe Auslassung des Chefs des deutschen Generalstabs, v. Moltke, der schon im August während der kritischen Phase der Verhandlungen seinem Unmut über die »schlappe« Leitung, einschließlich des Kaisers, freien Lauf gelassen hatte und einen Krieg mit England mit in Kauf zu nehmen bereit war.

---

35 AELKZ, Nr. 30, 8. 9. 11, Sp. 858.
36 Zit. Carl Fürstenberg, Lebensgeschichte, S. 514 f. Fürstenberg an Ballin, 20. 9. 11.

»Die unglückselige Marokko-Geschichte fängt an, mir zum Halse herauszuhängen. ... Wenn wir aus dieser Affäre wieder mit eingezogenem Schwanz herausschleichen, wenn wir uns nicht zu einer energischen Forderung aufraffen können, die wir bereit sind, mit dem Schwert zu erzwingen, dann verzweifle ich an der Zukunft des Deutschen Reichs. Dann gehe ich. Vorher aber werde ich den Antrag stellen, die Armee abzuschaffen und uns unter das Protektorat Japans zu stellen, dann können wir ungestört Geld machen und versimpeln.[37]«

Der deutsch-französische Marokkovertrag – Ein neues »Olmütz«

Den deutsch-französischen Marokkovertrag, der als Ergebnis langwieriger und krisenreicher Verhandlungen am 4. November schließlich unterzeichnet wurde, betrachteten große Teile der deutschen Öffentlichkeit als völlig unzureichende Kompensation, ja als unerträgliche Beleidigung der deutschen Großmacht. Unter dem Vorbehalt wirtschaftlicher Gleichberechtigung erkannte Deutschland das französische Protektorat über Marokko an; zur Entschädigung erhielt es Gebiete des französischen Kongo, etwa 275 000 Quadratkilometer mit mehr als einer Million Einwohnern (durch die sich Kamerun um die Hälfte seiner Gebietsfläche vergrößerte). Durch eine Zusatzakte erhielt das Deutsche Reich außerdem das Vorkaufsrecht auf Spanisch-Guinea, das nunmehr ganz von deutschem Gebiet umgeben war. Der Wert dieser Gebiete war außerordentlich umstritten, man sprach in den Reihen der Kritiker fast einhellig von dem sogenannten »Schlaf-Kongo«, war doch ein Großteil des Gebietes versumpft und durch Schlafkrankheit verseucht. Für den Fall, daß territoriale Veränderungen im belgischen Kongo einträten, wurde zudem noch ein gewisses deutsches Mitspracherecht zugesichert[38].

Der angestaute Groll über das geringe Ausmaß des Erreichten und die – von den Konservativen aus taktischen Gründen und gouvernementalem Denken – lange zurückgehaltene Enttäuschung über die zu flaue Regierung entlud sich mit einer Vehemenz sondergleichen in den Reichstagsdebatten vom Winter 1911. Daß selbst die Konservative Partei, die zusammen mit dem Zentrum zu jener Zeit noch den schwarz-blauen Block bildete und sich als eine Art Regierungspartei betrachtete, es zum offenen Bruch mit dem Reichskanzler kommen ließ, zeigte Umfang und Tiefe der Krise gerade in den Bevölkerungsschichten, die traditionell in außenpolitischen Fragen die Regierung loyal unterstützten. Die seit Monaten aufgestaute Spannung entlud sich, als der Reichstag am 9. November zusammentrat, um erstmals die Regierungspolitik und ihr Ergebnis zu beurtei-

---

37 Helmuth v. Moltke, Erinnerungen, Briefe, Dokumente, Stuttgart 1922, S. 362; Brief an seine Frau, 19. 8. 11.
38 GP 29, Nr. 10 772–73, Dt.-Frz. Marokko-Abkommen, 4. 11. 11; sowie Kongo-Abkommen, 4. 11. 11.

len. Alle Parteien, von den Konservativen bis zu den Sozialdemokraten, waren sich darin einig, daß die Öffentlichkeit von seiten der Reichsregierung in den vergangenen Monaten mehr als ungenügend informiert worden war; insbesondere die Liberalen aller Schattierungen äußerten sich verbittert über die »einsamen«, auf jede parlamentarische Mitwirkung verzichtenden Beschlüsse Bethmann Hollwegs und seines Staatssekretärs v. Kiderlen. So schrieb zum Beispiel die ›Vossische Zeitung‹ am 3. November 1911 in ihrem Leitartikel:

> »Denn so lammfromm und geduldig der deutsche Michel ist, allmählich bekam er die Tag für Tag teelöffelweise verabreichten Mitteilungen über den Gang der Verhandlungen satt. ... welchen Eindruck soll es auf die zivilisierte Welt machen, daß ein solcher Vertrag dem Reichstag nur zur Kenntnisnahme, nicht zur Genehmigung vorgelegt wird?«

Schon vor Beginn der Reichtstagsdebatten war es der Öffentlichkeit klar, daß es zu erbitterten Auseinandersetzungen kommen würde. Die Stimmung der Öffentlichkeit hatte sich in einem Schlagwort verdichtet, das seit Anfang August durch die ganze bürgerliche Presse bis hin zu den Linksliberalen lief: Das Zurückweichen des Reiches vor Frankreich und in erster Linie vor England wurde verglichen mit dem Zurückweichen Preußens, als es 1850 vor dem Druck Rußlands und Österreichs in Olmütz kapituliert hatte.

Während am Tag der Reichstags-Eröffnung die freisinnige, der Fortschrittlichen Volkspartei nahestehende ›Vossische Zeitung‹ in der Morgenausgabe zwar den Gedanken an Olmütz nahelegte, anderseits aber betonte, die Dinge lägen doch nicht so schlimm, daß ein solcher Vergleich statthaft wäre, schrieb das gleiche Blatt in der Abendausgabe (9. November 1911), nachdem die Rede Bethmann Hollwegs bekannt geworden war:

> »Unter erdrückendem Schweigen der gesamten Corona setzte sich Herr v. Bethmann Hollweg. Und der Zuhörer, der dereinst die Kaiserkrone tragen soll, blickte finster auf den Platz, den einst Bismarck eingenommen hat. ... Vielleicht suchte man in der Vergangenheit nach einem Fall, wo ein deutscher Reichskanzler bei der Erörterung auswärtiger Angelegenheiten einer ähnlichen Stimmung der Volksvertretung begegnet ist, wie heute Herr v. Bethmann Hollweg, man suchte, aber fand nicht. Der einzige Präzedenzfall ist in Preußen zu finden; es ist die Rede Manteuffels, des Novembermanns, nach seiner Rückkehr von Olmütz ...«

In seiner Eröffnungsrede strich der Kanzler zur Rechtfertigung seiner Politik den erreichten Gebietsgewinn vor den Abgeordneten stark heraus und suchte klar zu machen, daß ohne Krieg nicht mehr zu erreichen sei [39].

---

39 RT, Bd. 268, S. 7708 ff., 9. 11. 11.

An Landerwerb in Marokko sei nie gedacht gewesen, und es könne daher auch nicht von einer Demütigung Deutschlands die Rede sein; auch der Erzfrage habe die Regierung ihr Augenmerk gewidmet, die »freie Konkurrenz beim Bergbau« sei gesichert. Obgleich ein Teil der erworbenen Gebiete minderwertig oder durch Schlafkrankheit verseucht sei, so habe Deutschland aber immerhin den Zugang zum Kongo und zum Ubangi geöffnet:

> »Deutschland ist spät, leider viel zu spät in die Reihe der Kolonialvölker getreten; da sollten sie uns doch keine Vorwürfe machen, daß wir bei dieser Gelegenheit zu erlangen versuchen, was wir erlangen können.«

Gegen das »Gerede von einem ›neuen Ölmütz‹« verwahrte sich Bethmann Hollweg ausdrücklich:

> »Es (Deutschland) wird, wenn es die Not gebietet, sein Schwert zu ziehen wissen. Nur auf dieser Grundlage ist auswärtige Politik möglich.«

Der Kanzler verteidigte im weiteren die Haltung des Kaisers und wandte sich dann vor allem gegen die tendenziöse Ausschlachtung der Rede Lloyd Georges, wobei auffällt, wie ausschließlich er der Presse allein die Schuld an einer möglichen Trübung des deutsch-englischen Verhältnisses zuschob. Er selbst bedauerte diese Verstimmung »beider großer Länder«. Zum Glück habe gerade die Beilegung der Marokkoaffäre, so führte Bethmann Hollweg aus, »in unseren Beziehungen zu England den Tisch gereinigt«; denn bisher habe das Inselreich immer, wenigstens diplomatisch, auf seiten Frankreichs gestanden. Weltpolitik und Kontinentalpolitik sah er in einem engen Zusammenhang:

> »Eine starke Politik kann Deutschland gerade im Sinne einer Weltpolitik nur führen, wenn es sich auf dem Kontinent stark erhält. Nur das Gewicht, das wir als Kontinentalmacht einsetzen, ermöglicht Welthandel und Kolonialpolitik – beide fallen in sich zusammen, wenn wir uns zu Hause nicht stark halten. Erwerben wir Außenpositionen, zu deren Sicherung wir unsere kontinentalen Kräfte verzetteln und schwächen müssen, dann sägen wir an dem Ast, auf dem wir sitzen.«

Damit enthüllte Bethmann Hollweg sein Konzept zur Erlangung und Sicherung der deutschen Weltstellung, ein Konzept, das er durch die Erfahrungen in Marokko bestätigt sah. Er hielt seinen Kritikern entgegen:

> »Für mich . . . ist es Pflicht, die Geschäfte so zu führen, daß ein Krieg, der vermieden werden kann, der nicht von der Ehre Deutschlands gefordert wird, auch vermieden wird.«

Gerade die Berufung auf Bismarck und die Ablehnung des Präventivkriegs machten im Reichstag keinerlei Eindruck. Als erster Redner nach dem

Kanzler sprach der konservative Parteiführer Ernst von Heydebrand und der Lasa [40]. Gerade für einen Vertreter der in außenpolitischen Fragen gemeinhin als gouvernemental bekannten Agrarier fiel seine Rede ungewöhnlich scharf aus. Stück für Stück zerpflückte er die günstige Beurteilung des Vertrages, die in der Rede Bethmann Hollwegs zum Ausdruck gekommen war. Die wirtschaftliche Gleichberechtigung in Marokko stünde nur auf dem Papier, die Kompensationen wären von keinem oder zumindest von sehr beschränktem Wert, vor allem aber:

>»Das was uns den Frieden sichert, sind nicht diese Nachgiebigkeiten, sind nicht die Einigungen, nicht die Verständigungen, sondern das ist nur unser gutes deutsches Schwert und zugleich das Gefühl..., daß wir auch auf eine Regierung zu sehen hoffen, die gewillt ist, dieses Schwert zu gegebener Zeit nicht rosten zu lassen.«

Entgegen der Meinung des Kanzlers sah Heydebrand in der Rede Lloyd Georges' eine »Drohung,..., eine Herausforderung, ... eine demütigende Herausforderung«:

>»Solche Tischreden verbitte sich das deutsche Volk!... Wir wissen es; und wie ein Blitz in der Nacht hat das für das ganze deutsche Volk gezeigt, wo sein Feind sitzt. Das deutsche Volk weiß jetzt, wenn es sich ausbreiten will auf dieser Welt, wenn es seinen Platz an der Sonne suchen will, den ihm sein Recht und seine Bestimmung zugewiesen hat – dann weiß es jetzt, wo derjenige steht, der darüber zu gebieten haben will, ob er das erlauben will oder nicht.« (Lebhafter Beifall rechts, in der Mitte und bei den Nationalliberalen.)

Es folgte Bassermann, der nicht verhehlte, daß auch die Nationalliberalen das Abkommen ablehnen würden [41], hätten sie es zu genehmigen:

>»Dieses Abkommen entspricht nicht den deutschen Interessen, der Machtstellung und den Machtmitteln des Deutschen Reiches... wir räumen Frankreich das Protektorat über Marokko ein; das ist ein böses Resultat.«

Bassermann zitierte dann noch einmal Kirdorfs Wort, Deutschland sei damit aus der Reihe der Großmächte gestrichen. Auch Stinnes, fügte Bassermann hinzu, habe ähnliche Überzeugungen geäußert; im gleichen Ton seien die Eingaben des Centralverbandes Deutscher Industrieller und des Verbandes Sächsischer Industrieller gehalten gewesen. Bethmann habe sich in eine »Politik der Illusionen« verrannt, wie das prekäre Verhältnis zu Rußland und das jetzt darniederliegende zu Frankreich deutlich zeigten:

>»Wir stehen heute vor einer Niederlage. Ob wir das hier aussprechen oder verschweigen, das ändert an dieser Tatsache nichts.«

---

40 Ibid., S. 7721 ff., 9. 11. 11.
41 Ibid., S. 7735 ff., 9. 11. 11.

Diese scharfen Äußerungen Heydebrands und Bassermanns veranlaßten den Kanzler am nächsten Tage zu einer scharfen Entgegnung, die sich vor allem gegen den Führer der konservativen Partei richtete[42]. Bethmann Hollweg ging soweit, Heydebrands Rede als »Wahlrede« abzustempeln:

»...Es sind dabei überall Kräfte im Spiel gewesen, die mehr mit den bevorstehenden Wahlen als mit Marokko und dem Kongo zu tun haben ... Um utopistischer Eroberungspläne und um Parteizwecke willen aber die nationalen Leidenschaften bis zur Siedehitze zu bringen, das heißt den Patriotismus kompromittieren und ein wertvolles Gut vergeuden.«

Bethmanns Stellungnahme bedeutete die Absage an eine stark gefühlsbetonte, nationale Wahlparole, wie sie vor allem der rechte Flügel der Nationalliberalen, die Konservativen, Teile des Zentrums, und vor allem die Schwerindustrie wünschten. Die ›Kreuzzeitung‹ (12. November 1911) war daher auch »völlig unbefriedigt« über die Erklärung der »Gründe«, die zu dem vorliegenden Ergebnis geführt hatten.

»Die große Rede des Reichskanzlers am Donnerstag (9. 11.) bietet uns nicht den Schlüssel zu den letzten Rätseln, sie ist vielmehr auf den Ton der Resignation gestimmt, und das ist nicht der Ton, den ein mächtiges, seiner Kraft bewußtes Volk nach einer fast halbjährigen diplomatischen Campagne erwartet. Manchen erscheint die Möglichkeit eines europäischen Krieges näher gerückt als vor Agadir ...«

Ebenso ablehnend lauteten z. T. schon vor der Reichstagsdebatte manche gewichtigen Stimmen aus der Provinz. In einem mit »Friedenspolitik« überschriebenen Artikel fragte die freikonservative gouvernementale ›Schlesische Zeitung‹[43]:

»Wozu die ungeheuren Steuerlasten für Heer und Marine, so wird gefragt, wenn wir an solche internationale Verträge von vornherein mit dem Entschlusse herantreten ›Friede um jeden Preis‹! und wenn wir diese Stellungnahme auch noch deutlich genug markieren, um sie jeden merken zu lassen? Das ist in der Tat eine der bedenklichsten Seiten der Marokkosache, daß dieser Eindruck in weiten Kreisen des In- und Auslandes entstanden ist, und es wäre, wie wir früher schon betont haben, sehr zu wünschen gewesen, daß unsere Regierung gelegentlich auch einmal die geballte Faust aus der Tasche genommen hätte.«

Dabei betrachtete das Blatt seine Stellungnahme noch als durchaus gemäßigt und distanzierte sich von »der chauvinistischen Presse, die in diesen Tagen in geradezu krankhaften Wutausbrüchen über das Abkommen und die für seinen Abschluß verantwortlichen Personen herzieht«. Gleichzeitig betonte aber auch die ›Schlesische Zeitung‹, daß man »beginnt, auch in ru-

---

42 Ibid., S. 7756 f., 10. 11. 11.
43 Es ist bezeichnend für die Schwenkung der Konservativen auf die antigouvernementale Linie, daß dieser Artikel von der ›Kreuzzeitung‹ (9. 11. 11) übernommen wurde.

higer denkenden Kreisen« zu bedauern, »...daß wir so wenig aus unserer kriegerischen Rüstung Nutzen gezogen haben«.

Der Kronprinz und die Formierung der Fronde

Das größte Aufsehen in dieser Reichstagsdebatte erregte ohne Zweifel der Beifall, den der Kronprinz dem Führer der Konservativen zollte; denn dieser Beifall richtete sich ja nicht nur gegen den Reichskanzler, sondern auch gegen das Verhalten des kaiserlichen Vaters. ›Die Kreuzzeitung‹ (10. 11. 11) bemerkte dazu: »Man hatte den Eindruck, daß der Kronprinz wie so manche nationale Männer und gewiß viele Offiziere wohl eine andere Lösung des Marokkokonflikts vorgezogen haben würde...« Diese Demonstration des Thronerben war um so bedeutsamer, als seit August 1911 in alldeutschen und freikonservativen Blättern ganz offen der Verdacht geäußert worden war, »Wilhelm der Friedliche« oder besser »Guillaume le timide« sei an dem schwächlichen Verhalten der Reichsleitung nicht ganz unschuldig – Vorwürfe, die so laut geworden waren, daß die ›Schlesische Zeitung‹ sich veranlaßt fühlte, sie am Tage vor der Reichstagsdebatte mit den Worten zurückzuweisen: »Soviel glauben wir jedenfalls zu wissen, daß die Idee, als ob der Kaiser selbst der Mann des ›Friedens um jeden Preis‹ gewesen sei, vollständig falsch ist«.[44]

Von jenem Zeitpunkt an galt der Kronprinz für die nationale Opposition, die sich vor allem um den Alldeutschen Verband, den rechten Flügel der Konservativen und Teile der rheinisch-westfälischen Schwerindustrie um Kirdorf, Beukenberg und Haßlacher sammelte, als Garant einer starken, kompromißlosen Außenpolitik. Hatte er bis dahin nur als Sportsmann und Schwadroneur gegolten, so empfanden ihn die deutschen Nationalisten fortab als zentrale politische Figur und als wichtigste Hebelkraft, um vor allem auch den Kaiser vom Einfluß der »Englandfreunde« und Verständigungspolitiker und seiner, wie sie überzeugt waren, jüdischen Berater zu befreien. Bethmann Hollweg beklagte sich in einem Privatbrief an Eisendecher[45] über das Unverständnis und die starre Kritik der öffentlichen Meinung – er ging so weit, vom »deutschen Volk« zu sprechen –:

> »...der Reichstag war würdelos, und Heydebrand führt die Konversation auf demagogische Wege... Krieg für den Sultan von Marokko, für ein Stück Sus oder Kongo oder für die Gebrüder Mannesmann wäre ein Verbrechen gewesen. Aber das deutsche Volk hat diesen Sommer so leichtfertig mit dem Krieg

---

44 Schlesische Zeitung, zit. nach PrKZ, Nr. 527, 9. 11. 11.
45 (AA-Bonn, NL Eisendecher, Nr. 1/1–7). Bethmann Hollweg an Eisendecher, 16. 11. 11; das anschließende Zitat steht im Brief: Bethmann Hollweg an Eisendecher, 26. 12. 11.

gespielt. Das stimmt mich ernst, dem mußte ich entgegentreten. Auch auf die Gefahr, den Unwillen des Volkes auf mich zu laden.«

Für den Kanzler war die Verständigung mit England unendlich viel wichtiger, als daß er mit der vagen Hoffnung auf einen Wahlerfolg im Zuge nationaler Stimmungsmache (wie Tirpitz sie befürwortete) dieses große Ziel gefährden wollte. Darum wandte er sich auch scharf gegen die Presse, die, von Tirpitz instruiert, bereits auf eine neue Marinevorlage hindrängte.

»In einem modus vivendi mit England erblicke ich ... die Forderung des Tages. Schließlich sollte ihn auch Marokko erleichtern und hätte ihn auch erleichtert, wenn nicht Haß gegen die eigene Regierung, die unsere Marokkopolitik zu einer Niederlage vor England umgedeutet, ein planloses Flottengeschrei hervorgerufen hätte ... Ich gönne unserer Flotte eine Verstärkung, aber sie soll nicht als Paroli gegen die Rede Lloyd Georges auftreten. Wir sollen für unsere Wehr zu Wasser und zu Lande alles tun, was unsere Finanzen irgend gestatten, aber nicht mit drohendem Geschrei, sondern soweit es angeht, in arbeitsamer Stille. Dann können wir uns trotz einer Flottennovelle mit England so stellen, daß es nicht zum Kriege kommt. Daran arbeite ich, aber die Widerstände von allen Seiten sind kaum zu überwinden.«

In der Folgezeit unterstützten dann in erster Linie die Liberalen (und indirekt zumindest die Sozialdemokraten) die Politik Bethmanns, weil sie hofften, aus der Stellungnahme des Kanzlers gegen die Konservativen zugunsten der eigenen Partei Vorteile schlagen zu können. Die Unzufriedenheit im konservativen, rechtsnationalliberalen und im schwerindustriellen Lager indessen wuchs, auch wenn der Kanzler am 5. Dezember 1911 in einer neuerlichen Reichstagsrede ihnen entgegenkam und seine Tonart gegen England deutlich verschärfte und betont versicherte, daß Deutschland den Willen habe, »sich mit seinen Kräften und mit allem, was es vermag, in der Welt durchzusetzen.[46]« Am schärfsten äußerte sich die Erbitterung der nationalen Opposition in einem Jahresschlußartikel der ›Rhein.-Westf. Zeitung‹ (31. 12. 11) – einem förmlichen Aufruf zur nationalen Revolution gegen die schwächliche Regierung und zumal gegen den Kaiser:

»Soll Kaisertum und Reich nicht krachend auseinander bersten, so muß das Volk sein Schicksal selber in die Hand nehmen, und genauso wie es 1813 das Napoleonische Regiment niederrang, sich heute von dem persönlichen Regiment befreien.«

Die ›Hamburger Nachrichten‹ (31. 12. 11) sahen das Problem emotionsloser. Auch sie klagten die Regierung an, keine nationale Sammlungsparole gegen die »vaterlandslose Umsturzpartei« in den Wahlkampf geworfen

---

46 RT, Bd. 268, S. 8348, 5. 12. 11.

zu haben. Damit wäre am besten eine Mehrheit für notwendige Heeres- und Flottenvorlagen zu erringen gewesen:

»Wir alle fühlen mit instinktiver Sicherheit, daß der Höhepunkt der internationalen Krisis naht, daß über kurz oder lang über Deutschlands Stellung als aufsteigender Weltmacht mit eisernen Würfeln gestritten werden muß. Unsere Gegner liegen seit langem schon auf der Lauer, um im geeigneten Augenblick über uns herzufallen.«

Hier sah man also den Krieg über kurz oder lang kommen und konstruierte bewußt eine Überfallthese, so wie sie dann vor allem das Pressebüro des Reichsmarineamts und die Presse-Abteilung des Großen Generalstabs seit Dezember 1912 zum Zwecke der psychologischen Kriegsvorbereitung übernahm. Für die Alldeutschen war diese Entscheidung schon im Sommer 1911 gefallen: Claß notierte damals: »Krieg einziges Heimittel für unser Volk. Einfluß der äußeren Politik auf die innere.[47]«

---

47 DZA I, ADV 531, Bl. 46, zit. E. Hartwig, Alldeutscher Verband (1891–1914), S. 196.

VI. KAPITEL

Die Wahlen vom Januar 1912 – Die innere Niederlage

Die Wahlparole der Regierung

Der Kanzler Bethmann Hollweg beurteilte gegen das Jahresende die innenpolitische Lage ohne Illusionen; denn er rechnete mit einem großen sozialdemokratischen Wahlsieg. Der Kaiser indessen wischte die Bedenken, die der Kanzler in bezug auf die Zusammensetzung des neuen Reichstags hegte und ihm in seinem Neujahrsbrief kundtat, mit einer Handbewegung beiseite:

> »Möge der Reichstag aussehen, wie er wolle. Er muß sofort vor eine nationale Frage gestellt werden, hinter der der Wille des deutschen Volkes steht. Entweder er schluckt die Vorlage, und identifiziert sich mit dem Volksempfinden (!) oder er lehnt sie ab, dann muß er aufgelöst werden.[1]«

Der »Wille des deutschen Volkes« war für den Kaiser ausschließlich der Wille der herrschenden politischen Schichten. Gerade der Teil des Volkes, der eben jetzt 110 sozialdemokratische Abgeordnete in den Reichstag schickte, existierte für ihn ebensowenig wie der Reichstag als Institut der politischen Willensbildung; dieser blieb für ihn immer eine bedauerlicherweise vorhandene, aber möglichst auszuschaltende »Quasselbude«. Die vom Kaiser vorgeschlagene »nationale Parole« mit der ausdrücklichen Forderung nach Flotten- und Heeresvermehrung indes konnte Bethmann Hollweg mit Rücksicht auf das von ihm umworbene England nicht ausgeben. Am 26. Dezember 1911 schrieb er an seinen Freund Eisendecher [2]:

> »Ich gönne unserer Flotte eine Verstärkung, aber sie soll nicht als Paroli gegen die Rede Lloyd George's auftreten. Wir sollen für unsere Wehr zu Wasser und zu Lande alles tun, was unsere Finanzen irgend gestatten, aber nicht mit dro-

---

1 DZA II Merseburg, Rep. 89 A I Gen., Nr. 6, Bd. 1, zit. E. Hartwig, Alldeutscher Verband (1891–1914), S. 203.
2 AA-Bonn, NL Eisendecher, Nr. 1/1–7, Bethmann Hollweg an Eisendecher, 26. 12. 11; s. a. oben, S. 143.

hendem Geschrei, sondern soweit es angeht in arbeitsamer Stille. Dann können wir uns trotz einer Flottennovelle mit England so stellen, daß es nicht zum Kriege kommt. Daran arbeite ich, aber die Widerstände von allen Seiten sind kaum zu überwinden.«

Das nationalistische Deutschland jedoch war mit dieser Zurückhaltung nicht zufrieden. Das Kalkül dieser Schichten brachte im Dezember die ›Allgemeine Evangelisch-Lutherische Kirchenzeitung‹ noch einmal auf die gängige Formel, die seit Bismarck zum eisernen Bestand der Wahltaktik gehörte: Ähnlich wie Bismarck 1887 und Bülow 1907 müsse Bethmann Hollweg »mit Krieg-in-Sicht-Stimmung« arbeiten: »denn dieser Sommer hat uns wirklich gelehrt, daß nur ein Zufall die uns zugedachte Katastrophe verhindert hat...« Und das Blatt bedauert im Rückblick: »daß wir den Moment vollkommener französischer Wehrlosigkeit nicht ausgenutzt haben«, was sicherlich »nicht auf unser Guthaben geschrieben« würde[3]. Bereits jetzt kündigte die Kirchenzeitung an, daß der Reichstag »schon im Februar die Flottennovelle und vermutlich auch eine Militärvorlage auf seinen Pulten vorfinden werde«. Und es folgte die Drohung: »Ist er dafür nicht zu haben, so wird aufgelöst!«

Am 2. Januar 1912 veröffentlichte die NAZ (›Norddeutsche Allgemeine Zeitung‹) einen vom Reichskanzler inspirierten Wahlaufruf zur kommenden Wahl, in dem es hieß[4]:

»Wir brauchen einen Reichstag, der bereit ist, unsere bisherige Wirtschaftspolitik, die Politik der Handelsverträge und des Schutzes der nationalen Arbeit weiterzuführen. Wir brauchen einen Reichstag, der bereit ist, unserer sozialen Politik die Bürgschaft einer friedlichen Entwicklung des Innern ruhig und besonnen fortzusetzen. Wir brauchen einen Reichstag, der bereit ist, Heer und Flotte dauernd im Zustande höchster Leistungsfähigkeit zu erhalten und Lücken in unseren Rüstungen zu schließen.«

»Bei der Lösung dieser Aufgaben«, so fuhr die Betrachtung der NAZ fort, »pflegt die Sozialdemokratie ihre Mitarbeit zu versagen.« Darum sei die »endliche Überwindung dieser Partei, deren Bestehen eine Gefahr bedeutet für die nationale Geschlossenheit unseres Volkes wie für die Erhaltung des politischen geistigen und sittlichen Erbes unserer Väter« eine »Lebensfrage für unser Vaterland«. Eine andere Wahlparole, vor allem eine klare Ankündigung von Flotten- und Heeresvermehrungen, konnte die Regierung nicht ausgeben, weil sie auf jeden Fall den Eindruck vermeiden mußte, als ergreife sie für den schwarz-blauen Block Partei. Denn eine solche Parteinahme hätte nur das Gegenteil bewirkt: eine wachsende Verbitterung gegen die konservative Innenpolitik des Reiches (Reichsfinanzreform!) und weitere Stimmengewinne der Sozialdemokraten.

3 AELKZ, Nr. 50, 15. 12. 11 (Politische Wochenübersicht).
4 Wahlaufruf der NAZ vom 2. 1. 12; zit. nach RWZ, Nr. 4, 3. 1. 12 (1. Morgenausg.).

Nach der Dürre des Sommers 1911 und seiner schlechten Ernte herrschte Knappheit an Futtergetreide und Lebensmitteln. Dadurch stiegen die Preise. Das einzige Mittel, sie zu senken, wäre eine Einfuhr billiger Auslandsprodukte gewesen. Die ostelbischen Großgrundbesitzer, die von der schlechten Ernährungslage profitierten, hielten nur um so hartnäckiger an der bisherigen Hochschutzzollpolitik fest; denn als Produzenten, als Monopollieferanten von Futtergetreide für die kleineren und mittleren Bauern und des meisten Brotgetreides wollten sie keine Konkurrenz. Weiten Teilen der Öffentlichkeit war dieser in der gegenwärtigen Notlage besonders krasse Gruppenegoismus durchaus bewußt. Bei all dem verschärfte sich zusehends der Gegensatz zwischen rechts und links, zwischen den Großagrariern und den gesamten städtisch-industriellen Gruppen, und hier vor allem der Arbeiterschaft, deren Lebensstandard zu sinken drohte, wenn nicht Lohnerhöhungen die Preiswelle kompensierten.

Die Routineberichte der preußischen Regierungspräsidenten an den Kaiser (Zivilkabinett) über die Stimmung der Bevölkerung zeigen dies deutlich[5]. Der Regierungspräsident von Kassel schreibt am 23. 12. 1911:

»Die wirksamste Unterstützung erwächst den Sozialdemokraten aus der in den Städten wegen der Lebensmittelteuerung ... herrschenden Mißstimmung.«

Allgemein erwartete man von der herrschenden Mißstimmung ein starkes Anwachsen der »oppositionellen Stimmen«. So berichtete das Regierungspräsidium zu Lüneburg am 16. 10. 1911 über das dritte Vierteljahr 1911:

»Angesichts der gedrückten Stimmung, die infolge der schlechten Ernte, der Teuerung und der unklaren auswärtigen Lage in weiten Kreisen herrscht, ist in der Tat auch ein Vordringen der oppositionellen Parteien zu befürchten, falls nicht noch besondere Ereignisse eintreten, welche die nationalgesinnten Wähler mit Begeisterung an die Wahlurne heranbringen.«

Im großen und ganzen dürfte der kurze und markante Satz Helmuth v. Gerlachs in der ›Welt am Montag‹ zutreffend gewesen sein, der sagte[6]:

»Einige Leute unterhalten sich über Marokko, alle über die Teuerung.«

Die Regierung hielt sich deshalb in der Wahlagitation im Vergleich zu früheren Wahlen zurück; das bedeutete aber keineswegs völlige Abstinenz. So verpflichtete der preußische Minister des Innern, Johann v. Dallwitz, sämtliche Staatsarbeiter und -angestellte, nicht für die Sozialdemo-

---

5 DZA II, Rep. 89 H, II und IV (vgl. die einzelnen Provinzen).
6 Welt am Montag, Nr. 36, 4. 9. 11. Ein weiteres Moment der Unzufriedenheit in der Bevölkerung und vor allem in der öffentlichen Meinung war noch immer der Ausgang der Reichsfinanzreform (vgl. dazu die in Anm. 5 erwähnten Zeitungsberichte). Der Zeitungsbericht vom Oberpräsidium in Breslau vom 20. 5. 12 vermerkt: »Der unerfreuliche Ausgang der Wahlen ist hier wohl wie überall auf die agitatorische Ausnützung der durch die Reichsfinanzreform geschaffenen innenpolitischen Lage zurückzuführen« (Rep. 89 H, II, Schlesien 3a, Bd. 5).

kratie zu stimmen, und wies die Oberpräsidenten und Landräte an, in diesem Sinne tätig zu werden[7]. Mit einer Kompromißparole, die auf wirtschaftspolitischem Gebiet den Forderungen der »schaffenden Stände« weitgehend entgegenkam, auf sozialpolitischem Gebiet eine gedämpfte Fortführung der sozialen Reform in Aussicht stellte – und damit den Wünschen der Sozialdemokratie und der liberalen Parteien sowie des Zentrums entgegenkam –, mit Andeutungen schließlich über kommende Heeres- und Flottenvorlagen versuchte die Regierung eine Politik der Diagonale einzuschlagen. Sie verzichtete also darauf, eine Parole für die bisherige Regierungsmehrheit auszugeben, sondern sprach lediglich davon, daß angesichts der aufgestellten Forderungen »kein pflichtbewußter deutscher Mann am 12. Januar an der Wahlurne fehlen« dürfe, und daß auch kein »Zweifel« darüber bestehen könne, »gegen wen er Front zu nehmen hat.[8]« Die Konservativen beanstandeten dann auch sofort, die Regierung weiche einer eindeutigen Stellungnahme gegen jene Parteien aus, die die Reichsfinanzreformmehrheit bekämpften, und das hieß praktisch gegen jene Parteien, die mit der Sozialdemokratie direkt oder indirekt paktierten. Die Reichsleitung sah sich daraufhin veranlaßt, ihre Wahlparole vom 2. Januar näher zu erläutern: es sei zwar nicht ihre Aufgabe, »für oder wider diese oder jene bürgerliche Partei Stellung zu nehmen«, doch gelte es zur »Sicherung der Wehrhaftigkeit unseres Vaterlandes« als selbstverständlich, daß ein »in ernster Zeit um die Zukunft des Vaterlandes besorgter Mann seine Stimme weder in der Hauptwahl noch in der Stichwahl einem Sozialdemokraten geben« könne[9]. Damit kam Bethmann Hollweg den »nationalen« Parteien entgegen, vorzugsweise den konservativen und industriellen Wünschen also, die strikt eine Sammlung der bürgerlichen Parteien gegen die Sozialdemokratie forderten. Daneben hoffte man, mit der ausgegebenen Parole wenigstens für die Stichwahlen ein einmütiges Zusammenstehen der bürgerlichen Parteien zu erreichen.

Angesichts des nationalliberal-freisinnigen Wahlbündnisses und der gegen rechts gerichteten Agitation des Hansabundes mußte ein solcher Sammlungsappell der Regierung in seiner politischen Wirkung höchst fragwürdig erscheinen. Das Ergebnis der Hauptwahlen am 12. Januar 1912 fiel für die bisherigen »Regierungsparteien« noch recht glimpflich aus. Dem Zentrum war es gelungen, seinen Besitzstand in etwa zu halten, die Konservativen verloren zwar Direktmandate, brachten aber, verglichen mit 1907, eine größere Zahl von Kandidaten in aussichtsreiche Stellung für die Stichwahlen. Nur die starke Schwächung der Reichs-

---

7 Erlaß der Reichsregierung vom 8. 1. 12.
8 Wahlaufruf der NAZ vom 2. 1. 12; zit. RWZ, Nr. 4, 3. 1. 12.
9 VZ, Nr. 11, 7. 1. 12 (Regierungserklärung).

partei zeichnete sich jetzt schon deutlich ab. Auch die Linksliberalen und die Nationalliberalen konnten noch nicht frohlocken. Im Gegenteil: beide liberale Parteien hatten zwar Stimmen gewonnen, aber Mandate verloren; die Fortschrittliche Volkspartei hatte in den Hauptwahlen nicht ein einziges Mandat errungen. Noch einmal nahm der Reichskanzler jetzt einen Anlauf zur Beeinflussung des Wahlausgangs, indem er die Führer der bürgerlichen Parteien zu einer Besprechung in die Reichskanzlei einlud. Die Nationalliberalen und die Fortschrittler indes lehnten die Einladung ab aus Erwägungen, die Rießer nach den Stichwahlen folgendermaßen umschrieb: »Die Regierung hat versucht, im Moment vor den Stichwahlen, nochmals eine Sammlungspolitik zu inszenieren, obwohl sie wissen müßte, daß am Vorabend der Schlacht eine Frontänderung der politischen Parteien undenkbar ist.[10]« Lediglich im industriellen Westen gelang es, die Nationalliberalen zur Koalition mit dem Zentrum zu bewegen. Hier hatte der äußerste rechte Parteiflügel der Nationalliberalen, der mit dem Unterstaatssekretär in der Reichskanzlei Wahnschaffe in Verbindung stand, auf Bassermann eingewirkt mit dem Argument, ohne solche Absprachen mit dem Zentrum würden die Sozialdemokraten die nationalliberalen Chancen in der Stichwahl gänzlich zunichte machen.

Die Regierung erkannte die Schwierigkeiten ihrer Lage: Der Chef der Reichskanzlei Wahnschaffe schrieb am 16. Januar 1912 an den Staatssekretär des Innern, Clemens v. Delbrück, es werde »sehr schwer sein«, nach der ablehnenden Stellungnahme der Nationalliberalen und Fortschrittler »nun noch eine wirklich erfolgreiche Verständigungsaktion durchzuführen, zumal die Aufforderung des nationalliberalen Parteivorstandes, für den Fortschritt einzutreten, im Lande vielfach als eine Parole gegen die nicht erwähnten Konservativen aufgefaßt werden wird«[11]. Auch der Kanzler sah, wie Wahnschaffe mitteilte, die Lage als sehr schwierig an, wünschte aber weiterhin, »daß noch alles getan wird, was eine Verständigung erleichtern kann«. Bethmann Hollweg teilte dem Kaiser am 13. Januar direkt nach den Hauptwahlen mit, der Ausfall der Stichwahlen sei lediglich vom Verhalten »des Liberalismus« abhängig.

> »Macht er mit Sozialdemokraten gemeinsame Sache, dann werden seine Gesamtverluste gegen den bisherigen Zustand nicht bedeutend sein. Die Sozialdemokraten (werden) aber hauptsächlich auf Kosten der Rechten bis auf etwa 110 Mandate anwachsen. Erläßt der Liberalismus, was ich vermute, keine einheitliche Parole für die Stichwahlen, dann kommen die Sozialdemokraten auf etwa 90 Mandate und ihr Gewinn verteilt sich ziemlich gleichmäßig auf die bürgerlichen Parteien. Eine Mehrheit für die Wehrvorlage ist im ersten Fall zwar nicht gesichert, aber nicht unmöglich.[12]«

---

10 Zit. VZ, Nr. 47, 26. 1. 12.
11 DZA I, RKz 1808 Wahnschaffe an Delbrück, 16. 1. 12.
12 Ibid., Bethmann Hollweg an Wilhelm II., 13. 1. 12.

Die Befürchtungen des Kanzlers sollten sich ziemlich genau erfüllen, denn das absolut Neue im Wahlkampf war das geheime Stichwahlabkommen zwischen Fortschrittlicher Volkspartei und Sozialdemokratie, welches das dem Linksliberalismus ungünstige Hauptwahlergebnis korrigierte. Die von den Konservativen bereits bejubelte Zerschmetterung der liberalen Gruppen war dank der Hilfe der Sozialdemokratie mißlungen. Hinzu kam, daß das Wahlbündnis zwischen Fortschritt und Nationalliberalen eine weitere Schwächung der konservativen Gruppen bewirkte, was zumindest indirekt eine Stüzung der Sozialdemokratie bedeutete. Von den Rechtsgruppen konnte, wie bereits in den Wahlen von 1907, auf Grund seiner primär konfessionell gebundenen Wählerschaft einzig das Zentrum seine Position ziemlich behaupten. Entscheidendes Signum der Wahlen war das starke Ansteigen der sozialdemokratischen Stimmen und Mandate. Mit 110 Abgeordneten wurde die Sozialdemokratie die stärkste Fraktion des Reichstages; mit mehr als einer Million Stimmengewinn verdoppelte sich nahezu ihre Mandatszahl. Die Fortschrittliche Volkspartei behauptete sich mit 42 Mandaten (minus 7) knapp in ihrem Besitzstand, die Nationalliberalen erhielten 45 Mandate (minus 7 gegenüber Ende 1911). Am stärksten geschwächt wurden die konservativen Gruppen: die Deutschkonservativen erlangten 43 Sitze (minus 17), die Freikonservativen erreichten mit 16 Abgeordneten (minus 12 gegenüber Ende 1911) gerade noch Fraktionsstärke, ebenfalls verlor die den Konservativen nahestehende Wirtschaftliche Vereinigung (Deutsch-Soziale, Christlich-Soziale, BdL, Sonstige) 8 ihrer 18 Sitze. Allein das Zentrum konnte mit 93 Sitzen gegenüber 103 seine Stellung in etwa behaupten.

Die Enttäuschung der Konservativen über die vernichtende Wahlniederlage machte sich Luft in Äußerungen, die, wie schon 1903, »die Niederlage des monarchischen Staatsgedankens« apostrophierten. Scharf wurde der von der Sozialdemokratie »ausgehaltene Liberalismus« angegriffen und die Notwendigkeit unterstrichen, jetzt durch eine Verfassungsreform einer Entwicklung zu steuern, die auf eine Demokratisierung und womöglich sogar Parlamentarisierung des Reichs hinzuführen schien. So klagte Graf Waldemar v. Roon in der ›Kreuzzeitung‹ (27. Januar 1912), daß es ein »Irrtum unseres großen Bismarck« gewesen sei, »eine Überschätzung der Vernunft und des Patriotismus seines, unseres Volkes, als er dies Wahlrecht gab«. Das deutsche Volk sei politisch noch nicht reif für das allgemeine gleiche direkte geheime Wahlrecht. Daneben sprach sich Roon für »Ausnahmegesetze« aus, das heißt Wiedereinführung des Sozialistengesetzes, das sich ausgezeichnet bewährt hätte; hinzu müsse eine Beschränkung der Pressefreiheit und der Freizügigkeit kommen. Die Erbitterung der Konservativen richtete sich gleichermaßen gegen die Regierung Bethmann Hollweg, der man vorwarf, nicht genügend die konservativen Interessen (Verteidigung der Reichsfinanzreform) gewahrt zu haben, wie gegen den Liberalismus und vor allem den Hansabund, die man als Steigbügelhalter der Sozialdemokratie aufs schärfste angriff. Dabei kam eine Variante wieder verstärkt ins Spiel, die ohnehin schon im Wahlkampf die Taktik der Konservativen und vor allem des Bundes der Landwirte bestimmt hatte: die antisemitische Agitation. Die ›Deutsche Tageszeitung‹, das Organ des BdL, behauptete in ihrem Leitartikel »Das Judentum im Wahlkampfe« (25. Januar 1912), daß der Wahlkampf als solcher sich endgültig als »Angriff des Judentums und, weitergefaßt, des jüdischen Geistes auf die Grundlagen unseres nationalen und völkischen Lebens gezeigt hat«. Dabei mischte man Sozialdemokratie und Hansabund zusammen, wenn man feststellte: »Kapitalismus, Proletariat und Judentum haben stets zueinander gehört und einander durchdrungen«. Jetzt müsse es darauf ankommen, »dem Undeutschen das Deutsche, dem Internationalen das Nationale, dem Zerstörenden das Erhaltende und dem Kampf der Lüge den Kampf der Wahrheit und für die Wahrheit entgegenzusetzen«. Die ›Korrespondenz des Bundes der Landwirte‹ verstieg sich unter Berufung auf einen Anti-Rießer-Artikel der ›Hamburger Nachrichten‹ zu der Formel, »der gemeinsame Todfeind dieser Hanseaten wie der Bundesagrarier, der Großindustrie wie des kleingewerblichen Mittelstandes« seien die »roten Umsturzgenossen und die Parteien und Agitationsverbände, die ihnen unter international jüdischer Führung demagogisch in die Hände arbeiten«[13]. Und der christlich-soziale, rechtsprotestantische ›Reichsbote‹, ein Organ, das seit Ende 1911 auch formell der konservativen Partei unterstand und von orthodoxen protestantischen Kirchenkreisen finanziert wurde, brachte seine Wahlbetrachtung (27. Januar 1912) auf die Formel, es gelte, die »rote und goldene Internationale« zu bekämpfen, die sich endgültig dekouvriert habe. Er sprach vom »goldenen Liberalismus«, der unter »dem Zwange jüdischen Geldes stehenden Presse« und den von »jüdischer Hetzpeitsche aufgestachelten vaterlandslosen Gesellen«, hinter denen als »Drahtzieher das jüdisch-internationale Großkapital« stehe. Als Hort nationaler Kraft und Gesinnung ständen allein der Kaiser, die Kirche und das Heer noch da; daneben – und hier zeigt sich bereits deutlich die Radikalisierung der Stimmung – wies das Blatt darauf hin, daß womöglich ein »Krieg« die »hinreißende vaterländische Begeisterung« schaffen könne, um die gegenwärtige Misere zu überwinden. Selbst die auf einen mäßigenden Ton gestimmte gouvernementale ›Kreuzzeitung‹ prophezeite, daß die Regierung bald zu einer »Schattenregierung« werden müs-

---

13 Korr. des BdL, Nr. 8, 13. 2. 12, S. 29 ff.

se, falls diese Entwicklung weiterginge. Das wäre die Folge einer Haltung, die anstatt den Konservativismus zu stärken, dem »internationalen Großkapital und dem jüdisch-kaufmännischen Klüngel«... »den kleinen Finger« reichte. Dieselbe Zeitung gab Ende Januar der Zuschrift eines durch die Reichstagswahlen zu einem »unversöhnlichen Antisemiten« gewordenen Industriellen Raum, in der es hieß:

> »Ich möchte wünschen, daß das Judentum die Quittung für seine verhetzende Tätigkeit in unserem deutschen Vaterlande erhält und daß der Antisemitismus in einer Weise auflebt wie wir ihn bisher noch nicht kannten; denn geschieht nichts gegen diesen zersetzenden Einfluß des jüdischen Geistes und Kapitals, dann geht Deutschland eher daran zugrunde als an der Sozialdemokratie an sich.[14]«

Noch schärfer reagierte der Leiter des Alldeutschen Verbandes, Heinrich Claß, der mit dem Krupp-Direktor Alfred Hugenberg befreundet war und engen Kontakt zu Schwerindustriellen wie Kirdorf hielt. Unter dem Eindruck der Reichstagswahlen veröffentlichte er im Mai 1912 unter dem Pseudonym ›Frymann‹ sein Reformprogramm in dem Buch ›Wenn ich der Kaiser wär'‹, das man als erstes Modell für den autoritären Staat verstehen kann. Dieses Buch erlebte bis zum Kriegsausbruch fünf Auflagen zu 5000 Exemplaren und wurde in der konservativen und schwerindustriellen Presse nahezu uneingeschränkt begrüßt[15]. Claß' Vorschläge waren einschneidend: Ausweisung der sozialdemokratischen Führer, Wiedereinführung des Sozialistengesetzes, Stellung der Juden unter Fremdenrecht (keine öffentlichen Ämter, kein Wahlrecht), Wahlrechtsänderung. Das sollte am besten nach einem »siegreichen Krieg« geschehen; denn dann bestände auch die beste Gelegenheit, einen »nationalen Reichstag« zu erhalten. Käme es nicht dazu, müsse der Staatsstreich helfen. Damit wurden die Staatsstreichpläne, die seit 1890 den Kaiser und die Minister ebenso wie die Militärs beschäftigt hatten, neu akzentuiert, diesmal auf radikale Weise.

Nicht weniger beunruhigt über den Ausgang der Wahl zeigte sich die Großindustrie. Die ›Deutsche Industriezeitung‹, das Organ der CdI, erblickte in dem »sicht- und hörbaren Ruck nach links« eine »Fiebererscheinung des kranken politischen Lebens« und zog daraus den Schluß: »Wer hat das wirtschaftlich und seiner Seelenzahl nach stärkste Volk Europas verhindert, sich durch den Ausbau von Heer und Flotte die ihm zukommende Weltmachtstellung zu geben? Die Demokratie![16]« Die Enttäu-

---

14 Zit. VZ, Nr. 51, 29. 1. 12.
15 Daniel Frymann (d. i. Heinr. Claß), Wenn ich der Kaiser wär', Leipzig 1912, 5. Aufl. 1914; vgl. dazu auch die oben erwähnte Arbeit meines Schülers Dirk Stegmann, Parteien und Verbände 1897–1918, S. 265 ff.
16 DIZ, Nr. 3, 20. 1. 12, S. 45.

schung über den Ausgang der Wahl verband sich hier mit der über den Mißerfolg in der Marokkokrise. Für beides mußte die »Demokratie« als Sündenbock herhalten. Nach den Stichwahlen griff die gleiche Zeitung vor allem den Hansabund als »Hilfstruppe des Linksliberalismus« scharf an, sodann aber auch die Regierung wegen ihrer schwächlichen Haltung gegenüber der Sozialdemokratie: »Was ist denn die Ernte der ganzen sozialpolitischen Gesetzgebung und der Nachgiebigkeit der Regierung in so vielen Einzelfällen? Das Anwachsen der sozialdemokratischen Flut...«[17] Noch schärfer war die Tonart der Arbeitgeberverbände. Die ›Deutsche Arbeitgeberzeitung‹ sprach bereits am 14. Januar 1912 von dem Fortschreiten der »nationalen Dekomposition« und äußerte als eigenes Konzept: »Die Aufgabe der Gegenwart besteht in dem einmütigen Bestreben der Repräsentanten des Gegenwartsstaates, die von landfremden Elementen in den deutschen Acker gestreute sozialrevolutionäre Saat unter allen Umständen am weiteren Wachstum zu verhindern.« Fürs erste drängte man auf eine Zurückdämmung der staatlichen Arbeiterpolitik: Krupp persönlich schrieb im März 1912 an den Kaiser, jedes sozialpolitische Gesetz habe nur den »Nimbus« der Sozialdemokratie verstärkt. Die »großen gesunden Gedanken unseres Katheder-Sozialismus« seien »heute vollständig abgebaut«[18]. All diese Stimmen der herrschenden sozialen Schichten spiegelten die Krisenstimmung wider, die durch den Linksruck der Wahlen ausgelöst war. Wie 1903 nach dem großen Sieg der Sozialdemokraten, die damals auf 83 Mandate angewachsen waren, rückten unter diesen Umständen Industrie und Landwirtschaft nur noch enger zusammen, als dies ohnehin der Fall war.

Die Stimmung der Nationalliberalen war zwiespältig: einerseits hielt man die Parole »Front gegen rechts« weiterhin für berechtigt, andererseits hatte sie eigene Mandatsverluste doch nicht zu verhindern vermocht: »In diesem Wahlkampf kämpften 2 Seelen: den einen schwebte als vornehmstes Ziel die Brechung des schwarz-blauen Blocks vor, die anderen konnten sich nicht entschließen, einem wünschenswerten Zweck durch Förderung sozialdemokratischer Wahlerfolge zu dienen.[19]« Ähnlich wie die Parteiführung argumentierte der Hansabund, der zwar das Ansteigen der sozialdemokratischen Stimmen ebenfalls bedauerte, doch zugleich über die Niederlage der Konservativen frohlockte, war es ihm doch immerhin gelungen, über 80 Abgeordnete auf sein Programm zu verpflichten, gegenüber dem Bund der Landwirte mit nur 78 Gefolgsleuten statt 138 im Jahre 1907. Zudem waren die agrarischen Führer Hahn, Roesicke, Lucke,

17 Ibid., Nr. 4, 27. 1. 12, S. 60.
18 Zit. Dieter Fricke, Eine Denkschrift Krupps aus dem Jahre 1912 über den Schutz der »Arbeitswilligen«, ZfG 5, 1957, S. 1245 ff.
19 Köln. Ztg., Nr. 95, 26. 1. 12.

Elard v. Oldenburg-Januschau und einige andere nicht wieder in den Reichstag zurückgekehrt. Für die Zukunft setzte die Parteiführung, Bassermann, Weber und Stresemann (der selbst nicht wiedergewählt worden war und erst 1914 nachrückte), ihre Hoffnungen auf eine Evolution der Sozialdemokratie im nationalen Sinne, stieß damit jedoch auf den scharfen Widerspruch des rechten Parteiflügels, der sich vor allem im preußischen Abgeordnetenhaus sammelte. Bis 1914 suchte die Führung an dieser doppelten Zielsetzung gegenüber den Sozialdemokraten festzuhalten, sie in allen nationalen Fragen (Heer, Flotte und imperialistische Außenpolitik) kompromißlos zu bekämpfen und ihnen zugleich im Zuge der Sozialpolitik ein allmähliches Hineinwachsen in das bestehende Gesellschaftsgefüge zu ermöglichen. Stresemann forderte am 4. Februar auf der Generalversammlung des Verbandes württembergischer Industrieller, daß jetzt bei der extremen Linken die »Bequemlichkeit der reinen Negation« endlich aufhören müsse; darum, so meinte er, werde »das Wahlergebnis vielleicht die Schicksalsstunde der Sozialdemokratie bedeuten«. Natürlich sei eine Großblockpolitik mit der SPD so lange unmöglich, als sie eine militärische Stärkung Deutschlands bekämpfe [20]. Um so mehr erhoffte er vom neuen Reichstag eine »neue Aera der politischen und wirtschaftlichen Entwicklung, an der niemand stärker interessiert sei als die Industrie«, womit in erster Linie die Export- und Fertigwarenindustrie gemeint waren. Die gleichen Ziele wie die Parteiführung verfolgten der Hansabund und der Bund der Industriellen. Der BdI lehnte eine konservative Gewaltpolitik gegenüber den Sozialdemokraten nachdrücklich ab und baute vor allem auf die mäßigende Einwirkung des Gewerkschaftsflügels und der Revisionisten in der großen Arbeiterpartei. Die Parole eines Blocks von Bebel bis Bassermann blieb auch so eine utopische Hoffnung des Linksliberalismus, vor allem Naumanns, der diesen Gedanken seit Jahren propagierte. Die Nationalliberalen beschränkten sich fürs erste darauf, eine stärkere Beteiligung des Bürgertums in der Verwaltung und Organisation des Staates zu fordern, wolle die Regierung nicht riskieren, »noch mehr Anhänger in der ›Wüste der Opposition‹ zu verlieren« [21].

Die Fortschrittliche Volkspartei beklagte zwar ihren Mandatsverlust trotz Stimmengewinns, verzeichnete aber mit Genugtuung eine »Abwehr der absoluten Herrschaft der konservativ-klerikalen Mächte« [22]. Professor Otto v. Harnack schrieb im März 1912 in der linksliberalen Zeitschrift ›März‹:

»Der Druck, der seit dem erneuten konservativ-klerikalen Bündnis vom Sommer 1909 auf unserem politischen Leben lastete, ist abgeworfen. Der Deutsche

---

20 Zit. HE, Nr. 31, 7. 2. 12.
21 Ibid.
22 BBC, Nr. 68, 10. 2. 12.

154

Reichstag kann jetzt die Bedeutung und den Erfolg gewinnen, die im modernen Kulturstaat dem Parlamente zukommen ... Inwieweit Positives im liberalen Sinne zu erreichen möglich ist, das wird in erster Linie davon abhängen, wieweit die Sozialdemokratie Einsicht in die politische Lage beweisen wird, und in zweiter Linie davon, wieweit die nationalliberale Partei imstande sein wird, alle ihre Mitglieder, auch die weithin nach rechts geneigten, auf die Bahn einer entschieden liberalen Politik zu führen.«

Daneben beklagte man freilich die Schwächung der eigenen Partei in den Großstädten; denn gerade hier hatte man größere Erfolge erhofft, die aber zum Großteil der Sozialdemokratie zugefallen waren. Am optimistischsten äußerte sich Naumann nach der Wahl: »Es hat in Deutschland in diesen Tagen etwas Neues begonnen, eine alte Periode hat sich zu Ende geneigt, eine andere Zeit hat sich gemeldet.[23]«

Die Sozialdemokratie sah ihren Wahlsieg dadurch begründet, daß die Arbeiterschaft und breite mittelständische Kreise der verfehlten Reichsfinanzreform die Quittung erteilt hätten, denn sie hatte doch ihren Wahlkampf vor allem gegen die Steuerpolitik des schwarz-blauen Blocks geführt. Der Wahlaufruf des Vorstandes vom 5. Dezember 1911 hatte unter den Schlagworten: »Neue Steuern, Lebensmittelteuerung, Volksentrechtung, steigende Kriegsgefahr«, die 1907 zustandegekommene Reichstagsmehrheit für alle Übelstände verantwortlich erklärt. Als ihr Ziel hatten die Sozialdemokraten »die Eroberung der politischen Macht« proklamiert und gleichzeitig den Vorwurf zurückgewiesen, sie seien »Umstürzler«. Wie stark man bereits auf eine evolutionäre Entwicklung von Staat und Gesellschaft vertraute, zeigte sich darin, daß man als politisches Nahziel die »Demokratisierung des Staates in allen seinen Lebensbeziehungen« proklamierte; das hieß praktisch: Durchführung des parlamentarischen Regierungssystems, Demokratisierung des Heeres und der Justiz und vor allem gleiches, direktes und geheimes Wahlrecht in allen Bundesstaaten. Außerdem legte der Aufruf großes Gewicht auf Fortführung der Sozialgesetzgebung im Sinne der sozialpolitischen Richtlinien der Gewerkschaften (Reichsarbeitsamt, gesetzlicher 8-Stunden-Tag, Reform der Arbeiterversicherung, Arbeitskammern und Arbeitsämter). Hinzu traten die Forderungen auf Herabsetzung bzw. Beseitigung der indirekten Steuern und Aufhebung der Lebensmittelzölle und der Zölle auf Futtermittel, Aufhebung der Einfuhrscheine und innere Kolonisation durch Überführung des Großgrundbesitzes in Gemeineigentum. – Der große Wahlerfolg mußte die Hoffnung der Führer nur bestärken, daß die Partei auf demokratischem Wege die politische Macht im Staate erobern könne: »Denn die Klasse, deren Interesse unsere Partei verficht, ist die einzige, die stetig wächst... So kann es nicht lange dauern und die große Mehrheit steht

---

23 NHZ, Nr. 51, 31. 1. 12.

hinter uns.« In Siegesstimmung appellierten die Sozialdemokraten an die Regierung, sie möge der innenpolitischen Kräfteverschiebung nun auch Rechnung tragen, und warnte zugleich vor reaktionären Schritten: »Wenn nicht die Regierung Maßnahmen, die eine Verschlechterung des bisher geltenden Wahlrechts und der politischen Möglichkeiten des Reichstags mit sich bringen würden, durchführt und damit die evolutionäre Entwicklung von ihrer Seite aus gewaltsam stört, so werden auch die Sozialdemokraten auf eine Revolution verzichten«. Die Evolution soll also die große Linkspartei zur Macht bringen – »gerade das aber«, konstatierte Karl Kautsky, »fürchtet die Rechte«[24].

Die Regierung nach der Niederlage des schwarz-blauen Blocks

Die Wahlen vom Januar 1912 hatten also die Herrschaft des schwarz-blauen Blocks im Reichstag beseitigt. Die Lage der Regierung war dadurch jedoch nicht einfacher geworden. Im Gegenteil: Bethmann Hollwegs Konzept einer überparteilichen Regierungspolitik mußte in Zukunft mit noch größeren Schwierigkeiten rechnen. Im Gespräch mit dem sächsischen Gesandten trat Bethmann Ende Januar 1912 zwar noch einmal dafür ein, die sozialpolitische Gesetzgebung, den »Schutz der nationalen Arbeit« aufzugeben; andererseits gestand er zu, daß auch in der Frage des sogenannten Schutzes der Arbeitswilligen etwas getan werden müsse. Hierzu bedürfe es einer schnelleren Reform des Strafgesetzbuches, die das Strafmaß bei Ausschreitungen verschärfen sollte (Erörterungen in dieser Richtung waren seit 1910 in den Ministerien anhängig). Ein neues Sozialistengesetz hielt er jedoch wie bereits schon 1910 für indiskutabel[25]. Es ist daher nicht verwunderlich, wenn konservative und schwerindustrielle Kreise ihre Angriffe auf die ihrer Meinung nach zu schlappe Regierung fortsetzten.

Wenn auch die Regierung in Zukunft in viel stärkerem Maße als bisher mit der Existenz der Sozialdemokratie rechnen mußte, so wies Professor Gustav Schmoller doch darauf hin, daß die Sozialdemokratie trotz ihres gewaltigen Wahlerfolges gegenüber der »festfundierten, mit enormen Machtmitteln ausgestatteten Reichs-, Staats- und Beamtenorganisation, gegenüber unserer Heeresverfassung, gegenüber allen anderen erhaltenden Elementen und Organisationen unseres deutschen Vaterlandes doch nur eine mäßige Kraft« darstelle, und hatte gute Gründe anzunehmen, daß von einem »künftigen Siege der Sozialdemokratie in Deutschland ... in

---

24 Kautsky im Vorwärts, Nr. 20, 25. 1. 12, »Die Wurzeln des Sieges«.
25 STA Dresden, Kr. Min., Allg. Armeeabt. Nr. 1424, Bl. 22 ff.; Sächs. Gesandtschaft Berlin an Vitzthum v. Eckstädt, 30. 1. 1912.

aller Zukunft nicht die Rede sein« könne. Als nächstes Ziel der deutschen Politik forderte er daher die Einordnung der Partei in den staatlichen Organismus: die Partei müsse, »so wie sie geworden ist, ertragen und eingefügt werden in unseren Staats- und Gesellschaftsorganismus; man muß lernen, sie zu verstehen, wie sie lernen muß, die anderen Parteien und Elemente unseres Volks- und Staatslebens zu begreifen«[26]. Die hier von Schmoller skizzierte Politik, die auf das Schwergewicht der Gewerkschaften und des revisionistischen Flügels in der Partei rechnete, entsprach in ihren Grundlinien dem von Bethmann Hollweg verfolgten Programm. Ein offenbar inspirierter Artikel der ›Kölnischen Zeitung‹ vom 3. Februar 1912 wies darauf hin, daß der Kanzler, wenn er überhaupt regieren wolle, in Ermangelung einer festen parlamentarischen Mehrheit alle Stimmen annehmen müsse, die sich ihm zur Verfügung stellten. Weiter hieß es darin, der Kanzler sei »nach seiner Grundrichtung konservativ und wird es bleiben, allerdings nicht in dem Sinne, daß er Fragen des Staatswohls dem konservativen Parteiinteresse unterordnet.« Bethmann Hollweg habe sich die Feindschaft der Konservativen zugezogen, nicht, weil er die Sozialdemokratie fördere, »ein Vorwurf, der einfach lächerlich ist«, und auch nicht, weil er seine liberale Seele entdeckt hätte, – »was leider nicht zutrifft« – sondern, weil er tatsächlich nicht gewillt sei, »seine grundsätzlichen und taktischen Überzeugungen von dem, was dem Reich frommt, dem Willen der Konservativen unterzuordnen und weil er das Regieren über den Parteien ernst nehmen möchte«.

Auf dieser Linie lag auch ganz das erste Auftreten Bethmanns nach den Wahlen im Reichstag[27]. Entsprechend seiner Politik der Diagonale stellte er fest, daß das Deutsche Reich »weder reaktionär noch radikal regiert werden« könne. Die Aufgabe der Zukunft liege nicht in der Richtung »einer weiteren Demokratisierung« des Reiches (womit er der Sozialdemokratie und den Linksliberalen eine deutliche Absage erteilte), sondern im Ausbau seiner staatlichen Machtstellung: »Ein Staat, der seine Tüchtigkeit durch Uneinigkeit lähmt, den wird die Weltgeschichte erbarmungslos zu Boden treten.« Der Blick müsse sich wegwenden – so sprach Bethmann Hollweg in der Tradition Bismarcks und Miquels – von den »widerwärtigen Zänkereien der letzten Jahre« und sich »nach vorwärts« richten: Weil »in allen Schichten unseres Volkes, und, wie ich glaube, in allen Parteien ... tief die Sehnsucht« stecke, »Ziele zu zeigen, um deren Erreichung der Kampf sich lohnt«. Es war nur folgerichtig, wenn die ›Kölnische Zeitung‹ (17. 2. 12) an diese Rede des Kanzlers die bestimmte Hoffnung knüpfte, daß »allem Parteihader zum Trotz sein Appell an die Solidarität

---

26 Gustav Schmoller, Die einhundertzehn Sozialdemokraten im dt. Reichstage, NFP, Nr. 17 106, 7. 4. 12; zit. Schmoller, Zwanzig Jahre deutscher Politik 1897–1917, S. 98.
27 RT, Bd. 283, S. 64 ff., 16. 2. 12.

des Bürgertums Widerhall« finden werde, »wenn Lebensfragen der Nation auf dem Spiele stehen«.

Mit seinem Appell hatte der Kanzler deutlich gemacht, daß die Regierung weit davon entfernt war, der Forderung von Linksliberalen und Sozialdemokraten nach Demokratisierung nachzugeben. Bethmann Hollweg warf statt dessen die Parole der nationalen Solidarität angesichts der außenpolitischen Bedrohung in die Debatte und versuchte, mit dem Hinweis auf die gefährliche Lage des Reiches in Europa und der Welt von den inneren Fragen abzulenken. Dabei mag offenbleiben, wieweit Bethmann Hollweg persönlich davon überzeugt war, daß eine solche Politik nach dem Muster Bismarcks und Miquels noch berechtigt sei. In Privatbriefen an Kiderlen-Wächter hatte er schon vor der Wahl geschrieben, daß man von ihm »in Potsdam« verlangt habe, »chauvinistische Wahlmache für die Wehrvorlage« zu betreiben, worauf er sich aber nicht eingelassen habe; denn »eigentlich ist ja die ganze Politik derart, daß ich sie nicht mitmachen kann«. Privat verurteilte er also diese Politik, andererseits war er davon überzeugt, daß diese Situation sich nur noch »gefährlicher« gestalten könne, »wenn er jetzt gehe und dann doch wahrscheinlich nicht allein« [28]. Der Widerspruch zwischen diesen privaten Äußerungen und den öffentlichen Erklärungen im Reichstag löst sich von selbst, wenn man bedenkt, daß Bethmann Hollweg aufgrund der objektiven Machtverhältnisse im kaiserlichen Deutschland gar nicht anders reden konnte, wenn er nicht riskieren wollte, daß er das Kanzleramt an so rechts orientierte Kandidaten wie Frhr. v. Schorlemer, v. Dallwitz und Generalfeldmarschall v. der Goltz-Pascha verlieren würde. Eine solche Konstellation aber hätte das Ende seiner Versuche, die Spaltung der Nation zu überwinden, bedeutet und die Gefahr heraufbeschworen, daß die Sozialdemokraten im Falle eines Krieges nicht »mitgingen«.

Das Bemühen Bethmann Hollwegs, die Sozialdemokratie »bei der Stange zu halten«, d. h. sie mit der bestehenden Gesellschaftsordnung zu versöhnen und ihr Mitgehen im Kriegsfall zu sichern, war seit Beginn seiner Kanzlerschaft Mittelpunkt und Ziel seiner Innenpolitik. Der Kanzler konnte dabei beim rechten Flügel der Sozialdemokratie ansetzen, vor allem auch bei ihren süddeutschen Gruppen. So hatte schon am 1. Februar 1912 der Gesandte v. Treutler aus München ihm berichten können, daß der bayrische Landtagsabgeordnete Erhard Auer dem Minister des Inneren, Maximilian Ritter v. Brettreich, gegenüber sich folgendermaßen geäußert habe:

---

28 Bethmann Hollweg an Kiderlen-Wächter, 2. 1. 12, zit. Jaeckh, Kiderlen-Wächter, Bd. 1, S. 171 ff.

»Als wir das letzte Mal 44 Mann hoch in den Reichstag einzogen, konnten wir uns gestatten, uns auszutoben. Die jetzt von uns erreichte Mandatszahl legt uns größere Verantwortung auf, der wir uns nicht entziehen können.«

Und Treutler fügte hinzu: »Diese Äußerung erscheint um so charakteristischer, als mir von anderer Seite versichert wurde, daß der Sozialist von Vollmar demselben Minister erklärt habe, die Sozialisten würden weder einer Heeres- noch einer Flottenvorlage gegenüber *prinzipiellen* Widerstand erheben.[29]« Doch gerade zu diesem Zeitpunkt schien sich die Gefahr einer Spaltung der Nation in der Agitation des Wehrvereins anzukündigen, der jetzt Ende Januar 1912 offiziell gegründet wurde, nachdem sein Initiator Keim bereits im November 1911 auf dem Höhepunkt der Erregung und Enttäuschung über den Ausgang der Marokkokrise einen ersten Gründungsaufruf veröffentlicht hatte.

Die Gründung des Wehrvereins

Ähnlich wie bei der Gründung des Flottenvereins 1898 wirkten auch bei dieser neuen pressure group wirtschaftliche, politische und militärische Interessen zusammen. Da war das Mißtrauen gegen die Regierung, die angeblich nicht bereit war, das Heer so zu verstärken, daß ein Zurückweichen wie im Sommer 1911 sich nicht wiederholen würde. Hinzutrat wie 1898 die Hoffnung, mit einer starken nationalen Parole von den inneren Schwierigkeiten abzulenken. Nicht zuletzt waren handfeste wirtschaftliche Interessen im Spiel, schon weil eine Aufrüstung für Industrie und Landwirtschaft neue große Aufträge und Gewinne erschloß. Führer der neuen Bewegung war der in der Agitation erprobte Generalmajor August Keim. 1893 hatte er im Dienst Caprivis und unterstützt von Professoren und Industriellen für die damalige große Heeresvermehrung die Öffentlichkeit mobilisiert. Nach Gründung des Flottenvereins hatte er diesen zum größten und erfolgreichsten Agitationsverband überhaupt ausgebaut, wieder im Zusammenspiel mit Professoren und Industriellen. Zunächst hatte Keim noch in Übereinstimmung mit Tirpitz und dessen Zielen gehandelt, war dann aber über das Ziel hinausgeschossen, so daß es 1907/08 zum Bruch mit der Regierung und zum Rücktritt Keims kam. Seitdem wurde der Flottenverein durch Admiral v. Köster wieder im gouvernementalen Sinne geleitet. Diese Entwicklung war um so gerechtfertigter, als die Hauptziele der Vereinsagitation erfüllt waren. General Keim, seit 1911 Mitglied der Hauptleitung des Alldeutschen Verbandes, verfügte über die besten Beziehungen zu einflußreichen Kreisen der Schwerindustrie und der natio-

---

29 AA-Bonn, Dtld. 121, Nr. 10, Bd. 23; Treutler an Bethmann Hollweg, 1. 2. 12 (i. O. gesp.).

nalen Presse. Als glühender Nationalist verkörperte er einen neuen Typus des politisierenden Offiziers, ähnlich wie die neben ihm im Wehrverein tätigen Generale v. Wrochem, v. Liebert, v. Gersdorff, Litzmann, v. Deines, Mootz, Admiral Bendemann, v. Haberling, v. Lessel u. a. In vielem berührte sich Keim mit den Anschauungen Ludendorffs, der damals im Range eines Obersten im Generalstab Chef der Aufmarschabteilung war und während des Jahres 1912 zum direkten Mitarbeiter Moltkes aufstieg. Beide waren Bürgerliche und setzten sich leicht über die soziale Problematik hinweg, die darin lag, daß durch die Forderung auf Vergrößerung des Heeres zwangsläufig der Anteil der bürgerlichen Offiziere in der Armee steigen und damit der primär feudale Charakter des deutschen Offizierkorps beeinträchtigt werden mußte.

Keim huldigte wie Ludendorff – und das hebt beide über den Kreis der führenden Offiziere im Generalstab hinaus – der Konzeption eines modernen Massenkrieges. In ihrem Rahmen kam den Massenheeren, ihrem Kampfwillen und ihrer psychologischen Schulung ein weit höherer Potenzwert zu, als dies dem traditionellen Denken der altpreußischen Offiziere entsprach. Daher Ludendorffs unablässiges Drängen auf volle Ausschöpfung der Wehrkraft und auf eine geistige Vorbereitung der Nation auf den Krieg. Zumal die prämilitärische Ausbildung der Jugend, wie sie der im Jahre zuvor durch General v. d. Goltz gegründete Jungdeutschlandbund bereits praktizierte, war den Wehrvereinsgeneralen ein Herzensanliegen, wobei sie hofften, die Einflußnahme der Sozialdemokratie auf die Arbeiterjugend zu schwächen. Für General v. Wrochem waren Frontstellung gegen links und Kampf für das Preußentum (auch für das preußische Wahlrecht) ein und dasselbe: »Die Partei des Umsturzes muß bekämpft werden, bis sie stürzt. Unser Bollwerk Preußen müssen wir uns erhalten. Sein Wahlrecht darf nicht demokratisiert werden. Die Umsturzpartei ist der Feind am eigenen Herde. Entledigen wir uns ihrer schnell und gründlich, es ist höchste Zeit.« Im Anschluß an diese Rede regte er an, eine alldeutsche Jugendorganisation zu begründen [30]. Diesem wehr- und innenpolitischen Programm entsprach das außenpolitische, so wie Keim es bereits 1910 offenbart hatte.

»Daß Deutschland den Weltfrieden will, weiß alle Welt. Aber wir haben das Recht und die Pflicht, das deutsche Volk in der Welt durchzusetzen. Kann dies unter Wahrung des Weltfriedens geschehen, um so besser. Läßt es sich aber nur erreichen durch Waffengewalt, so dürfen wir auch davor nicht zurückschrekken.[31]«

---

30 Vortrag v. Wrochem vor der Berliner Ortsgruppe des ADV über »Heer und Sozialdemokratie«, zit. SPC, Nr. 5, 4. 3. 11, S. 88.
31 August Keim, Wachet, liebe Volkserzieher, in: Der Volkserzieher, 1910, S. 29, zit. nach P. Rohrbach, M. Hohbohm, Chauvinismus und Weltkrieg, Bd. 2, Die Alldeutschen, Berlin 1919, S. 96.

Am 28. Januar 1912 wurde der Wehrverein offiziell in Berlin gegründet. Den Vorsitz übernahm Generalmajor Keim, erster stellvertretender Vorsitzender wurde der nationalliberale Reichstagsabgeordnete Paasche, zweiter stellvertretender Vorsitzender der freikonservative Landtagsabgeordnete v. Dewitz. Als Schatzmeister fungierte Kommerzienrat Büxenstein, Freund des Kaisers und Herr über einen wichtigen Teil der nationalen Presse, den sogenannten Büxensteinkonzern. Zum Ausschuß gehörten weiterhin u. a. die Generale v. Gersdorff und Litzmann, der Lübecker Großkaufmann und Eisenindustrielle Senator Possehl und Heinrich Rippler, der Herausgeber der ›Täglichen Rundschau‹, Zeitung des Evangelischen Bundes mit fast 90 000 Auflage, eine der einflußreichsten alldeutschen Zeitungen. Hinzu trat der Professor für Geschichte an der Universität Berlin und Mitglied der Preußischen Akademie der Wissenschaften Dietrich Schäfer, der wie Possehl, Rippler, Keim u. a. mehr zugleich Mitglied der Führungsgremien des Alldeutschen Verbandes war. Der Alldeutsche Verband stand auch hinter der Gründung, hatte aus taktischen Gründen aber Keim vorgeschoben, der seinerseits engsten Kontakt zu Claß hielt. Den Gründungsaufruf, der die Notwendigkeit einer starken Heeresvermehrung mit dem Hinweis auf die Marokkokrise begründete, hatten neben führenden Alldeutschen und Militärs auch konservative Großgrundbesitzer unterschrieben, wie Graf Arnim-Muskau, Bankiers wie Frhr. v. Berenberg-Goßler, Senatoren wie Dr. Neumann-Lübeck, die Herausgeber bzw. Chefredakteure so einflußreicher Organe wie der ›Leipziger Neuesten Nachrichten‹, der ›Post‹, der ›Kreuzzeitung‹, der ›Hamburger Nachrichten‹, der ›Rheinisch-Westfälischen Zeitung‹ und auch Universitätsprofessoren wie Friedrich Meinecke [32].

Die Wehrvereinsführung versicherte, mit dem Appell keine »politischen« Ziele zu verfolgen, sondern allein »vaterländische« Belange zu vertreten, und so gelang es ihr über die »nationalen« Parteien (Nationalliberale und Freikonservative) hinaus die bestehenden Jugend- und Frauenverbände zu mobilisieren: im Ausschuß saßen u. a. Frau Marie von Alten (als erste Vorsitzende des Deutschen Frauenbundes), Schulinspektor Otto als Vertreter der Lehrerschaft und General v. Gersdorff als militärischer Verbindungsmann zum Jungdeutschlandbund. Keim betonte in seiner Eröffnungsrede, daß er den Wehrverein nicht als antigouvernementale Gründung verstanden wissen wolle, sondern als einen »freudigen und unabhängigen Helfer« der Regierung; ebenso könne von einer Feindschaft zum Flottenverein nicht die Rede sein; der Wehrverein stelle sich neben diesen als »treuen Kamerad«. Im übrigen werde »der nächste Krieg ... ein Welt-

---

32 August Keim, Erlebtes und Erstrebtes, Hannover 1925, S. 174 f.; zum Büxensteinkonzern gehörten u. a. die Berliner Neueste Nachrichten, Deutsche Zeitung, Deutsche Warte, Deutsche Nachrichten. Vgl. auch Hallgarten, Imperialismus vor 1914, Bd. 2, S. 338.

krieg« sein, und es müsse deswegen eine Hauptaufgabe der Verbandsar-
beit sein, »eine nationalgesinnte Jugend zu erziehen«, dazu brauche man
auch die »deutschen Frauen«, die den nationalen Gedanken hochhielten [33].
Diese Mobilisierung der Öffentlichkeit bildete die Grundlage für die neue
Form eines »demagogischen« Imperialismus.

Schon im Herbst 1912 zählte der Wehrverein 40 000 Einzel- und 100 000
korporative Mitglieder. Im Mai 1913 zählte der Verein bereits 78 000
Einzel- und über 200 000 körperschaftlich angeschlossene Mitglieder. In
erster Linie mobilisierte er breite mittelständische Schichten, während die
Sozialdemokratie die Keimsche Gründung unter dem Titel »Kriegshetze«
und »Rüstungsmanie« von vornherein scharf bekämpfte [34]. In dieser Einschätzung waren sich die Sozialdemokraten mit der linksliberalen Presse
einig: die ›Frankfurter Zeitung‹ sprach bereits Ende 1911 (20. Dezember
1911) in einer Auseinandersetzung über den Keimschen Gründungsaufruf
davon, daß die »vorgekommenen Übertreibungen . . . ebenso ungünstig gewirkt« hätten wie der »alldeutsche Chauvinismus« [35].

Auf der ersten Hauptversammlung im Mai 1912 hielten neben Keim und
Litzmann auch Possehl und der einflußreiche Nationalökonom Adolf
Wagner die Hauptreferate. Dewitz und Paasche schieden als stellvertretende Vorsitzende aus und wurden u. a. durch den Kaiserlichen Gesandten a. D. v. Pilgrim-Baltazzi und Professor Dietrich Schäfer ersetzt. Zu
diesem Zeitpunkt war der Wehrverein in Schleswig-Holstein am stärksten
vertreten, die größten Ortsgruppen bildeten Hamburg, Kiel, Halle, Dresden, während Keim die geringe Resonanz in Süddeutschland beklagte.
Schon aufgrund der engen Verzahnung der Führungsgremien mit dem Alldeutschen Verband überwogen in der Agitation der Verbandsredner das
alldeutsche Gedankengut und der alldeutsche Imperialismus. So rühmte
Wrochen im März 1913 auf der Tagung des Alldeutschen Verbandes dem
Wehrverein nach, daß er keinen »Parteiverein, keinen politischen Verein«
darstelle, »sonst würden ihm schon nicht so viele Offiziere angehören. Es
ist ein vaterländischer Verein . . . der Appell an die Waffen bleibe ein hei-
liges Recht des Volkes«. Daß der Wehrverein sich hierbei jedoch nicht auf
einen Appell an die Wehrfreude und Wehrfähigkeit beschränkte, zeigen
Wrochems weitere Ausführungen: »Ein vorwärtsstrebendes Volk wie wir,
das sich so entwickelt, braucht Neuland für seine Kräfte, und wenn der
Friede das nicht bringt, so bleibt schließlich nur der Krieg. Dieses Erkennen zu wecken, sei der Wehrverein berufen.[36]« In seiner Agitation für

33 Zit. HN 47, 29. 1. 12.
34 Vorwärts, Nr. 255, 31. 10. 12.
35 Trotz der Kritik aus linksliberalen und sozialdemokratischen Kreisen wuchs der Verein bis Nov.
1914 auf nahezu 100 000 Einzelmitglieder und weitere 500 000 körperschaftliche Mitglieder (aus
anderen Verbänden) an. Neben dem Flottenverein (über 1 Mill. Mitgl.) war der Wehrverein
zum zweitgrößten Agitationsverband in Deutschland avanciert; vgl. Post, Nr. 548, 12. 1. 14.

die große Wehrvorlage 1913 ging der Wehrverein dabei so weit, daß er in seinen Flugschriften proklamierte: »Wer die Wehrvorlage verwirft, ist ein Volksfeind! [37]«

Die Regierung befand sich dieser Bewegung gegenüber in einem Dilemma, das in manchen Zügen zu vergleichen ist mit der Situation, die 1898 durch die Gründung des Flottenvereins geschaffen worden war. Einerseits mußte sie die Existenz der neuen Organisationen begrüßen, waren doch ganze Offizierkorps dem Wehrverein beigetreten, zu denen man sich nicht in Gegensatz stellen konnte. Andererseits mußte die Agitation des Vereins, die offen von einem kommenden Weltkrieg sprach und die Vorbereitung auf ihn propagierte, den außenpolitischen Spielraum der Regierung einengen. Offiziell konnte sie also die Vereinstätigkeit nicht gutheißen. Für das Kräfteverhältnis zwischen ziviler und militärischer Leitung im kaiserlichen Deutschland war es wiederum symptomatisch, daß es dem Staatssekretär des Inneren Clemens v. Delbrück nicht gelang, den Wehrverein als politischen Verein einstufen zu lassen: das hätte den Offizieren den Beitritt unmöglich gemacht. Gegen diese Absicht wandten sich der Kronprinz, ebenso der Generalstab in Zusammenarbeit mit dem preußischen Innenminister v. Dallwitz. Der preußische Kriegsminister, General Josias v. Heeringen, freilich sekundierte Bethmann Hollweg und Delbrück, weil er um die soziale Homogenität des Offizierkorps bei allzu starker Vermehrung des Heeres fürchtete. Auf einer Besprechung, an der der Kanzler, Delbrück, Dallwitz, Heeringen und Tirpitz teilnahmen, einigte man sich auf die Formel, es soll gegen den Wehrverein nichts unternommen werden [38]. Insgesamt scheint es zwischen dem Generalstab (über Ludendorff) und dem Wehrverein Ende 1912 zu einer zweiteiligen Zusammenarbeit gekommen zu sein, nachdem es dem Kronprinz gelungen war, auch beim Kaiser Stimmung für den Wehrverein und seine Forderung nach einer außerordentlichen Heeresvermehrung zu wecken. Anders ist der kaum verhüllte Triumph der Wehrvereinspresse nicht zu verstehen, so wenn die ›Rhein.-Westfäl. Zeitung‹ (12. März 1913) schrieb: »Die Regierung macht sich ... alle Forderungen zu eigen, die der Wehrverein in Fühlung mit dem Großen Generalstab seit Monaten aufs nachdrücklichste in der Öffentlichkeit verficht ... Kurzum alles das, aber auch alles das, was der Wehrverein seit Monaten verlangt, soll jetzt seine Erfüllung finden.« Keim selbst berichtet, daß noch Anfang Januar 1913 Heeringen eine Einstellung der Agitation des Wehrvereins verlangt habe, bis die Bal-

---

36 Zit. O. Nippold, Der deutsche Chauvinismus, S. 83 f. in den ›Danziger Neuesten Nachrichten‹. Die Zeitung galt als ein vom Kronprinzen, der in Langfuhr bei Danzig stationiert war, geschätztes Presseorgan.
37 Schriften des Wehrvereins, Nr. 6, Berlin 1913, in: DZA I, Potsdam, Rk Nr. 2273.
38 Vgl. Kurt Stenkewitz, Gegen Bajonett und Dividende, S. 75.

kankonferenz zum Abschluß gekommen sei; wohingegen der Chef des Generalstabes ihm ein »anerkennendes Schreiben« übermittelt habe[39].

Die Zerreißprobe des Liberalismus

Schon das starke Engagement nationalliberaler und freikonservativer Kreise innerhalb des Wehrvereins – die konservative Partei hielt sich zunächst aus gouvernementalen Gründen zurück – ließ erkennen, daß der Linksruck bei den Wahlen auf allen Gebieten sogenannter nationaler Belange (Heeres- und Flottenfragen, starke Außenpolitik) wirkungslos blieb. Hier standen Nationalliberale, Freikonservative, Deutschkonservative und ein starker Flügel des Zentrums dem schwachen Wall der Sozialdemokratie und der Fortschrittlichen Volkspartei (die ihrerseits nur graduell von der Anschauung der Nationalliberalen geschieden war) geschlossen gegenüber. Auf außenpolitischem Gebiet hatte die Wahl von 1912 also keineswegs zu einer Umorientierung geführt, sondern im Gegenteil den Willen zu einer imperialistischen Politik nur noch verstärkt.

Lediglich auf innenpolitischem und vor allem auf sozialpolitischem Gebiet verliefen die Fronten anders, weil es für die nationalliberale Reichstagsfraktion nach den scharfen Kämpfen gegen die Reichsfinanzreform-Mehrheit kaum zumutbar war, den Anschluß nach rechts »in Ehren« – wie es die Konservativen von ihr verlangten – wieder zu suchen. Hier zog es die Parteiführung um Bassermann vor, sich weiterhin an die Fortschrittliche Volkspartei anzulehnen, obwohl sie sich damit dem heftigen Widerstand der preußischen Landtagsfraktion sowie der altliberalen Honoratioren im Zentralvorstand der Partei aussetzte – vor allem aber der scharfen Opposition der Schwerindustrie, die bereits seit 1909/10 drohte, ihre Subsidien der Partei zu entziehen, falls diese sich einer Sammlungspolitik nach ihren Vorstellungen entgegenstelle.

Der Ausfall der Reichstagswahlen vom Januar 1912 mußte all diese Spannungen innerhalb der Nationalliberalen Partei gefährlich steigern, zumal die Wendung gegen rechts, da ihre Fraktion 7 Mandate verlor, sich anscheinend nicht ausbezahlt hatte. Die Auseinandersetzungen in der Partei, die wie keine andere den Gegensatz von liberaler Tradition und Anerkennung des Status quo im eigenen Innern austragen mußte, wurden schon in den ersten Sitzungen des Reichstages deutlich, als es darum ging, das Reichstagspräsidium zu bestellen. Bei der Präsidentenwahl kam der linksnationalliberale Kandidat, Prinz Schönaich-Carolath, infolge von Widerständen von seiten der Fortschrittspartei wie der Sozialdemokratie

---

39 Keim, Erlebtes und Erstrebtes, S. 189.

zu Fall, an seiner Stelle siegte der dem rechten Zentrumsflügel angehörende Peter Spahn im dritten Stichwahlgang gegen Bebel als sozialistischen Gegenkandidat. Die Stimmenzahl betrug 196 gegen 175 Stimmen, d. h. außer der Sozialdemokratie selbst mußten die Fortschrittliche Volkspartei geschlossen und die Nationalliberalen etwa zur Hälfte für Bebel votiert haben. Das geschah, obwohl die Sozialdemokraten dem nationalliberalen Kandidaten die nötige Unterstützung versagt hatten, nachdem die Nationalliberalen ihrerseits bei Vorbesprechungen ein geschlossenes Eintreten für einen sozialistischen Vizepräsidenten nicht hatten zusagen können. So wurde denn das Erstaunliche möglich, daß Peter Spahn als Vertreter des geschlagenen schwarz-blauen Blocks Reichstagspräsident wurde. Der demokratische Reichstagsabgeordnete Conrad Haußmann kommentierte bitter, »daß die schwarze Flagge, die plötzlich hochging, die Farbe der deutschen Wählerschaft nicht widerspiegelt«. Bei der Wahl des Vizepräsidenten hielten die Gegner des schwarz-blauen Blocks besser zusammen: Scheidemann, der sozialdemokratische Kandidat, siegte gegen seinen konservativen Mitbewerber mit den Stimmen der Sozialdemokraten, des Fortschritts und nahezu aller Nationalliberalen, bei Stimmenthaltungen der Polen. Zweiter Vizepräsident wurde der Nationalliberale Dr. Hermann Paasche; um dessen Fraktion bei der Stange zu halten, verzichteten die Fortschrittlichen auf eine eigene Kandidatur. So gelangte Paasche mit den 200 Stimmen der Linken zuzüglich der Hälfte der Rechtsparteien zum Siege.

Am nächsten Tag bereits legte Spahn sein Amt nieder aus Protest gegen die Wahl Scheidemanns zum Vizepräsidenten! Damit war die Krise da, die sich zumal bei den Nationalliberalen voll auswirkte. Eine Flut von Protestschreiben und Telegrammen ergoß sich in den folgenden Wochen auf die Reichstagsfraktion, die alle den Unmut der nationalliberalen Wähler über die Unterstützung Bebels und Scheidemanns ausdrückten. Unter dem Druck einer so mächtigen Protestwelle wagte die nationalliberale Fraktion nicht mehr, bei der endgültigen Wahl des Präsidiums ihre Stimme einem sozialdemokratischen Vizepräsidenten zu geben. Der Fortschrittler Kämpf, Ältester der Berliner Kaufmannschaft und Präsident des deutschen Handelstages, den der Reichstag bereits nach dem Rücktritt Spahns zum vorläufigen Präsidenten gewählt hatte, wurde im März 1912 mit den Stimmen der Nationalliberalen und Sozialdemokraten in seinem Amt bestätigt. Bei der Wahl des Vizepräsidenten stellten die Nationalliberalen gegen den sozialdemokratischen einen eigenen Kandidaten auf, der auch gewählt wurde. Zweiter Vizepräsident wurde wieder ein Vertreter der Fortschrittlichen Volkspartei.

In der Folgezeit verstärkten sich innerhalb der nationalliberalen Partei die inneren Gegensätze; die seit 1910 schwelende Parteikrise kam zu offenem Ausbruch. Der rechte Flügel, der im rheinisch-westfälischen Industriegebiet dominierte und sich um die Industrieabgeordneten Hirsch, Beumer, Haarmann im Preußischen Landtag sammelte, forderte zusammen mit der äußerst rechts stehenden agrarischen Gruppe um den Freiherrn Heyl zu Herrnsheim ostentativ den Rücktritt Bassermanns vom Parteivorsitz. Er solle, so verlangte man, durch Schiffer-Magdeburg ersetzt werden, da dieser sich bei der Präsidentenwahl als national zuverlässig gezeigt habe. Die scharfe Anti-Bassermann-Stimmung griff über diese alten Frondeure hinaus; denn auch das ›Leipziger Tageblatt‹ und der Chemnitzer nationalliberale Verein wie auch die ›Magdeburgische Zeitung‹ stellten ähnliche Forderungen. Stresemann klagte darüber, daß die offiziösen Parteiblätter Bassermann »ruhig dem Sturm und den schmählichsten Angriffen« überließen, ohne ihn zu verteidigen. Bassermann indes blieb fest; im April 1912 schrieb er an Bülow: »Ich habe schwere Zeiten in der Partei, werde aber durchhalten und siegen. Wenn die nationalliberale Partei in dem Kielwasser Heydebrands und Erzbergers fährt, hat sie jede Bedeutung für die Zukunft verloren.[40]« Stresemann drängte zur gleichen Zeit sogar zur Parteispaltung: der schwerindustrielle Flügel solle endgültig seinen Platz bei den Freikonservativen einnehmen, wo er schon lange hingehöre. Ähnlich reagierte der linke Parteiflügel um den Jungliberalen Reichsverband: sein Führer Kauffmann beschwor Bassermann, die »Bonzen« zur Sezession zu veranlassen. Bassermann indes hoffte weiterhin, mit einer Politik des Sowohl-als-auch die Partei zusammenhalten zu können. Dabei wurde jedoch die Entscheidungsfreiheit der Parteiführung immer stärker eingeengt. Während die Reichstagsfraktion zunehmend der politischen Linie des Hansabundes folgte, sammelte sich der opponierende Flügel der Partei weiterhin um die industriellen Interessenvertreter im Preußischen Landtag.

Bassermanns Politik schien auf der Zentralvorstandssitzung am 24. März 1912 zu unterliegen. Die 30 weißen Stimmzettel, die bei seiner Bestätigung im Parteivorsitz abgegeben wurden, kamen einem Mißtrauensvotum gleich, ja Stresemann ebenso wie der jungliberale Fischer kehrten überhaupt nicht mehr in den Geschäftsführenden Ausschuß der Partei zurück. Auf dem Parteitag am 12. Mai 1912 gelang es trotz allem, wieder das Bild einer geschlossenen Partei zu suggerieren, obwohl für den aufmerksamen Beobachter das Fortbestehen der Parteikrise ganz deutlich war. Gegenüber der starken Kritik von rechts und den Forderungen des linken Flügels nach einem stärkeren Zusammenarbeiten mit der FVP, versuchte die Parteiführung eine Politik der Diagonale zu praktizieren. Das verbindende Element zwischen rechts und links brachte Friedrich Meinecke, selbst Delegierter auf dem Parteitag, auf die Formel: allein »die imperia-

---

40 E. v. Roon, Ernst Bassermann, Berlin 1925, S. 19.

listische Idee« halte heute »unsere Partei im Innersten zusammen«. Die ›Hamburger Nachrichten‹ (13. Mai 1912) kommentierten dann auch gerade die außenpolitischen Partien der Rede Bassermanns und stellten resümierend fest: »Die unter den Vertretern anwesenden Mitglieder des Alldeutschen Verbandes konnten an der Tagung ihre helle Freude haben.« Und Hellmuth v. Gerlach schrieb in der ›Welt am Montag‹ (13. Mai 1912), im Zeichen der Parteikrisis solle bei den Nationalliberalen jetzt ein »begeisterter Hymnus auf Militarismus, Marinismus und Imperialismus« das einigende Band bilden.

Die Opposition gegen Bassermann und seine Ausrichtung auf den Hansabund organisierte sich Ende Mai 1912 im Altnationalliberalen Reichsverband, dessen Organisation innerhalb der Partei in erster Linie von den Geldern der rheinisch-westfälischen Schwerindustrie und der Saarindustrie unterstützt wurde. Die personelle Zusammensetzung dieser Gruppe, deren Ziel es war, eine »Links«schwenkung der Bassermann-Nationalliberalen im Reichstag zu verhindern und die Möglichkeit einer Fühlungnahme zu Freikonservativen und Konservativen offenzuhalten, blieb bis auf einige Ausnahmen bis Ende 1913 selbst innerhalb der Partei unbekannt. Öffentlich trat der sogenannte Geschäftsführende Ausschuß dieser Sondergruppe erst nach einer Tagung in Braunschweig im November 1913 hervor. Von den elf Mitgliedern gehörten sechs der preußischen Landtagsfraktion an [41]; im Anschluß saßen weiterhin Professor Leidig, bis 1908 Stellvertretender Geschäftsführer des CdI, und vier Vertreter aus den Landesorganisationen der Nationalliberalen Partei: ein Vertreter Hamburgs, ein Vertreter der sogenannten »Wormser Ecke« des Freiherrn Heyl zu Herrnsheim und zwei bayrische Vertreter.

Wenn auch die altnationalliberale Protestbewegung insgesamt den Kurs Bassermanns nicht entscheidend korrigieren konnte, so engte sie doch den Spielraum der Parteiführung zusehends ein. Stresemann gab seiner Befürchtung Anfang November 1912 mit den Worten Ausdruck: »Die Altliberalen sind überall auf dem Vormarsch, genau wie die Balkanstaaten gegenüber der altersschwachen Türkei.[42]« Hinzu kam, daß bei den preußischen Landtagswahlen im Juni 1913 die Altnationalliberalen ihre Position stark verbessern konnten dank dem Dreiklassenwahlrecht. Im preußischen Landtag waren der Hansabund und der Bund der Industriellen völlig isoliert, hier dominierten die industriellen Interessenvertreter der großen Zechen und Syndikate in Rheinland-Westfalen und von der Saar, Brauerei- und Kaliindustrielle, Gutsbesitzer und altliberale Honoratioren.

---

41 Paul Fuhrmann; Wilhelm Haarmann, Harpener Bergbau AG; Wilhelm Hirsch, Handelskammer Essen, Mitgl. des ADV und des Reichsverbandes gegen die Sozialdemokratie; Leopold Levy, Kali-Industrieller; Carl Röchling, Saarindustrie; Anton Schifferer, Brauerei-Industrieller und Gutsbesitzer; im Kriege kam noch v. Buhl hinzu.
42 BA Koblenz, NL Stresemann, F 3054, Bl. 126 461, Stresemann an Bassermann, 7. 11. 12.

Diese Komplikationen erleichterten es dem Reichskanzler Bethmann, sich im Reichstag weiterhin auf sein Konzept einer Regierung über den Parteien zu berufen. Feste parlamentarische »Links«-Mehrheiten waren schon deswegen unmöglich, weil die Nationalliberalen den Vorrang der nationalen Machtinteressen stärker denn je betonten; zudem lehnte Bassermann auf dem Gebiet der inneren Politik das Naumannsche Konzept eines Blockes von Bebel bis Bassermann entschieden ab. Er wollte es nur regional, wie z. B. in Baden, gelten lassen. Da hatte es nicht allzuviel zu bedeuten, daß sich bereits 1912 die Bande innerhalb des früheren Rechtsblocks zu lockern begannen. Diese Entwicklung schrieben die Konservativen der Tatsache zu, daß mit der Ernennung des Frhrn v. Hertling zum Bayerischen Ministerpräsidenten die konservative Richtung im Zentrum geschwächt worden war, und daß Matthias Erzberger, der jetzt stärker in der Partei zur Geltung kam, eine Schaukelpolitik bevorzugte. Schon Mitte 1912 klagten die Konservativen über die »Unzuverlässigkeit« ihres früheren Blockpartners und der Besitzsteuerkompromiß Bassermann-Erzberger 1912 zeigte deutlich, daß das Zentrum nicht gesonnen war, den Finanzinteressen der Rechten weiterhin Vorspann zu leisten. Sozialpolitisch sah sich die Partei zu einem vorsichtigen Kurs gezwungen, schon mit Rücksicht auf die wachsende Bedeutung der katholischen Arbeiterwähler und der Christlichen Gewerkschaften, deren Interessen es zu respektieren galt. Den konservativen Antrag auf Schutz der Arbeitswilligen und Verbot des Streikpostenstehens, der notwendigerweise auch die katholischen Arbeiterorganisationen treffen mußte, lehnte die Fraktion im März 1912 ebenso ab wie die Nationalliberalen und die FVP. Daneben plädierte das Zentrum jetzt auch für eine stärkere Berücksichtigung der mittelständischen Interessen. In dieser Richtung war vor allem der Volksverein für das katholische Deutschland aktiv tätig, unterstützt von den konservativen katholischen Bauernvereinen und dem Verein katholischer Edelleute. Die antisozialistische Grundrichtung blieb insgesamt unbestritten, auch hier wiederum nicht ohne Blickrichtung nach außen: Erzberger sprach sich noch im Mai 1914 prägnant dahin aus, daß »im Zeitalter der nationalen Expansion des Reiches ... 110 Sozialdemokraten eine Bleikugel für die ganze Politik« darstellten; nach wie vor hielt er die »Zertrümmerung der gewaltigen Macht der Sozialdemokratie« für das »größte Problem, das der inneren Politik des Reiches zur Lösung gestellt ist«[43].

---

43 Vgl. Kap. 2, Anm 11.

VII. KAPITEL

Deutsche Aufrüstung und die Neutralisierung Englands

Tirpitz kämpft um den Primat der Marine

Die politische Erregung im Sommer 1911 wurde, nachdem die Presse zunächst angeheizt worden war, durch die unzulängliche Informationspolitik des Auswärtigen Amts gesteigert; ihretwegen fühlte sich die Nation, als die tatsächlichen Ergebnisse der deutsch-französischen Verhandlungen über Marokko feststanden, aus einem Höhenflug der Illusionen unvermittelt in tiefe Enttäuschung gestürzt. Weite Kreise der Öffentlichkeit (mit Ausnahme der Sozialdemokraten und der Linksliberalen) sahen den Grund für Deutschlands Zurückweichen in seiner militärischen Schwäche und verlangten immer stürmischer eine Verstärkung der nationalen Rüstung zu Wasser und zu Lande.

Nach Annahme der Novelle von 1908, die die Lebensdauer der Großkampfschiffe generell von 25 auf 20 Jahre herabgesetzt hatte, drängte Tirpiz schon für 1912 auf eine neue Novelle hin, um das plötzliche Absinken der Schiffsbauquote von vier Großkampfschiffen (1909–1911) auf ein bis zwei zu verhindern, da sonst für 1912–1917 die Kapazität der deutschen Werften und der eisenschaffenden Industrie nicht voll ausgenutzt werden könne. Zur Überwindung der Schwierigkeiten, die durch die Herabsetzung des Bautempos zu entstehen drohten, empfahl Tirpitz schon damals als einzig möglichen Ausweg die Bildung eines dritten aktiven Schlachtgeschwaders, bestehend aus einem Teil der »Materialreserve« und durch den Neubau von fünf neu auf Kiel zu legenden Linienschiffen und großen Kreuzern. Die Auflösung der Reserveschlachtflotte und die Überweisung ihrer Schiffe in die aktive Marine erforderten gleichzeitig eine erhebliche Erhöhung des Mannschaftsbestandes.

Da dieses Projekt den Reichshaushalt erheblich belasten mußte, so galt es, die Öffentlichkeit und den Reichstag für neue Geldopfer zu gewinnen und davon zu überzeugen, daß eine nationale Notwendigkeit vorliege.

Vom Standpunkt des Reichsmarineamts bedeutete daher die deutsche Niederlage in der Marokkoaffäre ein Gottesgeschenk, und Tirpitz zögerte keinen Moment, die Situation auszunutzen. Anfang August 1911 schrieb er, die Marokkofrage nehme eine Wendung, die einer Flottennovelle sehr günstig sei, denn

>»sind wir dabei stärker blamiert, so ergibt das eine gewaltige Entrüstung. Die Möglichkeit einer Novelle rückt damit näher« [1].
> Der Unterstaatssekretär im Reichsmarineamt v. Capelle stimmte grundsätzlich mit Tirpitz überein, bedauerte jedoch, daß er »bis jetzt die dazu notwendige Entrüstung und Begeisterung vollständig vermisse. Meistens steckt man den Kopf in den Sand und will sich keine Rechenschaft darüber geben, daß wir eine starke politische Schlappe erlitten haben«.

Für eine »Novelle à conto Marokko« müsse das Reichsmarineamt erst noch gründlich agitieren; denn im Augenblick seien weder der Kaiser noch der Kanzler geneigt, einer Novelle zum Flottengesetz zuzustimmen.

Mit dem aufstachelnden Schlagwort von einem neuen »Olmütz« gelang es Tirpitz, den Kaiser für eine Verstärkung der Flotte zu gewinnen. Tirpitz legte dem Kaiser ausschließlich schroff antideutsche Auslassungen der englischen Presse vor und versuchte, ihm zugleich die mäßigenden Berichte Metternichs aus London vorzuenthalten und statt dessen den Marineattaché Widenmann zu Wort kommen zu lassen. Und der Erfolg stellte sich ein. Bereits am 27. August machte der Kaiser in einer Rede vor dem Hamburger Senat eine deutliche Anspielung in Richtung auf eine neue Flottenverstärkung. Jetzt hielt Tirpitz den Zeitpunkt für eine Aktion gekommen: am 30. August 1911 unterrichtete er Bethmann Hollweg davon, daß er aufgrund folgender Überlegungen dem Kaiser eine solche Gesetzesvorlage vorschlagen werde [2]:

1. herrsche im Innern eine wachsende Verstimmung über Marokko,

2. sei das schwindende Prestige Deutschlands auf eine zu schwache Flotte zurückzuführen,

3. müsse deshalb eine Marinevorlage aus zweierlei Gründen eingebracht werden, einmal, um die innenpolitische Verstimmung aufzufangen, und zum anderen, um das verminderte Prestige Deutschlands wieder zu festigen und die Fortführung der deutschen Weltpolitik zu sichern,

4. könne praktische Konsequenz nur sein: die Bildung eines dritten aktiven Schlachtgeschwaders, wodurch das Dreiertempo stabilisiert werde,

5. die Kosten einer solchen Vorlage würden etwa 50 Millionen Mark betragen.

Eine solche Vorlage und deren Einbringung noch vor den Wahlen ver-

---

1 Alfred v. Tirpitz, Der Aufbau der deutschen Weltmacht, Stuttgart/Berlin 1924, S. 200; für die Haltung Capelles, ibid. I., S. 203, Capelle an Tirpitz, 12. 8. 11.
2 Ibid., S. 207 f. Tirpitz an Bethmann, 30. 8. 11.

spreche auch allein die Aussicht, doch noch »nationale« Wahlen zu bekommen.

Das außenpolitische Kalkül des Reichsmarineamtes fixierte Vizeadmiral v. Capelle in einer Denkschrift vom Herbst 1911. Er war wie Tirpitz der Ansicht, daß im deutsch-englischen Verhältnis Deutschland diejenige Macht sei, die alle Trümpfe in der Hand habe. England werde nämlich im Laufe der Jahre für Deutschland und gegen Frankreich optieren, weil dies den englischen Interessen entspreche. Man müsse England nur die kalte Schulter zeigen und dürfe ihm ja nicht nachlaufen. Momentan sei Deutschland zwar noch der schwächere Partner, bei einem genügend festen Auftreten gegenüber den Briten, d. h. bei einer unbeirrten Durchführung der Flottenrüstungspolitik werde sich aber dann langfristig eine englische Annäherung erzwingen lassen, die Deutschland endlich auch »die volle politische und militärische Gleichberechtigung« sichern könne [3].

Der Kanzler dagegen stellte außenpolitische Überlegungen anderer Art in den Vordergrund; wenn Tirpitz hoffte, gerade durch eine Marinenovelle die deutsche Position gegenüber England als angeblichem Hauptfeind Deutschlands zu verbessern, so setzte Bethmann dem sein »Hauptbedenken: Kriegsgefahr mit England« entgegen [4]. Tirpitz wollte durch kontinuierlichen Ausbau der deutschen Flotte England von der deutschen Unüberwindlichkeit überzeugen und von einem Krieg abschrecken. Der Kanzler dagegen wollte gerade durch einen weniger forcierten Flottenbau das aktuelle Kriegsrisiko mildern und womöglich England neutralisieren für den Fall eines Krieges mit den kontinentalen Nachbarn Rußland und Frankreich – der in der eben durchlebten Krise so greifbar nahe gewesen war. Hinzu kam sein Bedenken, daß sich Deutschland nur dadurch seine Bewegungsfreiheit in der Weltpolitik zu erhalten vermöchte, sonst es aber riskierte, in den überseeischen Gebieten endgültig verdrängt zu werden. Bei diesem Richtungskampf innerhalb der Ressorts kam dem Kanzler zu Hilfe, daß vor allem die Militärs im Verlauf der Marokkokrise die Bestätigung dafür sahen, daß letztlich der Sieg in einem Kriege nicht von einer kleineren oder größeren Anzahl von Schlachtschiffen abhinge, sondern in erster Linie von der Zahl der Infanteriedivisionen. Zugleich fühlten sie sich durch die ausländische Kritik an der Taktik und der Ausrüstung der deutschen Armee beunruhigt und zu kritischer Selbstbesinnung veranlaßt. Nicht nur die Militärs, auch der Staatssekretär des Reichsschatzamts Adolf Wermuth gab der Verstärkung des Heeres den Vorrang vor je-

3 Walther Hubatsch, Die Ära Tirpitz, Göttingen, S. 91 ff. Capelle war die rechte Hand des Staatssekretärs Tirpitz in Flottenangelegenheiten (vgl. Der Kaiser, Aufz. des Chefs des Marinekabinetts Alex. v. Müller; hrsg. von Walter Görlitz, Göttingen 1965, S. 98). Er war damals Direktor des Verwaltungsdepartments im RMA im Range eines Unterstaatssekretärs.
4 Tirpitz, Aufbau der dt. Weltmacht, S. 209, Aufz. über ein Gespräch mit Bethmann Hollweg, 31. 8. 11.

der Vergrößerung der Flotte. Moltke und Wermuth stärkten bald darauf dem Kanzler in seinem Widerstand gegen die Tirpitzschen Vorstellungen den Rücken, wenn auch beide dabei in erster Linie an ihr eigenes Ressort dachten.

Tirpitz gelang es jedoch, beim Kaiser mit seiner Anschauung durchzudringen, eine Flottennovelle müsse ungeachtet der möglichen Verschlechterung des deutsch-englischen Verhältnisses allem anderen vorangehen. Am 4. September begründete Wilhelm II. in Kiel Admiral v. Müller gegenüber seinen Entschluß damit, »das deutsche Volk sei auf England geladen und in bester Stimmung für eine Flottennovelle, ja diese würde bestimmt erwartet«. »Das Volk verlangt es.« Ultimativ drohte der Kaiser: »Wenn der Reichskanzler und Kiderlen und Wermuth das nicht mitmachen wollen, dann fliegen sie.«

Die Warnungen Wermuths, des Staatssekretärs im Reichsschatzamt, vor einer neuerlichen Etatbelastung wischte der Kaiser beiseite und verfehlte nicht, darauf hinzuweisen, daß auch den Konservativen an einer nationalen Wahlparole gelegen sein müsse:

> »Geld ist genug vorhanden. Das Reichsschatzamt weiß nicht, wohin es mit dem vielen Geld soll, und die Konservativen wären froh, auf eine nationale Parole hin ihren großen Fehler in der Erbanfallsteuer wiedergutzumachen [5].«

Seit der Rede des Kaisers in Hamburg verfolgte Bethmann Hollweg eine neue Taktik [6]. Am 5. September sprach er mit dem Chef der Hochseeflotte Admiral v. Holtzendorff, der im Gegensatz zu Tirpitz dafür plädierte, »zunächst den inneren Ausbau der Marine zu vollenden«. Bethmann bestimmte nun Holtzendorff, diese Anschauung auch dem Kaiser nahezubringen, wobei er ihn darauf hinweisen sollte, eine Flottennovelle zu diesem Zeitpunkt bedeute womöglich Krieg mit England.

> »Se. Majestät würde sein eigenes Werk – die Flotte – zerstören, wenn jetzt ein Krieg ausbräche.«

Dieser Meinung Bethmann Hollwegs und Holtzendorffs schloß sich auch der Admiralstabschef v. Heeringen an. Auch Admiral v. Müller unterstützte den Kanzler und warnte den Kaiser, man könne »im gegenwärtigen Moment« nicht »die Verantwortung für einen Krieg mit England übernehmen«.

In einer neuerlichen Besprechung mit dem Kaiser am 6. September wiederholte Bethmann Hollweg seine Bedenken, konnte aber nur die Zusicherung erhalten, man werde erst nach Abschluß der Marokkoaffäre dem Gedanken einer Flottennovelle nähertreten, weil man dann erst die Reak-

---

5 Vgl. den ausführlichen Ablauf dieses Gesprächs in: Der Kaiser, Aufz. Alex. v. Müller, S. 89 f.
6 Vgl. zu diesem Abschnitt ebenfalls die Aufz. v. Müllers, ibid., S. 90–92.

tion der öffentlichen Meinung auf das dort Erreichte abwarten wolle. Sieben Tage später befahl der Kaiser dem Kanzler plötzlich in einem aus dem Kaisermanöver geschriebenen Brief, unverzüglich eine Flottennovelle einzubringen. Die Entscheidung hierüber wurde auf den 26. September angesetzt, wenn Tirpitz, zur Hirschjagd in Rominten befohlen, zur Stelle sein würde. Hier zeigte sich Tirpitz zwar mit einer Verschiebung der Vorlage bis 1912 einverstanden, forderte aber wie erwähnt ein drittes Linienschiffsgeschwader, bestehend aus der bisherigen Reserveflotte und drei Neubauten, sowie ein Panzerkreuzergeschwader zu sechs Schiffen. Der Kaiser stimmte zu und versuchte nun noch einmal, den Kanzler von der Notwendigkeit einer Flottennovelle zu überzeugen:

> »Wir haben den Gegner erkannt, sein fast demütigendes Wirken gespürt und knirschend ertragen müssen... Unser Volk erwartet von der Regierung der *Verhandlungen* eine *Handlung*... Es muß eine nationale Tat geschehen, die der Begeisterung der Deutschen den rechten Weg weist, ohne dem Gegner Grund zum Handeln zu geben.[7]«

Die Auseinandersetzung zwischen Reichsmarineamt und Reichskanzlei erreichte Anfang Oktober einen Höhepunkt[8]. Auf eine schriftliche Anfrage Bethmann Hollwegs an Tirpitz und den Admiralstabschef, welche Gründe für sie maßgeblich seien, wenn sie die Ankündigung einer Flottennovelle noch im Herbst 1911 als notwendig hinstellten, antworteten beide, daß »die zu große Überlegenheit der englischen Flotte über die deutsche« ein zu großes Gefahrenmoment für die deutsche Politik bedeute, so daß so schnell wie möglich ein richtigeres Stärkeverhältnis, nämlich 2 : 3, hergestellt werden müsse. Beide, Tirpitz wie Heeringen, lehnten nachdrücklich den bisherigen »Risikogedanken« – bei einem Kampf gegen die deutsche Flotte würde die englische wohl siegreich bleiben, jedoch das Risiko eingehen, gegenüber den anderen Nationen seine Suprematie zu verlieren – als nicht ausreichend ab. Tirpitz forderte,

> »daß wir im Kriegsfall wenigstens eine aussichtsreiche Defensivchance haben müssen, d. h. Verhältnis 2 : 3. Flottengesetz von 1900 rechnet nicht mit ›Sieg‹, nur Risiko für England, ...«

und Heeringen forderte:

> »Unsere Flotte bedarf zur Erhaltung des inneren moralischen Elements wie zum äußeren Erfolg unbedingt einer *militärisch brauchbaren Chance* gegen England.
> Wird das letzte Ziel unserer Flottenpolitik nicht so hoch gesteckt, so war der ganze Aufwand, der dem deutschen Volke bisher zugemutet ist, letzten Endes unrichtig und vergeblich.«

---

7 Tirpitz, Aufbau der dt. Weltmacht, S. 217 f. (i. O. gesp.).
8 Der Schriftwechsel darüber findet sich bei Tirpitz, ibid., Bethmann Hollweg an Tirpitz, 4. 10. 11 (S. 218 ff.); Tirpitz' Antwort vom 7. 10. 11 (S. 222 ff.). Heeringens Antwort vom 7. 10. 11 (S. 220 f.).

Das Reichsmarineamt, der Zustimmung des Kaisers sicher, leitete jetzt sofort eine rege Propaganda für eine großzügige Flottenvermehrung ein, unterstützt vom Flottenverein, dem Alldeutschen Verband und Kreisen der Schwerindustrie. Die Konzeption Bethmann Hollwegs drohte dadurch zerstört zu werden. Durch seine Anfrage bei Tirpitz und Heeringen hatte er allerdings erreicht, daß Reichsmarineamt und Admiralstab sich schriftlich festgelegt hatten und nicht länger mit ständig variierenden Forderungen taktieren konnten. Mit den Antworten der Marineleitung in der Tasche wirkte Bethmann Hollweg jetzt, am 9. Oktober, auf den Kriegsminister ein, seinerseits sofort eine Heeresvorlage einzubringen, um dadurch die Marinevorlage, wenn nicht zu torpedieren, so doch zu begrenzen. Der Kanzler rechnete dabei auf die latente Rivalität zwischen Landheer und Marine. Indirekt stützte ihn dabei auch der Staatssekretär des Reichsschatzamtes; Wermuth ergriff die Gelegenheit, um unter Berufung auf die erhebliche Belastung des nächsten Etats, die bei Befriedigung des Bedarfs *beider* Wehrmachtsteile entstehen würde, eine Steuerreform durchzusetzen. Er stellte den Kanzler vor die Alternative, entweder beide Rüstungsvorlagen stark zu reduzieren, oder aber durch Einführung einer neuen Steuer, d. h. einer Erbschaftssteuer, für beides ausreichende Deckung zu beschaffen, wobei jedoch die Marinevorlage auch in diesem Fall eingeschränkt werden müsse. Bethmann Hollweg versuchte, im Oktober 1911 den Führer der konservativen Reichstagsfraktion v. Normann in einer vertraulichen Besprechung für eine solche Finanzreform zu gewinnen. Die Antwort war ein hartes Nein. Da Bethmann Hollweg weder bereit noch willens war, zu dem Konflikt mit dem Reichsmarineamt und dem Kaiser auch noch einen Konflikt mit den Konservativen auf sich zu nehmen, schien ihm die Einführung einer Erbschaftssteuer vorläufig nicht realisierbar. Wermuth, der durch die *beiden* beabsichtigten Rüstungsvorlagen seine Finanzgrundsätze gefährdet sah, reichte daraufhin sein Abschiedsgesuch ein (21. November 1911), und nur durch die Versicherung, daß auch er an diesen Grundsätzen festzuhalten gedenke, gelang es dem Kanzler, den Staatssekretär wenigstens vorläufig zum Verbleib im Amt zu bewegen. Wenn auch Wermuth seinerseits neue Flottenrüstungen keineswegs grundsätzlich ablehnte, so hielt er sie doch mit Rücksicht auf die politische wie auch finanzielle Lage des Reiches im Herbst 1912 für untragbar [9].

Jetzt meldeten sich auch die Generale zu Wort. Im Preußischen Kriegsministerium und im Großen Generalstab verlor langsam die Idee des Eliteheeres gegenüber der Konzeption des modernen Massenheeres, das die

---

9 DZA I, RKz 951/1, Gespräch mit Wahnschaffe, 29. 11. 11.

Wehrkraft der Nation voll ausschöpfte, an Boden, nicht zuletzt unter dem Einfluß jüngerer bürgerlicher Generalstabsoffiziere wie Ludendorff. Noch im vergangenen Jahrzehnt hatte man zäh für den aristokratischen Charakter des Offizierkorps gekämpft. Jetzt fand die Wandlung einen ersten Niederschlag in der Denkschrift des Direktors des Allgemeinen Kriegsdepartements im Preußischen Kriegsministerium, des Generalmajors Wandel, vom 29. November 1911 [10].

Wandel gab zunächst einen Überblick über die außenpolitische Lage Deutschlands. Er konstatierte, daß sich die Mächtekonstellation im Zuge der Marokkokrise zuungunsten des Deutschen Reiches verschoben habe. Noch 1910 hätte sich Rußland, dank dem Potsdamer Abkommen, wenn überhaupt, nur »mit halbem Herzen« (sic!) an einem deutsch-französischen Krieg beteiligt, und auch England hätte sich weit eher auf »moralische« Unterstützung beschränkt, als Heer und Flotte »tatsächlich« einzusetzen. Die jetzige Ausgangsposition Deutschlands dagegen schien ihm weitaus schlechter zu sein. Wandel rechnete damit, daß England bei einem Kriege zwischen Deutschland und Frankreich aktiv auf seiten Frankreichs eingreifen und daß Rußland, das »mit Energie und riesigen Geldmitteln« an der Reorganisation seines Heeres arbeite, ein tatkräftiger Bundesgenosse Frankreichs sein würde. Von den deutschen Bundesgenossen dagegen war Italien gerade jetzt durch den Tripoliskrieg voll beansprucht. Außerdem, vermutete Wandel, würde »wahrscheinlich« auch die Haltung Belgiens und Hollands deutsche Truppen binden und dadurch die deutsche Offensivkraft gegen Frankreich beeinträchtigen. Aus dieser wenig rosigen Lagebeurteilung zog Wandel den Schluß, daß das deutsche Landheer so schnell wie möglich verstärkt werden müsse. Zwar gelte – das war wohl als Beschwichtigungsversuch für die traditionsbewußten Geister im Kriegsministerium und Generalstab gedacht – nach wie vor der Grundsatz, das deutsche Heer müsse seine »Überlegenheit« in dem »besseren inneren Gehalt« finden. Das ändere jedoch nichts daran, daß die Lükken, die bereits das Gesetz über die Heeresverstärkung vom März 1911 festgestellt habe, beschleunigt bereits zum Herbst 1912, nicht erst, wie vorgesehen, 1914 oder 1915 ausgefüllt werden müßten. Wie Tirpitz in seiner Begründung für die Marinevorlage hielt auch Wandel die Stimmung für eine Heeresverstärkung jetzt für äußerst günstig und betonte noch entschiedener als jener die Unausweichlichkeit des kommenden großen Krieges:

»Es wird jetzt nur wenige Deutsche geben, die leugnen wollen, daß wir von Feinden umgeben sind, daß ein Kampf mit ihnen schwerlich zu vermeiden ist und daß es sich dabei um Deutschlands Weltstellung handelt.«

10 RA, Kriegsrüstung und Kriegswirtschaft, 1. Anl. Bd. S. 132 ff.

Wenige Tage später legte auch der Generalstab eine Denkschrift, von Moltke unterzeichnet, über die »militär-politische Lage Deutschlands« vor[11]. Wie in der Denkschrift des Kriegsministeriums wurde auch hier der Forderung nach Heeresverstärkung eine ausführliche Analyse der Stellung Deutschlands auf dem Kontinent als Begründung vorausgeschickt; auf dem Kontinent habe Deutschland gegenüber dem westlichen Nachbarn keine offensiven Ziele, anders als Frankreich gegenüber Deutschland. Auf dem Gebiet der Überseepolitik jedoch müsse

> »Deutschland offensive Ziele verfolgen. Die immer wachsende Zahl seiner Einwohnerschaft weist es gebieterisch auf koloniale Ausdehnung, allerdings damit auf einen Weg hin, der sich mit den Weltherrschafts-Ideen Englands sicher einmal kreuzen wird«.

Für eine starke Weltpolitik sei eine unangreifbare, allen möglichen Gegnern überlegene Stellung Deutschlands auf dem Kontinent unumgängliche Voraussetzung. Aufgrund der europäischen Bündniskonstellation sei ein isolierter Krieg zwischen Deutschland und Frankreich gar nicht denkbar: Abgesehen von den kleineren Staaten werde der Dreibund Deutschland, Österreich, Italien der Koalition Frankreich, England, Rußland gegenüberstehen. Zudem sei bei einem Kriege zu erwarten, daß Italien neutral bleibe, weil es durch den Tripoliskrieg gebunden sei und außerdem immer deutlicher zu Frankreich tendiere. Ein Krieg mit England werde immer zugleich einer mit Frankreich sein, und umgekehrt:

> »einen solchen Krieg haben wir nicht zu fürchten, solange Rußland neutral bleibt und damit für Deutschland Rückenfreiheit geschaffen ist«.

Eine Neutralität Rußlands sei aber höchst unwahrscheinlich, so daß Deutschland wohl sicher mit einem Zweifrontenkrieg zu rechnen habe. Oberstes Gebot müsse es dann für Deutschland sein, »die Eröffnung des Feldzuges mit allen verfügbaren Mitteln gegen Frankreich« durchzuführen. Gegenüber Rußland dürften nur so viele Truppen belassen werden, wie zur Verteidigung der östlichen Provinzen notwendig seien:

> »In dem Kampf gegen Frankreich ... liegt die Entscheidung des Krieges. ... Das ganze Streben Deutschlands muß ... darauf gerichtet sein, mit einigen großen Schlägen den Krieg wenigstens nach einer Seite hin so bald wie möglich zu beenden.«

Moltkes Vorstellungen über die deutsche Kriegführung folgten also dem Schlieffenschen Konzept von 1905, wobei er jedoch für die Kriegführung gegen Rußland und England mit der Bundesgenossenschaft der Türkei

---

11 AA-Bonn, Deutschland Nr. 121 geh., Bd. 1, Denkschrift Moltkes, Über die militärpolitische Lage Deutschlands, 2. 12. 11.

rechnete. Moltke schätzte deren militärische Beteiligung hoch ein; er erwartete von den türkischen Truppen einen Angriff auf Rußland an der Kaukasusfront und – noch wichtiger – ein Vorgehen aus Palästina auf den Suezkanal, wodurch die englische Nachschublinie nach Indien getroffen werden sollte.

Aus der sicheren Erwartung heraus, daß jeder mögliche Krieg für Deutschland auf dem Kontinent zu entscheiden sei, folgerte Moltke zweierlei. Erstens formulierte er entschieden den Primat des Landheeres vor der Marine, wenn er auch mit Rücksicht auf den Kaiser versicherte, einen »Weiterausbau« der Flotte durchaus zu unterstützen:

> »Aus der Betrachtung dieser Verhältnisse ergibt sich, daß bei einem künftigen Kriege, ob er nun zwischen Deutschland und England oder zwischen Deutschland und Frankreich entbrennt, die Entscheidung auf dem Lande liegt, und von der Armee herbeigeführt werden muß. Auf der Stärke seiner Armee beruht nach wie vor die Machtstellung Deutschlands.«

Und zweitens forderte Moltke, im Hinblick vor allem auf die Verstärkung der russischen Rüstungen, eine große Heeresvermehrung. Der deutsche Staat müsse sich durch »eine stärkere Heranziehung« der waffenfähigen Mannschaft für das Heer

> »auf den Tag der Entscheidung« vorbereiten, »der darüber urteilen wird, ob seine innere Kraft ihn zu weiteren Lebensforderungen berechtigt oder nicht«.

Die Forderungen des deutschen Generalstabs für die Heeresvorlage konzentrierten sich auf zwei Bereiche: einmal sollten die im »Friedenspräsenzgesetz« von 1911 vorgesehenen Maßnahmen beschleunigt durchgeführt werden. Dabei handelte es sich vor allem um die Einrichtung einer Generalinspektion des Militärverkehrswesens und eines neuen Militäreisenbahnbataillons. Als neue Maßnahmen sah der Generalstab die Einrichtung je eines neuen Armeekorpsbereichs im Osten und im Westen vor, wodurch die Mobilmachung und der Aufmarsch in den Grenzbezirken im Kriegsfall beschleunigt und effektiver gemacht werden sollte. Neben den beiden Korpskommandos wurden auch zwei Infanteriedivisionen und je vier Feld- und Fußartillerieregimenter neugebildet, die eine Erhöhung des Personalbestandes des deutschen Heeres um rund 24 000 Mannschaften, 5200 Unteroffiziere und 1500 Offiziere nötig machten. Das war die bedeutendste Verstärkung des deutschen Heeres seit der Caprivischen Vorlage von 1893. Sie war so umfangreich wie sämtliche Vermehrungen der Friedenspräsenzstärke des Heeres seit 1893 zusammen [12].

Am 9. Dezember wurde bei einem Vortrag der Marinefachleute im

---

12 Vgl. RA, Kriegsrüstung und Kriegswirtschaft, 1. Anl. Bd., S. 141 ff., 472, 491, 497, 503.

Neuen Palais, an dem Tirpitz, Müller und der Admiralstabschef v. Heeringen teilnahmen, die Bethmannsche Englandpolitik noch einmal hart kritisiert [13]. Der Kaiser räsonierte über die »politische Isolierung Deutschlands« und die Verschlechterung der deutschen Position in Konstantinopel und die Notwendigkeit, »den Gordischen Knoten zu durchhauen«: »Ich muß mein eigener Bismarck sein.« Der Kaiser klagte weiter über die intrigante Politik der Russen, die der Türkei ein Bündnis angeboten hätten, um in den Besitz der Dardanellen zu gelangen, es bestehe die Gefahr, daß Deutschland aus Kleinasien herausgedrängt werde und daß das dortige Eisenbahn-Monopol Frankreich zufalle. Sodann versicherte er Tirpitz, er werde die Flottennovelle selbst durchbringen und äußerte zugleich »herbe Kritik über die Unentschlossenheit« des Kanzlers. Diese Kritik an der Haltung des sonst »riesig verständigen« Reichskanzlers verdichtete sich beim Kaiser noch mehr, so daß er wenige Tage später das Wort aufgriff, Bethmann Hollweg sei ein »hoffnungsloser Schlappier« [14].

Der Reichskanzler aber vermochte sich durchzusetzen. Seine oft gerügte Unentschlossenheit, die weit mehr auf objektiven Faktoren der politischen Machtverteilung in der Reichsspitze als auf persönlicher Zaghaftigkeit basierte, entpuppte sich als ein beharrliches Warten auf die Gelegenheit, die eigenen Anschauungen in die Tat umzusetzen. Auch jetzt, mit der Rückendeckung des Generalstabs und des Kriegsministeriums, wußte er Tirpitz geschickt und zielsicher zu überspielen. Kurz vor Weihnachten 1911 ließ er für die Flotte in der NAZ einen Artikel veröffentlichen, der die Notwendigkeit einer Heeresvorlage herausstellte. Des Kaisers erste Reaktion lautete (gegenüber Valentini und Müller): »Mit der Veröffentlichung der Wehrvorlage in der ›Norddeutschen Allgemeinen‹ hat der Kanzler mich betrogen. [15]«

Unmittelbar darauf jedoch geriet der Kaiser offenbar unter den Einfluß der Armee. Schon Ende Dezember erließ Generalmajor a. D. Keim, wohl kaum ohne Absprache mit den Generalen, einen Aufruf zur Gründung eines Deutschen Wehrvereins – und in der traditionellen Neujahrsansprache vor den Kommandierenden Generalen vollzog der Kaiser einen Stellungswechsel [16]. Dieser markierte einen tiefen Einschnitt in der deutschen Politik. Hier beginnt der Abbau des Primats der Marine, die Orientierung der deutschen militärischen Energien auf den europäischen Kontinent. Denn dies war der Kerngehalt der kaiserlichen Rede: »Die Marine überläßt der Armee den Hauptteil an den zur Verfügung stehen-

---

13 Zu diesem Gespräch vgl. die Schilderung v. Müllers: Der Kaiser, Aufz., Alex. v. Müller vom 9. 12. 11, S. 101.
14 Ibid., S. 102. Mit dieser Formulierung hatte Albert Ballin angeblich gegenüber Wilhelm II. die Beurteilung Bethmann Hollwegs in der deutschen öffentlichen Meinung charakterisiert.
15 Der Kaiser, Aufz. Alex. v. Müller, S. 105.
16 Vgl. wiederum die Aufz. v. Müllers, ibid., S. 105.

den Geldmitteln.« Der Kaiser benutzte diese Ansprache zu einer Abrechnung mit der verfehlten Marokkopolitik, die vor allem auf Holstein und dessen Einwirkung auf den Fürsten Bülow zurückgehe. Angesichts des mageren Ergebnisses des deutsch-französischen Marokkovertrages versuchte der Kaiser vor den Generalen, die ihn 1905 wie 1911 der Schlappheit und des Zurückweichens vor der Kriegsentscheidung bezichtigt hatten, auf diese Weise die Kritik auf die Sündenböcke Holstein und Bülow abzulenken.

Am 5. Januar 1912 faßte der Kriegsminister v. Heeringen in einem Brief an Bethmann Hollweg nach [17]. Unter Bezug auf seine Denkschrift vom 29. November 1911 stellte er mit Genugtuung fest, »Seine Majestät der Kaiser und König« habe sich dahingehend ausgesprochen, daß »bei der gebotenen Verstärkung von Heer und Flotte das Heer *unbedingt* vorangehen müsse«, auch der Kanzler habe dieser Notwendigkeit Ausdruck verliehen. Der Kriegsminister Josias v. Heeringen drängte auf eine baldige Verabschiedung der Heeresvorlage und wollte die von Wermuth erhobenen Bedenken finanzieller Art nicht gelten lassen:

»Denn nicht zuletzt die Meinung, Deutschland sei am Ende seiner finanziellen Leistungsfähigkeit angelangt, ist es, welche im Auslande die chauvinistischen Neigungen mehrt und so den Frieden dauernd bedroht.«

Die Gespräche im Neuen Palais am 9. Januar 1912, an denen neben dem Kaiser auch Moltke, Solf, Zimmermann, Prof. Schiemann und die Bankiers Gwinner und Delbrück teilnahmen, kreisten noch einmal auffallend deutlich um das Problem einer kriegerischen Auseinandersetzung mit England [18]. Die Vertreter der Überseepolitik, Solf und die Bankiers, versuchten den Kaiser davon zu überzeugen, man müsse mit den Briten in ein gutes Verhältnis kommen, weil man dann die Chance hätte, »große koloniale Erwerbungen zu machen«. Gwinner suchte der schroffen Haltung des Kaisers auch dadurch zu begegnen, daß er auf die gänzlich unzureichende finanzielle Kriegsvorbereitung Deutschlands hinwies. Mit dieser Bemerkung machte er vor allem auf Moltke Eindruck. Dieses Thema fand denn auch in Zukunft die verstärkte Aufmerksamkeit der deutschen Regierungsspitze. – Zur gleichen Zeit holte Bethmann Hollweg zu einem neuen Vorstoß gegen Tirpitz aus: Er wollte dessen Flottenforderungen auf Personal und Nebenwaffen beschränken und vor allem auf den Bau von Linienschiffen verzichten. Auch diesmal wieder zeigte sich der Kaiser darüber entrüstet und sprach davon, er könne nur noch mit Heeringen, Tirpitz und Moltke vernünftige Politik machen.

Der Kanzler selbst handelte nach ganz konkreten und weitgespannten

---

17 RA, Kriegsrüstung und Kriegswirtschaft, 1. Anlg. Bd., S. 138 f. (von mir gesp. F.F.).
18 Vgl. Der Kaiser, Aufz. Alex. v. Müller, S. 106 f.

Plänen in gewissem Einklang mit den liberalen Imperialisten der Kreise um die Bankiers Gwinner und Delbrück: Bei einem Verzicht auf den Bau von neuen Dreadnoughts bestanden, wie er glaubte, gute Chancen zu einem friedlichen Einvernehmen mit England und gute Hoffnungen auf »ein großes Kolonialreich«: Er dachte dabei an die portugiesischen Kolonien, Belgisch-Kongo und die niederländischen Kolonien. Zugleich gestattete eine solche Politik, »einen Keil in die Triple-Entente (zu) treiben (Rußland hätten wir schon sehr losgelöst)« [19].

In einem Punkte mußte Bethmann dem Kaiser freilich nachgeben. Trotz allen Widerstrebens und nachherigen Finassierens hatte er sich am 25. Januar endgültig mit dem Bau von drei Linienschiffen abzufinden. Im übrigen aber war Tirpitz gescheitert, schon weil der neue Reichstag keinesfalls für die weitergehenden Marineforderungen zu haben gewesen wäre.

Vier Tage später ging eine erste Mitteilung an England über die neue deutsche Flottennovelle nach London. Sie stellte den von Ballin und Sir Ernest Cassel im Auftrag Bethmann Hollwegs nach Berlin eingeladenen englischen Kriegsminister Haldane vor eine neue Lage.

Vergrößerung der Flotte und englische Neutralität?

Bereits im Herbst 1911 hatte Bethmann Hollweg die guten und engen Beziehungen des mit dem Kaiser befreundeten Generaldirektors der Hapag, Albert Ballin, zu dem naturalisierten Engländer und Vertreter der Hochfinanz in der City, Sir Ernest Cassel, benutzt, um mit der englischen Regierung in Fühlung zu treten und sie dafür zu gewinnen, ein englisches Regierungsmitglied nach Berlin zu entsenden, um die Beziehungen zwischen beiden Ländern zu verbessern. Daß ein solcher Vorschlag der britischen Regierung willkommen wäre, glaubte Bethmann Hollweg wegen ihrer außen- wie innenpolitischen Bedrängnis annehmen zu dürfen. Seit dem Sommer 1911 mehrten sich die Anzeichen für ein unbekümmertes Vorgehen Rußlands in Persien, das die englisch-russischen Abmachungen von 1907 über die Rechte beider Mächte in der neutralen Zone zunehmend mißachtete; außerdem steigerten die beiderseitigen Differenzen in China und vor allem auch in den türkischen Meerengen die bestehende Empörung gegen das Zarenreich. Die Entente mit Rußland erweckte in der aufgeregten öffentlichen Meinung Englands wachsendes Mißtrauen, und darum fand die Mansion-House-Rede von Lloyd George mit ihrer schroffen Wendung gegen Deutschland und ihrer einseitigen Stellungnahme für Frankreich

---

19 Der Kaiser, Aufz. Alex. v. Müller, S. 107, Bethmann Hollweg im Gespräch mit Valentini, 11. 1. 12.

manche lautstarke Kritik. Ein großer Teil der englischen Presse und des Parlaments, sogar Stimmen aus der Regierungspartei selbst, forderten eine Revision der englischen Außenpolitik zugunsten einer Annäherung an das Deutsche Reich. Die Stellung Sir Edward Greys, des britischen Außenministers, schien erschüttert. Alle diese Beobachtungen hatten Bethmann Hollweg veranlaßt, auf dem Umweg über Ballin durch den geplanten Besuch eines englischen Kabinettsmitglieds einen Wandel der deutsch-englischen Beziehungen zu demonstrieren. Grey nahm den Wink auf, wohl in erster Linie, um seine innenpolitischen Kritiker verstummen zu lassen, wohl auch, um die haßgeladene Atmosphäre zwischen beiden Ländern zu entspannen, keineswegs aber, um eine grundsätzliche Neuorientierung der englischen Außenpolitik einzuleiten.

Gerade dies jedoch erhoffte Bethmann Hollweg. Wie er im Rückblick auf das unruhige Jahr 1911 in dem schon erwähnten Brief an seinen Vertrauten, den Gesandten v. Eisendecher schrieb:

> »In einem Modus vivendi mit England erblicke ich mit Ihnen die Forderung des Tages. ... Die englischen *Parteien* sind zu einer Verständigung mit uns geneigt, und selbst die Widerstände bei Sir Edward Grey und namentlich bei seinen Handlangern im Foreign Office würde ich hoffen, mit der Zeit zu überwinden, wenn – ja wenn nicht alles bei uns vom Temperament des Augenblicks diktiert und von der Stimmung einer politischen Kinderstube getragen würde. Ich gönne unserer Flotte eine Verstärkung, aber sie soll nicht als paroli gegen die Rede Lloyd Georges auftreten. Wir sollen für unsere Wehr zu Wasser und zu Lande alles tun, was unsere Finanzen irgend gestatten, aber nicht mit drohendem Geschrei, sondern soweit es angeht in arbeitsamer Stille. Dann können wir uns trotz einer Flottennovelle mit England so stellen, daß es nicht zum Kriege kommt. Daran arbeite ich, aber die Widerstände von allen Seiten sind kaum zu überwinden.[20]«

Voraussetzung einer Annäherung Berlin–London war nach Bethmann Hollwegs Ansicht freilich, daß die geplante Flottennovelle eine Modifizierung, d. h. eine Abschwächung erfuhr. Daß dies jedoch nur ein auf den gegenwärtigen Zeitpunkt gemünzter taktischer Zug sein sollte, und nicht etwa eine grundsätzliche Abwendung von der bisherigen Flottenpolitik, geht aus einer Aufzeichnung des Admirals v. Müller v. 11. Januar 1912 eindeutig hervor:

> »Die Marine solle ja Geld für Mannschaften, U-Boote etc. bekommen, nur keine Dreadnoughts mehr.
> Er habe den Kaiser, dem er im übrigen auch versprochen habe, für die Flottennovelle einzutreten, deshalb zu erwägen gebeten, ob nicht die Mehrforderung an Schiffen aus der Novelle fortbleiben könne, und man sich nur (heimlich na-

---

20 AA-Bonn, NL Eisendecher 1/1–7; Bethmann Hollweg an Eisendecher, 26. 12. 11. Vgl auch die Äußerung Bethmann Hollwegs vom 6. 12. 11 gegenüber Metternich: Die Novelle sei von den engl. Staatsmännern, »wie sie doch wohl einsehen müssen, selbst leichtsinnig heraufbeschworen« worden (GP 31, Nr. 1133, Konzept v. Stumm; vgl. auch BD VI, Nr. 661, Goschen an Grey, 3. 11. 11).

türlich) vorbehalten solle, die für das 3. Geschwader nötigen drei Neubauten gelegentlich anzufordern.[21]«

Wenn Bethmann Hollweg glaubte, mit einer Begrenzung der Flottenrüstungen zu einem Ausgleich kommen zu können, so verkannte er damit freilich die Axiome der britischen Politik; denn nicht die Flotte allein, sondern die Flotte unter anderm war Grund für die Gegnerschaft Englands. Auch ohne den Bau der Flotte wäre England niemals bereit gewesen, den deutschen Anspruch auf die Hegemonie in Europa zu dulden, weil daraus sofort eine Gefährdung seiner Weltmachtstellung wie auch seiner freiheitlichen Staatsstruktur erwachsen wäre. Ziel der englischen Politik war nicht allein, eine Begrenzung der deutschen Flottenbauten zu erreichen, so vorteilhaft sie sich auch auf die eigene Innen- und Sozialpolitik auswirken mußte, sondern der Fortbestand des europäischen Gleichgewichts. Insofern war das Konzept der Bethmannschen Englandpolitik, eine zumindest zeitweilige Neutralität Englands bei einem europäischen Krieg zu erreichen, illusorisch. Das politische Kalkül Sir Edward Greys und jenes Bethmann Hollwegs widersprachen sich auf das gröblichste, und so war die Haldane-Mission von vornherein zum Scheitern verurteilt – es wäre denn, die deutsche Politik hätte sich die Ansicht des Botschaftsrats an der deutschen Botschaft in London, Richard v. Kühlmann, zu eigen gemacht. Dieser forderte nicht nur eine Beschränkung der Flottenrüstung, sondern auch den Verzicht auf alle weitergehenden weltpolitischen Pläne, weil er Deutschlands Rolle in der Welt am besten gesichert sah als Juniorpartner Großbritanniens.

Das Scheitern der Haldane-Mission

Am 7. Februar 1912, dem Vortage der Ankunft des britischen Besuchers, des Kriegsministers Haldane, in Berlin, wurde die neue deutsche Flottenvorlage veröffentlicht, wodurch die Flottenfrage auch im öffentlichen Bewußtsein erneut in den Vordergrund trat. Die Novelle sah als gravierendsten Punkt für England die Vermehrung der Neubauten um drei Linienschiffe vor, die von 1912 an im Abstand von zwei Jahren gebaut werden sollten, also 1912, 1914, 1916. Außerdem sollte ein drittes Geschwader durch Heranziehung von Reserveflotte und Materialreserve und durch die Neubauten gebildet werden. Schließlich erforderte die Vergrößerung der Flotte eine Vermehrung des Personalbestandes – ein Passus, der für England besonders kostspielige Konsequenzen hatte, da eine entsprechende Vermehrung des Mannschaftsbestandes für England, wo es nur Berufs-

---

21 Der Kaiser, Aufz. A. v. Müller, S. 107.

soldaten gab, eine enorme zusätzliche Belastung bedeutete. Die Veröffentlichung war von seiten der Marine durchgesetzt worden, die damit verhindern wollte, daß Bethmann Hollweg die neue Flottenvorlage zum Handelsobjekt mit England machte. Der Kaiser glaubte, daß die Flottennovelle und ein politisches Agreement mit England sich nicht ausschlössen.

Die Gleichzeitigkeit der Veröffentlichung mit der Ankunft des englischen Kriegsministers hat dazu beigetragen, daß die Geschichtsschreibung die wahre Bedeutung der Haldane-Mission verkannte – sie sah darin einfach einen weiteren gescheiterten Versuch, zwischen Deutschland und England eine Flottenabmachung herbeizuführen. In Wirklichkeit wollte der Reichskanzler mit der Einladung Haldanes, weit über eine Flottenabsprache hinaus, nichts Geringeres als die Sprengung der Entente einleiten und London für den Fall eines kontinental-europäischen Krieges auf eine Neutralitätszusage verpflichten.

Zweifellos hat die Veröffentlichung der Flottennovelle das Verhandlungsklima und die Erfolgsaussichten für Bethmann Hollwegs Pläne verschlechtert. Flottenfragen rückten jetzt zwangsläufig in den Mittelpunkt der Gespräche, und damit gewann Staatssekretär von Tirpitz an Gewicht. Bezeichnenderweise war Bethmann Hollweg an den Gesprächen über Flottenfragen nicht einmal beteiligt; sie fanden vielmehr zwischen dem Kaiser und Tirpitz auf der einen Seite und dem englischen Gast auf der anderen Seite statt, wobei man sich gegenseitig von der relativen Harmlosigkeit der Novelle bzw. von ihrer Gefährlichkeit für die englisch-deutschen Beziehungen zu überzeugen suchte.

Bethmann Hollweg hielt sich wohl nicht ungern von diesen Unterredungen fern, um die Erfolgsaussichten seiner eigenen politischen Intentionen nicht unnötig zu verschlechtern. Er glaubte, Haldane sei mit dem Angebot eines Neutralitätsvertrages zu ihm gekommen. Wenn er in einem Schreiben an den deutschen Botschafter in London den Entwurf einer gegenseitigen Good-Will-Erklärung zwischen den beiden Regierungen, den Haldane mitgebracht hatte, auf diese Weise interpretierte, verriet er damit seine innersten Wünsche und Gedanken[22].

Schon bei den ersten Besprechungen konzentrierte Bethmann sich auf die Frage eines politischen Agreements. Die beiderseitigen Bemühungen und zugleich die Grenzen der Einigungsmöglichkeit fanden einen beredten Ausdruck in der Formulierung des beabsichtigten Agreements. Bethmann Hollweg überreichte Haldane zunächst einen deutschen Entwurf für ein politisches Abkommen, dessen wichtigster Artikel 3 lautete:

»Sollte der eine der Hohen Vertragschließenden in einen Krieg mit einer oder mehreren Mächten *verwickelt* werden, so wird ihm gegenüber der andere zum

22 GP 31, Nr. 11 357, Bethmann Hollweg an Metternich, 8. 2. 12.

mindesten eine wohlwollende Neutralität beobachten und für die Lokalisierung des Konflikts bemüht sein.«

Diese Formel deckte sich weitgehend mit dem 1909 entstandenen Entwurf eines Neutralitätsabkommens zwischen Deutschland und England, den Bethmann Hollweg an Kiderlen-Wächter, damals noch Gesandter in Bukarest, übersandt hatte, und der von Kiderlen mit der Feststellung beantwortet worden war, daß er »für den Kriegsfall wohl alles deckt, was wir wünschen können«[23]. Haldane konnte diesen Vorschlag nicht akzeptieren und bot seinerseits eine andere politische Formel an, die weitaus weniger bindend war:

»Neither power will make or prepare to make any unprovoked attack upon the other or join in any combination or design against the other for purposes of aggression, or become party to any plan or naval or military enterprise alone or in combination with any other power directed to such an end.[24]«

Bethmann registrierte, daß Haldane die deutsche Formel »für bedingungslose Neutralität« nicht akzeptiert habe und statt dessen »unverbindlich eine Neutralität im wesentlichen nur im Fall unprovozierten Angriffs von dritter Seite... vorgeschlagen« habe. Wie sehr der Kanzler darüber enttäuscht war, zeigt schon seine erste Reaktion; er gab nämlich dem englischen Kriegsminister zu bedenken, ob die in seinem Vorschlag ausgesprochene Bindung nicht zu schwach sei. Da es Bethmann Hollweg besonders auf die Formulierung »in einen Krieg verwickelt werden« ankam, versuchte Haldane, ihm durch einen weiteren Vorschlag entgegenzukommen, indem er seinem ersten Vorschlag noch einen Satz folgen ließ:

»If either of the High Contracting parties becomes entangled in a war with one or more other powers, in which it cannot be said to be the aggressor, the other of the high contracting parties will at least observe towards the power so entangled a benevolent neutrality and use its utmost endeavour for the localisation of the conflict.«

Der kleine Zwischensatz Haldanes »in which...« ließ auch diesen Vorschlag für Bethmann Hollweg als unzureichend erscheinen[25].

Offensichtlich stimmte Bethmann Hollweg der Konzeption Tirpitz' zu, der am Tage der Ankunft Haldanes, am 8. Februar, für den Kaiser notierte:

---

23 Jaeckh, Kiderlen-Wächter, S. 66.
24 GP 31, Nr. 11 362, Aufz. Bethmann Hollweg über die Verhandlungen mit Lord Haldane, 12. 2. 12. Die Stellungnahme des Kanzlers, ibid. Nr. 11 363, Telegramm an Metternich, 12. 2. 12.
25 Ibid., Nr. 11 395, Neuer Entwurf für ein dt.-engl. Abkommen, Präs. 12. 3. 12; Zur Auseinandersetzung um die Neutralitätsformel vgl. auch die Dokumente Nr. 11 401, Bethmann Hollweg an Wilhelm II., Nr. 11 403, Metternich an AA, 17. 3. 12; Welchen Wert der Kanzler gerade auf das Wort »verwickelt« legte, zeigt die Nichtberücksichtigung der Formel Kiderlens, bei der das Wort »verwickelt« zugunsten weniger verschwommener Formulierungen weggelassen worden war. Vgl. ibid., Nr. 11 360, Entwurf Kiderlen-Wächter, pr. 10. 2. 1912.

»Politische Forderung: England darf sich an keinem Krieg zwischen Deutschland und Frankreich beteiligen, ganz gleich, wer der ›Angreifer‹ ist. Können wir diese Garantie nicht bekommen, dann müssen wir eben weiter rüsten, um der englisch-französischen Entente gewachsen zu sein, die de facto den Charakter eines Offensivbündnisses trägt.[26]«

Abgesehen von dieser Charakterisierung der englisch-französischen Entente als »Offensivbündnis«, die Bethmann Hollweg wohl kaum so scharf sah und die vor allem von der vom Reichsmarineamt bedienten Presse zum Zweck der Flottenagitation herausgestellt wurde, bestätigt diese Äußerung von Tirpitz augenfällig, daß die angeblich in ihren Ansichten so konträren Persönlichkeiten des Kanzlers und des Marinestaatssekretärs im Grunde auf der gleichen Linie operierten – ganz im Sinne vorheriger Absprache und unter der Fiktion zweier verschiedener Rollen. In völliger Übereinstimmung mit der Forderung von Tirpitz machte Bethmann Hollweg im Gespräch mit Haldane jedes deutsche Entgegenkommen in der Flottenfrage von dem politischen Agreement abhängig. Er unterrichtete Metternich darüber:

»Was die politische Seite der Frage anlange, so werde das Maß unseres Entgegenkommens in Flottenbaufragen von dem Umfang des political agreement abhängen.[27]«

Für die Unterredungen mit Haldane bestand Bethmanns Rolle darin, als erklärter Englandfreund aufzutreten, unbelastet von den Differenzen in der leidigen Flottenbaufrage, und statt dessen konstruktiv bemüht, ein politisches Abkommen, »den Traum seines Lebens«, zu erreichen. Der Kanzler ließ sich dabei von Stumm unterstützen, der in einem wohlüberlegten Schachzug dem englischen Kriegsminister vertraulich mitteilte, er, Haldane, wäre dem Kanzler behilflich, wenn er »sehr entschieden den Standpunkt einnähme, daß weitere Flottenkonzessionen gemacht werden müßten«[28]. Auf diesem Wege versuchte man, Bethmann Hollweg den Engländern als den um ehrlichen Ausgleich bemühten Staatsmann zu präsentieren, und warb um Verständnis für die schwierige Lage von Deutschlands – und damit des Kanzlers – Außenpolitik in der Hoffnung, dadurch die englische Konzessionsbereitschaft zu vergrößern.

Bethmann Hollwegs strikt ablehnende Haltung gegenüber den verschiedenen Haldaneschen Entwürfen, sein Beharren auf der eigenen vor-

26 Tirpitz, Aufbau der dt. Weltmacht, S. 282, Tirpitz an Müller, 8. 2. 12.
27 GP 31, Nr. 11 364, Bethmann Hollweg an Metternich, 12. 2. 12; vgl. auch ibid., Nr. 11 362, S. 119, Aufz. Bethmann Hollwegs, 12. 2. 12.
28 BD 6, Nr. 506, Diary of Lord Haldane's Visit to Berlin, 9. 2. 12, S. 682; gleichzeitig bemühte sich in Paris Ferd. v. Stumm in einem Gespräch mit Bertie, den deutschen Kanzler gegenüber seinem Außenminister – als den Mann von Agadir – in ein helles Licht zu rücken. Er bezeichnete Bethmann Hollweg als »right man in the right place, but unfortunately he has a horror of foreign politics which he has not studied and does not fully understand«, BD 3, Nr. 503, Bertie an Grey, 11. 2. 12.

geschlagenen Formulierung (»in einen Krieg verwickelt werden«), zeigen deutlich, welch große Bedeutung das politische Agreement mit London für seine politische Gesamtkonzeption hatte. Die Aufgabe, England aus der Triple-Entente herauszulösen, um damit die verloren geglaubte Bewegungsfreiheit der deutschen Politik wiederherzustellen, empfand er seit der Marokkokrise als lebenswichtiger denn je. Denn für die siegreiche Durchführung des als unmittelbar drohend empfundenen und seitdem in den Mittelpunkt der diplomatischen Berechnungen Berlins gestellten deutsch-französischen Krieges schien die Neutralität Englands äußerst wünschenswert zu sein. Das Erfordernis, die deutsche Position auf dem Kontinent zu verbessern und eine Wiederholung der Schlappe gegenüber Frankreich zu verhindern – so war der Ausgang der Krise verstanden worden –, richtete das Hauptaugenmerk der deutschen Außenpolitik auf den französischen Nachbarn: Verständigung mit England, Neutralisierung Englands war erforderlich, um die deutsche Position gegenüber Frankreich zu stärken.

Wenn auch die vorliegenden Quellen über die Unterredung zwischen Kaiser Wilhelm II., Haldane und Tirpitz über die Flottenfrage voneinander abweichen[29], so läßt sich doch feststellen, welches ihre Ergebnisse waren. Haldane schlug bei der Besprechung der Novelle vor, die Mehrbauten auf einen längeren Zeitraum zu verteilen und vor allem das erste zusätzliche Schiff statt 1912 erst 1913 auf Kiel zu legen, d. h. 1913, 1916 und 1919 als Baujahre zu fixieren. Zu einer solchen zeitlichen Verteilung der Schiffsbauten erklärte sich Tirpitz bereit, betonte aber mit Nachdruck, daß die veröffentlichte Novelle bereits eine erhebliche Konzession gegenüber dem ursprünglichen Entwurf bedeute; denn zunächst sei für die Zeit von 1912 bis 1917 jährlich ein neues Schiff zusätzlich geplant gewesen, also 6 statt 3. In einer späteren Unterredung mit Bethmann Hollweg bezweifelte Haldane freilich, ob das englische Kabinett auf diese Regelung eingehen könnte; er stellte jetzt in Erwägung, ob man nicht für die ersten drei Jahre auf Mehrbauten besser völlig verzichte, damit sich erst die deutsch-englische Atmosphäre durch das politische Abkommen in Ruhe klären könnte. Der Kaiser, im Glauben, einen historischen Augenblick zu erleben, machte sich den ersten Vorschlag Haldanes zu eigen und schlug vor, im Text des politischen Abkommens jegliche Erwähnung der strittigen Flottenfragen zu unterlassen. Statt dessen verpflichtete er sich, in einer Thronrede zu erklären, das »political agreement« erlaube eine Reduktion der Flottennovelle dergestalt, daß die drei zusätzlichen Schiffe erst in den Jahren 1913, 1916 und 1919 gebaut werden sollten. Auf diese Weise ließen sich die leidigen Fragen des Two-Power-Standard und der

---

29 Vgl. die einschlägigen Stellen im Diary of Lord Haldane (in BD 6), Tirpitz, Aufbau der deutschen Weltmacht, S. 286 ff. und GP 31, Nr. 11 359 (Wilhelm II. an Bethmann, 9. 2. 12), mit ausführlicher Fußnote des Hrsg.

2 : 3 Relation usw. umgehen, und im übrigen sei damit, wie er schrieb, »meine Stellung zu meiner Novelle und meinem Volke gewahrt«[30]. Der Kaiser glaubte, es bedürfe nur noch einer letzten redaktionellen Besprechung zwischen seinem Kanzler und Haldane, um den Vertrag abzuschließen, den er mit so großen Erwartungen verband. Er war zu dieser Zeit, wie er dem Admiral v. Müller schrieb, nur noch in Sorge, ob Tirpitz sich verbindlich genug zeigen würde:

> »Es ist kein Zweifel, daß von der heutigen Konversation zwischen Tirpitz und Haldane das Schicksal der Entente (d. h. zwischen Deutschland und England) zum größten Teil abhängt, damit das Schicksal Deutschlands und der ganzen Welt... Kann Tirpitz den noch anzuhörenden englischen Wünschen genügend entgegenkommen, so daß wir die Entente unter Dach kriegen, dann werde ich dafür sorgen, daß die Welt erfährt, daß er der Mann war, dem Deutschland und die Welt den Frieden verdankt und einen Haufen Kolonialgebiete dazu.[31]«

Bei solchen hochgespannten Erwartungen und dieser überschwenglichen Zuversicht ist es verständlich, daß der Kaiser mit wachsender Unruhe die sich immer länger hinziehenden deutsch-englischen Verhandlungen verfolgte. Besonders erbittert war er darüber, daß die englische Admiralität nach eingehender Prüfung der Flottennovelle außer der Frage der Mehrbauten darin noch ganz andere heiße Eisen entdeckte und für so gravierend hielt, daß London ein wie immer geartetes politisches Agreement von einem völligen Fallenlassen der Novelle abhängig machte – so lautete der Bericht Metternichs vom 12. Februar[32]. Das war eine Bedingung, die Bethmann Hollweg und vor allem der Kaiser keinesfalls anzunehmen bereit waren. Der Kanzler versuchte damit zu argumentieren, daß Haldane sich von der Notwendigkeit eines 3. Geschwaders für Deutschland bereits hatte überzeugen lassen. Allerdings, so mußte er zugeben, habe Haldane diese Anerkennung mit der Feststellung verbunden, daß dann auch England eine größere Nordseeflotte als bisher unterhalten müsse. Der Reichskanzler und das Auswärtige Amt versuchten Tirpitz unter Druck zu setzen, indem sie als wahrscheinliche Alternative zu einem politischen Abkommen mit England einen Krieg mit Frankreich in Aussicht stellten. Am 4. März drängte der Unterstaatssekretär im Auswärtigen Amt Zimmermann gegenüber einem Vertreter des Reichsmarineamts auf Nachgiebigkeit in der Frage der Flottennovelle, weil es bei einem Scheitern des politischen Agreements »sicherlich zu einem Kriege mit Frankreich kom-

---

30 GP 31, Nr. 11 359, Wilhelm II. an Bethmann Hollweg, 9. 2. 12.
31 Tirpitz, Aufbau der dt. Weltmacht, S. 285.
32 GP 31, Nr. 11 367, Metternich an AA, 12. 2. 12. Ein Streitpunkt waren z. B. die erheblichen Personalforderungen der Novelle. Wilhelm II. sah in den engl. Wünschen einen Eingriff in seine Souveränität, den er nicht dulden wollte. Vgl. auch Wilhelm II. an Bethmann Hollweg, 27. 2. 12, zit. Tirpitz, Aufbau der dt. Weltmacht, S. 306 ff., sowie Wilhelm II. an Kiderlen-Wächter, 28. 2. 12, in: GP 31, Nr. 11 378.

men (werde), wo sich jetzt schon ein bedenklicher Chauvinismus breit macht«. Frankreich werde nicht auf die Durchführung der deutschen Heeresvermehrung warten; es glaube sich jetzt Deutschland überlegen. Zimmermann führte weiter aus, daß die Schwierigkeit eines Krieges darin liege, »daß, wenn die Situation kritisch würde, Seine Majestät nicht durchhalten würde« [33].

Regierungskrise in Berlin

Vier Wochen nach dem Besuch Haldanes lag das Fiasko so offen zutage, daß die Nervosität in Berlin unerträglich wurde und zu einer Regierungskrise führte. Am 5. März befahl Wilhelm II. seinem Kanzler brüsk – ohne jede weitere Rücksicht auf England – am folgenden Tage zusammen mit der Flottennovelle auch die Wehrvorlage im Reichstag vorzulegen, andernfalls würde er, der Kaiser – also unter Bruch der Verfassung –, »dem Kriegsminister und dem Staatssekretär des Reichsmarineamtes den Befehl erteilen, ihrerseits die Vorlagen zu veröffentlichen. Meine und des deutschen Volkes Geduld ist zu Ende« [34]. Als Antwort reichte der Kanzler am 5. März 1912 ein Entlassungsgesuch ein, faßte es aber so ab, daß dem Kaiser keine Möglichkeit zur Annahme blieb. Bethmann Hollweg begründete sein Gesuch damit, daß der Kaiser Graf Metternich angewiesen habe, in London ultimativ mitzuteilen, Deutschland werde die Zurückziehung englischer Schiffe aus dem Mittelmeer in die Nordsee als Kriegsdrohung auffassen und mit einer verschärften Flottennovelle, ja unter Umständen mit einer Mobilmachung beantworten [35], damit habe er die Politik seiner eigenen Regierung desavouiert. Eindringlich legte Bethmann Hollweg nun seinerseits dar, wie er sich die Fortsetzung der Verhandlungen denke: bei ruhiger geschickter Verhandlungsführung würde es möglich sein, doch noch zu einem Agreement zu kommen, oder zumindest – und darauf legte der Kanzler großen Wert – England die Schuld am Mißerfolg der Verhandlungen zuzuschieben. Wenn man von dieser Linie abweiche, prophezeite der Kanzler Krieg gegen Frankreich und England zusammen, wobei Deutschland nicht mehr auf die Hilfeleistung seiner Verbündeten rechnen könnte.

Diese Ausführungen konnten ihre Wirkung auf den Kaiser nicht verfehlen, unterstellten sie ihm doch, durch die Desavouierung seines Kanzlers Kriegskurs zu steuern. Zwar war Wilhelm II. impulsiv und draufgängerisch, aber in einem kritischen Augenblick schreckte er – wie seine

---

33 Tirpitz, Aufbau der dt. Weltmacht, S. 314 f.
34 GP 31, Nr. 11 386, Telegramm Wilhelms II. an Bethmann Hollweg, 5. 3. 12.
35 Ibid., Nr. 11 385, Wilhelm II. an Bethmann Hollweg, 5. 3. 12.

Ratgeber wußten – vor der Entscheidung für einen Krieg zurück. So war auch der zentrale Satz in Bethmann Hollwegs Abschiedsgesuch genau auf den Kaiser zugeschnitten:

»Ich kann es nicht verantworten, unsererseits auf eine solche Situation hinzuarbeiten. Wird uns ein Krieg aufgenötigt, so werden wir ihn schlagen und mit Gottes Hilfe nicht dabei untergehen. Unsererseits aber einen Krieg heraufzubeschwören, ohne daß unsere Ehre oder unsere Lebensinteressen tangiert sind, würde ich für eine Versündigung an dem Geschicke Deutschlands halten, selbst wenn wir nach menschlicher Voraussicht den völligen Sieg erhoffen könnten.[36]«

Der Kaiser reagierte auf dies Gesuch so, wie Bethmann Hollweg es erwartet hatte. Er ließ ihn nicht gehen, und die Flottennovelle wie die Wehrvorlage wurden vorerst nicht veröffentlicht. Ja, der Kaiser schien sogar von neuem bereit, den Bautermin für die drei Schiffe noch offenzulassen und notfalls hinauszuschieben. Einen solchen »Umfall«, wie Admiral v. Müller es genannt hatte, wußte diesmal Tirpitz zu verhindern, indem er nun seinerseits mit dem Rücktritt drohte.

Die Verhandlungen um die englische Neutralität scheitern erneut

Das begrenzte Maß von Bewegungsfreiheit, das sich Bethmann durch sein Entlassungsgesuch vom 5. März verschafft hatte, benutzte er nun in den nächsten Wochen, um die Verhandlungen mit London doch noch zu einem befriedigenden Abschluß zu bringen, beziehungsweise die dortige Regierung in die Lage zu versetzen, daß das Scheitern eines Abkommens ihr selbst zu Lasten fiel. Goschen gegenüber betonte er Mitte März, wenn er eine zufriedenstellende Verständigung mit England erreiche, so würde er sich nicht für zwei Pfennig darum kümmern, wie man über den Rest seiner Kanzlerschaft urteile[37]. Der deutsche Botschafter Graf Metternich machte dem englischen Außenminister gegenüber Andeutungen über die gefährdete Stellung des Kanzlers, um Grey für die Bethmannschen Vorschläge zugänglicher zu machen. Grey versicherte Bethmann Hollweg zwar seines uneingeschränkten Vertrauens, ließ jedoch gleichzeitig durchblicken, daß andere Personen als der Kanzler ein Neutralitätsabkommen als Einladung zum Krieg gegen Frankreich und Rußland auffassen könnten. Solche Hinweise verstärkten den Eindruck, den das Foreign Office seit der Haldane-Mission gewonnen hatte, daß es in Deutschland eine Friedenspartei mit dem Exponenten Bethmann Hollweg und eine Kriegspartei mit Tirpitz an der Spitze gebe[38].

---

36 Jaeckh, Kiderlen-Wächter, Bd. 2, S. 159 ff.; vgl. auch Tirpitz, Aufbau der deutschen Weltmacht, S. 319.
37 BD 6, Nr. 541, Goschen an Nicolson, 15. 3. 12.
38 Vgl. GP 31, Nr. 11 403, Metternich an AA, 17. 3. 12; BD 6, Nr. 544, Grey an Goschen, 16. 3. 12; der englische Kolonialstaatssekretär vermerkte am 16. 3. 12: »So long as Bethmann Hollweg

Die Meinungsverschiedenheiten zwischen der deutschen und englischen Regierung konzentrierten sich auf die Frage, wieweit sich die englische Neutralität erstrecken sollte. Während bei allen Formulierungs-Variationen von englischer Seite aus an der Versicherung, daß England sich an keinem unprovozierten Angriff auf Deutschland beteiligen werde, festgehalten wurde, lief jeder neue deutsche Entwurf ebenso konsequent auf die Forderung nach einer eindeutigen und bedingungslosen Neutralitätserklärung hinaus. Grey lehnte die deutsche Formel als zu weitgehend ab, mit dem Hinweis, England könne seine freundschaftlichen Beziehungen zu seinen Ententepartnern nicht aufs Spiel setzen und dürfe die französische Empfindlichkeit nicht durch eine starre deutsch-englische Neutralitätsverpflichtung reizen. Bethmann Hollweg dagegen weigerte sich, die englische Formel anzuerkennen, da der Begriff »unprovoked attack« allzu dehnbar sei. Der Bethmannsche Vorschlag, der den Erfordernissen des Schlieffen-Plans aufs genaueste Rechnung trug, lautete:

> »Sollte einer der Hohen Vertragsschließenden in einen Krieg mit einer oder mehreren Mächten *verwickelt* werden, *bei welchem man nicht sagen kann, daß er der Angreifer war,* so wird ihm gegenüber der andere zum mindesten wohlwollende Neutralität beobachten und für die Lokalisierung des Konflikts bemüht sein. Die Hohen Vertragsschließenden verpflichten sich gegenseitig, sich über ihre Haltung zu verständigen, falls einer von ihnen *durch offenkundige Provokation eines Dritten zu einer Kriegserklärung gezwungen sein sollte.*[39]«

Die letzte Formel Greys lautete:

> »England declares that she will neither make *nor join in any unprovoked attack* upon Germany and pursue no aggressive policy towards her.[40]«

Damit war zum Ausdruck gebracht, daß England bei einem unprovozierten Angriff eines seiner Ententepartner auf Deutschland nicht in den Krieg eintreten würde, während Bethmann Hollwegs Entwurf eine englische Neutralitätszusage auch im Falle eines Deutschland »aufgezwungenen« Krieges einbezog. Diese Interpretation wird bestätigt durch das Bemühen Metternichs, Grey zur Annahme der Formel zu veranlassen, England werde »selbstverständlich neutral bleiben, wenn Deutschland ein Krieg aufgezwungen wird«[41]. Metternich forderte also von England eine weitgehende Abkehr vom europäischen Kontinent und von möglichen

---

is Chancellor we will cooperate with Germany for the peace of Europe.« Hartcourt Paper LH-G-14, zit. P. H. S. Hatton, Britain in Germany in 1914, in: C. H., S. 140.

39 GP 31, Nr. 11 395, Entwurf für ein deutsch-englisches Abkommen, pr. 12. 3. 12 (von mir gesp. F.F.).

40 GP 31, Nr. 11 403, Metternich an AA, 17. 3. 12. K. D. Erdmann kann hierin kein englisches Neutralitätsangebot für den Fall eines unprovozierten Angriffs auf Deutschland erkennen. Er vertritt dagegen den Standpunkt, daß England jede Neutralitätszusage »beharrlich abgelehnt« habe, vgl. Erdmann, Zur Beurteilung Bethmann Hollwegs, in: GWU 15, 1964, S. 533.

41 Ibid.; vgl. auch BD 6, Nr. 539, Grey an Goschen, 15. 3. 12.

europäischen Konflikten. Die englische Politik dagegen folgte dem Grundsatz, die Politik der kontinentalen Mächte zu beobachten und ihr eigenes Gewicht ausgleichend in die Waagschale zu werfen.

Diese unvereinbaren Standpunkte brachten Ende März/Anfang April die Verhandlungen über ein politisches Agreement endgültig zum Scheitern, obwohl die englische Regierung Sir Ernest Cassel autorisierte, er könne Ballin mitteilen, nach Annahme der deutschen Flottennovelle und nachdem die britische Öffentlichkeit einige Monate Zeit gehabt habe, sich daran zu gewöhnen, könnten Gespräche über ein Abkommen wieder aufgenommen werden [42].

In Berlin jedoch verlegte man sich fortab auf eine neue Taktik England gegenüber.

Bethmann Hollweg seinerseits sprach Anfang April klar aus, daß die angestrebte Flottenverständigung mit England lediglich die Funktion hatte, von ihm ein »uns befriedigendes Neutralitätsabkommen« zu erreichen. Da die deutsche Reichsleitung dieses in ihren Verhandlungen mit Haldane und in den darauf folgenden Wochen nicht erhalten habe, »so entfällt auch für uns die Möglichkeit einer den englischen Wünschen entgegenkommenden Flottennovelle« [43].

Beim Antrittsbesuch des neuen österreichisch-ungarischen Außenministers, des Grafen Leopold v. Berchtold, gab ihm der Kaiser die neuen Richtlinien einer deutschen Englandpolitik bekannt. Berchtold zeichnete darüber folgendes auf:

»Dem höchsten Herrn schwebt der Gedanke vor, an Stelle einer Verständigung über die Rüstungen zu Wasser und zu Lande eine solche auf politischem Terrain treten zu lassen. Die erstere sei ausgeschlossen, da Er erklärt habe, sich in Armee – und Flotte nichts dreinreden lassen zu wollen. Eine Aussprache über politische Fragen schiene ihm wohl im Bereiche des Möglichen gelegen.[44]«

Die neue Politik, England, ohne die Flottenfrage zu berühren, doch noch an Deutschland heranzuziehen, durch Verständigung über Fragen, die bisher nicht im Mittelpunkt des Interesses gestanden hatten, konzentrierte sich zunächst auf das Gebiet der Kolonialpolitik. Die deutsche Reichsleitung knüpfte an den dritten Punkt der Haldaneschen Verhandlungsvorschläge wieder an, der allerdings ein koloniales Angebot als Gegenleistung für eine deutsche Flotteneinschränkung vorgesehen hatte. Bei den deutschenglischen Verhandlungen über die portugiesischen Kolonien und über die Bagdadbahn kam es Deutschland also nicht nur auf die Erringung materieller Vorteile an, sondern mindestens ebenso auf eine grundsätzliche Ver-

42 Ballin an Wilhelm II., 19. 3. 12, AA-Marinekab. XXXI C., Band 2, zit. Cecil, Albert Ballin, S. 196.
43 GP 31, Nr. 11 440, Bethmann Hollweg an Metternich, 3. 4. 12.
44 ÖU, Nr. 3394, Aufzeichnung Berchtolds, 24. 3. 12.

ständigung mit England. Innerhalb dieser großangelegten Verständigungs-
kampagne, die erst mit dem Ergebnis endete, zu dessen Verhinderung sie
eigentlich inszeniert worden war – nämlich dem englischen Kriegseintritt
–, waren die Gespräche über die Kolonien nur der Problemkreis, der zuerst in Angriff genommen wurde. Am 15. April 1912 schrieb Kiderlen-
Wächter in einem Brief an König Carol von Rumänien: »Unsere Besprechungen mit England schreiten nur sehr langsam vorwärts. Sie werden aber
in offener und freundschaftlicher Weise weitergeführt. Wir denken, *zunächst* mit Verständigungen auf kolonialem Gebiet *den Anfang zu machen.*[45]«

Botschafterwechsel in London: Die Entlassung Metternichs

Im Zuge dieser veränderten Taktik in der Englandpolitik schritt man nunmehr auch zu einer Neubesetzung des Londoner Botschafterpostens. Metternich hatte sich mit seiner Auffassung, die deutsche Flotte sei die Hauptursache der deutsch-englischen Spannungen, schon lange in Gegensatz zum
Kaiser und zum Reichsmarineamt gesetzt. Bereits im September 1909 hatte
Tirpitz angeregt, noch vor Beginn der Flottenverhandlungen in England
einen Botschafterwechsel vorzunehmen.

Der Gegensatz zwischen Metternich und dem deutschen Marineattaché
in London, Kapitänleutnant Widenmann – in der Historiographie wird
dieser Gegensatz als die Parallele zum Antagonismus zwischen Bethmann
Hollweg und Tirpitz dargestellt –, verschärfte sich dann im Laufe der
Verhandlungen ständig und erreichte im Kampf um die Flottennovelle
1911/12 einen Höhepunkt. Metternich warnte in seinen Berichten unermüdlich vor der neuen Novelle und stellte die Möglichkeiten dagegen, die
sich durch koloniale Verhandlungen für die Besserung des deutsch-englischen Verhältnisses boten. Der Kaiser deutete bereits Anfang September
1911 Bethmann Hollweg gegenüber an, daß Metternich von seinem Posten
fort *müsse*, weil er die Engländer nicht verstehe, und verlangte einen Vorschlag für die Neubesetzung des Botschafterpostens[46]. Nachdem Metternich sich dann während der Haldane-Mission noch mehrfach den allerhöch-
sten Zorn zugezogen hatte, bestand der Kaiser darauf, »daß Metternich
abgelöst würde, sobald die jetzigen Wogen etwas heruntergegangen sei-
en«[47].

Zu seinem Nachfolger wurde der Botschafter in Konstantinopel, Adolf
Freiherr Marschall von Bieberstein, ernannt, der schon 1909 für diesen Po-

45 Jaeckh, Kiderlen-Wächter, Bd. 2, S. 161 f. (von mir gesp. F.F.).
46 Der Kaiser, Aufz. Alex. v. Müller, S. 91 f., S. 96.
47 Tirpitz, Aufbau der deutschen Weltmacht, S. 330

sten ins Auge gefaßt worden war. Marschall hatte sich zuletzt noch Ende 1911, als die Russen – wie er meinte, unterstützt von den Engländern – einen Meerengenvorstoß unternommen hatten, als betont englandfeindlich erwiesen. Er erfreute sich gerade zu diesem Zeitpunkt der besonderen Unterstützung des Kaisers (gegen das Auswärtige Amt) und stand auch in der Beurteilung der Flottenfrage ganz auf dessen und Tirpitz' Seite! Von beiden wurde Marschall vor seinem Amtsantritt persönlich instruiert, wobei Wilhelm II. noch einmal die Notwendigkeit betonte, »die Flottenfrage aus der Politik auszuschalten. Die Engländer würden schon kommen«. Marschall teilte diese Ansicht völlig. Mit Widenmann arbeitete Marschall von Anfang an, ganz im Gegensatz zu Metternich, ausgezeichnet zusammen. Der Botschafter stimmte mit dem Marineattaché in einem solchen Maße überein, daß dieser schon am 7. Juli seine Überzeugung aussprach, daß jetzt endlich der rechte Mann in London sei. In Gesprächen mit dem Botschafter glaube er zuweilen, »den Staatssekretär selbst reden zu hören« [48].

Dagegen war das Verhältnis zwischen Marschall und dem Auswärtigen Amt wie dem Kanzler durchaus gespannt. Abgesehen von den persönlichen Rivalitäten – Marschall machte sich große Hoffnungen, Bethmann Hollwegs Nachfolger zu werden – hegte letzterer vorab die Befürchtung, die Initiative der Englandpolitik könne ihm und dem Auswärtigen Amt aus der Hand genommen werden und an Marschall übergehen. Bethmann Hollweg hoffte auf eine Annäherung Englands durch einen Interessenausgleich, weil er seit der ergebnislosen Haldane-Mission davon überzeugt war, daß es unmöglich sei (er verglich seine Aufgabe mit der Quadratur des Kreises), ein Neutralitätsabkommen von England zu erreichen, wenn gleichzeitig die Flottennovelle verabschiedet würde. So hielt er auch die zunächst noch weitergeführten deutsch-englischen Neutralitätsverhandlungen für nicht erfolgversprechend. Er beschränkte sich vielmehr darauf, dem zukünftigen Londoner Botschafter ganz allgemein die Herbeiführung eines »freundschaftlichen modus vivendi zwischen beiden Ländern« als seine wichtigste Aufgabe zu nennen. In diesem Zusammenhang betonte er nachdrücklich – Marschall mochte es als Warnung verstehen –, daß er »für Gegenwart und Zukunft die Gestaltung unserer Beziehung zu England für den Angelpunkt unserer Politik ansehe« [49].

Marschall orientierte sich bei seiner Tätigkeit in London jedoch weit mehr an den Wünschen des Kaisers und des Admirals v. Tirpitz als an denen seines direkten Vorgesetzten. Charakteristisch dafür ist sein Bericht vom 5. August 1912. Gottlieb v. Jagow und Bethmann Hollweg nannten

---

48 Der Kaiser, Aufz. Alex. v. Müller, S. 119; Tirpitz, Aufbau der deutschen Weltmacht, S. 350.
49 DZA I, RKz, Reichsgebiet 1710.

ihn »unglaublich und nur auf Seine Majestät gemünzt« [50]. Marschall äußerte sich darin mit unverhohlenem Spott über die Bethmannsche Englandpolitik:

> »Die Fähigkeit, eine Zahl von ›capital ships‹ in internationale Politik umzurechnen, geht mir völlig ab, und ich habe auch nicht die Absicht, mir dieselbe anzueignen.«

Marschall berief sich dann darauf, er habe von vornherein erklärt,

> »daß internationale Vereinbarungen über Rüstungsbeschränkungen nicht nur dem Volksgefühl widerstreiten, sondern auch ... eine unversiegbare Quelle von Streitigkeiten und Konflikten bilden würde«.

Und er fuhr fort:

> »Wenn die Engländer fürchten, daß wir durch unsere militärische Stärke zu einer Art faktischen Präponderanz in Europa gelangen könnten, so gibt es einen sicheren Weg, dieser Gefahr zu steuern, nämlich sich mit uns über die großen Linien der Politik zu verständigen.«

Marschall vertrat also unbeirrt den Standpunkt der 90er Jahre und der Jahrhundertwende trotz dessen Erschütterung seit 1904 durch die englisch-französische Entente. Er sei überzeugt, schrieb er,

> »daß die Engländer uns in dieser Beziehung kommen werden, und zwar in dem Augenblick, wo sie durch Schaden noch klüger geworden sein werden, als sie es heute schon sind« [51].

Dieser Bericht war der letzte, den Marschall aus London sandte, denn er starb im September. Kiderlen schlug, wie schon Anfang des Jahres, als die Ablösung Metternichs bevorstand, Wilhelm v. Stumm als Nachfolger vor. Dieser hatte sich zwar zur Zeit Bülows des kaiserlichen Wohlwollens erfreut, war aber dann spätestens im Verlauf der Ressortauseinandersetzungen um die Flottennovelle und der Haldane-Mission, wie das gesamte Auswärtige Amt, in den Ruf gekommen, auf Kosten der Flotte politische Geschäfte machen zu wollen. Der Kaiser berief daher den Fürsten Lichnowsky, der sich durch einen Artikel in der Zeitschrift ›Nord und Süd‹ vom Sommer 1912 über das deutsch-englische Verhältnis empfohlen hatte: Lichnowsky hielt den Augenblick zu einer Einschränkung der deutschen Rüstungen (noch?) nicht für gekommen. Deutschland müsse angesichts der Einengung seiner Entwicklung von seiten der englischen Regierung auf die Stärkung seiner Machtmittel sinnen. Einer von London gewünschten Ein-

---

50 Tirpitz, Aufbau der deutschen Weltmacht, S. 376.
51 GP 31, Nr. 11 435, Marschall an Bethmann Hollweg, 5. 8. 12.

schränkung der Flottenrüstung müsse jedenfalls eine freundlichere Haltung der englischen Politik vorausgehen [52].

Auch Lichnowsky erhielt seine Instruktionen oft von Tirpitz. Die permanenten Spannungen zwischen der Berliner Zentrale und dem Botschafter waren jedoch nicht durch die verschiedenen Auffassungen in der Flottenfrage hervorgerufen. Reichskanzler und Auswärtiges Amt dachten selbst nicht an weitere Flottenverhandlungen und hüteten sich, ebensosehr wie Lichnowsky, die Flotte wieder ins Gespräch zu bringen. Die Wurzeln des Gegensatzes liegen vielmehr in erster Linie in der Tatsache, daß der neue Botschafter wieder vom Kaiser und nicht in Übereinstimmung mit der politischen Leitung berufen worden war. Das verlieh Lichnowsky für seine Tätigkeit in London eine gewisse Reserve gegenüber dem Auswärtigen Amt. Der Kanzler hatte daher kein besonderes Interesse an großen Erfolgen Lichnowskys, und Kiderlens Verhältnis zu ihm war ebenfalls sehr gespannt. Anfang Dezember 1912 wollte er sogar Kühlmann mit den Londoner Botschafterbesprechungen betrauen, stieß aber damit beim Kaiser auf Widerstand [53].

Lichnowskys eigentlicher Gegenspieler in der Wilhelmstraße aber war Wilhelm von Stumm, der die Englandpolitik schon lange maßgeblich bestimmt hatte und der enttäuscht war, daß nicht er selbst Botschafter in London geworden war. Stumm versuchte in den nächsten Jahren immer wieder, jede Initiative des Botschafters zu beschneiden.

Politik der Stärke: Aufrüstung von Heer und Flotte

Die Resonanz auf die deutsch-englischen Verhandlungen vom Frühjahr 1912 in der deutschen Öffentlichkeit zeigte noch einmal deutlich, unter welchen Bedingungen man allein bereit war, einen »Ausgleich« mit England zu unterstützen. Walther Rathenau, Berater des Kanzlers und zusammen mit seinem Vater gern gesehener Gast auch bei Wilhelm II., brachte seine Überzeugungen in einem Artikel in der Wiener ›Neuen Freien Presse‹ (6. April 1912), »England und wir, eine Philippika«, auf die Formel, Deutschland brauche einen Neutralitätsvertrag mit England, der »uns, gleichgültig, ob die Entente besteht oder nicht, zu Freunden macht«. Das war eine Überzeugung, die Rathenau auch in einem Gespräch gegenüber Stumm vertreten hatte: »Abrüstung ist möglich, sobald die Entente mit Frankreich durch Neutralitätsversicherungen ungefährlich gemacht

52 Vgl. Lichnowsky, Die Schuld der Deutschen am Kriege, Meine Londoner Mission 1912–14, Görlitz o. J., S. 3; ders., Deutsch-englische Verständigung, in: Nord und Süd, 36. Jg., Bd. 142, S. 15–19.
53 Vgl. hierzu: Tirpitz, Aufbau der dt. Weltmacht, S. 359, GP 34, I, Nr. 12 505; Kiderlen an Tschirschky, 1. 12. 12; ibid., Nr. 12 507, Jenisch an Bethmann Hollweg, 2. 12. 12.

ist.[54]« Die englischen Bedenken, Deutschland könne einen deutsch-englischen Neutralitätsvertrag zu einem Angriff auf Frankreich ausnutzen, versuchte Rathenau dadurch zu zerstreuen, daß er auf den »Kredit des Deutschen Reiches« als »Friedensmacht« verwies. Die »Gleichberechtigung« mit England war dabei für ihn ebenso unabdingbar wie für den Präsidenten des Hansabundes, Rießer, die Großindustriellen Stinnes und August Thyssen, oder für den Bankier Gwinner. Gleichberechtigung forderte auch die ›Deutsche Industrie-Zeitung‹, das Organ des CdI:

> »Das wollen wir bei aller Wertschätzung der englischen Freundschaft doch nicht vergessen und ... immer wieder betonen, daß eine friedliche Verständigung beider Nationen in politischen Dingen und ein vertrauensvolles Zusammenarbeiten auf wirtschaftlichem Gebiete für die Dauer nur möglich ist, wenn das englische Volk der stammverwandten deutschen Nation in jeder Beziehung *voll Gleichberechtigung* zuerkennt. Das ist die unerläßliche Vorbedingung für die ›natürliche‹ Freundschaft zwischen den beiden führenden Großmächten germanischer Rasse.[55]«

Für die Agrarier hatte im März 1912 Dr. Gustav Roesicke vom Bund der Landwirte sogar jede Vereinbarung mit England über eine Flottenrüstung abgelehnt, und die von dieser Linie abweichende Meinung, zum Beispiel des Schriftleiters der ›Deutschen Tageszeitung‹, v. Reventlow, sofort korrigiert. Diese Propagierung einer »harten« Haltung gegenüber England erfolgte vor allem auch im Hinblick auf das Bündnis mit der Großindustrie. Die Großschiffswerften brauchten nämlich Aufträge. Für sie waren 1912 und 1913 ausgesprochene Depressionsjahre. So überraschte es nicht, daß der Vizeadmiral Hunold v. Ahlefeld, Direktor der Krupp-Werft A.G. Weser, einer der lautstärksten Rufer nach einer Flottenvermehrung war; er drohte, daß sich das deutsche Volk seinen »Platz an der Sonne« nötigenfalls erkämpfen werde, falls England seine Suprematie zur See nicht aufzugeben bereit wäre[56].

Mit all dem war die öffentliche Meinung auf die Einbringung von neuen Heeres- und Deckungsvorlagen vorbereitet.

Die internen Ressortberatungen seit Ende 1911 über Umfang der Vorlagen und die Art und Weise ihrer Deckung hatten zwischen den unmittelbar beteiligten Ressorts mannigfache Friktionen gebracht. Der Schatzsekretär Wermuth hatte zwar grundsätzlich seine Zustimmung dazu gegeben, daß in der Thronrede zur Eröffnung des Reichstages am 7. Februar 1912 die Wehrvorlagen angekündigt werden sollten. Da es ihm jedoch

---

54 Rathenau, Tagebuch 1907–1922, Hrsg. Pogge-v. Strandmann, Düsseldorf 1967, S. 161, Eintragung vom 19. 3. 12; vgl. R. Martin, Deutsche Machthaber, 4. Aufl., Berlin und Leipzig 1910, S. 65 ff.; bes. S. 73: »Seit fast einem Jahrzehnt weiß man in Berlin, daß der Kaiser sich gern mit den Rathenaus unterhält.«
55 DIZ, Nr. 26, 29. 6. 12, S. 44 (i. O. gesp.).
56 Zit. nach Klaus Wernecke, Deutschlands Weltstellung, Diss. (Masch.), S. 187, Anm. 51.

nicht gelungen war, die Gesamtforderungen wesentlich herabzudrücken, reichte er am 6. Januar zum zweiten Male innerhalb von zwei Monaten sein Abschiedsgesuch ein. Für beide Vorlagen zusammen waren zu diesem Zeitpunkt etwa 750 Mill. Mark, verteilt auf fünf Jahre, das heißt pro Jahr 150 Mill. Mark veranschlagt. Wermuth lehnte jetzt in außerordentlich scharfer Form die Verantwortung für die Einbringung der beiden Wehrvorlagen ab, solange diese weder reduziert waren noch die Frage ihrer Deckung endgültig geklärt war. Bethmann Hollweg bemühte sich, den Reichsschatzmeister zum Bleiben zu bewegen. Durch Vermittlung des kaiserlichen Kabinettschefs Rudolf v. Valentini gelang es ihm noch einmal, allerdings um den Preis, daß er Wermuth versprach, er werde sich bei den Parteien für die Erbschaftssteuer für Deszendenten und Ehegatten verwenden, um damit für die Wehrvorlagen eine ausreichende Deckungsgrundlage zu schaffen [57].

Der Kanzler befand sich nun in einer Zwickmühle. Einerseits hatte er Wermuth in definitiver Form nicht nur die Erbschaftssteuer als Deckung in Aussicht gestellt, sondern ihm zusätzlich noch versichert, er werde sich persönlich für eine möglichst weitgehende Reduktion der Mehrforderungen einsetzen. Andererseits beharrten die beiden Wehrressorts, die sich offensichtlich abgesprochen hatten, darauf, daß sie einer weiteren Reduktion der Vorlagen oder wenigstens der Verschiebung ihrer Ankündigung keineswegs zustimmen würden. Und doch hatte Bethmann Hollweg in den Besprechungen mit den Parteiführern vom 1. bis 6. Februar 1912 erkennen müssen, daß weder die Konservativen noch das Zentrum einer Ausdehnung der Erbschaftssteuer ohne weiteres zustimmen wollten [58].

Um aus dieser Lage einen Ausweg zu finden, ließ Bethmann Hollweg die Einnahme- und Ausgabeschätzungen des Reichsetats einer Revision unterziehen. Er forderte den Preußischen Finanzminister und den Staatssekretär des Innern auf, Berechnungen darüber anzustellen, welche eventuell zur Deckung der Wehrvorlagen verfügbaren Überschüsse aus dem Jahre 1911 und welche möglichen versteckten Reserven aus dem Etatentwurf für das Jahr 1912 vorhanden seien. Tatsächlich hatte das Jahr 1911, was auch Wermuth nicht bestritt, einen Überschuß von etwa 230 Mill. Mark erbracht. Das Reichsamt des Innern schätzte darüber hinaus die im Etat 1912 versteckten Einnahmereserven auf weitere 80 Mill. Mark, und die natürliche Einnahmesteigerung aus den bestehenden Steuern auf weitere 30 Mill. Mark, und kam zu dem Ergebnis, daß

57 DZA II, Rep. 89 H III Dt. Reich, Nr. 1, vol. 4, Wermuth an Bethmann Hollweg, 6. 1. 12; Teildruck bei Adolf Wermuth, Ein Beamtenleben, Berlin 1922; vgl. zu dieser Frage neben Hans-Günter Zmarzlik, Bethmann Hollweg, S. 51 ff. nun auch die Dissertation meines Schülers Peter-Christian Witt, Die Finanzpolitik des Deutschen Reiches von 1903–1913 (Masch.), Hamburg 1969, S. 597 ff.
58 Peter-Christian Witt, Finanzpolitik (Masch.), S. 604.

»die Deckung der für die neuen Heer- und Wehrvorlagen erforderlichen Beträge ohne Zuhilfenahme neuer Steuern (sich durchführen läßt)« [59].

Das Preußische Finanzministerium dagegen äußerte sich weniger optimistisch: jährlich 80 Mill. Mark seien für die Wehrvorlagen verfügbar, so daß jedes Jahr 70 Mill. Mark neue Einnahmen erforderlich seien. Die Aufstellung des Reichsamts des Innern bezeichnete der Preußische Finanzminister kurz und bündig als falsch [60].

Nach diesen wenig befriedigenden Berechnungen gelang es Wermuth, unterstützt von Wahnschaffe, dem Chef der Reichskanzlei, auf einer Besprechung zwischen preußischen und Reichsressorts am 1. März seinen Plan einer Reichserbschaftssteuer durchzusetzen, und zwar, um den Konservativen entgegenzukommen, in Form einer subsidiären Steuer. Gegen diesen Beschluß, den offensichtlich zunächst auch Bethmann Hollweg befürwortete, erhoben nacheinander Delbrück, Staatssekretär des Innern, v. Dallwitz, Preußischer Innenminister, und von Schorlemer-Lieser, Preußischer Landwirtschaftsminister, ihre Bedenken.

Delbrück meinte, wenn überhaupt neue Steuern gefordert werden sollten, so sei die Erbschaftssteuer »die allerunbequemste«, weil sie die Spaltung zwischen den Konservativen und dem Zentrum einerseits und den Nationalliberalen andererseits von neuem zu vertiefen drohe:

»Sie (die Erbschaftssteuer) wird die Sammlung dieser Parteigruppen zu gemeinsamer politischer Arbeit zumindest nicht gerade fördern. Sie kann aber auch im ungünstigsten Falle diese Sammlung direkt vereiteln und die Regierung zu einem Kampf gegen rechts nötigen, der in hohem Maße unerwünscht und in seinen Folgen unübersehbar ist.[61]«

Ganz derselben Auffassung war der nächste Mitarbeiter des Reichskanzlers, Wahnschaffe. Er unterzog daraufhin in einer ausführlichen Denkschrift die Überlegungen Delbrücks einer eingehenden Kritik und legte dar, daß die Einbringung einer Erbschaftssteuervorlage durch die Regierung die Wehrvorlagen nicht gefährden würde. Zwar würden die Konservativen auf keinen Fall einer Erbschaftssteuer zustimmen, aber das Zentrum könne eine gemäßigte Erbschaftssteuer keineswegs ablehnen. Und falls sich im Reichstag eine Mehrheit von Bebel bis Bassermann für eine radikale Verschärfung der Vorlage herauskristallisieren würde, hätte die Regierung einen idealen Auflösungsgrund für den Reichstag gewonnen. Wahnschaffe ließ sich in seinen Überlegungen nicht im selben Maße von Rücksichten auf die Konservativen leiten wie Delbrück, Dallwitz und

59 DZA I, RKz Nr. 1252/1, Denkschrift v. UStS. Richter (RdI). 5. 12. 12; DZA I, RKz Nr. 952, Michaelis (UStS. im Preuß. Finanzministerium) an Wahnschaffe, 9. 2. 12.
60 DZA I, RSA Nr. 4074, Gesetzentwurf v. 4. 3. 12, erstellt aufgrund der Vereinbarung vom 1. 3. 12, vgl. auch DZA I, Rkz Nr. 952, Delbrück an Bethmann Hollweg, 2. 3. 12.
61 DZA I, RKz Nr. 952, Delbrück an Bethmann Hollweg, 2. 3. 12.

Schorlemer oder auch Bethmann Hollweg. Wahnschaffe schlug vor, eine gemäßigte Erbschaftssteuer in Form einer subsidiären Reichssteuer einzubringen, um dadurch womöglich Zentrum, Nationalliberale und auch Konservative zu einer Einheitsfront zusammenzuführen. Denn

>bringen wir (die Regierung) die Erbschaftssteuer, so haben wir für uns die Gerechtigkeit, die Solidität der Finanzen und die Autorität, die ein gewagter Schritt unter allen Umständen verleiht. Wir können die Gegensätze unter den bürgerlichen Parteien durch eine mäßige Erbschaftssteuer viel eher ausgleichen als wenn wir das Schiff des Reichstages ohne Regierungslotsen auf dieses klippenreiche Gewässer hinausfahren lassen, was zu verhindern nicht in unserer Macht steht« [62].

Am Tag danach, am 4. März 1912, trat das Preußische Staatsministerium zusammen, um über die Deckung der Wehrvorlagen zu beraten. Es zeigte sich, daß für die Mehrheit der Minister der Entwurf des Reichsschatzamtes immer noch zu weit ging. Deshalb faßte das Staatsministerium nur den *vorläufigen* Beschluß, den Vorschlag des Reichsschatzamts dem Bundesrat vorzulegen. Für die endgültige Ausgestaltung der Gesetzesvorlage wurde dem Kanzler freie Hand gelassen. – In kurz darauf folgenden Beratungen, die Dallwitz im Auftrage des Reichskanzlers mit den Konservativen und Schorlemer mit dem Zentrum führten, stellten sich jedoch beide Parteien dem Vorschlage des Reichsschatzamts ablehnend gegenüber.

Die Diskussion im Bundesrat ergab, daß mit Ausnahme Mecklenburgs alle Bundesstaaten, falls überhaupt eine neue Einnahmequelle zur Deckung erschlossen werden müßte, eher bereit waren, einer reinen als einer subsidiären Reichserbschaftssteuer zuzustimmen. Nur Mecklenburg lehnte sowohl die subsidiäre wie die reine Steuer ab und schlug statt dessen vor, zur Deckung die Steuervergünstigungen für die landwirtschaftlichen Schnapsbrennereien, die sogenannte Liebesgabe, aufzuheben. Dem Reichsschatzsekretär Wermuth war diese Entwicklung nur recht. Er lehnte den mecklenburgischen Vorschlag in scharfer Form ab und nannte als Ergebnis der Sitzung, daß

>die Einführung einer Reichserbschaftssteuer der Mehrzahl der Bundesstaaten willkommen sei und nur gegen die vorgeschlagene Form der Einführung Bedenken bestehen. Diese Form sei für die Reichsfinanzverwaltung ohne Interesse und nur ein Beiwerk, um dem Reichstag die Zustimmung zu erleichtern« [63].

Ganz offensichtlich war Wermuths Kalkül von vornherein davon ausgegangen, den Bundesstaaten durch die aufs äußerste komplizierte Form der Reichsschatzamtsvorlage eine direkte Reichserbschaftssteuer als das kleinere Übel erscheinen zu lassen. Dieses Ziel schien er jetzt erreicht zu haben.

---

62 Zit. nach Peter-Christian Witt, Finanzpolitik (Masch.), S. 608.
63 DZA I, RKz Nr. 953, Protokoll der Bundesratssitzung vom 14. 3. 12.

Auch Bethmann Hollweg bestätigte das, wenn er sagte, zwar werde eine Mehrheit für die Reichsschatzamtsvorlage im Bundesrat nicht vorhanden sein, dagegen sei eine Mehrheit, wahrscheinlich sogar Einstimmigkeit, für eine reine Erbschaftssteuer möglich. Diese Steuer aber lehnte der Kanzler brüsk ab, weil er es für politisch inopportun hielt, die Wehrvorlage und deren Deckung verschiedenen Mehrheiten zu verdanken, und weil er es vermeiden wollte, von vornherein auf die Mitarbeit der sozialdemokratischen Reichstagsfraktion angewiesen zu sein. Daher ging Bethmann Hollweg den von Mecklenburg gewiesenen Ausweg. Wermuth betrachtete diese Entscheidung des Reichskanzlers als Bruch der gegenseitigen Loyalität und verlangte am gleichen Tage in einem außerordentlich scharf gehaltenen Schreiben zum dritten Male seine Entlassung. Jetzt war sich Bethmann Hollweg darüber im klaren, daß er Wermuth, den er so gern als Aushängeschild für solide Finanzen weiter gebraucht hätte, nicht länger halten konnte. Noch am folgenden Tage wurde der bisherige Unterstaatssekretär Kühn zu Wermuths Nachfolger als Staatssekretär im Reichsschatzamt ernannt. – Wermuth wurde übrigens kurz darauf zum Oberbürgermeister von Berlin gewählt.

Am 15. April 1912 wurden die beiden Wehrvorlagen für Heer und Marine zusammen mit der Deckungsvorlage im Reichstag eingebracht, und am 16. April begannen die Beratungen. Zwar gelang es der Regierung, die Nationalliberalen, die für die Mehrheitsbildung ausschlaggebend waren, für ihre Vorlagen zu gewinnen. Doch die Fraktion insistierte in den Kommissionsverhandlungen wie in den Plenarsitzungen darauf, und zwar mit Unterstützung des Zentrums, daß in die Deckungsvorlage eine Klausel aufgenommen wurde, die die Vorlage eines allgemeinen Besitzsteuergesetzes bis zum April 1913 verlangte. Diese Bestimmung wurde von Bethmann Hollweg, der erkannte, daß eine Ablehnung schließlich die gesamte Vorlage gefährden würde, akzeptiert und erhielt am 20. Mai auf sein Drängen hin die Zustimmung im Preußischen Staatsministerium. Am nächsten Tag, am 21. Mai 1912, wurde jener Zusatzantrag Bassermann/Erzberger mit den Stimmen aller bürgerlichen Parteien, gegen die der Sozialdemokraten, angenommen. Gleichzeitig wurde in namentlicher Abstimmung eine Resolution (184 gegen 139) der Fortschrittlichen Volkspartei, die die Wiedereinbringung der 1909 abgelehnten Erbschaftssteuer verlangte, angenommen. Damit hatte die Reichstagsmehrheit einschließlich der Sozialdemokraten zum Ausdruck gebracht, daß sie den Einbau der Erbschaftssteuer in eine allgemeine Besitzsteuer verlangte.

Die Konsequenzen, die die Deckungsvorlagen für die finanzielle Situation des Reiches hatten, bestätigten in allen Punkten die harte Kritik, die der ehemalige Reichsschatzsekretär Wermuth in zwei Aufsätzen in der ›Deutschen Revue‹ gegen die Beschlüsse des Bundesrats vom 14. und 15.

März erhoben hatte [64]; denn er sah seine Grundsätze einer soliden Finnanzpolitik von neuem durch ein System der Einnahmenstreckung und damit letztlich der Schuldenvermehrung zerstört. Wermuth wies mit Recht darauf hin, daß keine anderen Ausgaben mehr Solidität in der Deckung verlangten als die für die Wehrmacht, denn bei einem Anteil der Wehrausgaben von etwa 75–85 % am gesamten Nettoetat des Reiches mußte jede bewußte oder unbewußte Fehleinschätzung von Ausgaben wie Einnahmen für die Wehrmacht die gesamte Finanzgebarung des Reiches untergraben. Schon Ende 1912 zeigte sich, daß die Berechnung der Einnahmen des Reiches, die der Ausgestaltung der Deckungsvorlagen zugrunde gelegen hatten, auf irrigen Angaben beruhte. So sah sich das Reich alsbald von neuem zur Aufnahme kurzfristiger Schatzwechsel gezwungen, die den durch die beginnenden Balkankriege ohnehin schon verengten Geldmarkt noch mehr verknappten und damit indirekt die im Abflauen befindliche wirtschaftliche Konjunktur weiter belasteten.

Weltpolitik und Kontinentalpolitik

Eben in diesen Monaten der Auseinandersetzung um die Heeres- und Flottenpolitik tauchten die alten Mitteleuropavorstellungen in Regierungskreisen von neuem auf. Einen Tag vor der Ankunft Haldanes in Berlin sah Wilhelm II. sich »schon als Leiter der Politik der Vereinigten Staaten von Europa« [65].

Zwei Tage nach der Abreise Haldanes entwickelte der Kaiser, unter Berufung auf seine guten Beziehungen zu König Georg V. und der Londoner City, in einem Gespräch mit Walther Rathenau »seinen Plan«, die »Vereinigten Staaten von Europa gegen Amerika« zu schaffen. Er glaubte, daß dies auch den Engländern nicht unsympathisch sei, und daß sie sich beteiligen würden: »Fünf Staaten (inklusive Frankreich) können etwas ausrichten [66]« (gegenüber Amerika).

Einen Monat später äußerte sich Wilhelm II. in einem eigenhändigen Entwurf zu einem Schreiben an Botschafter Metternich noch konkreter über seinen Plan; er wünschte, »daß England der Vorschlag zu einem Schutz- u(nd) Trutzbündnis gemacht werde unter Einbeziehung Frankreichs« [67].

Im März setzte der Kaiser, der zu einem Besuch in Wien weilte, gegen-

64 Adolf Wermuth, Die Gesundung der Reichsfinanzen, in: Deutsche Revue 37, Mai 1912, S. 129–141.
65 Der Kaiser, Aufz. Alex. v. Müller, S. 112; Datierung nach J. C. G. Röhl (Mscr.), Admiral v. Müller und die deutsche Politik; erscheint voraussichtlich 1969.
66 Rathenau, Tagebuch 1907–22, S. 157, Aufz. 13. 2. 12.
67 Eigenhänd. Entwurf eines Schreibens Wilhelms II. an Metternich, 18. 3. 12, das jedoch nicht abgesandt wurde, in GP 31, Anm. S. 187 f.

über dem österreichisch-ungarischen Außenminister Graf Berchtold seine Hoffnung wiederum auf eine Verbindung des Dreibundes mit England und Frankreich gegen Amerika und Japan. Er knüpfte bei seinen Überlegungen an die gescheiterte Haldane-Mission an und vertrat die Ansicht, daß man an Stelle von Verhandlungen über Rüstungsbegrenzungen Absprachen über politische Fragen anstreben sollte. Für eine politische Annäherung Englands an Deutschland sah er eine reelle Chance, da die Briten in der Welt viel ernstere Rivalen hätten als die Deutschen, nämlich Amerika und Japan:

> »Da ließe sich eine Interessensolidarität finden, die es Deutschland ermöglichen könnte, England auf seine Seite und damit der Triplealianz näher zu bringen.«

Wilhelm II. war durchaus damit einverstanden und hielt es für möglich, auch Frankreich einzubeziehen; denn Frankreich sei »der englischen Bevormundung einigermaßen überdrüssig« und werde sich deshalb »vielleicht dabei herbeilassen, einer auf breiter Basis angelegten Kombination beizutreten«. Dadurch sei, so versicherte der Kaiser Berchtold, der europäische Friede für lange Jahre gesichert, und Europa könne sich vereint den großen Problemen des Fernen Ostens zuwenden [68].

Der Gedanke, England an Deutschland heranzuführen, berührte sich mit der Konzeption Bethmann Hollwegs, wenn auch beider Motive verschieden waren. Der Kaiser glaubte, durch eine solche europäische »Entente« um die Limitierung der Rüstungen, besonders der ihm am Herzen liegenden Seerüstung, herumzukommen; für Bethmann Hollweg dagegen war das primäre Ziel die Neutralisierung Englands im Blick auf einen möglichen Kontinentalkrieg. Wie allgemein ein kontinentaler Krieg den Deutschen als Möglichkeit, wenn nicht sogar als unvermeidliche Zukunftsentwicklung vor Augen stand, fiel Graf Berchtold bei seinem Antrittsbesuch in Berlin im Mai 1912 besonders auf.

Die Idee eines Zusammenschlusses Europas unter deutscher Führung war nicht allein ein Privatanliegen des Kaisers. In einem Interview, das der Staatssekretär des Äußeren v. Kiderlen-Wächter Anfang 1912 dem ›Figaro‹-Redakteur Bourdon gewährte, deutete auch er solche Gedanken an. Angesprochen auf die Möglichkeiten einer deutsch-französischen Verständigung, vertrat Kiderlen die Ansicht, es gebe viele einzelne Fragen, über die man mit Frankreich zu einem Einvernehmen kommen könnte. In einer deutsch-französischen Annäherung sah Kiderlen einen Schritt der Organisierung der europäischen Mächte gegen die Bedrohung Europas durch China und die USA, als er sagte:

---

68 ÖU 4, Nr. 3394, Aufz. Berchtolds über das Gespräch mit dem Kaiser in Schönbrunn, 23. 3. 12.

»Vernimmt Europa nicht das dumpfe Geräusch, das auf dem asiatischen Kontinent von einer lange eingeschlafenen Rasse ausgeht, die sich zu recken beginnt, bis sie sich erheben wird, um gegen ferne Ziele, gegen den Okzident, vorzuschreiten? Ist es taub für die Arbeit der noch jungen amerikanischen Erde und für das Grollen seiner Maschinen und bemerkt es nicht, daß dieses gewaltige Gebären sich nur auf Kosten seines eigenen Reichtums vollziehen kann? [69]«

Kiderlen berief sich auf den ehemaligen österreichisch-ungarischen Außenminister Graf Goluchowski, der Europa »unsinnig und blind« genannt hatte, »da es unfähig ist, sich gegen die Gefahren zu organisieren, die es ohne Rücksicht auf seine winzigen Streitigkeiten packen werden«. Dieses Europa zu schaffen sei das praktische Werk, das es zu gestalten gelte. Eine solche politische Einigung hielt Kiderlen für den praktikableren Weg zur Entspannung in Europa als eine allgemeine Abrüstung, die er als Utopie bezeichnete (in Abwehr einer Tendenz, die im Anschluß an die zweite Haager Konferenz gerade in England und Frankreich starke Anhängerschaft besaß), und bekannte sich zur »Idee der organisierten Schlacht«. Ähnlich wie der Kaiser hoffte auch Kiderlen mit dem Hinweis auf die Gefahren, die Gesamteuropa drohten, die Forderung nach Rüstungsbeschränkungen zu torpedieren.

Die Rußlandreise, die Bethmann Hollweg im Juli 1912 im Anschluß an das deutsch-russische Kaisertreffen in Baltischport unternahm, beruhigte ihn zwar einerseits, da ihm von seinen dortigen Gesprächspartnern immer wieder versichert wurde, welch ein außerordentliches Friedensbedürfnis im Zarenreich herrsche; andrerseits hat ihn jedoch der »Reichtum an Bodenschätzen und derber physischer Menschenkraft« doch auch beeindruckt und im Hinblick auf die Zukunft beunruhigt. Sein Blick war erstmals »auf die aufstrebende, künftig übermächtige russische Industriemacht gerichtet« [70], die ihn mit Sorge erfüllte, und in ihm den Wunsch aufsteigen ließ, Rußland rechtzeitig für immer zu schwächen.

In einem Gespräch, das Bethmann Hollweg bald nach seiner Rückkehr aus Rußland mit Rathenau führte, forderte der Kanzler ihn auf, seine politischen Vorstellungen über einen Zusammenschluß Mitteleuropas genauer zu entwickeln [71]. Rathenau hatte sich erstmals im Sommer 1911 mit Bethmann Hollweg darüber unterhalten. Er entwickelte seinen Plan einer Zollunion mit Österreich, der Schweiz, Italien, Belgien und den Niederlanden und gleichzeitiger engerer politischer Assoziation mit diesen Ländern. Der Schlüssel der außenpolitischen Situation – so führte er weiter aus – liege bei England. Eine Abrüstung hielt er zum augenblicklichen Zeitpunkt für unmöglich; statt dessen riet er, obgleich es gefährlich

69 Jaeckh, Kiderlen-Wächter, Bd. 2, S. 240 ff. Das Interview erschien in BT am 6. 8. 12.
70 GP 31, S. 449, Anm.; Bethmann Hollweg an Eisendecher, 22. 7. 12; vgl. ibid., Nr. 11 548, Pourtalès an Bethmann Hollweg, 19. 7. 22; und ÖU 4, 3714 Szögyény an Berchtold, 19. 8. 12
71 Rathenau, Tagebuch 1907–1922, S. 168 f.; Notiz 25. 7. 12; vgl. S. 126, 3. 2. 11.

sei, die Spannung gegenüber London zunächst weiter zu verschärfen und die englische Position im Mittelmeer zu untergraben (etwa, indem man Italien die Fortführung des Krieges gegen die Türkei im Mittelmeer erlaube). Dann erst schätzte Rathenau die Chance größer ein, ein Bündnis mit England zu erreichen, mit dem Ziel einer deutschen Herrschaft in Mittelafrika und Kleinasien.

Bethmann Hollweg erklärte sich mit diesen Vorstellungen grundsätzlich einverstanden[72], doch ohne seinen eigenen Standpunkt zu präzisieren. Das kam nicht von ungefähr: die deutschen Agrarier wie die deutschen Schwerindustriellen hatten alle Zollunionspläne seit 1897 andauernd abgelehnt, nicht etwa nur aus allgemein politischen Gründen, weil man ohnehin eine solche Lösung auf friedlichem Wege für unrealistisch hielt, sondern auch aus konkretem Gruppenegoismus. Die Agrarier schreckten vor einer Zollunion mit der Agrarmacht Ungarn zurück, und die Industriellen sahen ihre Vorteile in einer weltmarkt-orientierten Handelspolitik besser gewahrt. Außerdem wehrten sie sich gegen eine Ermäßigung der Schutzzölle ebensosehr, wie sie andererseits auf neuen Ausfuhrzollinien gegenüber den USA bestanden. Diskutiert wurde die Idee der Mitteleuropa-Zollunion in den Jahren 1912/14 vor allem in den Kreisen des Hansabundes[73].

Als England am 4. August 1914 endgültig auf die Seite der Gegner Deutschlands trat, wurde das Konzept der Mitteleuropa-Zollunion nicht mehr als Vorstufe eines Bündnisses mit England verstanden, sondern gegen das Britische Weltreich gerichtet. Die revidierte Mitteleuropakonzeption, die Walther Rathenau am 7. September 1914 dem Reichskanzler unterbreitete, hieß dementsprechend:

»Mitteleuropa geeinigt unter deutscher Führung gegen Amerika *und England* einerseits, gegen Rußland andererseits politisch und wirtschaftlich gefestigt.[74]«

---

72 Ibid., S. 169: Egmont Zechlin, S. 399 (vgl. Anm. 70) konstruiert ohne Belegstellen eine Ablehnung der Pläne Rathenaus von seiten Bethmann Hollwegs.
73 Es ist daher keine Überraschung, wenn Staatssekretär v. Delbrück in seinem Brief an Bethmann Hollweg vom 13. 9. 14 konstatierte, daß diese Mitteleuropa-Politik »nicht mit der Rechten und nicht ohne die Sozialdemokratie, jedenfalls nur mit einer liberalen Mehrheit durchzuführen sein wird«, zit. Zechlin, Friedensbestrebungen und Revolutionierungsversuche, Beilage zu Das Parlament, B 20/63, 15. Mai 1963, S. 46.
74 W. Rathenau, Politische Briefe, Dresden 1929, S. 9 ff. (Brief Nr. 6). Vgl. dazu die Bemerkungen von Pogge-v. Strandmann, in Rathenau, Tagebuch, S. 186 (von mir gesp. F.F.).

VIII. KAPITEL

Tripoliskrieg und Balkankrieg –
eine Gefährdung der deutschen Orientpolitik
und der deutschen Großmachtstellung

Der Tripoliskrieg – Deutschland zwischen Rom, Konstantinopel und Wien

Als sich im Frühsommer 1911 abzeichnete, daß Frankreich endgültig ein
Protektorat über Marokko errichten würde, machte Italien unter der Parole der Wiederherstellung des Gleichgewichts am Mittelmeer und als Si-
gnatarmacht der Algecirasakte seinen Anspruch auf Tripolis geltend. Der
italienische Anspruch gründete sich auf italienisch-französische Absprachen
der Jahre 1896–1902, in denen beide Staaten sich gegenseitig ihr Desin-
teresse an Marokko bzw. Tripolis erklärt hatten, und ähnliche Absprachen
waren von Italien mit England, Rußland und Österreich-Ungarn getroffen worden.

Das militärische Eingreifen Italiens wurde gegenüber der Türkei motiviert mit der Obstruktion der Lokalbehörden gegen italienische wirtschaftliche Unternehmungen in Tripolis. Am 27. September 1911 stellte
Italien ein auf 24 Stunden befristetes Ultimatum an die Pforte, worin
die Zustimmung zu einer militärischen Okkupation der Cyrenaika und
Tripolitaniens gefordert wurde. Der türkischen Ablehnung folgte am
29. September die italienische Kriegserklärung. Nach Einnahme der Stadt
Tripolis und großer Teile der Küste wurde durch königliches Dekret am
4. November 1911 in aller Form die Annexion Tripolitaniens und der
Cyrenaika ausgesprochen [1].

Das Deutsche Reich verhielt sich neutral. Diese Neutralität begünstigte
allerdings praktisch Italien, zum Beispiel erkannte Deutschland bereits vor

---

[1] Giovanni Giolitti, Memorie della mia vita, Mailand ³1945; William C. Askew, Europe and
Italy's Acquisition of Libya, Durham 1942; jetzt ergänzt durch ders., The Austro-Italian
Antagonism, 1896–1914, in: Power, Public Opinion, and Diplomacy. Essays in Honor of E. M.
Carroll, Durham 1959; Gioacchino Volpe, La guerra di Tripoli, Rom 1945; Luigi Albertini, The
Origins of the War of 1914, London 1952, vol. I, S. 341; Fritz Fellner, Der Dreibund. Euro-
päische Diplomatie vor dem Ersten Weltkrieg, München 1960, S. 76 ff.; und die in Calle carte di
Giovanni Giolitti. Quarant'anni di politica italiana, vol. III, hrsg. v. Claudio Pavone, Mai-
land 1962, veröff. diesbezüglichen Dokumente.

der Unterzeichnung des Präliminarfriedens die Annexion an. Bethmann Hollweg und Kiderlen-Wächter hofften durch dieses Entgegenkommen den ihrer Ansicht nach schon immer unsicheren und mit Frankreich liebäugelnden Dreibundpartner Italien fester an Deutschland zu binden. Ihnen kam dabei entgegen, daß die italienische Regierung selbst schon ab April 1911 bei ihren Verbündeten Sondierungen über die Möglichkeit einer vorzeitigen Erneuerung des Dreibundes angestellt hatte [1a]. Diese wohl auch in der augenblicklichen Lage Italiens begründete, gleichzeitig aber dem Wunsch des dreibundorientierten Ministerpräsidenten Giolitti wie seines Außenministers San Giuliano entsprechende Haltung Italiens wollte man in Berlin nicht ungenutzt vorübergehen lassen. Der psychologische Moment für die Erneuerung sei günstig, schrieb Kiderlen-Wächter im September 1911 an Aehrenthal, »ich glaube, es wäre nützlich, den Moment zu benutzen, die Stimmung kann auch wieder vorübergehen« [2].

Auch Aehrenthal war – jedenfalls anfangs – nicht gesonnen, den Italienern Schwierigkeiten zu machen. Im Gegenteil: »Ich kann nicht verhehlen«, so schrieb er an Kiderlen-Wächter, »daß mir Italiens Interesse an Nordafrika aus naheliegenden Gründen paßt«. Ein Engagement Italiens in Nordafrika bedeutete für Österreich eine Entlastung auf dem Balkan. Außerdem rechnete Aehrenthal so wie die deutschen Politiker damit, daß Italien über seinem »Abenteuer« bald mit den anderen am Mittelmeer interessierten Staaten, vor allem Frankreich und England, in Gegensatz geraten und deshalb um so mehr auf seine Verbündeten angewiesen sein würde [3].

Während nun der deutsche Reichskanzler und das Auswärtige Amt auf seiten Italiens standen, sympathisierte der Kaiser lebhaft mit der Türkei:

»Wenn die Türken in Stambul die Nerven behalten, und durchhalten, die Araber mit Offizieren, Waffen und Proviant versehen, werden die Italiener schließlich Tripolis aus Mangel an Proviant und anderem Kriegsbedarf aufgeben müssen! . . . Die Türken sollen nur ruhig warten! Die Italiener müssen ihnen kommen, in Demut und bittend! [4]«

Wilhelm II. war davon überzeugt, und er wurde dabei vom deutschen Botschafter in Konstantinopel, Marschall von Bieberstein, nach Kräften unterstützt, daß Italien zu diesem Krieg »von England angestiftet« sei, das den Dreibund mit der Türkei verfeinden wolle [5]. Die Differenzen innerhalb der deutschen Reichsleitung kulminierten in dem Konflikt zwischen

1a Carlo duca d'Avarna, L'ultimo rinnovamento della Triplice, Mailand 1924.
2 GP 30 II, Nr. 11 222, Kiderlen-Wächter an Aehrenthal, 11. 9. 11.
3 Ibid., Nr. 11 218, Aehrenthal an Kiderlen-Wächter, 10. 8. 11; vgl. auch ÖU 3, Nr. 2809, Denkschrift Aehrenthals, 22. 10. 11; Das politische Tagebuch Josef Redlichs, Bd. 1 (1908–1914), Graz/Köln, 1953, S. 102; W. Rathenau, Tagebuch 1907–1922, S. 158.
4 GP 30 I, Nr. 10 932, Marginalie Wilhelms II. zum Schreiben Jagow an Bethmann Hollweg, 29. 10. 11, S. 174.
5 Ibid., S. 50, Marginalien Wilhelms II. zu Nr. 10 830, Kiderlen-Wächter an Wilhelm II., 24. 9. 11.

Kiderlen-Wächter und dem Botschafter in Konstantinopel. Den akuten Anlaß dazu bildete ein neuer russischer Vorstoß in der Meerengenfrage. Rußland beabsichtigte, die gegenwärtige bedrängte Lage der Türkei auszunutzen, um eine Öffnung des Bosporus und der Dardanellen für seine Kriegsschiffe zu erreichen. Gemäß den Potsdamer Abmachungen vom November 1910 nahm Deutschland den Standpunkt ein, einem diesbezüglichen russischen Verlangen nicht von vornherein Widerstand entgegenzusetzen, um so weniger, als sowohl Kiderlen als auch Bethmann Hollweg der Meinung waren, eine zurückhaltende Aufnahme des russischen Wunsches würde lediglich die Geschäfte der Engländer besorgen. – Dies veranlaßte Marschall zu den heftigsten Protesten, die in seinem Rücktrittsgesuch gipfelten, das er jedoch – auf Drängen des Auswärtigen Amts – wieder zurücknahm, als die russische Aktion im Sande verlief [6].

Nach Marschalls Ansicht bedeutete die Durchführung des russischen Planes, hinter dem er Italien als treibende Kraft vermutete, nicht nur das Ende der deutschen wirtschaftlichen und politischen Vormachtstellung im Osmanischen Reich. »Es wäre das«, so schrieb er in einem Privatbrief an Bethmann Hollweg, »ein politischer Zusammenbruch, wie ihn kaum jemals eine Macht ohne vorherigen unglücklichen Krieg erlitten hat.« Er appellierte an den »Edelmann« Bethmann Hollweg, der ihm nicht zumuten könne, den russischen Vorstoß zu unterstützen, da er sonst alles desavouieren müßte, was er seit 14 Jahren gesagt habe [7]. Dem Kaiser berichtete der Kanzler, Marschall sei nervös und beurteile die Lage in der Türkei zu pessimistisch. Damit stieß er jedoch auf entschiedenen Widerspruch: »Meine durch 20 Jahre bewährte, durch Marschall vorzüglich vertretene Orientpolitik bleibt absolut aufrechterhalten.« Die Schlußbemerkung des Kaisers zu Bethmann Hollwegs Schreiben folgte genau der Argumentation Marschalls, nämlich, das zwischen Italien, Rußland und England abgekartete Spiel solle weniger die Türkei als vielmehr Deutschland treffen:

»Die Türkei ist im Anfangsstadium der allmählichen Erstarkung! Das paßt Italien u(nd) Rußland nicht. Weil die Stärkung *größtenteils Deutschland zu danken* ist, auch England–Frankreich nicht... Daher, um uns ökonomisch zu ruinieren, soll der Stoß gegen Stambul treffen und Italien ihn führen – um uns als Bundesgenossen in den Augen der Türken zu kompromittieren.[8]«

»Wenn dieses Ausschließen der deutschen Industrie so weitergeht«, hatte der Kaiser schon einige Tage vorher geschrieben, »dann werden wir zu den

---

6 Vgl. zu diesen Vorgängen ibid. Nr. 10 976, Bethmann Hollweg an Wilhelm II., 24. 11. 11; zur Haltung von Marschall: Nr. 10 987–88, Marschall an Bethmann Hollweg, 4./5. 12. 11; Nr. 10 994 Marschall an AA, 12. 12. 11.
7 Ibid., Nr. 10 989, Marschall an Bethmann Hollweg, 4. 12. 11.
8 Ibid., Nr. 10 993, Bethmann Hollweg an Wilhelm II., 11. 12. 11; Randbemerkung des Kaisers, ibid., S. 237 (i. O. gesp.).

Waffen greifen und uns mit dem Schwert in der Hand durchsetzen müssen, also Rüsten![9]«

Die Kontroverse wurde vorläufig dadurch beigelegt, daß der russische Außenminister Sasonow die Meerengenaktion abblies.

Die Entlassung Conrads

Auch in Österreich-Ungarn löste der Tripoliskrieg eine innere Krise aus, die allerdings erheblich größere Ausmaße annahm und schließlich zur Entlassung des Generalstabschefs Conrad von Hötzendorf führte.

Seit 1907 war es Conrads »ceterum censeo« gewesen, daß die Donaumonarchie einen Krieg gegen Italien führen müsse[10]. Er sah in Italien eine Macht, die nicht nur den legitimen Interessen Österreichs in jeder Hinsicht im Wege stehe und ihnen entgegenarbeite, sondern die auch danach trachte, Gebietsteile der Monarchie an sich zu reißen, und zwar mit kriegerischen Mitteln. Von der Notwendigkeit, diesem italienischen Angriff zuvorzukommen, hatte Conrad die politische Führung der Donaumonarchie seit seinem Amtsantritt zu überzeugen versucht.

Im Tripoliskrieg sah er wieder einmal eine günstige Gelegenheit, endlich mit Italien »abzurechnen«. Er überschüttete nicht nur den Außenminister mit entsprechenden Denkschriften, sondern trat auch in von ihm inspirierten Presseartikeln immer wieder für seine Forderungen ein. Gegen diese die Kompetenzen des Generalstabschefs überschreitende Aktivität setzte sich der Außenminister Aehrenthal zur Wehr. In einer Denkschrift an den Kaiser vom 22. Oktober 1911 kritisierte er Conrads Versuche zur Einflußnahme auf die auswärtige Politik heftig, da sie den »eminentesten Staatsinteressen direkt gefährlich sei«[11]. Conrad erhielt von Kaiser Franz Joseph daraufhin einen Verweis: Eine neue Denkschrift, die Conrad bei dieser Audienz vorlegte, war der letzte Anstoß zu seiner Entlassung. Conrad wiederholte darin seine Meinung, daß die Allianz mit Italien ein Schaden für die Monarchie und es für sie ein Gebot ihrer Selbsterhaltung sei, den durch den Tripoliskrieg geschaffenen Schwächezustand des Nachbarn für einen Angriff auf ihn auszunutzen. Durch einen solchen Krieg könnte ein Gegner niedergeworfen werden, der sonst der Monarchie bei allen anderen Verwicklungen in den Rücken fallen würde. Das wiederum bedeute Handlungsfreiheit am Balkan und besonders gegenüber Rußland; Wiedergewinnung Venetiens und ausgiebige Grenzregulierungen zugunsten

---

9 Ibid., S. 221, Schlußbemerkung des Kaisers zu Nr. 10 985, Marschall an AA, 7. 12. 11.
10 Vgl. Conrad, Aus meiner Dienstzeit, Bd. 1, S. 503. Conrad vertrat diese Auffassung schon 1899, seit 1903 bemühte er sich um eine aktive Vorbereitung dieses Krieges, vgl. Angelo Gatti, La parte dell' Italia. Rivendicazioni. Mailand 1926.
11 ÖU 3, Nr. 2809, Denkschrift Aehrenthal an Franz Joseph, 22. 10. 11.

der Monarchie; Vernichtung oder Abtretung der italienischen Flotte; Hebung des Prestiges der Monarchie [12].

Daß Graf Aehrenthal nicht aus grundsätzlicher Friedensliebe Conrad bekämpfte, zeigt deutlich ein Gespräch, das er am 5. Dezember 1911 mit Redlich führte [13]. Aehrenthal führte aus, daß man sich von der gegenwärtigen Situation auf keinen Fall »zum vorzeitigen Ausspielen seiner Kräfte« verführen lassen solle:

> »Wir müssen in der Hinterhand bleiben, um unsere eigentlichen Interessen, die auf dem Balkan, fördern zu können.«

Aber auch die Rücksicht auf das Deutsche Reich gebiete Österreich eine zuwartende Haltung:

> »Was sollen die Deutschen sagen, wenn wir auf einmal das ganze politische System umstürzen und ihre östliche Flanke preisgeben!«

Es handle sich ja auch gar nicht bloß um einen Krieg mit Italien, sondern um Österreichs Stellung gegenüber den Balkanstaaten und Rußland. Ja selbst das sei nicht »das dominierende Moment in der internationalen Lage«, sondern »der Gegensatz zwischen England und Deutschland«:

> »Diese Spannung werde voraussichtlich zu dem kaum noch vermeidbaren europäischen Kriege führen: für diese Zeit müssen wir unsere Kräfte aufsparen. Deutschland wolle noch den Nord-Ostsee-Kanal vertiefen und Cuxhaven besser befestigen. Dann werde es gerüstet sein. Wir aber haben unsere Armee bis dahin zu verstärken, unser Geld dafür aufzuwenden, nicht aber für illusorische Festungen in Südtirol.«

Wie der Außenminister Graf Aehrenthal, so dachte auch der Kriegsminister v. Auffenberg an den künftigen großen europäischen Krieg. Dennoch bejahte er wie Conrad eine Aktion gegen Italien: Ein siegreicher Krieg, so äußerte er sich dem deutschen Botschafter v. Tschirschky gegenüber [14], mache sich immer bezahlt; er eröffne die Möglichkeit, das Trentino zu germanisieren und Bewegungsfreiheit nach Serbien hin zu gewinnen, »das wir ja doch früher oder später haben müssen«. Er sei sich drüber im klaren, so bekannte er Tschirschky, daß sich dieser Krieg gegen Italien schwerlich werde lokalisieren lassen. Diese Aussicht schreckte ihn offenbar nicht; denn er fuhr fort:

> »Aber ich bin der felsenfesten Überzeugung, daß Deutschland und wir zusammen auch gegen eine Koalition Englands, Frankreichs, Italiens und Rußlands siegreich bleiben würden.«

---

12 Vgl. Conrad, Aus meiner Dienstzeit, Bd. 2, S. 488 f.
13 Zit. Das politische Tagebuch Josef Redlichs, Bd. 1, S. 114 f.
14 GP 30 II, Nr. 11 235, Bericht Tschirschky an Bethmann, 18. 11. 11, über eine vertrauliche Besprechung mit dem neuernannten Kriegsminister General v. Auffenberg.

Zu der Partei in der Doppelmonarchie, die den Tripoliskrieg zu einem Vorgehen gegen Italien ausnutzen wollte, zählte damals auch der Thronfolger Franz Ferdinand. Er stand in enger Verbindung mit Conrad und stellte sich wie dieser wegen der »Unzuverlässigkeit« Italiens gegen das Bündnis mit diesem Staat und trat statt dessen für die Wiederherstellung des Dreikaiserbündnisses (Rußland, Österreich-Ungarn, Deutschland) ein [15]. Es ist aufschlußreich, daß der Thronfolger über die seit Juli 1911 in Gang befindlichen Verhandlungen zur Erneuerung des Dreibundes nicht unterrichtet wurde. Auch von den später ab Frühjahr 1913 geführten italienisch-österreich-ungarisch-deutschen Flottengesprächen wurde der Erzherzog zunächst bewußt ausgeschaltet, weil man von ihm ernsthafte Opposition in dieser Frage erwartete.

Die Erweiterung des Kriegsschauplatzes und die Erneuerung des Dreibundes

Nach anfänglichen raschen Erfolgen an den Küsten Tripolitaniens und der Cyrenaika trafen die Italiener unerwartet auf die hartnäckige Gegenwehr der einheimischen arabischen Bevölkerung. Schon im November 1911 war abzusehen, daß bei einer Beschränkung der Kampfhandlungen auf Nordafrika der Krieg sich noch Monate oder sogar Jahre hinziehen könnte. Ein italienisches Vorgehen gegen die Küsten der europäischen Türkei stieß aber auf den Widerstand Österreich-Ungarns, das eine Vergrößerung des italienischen Einflusses auf dem Balkan befürchtete. Als Anfang Oktober 1911 die Italiener in Wien anfragten, wie Österreich-Ungarn zu einer Ausweitung des Konflikts stände, antwortete Aehrenthal, wenn die italienische Flotte zu einer auch nur zeitweisen Besetzung einer türkischen Insel in der Ägäis ausgesandt würde, so sähe er darin eine Verletzung des Artikels 7 des Dreibundvertrages [16]. Österreich-Ungarn würde sich nach einem solchen einseitigen Bruch des Artikels 7 auch nicht mehr daran gebunden fühlen, bei den Verhandlungen über die Erneuerung des Dreibundes seine Streichung beantragen und statt dessen eine italienische Erklärung des Desinteressements am Balkan verlangen. Die Aufhebung des Artikels 7 würde in diesem konkreten Fall bedeutet haben, daß Österreich-Ungarn keinen Anspruch auf Kompensationen für eventuelle italienische Gebietserwerbungen aus türkischem Besitz mehr gehabt hätte. Aehrenthal war gewillt, dies in Kauf zu nehmen, wenn er dafür freie Hand auf dem Balkan bekäme. Zu diesem Zeitpunkt, Ende 1911, war die italienische Re-

15 Ibid., Nr. 11 244, Vertraulicher Bericht Tschirschky an Bethmann Hollweg, 1. 12. 11.
16 ÖU 3, Nr. 2866, Erlaß an Szögyény, 4. 11. 11; vgl. zu Aehrenthals Haltung: GP 30 I, Nr. 10 965, Aehrenthal an Szögyény, 29. 11. 11.

gierung aber an der sofortigen Erneuerung des Vertrags gar nicht interessiert; sie trat vielmehr für einen Aufschub bis nach Friedensschluß ein, da ihr an einer Einbeziehung der neu erworbenen Gebiete in den Vertrag gelegen war [17].

Aehrenthals kategorisches Veto gegen italienische Operationen an den Küsten der europäischen Türkei wurde auch von seinem Nachfolger Graf Berchtold (seit 17. Februar 1912) aufrechterhalten. Die deutsche Reichsleitung übte auf ihn jetzt einen starken Druck aus, um ihn den italienischen Wünschen zugänglich zu machen. Berchtold beugte sich schließlich den deutschen Forderungen, wobei das Argument, er erschwere mit seiner Weigerung nicht nur die Erneuerung des Dreibundes (so Kiderlen am 31. März 1912), sondern riskiere sogar ein Auseinanderbrechen des Bündnisses (so Kiderlen am 3. April 1912), wohl ausschlaggebend gewesen ist [18]. Der deutsche Staatssekretär des Äußern, v. Kiderlen-Wächter, hatte sich immer wieder bemüht, die maßgebenden Politiker in Wien von der eminenten Bedeutung des Dreibundes mit Einschluß Italiens im Hinblick auf einen künftigen Krieg mit Frankreich und Rußland zu überzeugen: Österreich-Ungarn müsse im Kriegsfall an seiner südwestlichen Grenze entlastet sein. Dem österreich-ungarischen Legationsrat Frhrn. v. Flotow gegenüber legte Kiderlen-Wächter im April 1912 dar, wie er sich die ersten Kriegswochen und besonders die Haltung des italienischen Bundesgenossen vorstellte:

»Österreich-Ungarn wird nach Serbien einmarschieren und mit dem Gros der Armee gegen Rußland Aufstellung nehmen. Deutschland wird mit einem Teil seiner Streitkräfte ebenfalls gegen Rußland aufmarschieren, mit der Hauptmacht aber mit aller Wucht über Frankreich herfallen... Ich glaube..., Italien wird langsam mobilisieren und gewissermaßen abwarten. Wenn dann der erste entscheidende Schlag gegen Frankreich zugunsten Deutschlands geführt ist, so wird Italien gegen Frankreich mittun.«

Von größter Wichtigkeit sei es allerdings, daß Frankreich den Krieg erkläre und nicht Deutschland, da in diesem Falle England neutral bleiben werde [19].

Unter dem deutschen Druck erklärte sich Berchtold schließlich am 16. April 1912 bereit, eine befristete Besetzung der türkischen Inseln Rhodos, Carphatos und Astropalia durch Italien zu dulden, wenn die Marineaktion den Status quo auf dem Balkan und an den Küsten und Inseln des Ägäischen Meeres nicht berühre, und wenn sie keine Reaktion auf dem Balkan auslöse [20]. Wenige Wochen später hatten die Italiener nicht nur

---

17 Vgl. GP 30 II, Nr. 11 250, Geheimbericht des Botschafters in Rom, Jagow, an Bethmann Hollweg, 23. 12. 11.
18 Vgl. ÖU 4, Nr. 3394, Bericht Berchtolds über eine Unterredung mit Wilhelm II. vom 23. 3. 12; die Haltung Kiderlen-Wächters wird deutlich an den Dokumenten, GP 30 II, Nr. 11 083, Aufz. Kiderlens vom 31. 3. 12; Nr. 11 087, Kiderlen an Tschirschky, 3. 4. 12.
19 ÖU 4, Nr. 3469, Geh. Privatschreiben Flotow an Berchtold, 23. 4. 12.
20 Vgl. ibid., Nr. 3443, Bericht Berchtolds über einen Besuch des ital. Botschafters am 16. 4. 12.

diese drei Inseln besetzt, sondern den gesamten Dodekanes. Außerdem beschossen italienische Kriegsschiffe am 18. April 1912 die türkischen Befestigungen an den Dardanellen, was zu der für die künftige russische Meerengenpolitik so bedeutungsvollen zeitweisen Sperrung der Meerengen durch die Türkei führte.

Berchtold war über diese allzu extensive Auslegung seines Zugeständnisses empört. Seine Verstimmung richtete sich auch gegen Deutschland, das seiner Ansicht nach die österreich-ungarischen Interessen in der Adria ignorierte und einseitig die italienische Mittelmeerpolitik förderte. Als Motiv für diese deutsche Politik sah man in Wien neben dem Bestreben, Italien beim Dreibund festzuhalten, den Wunsch, England im Mittelmeer Schwierigkeiten zu bereiten, damit es für deutsche Annäherungsversuche ansprechbarer würde. Noch im September 1912, nach einem Besuch Bethmann Hollwegs in Buchlau, äußerte Berchtold Zweifel an der Aufrichtigkeit Deutschlands bei seiner Unterstützung der österreich-ungarischen Mittelmeer- und Adriainteressen [21].

Inzwischen hatten die Bemühungen um die Erneuerung des Dreibundes geruht. Erst nach der Unterzeichnung des Präliminarfriedens zwischen Italien und der Türkei im Oktober 1912 wurden die Verhandlungen wieder aufgenommen. Die drei Bündnispartner einigten sich schließlich auf eine unveränderte Übernahme des alten Vertragstextes und fügten nur ein Protokoll an, in dem die Gebietserwerbungen Italiens anerkannt wurden. Der neue Vertrag wurde am 5. Dezember 1912 unterzeichnet.

Der Tripoliskrieg hatte im ganzen Italiens Bindung an den Dreibund verstärkt, und zwar gilt dies sowohl für die Außenpolitik der Regierung als auch für die Orientierung der öffentlichen Meinung; bedeutete doch der Erwerb Libyens, daß die italo-französischen Abkommen (1896, 1902) und allgemein die Beziehungen zu Paris an Bedeutung und Wert für Italien verloren. In der ersten Hälfte des Jahres 1913 trat die Dreibundorientierung Italiens noch stärker hervor, denn Frankreich, mit dem es schon während des Tripoliskrieges Friktionen gegeben hatte, schien nicht bereit, Italien als Mittelmeergroßmacht anzuerkennen. Das Mittelmeer und das Gleichgewicht in diesen Bereichen aber war jetzt zum Schwerpunkt für die italienische Außenpolitik geworden, besonders auch für den Außenminister Marchese Antonino di San Giuliano [21a]. Deshalb ging von Italien der Vorschlag einer neuen Marinekonvention mit Österreich-Ungarn und Deutschland aus. Die Dreibundpolitik erhielt damit für Italien einen neu-

---

21 Vgl. ibid., Nr. 3771, Aufzeichnung über die Unterredungen zwischen Berchtold und Bethmann Hollweg am 7./8. 9. 12.
21a Für Di San Giuliano (1910–14 Außenminister) vgl. die neueste Analyse in Brunello Vigezzi, L'Italia di fronte alla prima guerra mondiale, vol. I; L'Italia neutrale, Mailand–Neapel 1966 (dort die gesamte ältere Lit.); außerdem seine Gespräche mit dem Giolittifreund und ›Tribuna‹-Chefredakteur in: Olindo Malagodi, Conversazioni della guerra, I, Mailand–Neapel 1960.

en Sinn. An der grundsätzlichen Einstellung der italienischen Politiker, den Dreibundvertrag ausschließlich als Defensivbündnis zu verstehen, durch das der Casus foederis erst bei einem Angriff auf einen der Vertragspartner gegeben war, änderte sich dadurch freilich nichts [22].

Die Bildung des Balkanbundes und die russische Meerengenpolitik

Trotz und wegen der Marokkokrise und des Tripoliskrieges waren die Blicke Rußlands und Österreich-Ungarns vornehmlich auf Südosteuropa und die Türkei gerichtet.

Den ganzen Sommer 1911 schwelte die Kriegsgefahr auf dem Balkan, ausgelöst durch die undurchsichtige Politik des Königs Nikita I. von Montenegro, der die kulturellen und politischen Selbstständigkeitsbestrebungen der Nordalbanesen, der sogenannten Malissori, gegen die Türkei unterstützte. Es bedurfte der anhaltenden diplomatischen Anstrengungen Rußlands, das Montenegro durch Subsidien und eine Militärmission unterstützte, um Nikita von einem bewaffneten Vorgehen gegen die Türkei zurückzuhalten. Rußland war zu diesem Zeitpunkt nicht bereit und in der Lage, Schritte zuzulassen, die die Auflösung der Türkei beschleunigten, wodurch das Zarenreich nicht zuletzt auch vor die Entscheidung gestellt worden wäre, für die Türkei oder für seine Freunde auf dem Balkan zu optieren. Rußland fürchtete zudem, daß aus einem kriegerischen Vorgehen Montenegros gegen die Türkei ein allgemeiner Balkankrieg entstehen könnte. So kam es zu einem russisch-österreichisch-italienischen Zusammenspiel und diplomatischen Druck auf König Nikita, da auch Italien und vor allem Österreich-Ungarn eine Vergrößerung Montenegros zur Küste und nach Süden hin nicht zulassen wollten [23].

Wenn es auch in dieser Einzelfrage gelungen war, eine kriegerische Explosion zu verhindern, so blieben doch alle Probleme, die seit Jahrzehnten den Balkan zum Pulverfaß Europas machten, bestehen. Die seit ihrer Verselbständigung im 19. Jahrhundert durch ihre innere Entwicklung und unter geschickter Ausnutzung der Konkurrenz der Großmächte im Osmanischen Reich immer stärker gewordenen Balkanstaaten hatten in der Folge der jungtürkischen Revolution von 1908 einen neuen nationalen Aufschwung erlebt. Gerade deswegen hatten vor allem Serbien und Montenegro die Annexion Bosniens und der Herzegowina durch Österreich-Ungarn nur mit größter Erbitterung und nur unter dem Druck der Groß-

---

22 Gianluca Andrè, L'Italia e il mediterraneo alla vigilia della prima guerra mondiale. I tentativi di intesa mediterranea (1911–1914), Mailand 1967; vgl. unten Kap. 18, II: Militärische Absprachen im Dreibund.
23 Vgl. neuerdings Edward C. Thaden, Russia and the Balkan Alliance of 1912, Clinton (Mass.) 1965, insbes. Kap. 1: The Montenegrin Crisis of 1911, S. 27 ff.

mächte hingenommen; selbst Rußland hatte Serbien nicht bis zum Ende unterstützt. Seit der bosnischen Krise war es augenscheinlich geworden, daß die serbischen und montenegrinischen Bestrebungen auf größere nationale Einheit nicht allein gegen die Herrschaft des Osmanischen Reiches gerichtet waren, sondern auch und noch schärfer gegen die Doppelmonarchie [24].

Rußlands Versuch, entsprechend den Buchlauer Abmachungen mit Aehrenthal [25], nach der Annexion Bosniens durch Österreich-Ungarn den Status quo der Meerengenfrage zu verändern, scheiterte am Widerstand Englands und Frankreichs. Die Meerengenfrage blieb also auch für die Folgezeit der Angelpunkt der russischen Balkanpolitik. Die russische Regierung nutzte nun die Erbitterung der slawischen Balkanstaaten gegen Österreich-Ungarn zur Bildung eines Blocks, der Rußland entscheidenden Einfluß auf die Politik eben dieser Staaten verleihen sollte. Denn das Zarenreich wollte verhindern, daß durch ein plötzliches, eigenmächtiges Vorgehen eines Balkanstaates gegen die Türkei ein Krieg ausgelöst und die Meerengenfrage damit zu einem für Rußland ungünstigen Zeitpunkt aufgerollt wurde. Es war Iswolskis Plan, in diesen Balkanbund auch die Türkei einzubeziehen, und auch als Iswolski im Sommer 1910 durch Sasonow abgelöst wurde, blieb diese Maxime der russischen Balkanpolitik bestehen. Dieser Konzeption lag die Überlegung zugrunde, Rußlands Stellung an den Meerengen durch eine russische Annäherung an die Türkei und durch ein Abkommen mit der Pforte zu festigen:

>»Rußland sollte der Herr des Bosporus und der Dardanellen sein und sollte sie für seine Kriegsschiffe benutzen auf der Basis der Gleichberechtigung mit der Türkei, solange diese Nation noch existiert und danach, wenn die Türkei verschwindet, allein.[26]«

Diese Idee Iswolskis wurde von Čarykov, seinem früheren Stellvertreter, der seit 1910 russischer Botschafter in Konstantinopel war, mit großem Eifer vorangetrieben. Als jedoch Informationen über Čarykovs Gespräche mit der Türkei durchsickerten, zeigten sich England und Frankreich äußerst reserviert, während sich Italien und Deutschland, das versicherte, sich einer Öffnung der Meerengen nicht zu widersetzen, entgegenkommend erwiesen. Denn Kiderlen-Wächter hoffte über dieser Frage die Triple-Entente zu schwächen und auseinanderzumanövrieren, um England einer Annäherung an Deutschland geneigter zu machen. Deshalb überließ er

---

24 Vgl. Hans Übersberger, Österreich zwischen Rußland und Serbien, Zur Frage der südslawischen Frage und der Entstehung des Ersten Weltkrieges, Köln/Graz 1958, Kap. IX, S. 72 ff.
25 Vgl. ÖU 1, Nr. 79, Aufz. Aehrenthals über die am 16. 9. 08 in Buchlau geführte Unterredung mit dem russ. Außenminister Iswolski.
26 Zit. Edward C. Thaden, Russia and the Balkan Alliance of 1912, S. 43, Anm. 29 (Rückübersetzung aus dem Englischen).

die Aufgabe, den Status quo an den Meerengen zu wahren, den Ententepartnern Rußlands: England und Frankreich. Aehrenthal war höchst verstimmt über diese Taktik Kiderlen-Wächters, und Österreich-Ungarn leistete als einzige Großmacht ausgesprochene Opposition gegen den russischen Plan [27].

Die Aktion Čarykovs erfuhr aber auch von den slawischen Balkanstaaten scharfe Zurückweisung. Dort, vor allem in Bulgarien und Serbien, hatte der Ausbruch des Tripoliskrieges (Ende September 1911) Hoffnungen geweckt, die Schwäche der Türkei für eigene Erwerbungen ausnutzen zu können. Statt eines Bundes einschließlich der Türkei war das Interesse in Sofia und Belgrad gerade in diesen Wochen verstärkt auf ein Bündnis gegen die Türkei gerichtet, ein Bündnis, das auch von den russischen Gesandten in diesen beiden Städten, Nekljudow und Baron Hartwig, mit Entschiedenheit propagiert wurde. Beide Diplomaten protestierten deswegen auch in ihrer Berichterstattung sehr scharf gegen die Politik Čarykovs. Unter diesem Druck wurde dieser im März 1912 aus Konstantinopel abberufen und durch Giers ersetzt. Das Scheitern der Politik Čarykovs machte jetzt den Weg frei für die Konzeption der Gesandten in Sofia und Belgrad. Die seit Monaten betriebenen Vorverhandlungen und die Einwirkung dieser beiden Diplomaten führten bereits am 13. März 1912 zur Unterzeichnung eines Bündnisvertrages zwischen Bulgarien und Serbien, der als Grundlage für die Ausarbeitung einer Militärkonvention dienen sollte [28].

Es war die politische, wirtschaftliche und finanzielle Aktivität Österreich-Ungarns in Montenegro und Bulgarien, die es für Rußland besonders wichtig erscheinen ließ, den Pakt zwischen Serbien und Bulgarien trotz des großen gegenseitigen Mißtrauens dieser beiden Staaten gegeneinander voranzutreiben. Der russische Außenminister Sasonow hoffte, durch eine russische Vermittlung und Förderung dieses Vertrages die Politik der Balkanstaaten besser unter Kontrolle halten zu können. Denn aus Enttäuschung über Rußlands Verhalten im Sommer 1911 in der nordalbanischen Frage hatte sich bereits König Nikita Österreich-Ungarn zugewandt und von dort eine Dreieinhalb-Millionen-Kronen-Anleihe erhalten; auch ging im Oktober 1911 das Gerücht in Cetinje um, daß Wien Montenegro den Erwerb von Skutari und Berane zugesagt habe für den Fall, daß Österreich-Ungarn sich veranlaßt sehe, den Sandschak von Novibazar zu besetzen – ein Gerücht, das um so mehr Gewicht zu haben

---

27 Vgl. dazu GP 30 I, Nr. 10 947, Tschirschky an AA, 5. 12. 11; sowie die österreich-ungarischen Dokumente: ÖU 3, Nr. 2998, 3008, 3047, 3103.
28 Vgl. Die Internationalen Beziehungen im Zeitalter des Imperialismus, III, 2, 2, Nr. 625, Aufz. des russ. Botschafters in Sofia, 13. 3. 12 (mit zwei Anlagen betr. den Vertrag zwischen Serbien und Bulgarien).

schien, als österreichisch-ungarische Bestrebungen eines Eisenbahnbaues nach Saloniki (durch das Vardartal) bekannt waren [29].

Sehr unsicher war die Haltung Bulgariens gegenüber Rußland. König Ferdinand galt als österreichfreundlich; er hatte im Mai und November 1911 Wien besucht, war dort mit dem Orden vom Goldenen Vlies ausgezeichnet worden, und seine Regierung hatte Verhandlungen über einen Handelsvertrag geführt, der im März 1912 unterzeichnet wurde. Noch beunruhigender für Rußland erschien die Tatsache, daß die Absetzung Conrad von Hötzendorfs, des österreichisch-ungarischen Generalstabschefs, nur ein Pyrrhussieg Aehrenthals war, da der österreichische Thronfolger Franz Ferdinand – jedenfalls damals noch – mit den Plänen Conrads sympathisierte. Die Furcht, von Österreich-Ungarn angegriffen zu werden, vergrößerte auch in Serbien die Bereitschaft, den Abschluß eines Balkanbundes voranzutreiben.

Für einen Balkanbund sprachen also einerseits die Furcht vor Österreich-Ungarn und andererseits die Gegnerschaft zur Türkei, deren im Tripoliskrieg zutage getretene Schwäche zu einer »Befreiung« der slawischen »Brüder« reizte. Als sich dann Griechenland am 29. Mai 1912 dem Bündnis anschloß, erhielt die gegen die Türkei gerichtete Komponente des Balkanbundes in den folgenden Monaten die weitaus größere Bedeutung.

Diese besondere politische Konstellation ermöglichte das Zustandekommen des Bündnisses und verdeckte zunächst die Interessendivergenzen dieser drei Länder, von denen jedes ein möglichst großes Stück von Mazedonien haben wollte. Im Februar und März 1912 hatte der russische Gesandte in Sofia die bulgarische Zustimmung zu einem Balkanbund mit der Andeutung gewonnen, daß den territorialen Ansprüchen Bulgariens weitgehend entsprochen werde. Nekljudow wies darauf hin, daß Rußland im Laufe der Verhandlungen die Rechte Bulgariens auf Mazedonien mit Monastir, Ochrida, Saloniki und die Küste des Ägäischen Meeres anerkannt habe, und schloß auch einen Erwerb Adrianopels nicht kategorisch aus, wenngleich er zur Sicherung der russischen Interessen an den Meerengen das Wesirat Adrianopel den Türken vorbehalten wollte [30]. Kompliziert wurde die Frage einer zukünftigen territorialen Regelung durch die Ansprüche Serbiens auf den Sandschak und das Vardartal bis hinunter zur Linie hart nördlich Ochridas, so daß die Hauptstadt des mittelalterlichen Königreichs Serbien, Prizren, eingeschlossen war [31], während Griechen-

---

29 Vgl. ÖU 3, Nr. 2774, Bericht des Botschafters in Cetinje, 17. 10. 11.
30 Hans Übersberger, Österreich zwischen Rußland und Serbien, S. 74; die bulgarischen Ansprüche gründeten sich u. a. auf die Tatsache, daß Nordmazedonien kirchlich zum Patriarchat von Sofia gehörte, eine Verbindung, die von Rußland gefördert worden war.
31 Die Serben waren geschickt genug, bei dem späteren Kriegsplan den Bulgaren den Angriff auf Adrianopel und nach Südwesten zu überlassen, während ihre eigene Armee den Sandschak und das Vardartal besetzen sollte, womit sie im Besitz der von ihnen beanspruchten Gebiete sein würden.

land Saloniki und das Gebiet nördlich davon sowie große Teile Albaniens beanspruchte.

Rußland hatte die sich monatelang hinziehenden Verhandlungen zwischen Bulgarien und Serbien mit größter Aufmerksamkeit verfolgt und sie zu steuern versucht. Weil beide Kontrahenten über ihre Gebietsansprüche keine Einigung erzielen konnten, waren sie am Ende darauf angewiesen, Rußland eine Schiedsrichterrolle zuzuerkennen. Rußland übernahm diese Rolle – trotz der Gefahr, sich einen der beiden Staaten zu entfremden – weil es hoffte, durch seine Beteiligung ein allzu rasches offensives Vorgehen der Verbündeten gegen die Türkei bremsen zu können. Sogleich nach dem Abschluß des Bündnisses gingen die Verhandlungen über den Abschluß einer Militärkonvention weiter, die am 2. Juli 1912 abgeschlossen wurde und die, da die Serben sich nicht voll befriedigt zeigten, am 28. September neu gefaßt wurde mit den schon genannten Vorteilen für Serbien. Es war König Ferdinand von Bulgarien, der jetzt zu Konzessionen an Serbien bereit war, da er sich die günstige Gelegenheit, die durch den Tripoliskrieg geschwächte Türkei anzugreifen, nicht entgehen lassen wollte.

Die Militärkonvention enthielt im dritten Artikel auf Betreiben Belgrads auch eine Sicherung Serbiens gegen einen österreich-ungarischen Angriff. Anders als Bulgarien, das nur mit geringer Wahrscheinlichkeit einen rumänischen Angriff im Rücken zu fürchten hatte, blieb Serbien einem Krieg gegen die Türkei gegenüber etwas skeptischer, weil es damit rechnen mußte, dann gleichzeitig von Österreich-Ungarn im Rücken angegriffen zu werden.

»Falls Österreich-Ungarn Serbien angreifen sollte, verpflichtet sich Bulgarien, Österreich-Ungarn sofort den Krieg zu erklären und seine Truppen in Stärke von 200 000 Mann auf serbisches Gebiet zu entsenden und sie gegen Österreich-Ungarn operieren zu lassen. Die Verpflichtungen Bulgariens zugunsten Serbiens bleiben auch für den Fall in Kraft, daß Österreich-Ungarn nach Vereinbarung mit der Türkei oder ohne eine solche unter irgendeinem Vorwand seine Truppen in den Sandschak von Novi-Bazar einrücken lasse und hierdurch Serbien nötigen sollte, entweder Österreich-Ungarn den Krieg zu erklären oder seine Heere nach dem Sandschak zur Verteidigung seiner dortigen Interessen zu entsenden, wodurch Serbien einen Zusammenstoß mit Österreich-Ungarn hervorrufen würde.«

Über dieses Mißtrauen Serbiens wie auch der Großmächte gegenüber den Ambitionen Österreich-Ungarns war man am Ballhausplatz informiert. Kurz vor Ausbruch des ersten Balkankrieges wehrte Außenminister Graf Berchtold Forderungen des Generalstabschefs v. Schemua auf »ganz entschiedene Maßnahmen« gegenüber Serbien mit dem Hinweis darauf ab, daß die österreichisch-ungarische Politik erst einmal wieder Vertrauen erwerben müsse:

»Wir dürfen uns darüber keiner Illusion hingeben, daß unsere Vorgangsweise bei der Annektion Bosniens und der Herzegowina nicht nur den ersten Anstoß zum Bund der Balkanstaaten gegeben, sondern unvermeidlich auch das Mißtrauen der Staatskanzleien sämtlicher Großmächte gegen die Monarchie geweckt und dadurch ein zuvor nicht bestandenen Bund des Einvernehmens unter denselben in bezug auf die Stellungnahme zu unserer Orientpolitik geschaffen hat.[32]«

Parallel zu den bulgarisch-serbischen Verhandlungen zogen sich durch das Jahr 1911 hindurch Gespräche zwischen Bulgarien und Griechenland, die sich im Frühjahr 1912 zu regelrechten Bündnisverhandlungen verdichteten, von denen Rußland erst in einem fortgeschrittenen Stadium erfuhr. Rußland riet Bulgarien von dieser Verbindung ab, weil von Griechenland aus, trotz des Vetos der Großmächte, die Anschlußbewegung auf Kreta unterstützt wurde. Rußland fürchtete, daß die Kretafrage allzu schnell ein Anlaß für einen Krieg Griechenlands gegen die Türkei werden und damit der Bündnisfall eintreten könnte. Der bulgarische König Ferdinand wiederum setzte aber den Abschluß des Vertrages mit Griechenland am 29. Mai 1912 durch, während die bulgarisch-griechische Militärkonvention, die im Kriegsfall die Unterstützung Bulgariens durch 120 000 Mann griechischer Truppen vorsah, erst am 5. Oktober 1912 unterzeichnet wurde. Dem serbisch-griechisch-bulgarischen Bündnis schloß sich auch Montenegro an. Rußland hatte dringend abgeraten, Montenegro zu beteiligen, da Nikita von Montenegro zur Revision der türkisch-montenegrinischen Grenze seit August 1912 ständig Grenzzwischenfälle provozierte und dadurch der Frieden auf dem Balkan entgegen den russischen Interessen ständig gefährdet war. Rußland versuchte daher auch durch Intervention in Cetinje und durch diplomatische Schritte in Konstantinopel und bei den übrigen Großmächten die unmittelbare Kriegsgefahr abzuwenden, doch kam es mit diesen Maßnahmen zu spät. Die Balkanstaaten hatten sich bereits über ihre Ziele geeinigt und durch den Abschluß der Militärkonventionen zwischen Griechenland und Bulgarien vom 5. Oktober und zwischen Serbien und Montenegro vom 2. Oktober die militärischen Voraussetzungen für eine Auseinandersetzung mit der Türkei geschaffen[33].

Montenegro, von dem in diesem Sommer die Unruhe auf dem Balkan ausgegangen war, riß seine noch zögernden Bundesgenossen mit. Am 6. Oktober brach König Nikita die diplomatischen Beziehungen zur Türkei ab, obgleich Griechenland und Serbien ihm dringend geraten hatten, noch wenigstens eine Woche zu warten. Am 8. Oktober erklärte er der Pforte den Krieg. Die Verbündeten folgten und ließen am 13. Oktober in Konstantinopel und bei den Großmächten gleichlautende Noten übergeben, in

---

32 Übersberger, Österreich zwischen Rußland und Serbien, speziell S. 83; zur bulg.-serb. Militärkonvention vgl. ibid., S. 76, sowie E. C. Thaden, Russia and the Balkan Alliance, S. 96 ff.
33 E. C. Thaden, Russia and the Balkan Alliance, S. 103 f.

denen sie von der Türkei ein umfassendes Reformprogramm in deren europäischen Gebieten forderten. Nachdem die Türkei diese Noten unbeantwortet ließ und am 15. Oktober ihrerseits ihre Vertreter aus den Balkanstaaten abberief, erklärten am 17. Oktober auch Bulgarien, Serbien und Griechenland der Türkei den Krieg. Sie hatten das getan, obwohl sie wußten, daß Rußland sie nicht unterstützen würde.

Diesen Vorgang kommentierte der französische Geschäftsträger in St. Petersburg als den Beginn einer neuen Ära auf dem Balkan:

> »Es ist das erste Mal in der Geschichte der Orientfrage, daß die Kleinstaaten eine von den Großmächten so unabhängige Stellung gewonnen haben, daß sie sich imstande fühlen, völlig ohne sie zu agieren und sie sogar in Schlepptau zu nehmen.[34]«

Zwar hatte Rußland die Balkanstaaten zu ihrem Vorgehen nicht ermuntert, sondern im Gegenteil versucht, sie von einem Angriff auf die Türkei abzuhalten; als jedoch die verbündeten Balkanstaaten die günstige Gelegenheit zum Angriff auf die Türkei nutzten, tat die russische Regierung schon aus Rücksicht auf die eigene öffentliche Meinung und auf die Rivalität Österreich-Ungarns auf dem Balkan alles, um eine Intervention der Großmächte gegen die angreifenden Staaten zu verhindern.

Schon vor der Unterzeichnung des serbisch-bulgarischen Abkommens hatte Rußland seinen Ententepartner von den Verhandlungen zwischen den Balkanstaaten vertraulich unterrichtet, um diese neue Bündniskombination abzusichern. Poincaré, der Anfang Januar französischer Ministerpräsident und Außenminister geworden war, war darüber hinaus zu einem Meinungsaustausch über alle mit diesem Balkanbund zusammenhängenden Fragen aufgefordert worden. Die Sorge um die eventuell auftretenden innenpolitischen Probleme der Türkei, die mögliche österreichische Intervention im Sandschak oder in Albanien und die Gefahr eines allgemeinen Balkankrieges beunruhigten Poincaré so stark, daß er durch den französischen Gesandten in Sofia, Paléologue, versuchte, Einzelheiten des Vertragstextes zu erfahren. Obgleich Poincaré den genauen Text des serbisch-bulgarischen Vertrags erst im August bei seinem Besuch in St. Petersburg erfuhr, ergaben die Nachrichten des Gesandten in Sofia bereits im April, daß es sich bei dem Abkommen keineswegs um ein Defensivbündnis handelte[35].

---

34 DDF, 3. Série, Vol. III, No. 466, Doulcet an Poincaré, 27. 9. 12.
35 Vgl. ibid., Vol. II, No. 297, Panafieu an Poincaré, 3. 4. 12; No. 298, Poincaré an die franz. Botschafter in Konstantinopel und London, 4. 4. 12.

Poincarés Besuch in St. Petersburg im August 1912 markierte mit der Ratifizierung der französisch-russischen Marinekonvention einen neuen Höhepunkt in der Kooperation der beiden Staaten; doch zeigten sich bei
den Gesprächen auch wieder deutlich die verschiedenen Interessen der beiden Partner. Denn während Frankreich, durch die deutsch-britischen Verhandlungen bei der Haldane-Mission beunruhigt, das Schwergewicht der
Gespräche auf die Erörterung der militärischen Abmachungen zur Sicherung gegen einen deutschen Angriff legen wollte, war für Sasonow die
Balkanfrage entscheidend. Folgerichtig drang Poincaré darauf, daß auch
die russische Regierung mit England über eine Marinekonvention verhandeln sollte, und unterrichtete Rußland von den Abmachungen zwischen England und Frankreich über eine militärische Zusammenarbeit
der beiden Staaten bei einem deutschen Angriff. Sasonow wollte dagegen
die Unterstützung Frankreichs für die von ihm betriebene Balkanpolitik;
bisher hatte Poincaré es nämlich abgelehnt, den Bündnisfall als gegeben
anzusehen, wenn Rußland zur Verteidigung seiner Balkaninteressen Österreich-Ungarn angreifen würde. Nun modifizierte er im Interesse eines engeren Zusammenhalts des Bündnisses seine bisherige Stellungnahme und
versprach, Frankreich würde auf jeden Fall dann eingreifen, wenn Deutschland als Folge eines russischen Angriffs auf Österreich-Ungarn seinerseits
in Erfüllung des Dreibundvertrags Rußland angreifen würde. Dieselbe
Zusage wiederholte Poincaré nach seiner Rückkehr nach Paris auch noch
einmal gegenüber dem russischen Botschafter Iswolski. Ganz zweifellos
bedeutete sie eine Ausweitung des bisherigen russisch-französischen Bündnisvertrages. Poincaré hat in seinen Memoiren abgestritten, so weitgehende Zusagen an die russische Regierung gemacht zu haben, doch kann keinerlei Zweifel darüber bestehen, daß die französische Politik im Herbst
1912 nicht dazu geeignet gewesen war, die russische Regierung und ihre
Balkanverbündeten von einer den Frieden auf dem Balkan gefährdenden
Politik abzuhalten [36].

Auch Großbritannien war sich darüber im klaren, daß Rußland über
die nur geringe Unterstützung durch England und Frankreich während
der bosnischen Krise 1908/09 enttäuscht gewesen war. Daher befürchtete vor allen Dingen Grey, daß ein erneuter Rückschlag für die russische
Politik auf dem Balkan zur Aufkündigung des Bündnisses durch Rußland
führen könnte. Die britische Politik stand im Inland zudem unter dem

---

36 Vgl. Raymond Poincaré, Au service de la France: Neuf années de souvenirs, Paris 1926 ff., vol.
   II, S. 339; Luigi Albertini, The Origins of the War of 1914, vol. I, S. 373; vgl. zu diesem
   Abschnitt auch Thaden, Russia and the Balkan Alliance, S. 115 ff.

Druck der öffentlichen Meinung, die sich für die christlichen Untertanen im Osmanischen Reich verwandte, und Grey selber hatte schon seit Ende 1908 als Gegengewicht gegen Österreich-Ungarns Balkanpolitik die serbisch-bulgarische Annäherung gefördert. Darüber hinaus hatte der britische Vertreter in Sofia über die Verhandlungen zwischen Bulgarien und Serbien in den Jahren 1911 und 1912 laufend nach London berichtet [37]. Andererseits hatte Großbritannien in der Türkei bedeutende wirtschaftliche, politische und militärische Interessen, die eine einseitige Unterstützung der Politik Rußlands wie auch der Staaten des Balkanbundes verboten. Es verzichtete daher auch darauf, sich an dem von Rußland auf die Türkei ausgeübten Druck, sofort mit Reformen in Mazedonien zugunsten der christlichen Bevölkerung zu beginnen, zu beteiligen. Da Sasonow hierüber verärgert war, teilte er bei seinem Besuch in Balmoral im September 1912 Grey den Geheimzusatz zum serbisch-bulgarischen Abkommen nicht mit. Doch auch ohne die Kenntnis dieses Zusatzes, durch den die Gefahr eines allgemeinen Krieges wegen des Balkans bedeutend erhöht worden war, waren Grey und der britische König Georg V. nicht bereit, Rußland für den Fall eines durch seine Politik provozierten allgemeinen Kriegs in Europa bindende Zusagen für eine britische Unterstützung zu geben, wenngleich Rußland wohl in ganz allgemeiner Form doch die Zusage erhielt, es werde ebenso wie Frankreich einem deutschen Angriff nicht ungeschützt ausgesetzt sein [38]. Freilich war die englische Politik während der gesamten Balkankrise darum bemüht, eine friedliche Einigung herbeizuführen und eine Konfrontation der Großmächte wegen der Balkanwirren zu verhindern.

Während Frankreich und England, teils direkt, teils über Rußland, von dem entstehenden Balkanbund unterrichtet waren, fehlte es in Berlin und Wien an jeder Information seitens Rußlands. Als der österreichisch-ungarische Außenminister Graf Berchtold Ende Mai seinen Antrittsbesuch in Berlin machte, hatte er mit Kiderlen-Wächter auch über die Entwicklung auf dem Balkan gesprochen; es war die Rede von einem unter russischer Patronanz abgeschlossenen Defensivbündnis zur gemeinsamen Abwehr eines Angriffes und von einer Geheimklausel, die eine ausdrückliche Verpflichtung gegenüber Rußland enthalten solle, keine Offensivmaßnahmen zu treffen [39]. Kiderlen-Wächter beruhigte Berchtold durch den Hinweis, daß die Teilnahme Rußlands an diesem Balkanbund ein mäßigendes Element bedeute, da der Zar noch für einige Zeit zu einer Friedenspolitik

---

37 E. C. Thaden, Russia and the Russian Alliance, S. 119; vgl. dort die Angaben in Anm. 57 f. (S. 165).
38 Ibid., S. 121, Anm. 66, Sasonow an Nikolaus II., 15. 10. 12.
39 Vgl. H. Übersberger, Österreich zwischen Rußland und Serbien, S. 81. Eine ausführliche Wiedergabe des Gespräches findet sich in: ÖU 4, Nr. 3540, Aufz. Berchtolds über die in Berlin vom 24.–26. 5. 12 geführten Unterredungen.

geradezu gezwungen wäre. Berchtold war diesem Gedankengang gegenüber um so aufgeschlossener, als er seit seinem Amtsantritt als Außenminister die Überzeugung vertreten hatte, daß Österreichs Balkanpolitik noch für lange Zeit durch die bosnische Krise belastet sein werde; daher müsse Österreich-Ungarn um Vertrauen werben. Auch als Berchtold von dem Bestehen des serbisch-bulgarischen Vertrages Kenntnis erhielt, änderte sich nichts an seinem Bemühen, die österreichischen Beziehungen zu Bulgarien zu verbessern [40]. Diesen Bestrebungen kam entgegen, daß Bulgarien die Fäden zu Österreich-Ungarn nicht abreißen lassen wollte, um nach einem siegreichen Krieg gegen die Türkei bei eventuell auftretenden Streitigkeiten bei der Verteilung der Siegesbeute zwischen Serbien und Bulgarien die Unterstützung Österreich-Ungarns zu besitzen. Wenn Berlin und Wien die Nachrichten über den serbisch-bulgarischen Vertrag auch ohne große Aufregung betrachteten, so benutzte Kiderlen-Wächter diese Information doch, um den Dreibundpartner Rumänien auf ein Festhalten am Bündnis zu verpflichten. Er warnte König Carol von Rumänien, Bulgarien und Serbien seien »zur russischen Regierung in ein enges Verhältnis getreten..., welches im Ernstfalle einem Anschluß Rumäniens an den Dreibund das Gleichgewicht bieten soll« [41]. Auch der deutsche Staatssekretär des Äußern stellte also – ebenso wie die Staatsmänner der Entente – bei den Überlegungen zur Balkankonstellation den großen Krieg in Rechnung. Im Mai hatte Berchtold bestürzt beobachtet, wie konzentriert die Anstrengungen der deutschen Diplomatie auf einen Krieg mit Frankreich ausgerichtet waren. Für diesen »Ernstfall« versuchte Kiderlen-Wächter mit seiner Warnung an Rumänien den Dreibundgenossen festzuhalten. Die Vorstellungen, die zu dieser Zeit in Berlin über die russische Außenpolitik und insbesondere die russische Balkanpolitik lebendig waren, wurden im Juli bei dem Treffen des deutschen Kaisers und des Zaren in Baltischport erneut bestätigt; Rußland erschien als für lange Zeit friedensbedürftig. Bethmann Hollweg resümierte als Ergebnis der Verhandlungen in einem Privatbrief:

> »Über Baltischport darf man sich keinen Illusionen hingeben. Jedenfalls tue ich es nicht. Rußland braucht Ruhe, um sich selbst zu konsolidieren. Deshalb und nicht um unserer schönen Augen willen, wünschen seine gegenwärtigen Machthaber gute Beziehungen auch mit uns zu unterhalten, im Widerspruch mit einer starken antideutschen Strömung in der Presse, zum Teil auch in der Armee und dem Beamtentum. Da wir auch Ruhe brauchen, müssen wir diese Disposition pflegen, zumal da trotz Poincaré Frankreich kalmiert und unsere Verhandlungen mit England erleichtert. Das war der Sinn von Potsdam und Baltischport. [42]«

40 Vgl. E. C. Thaden, Russia and the Balkan Alliance, S. 123.
41 Hugo Hantsch, Leopold Graf Berchtold, Grandseigneur und Staatsmann, 2 Bde., Graz etc. 1963, S. 271.
42 DZA I, NL Hutten-Czapski 17, Bl. 26 f.; Bethmann Hollweg an Hutten-Czapski, 7. 8. 12.

Als sich im August die Situation auf dem Balkan immer mehr zuspitzte, versuchte Graf Berchtold als Vertreter der nächstbetroffenen Dreibundmacht, auf die Entwicklung Einfluß zu gewinnen. Er schlug den Großmächten am 13. August 1912 eine internationale Aktion vor, durch die einerseits die Pforte zu Reformen veranlaßt werden sollte, und durch die andererseits die Regierungen der Balkanstaaten bestärkt werden sollten »in ihrem Widerstand gegen jene Elemente, welche durch Selbsthilfe ihre Aspirationen verwirklichen wollen« [43]. Der österreichische Vorstoß fand bei den Großmächten keine Resonanz, außer höflich-freundlichen Antworten. Rußland, nach wie vor von tiefem Mißtrauen erfüllt, wollte Österreich-Ungarn nicht die Führung überlassen; England und Frankreich hatten zwar selbst erhebliche wirtschaftliche und politische Interessen in der Türkei, wollten aber auf keinen Fall Rußland verstimmen. Der Dreibundpartner Italien konnte sich zurückhalten mit dem Hinweis darauf, daß er sich noch im Kriegszustand mit der Türkei befinde. Auch der Dreibundpartner Deutschland war nicht bereit, sich in der Orientpolitik von Österreich-Ungarn ins Schlepptau nehmen zu lassen, und außerdem bei seinen vielfachen Interessen in der Türkei nicht interessiert an einer Aufrollung der türkischen Frage, die wieder alte Aufteilungspläne würde akut werden lassen. So verlief eine große Entrevue zwischen deutschen und österreichischen Diplomaten in Buchlau, Berchtolds Besitzung, am 7. und 8. September 1912 erfolglos [44]. Berchtold war besonders darüber erbittert, daß Bethmann Hollweg mit dem Hinweis, es werde sicher nicht zum Kriege kommen, alle Wünsche nach direkten diplomatischen Aktionen im Verein mit Österreich-Ungarn strikt ablehnte. Denn während Berchtold in den folgenden Wochen mit hektischer Geschäftigkeit überlegte, wie der Ausbruch eines Krieges der Balkanstaaten gegen die Türkei verhindert werden konnte, eines Krieges, »bei dem wir (Österreich-Ungarn) nichts zu gewinnen hätten [45]«, war die deutsche Reichsleitung konsequent bestrebt, sich nicht auf dem Balkan zu engagieren. Deutschland war zu diesem Zeitpunkt nicht bereit, sich in einen Krieg »verwickeln« zu lassen, einmal, weil ein über Balkanquerelen ausbrechender Krieg nicht als ein nationales Anliegen propagiert werden konnte, und vor allem, weil Bethmann Hollwegs Englandpolitik noch nicht zu der erstrebten Lockerung der Entente geführt hatte.

Nachdem seine eigene Aktion an der Zurückhaltung der Großmächte gescheitert war, erklärte sich Berchtold in dem dringenden Wunsch, den

---

43 Hugo Hantsch, Graf Berchtold, Bd. 1, S. 389.
44 Vgl. ÖU 4, Nr. 3771, Aufz. Berchtolds über die Unterredung mit Bethmann Hollweg.
45 H. Hantsch, Graf Berchtold, Bd. 1, S. 301.

Kriegsausbruch doch noch zu verhindern, bereit, sich einem Vorstoß Sasonows in Konstantinopel anzuschließen, der auf beschleunigte Reformen in Mazedonien drängte. Berchtold hoffte, wie er in Berlin auch mitteilen ließ, auf diese Weise den Krieg zu »verhüten«, und nicht nur, wie Kiderlen den russischen Vorschlag verstehen wollte, den Krieg zu »lokalisieren«. Darin lag ein fundamentaler Unterschied in der Stellung Berlins und Wiens zur akuten Balkanfrage. Berlin hat im September und Anfang Oktober 1912 alle Nachrichten über Unruhen in den christlichen Balkangebieten der Türkei verharmlost und in diesem Sinne auf Österreich einzuwirken gesucht; es gab vor, zu glauben, daß die Balkanstaaten gegen den Willen Rußlands keinen Krieg wagen könnten [46]. In Wien, wo zur gleichen Zeit die Delegationen des österreichischen Reichsrats und des ungarischen Reichstags in getrennten Sitzungen zur Beratung des gemeinsamen österreichisch-ungarischen Staatshaushalts zusammengetreten waren, wurde die Lage sehr viel skeptischer beurteilt und eine bedeutende Erhöhung der österreichisch-ungarischen Heeresstärke beschlossen. Zugleich liefen Gerüchte über eine »Kriegspartei« in den Delegationen um. Tatsächlich hatte der österreichische Generalstabschef, Feldmarschalleutnant v. Schemua, sich in einer Denkschrift, die für den Kaiser bestimmt gewesen war, für eine Politik ausgesprochen, aus der sehr leicht ein Krieg Österreich-Ungarns mit den Balkanstaaten entstehen konnte. Er hatte nämlich verlangt, daß für den Fall der Mobilmachung der serbischen Streitkräfte die österreichisch-ungarischen Grenztruppen verstärkt und daß außerdem bei einer kriegerischen Aktion Serbiens gegen die Türkei der Sandschak von Novi Pazar besetzt werden sollten. Als Voraussetzung für diese Aktionen hatte er allerdings gefordert, daß auf diplomatischem Weg die Nichteinmischung Rußlands und Italiens sichergestellt wurde. Diese Voraussetzung für das Gelingen des Plans des Generalstabschefs konnte, wie Berchtold erklärte, auf diplomatischem Weg aber nicht geschaffen werden, so daß die Frage einer militärischen Intervention Österreich-Ungarns bei einem Krieg zwischen den Balkanbundstaaten und der Türkei zunächst noch in der Schwebe blieb [47].

Da die deutsche Regierung jedoch kriegerische Schritte ihres österreichischen Verbündeten befürchtete, ließ sie durch ihren Botschafter v. Tschirschky dem österreichischen Außenminister unmißverständlich mitteilen, daß sie im Verein mit den übrigen Großmächten auf einer Lokalisierung eines eventuell ausbrechenden Krieges zwischen den Balkanbundstaaten und der Türkei bestehe. Durch diese Stellungnahme Deutschlands war Österreich isoliert, und es war ihm jede Möglichkeit genommen, etwa

---

46 Vgl. ÖU 4, Nr. 3836, Legationsrat Flotow an das öst.-ung. AA, 24. 9. 12.
47 Vgl. E. C. Thaden, Russia and the Balkan Alliance, S. 216 f.; ÖU 4, Nr. 3869, Denkschrift von Schemua an den Kaiser, 28. 9. 12.

den Sandschak von Novi Pazar zu besetzen oder gar Serbien anzugreifen. Noch in seinen Memoiren klingt die Erbitterung Berchtolds darüber nach, daß Deutschlands Stellungnahme vor Ausbruch des Balkankriegs Österreich-Ungarn an einer aktiven Politik gegenüber den Balkanstaaten gehindert hätte [48].

In Deutschland bestand jedenfalls keine Neigung, in die Balkanwirren aktiv einzugreifen. Den Kaiser bewegten allerdings zu seinem Plädoyer für eine Lokalisierung des Krieges ganz andere Gründe als die Reichsleitung. Zu einem Bericht des Staatssekretärs v. Kiderlen-Wächter über die Bemühungen der Großmächte, durch ihre Einwirkung den Krieg auf dem Balkan zu verhindern, notierte er:

»Die ewige Betonung des Friedens bei allen Gelegenheiten – passenden und unpassenden – hat in den 43 Friedensjahren eine geradezu eunuchenhafte Anschauung unter den leitenden Staatsmännern und Diplomaten Europas gezeitigt ... Es komme ruhig zum Kriege. Da werden ja die Balkanstaaten mal zeigen, was sie zu leisten fähig sind, ob sie eine Existenzberechtigung haben. Schlagen sie entscheidend die Türkei, dann hatten sie recht, und ihnen gebührt eine gewisse Belohnung. Werden sie geschlagen, dann werden sie klein und für lange Ruhe und Frieden halten, und die Territorialfrage scheidet aus. Die Großmächte müssen um den Kampfplatz den ›Ring‹ bilden, in dem *der Kampf sich abspielt* und zu *bleiben* hat; selbst ruhig Blut behalten und keine Übereilungen begehen. Dazu gehört meines Erachtens vor allem kein zu heftiges Dreinreden jetzt um des sogenannten ›lieben Friedens‹ willen, es würde ein sehr fauler und böser konsequenzvoller sein. Man lasse die Leute nur ruhig machen; entweder sie kriegen Keile oder erteilen sie, danach ist immer noch Zeit zum Sprechen. Die Orientfrage muß mit Blut und Eisen gelöst werden! Aber in einer für *Uns* günstigen Periode! Das ist *jetzt*.[49]«

Auch nach Beginn des Balkankriegs hielt der Kaiser an seiner Ansicht fest, daß dieser Krieg eine »historische Notwendigkeit« sei [50]. Darüber hinaus stand Wilhelm II. den Ende Oktober in der Türkei wieder an die Macht gekommenen Jungtürken ohnehin mit Abneigung gegenüber, weil sie für ihn das Symbol für die verhaßte »Revolution« darstellten.

Die diplomatische Taktik der Reichsleitung – Kanzler und Auswärtiges Amt – während der Balkankrise und in den ersten Monaten des Krieges war durch mehrere Ziele, die schwer in Einklang zu bringen waren, bestimmt: erstens ging es um die Sicherung des deutschen politischen und wirtschaftlichen Einflusses in der Türkei, der gegen die Westmächte und Rußland gewahrt werden sollte; zweitens ging es um die Sicherung der deutschen wirtschaftlichen Interessen in den Balkanstaaten, wo Deutschland und Österreich-Ungarn die stärksten Konkurrenten waren; drittens mußte auf jeden Fall vermieden werden, die Politik des Bundesgenossen Österreich-Ungarn so ostentativ zu durchkreuzen, daß der Dreibund aktions-

48 Hantsch, Graf Berchtold, Bd. 1, S. 312 f.
49 E. Jaeckh, Kiderlen-Wächter, Bd. 2, S. 189 f.
50 Der Kaiser, Aufz. Alex. v. Müller, S. 121; Notiz vom 19. 10. 12.

unfähig würde; viertens aber versuchte der Kanzler die diplomatischen Aktionen der Großmächte zur Lokalisierung des Krieges zu einem deutsch-englischen Zusammenspiel auszugestalten, um doch noch einige Schritte auf dem Wege einer deutsch-englischen Annäherung, die im Frühjahr 1912 gescheitert war, voranzukommen. Der Zeitpunkt dazu war durchaus nicht ungünstig. Schon Anfang Oktober berichtete Kühlmann, der nach dem Tode Marschalls die Geschäfte der Londoner Botschaft führte, »daß Sir Edward Grey großen Wert darauf legt, mit uns in Fühlung zu bleiben« [51]. Kühlmann setzte große Hoffnungen in das englische Verständigungsangebot. Er glaubte, bei den englischen Politikern die Neigung feststellen zu können, »aus einer Art Rückversicherungsbedürfnis die Beziehungen zu Deutschland so weit zu verbessern, daß die Möglichkeit eines Abschwenkens zu Deutschland zur Verfügung steht«. Das System der Ententen habe in letzter Zeit vor allen Dingen wegen des englisch-russischen Gegensatzes in Persien Risse erhalten; Grey versuche also offensichtlich die jetzigen Balkanwirren zur Klärung der Chancen für eine Umorientierung der gesamten englischen Kontinentalpolitik zu benutzen [52].

Kiderlen-Wächter teilte diese Überzeugung. Mitte Oktober 1912 schrieb er an v. Jenisch [53], den Vertreter des Auswärtigen Amts beim Kaiser:

»Wir werden es uns angelegen sein lassen, den Zeitpunkt für eine entsprechende Fühlungnahme mit London nicht zu verpassen, werden uns aber vorläufig einiger Zurückhaltung befleißigen müssen, um die Anfänge der erwünschten Entwicklung nicht im Keim zu gefährden. Sicher ist, daß ein praktisches Zusammengehen mit England in einer wichtigen Frage der allgemeinen Politik heilsamer als alle Verbrüderungsfeste und papierene Verträge auf unsere Beziehungen zu den Vettern jenseits des Kanals einwirken würde.«

Eine Erschwerung seiner Politik sei nur durch Österreich-Ungarns Haltung zu befürchten, daher sei es notwendig zu verhindern, daß

»die Leitung der Politik von Berlin nach Wien übergeht, wie es Aehrenthal gegenüber Bülow leider gelungen war«.

Der Ausbruch des Balkankrieges und die deutsche Taktik gegenüber England

Der am 16. Oktober 1912 ausbrechende Balkankrieg führte zu einem schnellen Sieg der Balkanverbündeten über die Türkei. Binnen drei Wochen wurde die Türkei fast ganz aus Europa verdrängt und der Vormarsch

---

51 GP 33, Nr. 12 240, Kühlmann an AA, 7. 10. 12.
52 GP 31, Nr. 11 602, Kühlmann an Bethmann Hollweg, 4. 10. 12; vgl. auch: GP 33, Nr. 12 284, Kühlmann an Bethmann Hollweg, 15. 10. 12.
53 E. Jaeckh, Kiderlen-Wächter, S. 189.

der Verbündeten erst Mitte November vor den Toren Konstantinopels aufgehalten. Diese die Großmächte überraschende Entwicklung schuf eine völlig neue Konstellation. Hatten die Großmächte noch auf Drängen Österreichs einer Erklärung zugestimmt, daß der territoriale Status quo auch durch einen Krieg nicht verändert werden dürfte, so bestanden nach den Siegen der Balkanverbündeten jetzt Fakten, die eine Rückkehr zum Status quo ausschlossen.

In der am meisten betroffenen Nachbargroßmacht Österreich-Ungarn forderten jetzt einflußreiche Kreise, zum Beispiel der Generalstabschef v. Schemua und der Thronfolger Franz Ferdinand, einen weiteren Vormarsch der Balkanslawen zu stoppen und gegebenenfalls mit Gewalt zu verhindern, daß die Serben an die Adria vordrängten oder sich dort festsetzten; der österreichische Außenminister Graf Berchtold suchte dagegen weiterhin nach diplomatischen Wegen, um durch Einwirkung auf die Verbündeten die österreichischen Interessen zu wahren. Die deutsche Reichsleitung befand sich diesem Vorhaben gegenüber in einem Dilemma. Einerseits durfte man Österreich, das man schon Englands wegen zurückhalten wollte, nicht verstimmen. Andererseits war es das Bemühen Bethmann Hollwegs, der hierbei von Admiral v. Müller unterstützt wurde, den Kaiser von seiner Politik »Nicht-Intervention um jeden Preis« abzubringen. Es gelang in den nächsten Tagen, den Kaiser davon zu überzeugen, daß das »Fallenlassen Österreichs unmöglich sei«; denn dadurch würde Deutschland »jeden Kredit verlieren« und der Dreibund »erledigt« sein [54].

Allerdings müsse Deutschland auf jeden Fall dafür sorgen, daß Österreichs Forderungen an Serbien so maßvoll blieben, daß ihre Zurückweisung durch Serbien oder eine Intervention Rußlands zugunsten von Serbien auch dem deutschen Volk gegenüber als eine Provokation gegen die verbündete Donaumonarchie dargestellt werden konnte. Bethmann Hollweg, der »von vornherein eine forsche Haltung eingenommen hatte«, stimmte den Kaiser endgültig um [55]. Auch Kiderlen-Wächter trat grundsätzlich für die Unterstützung Österreich-Ungarns mit allen Konsequenzen ein, machte jedoch den Vorbehalt, daß zuerst eine Verständigung mit England erreicht werden müßte. Die Schwenkung des Kaisers von anfänglicher Ablehnung jeden Engagements für Österreich-Ungarn zur Unterstützung des Verbündeten war vollständig; am Tage vor seinen Besprechungen mit Erzherzog Franz Ferdinand und dem österreichisch-ungarischen Generalstabschef schrieb der Kaiser:

---

54 Der Kaiser, Aufz. Alex. v. Müller, S. 122, Notiz vom 5. 11. 12; vgl. ibid., die Notiz vom 9. 11. 12.
55 Ibid., S. 122 f.

»Aus ganzer europäischer Presse – besonders englischen – geht hervor, daß allgemein Österreich als der provozierte Teil angesehen wird. Sollten russische Gegenmaßregeln oder Vorstellungen erfolgen, welche Kaiser Franz Joseph zwingen, den Krieg zu eröffnen, so hat Er das Recht auf Seiner Seite und Ich bin bereit – wie Ich dem Kanzler schon in Letzlingen erklärte – den casus foederis in vollstem Maße mit allen Konsequenzen durchzuführen. Ich halte es daher für nötig, daß *sofort* die Botschafter in *Paris* und *London* Befehl erhalten, *einwandsfrei* und *klar* zu konstatieren und mir zu melden, ob Paris unter solchen Umständen unbedingt sogleich mit Rußland geht und auf welche Seite England sich stellt.[56]«

Auch bei seiner Unterredung mit Schemua betonte Wilhelm II., daß Österreich-Ungarn »auf Deutschlands Unterstützung unter allen Verhältnissen voll zählen« könne; ebenso versprach Moltke seinem österreichischen Kollegen »eine nicht nur zuwartende, sondern tatkräftige offensive Aktion parallel mit der unsern« (d. h. der österreich-ungarischen)[57]. Am gleichen 22. November beriet sich der Kaiser auch mit Erzherzog Franz Ferdinand und betonte nochmals, daß Deutschland Österreich-Ungarn stützen würde, wenn es wegen der Balkanwirren zu Auseinandersetzungen mit Rußland kommen werde[58].

Wenn auch Reichskanzler und Staatssekretär den Kaiser zunächst zu einer »forscheren« Haltung hatten umstimmen müssen, so gingen ihnen seine Zusagen, vor allen Dingen in diesem Augenblick, zu weit. Daher ließ Kiderlen-Wächter am 25. November 1912 einen Artikel in der NAZ erscheinen, in dem vor einem einseitigen militärischen Vorgehen Österreich-Ungarns auf dem Balkan gewarnt wurde, da eine Aufrollung der serbischen und albanischen Frage sich nur in einem Zusammenspiel mit allen anderen am Balkan interessierten Großmächten erreichen lasse. Kiderlen-Wächter ließ gegenüber Admiral v. Müller allerdings gar keinen Zweifel daran, daß dieses Plädoyer für ein gemeinschaftliches Vorgehen der Großmächte keineswegs als Wille, unbedingt den Frieden zu erhalten, interpretiert werden durfte; vielmehr begründete er seine Haltung mit der Notwendigkeit, gute Beziehungen zu England herzustellen bzw. diese aufrechtzuerhalten. Noch deutlicher wurde Kiderlen-Wächter am 26. November gegenüber Helfferich, dem er das Konzept seiner Politik während der Balkankrise folgendermaßen umschrieb:

»Er fürchte sich nicht vor dem Kriege, aber gerade für diesen Fall sei es ein enormer Vorteil, England draußen zu halten. Diese Möglichkeit sei nicht aus-

---

56 GP 33, Nr. 12 405, Wilhelm II. an Kiderlen-Wächter (21. 11. 12). Der gleiche Gedanke taucht auch in den folgenden Monaten mehrfach auf, vgl. z. B. GP 34 I, Nr. 12 729, Pourtalès an AA, 25. 1. 13.
57 Aufz. Schemua v. 22. 11. 1912 über eine Unterredung mit Moltke und Wilhelm II., E. C. Helmreich, An unpublished Report on Austro-German Military Conversations of November 1912, in: Journal of Modern History V, 1933, S. 205–207.
58 ÖU 4, Nr. 4959, Szögyény an Berchtold, 22. 11. 12; Nr. 4571, Erzherzog Franz Ferdinand an Berchtold, 22. 11. 12; vgl. auch Hugo Hantsch, Graf Berchtold, S. 350.

geschlossen; er wisse darüber mehr als die Wiener und mehr, als er diesen sagen könne! [59]«

Für die Österreicher, die die eigentlichen Ziele der deutschen Politik nicht durchschauten, wirkte der Artikel der NAZ, der ganz augenscheinlich den Konferenzplan, der von Poincaré entwickelt worden war, begünstigte, wie ein »kalter Wasserstrahl«. Als Berchtold von Kiderlen-Wächter eine Aufklärung der Widersprüche zwischen dem Artikel und den Zusagen des Kaisers verlangte, lehnte dieser das Ansinnen mit der Begründung ab, daß er nicht noch mehr Verwirrung stiften wolle und die Verlautbarung in der NAZ ohnehin nur zur Beruhigung der Börse erschienen sei [60].

Die Verbitterung Österreich-Ungarns wurde auch durch eine weitere Versicherung Kiderlens am 29. November, daß der Artikel keine Unfreundlichkeit gegenüber Österreich enthalte, nicht behoben, so daß sich nun der Reichskanzler persönlich veranlaßt sah, in einer Erklärung vor dem Deutschen Reichstag am 2. Dezember dem Bundesgenossen eine, wenn auch relativ vorsichtig formulierte, Bündniszusicherung zu geben. Im Gegensatz zu den Intentionen der Doppelmonarchie forderte Bethmann Hollweg Zurückhaltung der Großmächte gegenüber dem Kriegsverlauf; er begrüßte – wiederum im Gegensatz zu Österreich-Ungarn – den Gedankenaustausch unter den Mächten über die Balkanfragen; er sprach sich dahin aus, die Forderungen der Kriegführenden abzuwarten, fügte dann jedoch hinzu, daß bei einer Verletzung der Interessensphären der Großmächte – also auch Österreich-Ungarn – diese ihre Ansprüche selbstverständlich geltend machen könnten:

»Wenn sie aber bei der Geltendmachung ihrer Interessen wider alles Erwarten von dritter Seite angegriffen und damit in ihrer Existenz bedroht werden sollten, dann würden wir, unserer Bundespflicht getreu, fest entschlossen an ihre Seite zu treten haben (bravo! rechts und bei den NL) und dann würden wir zur Wahrung unserer eigenen Stellung in Europa, zur Verteidigung unserer eigenen Zukunft und Sicherheit fechten. Ich bin fest überzeugt, daß wir bei einer solchen Politik das ganze Volk hinter uns haben werden (erneutes Bravo!).[61]«

Trotz des Zurschaustellens der »schimmernden Wehr«, trotz des Wortes »fechten« ließ Berchtold sich doch nicht über die wahre deutsche Haltung täuschen:

59 Zit. Jaeckh, Kiderlen-Wächter, Bd. 2, S. 192 Anm. (26. 11. 12); vgl. Der Kaiser, Aufz. Alex. v. Müller, S. 124 (26. 11. 12).
60 ÖU 4, Nr. 4649, Szögyény an Berchtold, 27. 11. 12.
61 Schultheß, Europ. Gesch. Kal. 1912, S. 244, RT, Bd. 286, Sp. 2472 ff., 2. 12. 12. Vgl. dazu die Rede Kiderlen-Wächters vom 28. 11. 12 vor dem Ausw. Ausschuß des Bundesrats: »Muß also Österreich, gleichgültig aus welchem Grunde, um seine Großmachtstellung fechten, so müssen wir an seine Seite treten, damit wir nicht nachher neben einem geschwächten Österreich allein fechten müssen.« Zit. GP 33, Nr. 12 474, Anm. Es ging Deutschland also primär um die Erhaltung der Bündnisfähigkeit Österreich-Ungarns für einen kommenden Krieg.

»Bei näherem Hinschauen ein komminatorischer diplomatischer Druck auf
St. Petersburg und eine väterliche Mahnung nach Wien, hübsch stillezusitzen.[62]«

Bethmann Hollweg hatte mit seiner Erklärung im Reichstag den Bundesgenossen zu beruhigen versucht, außerdem aber im Blick auf England den
Großmächten zu verstehen gegeben, wo für Deutschland die Grenze für
Verhandlungen liege, nämlich dort, wo Rußland sich mit militärischer Intervention für eine Ausdehnung Serbiens zur Adria einsetzen würde und
damit die von Österreich als lebenswichtig angesehenen Interessen verletzen würde. Es lag also darin das Angebot an England – und Kiderlen hat
das danach noch in seiner Rede vor dem Reichstag ausdrücklich unterstrichen – gemeinsam mit dem Deutschen Reich durch massiven Druck auf
Rußland und auf Österreich-Ungarn als Friedensstifter in Europa aufzutreten. Freilich war dieses Angebot verbunden mit der Drohung, daß es als
Alternative zu diesem Angebot nur den großen Krieg in Europa gab. Von
London aus gesehen schien das Wort »fechten« so bedrohlich, daß die englische Regierung Anfang Dezember den deutschen Botschafter und über
ihn die deutsche Reichsleitung warnte, daß England keinesfalls eine Niederwerfung Frankreichs dulden würde, falls sich Deutschland im Zusammenhang mit einem russisch-österreichischen Konflikt entschließen würde,
Frankreich anzugreifen [63].

62 Hantsch, Graf Berchtold, Bd. 1, S. 352.
63 Vgl. GP 39, Nr. 15 612, Lichnowsky an Bethmann Hollweg, 3. 12. 12.

IX. KAPITEL

Der vertagte Krieg

I. Die Entscheidungen am Jahresende 1912

Noch am 3. Dezember hatte der Kaiser, beeindruckt von den Berichten aus London, von einer »überraschenden englischen Annäherung« gesprochen und dabei seine Erwartungen so hoch gespannt, daß er, wie er sagte, sich diesmal nicht »mit Worten« abspeisen lassen wolle, sondern »Taten« erwarte[1]. Das konnte nur heißen, daß Wilhelm II. damit rechnete, England sei diesmal zu einem Abkommen oder wenigstens zu einer Neutralitätszusage bereit, werde also seine noch im Frühjahr 1912 während der Haldane-Mission bezogene Stellung revidieren. Damit schien die Politik Bethmann Hollwegs und Kiderlen-Wächters einen ersten großen Erfolg errungen zu haben.

Die Nachricht, die der Kaiser von dem Gespräch Haldanes mit Lichnowsky vom 3. Dezember erhielt, zerstörte seinen Optimismus mit einem Schlage[2]. Haldane hatte Lichnowsky erklärt, daß Großbritannien bei einem Einmarsch Österreich-Ungarns in Serbien wohl kaum der »stille Zuschauer« bleiben könne. Denn die Wurzeln der englischen Politik, so hatte sich Haldane nach Lichnowsky ausgedrückt, »lägen in der hier allgemein verbreiteten Empfindung, daß das Gleichgewicht der Gruppen einigermaßen aufrechtzuerhalten sei. England würde daher unter keinen Umständen eine Niederwerfung der Franzosen dulden können.« Man sei in England nicht bereit, eine Entwicklung zuzulassen, die dazu führen könnte, daß England sich »nachher einer einheitlichen kontinentalen Gruppe unter Führung einer einzigen Macht gegenübersehe«. Die ganze Enttäuschung des Kaisers über diese scheinbare Schwenkung der britischen Politik brach in seiner Schlußbemerkung zu Lichnowskys Bericht durch:

---

1 Der Kaiser, Aufz. Alex. v. Müller, S. 124.
2 GP 39, Nr. 15 612, Lichnowsky an Bethmann Hollweg, 3. 12. 12.

»Weil England zu feige ist, Frankreich und Rußland offen in diesem Falle sitzen zu lassen, und zu sehr neidisch ist auf uns und uns haßt, deswegen sollen andere Mächte ihre Interessen nicht mit dem Schwert verteidigen dürfen, da es dann trotz aller Versicherungen, trotz Marschall und Lichnowsky doch gegen uns gehen will. Das richtige Krämervolk! Das nennt es Friedenspolitik! Balance of Power! Der Endkampf der Slaven und Germanen findet die Angelsachsen auf seiten der Slaven und Gallier.«

Der Kaiser wiederholte noch am gleichen Tag diese Gedanken in einem Telegramm an Kiderlen-Wächter:

»England wird aus Neid und Haß gegen Deutschland unbedingt Frankreich u(nd) Rußland gegen uns beistehen. Der eventuelle Existenzkampf, den die Germanen in Europa (Österreich, Deutschland) gegen die von Romanen (Galliern) unterstützten Slaven (Rußland) zu fechten haben werden, findet die Angelsachsen auf der Seite der Slaven. Grund: Neidhammelei, Angst unseres zu Großwerdens! [3]«

Wilhelm II. forderte Militärabkommen mit der Türkei, Bulgarien und Rumänien, möglichst auch mit Japan, denn: »Jede Macht, die zu haben ist, ist gut genug uns zu helfen. Es geht um Sein oder Nichtsein Deutschlands.«

Der »Kriegsrat« vom 8. Dezember 1912

Lichnowskys Bericht über seine Unterredung mit Haldane erregte den Kaiser derartig, daß er am gleichen 8. Dezember um 11 Uhr eine Besprechung anberaumte, zu der der Generalstabschef v. Moltke, der Staatssekretär des Reichsmarineamts v. Tirpitz, der Chef des Admiralstabes v. Heeringen und der Chef des Marinekabinetts v. Müller befohlen wurden. Ihnen gegenüber machte der Kaiser seiner Enttäuschung über das Verhalten Greys und der englischen Regierung Luft. Für Wilhelm II. war durch den Bericht Lichnowskys das Kalkül der Bethmann Hollwegschen Politik – England würde sich zu einem für Deutschland akzeptablen Agreement bereitfinden – zusammengebrochen. Mit deutlicher Spitze gegen Bethmann Hollweg betonte der Kaiser, die Erklärung Haldanes sei eine »erwünschte Klärung der Lage denjenigen gegenüber, die sich durch englische Pressefreundlichkeiten der letzten Zeit Englands sicher glaubten« [4]. Dabei hatte der Kaiser offensichtlich völlig vergessen, daß er bis zu diesem Augenblick selbst zu denjenigen gehört hatte, die ihre Hoffnungen auf die englische Neutralität gesetzt hatten. Die Mitteilungen Lichnowskys riefen nun einen vollständigen Stimmungsumschwung hervor. Der Kaiser war nunmehr nicht länger bereit, die Politik des geduldigen Werbens um Eng-

---

3 Ibid. Nr. 15 613, Aufzeichnung Wilhelms II. (o. Datum), vermutl. 8. 12. 12.
4 Der Kaiser, Aufz. Alex. v. Müller, S. 124 f.; vgl auch für das folgende.

land fortzusetzen; er plädierte für den sofortigen Krieg gegen Rußland und Frankreich. Österreich müsse den »auswärtigen Slawen (Serben) gegenüber kraftvoll auftreten«, wenn es nicht seine Machtstellung gegenüber den Serben verlieren wollte. Wenn Rußland dann die Serben stützte und etwa in Galizien einrücken würde, »wäre der Krieg für uns unvermeidlich«. In diesem großen Krieg könnte Deutschland hoffen, Bulgarien, Rumänien, auch Albanien und vielleicht sogar die Türkei als Bündnispartner zu gewinnen. Schritte in dieser Richtung seien bereits eingeleitet und müßten planmäßig fortgeführt werden:

> »Treten diese Mächte auf Österreichs Seite, dann seien wir soweit frei, daß wir den Krieg mit ganzer Macht gegen Frankreich führen könnten. Die Flotte müßte sich natürlich auf den Krieg gegen England einrichten. ... Also gleich Unterseebootskrieg gegen englische Truppentransporte bzw. nach Dünkirchen, Minenkrieg in der Themse.«

Tirpitz erhielt den Auftrag: »schleunige Mehrbauten von U-Booten etc. ... Konferenz aller Marinestellen«. Der Generalstabschef v. Moltke, der über die Haltung der deutschen Regierung in der Balkankrise ohnehin nicht glücklich war, begrüßte die Kriegsentschlossenheit des Kaisers und bestärkte ihn darin. Er sagte: »Ich halte einen Krieg für unvermeidlich und: je eher, desto besser.« Moltke sprach sich dafür aus, »durch die Presse die Volkstümlichkeit eines Krieges gegen Rußland im Sinne der kaiserlichen Ausführungen besser vor(zu)bereiten«. Der Kaiser stimmte diesem Vorschlag Moltkes zu und forderte sogleich Tirpitz auf, seine bekanntermaßen guten Beziehungen zur Presse für diese Propaganda einzusetzen. Tirpitz war jedoch mit den auf einen sofortigen Krieg drängenden Vorschlägen des Kaisers und des Generalstabschefs nicht einverstanden. Da er die Flotte für einen Krieg mit England noch nicht für stark genug hielt, empfahl er das »Hinausschieben des großen Kampfes um 1 1/2 Jahre«. Dieser Argumentation widersprach Moltke sofort mit scharfen Worten:

> »Die Marine würde auch dann nicht fertig sein, und die Armee käme in immer ungünstigere Lage; denn die Gegner rüsteten stärker als wir, die wir mit dem Gelde sehr gebunden seien.«

Admiral v. Müller stimmte Moltke grundsätzlich zu, bemängelte aber, daß Moltke seinen eigenen Gedanken nicht zu Ende gedacht habe. So jedenfalls resümierte Müller das Ergebnis der Besprechungen in seinem Tagebuch [5]:

> »der Chef des gr. Generalstabes sagt: Krieg je eher je besser, aber er zieht nicht die Konsequenz daraus, welche wäre: Rußland oder Frankreich oder bei-

5 Vgl. John C. G. Röhl, Admiral v. Müller und die Politik (Masch.), Anm. 60. Dieser Nachsatz fehlt in der Veröffentlichung von Walter Görlitz, Der Kaiser, Aufz. Alex. v. Müller.

de vor ein Ultimatum zu stellen, das den Krieg mit dem Recht auf unsere(r) Seite entfesselte.«

Im Hinblick auf diese Inkonsequenz, die Müller in der Haltung des Generalstabschefs festzustellen glaubte, ist auch die abschließende Bemerkung der Aufzeichnung, »Das Ergebnis war so ziemlich Null«, zu verstehen. Dem Kriegsentschluß dieser Konferenz entsprachen nämlich keine konkreten Überlegungen über die diplomatischen Voraussetzungen einer erfolgversprechenden Eröffnung des Krieges.

Über den Verlauf dieses »Kriegsrates« wurden die Bundesstaaten, die eine eigene Heeresverwaltung besaßen, unterrichtet. Die Berichte der Militärbevollmächtigten Bayerns und Sachsens liegen vor. Am 12. Dezember berichtete der sächsische Militärbevollmächtigte Leuckart v. Weißdorf über die Informationen, die er im preußischen Kriegsministerium über diese Konferenz erhalten hatte:

»Exz(ellenz) v. Moltke will den Krieg; denn er ist der Meinung, daß er Frankreich jetzt nicht gelegen kommen würde, was sich aus dessen Eintreten für eine friedliche Lösung der Verhältnisse entnehmen lasse. Admiral v. Tirpitz dagegen würde es lieber sehen, wenn es erst in einem Jahr dazu käme, nachdem der Kanal und der Hafen für Unterseeboote [6] auf Helgoland fertig gestellt sein würde. Bei dieser Gelegenheit soll S. M. ausgesprochen haben, daß nach zuverlässigen geheimen Nachrichten England, wenn es in Europa zum Kriege käme, unbedingt an der Entente festhalten und auf seiten Frankreichs und Rußlands stehen würde. Und dies trotz der fortgesetzten freundschaftlichen Versicherungen Englands und der Erklärung von intimen Beziehungen zwischen Deutschland und England seitens des Herrn Reichskanzlers! [7]«

Vom 15. Dezember stammt der Bericht des bayerischen Militärbevollmächtigten v. Wenninger. In diesem Brief spiegelt sich die Verärgerung des Kriegsministers darüber wider, daß er nicht zu der Konferenz hinzugezogen worden war; gleichzeitig kommt darin zum Ausdruck, wie hart die Auseinandersetzungen zwischen Kriegsministerium und Generalstab über den Umfang der längst geplanten Heeresvorlage waren:

»Heute vor 8 Tagen berief S. M. Moltke, Tirpitz und Müller (Bethmann, Heeringen und Kiderlen waren nicht gebeten!) zu sich und teilte ihnen in größter Erregung mit, er habe Nachricht von Lichnowsky, daß bei diesem Haldane erschienen sei und ihm, wahrscheinlich im Auftrag Greys, eröffnet habe, ›England werde, gleichviel ob Deutschland angreife oder angegriffen werde, auf der Seite der Gegner Deutschlands fechten. (Echo der Kanzlerrede!) England könne nicht zusehen, wenn Frankreich völlig zu Boden geworfen werde und auf dem Kontinent eine Macht entstehe, der die absolute Hegemonie Europas zu eigen sei‹. Moltke war für sofortiges Losschlagen; seit Bestehen des Dreibundes sei der Moment niemals günstiger gewesen. – Tirpitz verlangte Aufschub für 1 Jahr, bis der Kanal und der U-Boothafen Helgoland fertig seien. Ungern ließ sich

---

6 I. O. irrtümlich »Untergrundboote«.
7 StA Dresden, Kr. Min. Allg. Armee Abt., Nr. 1433, Leuckart an Kr. Min., 12. 12. 12.

der Kaiser zu dem Aufschub bestimmen. Dem Kr(iegs)-M(inister) sagte er tags darauf nur, er solle sofort eine neue große Heeresvorlage vorbereiten. Tirpitz erhielt den gleichen Auftrag für die Flotte. Der Kr.M. verlangte gleichfalls Aufschub der Einbringung der Vorlage bis zum Herbst, da der ganze Rahmen der Armee, Ausbildungspersonal, Unterkunftsräume usw. abermalige große Vermehrungen nicht verdauen können; alle Tr(uppen)-Ü(bungs)-Plätze seien überfüllt, die Waffenindustrie komme nicht mehr mit . . .
Den Gen.St. und Adm.St. beauftragte der Kaiser, eine Invasion großen Stils nach England auszuarbeiten. In der Zwischenzeit soll seine Diplomatie überall Bundesgenossen werben, Rumänien (bereits z. T. gesichert), Bulgarien, Türkei usw. E. E. ersehen, daß hinter den Kulissen das Bild wesentlich anders ist als auf der offiz(iellen) Bühne.[8]«

Noch am Nachmittag des 8. Dezembers ergriff Admiral v. Müller, der die inkonsequente Haltung der übrigen Konferenzteilnehmer beklagt hatte, die Initiative und wandte sich an den Reichskanzler[9]. Anknüpfend an die Besprechung der »militärpolitischen Lage« vom Vormittag versuchte er Bethmann Hollweg die Notwendigkeit nahezubringen,

»durch die Presse das Volk darüber aufzuklären, welche großen nationalen Interessen auch für Deutschland bei einem durch den österreichisch-serbischen Konflikt entstehenden Krieg auf dem Spiele ständen . . . Das Volk dürfe nicht in die Lage versetzt werden, sich erst bei Ausbruch eines großen europäischen Krieges die Frage vorzulegen, für welche Interessen Deutschland in diesem Kriege zu kämpfen habe. Das Volk müsse vielmehr schon vorher mit dem Gedanken an einen solchen Krieg vertraut gemacht werden«[10].

Durch wen, auf welche Weise und wie genau der Kanzler des weiteren über diesen »Kriegsrat«[11] informiert wurde, läßt sich nicht mehr feststellen. Jedenfalls erhielt er innerhalb der nächsten Tage Nachrichten darüber, daß der Kaiser und Moltke sich für einen baldigen Krieg ausgesprochen hatten. Bethmann Hollweg stellte sich darauf ein und vertrat dem Kaiser gegenüber nunmehr auch eine energische, zum Kriege entschlossene Politik. Am 14. Dezember erzählte der Kaiser Admiral v. Müller, es sei interessant,

»daß der Reichskanzler sich jetzt doch an den Gedanken eines Krieges gewöhnt habe, er, der doch noch vor einem Jahre ausgesprochen habe, er werde nie imstande sein, zu einem Kriege zu raten«[12].

Offensichtlich hat Bethmann Hollweg jetzt bei dem Kaiser darauf ge-

8 J. C. G. Röhl, Admiral von Müller (Masch.), Anm 61a.
9 Siehe dazu Müllers Tagebucheintragung, 8. 12. 12: »Nachmittags noch an Reichskanzler wegen der Pressebeeinflussung geschrieben«; Zit. nach. J. C. G. Röhl, Admiral von Müller (Masch.), ibid., Anm. 60. Auch dieser Satz fehlt in dem von Görlitz publizierten Tagebuch.
10 AA-Bonn, Deutschland, Nr. 137 geh. Bd. 7; Müller an Wilhelm II., vgl. Fischer, Griff nach der Weltmacht, 3. Aufl., S. 42; Geiss, Julikrise, Dokumente, Bd. 1, S. 45.
11 AA-Bonn, NL Eisendecher, Nr. 1/1–7, Bethmann Hollweg an Eisendecher, 20. 12. 12.
12 Der Kaiser, Aufz. Alex. v. Müller, S. 126. Im Original des Tagebuches fehlt das Wort »selbst«, das der Herausgeber Walter Görlitz in seiner Veröffentlichung vor »der Reichskanzler . . .« gesetzt hat. Vgl. J. C. G. Röhl, Admiral von Müller, ibid., Anm. 65.

drängt, die für einen großen Krieg notwendigen Vorbereitungen zu treffen. Der Kanzler konnte dabei an die von ihm bereits am 4. Dezember in einem Immediatvortrag erhobene Forderung nach einer neuen Heeresvorlage anknüpfen. Gleichzeitig konnte er auf die Notwendigkeit der psychologischen Vorbereitung der Nation auf den großen Krieg hinweisen [13]. In erster Linie jedoch – und das war nach wie vor der wichtigste Grundsatz der Bethmann Hollwegschen Außenpolitik – war der Kanzler bemüht, den Kaiser davon zu überzeugen, daß der kontinentale Krieg von Deutschland nur geführt werden könne, wenn England neutral bliebe, und daß trotz der Eröffnungen Haldanes und Greys diese Neutralität zu erreichen sein würde, wenn Deutschland und England auf der Londoner Botschafterkonferenz vertrauensvoll zusammenarbeiten würden. Darum empfahl Bethmann Hollweg dem Kaiser auch, England nicht gerade jetzt durch Flottenpläne zu provozieren [14].

Um den Kaiser für diese Politik zu gewinnen und ihm den Gedanken nahezubringen, daß die objektiven Interessen Englands der britischen Regierung eine neutrale Haltung in einem europäischen Krieg vorschreiben würden, schaltete er jetzt auch seinen Vertrauten Eisendecher ein, den auch der Kaiser als Englandfachmann schätzte. Bereits am 12. Dezember hatte Wilhelm II. an diesen geschrieben und noch einmal seine Enttäuschung und Erbitterung über die englische Politik, die sich angemaßt habe, Deutschland die Führungsstellung auf dem Kontinent zu verweigern, zum Ausdruck gebracht. Haldane habe erklärt:

»England könne es nicht dulden, daß Deutschland die Vormacht des Kontinents werde und *der* [Kontinent] unter seiner Führung sich vereinige!! Skrupellos, roh und echt englisch! England disponiert über den Kontinent und unsere Zukunft wie ein Bund Flicken und kümmert sich den Teufel um unsere Interessen. Es ist dies eine moralische Kriegserklärung an uns. Meine Instanzen sind alle informiert und militärisch gilt für die Vorbereitungen England jetzt als unser Feind.[15]«

Bisher habe England ein Bündnis mit Frankreich geleugnet. Mit dieser »im tiefsten Frieden ex abrupto abgegebenen Erklärung« enthülle sich England als Bundesgenosse Frankreichs »für den Kriegsfall und damit als unser erklärter Feind«. Für den Kaiser bedeuteten die Eröffnungen Haldanes und Greys den Zusammenbruch der bisherigen deutschen Englandpolitik:

---

13 Vgl. GP 39, Nr. 15 623, Aufzeichnung Bethmann Hollweg, 14. 12. 12. Der Kanzler legte allerdings Wert darauf, daß bei beiden Wehrressorts keine »Preßtreiberei zugunsten der Projekte« ohne seine Genehmigung betrieben werde.
14 AA-Bonn, England, Nr. 78, geh. Bd. 39, Bethmann Hollweg an Wilhelm II., 18. 12. 12.
15 Ibid., NL Eisendecher, Nr. 1/1–7, Wilhelm II. an Eisendecher, 12. 12 .12; s. auch für das folgende (von mir gesperrt, F.F.).

»Damit ist Marschalls Arbeit und Lichnowskys Mission à limine bereits erledigt. *Denn beider Auftrag war, die Neutralität Englands uns jedenfalls für den Konfliktsfall mit Rußland–Frankreich zu sichern.*«

Der Kaiser bezeichnete es als eine »Ironie des Schicksals«, daß derselbe Haldane, der im Februar 1912 mit dem Angebot eines Neutralitätsvertrages – so deutete der Kaiser die Haldane-Mission – nach Berlin gekommen war, jetzt mit einem englischen Kriegseintritt drohte. Als Gegenmaßnahmen gab es für den Kaiser nur eines: »mehr Schiffe und Soldaten..., denn es geht um unsere Existenz...«:

»Hier geht England kaltblütig im Kampfe der Germanen gegen die Slavische Überflutung mit den Slaven gegen ihre eigene Rasse! Militärisch ziehen wir bereits die Konsequenzen und machen uns auf alles gefaßt.«

Eisendecher antwortete dem Kaiser sofort und bemühte sich, die Erregung des Monarchen zu dämpfen. Er hielt die Eröffnungen Haldanes nicht für so schwerwiegend, weil sie nicht neu seien; denn seit dem Abschluß der Triple-Entente hätte man mit dem Eintreten Englands für Frankreich zu rechnen. Vor allem aber führte Eisendecher seine jüngst noch bestätigten Erfahrungen von der Stimmung im englischen Parlament und Volk ins Feld. Nach diesen Eindrücken könne er an

»die Zustimmung des Parlaments zu einem Weltkriege gegen uns nicht glauben, im Gegenteil, die Regierung dürfte dort auf den heftigsten Widerstand stoßen« [16].

Eisendecher informierte den Reichskanzler über das beunruhigende Schreiben des Kaisers und seinen Beschwichtigungsversuch. Bethmann Hollweg antwortete umgehend. Er stimmte der Auffassung Eisendechers über die Haldaneschen Eröffnungen zu und billigte damit indirekt seinen Brief an den Kaiser:

»Haldanes Eröffnung an Lichnowsky war durchaus nicht so ernst. Sie gab nur wieder, was wir längst wissen: *daß England nach wie vor die Politik der balance of power vertritt und sich deshalb für Frankreich einsetzen wird, wenn dieses in einem Kriege Gefahr läuft, von uns vernichtet zu werden.* S. M., der trotz seiner Politik verlangt, daß England uns um den Hals fällt, hat sich darüber entsetzlich erregt, sofort – natürlich hinter meinem und Kiderlens Rükken – mit seinen Getreuen von Heer und Flotte einen Kriegsrat abgehalten, die Vorbereitung einer Heeres- *und Flotten*vorlage [17] anbefohlen und das sowie das Haldanesche Gespräch, phantastisch ausgeschmückt, Gott und der Welt ausposaunt. Allerdings war, wie ich *vermute*, eine Folge unserer diesjährigen Flottennovelle außer den kanadischen Dreadnoughts [18] ein noch engerer An-

16 Ibid., Eisendecher an Wilhelm II., 15. 12. 12.
17 Im Original Unterstreichungen durch Bethmann Hollweg.
18 Am 14. 2. 13 wurde im kanadischen Unterhaus ein Regierungsantrag auf Bewilligung von 35 Millionen Dollar für drei kanadische Dreadnoughts als Beitrag für die britische Empireflotte angenommen; vgl. Schultheß' Europäischer Geschichtskalender 1913, S. 691 ff., S. 709.

schluß Englands an Frankreich. Will S. M. im Verein mit Tirpitz das Band ganz unzerreißbar machen, so wird ihm das mit Hilfe einer neuen Flottennovelle ohne Schwierigkeiten gelingen. Bei verständiger Politik erblicke ich dagegen in den Haldaneschen Äußerungen nichts Bedrohliches.[19]«

Für Bethmann Hollweg war durch die Erklärungen Haldanes und Greys keineswegs die Grundlage seiner Politik gefährdet oder gar zerstört; nach wie vor hoffte er, durch die Zusammenarbeit in einzelnen politischen Fragen die Neutralität Englands für den kommenden Krieg sicherstellen zu können:

> »In der jetzigen Krisis hat England durchaus loyal und vertrauensvoll mit uns gearbeitet und namentlich auf Rußland mit bestem Erfolge kalmierend gewirkt. Es will eben keinen Kontinentalkrieg, weil es selbst in einen solchen verwickelt werden würde, selbst aber nicht fechten mag. Insofern haben seine Verpflichtungen gegen Frankreich vielleicht etwas Gutes. Aber wir dürfen keine nervöse Hampelmannpolitik treiben, sonst reißt den anderen doch einmal die Geduld.«

Eisendecher sah sich durch den Brief des Kanzlers veranlaßt, den Kaiser noch einmal nachdrücklich davor zu warnen, durch voreilige Aktionen, insbesondere durch eine weitere Flottennovelle, die Hoffnung auf die englische Neutralität zu verschenken. Er ging so weit zu sagen, er finde die »Erklärungen ehrlich und gut gemeint, nicht feindlich oder beunruhigend«. Eisendecher berief sich auf die Zusammenarbeit Englands und Deutschlands auf der Londoner Botschafterkonferenz:

> »Mit dem besten Willen kann ich unter solchen Umständen die Meinung E. M. nicht teilen, daß England unser besonderer Feind ist. Wir haben gerade jetzt vielleicht Aussicht, zu den Vettern ein normales, ja freundschaftliches Verhältnis anzubahnen; dazu scheint man in der Tat schon auf dem besten Wege und daran sollte man weiterbauen.[20]«

Eisendecher wiederholte seinen Gedanken, daß die objektive Interessenlage Englands seine Zugehörigkeit zur Entente verbiete:

> »Es können leicht Verhältnisse eintreten, die die Entente lockern, weil sie im Grunde unlogisch ist, nicht ganz so absurd wie das lediglich gegen uns gerichtete französisch-russische Bündnis, aber doch angesichts der Weltlage schwer verständlich, denn wer etwas weiter blickt, muß einsehen, daß allmählich das ganze westliche Europa, Romanen und Germanen doch gegen das Slawentum, die Vereinigten Staaten und später vielleicht die Gelben Front machen müssen und erste Bedingung für solche Zukunftsorientierung scheint mir doch wohl unser gutes Verständnis und schließlich ein Bündnis mit England.«

Eisendecher übernahm die Argumentation Bethmann Hollwegs vollstän-

---

19 AA-Bonn, NL Eisendecher, Nr. 1/1–7, Bethmann Hollweg an Eisendecher, 20. 12. 12 (von mir gesp., F.F.).
20 Ibid., Eisendecher an Wilhelm II., 23. 12. 12; s. auch für das folgende.

dig, wenn er den Kaiser mit fast zynischem Freimut vor die Alternative stellte:

»Meinen E. M., daß der große Brand und die kriegerische Auseinandersetzung mit England nicht zu vermeiden sei und daß dazu die derzeitige Lage für uns erfolgversprechend scheint, so brauchen wir nur mit Ostentation eine neue Flottenvorlage zu bringen, dann haben wir wahrscheinlich bald den Krieg und verwandeln die Entente in eine Allianz.«

Zum Schluß seines Briefes machte er sich zum Befürworter derjenigen Richtung unter den deutschen Politikern, die die Priorität einer Heeresvermehrung vor neuen Flottenvorlagen vertrat.

Bethmann Hollweg beschränkte sich nicht darauf, den Kaiser zu beruhigen und ihn wieder auf seine Politik festzulegen, sondern er war zugleich bemüht, die Folgen des kaiserlichen Mitteilungsdranges abzuschwächen. Bei einem Aufenthalt in München fragte ihn der bayerische Prinzregent, der wohl durch die Nachrichten seines Militärbevollmächtigten v. Wenninger aufgeschreckt war, besorgt, ob der Kaiser tatsächlich eine »Invasion nach England« plane, »in der letzten Woche sei (nämlich) allgemein die Ansicht verbreitet gewesen, S. M. dränge zum Kriege« [21]. Bethmann widersprach und erklärte nachdrücklich, »daß nicht nur unserer Politik, sondern auch dem Kaiser persönlich, alle aggressiven Absichten auf England völlig fernlägen«.

Dem österreichisch-ungarischen Thronfolger, den der Kaiser auch über die Grey–Haldane-Intervention informiert hatte, machte der Reichskanzler bei dieser Gelegenheit klar, daß Deutschland Österreich von einer kriegerischen Aktion abrate. Franz Ferdinand hatte nämlich die Mitteilungen des Kaisers über die »Perfidie« der englischen Politik und die Aufmunterung, »wir müssen das Eisen schmieden, solange es glüht« [22], zum Anlaß genommen, um bei Berchtold auf einen Krieg gegen Serbien zu drängen. Berchtold dagegen war – in richtigerer Einschätzung der Berliner Verhältnisse – überzeugt gewesen,

»daß Kaiser Wilhelms kampfesfroher Elan nicht von seiner Regierung geteilt wird, und im Gegenteil von dorther deutlich zu verstehen gegeben worden ist, Deutschland würde bei einer aggressiven Politik nicht mitgehen« [23].

Während Bethmann Hollweg in München weilte, traf Wilhelm II. in Berlin mit König Albert von Belgien zusammen. In Belgien herrschte seit Oktober durch Presseveröffentlichungen die Befürchtung, daß Deutschland

---

21 AA-Bonn, England, Nr. 78, geh. Bd. 31, Aufz. Bethmann Hollweg, 20. 12. 12; s. auch für den folgenden Abschnitt.
22 Robert A. Kann, Emperor William II and Archduke Francis Ferdinand in Their Correspondence, American Historical Revue 57, 1952, S. 344.
23 Hantsch, Leopold Graf Berchtold, Bd. 1, S. 362.

im Kriegsfall die belgische Neutralität nicht respektieren würde. Ausgelöst war diese Unruhe in der belgischen Presse durch einen Artikel des Brüsseler ›Soir‹, wonach Kaiser Wilhelm II. bei seinem Besuch der Schweiz dem Bundespräsidenten Forrer gesagt haben sollte: »Ich wünschte, ich wäre auf meiner rechten Flanke so gedeckt, wie ich es auf meiner linken bin.[24]« Der Kaiser hatte in seinem Gespräch mit König Albert diesem versichert, er beabsichtige bei einem deutsch-französischen Krieg keinen Angriff auf Belgien, vielmehr gehe es ihm nur um eine gesicherte rechte Flanke. Über diese Erklärung zeigte sich König Albert befriedigt[25]. Als Wilhelm II. den Generalstabschef Moltke und den Kanzler Bethmann Hollweg über diese Zusage unterrichtete, zeigte sich Moltke bestürzt. Nach der eigenhändigen Aufzeichnung Bethmann Hollwegs gab er dem Kaiser zu bedenken:

> »Unser Aufmarsch gegen Frankreich sei bekanntlich darauf basiert, daß wir durch Belgien vorrückten. An diesem Aufmarsch lasse sich jedenfalls für die Zeit bis zum 1. April 1913 nichts mehr ändern. Die belgische Heeresverstärkung müsse wohl zunächst tatsächlich durchgeführt werden. Vorher sei Belgien wohl zu schwach, seine Neutralität mit den Waffen zu wahren.[26]«

Der Kaiser stellte sich offenbar vor, daß die Schweizer stark genug seien, um einen möglichen militärischen Durchmarsch der Franzosen durch ihr Land in den Rücken der deutschen Westfront zu verhindern, und wünschte, daß die Belgier dieselbe Aufgabe gegenüber Frankreich und eventuell England im Nordwesten übernähmen. Er mußte sich aber von Moltke belehren lassen, daß diese dazu, jedenfalls vorläufig, noch nicht imstande seien. Aber der kaiserliche Wunsch bedeutete ja noch viel mehr, nämlich den Verzicht auf den Schlieffenplan, dessen Konzept Wilhelm in diesem Augenblick offenbar nicht vor Augen hatte – vielleicht einem momentanen Eindruck bei der Begegnung mit dem königlichen Vetter nachgebend, dem er wohl die Schmach der Unterwerfung nicht zumuten, den er aber auch nicht als Gegner sehen wollte. Oder soll man annehmen, daß der Oberste Kriegsherr – weil allzu geschwätzig und ungeeignet, Träger militärischer Geheimnisse zu sein – in die Generalstabsplanung des Westaufmarsches gar nicht voll eingeweiht war? Wie dem auch sei –, man versteht jedenfalls den Ausspruch Moltkes vom Frühjahr 1909, daß er mehr Angst vor dem Kaiser als vor den Franzosen und Russen habe – der Kaiser mußte sich auch in diesem Punkt belehren lassen, daß zumindest für das laufende Mobilmachungsjahr 1912/13 an dem Durchmarsch durch Belgien nichts zu ändern sei. Bis zu dessen Ablauf, dem 1. April 1913, hatte der

---

24 AA-Bonn, Belgien, Nr. 60, geh. Bd. 7; Flotow an AA, 30. 9. 12; ibid., die folgenden Berichte.
25 Ibid., Flotow an AA, 29. 12. 12.
26 Ibid., Aufzeichnung Bethmann Hollweg (m. p.), 21. 12. 12.

deutsche Generalstab neben dem Westaufmarsch für das Gros der deutschen Armee zur Kriegseröffnung gegen Frankreich auch noch einen Alternativplan zur Kriegseröffnung gegen Rußland ausgearbeitet und zur Verfügung. Für die Zeit vom 1. April 1913 an wurde der Ostaufmarsch nicht mehr bearbeitet, offenbar als Folge der Entschlüsse vom Dezember 1912 [26a]. Doch schon für den von Moltke am 8. Dezember 1912 geforderten und nur sehr ungern verschobenen Krieg war, wie seine Reaktion auf die kaiserliche Extratour zeigt, der Aufmarsch gegen Frankreich mitsamt dem Bruch der belgischen Neutralität vorgesehen. Dieses war geplant, obwohl der äußere Anlaß dieses Krieges in der Haltung Rußlands gegenüber Österreich-Ungarn lag.

Der Unwille des Generalstabschefs über die Inkonsequenz des Obersten Kriegsherrn fand auch noch Ausdruck in einer Unterredung, die er am 24. Dezember mit Admiral v. Müller, einem der Teilnehmer der Besprechung vom 8. Dezember, hatte, bei der auch das »Problem Belgien« zur Sprache kam:

> »Sehr ernstes Gespräch über unsere Kriegsbereitschaft und über Ziellosigkeit unserer und namentlich der österreichischen Politik. Über Unmöglichkeit der Respektierung der Neutralität Belgiens und über die unklare Persönlichkeit des österreichischen Thronfolgers, Erzherzog Franz Ferdinand.[27]«

Der Ausgang dieser Krise innerhalb der Reichsspitze zeigt, daß sich die Konzeption des Kanzlers, der vor allem beim Kriegsminister v. Heeringen und bei Tirpitz Unterstützung fand, durchgesetzt hatte. Der nun auch von ihm als unvermeidlich angesehene Krieg sollte in der augenblicklichen Balkankrise nicht ausgelöst werden, weil die politische und militärische Lage des Deutschen Reiches nach seinem Urteil noch nicht hinreichend dafür vorbereitet war. Bethmann Hollweg übernahm jetzt die Aufgabe, im Reichstag eine große Heeresvorlage durchzubringen, die Nation psychologisch auf den Krieg vorzubereiten, die Bündnispolitik des Deutschen Reiches zu aktivieren und vor allem eine günstige Ausgangslage für den Krieg zu schaffen durch Lockerung der Stellung Englands innerhalb der Entente, wodurch er England zumindestens in der entscheidenden Anfangsphase des Krieges neutral zu halten hoffte.

Deutsch-österreichisch-italienische Generalstabsbesprechungen 1912/13

Die Erneuerung des Dreibundes am 5. Dezember 1912 und der Friedensschluß Italiens mit der Türkei hatten auch der militärpolitischen Stellung Italiens im Dreibund wieder neues Gewicht gegeben [28]. Im Herbst 1912

26a Adolf Gasser, Deutschlands Entschluß zum Präventivkrieg, 1968, S. 175 ff.
27 Der Kaiser, Aufz. Alex. v. Müller, S. 126.
28 Vgl. zu diesem Abschnitt: Wolfgang Foerster, Der deutsche und der italienische Generalstab vor dem Weltkrieg, in: Deutscher Offizier-Bund, Nr. 19/20, Juli 1926, S. 837–842; 874–878.

hatte Rom Berlin davon unterrichtet, daß z. Z. mit der Entsendung italienischer Truppen an den Rhein (wie sie früher für den Kriegsfall verabredet worden war) nicht gerechnet werden könne; doch war dies von italienischer Seite nur als eine zeitweilige durch die Folgen des Tripoliskrieges erzwungene Maßnahme gedacht, die man so bald als möglich rückgängig machen wollte. Immerhin hatte dies auf seiten Conrads wie auch der deutschen Militärs einiges Mißtrauen geweckt, und Moltke war unruhig, seitdem sich die Frage des großen Krieges erneut für ihn stellte. Obwohl Moltke skeptisch war, inwieweit Italien in einem europäischen Krieg seiner Bündnispflicht (wie er sie verstand) nachkommen würde, bemühte er sich, nähere Informationen über die Pläne des italienischen Generalstabes zu erhalten, und schlug deshalb noch vor Erneuerung des Dreibundes seinem italienischen Kollegen Pollio einen Gedankenaustausch über gemeinsame militärische Operationen vor. Pollio entsandte daraufhin den Obersten Zupelli im Dezember 1912 nach Berlin. Ihm gegenüber wurde Moltke ganz deutlich:

>»Bitte beantworten Sie mir klipp und klar die Frage: wird Italien, wenn es zu dem vorauszusehenden europäischen Kriege kommt, seinen Verträgen treu bleiben und unter allen Umständen am Kriege auf Seite der beiden anderen Bundesstaaten teilnehmen! Das zu wissen ist mir zunächst die Hauptsache, über das ›Wie‹ der Teilnahme können wir uns dann noch weiter unterhalten.[29]«

Auf diese Frage Moltkes antworteten zwar Oberst Zupelli und auch der anwesende italienische Militärattaché in Berlin mit einem uneingeschränkten Ja. Dieses Ja wurde aber in einem Schreiben des persönlich äußerst dreibundfreundlichen italienischen Generalstabschefs Pollio vom 21. Dezember 1912, der mit der Autorisation seiner Regierung sprach, wieder eingeschränkt: Italien würde alle seine Streitkräfte mobilisieren und ohne Zeitverlust Frankreich angreifen, sobald der Casus foederis eintrete. Diese Auskunft entsprach genau der Auffassung, die die politische Leitung Italiens dem Dreibundvertrag gab: nämlich, wie bereits erörtert, dem einer ausschließlich defensiv verstandenen Allianz; d. h. daß Italien nur im Falle eines unprovozierten Angriffs auf einen seiner beiden Bündnispartner auf deren Seite treten werde.

Moltke rechnete nur mit einer lauen Unterstützung durch den italienischen Verbündeten. Italien werde, so glaubte er, hinhaltend und vorsichtig operieren und sich bei Rückschlägen der Verbündeten ohne wesentliche Verluste zurückziehen. Im Januar 1913 nahm er die Sondierungen wieder auf. Zu dieser Zeit hatte das italienische Marineministerium nach Abschluß des Tripoliskrieges Verhandlungen über eine Neufassung der im Dreibund bestehenden Marinekonvention für das Mittelmeer angeregt. Sowohl um

---

29 Zit. ibid., Nr. 20, S. 875.

diese Flottengespräche zu fördern, als auch um den Meinungsaustausch über gemeinsame Landoperationen weiterzutreiben, entsandte Moltke den Oberquartiermeister Graf Waldersee im Januar 1913 nach Rom und Wien. Dieser gewann in seinen Gesprächen mit dem italienischen Generalstab die Überzeugung von der vollen Loyalität Pollios gegenüber dem Dreibund. Tatsächlich waren in der Aera Giolitti wie unter der Regierung Salandra nicht nur die Spitzen der militärischen Hierarchie in Italien weitgehend auf den Dreibund eingeschworen, sondern dieser bildete bis zuletzt auch die generelle und allgemeine Prämisse der italienischen Militärpolitik. (Bis August 1914 gab es nur zwei Mobilmachungspläne: der zentrale Plan sah den Krieg an der Seite der Dreibundstaaten gegen Frankreich an der Alpen- und Rheinfront vor; außer diesem war nur noch ein einziger Fall vorgesehen und durchgearbeitet worden: die Verteidigung gegen einen österreichischen Überraschungsangriff; aber auch dieser zweite Plan war ausschließlich defensiver Natur.)

Wichtiger waren die Besprechungen mit dem österreichischen Generalstabschef Conrad von Hötzendorf. Nach der Wiederberufung Conrads in das Amt des Generalstabschef im Dezember 1912 wurde auch sein Briefwechsel mit Moltke wiederaufgenommen. Moltkes Abgesandter Graf Waldersee erneuerte am 24. Januar 1913 in Wien die schon früher von Moltke gemachte Zusage, Deutschland werde im Kriegsfalle 13 Divisionen an die Ostfront entsenden, und erweiterte sie, indem er den Einsatz von 4 bis 6 Reservedivisionen am 10. Mobilmachungstag versprach [30]. Conrad begrüßte diese Zusicherung; er interpretierte sie als Rückendeckung für Österreich in einem Krieg gegen Serbien. Conrad sah zwar, daß ein kriegerisches Vorgehen Österreichs gegen Serbien die Gefahr der Entfesselung des großen europäischen Krieges mit sich bringe; er hoffte aber, daß Rußland vor einer solchen Aktion zurückschrecken werde, wenn nur Deutschland es übernehme, durch seine entschiedene Haltung Rußland und Frankreich in der Defensive zu halten. Waldersee hingegen dachte nur an den »großen« Krieg:

> »Wir sind darüber im klaren, daß es der Kampf des Germanentums gegen das Slawentum ist.«

Conrad wandte sofort ein, daß der Krieg »in *diesem* Zeichen« nicht geführt werden dürfe, das verbiete die Rücksicht auf die slawische Bevölkerung Österreich-Ungarns. Er wies darauf hin,

> »daß Österreich-Ungarn zu großem Teil slawische Bevölkerung hat, die seit Jahrhunderten in der Monarchie Schutz, sowie die Möglichkeit kultureller Ent-

---

30 Vgl. Conrad, Aus meiner Dienstzeit, Bd. 3, S. 87 f.; Gespräch Conrads mit Waldersee, 24. 1. 13; siehe auch für die folgenden Zitate.

wicklung findet und deren Söhne in dem Heere dienen, mit dem wir den Kampf gegen unsere gemeinsamen Feinde führen wollen ... Hundert Millionen Slawen können Sie nicht erschlagen; die Süd- und Westslawen müssen sich in der österreichisch-ungarischen Monarchie ausleben können, es muß vermieden werden, daß sie sich den Nord- und Ostslawen anschließen«.

Conrads Gesamteindruck nach dem Gespräch mit Waldersee war – womit er die deutschen Intentionen äußerst genau traf –, daß »Deutschland an die unverbrüchliche Bundestreue Italiens und an dessen aktives Mitgehen im Kriegsfalle glaubte, daß Deutschland mit der schließlichen Unvermeidbarkeit des großen Krieges rechnete«. Wenn Conrad jedoch die Haltung Deutschlands weiter so interpretierte, als dächte der deutsche Generalstabschef nicht daran, einen Präventivkrieg zu entfesseln, so irrte er sich. Zwar hatte man sich am 8. Dezember 1912 in Berlin entschieden, jetzt noch keinen solchen zu führen, aber man war doch entschlossen, ihn zu einem Zeitpunkt, da die militärische Aufrüstung und die psychologische Vorbereitung abgeschlossen und England womöglich neutralisiert sein würde, unbedingt zu wagen. Nicht anders kann Waldersees Antwort auf Conrads Einwand, Deutschland wolle den unvermeidlichen Krieg »hinausziehen«, interpretiert werden:

> »Deutschland hofft, daß England sich etwas von der Triple Entente abwenden wird.«

Zu Recht brachte der österreich-ungarische Kriegsminister v. Krobatin am 31. Januar 1913 das deutsche Verhalten zum damaligen Zeitpunkt auf die Formel:

> »Deutschland (habe) *heute* noch kein Interesse an einem Kriege und (werde) *jetzt* einem solchen vorbeugen und Österreich-Ungarn von kriegerischen Schritten ... abhalten wollen [31].«

Einen erneuten Versuch, Conrad von der deutschen Konzeption zu überzeugen, unternahm Moltke in einem Brief an Conrad vom 10. Februar 1913, um Österreich *jetzt* von einer Aktion gegen Serbien zurückzuhalten [32]. Gleichzeitig beschwor Moltke wieder das Bild des großen Kontinentalkrieges, in dem auch Österreich im Falle des erwarteten deutschen Sieges am besten fahren würde:

> »Denn in dem Austrag des Streites zwischen Deutschland und Frankreich liegt meiner Überzeugung nach das Schwergewicht des ganzen europäischen Krieges, und auch das Schicksal Österreichs wird nicht am Bug, sondern an der Seine endgültig entschieden werden.«

---

31 Josef M. Baernreither, Dem Weltbrand entgegen, S. 195.
32 Conrad, Aus meiner Dienstzeit, Bd. 3, S. 145 f., Moltke an Conrad, 10. 2. 13.

Und wieder, wie schon Waldersee bei seinem Besuch in Wien, machte auch Moltke deutlich, daß Deutschland nur dann eine »wirkungsvolle Parole« für die eigene Bevölkerung hätte, wenn die Existenz Österreichs durch einen »russischen Angriff« bedroht sein würde: allein mit der Parole »Kampf des Germanentums gegen das Slawentum« lasse sich ein Krieg gegen Rußland führen:

> »Es würde aber schwierig sein, eine wirkungsvolle Parole zu finden, wenn österreichischerseits jetzt ein Krieg herausgefordert werden sollte, für dessen Entfesselung im deutschen Volk ein Verständnis nicht vorhanden wäre.«

Conrad hatte dem Brief entnommen, daß Moltke der Ansicht war, daß »über kurz oder lang ein europäischer Krieg kommen muß«. In seinem ausführlichen Antwortschreiben [33] warnte Conrad seinen deutschen Kollegen davor, diesen großen Krieg noch weiter hinauszuschieben. Er hob hervor,

> »daß, wenn wir es bis zu dem Moment ankommen lassen, in dem die Gegnerschaft diese Form des Rassenkampfes angenommen hat, wir kaum mehr werden darauf zählen *können*, daß unsere Slawen, die 47 % der Einwohner betragen, sich für den Kampf gegen ihre Stammesgenossen begeistern werden. Jetzt waltet noch das Gefühl historischer Zusammengehörigkeit und der Kitt der Disziplin im Heere vor; ob dies im obengedachten Falle in Hinkunft auch noch zutreffen würde, ist fraglich. Die Monarchie darf also nicht die Gegensätze bis zum Rassenkampf gedeihen lassen, sondern sie muß trachten, Süd- und Westslawen kulturell und politisch von den Ostslawen zu trennen, sie dem Einfluß Rußlands zu entziehen«.

Daher sei eine sofortige Aktion notwendig, um zu verhüten, daß Serbien »sich selbständig entfaltet und zum kräftigsten Verbündeten Rußlands sowie zum Attraktionspunkt unserer Südslawen wird«. Conrad vermochte aber Moltke mit diesem Kalkül nicht zu überzeugen. »Der Beginn eines Weltkrieges sei wohl zu überlegen«, replizierte Moltke in einem für Conrad bestimmten Gespräch mit dem österreichisch-ungarischen Militärattaché in Berlin am 19. Februar 1913 [34]. Einmal hielt er es für möglich, die Balkanfrage auch mit diplomatischen Mitteln im Sinne der Mittelmächte zu regeln; zum anderen machte er seinen Kollegen darauf aufmerksam – und hier unterschied er sich von den Hoffnungen der zivilen Reichsleitung in Berlin –, daß Deutschland außer mit Rußland und Frankreich noch mit England als Gegner rechnen müsse. Seiner Ansicht nach war England durch einen schriftlichen Vertrag mit Frankreich zur Mitwirkung an einem Krieg gegen Deutschland verpflichtet. Wie der Kaiser bedauerte Moltke, daß die »unverständliche blinde Angst Englands gegen Deutsch-

---

33 Ibid., S. 147 ff.; Conrad an Moltke, 15. 2. 13; siehe auch für die folgenden Zitate.
34 Ibid., S. 151 f.; Aufz. über ein Gespräch mit Moltke, 19. 3. 13.

land diese beiden Reiche in die gegnerischen Staatenbündnisse gebracht habe, wo kein wirklicher Grund dazu für England vorgelegen habe«.

Mit Moltkes Vertröstung mußte sich Conrad zufrieden geben, was um so leichter war, als der österreichische Thronfolger Franz Ferdinand im Gegensatz zur österreichischen Kriegspartei einen Krieg gegen Rußland unbedingt vermieden sehen wollte. In einem Gespräch mit Conrad äußerte er sich am 27. Februar 1913 folgendermaßen:

> »Der Krieg gegen Rußland muß vermieden werden, weil er von Frankreich geschürt wird, und zwar von den französischen Freimaurern und Antimonarchisten, die einen Umsturz herbeiführen wollen, wodurch die Monarchen vom Throne gestoßen werden sollen.[35]«

Immer wieder deutete Moltke an, daß trotz der momentanen Zurückhaltung der Zeitpunkt zur definitiven Auslösung eines Krieges in nicht allzu ferner Zeit liegen müsse: der eine Grund war das Verhalten Englands, das zur Annahme einer neutralen Haltung bestimmt werden sollte, dem gegenüber man gleichzeitig aber auch die eigene Ausgangslage für den Fall seines Eingreifens verbessern mußte: Fertigstellung des Kaiser-Wilhelm-Kanals und der Befestigungen von Helgoland als nächste Ziele. Der andere Grund lag in Rußland und Frankreich. Hier bestand die Gefahr, daß beide Länder inzwischen ihre noch mangelhafte Aufrüstung vervollkommnet hätten (Ausrüstung ihrer Feldheere mit schwerer Artillerie und Steilfeuergeschützen). Daß Moltke und die Spitzen der Generalität – rebus sic stantibus – immer den großen Krieg wünschten, dafür mag auch die Äußerung des Obersten Ludendorff von Anfang Februar 1913 gegenüber seinem Freund Bauer stehen. In einem Brief, in dem er sich seiner Vertrauensstellung bei Moltke rühmt, heißt es lapidar:

> »Sehen Sie nicht zu schwarz in die Zukunft. Ich glaube, wir und Sie bestehen alles ehrenhaft und glücklich, nur wenn es Krieg würde, ich glaube, gerade dieser ewige Friede ist an aller politisch-militärischen Zerfahrenheit schuld.[36]«

Auch die militärischen Zielplanungen vom April 1913 zeigen diese Marschroute ganz deutlich. Der bislang routinemäßig jährlich überarbeitete und den neuesten Gegebenheiten angepaßte »Große Ostaufmarschplan« wurde, worauf A. Gasser aufmerksam gemacht hat, im April 1913 nicht mehr bearbeitet; man konzentrierte sich ausschließlich auf den Schlieffenplan, um mit gesammelter Kraft Frankreich niederzuwerfen. Da man erwartete, daß der Ausbau der russischen Eisenbahnlinien bis zur deutschen Ostgrenze im Jahre 1916 abgeschlossen und die russische Armee dann um 40 %

---

35 Ibid., S. 155; Aufz. über ein Gespräch mit Franz Ferdinand, 26./27. 2. 13.
36 BA Koblenz, Militärarchiv, NL Bauer, Nr. 10, Ludendorff an Bauer, 2. 2. 13.

verstärkt sein würde [37], konnte das nur bedeuten, daß der Krieg mit Rußland vorher ausgelöst sein mußte. Denn nach 1916 war er nicht mehr nach
dem Rezept des Schlieffenplans (der mit einer langsamen Mobilmachung
der Russen rechnete und deshalb die Ostgrenze von deutschen Truppen
stark entblößte) zu führen. Die Kontinuität des Kriegswillens bezeugen
die Äußerungen des deutschen Militärattachés in Wien, Graf Kageneck,
der am 27. April 1913 gegenüber Conrad erklärte,

> »daß Kaiser Wilhelm nicht für den Krieg sei, ebenso seien breite Kreise dage-
> gen, im Generalstab wäre man aber von der Unvermeidlichkeit dieses Krieges
> überzeugt, und rechne mit ihm, also auch mit dem Kriege gegen Rußland« [38].

Am 2. Mai 1913 wiederholte Kageneck, Deutschland halte »absolut« zur
Donaumonarchie und wäre für die »große Austragung des Konfliktes«.
Zunächst jedoch mußte die militärische Aufrüstung beendet, die psychologische Beeinflussung der Bevölkerung gefördert und der Draht nach England verbessert werden.

*Das deutsch-englische Zusammenspiel auf der Londoner Botschafterkon-
ferenz – Die Warnungen Lichnowskys*

Diesem Kalkül diente auch die Politik Deutschlands auf der Botschafter-
Konferenz in London, die am 18. Dezember 1912 eröffnet wurde, um den
Balkankrieg zum Ende zu bringen. Bethmann hoffte nunmehr darauf,
Grey von der unbedingten Friedensliebe und Loyalität des Deutschen Reiches zu überzeugen, durch diese deutsch-englische Zusammenarbeit das Verhältnis zwischen den beiden Ländern so weitgehend zu entspannen, daß
die englische öffentliche Meinung beim Ausbruch kriegerischer Verwicklungen auf dem Kontinent nicht mehr in Deutschland den Provokateur
sehen und in versöhnlichem Sinne auf ihre Regierung einwirken würde. Um
die Londoner Botschafterkonferenz nicht zu stören, wandte sich Bethmann
daher gegen jede Forcierung der Flottenpläne [39].

Aus dem Bericht Lichnowskys über die ersten Konferenztage geht hervor, daß der Botschafter die Hoffnung des Reichskanzlers für durchaus
begründet hielt [40]. Er wies darauf hin, England habe in den vergangenen
Wochen des Balkankrieges seine politischen Freunde zu Besonnenheit und
Mäßigung angehalten. Er glaube daraus schließen zu können,

37 Adolf Gasser, Deutschlands Entschluß zum Präventivkrieg 1913/14, in: Festschrift für Edgar
Bonjour, S. 175 ff.; vgl. G. Ritter, Staatskunst und Kriegshandwerk, Bd. 2, S. 109 f.
38 Conrad, Aus meiner Dienstzeit, Bd. 3, S. 275; Gespräch mit Graf Kageneck, 27. 4. 13; das
Gespräch vom 2. 5. 13 siehe ibid., S. 294.
39 GP 39, Nr. 15 560, Bethmann Hollweg an Wilhelm II., 18. 12. 12.
40 GP 34 I, Nr. 12 561, Lichnowsky an Bethmann Hollweg, 20. 12. 12; vgl. auch für die folgenden
Zitate.

»daß wir auch für die Zukunft mit einer ähnlichen Haltung der britischen Regierung rechnen dürfen. Denn es liegt kein Grund zur Annahme vor, daß Großbritannien, falls es sich wirklich mit der Absicht trüge, gegen uns vorzugehen, eine so günstige Gelegenheit wie diese unbenutzt würde vorbeigehen lassen, oder daß es nach erfolgter Beilegung des kontinentalen Zwistes und ohne jeden Grund Lust haben sollte, über uns herzufallen«.

Lichnowsky gab seiner Überzeugung Ausdruck, daß die deutsch-britische Annäherung, falls keine störenden Ereignisse dazwischen träten, sich weiterentwickeln werde. Darin sah er eine Möglichkeit, die Entente aufzuweichen. Er hielt es jedoch für eine Illusion zu glauben, England würde Frankreich und Rußland im Ernstfall im Stich lassen. »Der Tag, an dem England sich mit Frankreich und Rußland formell entloben und uns reumütig in die Arme sinken wird, wird niemals kommen, es sei denn, daß wir geschlagen werden.«

Die englische Haltung Deutschland gegenüber brachte er auf die Formel:

»Man achtet uns hier, man schätzt, man überschätzt uns vielleicht und aus diesem Gefühle, das man mitunter geneigt wäre, Furcht zu nennen, geht das Bestreben hervor, uns einzuengen, nicht aber die Lust, uns zu bekriegen. Dazu sind die gemeinsamen Interessen zu groß, die wirtschaftlichen Verbindungen zu eng und bedeutend, die materiellen Verluste selbst eines siegreichen Krieges zu empfindlich.«

Nur in einem Fall sah Lichnowsky einen englischen Krieg gegen Deutschland als sicher an: wenn Deutschland Frankreich angriffe und dadurch das europäische Gleichgewicht störe; dann werde England »unter allen Umständen seine schützende Hand über Frankreich halten«. Lichnowsky fuhr fort: »In diesem Umstande vermag ich aber für uns eine Bedrohung um so weniger zu erblicken, als bei uns nicht die Absicht besteht, gegen die Franzosen feindlich vorzugehen.« Diesen Satz versah der Kaiser mit einem Frage- und Ausrufungszeichen. – Lichnowsky befand sich im Irrtum und man ließ ihn im Irrtum; gerade damals entschloß sich Deutschland endgültig dazu, bei Ausbruch eines großen Krieges in jedem Falle sofort offensiv gegen Frankreich vorzugehen.

In den folgenden Wochen brachte Lichnowsky seine Überzeugung, daß England in einen deutsch-französischen Krieg unter allen Umständen eingreifen würde, immer wieder zum Ausdruck [41]. Ende Januar 1913 glaubte er, daß der Ausbruch dieses Krieges ganz nahe bevorstehe, falls es Deutschland nicht gelänge, Österreich-Ungarn von seiner starren Haltung in der Skutarifrage abzubringen. In einem Privatbrief schrieb er am 26. Januar an Bethmann Hollweg:

41 Vgl. ibid., Nr. 12 707, Lichnowsky an AA, 13. 1. 13.

»So, wie die Sachen heute stehen, erblicke ich kaum eine Möglichkeit einer friedlichen Lösung, da jede Verständigung ausgeschlossen erscheint. Die deutsch-englischen Beziehungen, auf die so vieles ankommt, sind seit Jahren nicht so freundliche gewesen wie heute, doch alles würde dahin sein von dem Augenblick an, wo wir mit Frankreich in einen Krieg geraten.«

Rußland könne nicht noch einmal wie 1908 auf der ganzen Linie nachgeben, ohne alles Ansehen zu verlieren. Es komme deshalb in diesem Augenblick auf die Haltung des deutschen Kanzlers an. Er müsse Österreich-Ungarn zu verstehen geben, »daß wir *unter keinen Umständen* Krieg haben wollen, und so Österreich zu Konzessionen gegenüber Rußland zwingen«[42].

In seiner Antwort, die in einem tadelnden Ton abgefaßt ist, warf Bethmann Hollweg Lichnowsky vor, er sähe Kriegsgespenster. Österreich habe in der Adriafrage seine Forderungen mit Hilfe des Dreibundes durchgesetzt, und es werde auch über Skutari nicht zu einem Bruch kommen. Deutschland dürfe in seinem eigenen Interesse Österreich nicht verprellen, sondern müsse alles daransetzen, den Dreibund fest geschlossen zu halten[43]. Dies sei gerade im Hinblick auf die angestrebten guten Beziehungen zu England wichtig, das selber peinlich bestrebt sei, in der Triple-Entente keinen Riß entstehen zu lassen.

»Wir müssen auf unserer Seite das Gleiche tun. Sonst laufen wir Gefahr, daß uns England, mit dem unsere Beziehungen doch *noch nicht* so fest zusammengewachsen sind, schließlich unter russischem und französischem Druck sitzen läßt. Das aber wäre für unsere Zukunft das Verderblichste. Hoffentlich glückt es, die Aufwerfung der kleinasiatischen Frage *jetzt noch hinauszuschieben. Aber kommen wird sie und wahrscheinlich früher, als uns lieb ist.* Lösen können wir sie dann in einer für uns erträglichen Weise nur *mit* England.«

Die Zusammenarbeit zwischen London und Berlin, die darin bestand, daß England auf Rußland, Deutschland auf Österreich-Ungarn mäßigend einwirkte, führte gleich zu Beginn der Londoner Konferenz (noch am 18. Dezember) zu den für Österreich günstigen Beschlüssen, einen selbständigen Staat Albanien zu errichten und Serbien den erwünschten Adriahafen zu verweigern. Rußland wich in dieser Krise zum zweitenmal zurück, indem es serbische und montenegrinische Ansprüche preisgab. Freilich tat es das nur außerordentlich widerstrebend; außerdem führten die fortdauernden Streitigkeiten zwischen Serbien und Montenegro und Österreich-Ungarn über die Grenzen des neuen Staates zu weiteren Mobilmachungsmaßnahmen in Rußland wie in Österreich-Ungarn[44]; so vergrößerte sich wiederum die Gefahr eines europäischen Krieges. In Österreich-Ungarn ent-

---

42 Ibid., Nr. 12 748, Lichnowsky an Bethmann Hollweg, 26. 1. 13; vgl. auch dazu Nr. 12 740, ders., an dens., 22. 1. 13.
43 Ibid., Nr. 12 763, Bethmann Hollweg an Lichnowsky, 30. 1. 13; auch für die folgenden Zitate (Sperrungen von mir, F.F.).
44 Vgl. GP 33, Nr. 12 488, Bericht des deutschen Militärattachés in Wien, 7. 12. 12.

brannte aufs neue der Streit zwischen den Vertretern einer aggressiven kriegerischen Politik, die auch auf die Gefahr eines Krieges mit Rußland hin geneigt war, mit Serbien »abzurechnen«, und jenen, die versuchten, die lebenswichtigen Interessen Österreich-Ungarns mit Hilfe der Londoner Konferenz zu wahren.

Zur zweiten Gruppe gehörte vor allem der Außenminister Graf Berchtold. Die sich immer weiter verschärfenden Spannungen zwischen Österreich und Rußland hemmten jedoch die Konferenz so außerordentlich, daß Berchtold sich Anfang Februar zu einer Sonderaktion entschloß: zur Entsendung des Prinzen Hohenlohe nach Petersburg [45].

Im Gegensatz zu Bethmann war der deutsche Kaiser zu diesem Zeitpunkt von den Erfolgen der Botschafterkonferenz nicht mehr überzeugt. Ganz im Sinne seines Kanzlers hatte er darin anfänglich ein Mittel zur Verbesserung des deutsch-englischen Verhältnisses gesehen. Ein mit England abgestimmtes Vorgehen in der Balkanfrage »würde eine gute Basis geben für (eine) Vertretung gemeinsamer allgemeiner Interessen und (für den) Bau einer Brücke für bessere Beziehungen« [46]. Im Januar 1913 glaubte er jedoch zu erkennen, daß die Mächte eindeutig für die Balkanstaaten und gegen die Türkei Stellung nähmen. Er bezeichnete das als eine »beschämende Comödie« des europäischen »Conzerts« und drohte an, er werde fortan seine eigenen Wege gehen, »wie sie für uns gut sind, ohne Rücksicht mehr auf andere« [47].

Grundsätzlich war er der Ansicht, daß die Noten der Großmächte von den betroffenen Staaten nicht mehr ernst genommen würden, da sie immer zu harmlos seien und die Mächte sich damit nur lächerlich machten. Einen Ausweg aus der verfahrenen Situation sah er in der Wiederaufnahme des Kampfes; denn erst wenn es eindeutige Sieger und Besiegte gäbe, könne über den Frieden verhandelt werden. »Ich habe genug vom Dreck und mache solchen Unsinn (wie er auf der Konferenz getrieben wird) nicht weiter mit! Mögen die Kerls sich keilen und die Sache erst zur Entscheidung bringen, damit klare Verhältnisse geschaffen werden. Ein festes Friedensinstrument vor allem! [48]«

Diese halb resignierenden, halb naßforschen Äußerungen des Kaisers sollten den Blick nicht verdunkeln für die Erkenntnis, daß die deutsche Regierung auf der Londoner Konferenz eine zielbewußte Politik getrieben hat: Das Zusammenspiel mit England war ein neuer Versuch, die deutsche Friedensliebe jener Macht zu demonstrieren, die man aus der Triple-Entente herauszulösen hoffte.

45 Vgl. dazu unten Kap. 10.
46 GP 34 I, Nr. 12 581, Marginalie Wilhelms II. zu einem Telegramm des WTB; siehe auch ibid. Nr. 12 616, Randbemerkungen des Kaisers zu einem Schreiben Bethmann Hollwegs, 5. 1. 13. Für den Kanzler vgl. ibid. Nr. 12 592, Schreiben an Wilhelm II., 31. 12. 12.
47 Ibid., Nr. 12 677, Randbemerkung zu dem Schreiben Lichnowskys an AA, 13. 1. 13.
48 Ibid., Nr. 12 775, Schlußbemerkung zu dem Schreiben Lichnowskys an AA, 1. 2. 13.

II. Die Heeresvorlage von 1913

Unter dem Eindruck der Krisensituation auf dem Balkan, die nicht ohne Rückwirkungen auf die politische Atmosphäre in Europa bleiben konnte, waren am 13. Oktober 1912 auf dem kaiserlichen Jagdschloß Hubertusstock Wilhelm II., Bethmann Hollweg, Kiderlen-Wächter, der Preußische Kriegsminister General v. Heeringen, der Chef des Generalstabs General v. Moltke und der Chef des Geheimen Militärkabinetts General v. Lyncker zu einer Besprechung über die militärpolitische Lage zusammengetreten. Der Kaiser zeigte sich alarmiert; er behauptete, daß sich die militärischen Stärkeverhältnisse für den Dreibund rapide verschlechterten und forderte eine Heeresvorlage nach dem Vorbild des österreichischen Verbündeten, der gerade sein Heer verstärkt hatte. Offensichtlich blieb der Kaiser auf dieser Konferenz jedoch mit seiner Forderung nach einer Heeresverstärkung noch allein. Zwar ist die Stellungnahme der zivilen Reichsleitung zu dem kaiserlichen Vorschlag nicht bekannt, der Kriegsminister aber und offensichtlich auch der Generalstabschef widersprachen der pessimistischen Lagebeurteilung des Kaisers. Der Kriegsminister stellte fest, daß keine entscheidende Verschlechterung der militärpolitischen Verhältnisse in Europa gegenüber denen zur Zeit der Vorlage von 1912 eingetreten sei [1].

Die Auseinandersetzung zwischen Kriegsministerium und Generalstab

Der Zusammenbruch der europäischen Türkei nach kürzester Kriegsdauer – Beginn 16. Oktober, entscheidende Niederlagen 23./24. Oktober – und die erhebliche Vergrößerung der slawischen Balkanstaaten, vor allem Serbiens, veränderten aber die Lage auf dem Balkan schlagartig zuungunsten des Dreibundes. Mitte November nahm deshalb der Kriegsminister plötzlich seine Forderungen nach neuen Heeresformationen und Mannschaftsvermehrungen, die er bereits im Frühjahr 1912 erhoben hatte, wieder auf. Auch der Reichskanzler schien die Bedrohung der militärischen Stellung des Deutschen Reiches zu befürchten, denn er befürwortete jetzt eine Heeresvorlage. Dem zögernden Kriegsminister, der über seine Forderungen vom März 1912 nicht hinausgegangen war, stellte Bethmann Hollweg die »bestimmte« Frage, ob er (Heeringen) eine Verstärkung des deutschen Heeres vom militärischen Standpunkt im gegenwärtigen Augenblick für überflüssig erachte. Derart suggestiv befragt, antwortete Heeringen, daß er auf Grund der militärischen und politischen Lage, die sich durch den

---

1 Über diese Unterredung existiert ein Protokoll m. W. nicht. Aufschluß bietet jedoch der Brief im DZA I, Rkz, Nr. 1252/1, Heeringen an Bethmann Hollweg, 13. 3. 13; vgl. auch Westarp, Konservative Politik, Bd. 1, S. 226.

Balkankrieg ergeben habe, diese Frage jetzt nicht mehr ohne weiteres bejahen könne [2]. Selbstverständlich könne vom militärischen Standpunkte aus »die Entwicklung der deutschen Wehrkraft zu Lande gar nicht weit genug sein«, und »die Heeresvorlagen von 1905 und 1911 (hätten) den Bedürfnissen des Heeres durchaus nicht genügt...«. Wenn der Reichskanzler politisch und finanziell eine weitere Heeresvorlage für möglich halte, so sei er bereit, eine solche vorzulegen. Ihre Kosten würden allerdings mindestens 300 Mill. Mark betragen. In dieser Antwort wird die reservierte Haltung des Kriegsministers möglichen großen Heeresverstärkungen gegenüber deutlich sichtbar.

Vier Tage später, am 25. November 1912, legte der Chef des Generalstabes dem Kriegsminister eine Denkschrift vor [3], in der er die Forderung nach einer Heeresverstärkung erhob. Die Denkschrift beschränkte sich noch darauf, einige spezielle Wünsche der Militärverwaltung, vor allem die Verstärkung vorhandener Formationen, vorzutragen. In der allgemeinen Begründung sprach sie jedoch schon davon, daß »die Ausnutzung unseres Menschenmaterials... bis zur vollen Durchführung der allgemeinen Wehrpflicht« notwendig sei, und gab die Parole vom »Volk in Waffen« aus, die dann für die gesamte Diskussion in der Öffentlichkeit während des Jahres 1913 bestimmend wurde. Die Militärs waren bei ihrer Argumentation für eine Heeresverstärkung in einer schwierigen Lage. Einerseits mußten sie hervorheben, wie unzureichend die augenblickliche Stärke der Rüstungen sei, andererseits durften sie – gerade in der europäischen Krisensituation – das Vertrauen in die militärische Überlegenheit des deutschen Heeres nicht erschüttern. Dieses Dilemma erklärt eine Bemerkung des Kriegsministers zu Moltkes Denkschrift, daß der Generalstabschef zwar von der Notwendigkeit einer Heeresvorlage überzeugt sei, dennoch aber glaube, »daß das deutsche Heer mit vollster Zuversicht allen Ereignissen der Zukunft entgegensehen könne«. Jetzt forderte auch der Kriegsminister eine Verstärkung der Wehrmacht, die im wesentlichen in einer Erhöhung der Etatstärken und der Aufstellung von neuen Spezialeinheiten (Maschinengewehrkompanien) bestehen sollte.

Am 2. Dezember 1912 – am gleichen Tag, an dem Bethmann Hollweg im Reichstag von der Möglichkeit, »fechten« zu müssen, sprach – legte der Kriegsminister in einem Schreiben an Bethmann Hollweg seine Pläne für die neu einzubringende Heeresvorlage vor und bezifferte die Kosten auf etwa 200 bis 300 Mill. Mark. Die Heeresvorlage sollte am 1. Oktober

---

2 RA, Kriegsrüstung und Kriegswirtschaft, 1. Anl. Bd., S. 162. Vgl. DZA I, Rkz, Nr. 1252/1, Aufz. des Kriegsministers v. Heeringen über die Entstehung der Großen Wehrvorlage von 1913, dat. 13. 3. 13.
3 RA, Kriegsrüstung und Kriegswirtschaft, 1. Anl. Bd., S. 146 ff. Moltke an Heeringen, 25. 11. 1912. Das Konzept stammt von der Hand des Obersten Erich Ludendorff, der Chef der Aufmarschabteilung im Großen Generalstab war.

1913 in Kraft treten. Die Mitteilung des Kriegsministers an den Reichskanzler, daß die Einbringung einer neuen Heeresvorlage notwendig sei,
von der der Kriegsminister aber nicht sagen konnte, »wie diese mit den
augenblicklichen Grundsätzen unserer Finanzpolitik zu vereinigen sei«,
wurde von Wahnschaffe mit einer nicht zu verkennenden Erbitterung kommentiert. Die Heeresverwaltung stelle jetzt solche Forderungen,

> »nachdem sie vor einem Jahr noch zu einer Militärvorlage angespornt werden
> mußte u(nd) nachdem sie vor neun Monaten erklärt hat, wenn diese Militär-
> vorlage durchgeführt sei, könne sie leichten Herzens die Verantwortung tra-
> gen (!)« [4].

Bethmann Hollweg setzte den Forderungen des Kriegsministers in sachlicher Hinsicht keinerlei Widerstand entgegen. Am 4. Dezember hielt er
und am folgenden Tage der Kriegsminister Vortrag beim Kaiser über die
Notwendigkeit einer neuen Heeresvorlage, und sie erhielten die dafür erforderliche kaiserliche Genehmigung. Der Kampf um den Umfang der
Heeresvorlage spielte sich seitdem ausschließlich zwischen dem Kriegsministerium und dem Generalstab ab; der Reichskanzler war bereit, für die
Durchführung alles dessen zu kämpfen, was die militärischen Belange erforderten.

Unterdessen drangen die ersten offiziösen Mitteilungen über die Pläne
zu einer neuerlichen Verstärkung des deutschen Heeres in die Öffentlichkeit [5]. Am 9. Dezember, einen Tag nach der Konferenz in Potsdam, forderte der Kriegsminister auf Befehl des Kaisers [6] den Chef des Generalstabes auf, seine Forderungen genauer zu spezifizieren. Gleichzeitig wies
er Vorwürfe des Generalstabschefs zurück, daß nur durch ihn, den Kriegsminister, eine größere Heeresvorlage im Winter 1911/12 verhindert worden sei. Heeringen erinnerte daran, daß bei den Beratungen über die Heeresvorlage von 1912 vom Generalstab in keinem Falle größere Forderungen erhoben worden seien, als der Kriegsminister zugestanden habe.
Schließlich warnte Heeringen vor zu starken Etaterhöhungen, weil dieser
Möglichkeit »durch Rücksichten auf die Ausbildung des einzelnen Mannes«
Grenzen gesetzt seien, wie überhaupt »Neuformationen in großem Umfange an der Unmöglichkeit, Offiziere und Unteroffiziere in hinreichender
Zahl zu beschaffen«, scheitern würden. Hier kollidierte wieder das Stan-
desbewußtsein des Kriegsministers mit den Anforderungen rationaler
Machtpolitik, wie sie vom Generalstab vertreten wurden. Denn Überlegun-

---

4 DZA I, Rkz, 1252/1; Heeringen an Bethmann Hollweg, 2. 12. 12; Randbemerkung des UStS
Wahnschaffe an Heeringens Schreiben; vgl. Westarp, Kons. Politik, Bd. 1, S. 226 f.
5 Vgl. NAZ, vom 15. 12. 12.
6 Vgl. zu diesem Abschnitt: RA, Kriegsrüstung und Kriegswirtschaft, 1. Anl. Bd., Heeringen an
Moltke, 9. 12. 12, S. 155 f.; Moltke an Heeringen, 21. 12. 12, S. 156 f. Das Konzept stammt von
der Hand Ludendorffs, 16. 12. 12; Moltke an Bethmann Hollweg, 21. 12. 12, S. 158 ff.

gen, wie man ein klassenmäßig geschlossenes Offizierkorps erhalten könne, erschienen vor allem den jüngeren Abteilungschefs im Generalstab unerheblich im Vergleich zur äußersten Ausnutzung des gesamten vorhandenen Menschenpotentials für die machtpolitische Stellung des Reichs. Dementsprechend arbeitete der Generalstab sogleich Vorschläge aus, wie dem vom Kriegsminister als bedrohlich dargestellten Offiziers- und Unterführermangel abzuhelfen wäre. Allerdings gingen diese Vorschläge, »die Laufbahn des Offiziers und Unteroffiziers begehrenswerter zu machen«, gerade in jene Richtung, die dem Kriegsminister verhängnisvoll zu sein schien.

Am 21. Dezember legte der Generalstabschef dem Kriegsminister erneut eine ausführliche Denkschrift mit Vorschlägen für eine Heeresvorlage vor. In einem einleitenden Teil über die militärpolitische Lage des Deutschen Reiches aus der Sicht des Generalstabes wird die Forderung einer großen Heeresverstärkung begründet. Für einen künftigen Krieg wird in dieser Denkschrift mit folgender Konstellation gerechnet: Die Triple-Entente (einschließlich sämtlicher Seestreitkräfte Englands und des englischen Expeditionskorps) werde den gesamten deutschen, italienischen, österreichisch-ungarischen und wohl auch rumänischen Streitkräften gegenüberstehen; allerdings mit der Einschränkung, daß Österreich-Ungarn und Rumänien auf dem Balkan und Italien in Tripolis mit ihren Streitkräften teilweise gebunden seien. Hinzu komme, daß Italien, wie sich bei einer vor kurzem stattgefundenen Besprechung mit Vertretern des italienischen Generalstabes habe feststellen lassen, seine dritte Armee nicht mehr wie vorgesehen an den Oberrhein entsenden werde. Dadurch fielen fünf Armeekorps und zwei Kavalleriedivisionen gegen Frankreich aus.

Zusammenfassend wird Österreich-Ungarn als »der politisch am meisten bedrohte Teil« bezeichnet, Deutschland als »der militärisch bedrohteste«, wohingegen Italien »politisch und militärisch am wenigsten interessiert« sei.

> »Kommt es zum Kriege, so kann es keinem Zweifel unterliegen, daß seine Hauptlast auf den Schultern des von drei Seiten her durch seine Gegner umklammerten Deutschland liegen wird.
> Trotzdem werden wir, wenn es gelingt, den casus belli so zu formulieren, daß die Nation einmütig und begeistert zu den Waffen greift, *unter den augenblicklichen Verhältnissen* auch den schwersten Aufgaben noch mit Zuversicht entgegensehen können.«

Wie am 8. Dezember im Gespräch Kaiser–Tirpitz–Moltke wurde hier also wieder auf die Notwendigkeit einer psychologischen Kriegsvorbereitung hingewiesen.

Im zweiten Teil der Denkschrift erhob Moltke die Forderung, das Rekrutenkontingent jährlich um 150 000 und die Friedenspräsenzstärke damit um insgesamt 300 000 Mannschaften zu erhöhen, also eine Vergrößerung der deutschen Armee von 620 000 auf 920 000 Mann durchzuführen. Die Mannschaftserhöhungen sollten teilweise genutzt werden, um Etatverstärkungen bei vorhandenen Einheiten durchzuführen, einmal um den kleinen Regimentern mit nur zwei Bataillonen die dritten Bataillone zu geben, und weiter, um drei Armeekorps völlig neu aufzustellen; außerdem sollten einige Materialvermehrungen durchgeführt werden, u. a. Verstärkung der Munitionsreserven, sowie die Aufstellung von Flakeinheiten.

In einem Schreiben vom 14. Januar 1913 betonte Moltke noch einmal die Dringlichkeit seiner Forderungen [7]. Die am 21. Dezember eingesandte Denkschrift enthalte nur das, »was ich auf Grund der militärpolitischen Lage zur Verstärkung unserer Wehrmacht sowohl der Güte wie dem Umfang nach für erforderlich ansehe«; zwar sei »die Durchführung (des) Programms nicht nur eine militärische, sondern eine eminent politische Frage, in der die Entscheidung zunächst bei dem Herrn Reichskanzler« liege. In dieser Bemerkung war bereits die Kampfansage an den Kriegsminister formuliert, daß nämlich der Generalstabschef sich gegen ihn mit dem Reichskanzler verbünden könnte. Gleichzeitig wies Moltke darauf hin,

> »daß der Reichstag unter dem Eindruck der gespannten politischen Weltlage jetzt zur Bewilligung hoher Mittel bereit sein wird, während diese Bereitwilligkeit vielleicht nicht mehr vorhanden sein wird, wenn später eine Entspannung eingetreten sein sollte«.

Der Kriegsminister trat den Forderungen des Generalstabs mit außerordentlicher Schärfe entgegen, wie sich aus dem anschließenden Briefwechsel entnehmen läßt. Schon bei einer Besprechung zwischen Moltke und Heeringen am 3. Januar und den folgenden kommissarischen Beratungen am 9. Januar waren die Gegensätze aufeinandergeprallt, besonders in Hinsicht auf die vom Generalstab geforderten drei neuen Armeekorps [8]. Dem Kriegsminister gelang es, bei einem Immediatvortrag beim Kaiser am 23. Januar dessen Zustimmung zu seinem Plan zu erhalten, der im wesentlichen Etaterhöhungen bei vorhandenen Einheiten, die Neuaufstellung von fünfzehn Bataillonen Infanterie für die Regimenter kleinen Etats und für einige Spezialeinheiten vorsah, eine Verstärkung des Heeres um insgesamt 3900 Offiziere, 13 400 Unteroffiziere und 106 000 Mannschaften. Die fortdauernden Kosten bezifferte Heeringen auf 122 Mill. Mark, die einmaligen auf 672 Mill. Mark. Wenngleich Moltke sofort zwei Tage später seinerseits in einem Immediatvortrag beim Kaiser versuchte, die Entscheidung zugunsten des Planes des Generalstabs umzustoßen und die Neuformierung der drei Armeekorps zu erreichen, entschied der Kaiser endgültig,

---

7 Ibid., S. 175 ff.; vgl. den daran anschließenden Schriftwechsel, S. 178 ff.
8 DZA I, RKz Nr. 1252/1, Aufz. vom 13. 3. 13.

daß die neue Heeresvorlage auf der Grundlage des Entwurfs des Kriegsministeriums ausgearbeitet werden und daß die Neuformierung der drei Armeekorps einem späteren Zeitpunkt, nach Abschluß der jetzigen Vorlage, vorbehalten bleiben sollte. Diese kaiserliche Entscheidung nahm Moltke zunächst als bindend hin, drängte dann aber in einer Denkschrift an den Reichskanzler darauf, zumindest eine weitere Verstärkung des Etats der Infanterie- und Feldartilleriebataillone vorzunehmen. Bethmann Hollweg setzte sich dem Kriegsminister gegenüber für die geforderten Verstärkungen der Infanteriebataillone ein, lehnte die weitergehenden Forderungen Moltkes jedoch ab [9].

Der Generalstabschef insistierte zwar weiterhin auf den drei neuen Armeekorps, setzte sich aber nicht durch. Am 5. März wurde auf einer Besprechung zwischen Reichskanzler, Kriegsminister und Generalstabschef der Umfang der neuen Heeresvorlage endgültig festgelegt. Vorgesehen waren rund 4000 Offiziere, 14 900 Unteroffiziere, 117 000 Mannschaften. Moltkes drei zusätzliche Armeekorps hätten weitere Einstellungen von rund 1900 Offizieren, 7500 Unteroffizieren und 44 000 Mannschaften bedeutet. Aus politischen und finanziellen Gründen weigerte sich der Kriegsminister, dem zuzustimmen. Bethmann Hollweg schloß sich dieser Ansicht an, zumal die Probleme der finanziellen Durchführung der Heeresvorlage auch ohne diese Mehrforderungen schon schwierig genug waren [10].

Wenn auch der Generalstab mit seinen weitergehenden Forderungen nicht durchgedrungen war, und organisatorisch-soziale wie politisch-finanzielle Rücksichten Einschränkungen erzwungen hatten, so war die neue Heeresvorlage dennoch ein großer Sieg des Generalstabs, und hier vor allem Ludendorffs. Ludendorff war bis zuletzt der engste Mitarbeiter Moltkes und seine Versetzung zur Truppe bedeutete keineswegs einen Bruch mit seinem Chef. Selbstbewußt berichtete er schon am 2. Februar seinem Generalstabskameraden Bauer, wie ehrenvoll er von Moltke verabschiedet worden sei:

»Er dankte mir ›im Namen der Armee‹. Sehen Sie, Bauer, darüber bin ich unendlich froh und glücklich und stolz. Das kann mir kein Mensch nehmen. Nennen Sie einen Obersten, dem das gesagt wurde. Ja, ich bin stolz, die Heeresvorlage, die kommt, ist mein Werk, d. h. ich wollte noch mehr.[11]«

Bethmann Hollweg übernahm die formelle Verantwortung für die Wehrvorlage in ihrer am 5. März festgesetzten Form; an ihrer Ausgestaltung

---

9 RA, Kriegsrüstung und Kriegswirtschaft, 1. Anl. Bd., S. 168 f. Wilhelm II. an Heeringen, 25. 1. 13. Denkschrift Moltkes vom 30. 1. 13, S. 186 ff.; DZA I, RKz, Nr. 1252/1; Wahnschaffe an Heeringen, 23. 2. 13.
10 Vgl. Moltkes Schreiben an Bethmann Hollweg vom 1. und 5. 3. 13, RA, Kriegsrüstung und Kriegswirtschaft, S. 188 f. Aufz. Heeringens über die Besprechung vom 5. 3. 13; ibid., S. 190 f.
11 BA-Koblenz, M. A., NL Bauer, Nr. 10, Ludendorff an Bauer, 2. 2. 13.

hat er kaum Anteil gehabt. Er nahm die von den verantwortlichen Ressorts ausgearbeiteten Vorschläge als gegeben hin und griff in den Kampf zwischen Kriegsministerium und Generalstab nur insofern ein, als er sich die Ansicht Heeringens zu eigen machte und die weitergehenden Pläne Moltkes abwehrte. Ihn beschäftigte in viel stärkerem Maße das Problem der Deckung der Wehrvorlagen in der geeigneten Form.

Die Deckungsvorlage als innenpolitischer Machtkampf

Durch das Gesetz über die Deckung der Kosten für die Verstärkung von Heer und Flotte vom 14. Juni 1912 war auf Grund des Antrages Bassermann-Erzberger festgelegt worden, daß »eine allgemeine, den verschiedenen Besitzformen gerecht werdende Besitzsteuer«[12] bis zum 30. April 1913 beim Reichstag eingebracht werden mußte. Anfang Oktober 1912 wandte sich der Staatssekretär des Reichsschatzamtes Kühn an Bethmann Hollweg mit Vorschlägen für die geforderte Besitzsteuer. Er legte dar, daß »als allgemeine Besitzsteuer nur eine Vermögens- oder eine Erbschaftssteuer in Frage komme und daß bei beiden die Form der Besteuerung des Zuwachses zu wählen sei«, und entschied sich selbst, obgleich der Widerstand des Bundesrats dagegen wohl stärker sein würde, für eine Vermögenszuwachssteuer, da diese für Konservative und Zentrum wohl erträglicher sein werde als eine direkte Vermögenssteuer. Dieser Ansicht schloß sich auch Bethmann Hollweg an, obgleich er nicht verkannte, daß auch die Vermögenszuwachssteuer die Erbschaftssteuer, wenn auch in abgemildeter Form, mit enthielt.

Bethmann Hollweg hatte jetzt die schwierige Aufgabe, diese Pläne im Preußischen Staatsministerium gegen den Widerstand des Finanzministers Lentze durchzusetzen. Seitdem die Möglichkeit einer neuen Heeresvorlage erörtert wurde, lag ein aktueller Bedarf für eine allgemeine Besitzsteuer vor, denn die Frage der Deckung mußte ja in irgendeiner Form gelöst werden. Daher gelang es dem Kanzler auf einer vertraulichen Besprechung des Preußischen Staatsministeriums am 21. November, die grundsätzliche Genehmigung zur Verfolgung des Planes einer Vermögenszuwachssteuer zu erreichen[13].

Schon vorher hatte Bethmann Hollweg bei den leitenden Ministern Bayerns und Württembergs vorgefühlt, die sich zunächst durchaus nicht strikt ablehnend verhielten, sich dann aber unter dem Einfluß ihrer Fi-

---

12 Rgbl. 1912, S. 893.
13 Ein Protokoll dieser vertraulichen Besprechung liegt nicht bei den Akten, aus dem Votum Lentzes vom 9. 1. 13, in: DZA I, Rkz 215, läßt sich das Ergebnis erschließen; vgl. auch Zmarzlik, Bethmann Hollweg, S. 62 und Westarp, Kons. Politik, Bd. I, S. 251. Beide verlegen die Sitzung irrtümlich auf den 21. 12.

nanzminister doch gegen die Vermögenszuwachssteuer wandten: Der Widerstand der Bundesstaaten versteifte sich sehr bald; auf einer Sitzung der bundesstaatlichen Minister am 4. Januar 1913 stellten sich alle Teilnehmer einschließlich des preußischen Finanzministers – mit alleiniger Ausnahme Bremens – gegen den Plan der Vermögenszuwachssteuer. Die Steuerhoheit der Bundesstaaten war auf dem Sektor der Erbschaftssteuer schon seit 1906 zugunsten des Reiches eingeschränkt worden [14]. Die Bundesstaaten waren deswegen eher bereit, auf diesem Gebiet weiter nachzugeben, als daß sie dem Reich einen Eingriff in einen weiteren Bereich der in ihrer Kompetenz liegenden direkten Besteuerung gestatteten. So argumentierte zum Beispiel der sächsische Minister des Auswärtigen Graf Vitzthum von Eckstädt in einem Brief an Bethmann Hollweg, daß nicht nur aus finanz- und steuertechnischen Gründen allseits Einwände gegen die Vermögenszuwachssteuer erhoben würden, sondern aus dem

> »äußerst wichtigen *innerpolitischen* Gesichtspunkt der Aufrechterhaltung der Einzelstaaten als lebenskräftige und leistungsfähige Glieder des Reiches«.

Für eine Erbzuwachssteuer werde im Bundesrat wohl eine Mehrheit zu finden sein. Unerträglich sei es aber, aus Rücksicht auf den schwarzblauen Block eine Vermögenszuwachssteuer einzuführen, die die Selbständigkeit der Einzelstaaten gefährde. Entscheidender als der Widerstand Sachsens war jedoch, daß der preußische Finanzminister Lentze auf Grund des Ergebnisses der Bundesratssitzung vom 4. Januar und insbesondere mit Rücksicht auf den geschlossenen Widerstand der Bundesstaaten von seiner ursprünglich gegebenen Zustimmung zur Vermögenszuwachssteuer abrückte. Statt dessen erklärte sich Lentze zur Einführung einer Reichserbschafts- oder Erbzuwachssteuer – jeweils unter Einschluß des Deszendenten und Ehegatten – bereit. Die sächsische Regierung forcierte zur gleichen Zeit, trotz aller Versuche Bethmann Hollwegs, kalmierend zu wirken [15], die Auseinandersetzung mit der Reichsleitung in der Besitzsteuerfrage. Offensichtlich von sächsischer Regierungsseite inspiriert, griff der ›Dresdner Anzeiger‹ die Reichsleitung an und warf ihr vor, sie halte nur deswegen an einer Vermögenszuwachssteuer fest, weil sie Angst vor den preußischen Konservativen und dem Zentrum habe.

> »Die in Preußen herrschenden Konservativen und Zentrumsleute sind gegen die Ausdehnung der Erbschaftssteuer auf Kinder und Gatten – und die Wahlen zum preußischen Landtag stehen vor der Türe. Das ist der wirkliche Grund. Aus der Hand der Sozialdemokraten aber will die Reichsregierung keine Steuer annehmen.[16]«

14 Vgl. P.-Chr. Witt, Die Finanzpolitik des Deutschen Reiches (Masch.), S. 139 ff.
15 DZA I, Rkz 215, Vitzthum v. Eckstädt an Bethmann Hollweg, 7. 1. 13, ibid., Votum Lentze, 9. 1. 13.
16 Zit. BT, Nr. 17, 10. 1. 13.

Daß der ›Dresdener Anzeiger‹ mit dieser scharfen Polemik gegen die Reichsleitung den Kern der Sache traf, zeigt das Votum des Staatssekretärs des Reichsschatzamts, Kühn, das am 18. Januar zunächst nur dem Reichskanzler zuging, sodann aber auf Anraten Wahnschaffes den preußischen Staatsministern am 23. Januar zugestellt wurde. Kühn führte darin aus:

>»Man wird wohl in die politische Berechnung als eine feststehende Tatsache einstellen dürfen, daß eine erweiterte Erbschaftssteuer vom Reichstag nicht oder wenigstens nicht in einer für die verbündeten Regierungen annehmbaren Form verabschiedet würde . . .[17]«

Die erweiterte Reichserbschaftssteuer wurde von Kühn deswegen abgelehnt, weil er befürchtete, die Linke des Reichstages könnte die Steuerprogression so erhöhen, daß es für die Rechte unerträglich werden würde. Dadurch wiederum könnte ein innenpolitischer Konflikt ausgelöst werden, der eine ernste Kanzlerkrisis heraufbeschwören würde.

Gegen den erbitterten Widerstand auch der preußischen Staatsminister konnten Kühn und Bethmann ihren Plan einer Vermögenszuwachssteuer nicht durchsetzen. Auf der Sitzung des preußischen Staatsministeriums vom 24. Februar wurde beschlossen, zur Bestreitung der laufenden Ausgaben aus den Wehrvorlagen zu versuchen, die Konservativen und das Zentrum für eine Erbschaftssteuer zu gewinnen. Zu diesem Zwecke hatte Bethmann Hollweg bereits am 21. Februar Graf Kanitz und v. Heydebrand und der Lasa, die Führer der konservativen Fraktion, eingeladen, und am 24. Februar ließ er auch die Führer des Zentrums, Spahn und Gröber, zu sich bitten, ohne allerdings mit dem Plan einer Erweiterung der Erbschaftssteuer bei den beiden Parteien auf Gegenliebe zu stoßen[18]. Als Alternative zur Erweiterung der Erbschaftssteuer wurde auf der Staatsministerialsitzung vom 24. Februar vorgesehen, die laufenden Kosten der Heeresvorlage auf Matrikularbeiträge unter Einschluß einer subsidiären Reichsvermögenszuwachssteuer zu übernehmen. Für die Deckung der auf etwa 800 Mill. Mark bezifferten einmaligen Kosten für die Wehrvorlage wurde eine einmalige Abgabe von einem halben Prozent des Vermögens vorgesehen, als sogenannter Wehrbeitrag. Zum erstenmal hatte Staatssekretär Kühn diesen Plan in einer Äußerung vom 27. Dezember 1912 vertreten. Um die Bundesstaaten womöglich doch noch für die Vermögenszuwachssteuer zu gewinnen, begab sich Kühn unmittelbar nach der Sitzung des Preußischen Staatsministeriums auf eine Rundreise in die süddeutschen Staaten. Es bestätigte sich aber, daß Bayern und Baden jede Vermögens-

---

17 DZA I, Rkz 215; Kühn an die Staatsminister, 23. 1. 13; vgl. Zmarzlik, Bethmann Hollweg, S. 65, der in Hinsicht auf den hier sehr wichtigen Geschäftsgang der Äußerung Kühns zu berichtigen ist.
18 DZA I, RKz 1252/1, Einladung Bethmanns an Kanitz und Heydebrand, 21. 2. 13; vgl. auch Zmarzlik, Bethmann Hollweg, S. 67.

zuwachssteuer schroff ablehnten, während Württemberg sich mit seinem Urteil zwar noch zurückhielt, aber doch ebenso wie die beiden anderen süddeutschen Staaten eine Reichserbschaftssteuer zur teilweisen Deckung der laufenden Kosten empfahl. Dagegen traf der Plan des Wehrbeitrages auf keinerlei Widerstand bei den süddeutschen Bundesregierungen.

Mitten in diese Verhandlungen platzten am 1. März Pressemitteilungen über den Plan der Regierung, die gewaltigen einmaligen Kosten der Wehrvorlage durch eine einmalige Vermögensabgabe zu decken [19]. Dadurch wurde zum erstenmal der Umfang der schon in der ›Post‹ vom 8. Januar 1913 angekündigten Wehrvorlage in Umrissen bekannt. Im Januar noch hatte die NAZ auf eine Anfrage des Abgeordneten Gradnauer (Soz. dem.), die auf die Äußerungen der ›Post‹ zurückging, in einem offiziösen Artikel nur sehr nebelhaft von einer bevorstehenden Heeresvorlage berichtet, durch die »eine Reihe von Mehrbedürfnissen unseres Heeres befriedigt werden« solle [20]. Dadurch, daß nun die ganz außergewöhnliche Form der Deckung bekannt wurde, ließ sich auch durch die Öffentlichkeit die ganz außergewöhnliche Größe der Neuforderungen für das Heer abschätzen.

Da es Bethmann nicht gelungen war, für seinen Plan der Vermögenszuwachssteuer eine erhebliche Mehrheit der Bundesstaaten zu gewinnen, berief er am 9. März erneut das Preußische Staatsministerium zusammen [21]. Auf dieser Sitzung erläuterte der Kriegsminister zunächst die vorgesehenen militärischen Maßnahmen und stellte den Deckungsbedarf endgültig auf 194 Mill. Mark laufende und 996 Mill. Mark einmalige Kosten fest. Widerspruch gegen die militärischen Forderungen und die damit verbundenen Kosten wurde von keiner Seite mehr erhoben, nachdem sich die beiden beteiligten Stellen, Kriegsministerium und Generalstab, über die Ausgestaltung der Wehrvorlage geeinigt hatten. Anschließend erläuterte Bethmann die für die Deckung vorzuschlagenden Maßnahmen. Der einmalige Wehrbeitrag, »der im Publikum und bei den Parteien ... überwiegend günstig aufgenommen worden« sei, fand den einmütigen Beifall der preußischen Staatsminister, obwohl der Landwirtschaftsminister von Schorlemer-Lieser anfangs die Deckung der einmaligen Kosten durch Anleihen befürwortete. Für die Behandlung der Frage der laufenden Kosten erbat und erhielt Bethmann Hollweg vom Staatsministerium die Zustimmung zu folgendem Plan: Da die Verpflichtung zur Vorlegung eines allgemeinen Besitzsteuergesetzes durch den Wehrbeitrag nicht abgegolten sei, die Erbschaftssteuer aber allgemeinpolitischen Bedenken in hohem Maße begegne, sei er im Notfalle für die Einführung einer allgemeinen Vermögens-

---

19 DZA I, RKz 216, Bethmann Hollweg an Wilhelm II., 1. 3. 13.
20 NAZ, Nr. 21, 25. 1. 13; Anfrage Gradnauer RT, 13. LP., 1. Sess.; Drucksache Nr. 698, 23. 1. 13.
21 Protokoll der Sitzung vom 9. 3. 13, DZA I, RKz 216, vgl. auch RA, Kriegsrüstung und Kriegswirtschaft, 1. Anl. Bd., S. 183 f.

zuwachssteuer. Allerdings habe sich in den Verhandlungen gezeigt, daß der Widerstand gegen diese Steuer von den Bundesregierungen zum Teil weiter aufrechterhalten werde, obgleich er nicht glaube, daß Bayern auf der Sitzung des Bundesrats, die am nächsten Tag stattfinden sollte, seinen Widerspruch aufrechterhalten werde. Andererseits halte er daran fest, »daß man eine große Minorität im Bundesrat in dieser wichtigen Frage nicht majorisieren sollte«. Der Kanzler bat deshalb von vornherein um Indemnität von seiten des Staatsministeriums, falls er einer etwaigen Forderung des Bundesrats zustimmen würde, wonach die laufenden Kosten der Vorlage entweder durch eine Erbschaftssteuer, verbunden mit der Übertragung landeseigener Stempelabgaben auf das Reich, oder aber durch Matrikularbeiträge, verbunden mit einer subsidiären Reichsbesitzsteuer zu dekken wären. Durch Beschluß des Staatsministeriums erhielt Bethmann Hollweg in dieser Hinsicht freie Hand.

Am 10. und 11. März 1913 trafen die stimmführenden Bundesratsmitglieder, die leitenden Minister und Finanzminister zu Beratungen über die Wehrvorlagen und ihre Deckung in Berlin zusammen. Für die außerordentliche Bedeutung, die dieser Beratung allseits beigemessen wurde, spricht die Tatsache, daß sämtliche Staaten durch ihre Ministerpräsidenten und großenteils auch ihre Finanzminister vertreten waren[22]. Immerhin handelte es sich ja darum, über Summen, die 2 1/2 Prozent des deutschen Bruttosozialprodukts ausmachten, zu beschließen. Eröffnet wurde die Sitzung mit einem Bericht Bethmann Hollwegs, in dem er die zwingenden Gründe der Reichsleitung für eine Heeresvorlage erläuterte:

»Die Kräfteverteilung innerhalb des Dreibundes und auch innerhalb der Mächte, mit denen der Dreibund im Falle eines kriegerischen Konfliktes zu rechnen haben würde, ist verschoben.«

Obgleich Deutschland »in vertrauensvoller und offener Weise mit England zusammenarbeitete«, habe sich doch durch die militärische Niederlage der Türkei das Stärkeverhältnis zuungunsten Deutschlands verschoben, da infolge des Erstarkens der Balkanstaaten bei einem großen Krieg damit gerechnet werden müsse, daß Österreich mit einem Teil seiner Streitkräfte auf dem Balkan gebunden sein werde (und also nicht mit voller Kraft gegen Rußland zur Verfügung stehe). Zudem habe Rußland die Niederlage gegen Japan und die sich daraus ergebenden inneren Schwierigkeiten endgültig überwunden, Frankreich habe die dreijährige Dienstzeit wieder eingeführt, und damit habe sich das Verhältnis weiter zuungunsten des

---

22 Vgl. für das Folgende den ausführlichen und nach Ausweis aller aktenmäßigen Belege hervorragend genauen Bericht des Lübecker Senators Ferdinand Fehling. (Aus meinem Leben, S. 147–160); Fehling an den Senat, 12. 3. 13; vgl. auch die Aufzeichnung Bethmann Hollwegs in DZA I, RKz 1252/1; zu finanzpolitischen Fragen ibid. RKz 216.

Dreibundes verschoben; denn »auch mit den belgischen Streitkräften wird gerechnet werden müssen«. Daraus ergebe sich die Notwendigkeit, in fünfzehn Jahren Versäumtes jetzt mit einem Schlage wieder aufzuholen, wobei allerdings die gleichzeitig durchgeführte Flottenrüstung nicht vergessen werden dürfe. Am Schluß seiner militärpolitischen Ausführungen zeigte Bethmann, daß er zu den Kreisen gehörte, die eine friedensgefährdende Politik nicht von den konservativen herrschenden Kräften, sondern vielmehr von den demokratischen befürchtete. Er erklärte:

> »Ich gehöre nicht zu denen, welche glauben, daß ein europäischer Krieg unvermeidbar sei. Man kann aber auch nicht annehmen, daß die fortschreitende Demokratisierung der Staaten die Aufrechterhaltung des Friedens bedeute, im Gegenteil.«

Nach diesen Ausführungen erläuterte Kriegsminister v. Heeringen die notwendigen militärischen Maßnahmen. Ohne jede weitere Diskussion gab der bayrische Ministerpräsident Freiherr v. Hertling namens der Versammlung die Erklärung ab, »daß man grundsätzlich der Vorlage zustimme und rasche Ausführung dringend wünschen müsse«.

Ging auch die Heeresvorlage ohne Schwierigkeiten im Bundesrat durch, so waren doch die Probleme hinsichtlich der Deckungsvorlage nicht geringer geworden. Der einmalige Wehrbeitrag zur Deckung der einmalig entstehenden Kosten, der »eine antizipierte Kriegskontribution, nicht eine Steuer, sondern ein Opfer, eine patriotische Gabe« sei – wie der bayrische Finanzminister v. Breunig sich ausdrückte –, fand die Zustimmung aller Bundesstaaten mit Ausnahme Sachsens, das verlangte, die Kosten auf Anleihe zu nehmen. Diesem Vorschlag wurde jedoch von allen Seiten widersprochen, da eine so gewaltige Anleihe über fast 1 Milliarde Mark auf dem Geldmarkt nicht unterzubringen sein würde. In der Frage der Deckung der laufenden Kosten prallten die Ansichten nach wie vor hart aufeinander. Bethmann Hollweg legte dar, daß er bei den Konservativen und dem Zentrum keinerlei Neigung gefunden habe, der von den meisten Bundesstaaten geforderten Erbschaftssteuer zuzustimmen. Dagegen habe sich eine gewisse Bereitschaft zur Hinnahme einer Vermögenszuwachssteuer seitens dieser beiden Parteien gezeigt; er vertrete die Ansicht, nur durch diese Steuer könne die dreifache Aufgabe: Beschaffung der notwendigen Mittel für die Heeresvorlage, Erfüllung der Lex Bassermann-Erzberger und Einigung der bürgerlichen Parteien erreicht werden.

> »Ich halte es für politisch ausgeschlossen«, erklärte der Kanzler, »eine Deckung einzubringen, welche mich von vornherein mit den Konservativen und dem Zentrum in Kampf bringt. Ich komme dadurch politisch in eine ganz unerträgliche Situation. Es würde im Falle der Einbringung der Erbschaftssteuer ein tödlicher Riß in die Parteien hineingebracht werden, mit denen wir die Militärvorlage machen müssen. Wie wir (dann) mit den Konservativen und dem Zentrum weiterarbeiten sollen, weiß ich nicht.«

Aber trotz dieses eindringlichen Appells an die Bundesregierungen, die Lage der verantwortlichen Reichsregierung gegenüber den Rechtsparteien im Reichstag nicht noch zu verschlechtern, kam es in den über vierstündigen Beratungen nicht zu einer Einigung, obwohl sich der preußische Finanzminister nun doch noch für den Plan der Reichsleitung in die Bresche warf und sich den Ausführungen Bethmann Hollwegs anschloß:

> »So schwer es mir wird, und so bedenklich es mir scheint, daß das Reich, die Bundesstaaten und die Kommunen fortan aus derselben Quelle schöpfen sollen, so muß ich doch zu meinem tiefen Bedauern mich für die Reichsvermögenszuwachssteuer und gegen die Erbschaftssteuer erklären.«

Gegen die Reichsvermögenszuwachssteuer sprachen sich auf das bestimmteste Bayern, Sachsen, Württemberg, Baden, Mecklenburg und die Hansestädte aus. Damit hatte Bethmann Hollweg zwar durch die preußischen Stimmen und die Stimmen der norddeutschen Kleinstaaten noch eine knappe Mehrheit im Bundesrat für seinen Vorschlag, aber die Minorität der ablehnenden Staaten war so erheblich, daß er im Sinne seiner Ausführungen vor dem preußischen Staatsministerium vom Vortag eine Majorisierung der ablehnenden Minderheit für politisch unmöglich hielt. Als äußerstes Zugeständnis gegenüber den Forderungen der Minorität war der Kanzler zu folgendem bereit:

> »Ich kann die Erbschaftssteuer dem Reichstage nicht vorschlagen. Bringt eine Reichstagsmehrheit dem Bundesrat die Erbschaftssteuer entgegen, so werde ich sie als das zweifellos Bessere akzeptieren.«

Bethmann hatte klar zu erkennen gegeben, daß er nicht gegen die rechte Seite des Reichstages regieren könne, und daß er eher bereit wäre, die Bundesstaaten zum Verzicht auf hoheitliche Rechte zu zwingen.

Auf einem Empfang für die Bundesratsbevollmächtigten am Abend des gleichen Tages versuchte er ein letztes Mal, die süddeutschen Staaten auf seine Seite zu ziehen. Der Lübecker Senator Fehling berichtete darüber an seinen Senat, man habe allgemein nicht verstanden,

> »daß, obgleich die Erbschaftssteuer als das unbedingt Bessere erkannt sei, nur aus Rücksicht für Zentrum und Konservative diese Vorlage zurückgestellt werden solle. Man verurteilte die schwächliche Rolle, welche der Reichskanzler sich und den verbündeten Regierungen zuweise«.

Auch der Versuch, mit Hilfe des bayrischen Ministerpräsidenten Frhrn. v. Hertling das Zentrum umzustimmen und doch noch für die Erbschaftssteuer zu gewinnen, mißlang. Jetzt war für alle Beteiligten die Situation so verfahren, daß der Kanzler hoffen konnte, für seinen Kompromißvorschlag bereitwillige Aufnahme zu finden. So erklärte Bethmann am nächsten Morgen bei Wiederaufnahme der Verhandlungen, er sei bereit, die

Vermögenszuwachssteuer fallenzulassen, wenn die Bundesstaaten bereit seien, den veranschlagten Ertrag der Steuer in Höhe von 82 Mill. Mark auf Matrikularbeiträge zu übernehmen, mit der Maßgabe, daß erstens die Bundesstaaten diesen Betrag durch Besteuerung des Besitzes, also durch Vermögens-, Einkommens- oder Erbschaftssteuer aufbringen sollten, und zweitens, falls die Einzelstaaten mit ihren Landtagen bis 1914 nicht zur Einigung über eine solche Steuer gelangt seien, ohne weiteres der dem Bundesrat vorliegende Vermögenszuwachssteuergesetzentwurf für den betreffenden Bundesstaat in Kraft treten sollte. Tatsächlich fand dieser Vorschlag Bethmanns trotz einiger Einwendungen schließlich die einmütige Zustimmung des Bundesrats. Er war gekennzeichnet einmal durch Rücksichten auf die Interessen der beiden rechten Parteien des Reichstages, des Zentrums und der Konservativen, zum anderen auf die partikularen Interessen der Bundesstaaten.

In der Öffentlichkeit fand der Wehrbeitrag in seinen Grundzügen sofort Zustimmung, wenngleich vom Reichstag besonders bei den Bemessungsgrundlagen und den Steuertarifen nicht unwesentliche Änderungen vorgenommen wurden. Der Wehrbeitrag wurde in dieser umgestalteten Form im Reichstag fast einstimmig (nur gegen die Stimmen von Polen und Elsässern) angenommen. Matthias Erzberger, damals schon der unumstrittene Führer seiner Fraktion in allen finanzpolitischen Fragen, erklärte beinahe hymnisch zum Wehrbeitrag:

>»Der ›Aufruf an mein Volk‹ findet sein Gegenstück im Wehrbeitrag; damals um Preußen vom korsischen Eroberer zu befreien, – heute: um Deutschland nicht in die Hände der Franzosen und Russen fallen zu lassen, und der Zertrümmerung des Reiches für den Fall eines unglücklichen Krieges vorzubeugen. Haben unsere Väter vor 43 Jahren das Blutopfer zur Errichtung des Reiches bringen müssen, so soll die heutige Generation die Milliarde für die kraftvolle Erhaltung der Schöpfung der Väter opfern. Das doppelte Jubiläumsjahr (1813–1888) soll ein Opferjahr werden. Ein harter Mißton im Zeitalter der Verweichlichung, der Genußsucht, des Egoismus, aber ein Mißton von hohem, erzieherischem Wert für alle Kreise des Volkes.[23]«

Dagegen gab es mit der Militärvorlage und dem Bundesratsvorschlage zur Deckung der laufenden Kosten erhebliche Schwierigkeiten im Reichstag. Um sie zu überwinden, hatte der Kanzler vertrauliche Besprechungen mit führenden Parlamentariern im April 1913. Im Verlauf dieser Besprechungen wiederholte Bethmann Hollweg die Aussagen über die Notwendigkeit einer so außerordentlichen Rüstungssteigerung, die er am 10. und 11. März vor den Vertretern der Bundesstaaten gemacht hatte, ließ das Gesamtbild aber eher noch düsterer erscheinen und beschränkte seine Hoffnungen auf England im Falle des großen Krieges auf eine nur anfängliche Neu-

---

23 Matthias Erzberger, Der Wehrbeitrag 1913, Stuttgart 1913, S. 1.

tralität. Seine Ausführungen sind in einem Protokoll festgehalten. Ein künftiger Krieg werde »ein Weltkrieg« sein:

> »Deutschland habe mit gleichzeitiger Gegnerschaft von Rußland und Frankreich zu rechnen. Das lasse sich nicht ändern.«

Von England meinte er, daß es »wohl jetzt selbst noch nicht« wisse, wie es sich später verhalten werde. Aber: »nach seinen Grundsätzen werde es wohl nicht ruhig zusehen, wenn es auch wohl nicht sogleich Partei ergreife«. (Auf dieses »wohl nicht sogleich« kam es allerdings an – Bethmann teilte diese Hoffnung mit W. v. Stumm vom Auswärtigen Amt und hielt an ihr fest –, denn die Entscheidung gegen Frankreich sollte in wenigen Tagen nach Kriegsbeginn fallen!) Bethmann Hollweg gab sich fatalistisch und verhüllte dabei nur schlecht, daß die Entscheidung für den Krieg schon gefallen war, auch wenn der Zeitpunkt seiner Auslösung noch vertagt worden war. Er sah die »Weltkatastrophe« herannahen, die auf jeden Fall für Deutschland zu einem »Existenzkampf« werden würde:

> »Kein Mensch könne die Möglichkeit eines Krieges aus der Welt schaffen. Er tue alles, um ihn zu vermeiden, aber eine Garantie gebe es nicht. Im Falle eines Krieges gebe es einen Weltkrieg und wir müßten gegen zwei Fronten kämpfen. Es sei bedauerlich, aber nicht aus der Welt zu schaffen.«

Die Heeres- und Deckungsvorlage wurde am 28. März 1913 dem Reichstag zugeleitet, und am 7. und 8. April erfolgte die erste Lesung. Der Kanzler begründete die Vorlage der verbündeten Regierungen und sprach dabei von der Möglichkeit einer »europäischen Konflagration, die Slawen und Germanen einander gegenüberstellt«[24], eine Äußerung, die nicht nur im Auslande beträchtliches Aufsehen hervorrief. Mit Ausnahme der Sozialdemokraten sprachen sich alle Parteien in der ersten Lesung für die Heeresvorlage aus; in den nachfolgenden Kommissionsberatungen erwuchsen der Vorlage bei der Diskussion der einzelnen Forderungen allerdings dennoch Schwierigkeiten; zum Beispiel forderte die Mehrheit der Kommission eine starke Verminderung der Zahl der Adjutantenstellen bei den Mitgliedern der regierenden Häuser. Dies sah der Kaiser als einen Eingriff in die militärische Kommandogewalt an und forderte Bethmann Hollweg auf, notfalls den Reichstag aufzulösen, falls nicht in diesem Punkt den Forderungen der Vorlage entsprochen würde. Der Kanzler antwortete darauf:

> »Mit Reichstagsauflösung wegen Adjutanten und Rationskompetenzen kann ich nicht arbeiten. Das wäre gegenüber einem Reichstag, dessen Mehrheit die Wehrvorlage bewilligen will und bewilligen wird, wenn man ihn nicht brüs-

---

24 RT, Bd. 289, S. 4512, 7. 4. 13.

kiert, die denkbar schlechteste Wahlparole. Drohe ich aber die Auflösung an und führe die Drohung nicht aus, so ist die Regierung blamiert. Auflösung werde ich erst vorschlagen, wenn Reichstag Wehrvorlage ablehnt oder verstümmelt.[25]«

Weitaus ernster war der Konflikt, der daraus entstand, daß der Reichstag in den Kommissionsberatungen von den geforderten sechs neuen Kavallerieregimentern nur drei bewilligen wollte. Der Kaiser war darüber aufs äußerste erbittert und drohte erneut mit der Auflösung des Reichstags. Allerdings war der Widerstand des Zentrums gegen die Bewilligung der Kavallerieregimenter nicht grundsätzlich. Der zur ablehnenden Mehrheit gehörende Abgeordnete Erzberger zum Beispiel ließ in einem Gespräch mit dem preußischen Kriegsminister keinerlei Zweifel daran, daß die Ablehnung dieser Forderung nur dazu dienen sollte, die Regierung in der Deckungsfrage unter Druck zu setzen und zu Zugeständnissen zu bewegen. Nachdem noch in der zweiten Plenarlesung am 13. Juni die drei Regimenter verweigert worden waren, wurde schließlich durch eine Mehrheit von Konservativen bis Nationalliberalen in der dritten Lesung auf Antrag Bassermanns am 28. Juni die volle Zahl der in der Regierungsvorlage geforderten Kavallerieregimenter bewilligt.

Am schwierigsten gestaltete sich die Frage der Deckung der laufenden Kosten. Schon vor Beginn der Kommissionsberatungen über die Bundesratsvorlage (30. Juni 1913) zeigte sich deutlich, daß sich im Reichstag keine Mehrheit dafür finden würde [26]. Denn für die Vorlage traten nur die Konservativen ein – und auch die wegen des subsidiären Reichsgesetzes nur zögernd. Die übrigen Parteien begannen, indem sie die Bundesratsvorlage beiseite schoben, sich mit der Ausarbeitung einer Reichsvermögenssteuer zu befassen. Als Bethmann Hollweg von diesen Plänen unterrichtet wurde, legte er sofort ein Veto ein und verhinderte dadurch dieses Projekt, ehe die Fraktionen sich endgültig festgelegt hatten. Auch eine Erbschaftssteuer, die von den Sozialdemokraten und der Fortschrittlichen Volkspartei gefordert wurde, ließ sich nicht durchsetzen, da sich die Nationalliberalen, die zur Mehrheitsbildung unbedingt notwendig waren, mit Rücksicht auf die von ihnen vertretenen Interessengruppen diesen Plänen versagten. Schließlich machte eine große Mehrheit der Zentrumsfraktion unter Führung von Matthias Erzberger den Vorschlag, die in der Bundesratsvorlage vorgesehene subsidiäre Reichsvermögenszuwachssteuer zur primären Reichssteuer auszugestalten. Diesem Kompromiß stimmten das Zentrum (bis auf 24 Abgeordnete des rechten Flügels), die Nationalliberalen, die Fortschrittliche Volkspartei und die Sozialdemokraten zu. Da diese Ent-

25 Zit. Westarp, Konservative Politik, Bd. 1, S. 238, Bethmann Hollweg an Plessen, 25. 4. 13.
26 Vgl. Westarp, Kons. Politik, Bd. 1, S. 263 f.; Bachem, Zentrumspartei, Bd. 9, S. 250; Zmarzlik, Bethmann Hollweg, S. 71.

wicklung genau den ursprünglichen Intentionen des Kanzlers entsprach, trug er auch keine Bedenken, seinen ganzen Einfluß geltend zu machen, um die Annahme der von der Kommission vorgeschlagenen primären Reichsvermögenszuwachssteuer durchzusetzen. Am 14. Juni wies er die preußischen Gesandten bei den Bundesstaaten an, die Ministerpräsidenten darauf hinzuweisen, daß eine Ablehnung der Reichstagsbeschlüsse, die Wehrvorlage, deren schnelle Erledigung aus militärischen Gründen dringend erforderlich sei, gefährden werde. Am gleichen Tage rief er die Bundesratsbevollmächtigten zusammen und erklärte ihnen, er könne die Verantwortung für eine Ablehnung der Vermögenszuwachssteuer nicht tragen; denn die in jedem Falle »äußerst bedenkliche Lage«, »in Gemeinschaft mit den Sozialdemokraten die Deckungsfrage zu regeln und dann den anderen Parteien die Bewilligung der Wehrvorlage zuzumuten« [27], müsse vermieden werden. Die Bevollmächtigten zum Bundesrat stimmten dem Vorschlag des Kanzlers zu. Als einziger Bundesstaat verweigerte Sachsen seine Zustimmung und ließ sich auch nicht durch persönliche Besprechungen zwischen Vitzthum und Bethmann umstimmen.

Nachdem diese Widerstände des Bundesrats beseitigt waren, wurde die ganze Vorlage kurz vor ihrer endgültigen Verabschiedung noch einmal in Frage gestellt. Auf Antrag der Sozialdemokraten wurde in der zweiten Lesung des Vermögenszuwachssteuergesetzes am 27. Juni die Steuerpflicht der Bundesfürsten beschlossen – mit den Stimmen der Nationalliberalen. Der Reichskanzler entschied sich sofort, gegen diesen Plan notfalls mit der Reichstagsauflösung vorzugehen. Noch am gleichen Tag erbat und erhielt er eine Blankovollmacht des Kaisers zur Auflösung des Reichstags [28]. Da diese Tatsache nicht unbekannt blieb, schwenkten die Nationalliberalen wieder auf Regierungskurs ein. Denn sie glaubten, wegen dieser Frage nicht das Odium der Reichstagsauflösung auf sich nehmen zu dürfen. Bassermann befürchtete wohl auch, daß seine Partei weder genügend innere Konsistenz noch genügenden Rückhalt in der Wählerschaft habe, um Neuwahlen ungeschwächt unter Erhaltung ihrer Schlüsselposition im Reichstag überstehen zu können. Am 30. Juni wurde in namentlicher Abstimmung zunächst die Steuerpflicht der Bundesfürsten mit 195 gegen 169 Stimmen abgelehnt, dann aber das Vermögenszuwachssteuergesetz mit 280 gegen 63 Stimmen von Konservativen, Freikonservativen und Wirtschaftlicher Vereinigung bei 29 Stimmenthaltungen, davon 22 Zentrumsstimmen, angenommen [29].

Damit hatte Bethmann Hollweg sein Ziel in sachlicher Hinsicht erreicht:

---

27 Vgl. zu diesen Vorgängen: Westarp, Kons. Politik, Bd. 1, S. 265, sowie Zmarzlik, Bethmann Hollweg, S. 72; DZA I, RKz 217, Runderlaß vom 14. 6. 13 an die preußischen Gesandten; ibid., schriftliche Zustimmung der Bundesregierungen vom 14. 6. 13.
28 Westarp, Kons. Politik, Bd. 1, S. 265 f., Zmarzlik, Bethmann Hollweg, S. 73 f.
29 RT, Bd. 280, S. 5939, 30. 6. 13.

die ihm vom Bundesrat aufgedrängte Deckungsvorlage war gefallen, sein eigener Vorschlag, wenn auch steuertechnisch mannigfaltig abgewandelt, war durch den Reichstag durchgesetzt, die Heeresvorlage, die größte seit Bestehen des Reiches, war ohne wesentlichen Widerstand angenommen worden. Das weitergehende politische Ziel aber, die Deckungsfrage nicht gegen die Konservativen zu regeln, war mißlungen. Sein Kalkül, durch entschiedene Ablehnung der von den Bundesstaaten befürworteten Erbschaftssteuer mit dem Vorschlag einer Vermögenszuwachssteuer den Konservativen entgegenzukommen, war gescheitert. Es hatte sich bei den Konservativen niemals um die Frage, hie Erbschaftssteuer hie Vermögenszuwachssteuer, gehandelt, sondern immer darum, ob der Reichstag überhaupt eine ihren Interessen unangenehme Steuer in seine Verfügungsgewalt bekommen sollte oder nicht. Sie waren aufs tiefste darüber erbittert, daß der Kanzler den Bundesratsvorschlag fallengelassen hatte. Die gleiche Mißstimmung herrschte bei den Großindustriellen, die scharf gegen die sich abzeichnende Entwicklung protestierten, die ihrer Meinung nach darauf hinauslaufe, dem Reichstag das Portemonnaie der Besitzenden auszuliefern, und die darin einen Präzedenzfall sahen für die wachsende Macht des Reichstages des allgemeinen Wahlrechts, dem ihre ganze Abneigung und Verachtung galt. Bueck sprach offen davon, daß es zu einer »Auspowerung des Besitzes« gekommen sei, dadurch daß die Deckungsvorlage und vor allem auch der Wehrbeitrag einseitig den besitzenden Klassen aufgebürdet worden sei. Ebenso schroff sprach die ›Conservative Correspondenz‹ von der Herrschaft des Reichsdemokratenhauses. Und Bethmann Hollweg selbst war mit der schließlichen Ausgestaltung der Vermögenszuwachssteuer und des Wehrbeitrages auch nicht zufrieden.

»Die Steuern«, schrieb er an seinen Freund v. Eisendecher, »die die verehrten Reichsboten machen, sind abscheulich. Aber sie fühlen sich so gottähnlich, daß sie auch die besten Regierungsvorschläge ruinieren müssen. Eigensinn von meiner Seite wäre trotzdem falsch gewesen. Es ist immerhin eine merkwürdige Sache, daß dieser so demokratische Reichstag eine solche Riesenmilitärvorlage annimmt. Um unserer Besitzsteuer willen, die ja an sich recht angreifbar und nur ... Bundesratskompromiß war, konnte ich die Möglichkeit einer Krisis nicht heraufbeschwören. Die Chancen einer Auflösung wären für die Regierung jetzt miserabel gewesen.[30]«

Der Kanzler sah sich also konfrontiert mit der Gegnerschaft von Großindustrie und Landwirtschaft, repräsentiert durch die beiden konservativen Parteien, bis hinein in die Reihen des Zentrums, dessen rechter Flügel, gruppiert um die hochkonservativen Bauernvereine im Rheinland und in Westfalen und die Magnaten in Schlesien, sich bei der Deckungsvorlage

---

30 AA-Bonn, NL Eisendecher, 1/1–7, Bethmann Hollweg an Eisendecher, 25. 6. 13.

der Stimme enthalten hatte. Die Mißstimmung gegen den Kanzler war im August 1913 so stark, daß er sich mit Rücktrittsabsichten trug[31]; war es doch den Frondeuren gelungen, »Potsdam« gegen den Kanzler beim Kaiser zu mobilisieren. Ja, im August 1913 glaubte der Führer der Alldeutschen, Claß, schon triumphieren zu können, wenn er dem Frhrn. v. Gebsattel gegenüber aussprach: Tirpitz werde wohl der nächste Kanzler werden, der ist unser Mann[32].

Der Kaiser indes, obwohl er die Mißstimmung gegenüber seinem Kanzler teilte, der es doch dahin hatte kommen lassen, daß die Deckung der Heeresvorlage geradezu als ein Geschenk von Gnaden der Sozialdemokraten empfunden wurde, wollte Bethmann Hollweg dennoch als Kanzler halten. Maßgeblich dafür waren außenpolitische Gesichtspunkte: der Blick auf England, aber auch die Abneigung des Kaisers gegen Kanzlerexperimente. Der Kanzler blieb, allerdings unter erschwerten Bedingungen: keinesfalls durfte er auf eine Wiedervorlage einer wie immer gearteten preußischen Wahlrechtsvorlage drängen (das hätte, wie der Kaiser ausführte, die sofortige Entlassung bedeutet); vielmehr war er gezwungen, um die Gunst der Konservativen zu buhlen. Das erklärt z. B. seine Haltung in der Zabernaffäre. Bassermann stellte noch im Juni 1914 resignierend fest, daß der Kanzler die Konservativen, obwohl diese ihn doch schlecht genug behandelten, mit Ehrungen und Orden überhäufte[33].

Nichts illustriert deutlicher die prekäre Stellung Bethmanns als ein Brief Heydebrands an den Grafen Westarp vom 5. Juli 1913, worin es hieß: wohl könne der Kanzler über die geschwächte konservative Reichstagsfraktion hinweggehen, aber »das Pentagramm in Preußen« mache den Kanzler »klein«[34]. Mit diesem »Pentagramm« waren offensichtlich die konservativen Machtfaktoren in Preußen gemeint: das Staatsministerium, das Herrenhaus, die konservative Fraktion des Abgeordnetenhauses, die landrätliche Bürokratie und der »König in Preußen«.

III. Die psychologische Vorbereitung der Nation auf den Krieg

Begründung der Wehrvorlage: Kampf der Germanen gegen die Slawen

In den gleichen Monaten Dezember 1912 bis Juni 1913, in denen zwischen den einzelnen beteiligten Ressorts ein hartes Ringen um Form und Aus-

---

31 Vgl. Westarp, Kons. Politik, Bd. 1, S. 391.
32 DZA I, NL Gebsattel, Nr. 1, Bl. 60, Claß an Gebsattel, 29. 10. 13.
33 Bogdan Graf v. Hutten-Czapski, Sechzig Jahre Politik und Gesellschaft, Bd. 2, S. 118; Bassermann an Hutten-Czapski, 5. 6. 14.
34 Bei Westarp, Kons. Politik, Bd. 1, S. 390 ist gedruckt »Pein«; doch im Originalbrief im NL ist deutlich »klein« zu lesen. (DZA I, NL Westarp Nr. 1.).

maß der geplanten großen Heeresvorlage stattfand, vollzog sich auf einer anderen Ebene die agitatorische Vorbereitung der deutschen Bevölkerung auf diese enorme Verstärkung der Rüstung und zugleich die psychologische Ausrichtung der Nation auf einen großen Krieg. Das geschah in strikter Befolgung der Befehle des Kaisers, die dieser am 8. Dezember 1912 gegenüber Moltke und Tirpitz ausgesprochen hatte, und die am gleichen Tage noch der Chef des Marinekabinetts v. Müller dem Reichskanzler übermittelt hatte. Bei dieser Besprechung hatte Moltke folgendes Resümee gegeben:

>Wir sollten (aber) durch die Presse die Volkstümlichkeit eines Krieges gegen Rußland im Sinne der kaiserlichen Ausführungen besser vorbereiten. S. M. bestätigt dies und fordert St. Sekretär v. Tirpitz auf, auch mit seinen Pressemitteln in dieser Richtung zu wirken.[1]«

Müller präzisierte in einem Schreiben an den Reichskanzler [2] den Auftrag wie folgt:

>Durch die Presse (sei) das Volk darüber aufzuklären, welche großen nationalen Interessen auch für Deutschland bei einem durch den österreichisch-serbischen Konflikt entstehenden Krieg auf dem Spiele ständen ... Das Volk dürfe nicht in die Lage versetzt werden, sich erst bei Ausbruch eines großen europäischen Krieges die Frage vorzulegen, für welche Interessen Deutschland in diesem Kriege zu kämpfen habe. *Das Volk müsse vielmehr schon vorher mit dem Gedanken an einen solchen Krieg vertraut gemacht werden.*«

Diesen Gedanken nahm Moltke in seiner Denkschrift vom 21. Dezember 1912 – das Konzept stammte von der Hand Ludendorffs – wieder auf, wenn er vom Reichskanzler forderte, es müsse gelingen

>den casus belli so zu formulieren, daß die Nation einmütig und begeistert zu den Waffen greift« [3].

Der Gegner mußte Rußland sein, und Rußland mußte als der provozierende Teil erscheinen. Das neue Schlagwort hieß von nun an: Kampf des Germanentums gegen das Slawentum. Der Kaiser brachte das neue Schlagwort vom »Rassenkampf« wiederholt betont selbst ins Spiel, wenn er zum Beispiel am 15. Dezember 1912 seinen Freund Albert Ballin über die deutsche Politik in der Balkankrise »aufklärte« [4]:

>Wenn wir zur Waffe zu greifen gezwungen werden, so war es für uns, um *Österreich* zu helfen, nicht nur Rußland abzuwehren, sondern sich überhaupt der Slawen zu erwehren und *deutsch* zu bleiben. Id est, es stand ein *Rassenkampf* bevor der Germanen gegen die übermütig gewordenen Slawen. Ein *Rassenkampf*, der uns nicht erspart bleiben wird; denn es handelt sich um die Zukunft der Habsburger Monarchie und die *Existenz* unseres Vaterlandes. (Das war

---

1 Der Kaiser, Aufz. Alex. v. Müller, S. 125.
2 Von mir gesp., F.F., s. oben, S. 235.
3 S. oben, S. 254.
4 Bernhard Huldermann, Albert Ballin, 4. Aufl., Oldenburg 1922, S. 272 ff. (i. O. gesp.).

der eigentliche Inhalt von Bethmanns forscher Rede.) Also eine *Existenzfrage* für die *Germanen* auf dem europäischen Kontinent.«

Der Kaiser versuchte mit seiner »Analyse« auch den als Englandfreund bekannten Ballin davon zu überzeugen, daß in dem kommenden Rassenkampf England als »Verräter« auf seiten der Slawen und Gallier gegen die Germanen kämpfen würde. Der Beweis lag für ihn in Haldanes Erklärung vom 3. Dezember 1912:

> »Mich hat sie nicht überrascht – wie Sie wissen, habe ich *militärisch* stets mit England als Feind gerechnet – aber sie bringt eine erfreuliche Klärung, wenn auch nach der *negativen* Seite hin.«

Welche zentrale Bedeutung man der psychologischen Vorbereitung der Bevölkerung in einem kommenden Massenkriege beimaß, zeigt noch spezifischer der mehrfach zitierte Brief von Moltke an Conrad v. Hötzendorf vom 10. Februar 1913 [5], den er kennzeichnenderweise am 11. Februar auch dem Staatssekretär des Äußeren, v. Jagow, mitteilte. Dort stellte Moltke fest,

> »daß ein Krieg, in dem es sich um die Existenz des Staates handelt, der opferwilligen Zustimmung und der Begeisterung des Volkes bedarf«.

Die »wirkungsvolle Parole«, die Moltkes Meinung nach unbedingt erforderlich war, wenn es gelingen sollte, die Nation einmütig hinter einen Kriegsentschluß der Regierung zu bringen, präzisierte er folgendermaßen:

> »Nach wie vor bin ich der Ansicht, daß ein europäischer Krieg über kurz oder lang kommen muß, in dem es sich in letzter Linie handeln wird um einen Kampf zwischen Germanentum und Slawentum. Sich hierauf vorzubereiten, ist Pflicht aller Staaten, die Bannerträger germanischer Geisteskultur sind. *Der Angriff muß aber von den Slawen ausgehen.* Wer diesen Kampf kommen sieht, der wird sich darüber klar sein, daß für ihn nötig ist: Die Zusammenfassung aller Kräfte, die Ausnutzung aller Chancen, vor allem aber das volle Verständnis der Völker für die weltgeschichtliche Entscheidung.«

Der Kaiser betonte 1913 mehrfach gegenüber österreichisch-ungarischen Militärs und Diplomaten, daß unbedingt Rußland als Angreifer hingestellt werden und in Erscheinung treten müsse. Gegenüber dem österreichischen Botschafter sprach er am 31. Januar 1913 davon, es werde sonst schwer sein,

> »dem deutschen Volke die Notwendigkeit eines Krieges begreiflich zu machen; denn die Frage von ›Durazzo‹ werde nicht verstanden werden. Er meine, wegen ein paar albanesischer Städte solle man es nicht zum Äußersten treiben« [6].

---

5 Zit. Conrad, Aus meiner Dienstzeit, Bd. 3, S. 146 f.
6 Ibid., S. 152; vgl. auch GP 34 I, Nr. 12 824, Anlage, sowie Anm. S. 253.

Nachdem im Dezember 1912 die Weichen gestellt worden waren, und zwar nicht nur von den Militärs, sondern auch von Bethmann Hollweg und dem neuen Staatssekretär des Äußeren, Gottlieb v. Jagow, konnte man auch unüberhörbar einen Stimmungsumschwung in den führenden sozialen Schichten feststellen, die jetzt über die allgemein national betonte Stimmung hinaus (Marokko 1911!) das Risiko eines großen Krieges bewußt zu unterstützen bereit waren, sah man doch das deutsche Prestige wie die deutsche wirtschaftliche Expansion auf dem Balkan durch die Niederlage der Türkei bedroht. Ein weiteres taten die offiziösen Instruktionen der Reichsleitung, des Generalstabes und des Reichsmarineamtes.

Im Winter 1912/13 verschärfte sich nämlich plötzlich die Tonart auch der Zeitungen, die bis dahin weitgehend einen gouvernementalen Kurs gesteuert hatten: der Presse der großen Arbeitgeberverbände, des Centralverbandes deutscher Industrieller und der Konservativen. Noch am 29. Dezember 1912 hatte sich der Leitende Redakteur der ›Deutschen Arbeitgeberzeitung‹, F. Kuh, in seinen »Neujahrsbetrachtungen« *gegen* die These von der Unvermeidlichkeit eines »europäischen Weltkrieges« ausgesprochen. Am 9. Februar 1913, angesichts der neuen Wehrvorlage, machte Kuh eine deutliche Schwenkung: jetzt erschien der Krieg »auch manchmal« als »das einzig mögliche Mittel der Heilung vorhandener Krankheiten«, kurz: »der Krieg als Retter«[7]. Wenn auch diese Gedankengänge durchaus auf dem Hintergrund der durchgehenden konservativen Kriegstheologie und der Vulgärphilosophie der Zeit gesehen werden müssen, wie sie in mannigfacher Abstufung in der ›Allg. Ev.-Luth. Kirchenzeitung‹ und in der ›Konservativen Monatsschrift‹[8] vorhanden waren, so ist die Verschärfung der Tonart doch ganz deutlich und keineswegs zufällig.

So wies am 12. Dezember 1912 auch der Geschäftsführer des CdI, Schweighoffer, in seinem Geschäftsbericht[9] darauf hin, daß

»unter Umständen unser deutsches Volk um seine Weltmachtstellung und damit um seine Existenz in höherem Sinne des Wortes einen Kampf bis zum Äußersten zu führen gezwungen sein wird«.

Diese Gefahr sei noch »niemals so groß gewesen... wie gerade jetzt«. Schon aus diesem Grunde müßten Konsumenten und Produzenten, Landwirtschaft, Handel und Industrie zusammenstehen, denn nur bei der »nötigen Einheit und Stärke« werde Deutschland »einen solchen Kampf«

---

7 DAGZ, Nr. 52, 29. 12. 12, 1. Beibl.; Nr. 6, 9. 2. 12, 1. Beibl.
8 Vgl. die politischen Wochenübersichten in der AELKZ, Nr. 23, 6. 6. 13; Nr. 45, 7. 11. 13 u. a. m ; Konservative Monatsschrift, Mai 1913, »Bernhardis heutiger Krieg«, Nov. 1912, »Krieg und Volk«.
9 Schweighoffer, Geschäftsbericht, erstattet in der Delegiertenversammlung des CdI in Berlin am 12. 12. 12, Berlin 1912.

mit Erfolg durchführen können. Damit würde – so führte Schweighoffer aus – keine einseitige wirtschaftliche Interessenpolitik proklamiert, vielmehr handle es sich dabei um die »höchsten nationalen Güter unseres Volkes«.

Ein Anwachsen kriegerischer Emphase zeigte sich auch in den konservativen Blättern. So sprach sich im Dezember 1912 das führende konservative Blatt in Ostpreußen, die ›Ostpreußische Zeitung‹, für einen »frischen fröhlichen Krieg« aus – dann würde auch von den 110 Sozialdemokraten im Reichstag (bei der nächsten Wahl!) nicht mehr viel übrigbleiben [10].

Dieser Stimmungsumschlag wurde, zumindest offiziös, von der Regierung gefördert. So schrieb Otto v. Gottberg in der ›Jungdeutschland-Post‹ (25. Januar 1913), dem Organ des seit Frühjahr 1911 mit staatlicher Hilfe geförderten Jungdeutschlandbundes, einen Artikel mit dem Titel ›Der Krieg‹. Hier feierte er den Krieg als die »hehrste und heiligste Äußerung menschlichen Handelns«, und fuhr fort:

> »Auch uns wird einmal die frohe große Stunde eines Kampfes schlagen. In einigen Tagen zweifelnder, vorläufig nur heimlich frohlockender Erwartung geht dann von Herz zu Herz und Mund zu Mund der alte königliche Ruf zur Schlacht ›Mit Gott für König und Vaterland‹.«

Eingebettet wurde diese Kriegstheologie in die Traditionen preußischdeutscher Geschichte von Friedrich dem Großen bis zu Bismarck:

> »Verlachen wir also aus vollem Halse alte Weiber in Männerhosen, die den Krieg fürchten und darum jammern, er sei grausig oder häßlich. Nein, der Krieg ist schön. Seine hehre Größe hebt das Menschenherz hoch über Irdisches, Alltägliches hinaus ... Auch unser warten solche Stunden. Wir wollen ihnen entgegengehen mit dem männlichen Wissen, daß es schöner, herrlicher ist, nach ihrem Verklingen auf der Heldentafel in der Kirche ewig fortzuleben als namenlos den Strohtod im Bett zu sterben ... Deutschland allein muß nach einem Krieg leben, blühen und gedeihen.«

Als »Jungdeutschlands Himmelreich« galt der »Empfang« der Gefallenen vor den Kriegsheroen der preußischen Geschichte, vor Wilhelm I., Moltke, Roon und Bismarck.

Diese hier angeführte Traditionskette war repräsentativ nicht nur für das ständisch-konservative Geschichtsdenken des Adels, sondern auch für den bürgerlichen Nationalismus alldeutscher Couleur. Hatte doch schon der Medizinalrat Fuchs nach den Reichstagswahlen 1912 in der schwerindustriellen ›Post‹ (28. Januar 1912) in einem Leitartikel ›Psychiatrie und Politik‹ ausgesprochen: Nicht Goethe, Schiller, Wagner und Marx seien etwa die Idealgestalten deutscher Geschichte, sondern Barbarossa, Friedrich der Große, Blücher, Moltke, Bismarck – »die harten Blutmenschen«.

---

10 Ostpreuß. Zeitung, Nr. 349, Dez. 12; zit. nach SPC, Nr. 7, 5. 4. 13.

Auf diesem Hintergrund kann es nicht überraschen, daß die schwerindustrielle ›Post‹ in einem großen Leitartikel vom 1. Januar 1913 mit dem Titel ›Jahresende – Schicksalswende‹ nach einem düsteren Rückblick auf die innere Lage des Jahres 1912 und die verschlechterte äußere Lage des Reiches nach den Balkankriegen den Krieg als Lösung der inneren wie der äußeren Krise empfahl:

»Sollte es dazu, wie damals vor hundert Jahren, des Krieges bedürfen, sollte dem Glut- und Flutjahr wirklich das Blutjahr folgen – nun wohl, so wird das deutsche Volk eben zeigen, daß es heute wie früher einer Welt von Feinden zu trotzen imstande ist.«

Über diese bewußte Betonung des kriegerischen Ethos hinaus setzte das alldeutsche schwerindustrielle Blatt auch aktive dynamische Ziele:

»Noch hat das deutsche Volk seine Mission nicht erfüllt, noch steht die Lösung des letzten und größten Teils seiner weltgeschichtlichen Aufgabe bevor, und diese Gewißheit ist in erster Linie berufen, uns über die Nöte der gegenwärtigen Zeit hinwegzutrösten.«

Sei die Nation erst des inneren Feindes – der »jüdischen« Sozialdemokratie – Herr geworden, dann könne sie »zu entschlossener Tat«, zum »Hammer greifen, um ein anderes Dichterwort wahrzumachen: Um am deutschen Wesen die Welt, wie ihr bestimmt ist, noch einmal genesen zu lassen ... Das ist unsere welthistorische Mission und von ihr wird keine Macht uns lösen.«

Daß diese geistige Vorbereitung auf den Krieg systematisch von den interessierten Kreisen betrieben wurde, illustriert der Vorgang um die Verbreitung einer Schrift des Herausgebers der ›Politisch-Anthropologischen Revue‹, Dr. Schmidt-Gibichenfels. Dieser hatte in seiner Zeitschrift, deren Beiträge vielleicht am deutlichsten den neuen biologisch-rassischen Nationalismus in Deutschland widerspiegelten, im November 1912 einen Aufsatz mit dem Titel ›Der Krieg als Kulturfaktor‹ veröffentlicht [11] und darin seine Auffassungen auf die Formel gebracht:

»Soll also die Götterdämmerung, die über der europäischen Rasse und Kultur nun schon so lange liegt, endlich weichen ..., so dürfen namentlich wir Germanen in dem Kriege nicht mehr unseren Verderber sehen, ... sondern wir müssen in ihm endlich wieder den Heilbringer, den Arzt erkennen.«

In der nächsten Nummer seiner Zeitschrift spann Schmidt diese Gedanken einer neuen »kriegerischen Ethik« weiter. Der Krieg wurde sozialdarwinistisch als »Kampf ums Dasein« apostrophiert und ein Präventivkrieg gefordert. In der gleichen Nummer wandte sich einer der heftigsten Agita-

---

11 PAR, Nr. 8, Nov. 12, S. 393 ff., S. 407.

toren im Wehrverein, Kurd v. Strantz, der Bundesbruder des Unterstaatssekretärs Wahnschaffe, gegen die »gefährliche Friedensseligkeit« und betonte, wie »nötig« ein Krieg für Deutschland sei [12].

Schmidts Artikel wurde in der rechtsnationalliberalen, konservativen
und schwerindustriellen Presse begeistert aufgegriffen, ja Schmidt hielt in
der Ortsgruppe Berlin des Alldeutschen Verbandes und des Wehrvereins
mehrere Vorträge über sein Thema. Die ›Berliner Neuesten Nachrichten‹
nahmen die Thesen Schmidts enthusiastisch auf. In ihrer Nummer vom Hei-
ligabend 1912 (24. Dezember) feierten sie den Krieg »als Glied einer gött-
lichen Weltordnung« und als den Erhalter »alles Guten, Schönen, Großen, Erhabenen sowohl in der Natur wie der wahren echten Kultur«. Die
Schrift Schmidt-Gibichenfels' verdiene eine weite Verbreitung nicht nur
im Offizierkorps, sondern auch in allen gebildeten urteilsfähigen Kreisen
des Volkes, »kommt sie doch in dieser von Demokratismus, Feminismus
und Pazifismus erfüllten Zeit wie gerufen...«

Auch die ›Tägliche Rundschau‹ (12. November 1912), das Hauptorgan
des Evangelischen Bundes (500 000 Mitglieder) und mit einer Auflage von
über 80 000 die für die damalige Zeit auflagenstärkste bürgerlich-nationale
Zeitung in Berlin, zitierte ebenfalls breit die Kernstellen von Schmidt-
Gibichenfels' Artikel. Bei Schmidt-Gibichenfels' Vortrag vor der Berliner
Ortsgruppe des Alldeutschen Verbandes am 25. Oktober 1912 waren auch
mehrere »Militär- und Marineschriftsteller« anwesend gewesen, die seine
Ausführungen als ein »Meisterwerk der Ethik des Krieges« gekennzeichnet
und eine Weiterverbreitung seiner Gedanken in der Nation gefordert hatten [13]. Zunächst war es jedoch nur zu dem bereits erwähnten Abdruck in
seiner Zeitschrift gekommen; und noch im November 1912 hatte Schmidt-
Gibichenfels darüber geklagt, daß zu seinem Thema zwar ein »Buch vorliege«, bis jetzt aber kein Verleger bereit gewesen sei, Druck und Vertrieb
ohne Vorauserstattung der Unkosten zu übernehmen. Anfang Januar 1913
teilte Schmidt-Gibichenfels plötzlich mit, daß sein Artikel im Publikum
und in der Presse lebhafte Zustimmung gefunden habe und daß von dieser
Seite angeregt worden sei, einen »billigen Sonderdruck« herauszugeben:
die »Vaterländische Gesellschaft zur Verbreitung von Geschichtskenntnis-
sen« in Berlin-Charlottenburg habe einen wohlfeilen Druck möglich
gemacht (1 Stück 20 Pfg., bei Annahme von 100 bis 50 000 Stück nur 15
bzw. 5 Pfg.), und in kürzester Zeit seien über 5000 Stück versandt worden [14].

---

12 PAR, Nr. 9, Dez. 12, S. 478.
13 Nach einem Bericht der BNN, 25. 10. 12, zit. nach O. Nippold, Der deutsche Chauvinismus, S. 73.
14 PAR, Nr. 8, Nov. 12, S. 393 f.; Nr. 10, Jan. 13, S. 505, Anm. 1.

Ganz im Zeichen dieser Anschauungen stand auch eine Vortragsreihe im Saale der Kriegsakademie in Berlin im November und Dezember 1912, in der die Professoren D. Schäfer, G. Roethe, der General a. D. v. Wrochem und Graf v. Westarp vor dem »Verein deutscher Studenten« sprachen [15]. Wrochem hielt es für »selbstverständlich, daß wir ... um unsere Weltmachtstellung noch kämpfen müssen, und das ist gut; denn Prüfung und Kampf tut uns Deutschen not, damit wir nicht entarten ... In diesem Kampfe aber wird es sich nicht handeln um Sieg oder Niederlage, sondern um Sein oder Nichtsein!« Und G. Roethe, Professor für deutsche Literatur an der Universität Berlin, rief den Studenten zu: »... haltet fest an dem preußischen Mut ..., der sich auch danach sehnt, Leib und Blut einzusetzen, wenn der König ruft ... was uns der Himmel bald beschere!«

»Einschießen« auf den Gegner: Erst Frankreich, dann Rußland

Um eine günstige Stimmung für die Annahme der Wehrvorlage zu schaffen, steigerte die bürgerliche Publizistik systematisch die Einkreisungsfurcht und richtete die deutsche Öffentlichkeit auf die zukünftigen Gegner aus. Auch hier gingen namhafte Professoren voran. Sie wurden dazu aufgefordert von der Reichsregierung, speziell durch Bethmann Hollweg und das Auswärtige Amt, die mit Professoren wie Karl Lamprecht, Hermann Oncken, Friedrich Meinecke und Hans Delbrück in Verbindung traten [16]. Friedrich Meinecke schrieb einen solchen bestellten Artikel mit dem Titel »Wehrvorlage und Weltlage« [17], der u. a. auch in der ›Nationalzeitung‹ vom 26. und 27. April 1913 nachgedruckt wurde, und dann auch Eingang in die nationalliberale Provinzpresse fand. Hier konstatierte er, daß Frankreich sich »bewußt und freiwillig zu unserem Erz- und Erbfeinde aufgeworfen hat«. Frankreichs Gegnerschaft gegen Deutschland sei geradezu chronisch und gefährde den »Weltfrieden«. Meinecke, damals Professor in Straßburg und gewiß kein Chauvinist, betonte (ohne auch nur mit einem Wort die numerische Unterlegenheit Frankreichs Deutschland gegenüber – um 29 Millionen Menschen – zu erwähnen) die uneingeschränkte Notwendigkeit der deutschen Heeresvermehrung und schloß mit einem zwar mäßigenden, im Effekt aber doch drohenden Resümee:

---

15 Vgl. Preußen-Deutschlands Vergangenheit und Zukunft, Berlin 1913 (Vorwort von Adolph Wagner), Vortrag v. Wrochem, S. 79; Vortrag Roethe, S. 113; Einflußreiche gesellschaftliche Kreise in Österreich predigten schon im Dez. 1912 das »hohe Kriegslied« und das »notwendige Stahlbad«. In diesem Sinne wirkten neben dem österreichischen Generalstabschef Conrad und Kriegsminister Krobatin auch publizistische Organe wie die Wiener ›Reichspost‹.
16 Vgl. Kurt Stenkewitz, Gegen Bajonett und Dividende, S. 109 f.; sowie Klaus Wernecke, Deutschlands Weltstellung 1911–1914 (Masch.), S. 234 ff., S. 266 f.
17 Vgl. Meinecke, Werke, Bd. 2, S. 72.

»Wir werden unsere großen Bataillone nicht zu leichtfertigem Angriffe gebrauchen, wohl aber zur Abschreckung leichtfertiger Angreifer, und, wenn es sein muß, zu niederschmetterndem Gegensturm gegen sie.«

Wie stark die kriegerische Gesinnung und die Überzeugung von der Notwendigkeit eines Krieges bereits zu diesem Zeitpunkt in Deutschland verbreitet war [18], erhellt noch der dagegen gerichtete Schlußsatz Meineckes:

»Wir sind nicht der Meinung, daß wir nur und ausschließlich durch einen großen Krieg unsere weltpolitische Zukunft und unseren Anteil an der Welterschließung sichern können.«

Propagandistisch eindeutiger war die Stellungnahme des Berliner Historikers Max Lenz, der in einem Artikel »Deutscher Patriotismus einst und jetzt« den »Willen zur Macht« in den Mittelpunkt seiner Erörterungen stellte, nicht ohne darauf zu verweisen, daß auch Bismarck 1870 sich auf diesen Faktor habe stützen müssen, »als er die nationale Woge gegen den Erbfeind deutschen Namens lenkte« [19].

In großem Stil wurde die antifranzösische Stimmungsmache offiziös durch einen Artikel der oft vom Auswärtigen Amt bedienten ›Kölnischen Zeitung‹ angefacht, die am 10. März Frankreich unterstellte, es würde bei jeder günstigen sich bietenden Gelegenheit über Deutschland – im Verein mit Rußland, vielleicht sogar mit Hilfe Englands! – herfallen. Dieser Artikel mit der Schlagzeile »Der Störenfried« wurde in vielen Zeitungen nachgedruckt und erhielt so die denkbar stärkste Verbreitung [20].

Die Anti-Frankreich-Kampagne konnte dabei immerhin ohne große Schwierigkeit an traditionelle Ressentiments anknüpfen, so daß die Regierung hier einen leichten Stand hatte. Schwieriger war es schon, im Sinne der von Moltke und dem Kaiser ausgegebenen Direktiven eine Stimmung von Furcht und Haß gegen Rußland zu wecken. Noch im Sommer 1912 hatte zum Beispiel die ›Deutsche Industriezeitung‹ als ein Plus der Bethmannschen Außenpolitik die Verbesserung der Beziehungen zu Rußland gelobt [21]. Auch die preußischen Konservativen waren bei aller wirtschaftlichen Bedrohung durch den russischen Agrarstaat doch geneigt, den traditionellen Draht nach Rußland nicht ganz abreißen zu lassen, denn der monarchisch-autoritäre Staat des Zaren war ihnen angenehmer als die bürgerlich-demokratischen Systeme Englands oder Frankreichs. Letztlich verhallten aber auch hier die Direktiven der Presseabteilung des Reichsmarineamts und der Presseoffiziere des großen Generalstabs nicht ungehört.

---

18 Über die Verbreitung dieser allgemeinen Kriegsbegeisterung im Jahre 1913, vgl. die anonyme Broschüre von Hans Plehn, Deutsche Weltpolitik und kein Krieg, Berlin 1913, S. 1: »In dem Jahre nach der letzten Marokkokrise ist die Stimmung nahezu *Allgemeingut der deutschen Nation* geworden, daß wir uns nur durch einen großen europäischen Krieg die Freiheit zu unserer weltpolitischen Betätigung erkämpfen könnten.« (Sperrung von mir F.F.)
19 Zit. Der Tag (rot), Nr. 76, 2. 4. 13.
20 KZ, Nr. 275, 10. 3. 13.
21 DIZ, Nr. 30, 27. 7. 12, S. 513.

Zudem sprang der Kanzler persönlich in die Bresche: In seiner Rede zur Begründung der Wehrvorlage am 7. April 1913 warf er in äußerst geschickter Form die Parole vom Kampf des Slawentums gegen das Germanentum noch einmal in die Debatte, indem er zwar die von »einzelnen« Publizisten geäußerte »Unvermeidlichkeit« eines solchen Kampfes bestritt, im gleichen Atemzug aber das Schlagwort selbst pointiert wieder aufgriff und eine Verschärfung der panslawistischen Strömungen in Rußland und auf dem Balkan feststellte. Mit Nachdruck wies er auf die für Deutschland und Österreich-Ungarn ungünstige Machtverschiebung auf dem Balkan hin, wo an die Stelle einer starken Türkei, die bisher das Gegengewicht gebildet hätte, ein starkes Serbien gerückt sei. Es ist nicht zu übersehen, daß – wie verklausuliert diese Rede auch war – die Parole vom Rassenkampf zwischen Germanen und Slawen nach den Präludien im Februar und März 1913 noch einmal von der bürgerlichen Presse breit aufgegriffen wurde [22], auch von den Organen, die bis dahin eher eine rußlandfreundliche Politik befürwortet hatten. Diese hierdurch ausgelöste Anti-Rußland-Kampagne sollte von entscheidender Bedeutung werden für die Stimmungsmache der Reichsregierung im Frühjahr 1914, drei Monate vor Ausbruch des Weltkrieges.

Der Umschlag seit Dezember 1912 ist mit Händen greifbar, wenn man die Auslassungen großer bürgerlich-nationaler Blätter wie der ›Hamburger Nachrichten‹, der ›Deutschen Arbeitgeberzeitung‹, der konservativen ›Kreuzzeitung‹ und die vielbeachteten Vorträge des Herausgebers der ›Zukunft‹, Maximilian Hardens, Revue passieren läßt.

Maximilian Harden hielt am 17. Februar 1913 in München einen Vortrag, in dem er den Balkankrieg ausdrücklich als Kampf des Slawentums gegen das Germanentum interpretierte und ausführte, »unsere Zukunft liegt auf dem Festlande, dieses Bewußtsein ist in Deutschlands Volk zurückgekehrt« [23]. Die ›Hamburger Nachrichten‹, die sich als Verwalter des Bismarckschen Erbes betrachteten, schwenkten noch deutlicher um, als sie einen Monat vor der Reichstagsrede Bethmann Hollwegs in einem Leitartikel vom 8. März 1913 unter dem Titel ›Germanentum und Slawentum‹ plötzlich die »Abrechnung mit dem Slawentum« verkündeten und die Bündniskonstellation des kommenden Kriegs genauestens durchrechneten:

> »Um den Entscheidungskampf werden wir nach menschlichem Ermessen nicht herumkommen ... die Hauptlast des Kampfes liegt jedenfalls auf uns, auch wenn Österreich-Ungarn gemeinsam mit uns fechten wird. Daß sich England

22 Pressestimmen im März 1913: Germania, Nr. 112, 8. 3. 13, »Germanentum oder Slawentum«; HN, 8. 3. 13, »Germanentum und Slawentum«; vgl. zu Presseäußerungen im April 1913: Klaus Wernecke, Deutschlands Weltstellung (Masch.), S. 255 ff. (Die russische Gefahr).
23 Maximilian Harden, in: Münchener Zeitung, 17. 2. 13, »Zwischen Krieg und Frieden«, zit. O. Nippold, Der dt. Chauvinismus, S. 103 f.

bei dem drohenden Kampfe zwischen dem Germanentum und Slawentum auf seine Blutsverwandtschaft mit uns besinnen könnte, halten wir schlechthin für ausgeschlossen; für wenig aussichtsreich auch die hie und da angedeutete Möglichkeit, daß die kleinen nordischen Germanenstaaten sich geschlossen auf Seite Deutschlands stellen werden.«

Vielleicht noch pointierter bezog die ›Deutsche Arbeitgeberzeitung‹ Stellung, die sich bis dahin entweder kaum zu außenpolitischen Fragen oder weitgehend rußlandfreundlich geäußert hatte. Jetzt, eine Woche nach der Reichstagsrede des Kanzlers [24], wandte sie sich gegen die »panslawistische Gefahr« und stellte die These auf:

»Nicht Klassenkämpfe, wie Marx und seine Anhänger wollen, sondern Rassenkämpfe machen den wichtigsten Inhalt der Geschichte aus.«

Jetzt gelte es, »Geist und Körper zu stählen (für) einen Kampf, der um Sein oder Nichtsein, der in Wahrheit um die heiligsten Güter unserer Nation geht«. Die Parole vom Kampf des Germanentums gegen das Slawentum nahmen vor allem die nationalliberalen Blätter auf. Weniger stark, wenn auch spürbar, war das Echo in den konservativen Zeitungen und in der Zentrumspresse. Die linksliberalen Blätter verhielten sich zurückhaltend oder ganz ablehnend; die sozialdemokratische Presse verurteilte die antifranzösische wie die antirussische Stimmungsmache. Dieses Bild sollte allerdings ein Jahr später schon ganz anders aussehen.

Die Wirkung der im Dezember eingeleiteten Pressepolitik – der Zuwachs an Kriegsbereitschaft und die zunehmende Neigung, den Krieg als beinahe zwangsläufige Lösung der außenpolitischen Situation nach der Machtverschiebung seit den Balkankriegen zu betrachten, wird noch einmal in voller Klarheit sichtbar in einem Leitartikel der ›Germania‹ (8. März 1913). Unter Rückbezug auf Maximilian Harden sah man jetzt in der »Balkanfrage« »die Entscheidung darüber..., ob die Vorherrschaft in Europa den Germanen oder den Slawen zufallen soll«. Ja, die ›Germania‹, das führende politische Blatt des deutschen Katholizismus, ging noch weiter:

»Man hat es in gewissen Kreisen des deutschen Vaterlandes den österreichischen Patrioten sehr verübelt, daß sie im November geneigt waren, gegen Serbien und Rußland loszuschlagen. Die Zukunft wird der österreichischen ›Kriegspartei‹ Recht geben.«

Wenn dieses Schlagwort in der Zentrumspresse vor allem noch als Ausdruck des Gegensatzes zweier politisch-kultureller Systeme verstanden werden mochte, so wurde diese Ideologie in der nationalliberalen und alldeutschen Presse bereits zu einem prinzipiellen Gegensatz der Rassen, der unterschiedlichen Qualitäten der physisch-psychischen Anlagen der beiden

---

24 DAGZ, Nr. 15, 13. 4. 13.

Völkergruppen, vergröbert: Auf der Vorstandssitzung des Alldeutschen Verbandes in München verkündete Claß am 20. April 1913 [25]:

> »Die Behauptung eines germanisch-slawischen Gegensatzes sei mehr als eine Redensart; sie sei eine Tatsache von weittragender politischer Bedeutung, die im Gegensatz der Volksanlagen begründet sei, die wiederum ihre Ursache in Rassen-Unterschieden hätten.«

IV. Finanzielle und wirtschaftliche Kriegsvorbereitungen

Als der Zentralausschuß der Deutschen Reichsbank am 10. Dezember 1912 zu einer Routinesitzung zusammentrat, mußte Reichsbankpräsident Havenstein mitteilen, daß die Reichsbank »unter dem Druck der durch den Balkankrieg geschaffenen politischen Verhältnisse... und in Verbindung mit der hierdurch zeitweilig hervorgerufenen Unruhe« in eine äußerst schwierige Lage geraten war. Die Bank hatte nämlich nicht nur Goldabflüsse in Höhe von rund 190 Mill. Mark und die Zurückziehung weiterer Deckungsmittel in Höhe von rund 60 Mill. Mark hinnehmen müssen, sondern noch weitere 256 Mill. Mark an Reichsbanknoten zu begeben. Wenn Havenstein auch betonte, daß die Lage der Reichsbank keineswegs so kritisch wäre, daß ihr Status durch rigorose Erhöhung des Diskontsatzes und durch Kreditdrosselung verbessert werden müßte, so gab er doch zu, daß sich die Reichsbank einmal mehr im Vergleich zu den Zentralnotenbanken der übrigen europäischen Großmächte besonders schwach gezeigt hätte und daß die Entwicklung der Reichsbank in den Monaten September bis Dezember 1912 selbst im Vergleich zum Jahre 1907, als eine internationale Finanzkrise überall die Diskontsätze hochgetrieben und die Zentralbanken alle einen äußerst schwachen Status gezeigt hätten, außergewöhnlich ungünstig gewesen wäre [1]. Da jedoch die Deutsche Reichsbank durch ihre Geschäftspolitik und durch ihre Goldreserven die Garantie dafür übernehmen mußte, daß sie allen auftretenden Anforderungen gewachsen war, das heißt die im Falle einer Mobilmachung auftretenden Anforderungen jederzeit erfüllen konnte, rief ihr schwacher Status in Regierungskreisen ernste Besorgnis hervor. Hierdurch schien bewiesen zu sein, daß alle bisherigen Maßnahmen, wie sie etwa in der Bankgesetznovelle von 1909 anläßlich der Verlängerung des Reichsbankprivilegs beschlossen worden waren, nicht ausreichten [2].

---

25 ABl, Nr. 17, 26. 4. 13, S. 130.
1 Vgl. dazu die Aufz. Havensteins zur Zentralausschußsitzung der Reichsbank vom 10. 12. 12, DZA I, NL Havenstein, Nr. 4.
2 Delbrück an Bethmann Hollweg, 17. 12. 12, DZA I, RdI, Nr. 12 198. Man sehe, erläuterte Delbrück, »dem kommenden Ultimo mit Bangen« entgegen. Der Goldbestand der Deutschen Reichsbank betrug am 31. 12. 12 nur noch 776,6 Mill. M., Jakob Riesser, Finanzielle Kriegsbereitschaft und Kriegsführung, 2. Aufl., Jena 1913, S. 111.

Die Frage, wie die finanzielle Vorbereitung des Kriegsfalles gewährleistet werden könnte, hatte die deutsche Finanzpolitik seit dem Fiasko bei Beginn des deutsch-französischen Krieges 1870 immer wieder beschäftigt. Die Thesaurierung von 120 Mill. Mark in Gold im Juliusturm für die unmittelbaren Erfordernisse des deutschen Heeres bei Kriegsausbruch gehörte ebenso wie die Entscheidung, die Goldeinlösungspflicht für Banknoten bei Kriegsbeginn aufzuheben und Reichswechsel und Reichsschatzanweisungen in die Sekundärdeckung der Reichsbanken einzubeziehen [3], zu den Maßnahmen, die die Liquidität der Reichsbank im Kriegsfall sicherstellen sollten. Seit der Jahrhundertwende hatten sich die Überlegungen für die staatlichen Stellen allerdings noch kompliziert; denn nun ging man davon aus, daß nach einer Mobilmachung nicht allein der unmittelbare Bedarf der Reichskasse für die militärische Mobilmachung gedeckt werden müßte, sondern auch der Bedarf der Privatwirtschaft durch staatliche Maßnahmen sicherzustellen war, da sonst die deutsche Wirtschaft bei Kriegsbeginn in eine ernste Krise gestürzt werden könnte. Dennoch blieben die Überlegungen der Wissenschaftler, Finanzpraktiker und der staatlichen Stellen darauf beschränkt, wie man den Geldbedarf im Kriegsfall sicherstellen konnte, das heißt wie die finanzielle Mobilmachung ebenso perfekt geplant werden konnte wie die militärische [4]. Für diese kurzfristigen Ziele war 1906 die Einführung kleingestückelter Banknoten beschlossen worden, wodurch der Goldschatz und damit die Notendeckung der Reichsbank verstärkt worden waren und 1908 durch das Scheckgesetz die Einführung des bargeldlosen Zahlungsverkehrs ermöglicht worden war, wodurch der gesamte Bargeldbedarf der deutschen Wirtschaft erheblich vermindert werden konnte.

Alle diese Maßnahmen waren dadurch gekennzeichnet, daß sie von der Konzeption eines kurzen Krieges ausgingen, wie er von den maßgebenden militärischen Stellen geplant war. Nur von einzelnen verabschiedeten Militärs, wie den Generalen v. Blume und v. Liebert, wurde geltend gemacht, daß der moderne Krieg nicht mehr durch eine einzige große Vernichtungsschlacht entschieden werden könne, sondern daß der Einsatz großer Menschenmassen fast automatisch auch eine längere Dauer des Krieges nach sich ziehen würde [5].

Die staatlichen Finanzplanungen gingen dennoch weiter von der Vor-

---

3 Reichsbankdirektorium an Frhr. von Stengel, StS des RSA, 12. 7. 04, Kriegsrüstung und Kriegswirtschaft, 1. Anl. Bd., S. 331–336.
4 Diese Tatsache läßt sich sehr gut an den Erörterungen auf dem Deutschen Bankiertag 1907 ablesen. Zur Haltung der Regierung s. u. a. die Planungen für die Bereitstellung des Geldbedarfs für Heer und Flotte im Mobilmachungsfall, DZA I, RSA, Nr. 1372.
5 Henke, Das deutsche Geldwesen im Kriege, in: Vierteljahreshefte für Truppenführung und Heereskunde (hrsg. vom Großen Generalstab) 10, 1913, S. 262.

stellung eines kurzen Krieges aus und stießen daher in zunehmendem Maße auf Kritik in wissenschaftlichen Kreisen und bei Bankfachleuten. Diese Kritik kam zum erstenmal voll bei der Agitation für die große Finanzreform von 1908/09 zum Tragen. Damals erschien die erste Auflage von Riessers Buch über ›Finanzielle Kriegsbereitschaft und Kriegsführung‹, und auch Magnus Biermer, Georg v. Alten und Johannes Conrad meldeten sich zu Wort[6], um auf die Notwendigkeit einer vorausschauenden Finanzplanung für den Kriegsfall hinzuweisen. Eine notwendige Voraussetzung für die Einleitung von Finanzplanungsmaßnahmen war die ungefähre Bezifferung des im Kriegsfall entstehenden Finanzbedarfs. Hierbei fällt auf, daß nur sehr wenige realistische Schätzungen vorgelegt wurden; einzig die Schätzung Joseph v. Renaulds, der mit jährlichen reinen Kriegskosten von rund 22 Milliarden Mark rechnete[7], entsprach wenigstens ungefähr den später im Weltkrieg entstehenden Kosten. Doch wurde Renaulds Schätzung von allen übrigen Fachleuten widersprochen. Diese rechneten mit jährlichen Ausgaben für einen europäischen Krieg zwischen 4,68 Milliarden Mark, 6,57 Milliarden Mark bis zu 7 Milliarden Mark[8].

Sowenig realistisch diese letzteren Schätzungen auch waren, so hätten doch auch sie bereits eine Umstellung der von der Bürokratie bisher vorgenommenen Planung bedingt. Denn nun wären, wie Riesser es gefordert hatte, neben den Vorarbeiten für die finanzielle Kriegsbereitschaft und Mobilmachung auch solche für die finanzielle Kriegführung zu treffen gewesen. Die Frage, ob ein länger dauernder Krieg ausschließlich oder vornehmlich durch außerordentliche Staatseinnahmen, das heißt im wesentlichen durch Anleihen, gedeckt werden sollte, oder ob nicht Steuern zur Aufbringung der auftretenden Kosten eingeführt werden müßten, führte innerhalb der Finanzwissenschaft zu erbitterten Auseinandersetzungen[9]. Die weitergehende Frage, wie die im Kriegsfall auftretenden monetären und güterwirtschaftlichen Probleme einer Lösung nähergebracht werden konnten, ohne daß bedenkenlos der Weg in die Inflation beschritten wurde, geriet allerdings auch den Nationalökonomen nicht in den Gesichtskreis[10]. Die Vorbereitungen innerhalb der Reichsbürokratie und der politi-

---

6 Georg von Alten, Krieg und Finanzen, in: NPrZ, Nr. 32–33, 20./21. 1. 09; Magnus Biermer, Der Kampf um die Nachlaßsteuer, Weimar 1909; Johannes Conrad, Die Finanzreform in Deutschland, in: Jbb für Nationalökonomie und Statistik, Bd. 36, 1908, S. 610–632.

7 Joseph von Renauld, Die finanzielle Mobilmachung der deutschen Wehrkraft, Leipzig 1901, S. 5 ff.; ders., Finanzielle Mobilmachung, in: Bankarchiv 4, 1905/06, S. 37.

8 *4,68 Mrd.*: Schätzung von General von Blume, nach Jakob Riesser, Finanzielle Kriegsbereitschaft, S. 19; *6,57 Mrd.*: Schätzung von Riesser selbst, ibid., S. 20; *7 Mrd.*: Schätzung des Lübecker Senators Possehl in seiner Rede vor dem Gesamtvorstand des Deutschen Wehrvereins (als Denkschrift gedruckt) vom 11. 5. 1912, DZA I, RdI, Nr. 18 522.

9 Vgl. zu dieser Auseinandersetzung den Aufsatz von Johann Plenge, Zur Diagnose der Reichsfinanzreform, in: ZfgSW 65, 1909, S. 322 ff., der für die Deckung der gesamten Kriegskosten durch Steuern auf Einkommen, Vermögen und Erbschaften eintrat, und den Aufsatz von Heinrich Dietzel, Kriegssteuer oder Kriegsanleihe? Tübingen 1912, der aus volkswirtschaftlichen Gründen für eine möglichst vollständige Deckung der Kriegskosten aus Anleihen plädierte.

10 Konrad Roesler, Finanzpolitik des Deutschen Reiches, Berlin 1967, S. 31–34.

schen Führung beschränkten sich jedoch trotz der mahnenden Stimmen auf die Arbeit an der finanziellen Kriegsbereitschaft und der finanziellen Mobilmachung. Als nach der zweiten Marokkokrise erhebliche Kritik an den deutschen Vorbereitungen laut wurde und die Errichtung eines finanziellen Generalstabs verlangt wurde, zeigte sich der Kaiser von solchen Überlegungen völlig unbeeindruckt [11]. Ihm war die Frage, ob die finanziellen Kriegsvorbereitungen des Deutschen Reiches ausreichten, »ganz egal«, und auch die Staatssekretäre des Innern und des Reichsschatzamtes, Delbrück und Kühn, lehnten es ab, einem solchen Gedanken näherzutreten. Sie betonten vielmehr, daß die bisher vorbereiteten – allerdings zum großen Teil streng geheim gehaltenen – Maßnahmen ausreichten, und daß darüber hinaus gegen eine öffentliche Erörterung der vorbereiteten gesetzlichen Maßnahmen wegen parlamentarischer Schwierigkeiten und der etwa auftretenden außenpolitischen Komplikationen »ernste politische Bedenken« beständen [12]. Auch als sich nach Ausbruch des Balkankrieges im Oktober 1912 erneut die Stimmen mehrten, die auf weitere organisatorische Vorbereitungen hinsichtlich der im Kriegsfall auftretenden finanziellen und wirtschaftlichen Probleme drängten [13], wurden diese Anregungen von den zuständigen Reichsämtern weitgehend ignoriert, wenngleich sich die Sorge über die geringe Widerstandskraft, die die deutschen Börsen in diesen Monaten Ende 1912 gezeigt und die zu großen Goldabflüssen ins Ausland geführt hatten, auch in Regierungskreisen breitmachte [14].

Daher wurde 1913 im Rahmen der Wehrvorlage auch eine Reihe von Maßnahmen zur Stärkung der deutschen Finanzkraft im Kriegsfall eingebracht, die vor allen Dingen in einer Verdoppelung des Kriegsschatzes auf 240 Mill. Mark in Gold, der Beschaffung eines Bestandes von Silbermünzen in Höhe von 120 Mill. Mark und der Vorbereitung von weiteren 120 Mill. Mark kleingestückelter Reichskassenscheine bestanden, wodurch im Kriegsfall die Liquidität der Deutschen Reichsbank um ein beträchtliches gestärkt wurde. Zugleich bemühte sich die Reichsbank schon seit Dezember 1912, ihren Goldschatz, der auf weniger als 800 Mill. Mark gesunken war, durch geeignete Maßnahmen zu erhöhen. Freilich reichten diese – von

11 Alex. v. Müller, Der Kaiser, S. 106. Bericht über eine Unterredung vom 9. 1. 12 zwischen dem Kaiser, Solf, Zimmermann, Th. Schiemann, v. Müller und Gwinner.
12 DZA I, RSA Nr. 1282, Delbrück und Kühn an Bethmann Hollweg, 5. 6. 12; vgl. dazu auch das Gutachten des Reichsbankdirektoriums vom 17. 4. 12, DZA I, RKz, Nr. 1267/3. Zu den vorbereitenden Maßnahmen zählten u. a. das Gesetz über die Errichtung von Darlehenskassen; Gesetz betreffend die Änderung des Bankgesetzes (Aufhebung der Notensteuer, Aufhebung des Notenkontingents, Aufhebung bestimmter Vorschriften für die Reichsbankfähigkeit von Wechseln); Gesetz betreffend die Aufhebung der Goldeinlösungspflicht der Reichsbanknoten; Gesetz betreffend die Fristverlängerung des Wechsel- und Scheckverkehrs. Die Entwürfe sind abgedruckt in: Kriegsrüstung und Kriegswirtschaft, 1. Anl. Bd., S. 348–354.
13 Vgl. z. B. Jakob Riesser, Finanzielle Kriegsbereitschaft und finanzieller Generalstab, in: Der Tag, Nr. 249/250, 23./24. 10. 12.
14 Vgl. dazu DZA I, RdI, Nr. 18 522, Delbrück an Bethmann Hollweg, 28. 12. 12; ibid., Nr. 12 198, Delbrück an Bethmann Hollweg, 17. 12. 12.

Dezember 1912 bis Juni 1913 stieg der Goldschatz der Reichsbank von 777 Mill. Mark auf 1080 Mill. Mark, bis Dezember 1913 auf rund 1450 Mill. Mark und bis Ende Juni 1914 auf rund 1631 Mill. Mark, um am 31. Juli 1914 wieder auf rund 1528 Mill. Mark zu sinken – nach Ansicht eines so kompetenten Beobachters wie Otto Schwarz nicht aus, um bei einer allgemeinen Wirtschaftskrise noch die nötige Liquidität sicherzustellen und einen Vergleich mit den viel kapitalkräftigeren Ländern Frankreich und England zu bestehen [15]. In diesen Überlegungen verbanden sich bereits Probleme der finanziellen Kriegsvorbereitung mit der Frage der gesamtwirtschaftlichen Entwicklung und der wirtschaftlichen Vorsorge auf einen kommenden Krieg.

Wirtschaftliche Mobilmachung

Die Probleme, die durch eine wirtschaftliche Vorbereitung auf den Kriegsfall aufgeworfen wurden, waren denen sehr ähnlich, die sich bei den finanziellen Vorbereitungen gestellt hatten. Denn auch hier war die entscheidende Frage, ob die Planungen nur für einen verhältnismäßig kurzen Krieg getroffen werden oder ob alle Vorarbeiten auf einen langen Krieg eingestellt sein sollten. Ebenso mußten sich die staatlichen Stellen wieder entscheiden, ob sie Vorsorgemaßnahmen nur für die unmittelbar staatlichen Wirtschaftsunternehmen oder auch für die gesamte Privatwirtschaft übernehmen wollten und ob sich ihre Tätigkeit ausschließlich auf den ernährungswirtschaftlichen Sektor oder aber auf sämtliche Wirtschaftszweige erstrecken sollte [15a].

Für den ernährungswirtschaftlichen Bereich hatten sich die staatlichen Behörden von vornherein verantwortlich gefühlt. In zahlreichen Denkschriften wurde die Ernährungslage des Deutschen Reichs bei einem europäischen Krieg überprüft, wobei vor allem die militärischen Behörden in der Diskussion der Jahre 1906/07 zum Teil zu recht skeptischen Urteilen hinsichtlich der Möglichkeit, Deutschland bei Sperrung des Seeweges aus-

---

15 Otto Schwarz, Die finanzielle Stellung der europäischen Großmächte, zugleich im Hinblick auf ihre finanzielle Kriegsbereitschaft, Stuttgart 1913, S. 37, 43. Otto Schwarz war damals Wirklicher Geheimer Oberfinanzrat und Stellvertretender Generaldirektor der Abteilung für direkte Steuern im Preußischen Finanzministerium und galt als einer der führenden Finanzwissenschaftler; vgl. auch Roesler, Finanzpolitik des Deutschen Reiches, S. 208.

15a Vgl. zur Frage der wirtschaftlichen Kriegsvorbereitung jetzt auch Lothar Burchardt, Friedenswirtschaft und Kriegsvorsorge. Deutschlands wirtschaftliche Rüstungsbestrebungen vor 1914. Boppard 1968. – Burchardts Polemik gegen meine These (S 248), daß Deutschland im Jahre 1914 auf den Krieg auch wirtschaftlich »wohl vorbereitet war« (vgl. F. Fischer, in: Die Zeit, 3. 9. 1965, S. 30), geht am Kern meiner Argumentation vorbei. Meine Behauptung bezog sich allein auf den »Blitzkrieg«, den die militärische und zivile Führung vor Augen hatte. Dies allein ist entscheidend, nicht die Frage, ob Deutschland auf einen vierjährigen Materialkrieg »objektiv« zureichend vorbereitet war. Die Diskussionen im Frühjahr 1914 werden von Burckardt überdies kaum gewürdigt. Seine wiederaufgenommene These der Trennung von Wirtschaft und Staat endlich ist wissenschaftlich unhaltbar.

reichend zu ernähren, kamen [16]. Das verantwortliche Reichsamt des Innern dagegen vertrat auch später eine weitaus optimistischere Beurteilung der Ernährungslage. Als Anfang 1912 ein Aufsatz über die Ernährungslage Deutschlands im Kriegsfall erschien [17], in dem unter Verwendung der neuesten Erntestatistiken erklärt wurde, die deutsche Landwirtschaft sei jetzt und in absehbarer Zeit nicht imstande, die Volksernährung im Kriegsfall zu sichern, wurde im Reichsamt des Innern eine große Denkschrift zur Widerlegung dieser Thesen ausgearbeitet [18]. In dieser Denkschrift fällt besonders auf, daß sie sich über alle Bedenken der nicht der Bürokratie angehörenden Sachverständigen hinwegsetzte und diese für grundsätzlich unrichtig erklärte. Darüber hinaus wurde sowohl in dem Anschreiben, mit dem Delbrück die Denkschrift an den Reichskanzler übersandte, wie auch in der Denkschrift selber darauf hingewiesen, daß man bei der Erörterung von Fragen der Kriegsernährungswirtschaft nicht von Vorstellungen aus Friedenszeiten auszugehen habe, sondern daß »man sich im Kriege in jeder Richtung nach der Decke strecken müsse«. Und Delbrück kleidete diese Überlegungen in die Worte:

»Die Arbeit leidet in ihrem Aufbau an den beiden bekannten Fehlern, an der Überschätzung der Notwendigkeit unserer Weizeneinfuhr, während die vegetabilische Basis der Ernährung unserer Massen in Roggen und Kartoffeln besteht, und in der Verwechselung unseres gegenwärtigen tatsächlichen Nahrungsmittelverbrauchs mit dem physiologischen Nahrungsbedürfnis, das bekanntlich weit geringer ist als unser gegenwärtiger Verbrauch, wie die Ernährung anderer Völker und unseres eigenen Volkes bis in die neueste Zeit hinein beweist.«

Zwar bedeutete diese Stellungnahme keineswegs, daß das Reichsamt des Innern die Hände in den Schoß legte; immerhin wurde wenigstens überlegt, wie man bei Eintritt des Kriegsfalls ähnlich wie die Heeresverwaltung Getreideaufkäufe in Holland oder in den skandinavischen Ländern tätigen konnte [19]; aber bis zu konkreten Maßnahmen konnten alle Diskussionen bis zum Kriegsausbruch 1914 nicht mehr geführt werden. Einerseits wären aus einer ausreichenden Lagerhaltung von Getreide und sonstigen pflanzlichen Nahrungsmitteln in Höhe des nicht durch Eigenerzeugung gedeckten Bedarfs für ein Jahr Kosten von rund 440 Mill. Mark einmalig und von rund 32 Mill. Mark jährlich entstanden, und anderseits weigerte sich das Reichsschatzamt anzuerkennen, daß das Reich nach der Verfassung für diese Aufwendungen die Kosten zu übernehmen hatte [20].

---

16 Vgl. dazu RA, Kriegsrüstung und Kriegswirtschaft, 1. Anl. Bd., S. 197 ff., S. 217 (Denkschrift Podbielski, 2. 11. 06); S. 219–223 (Denkschrift Tirpitz, Januar 1907); S. 224 (Moltke an Einem, 12. 2. 07); S. 224 f. (Einem an Posadowsky, 13. 3. 07).
17 Fröhlich, Deutsche Volksernährung im Kriege, in: Schmollers Jahrbücher 36, 1912, S. 61 ff.
18 Denkschrift des RdI, 30. 3. 12, Kriegsrüstung und Kriegswirtschaft, 1. Anl. Bd., S. 244, vgl. die Überlegungen von Delbrück, ibid., S. 239, Delbrück an Bethmann Hollweg, 30. 3. 12.
19 Alfred Schröter, Krieg–Staat–Monopol 1914–1918, Berlin 1965, S. 47.
20 RA, Kriegsrüstung und Kriegswirtschaft, 1. Anl. Bd., S. 284 ff. (Denkschrift des Geheimen Finanzrats Meydenbauer, 23. 4. 14); ibid., S. 271–274, Kühn an Delbrück 21. 3. 14.

Damit war dieses Problem zu einem Streitpunkt zwischen Reich und Bundesstaaten geworden, und an eine Vorratshaltung der notwendigen Mengen war wegen der Kosten überhaupt nicht zu denken. Lediglich für einzelne Festungsstädte konnte aufgrund von Absprachen zwischen dem Reichsamt des Innern und dem Kriegsministerium eine Versorgung der Zivilbevölkerung durch die Militärbehörden vereinbart werden. Hinter der Zurückhaltung, die hinsichtlich aller Fragen, die mit der Versorgung der deutschen Bevölkerung mit Nahrungsmitteln zusammenhingen, vom Reichsamt des Innern gezeigt wurde, stand allerdings auch die Überlegung, daß durch ein zu starkes Betonen der Tatsache, daß man für die Zivilbevölkerung Nahrungsmittel aus dem Ausland beschaffen mußte, die eigene, vom Reichsamt des Innern immer verteidigte Zollpolitik in Frage gestellt worden wäre. Dadurch wäre deutlich geworden, daß die Schutzzollpolitik des Reiches nicht imstande war, die Nahrungsmittelautarkie Deutschlands herbeizuführen, wie es die Agrarier bei der Verteidigung dieser Politik immer behauptet hatten, sondern daß sie lediglich für einen um den Zollsatz über den Weltmarktpreisen liegenden deutschen Getreidepreis sorgte.

Alle zunächst nur allgemeinen Erörterungen konkretisierten sich im Laufe des Winters 1912/13. Am 22. November 1912 beriet zum erstenmal eine interministerielle Kommission, an der auch der Große Generalstab und der Admiralstab beteiligt waren, über Fragen der Getreide- und Futtermittelzufuhr im Mobilmachungsfalle [21]. Diese Probleme wurden von der Kommission in regelmäßigen Zusammenkünften bis zum Kriegsausbruch 1914 beraten. Allerdings blieben konkrete Ergebnisse wegen finanzieller und innenpolitischer Schwierigkeiten aus. Dem Vorschlag des preußischen Finanzministers, durch Änderung des § 12 des Zolltarifgesetzes von 1902 wieder die Anlegung von Getreidelagern im Inland zu ermöglichen und »die Rücksicht auf innerpolitische Schwierigkeiten« zurückzustellen [22], wurde nämlich nicht entsprochen; und Delbrück hatte schon im August 1913 in seiner Denkschrift über Fragen der wirtschaftlichen Mobilmachung ausdrücklich erklärt, daß das Problem des Zolltarifgesetzes und insbesondere die Frage der die Agrarier begünstigenden Einfuhrscheine »wegen des engen Zusammenhangs mit der derzeitigen Wirtschaftspolitik, die aufrechtzuerhalten dringend geboten ist, nicht angeschnitten werden könne« [23].

An diesen innenpolitischen Schwierigkeiten scheiterten zunächst auch al-

21 DZA I, RdI, Nr. 18 522, Aufz. über die kommissarischen Beratungen vom 22. 11. 12.
22 DZA I, AA/Hp, Nr. 3623, Lentze an Bethmann Hollweg, 15. 4. 14.
23 DZA I, RKz, Nr. 1268, Denkschrift des RdI betreffend Fragen der wirtschaftlichen Mobilmachung, Ende August 1913. Die im wesentlichen unveränderte Denkschrift wurde im Januar 1914 an die beteiligten Ressorts übersandt; diese ist abgedruckt in: RA, Kriegsrüstung und Kriegswirtschaft, 1. Anl. Bd., S. 253–270.

le Versuche, zur Vorbereitung der deutschen Wirtschaft auf den Kriegsfall einen aus Sachverständigen gebildeten volkswirtschaftlichen Generalstab einzusetzen. Die Agrarier ließen keine Gelegenheit vorübergehen,
um zu betonen, daß ein solches Gremium völlig überflüssig sei, sollte es
aber doch eingerichtet werden, für eine »zweckentsprechende Zusammensetzung« gesorgt sein müßte [24], und die zuständigen Reichsämter erklärten durch Delbrück, daß sie dem Gedanken, »einen ständigen Sachverstän-
digenbeirat für Kriegsfälle einzurichten, einen praktischen Wert nicht
beizumessen« imstande seien [25].

Ganz unbeachtet hatte Delbrück allerdings die Anregungen nicht gelassen, zumal auch einzelne Großindustrielle darauf drängten, ebenso wie
die Banken im Falle der Kriegsgefahr rechtzeitig unterrichtet zu werden [26]. Daher wurde Ende 1912 eine »Ständige Kommission für Mobilmachungsangelegenheiten« aus Vertretern aller beteiligten Reichsressorts
und preußischen Ministerien und des Admiralstabs und des Großen Generalstabs gebildet, die am 3. Dezember 1912, auf dem Höhepunkt der Balkankrise, zu ihrer ersten Sitzung zusammentrat [27]. Über das Ergebnis
berichtete Delbrück dem Reichskanzler:

> »Als Ergebnis der Beratung kann im allgemeinen schon heute festgestellt wer-
> den, daß Maßnahmen, die im Frieden in umfassender Weise die deutsche Volks-
> wirtschaft gewissermaßen für einen Kriegsfall organisieren sollen, nicht mög-
> lich sind. Soweit die Möglichkeit vorhanden ist, in einzelnen Punkten einzu-
> greifen, werden alle zu Verfügung stehenden Wege geprüft. So wird jetzt u. a.
> der Versuch gemacht, an Stichproben festzustellen, wie die Einziehung der fah-
> nenpflichtigen Mannschaft auf die einzelnen Industrien wirken wird.«

Die Möglichkeiten, für die gesamte deutsche Volkswirtschaft sinnvolle
Kriegsvorbereitungen zu treffen, wurden von Delbrück also sehr schlecht
eingeschätzt. Unklar bleibt dabei, ob sich Delbrück sein Urteil nur aufgrund der objektiv vorhandenen Schwierigkeiten, die durch Erfassung der
vorhandenen Vorräte, der Bemessung des Kriegsbedarfs, der Planung von
Ankauf und Verteilung der Güter entstehen mußten, gebildet hatte oder
ob er glaubte, daß die Bürokratie mit ihrem Sachverstand die auftretenden Probleme bisher schon optimal gelöst hatte.

Diese Kommission trat von nun an ständig zu Beratungen zusammen
und erörterte vor allen Dingen ernährungswirtschaftliche Probleme, aber
auch Fragen der Arbeitsmarktlage, der Versorgung der Industrie mit Kohle und anderen Rohstoffen, sowie der Aufrechterhaltung des Güterver-

---

24 DTZ, Nr. 515, 10. 10. 13, »Finanz- und Agrarpolitisches zur Kriegsbereitschaft«.
25 DZA I, RdI, Nr. 18 522, Delbrück an Bethmann Hollweg, 28. 12. 12.
26 Paul Reusch (Generaldirektor der Gutehoffnungshütte) an Delbrück, Februar 1913, DZA I,
RdI, Nr. 18 528.
27 Zur Bildung der »Ständigen Kommission für Mobilmachungsangelegenheiten«, vgl. DZA I, RdI,
Nr. 18 522, Delbrück an die Ressorts, 27. 11. 12. Über das Ergebnis der Beratungen vgl. ibid.
Delbrück an Bethmann Hollweg, 28. 12. 12.

kehrs im Kriegsfalle. Zu einzelnen Sachfragen hörte die interministerielle Kommission auch das Urteil von Sachverständigen aus Industrie und Landwirtschaft [28]; aber erst in ihrer letzten Sitzung vor der Julikrise am 25./ 26. Mai 1914 nahm der gesamte »Wirtschaftliche Ausschuß« als Sachverständigengremium teil. Da der »Wirtschaftliche Ausschuß« in seiner Zusammensetzung jedoch ein starkes Überwiegen der agrarischen Interessenvertreter und eine deutliche Unterrepräsentation der Banken, des Handels und der Leichtindustrie aufwies, reagierten diese Kreise sehr zurückhaltend auf die Beteiligung des »Wirtschaftlichen Ausschusses«, zumal diese nicht zur Bildung eines wirtschaftlichen Generalstabs führen sollte, sondern lediglich an eine gelegentliche Beteiligung gedacht war [29].

Insgesamt bieten die Vorarbeiten für die finanzielle und wirtschaftliche Vorbereitung für den Kriegsfall ein zwiespältiges Bild; denn einerseits waren die Vorbereitungen objektiv unzureichend – dies hatten mit großer Schärfe bereits vor Kriegsausbruch zahlreiche Sachverständige erklärt –, andererseits kann kein Zweifel daran bestehen, daß die entscheidenden politischen und militärischen Stellen glaubten, daß Deutschland auch wirtschaftlich und finanziell ausreichend gerüstet war. Dabei bleibt ungewiß, ob allein die Vorstellung von einem kurzen Krieg [30], der weitere Vorbereitungen einfach überflüssig erscheinen ließ, diese Auffassung bestimmte, oder ob darüber hinaus die Bürokratie glaubte, auch für einen längeren Krieg ausreichend vorbereitet zu sein. Die Art, mit der die nicht von der Bürokratie stammenden Vorschläge, zum Beispiel zur Lebensmittelversorgung der Bevölkerung, behandelt wurden, scheint letztere Vermutung zu bestätigen. Seit dem Balkankrieg im Jahre 1912 läßt sich aber auch in den Reichsämtern eine Intensivierung der internen Besprechungen und Vorarbeiten feststellen, die zwar zumeist nicht die Anordnung neuer Maßnahmen nach sich zogen, die aber doch die stärkere innen- und außenpolitische Vorbereitung auf den Kriegsfall widerspiegeln.

---

28 Denkschrift Delbrück, Januar 14, in: RA, Kriegsrüstung und Kriegswirtschaft, 1. Anl. Bd., S. 256.
29 Vgl. Jakob Riesser, Der Finanzielle und Wirtschaftliche Generalstab, in: Der Tag, Nr. 143/144, 21./23. 6. 14.
30 Hans von Wangenheim (Hrsg.), Conrad Frhr. von Wangenheim/Klein-Spiegel, Berlin o. J. (1934), S. 177 f. Wangenheim an Dr. Kindler, 9. 2. 26 berichtet, daß Delbrück offensichtlich auch noch in den ersten Kriegsmonaten fest an einen kurzen Krieg geglaubt habe.

X. KAPITEL

Krieg nicht für österreichische Balkaninteressen, sondern
um die Basis der deutschen Weltstellung in Mitteleuropa

Während die Reichsressorts und bald auch die deutsche politische Öffentlichkeit mit der Diskussion über die neue große Heeresvermehrung beschäftigt waren, schwelte die Balkankrise weiter. Obwohl ein Waffenstill-
stand zwischen der Türkei und den Balkanverbündeten geschlossen worden war (3. Dezember 1912) und förmliche Friedensverhandlungen in
London begonnen hatten[1], und obwohl der Zusammentritt der Londoner Botschafterkonferenz der Großmächte und ihre schnellen Entscheidungen (am 18. Dezember) für einen autonomen Staat Albanien und für
die Verweigerung eines Adriahafens an Serbien eine Beruhigung der internationalen Lage gebracht zu haben schienen, bestanden die Spannungen
zwischen Serbien und Österreich-Ungarn und zwischen diesem und Rußland weiter.

Krieg um die Grenzen Albaniens?

Die Differenzen entzündeten sich hauptsächlich an der Frage der albanischen Nordgrenze: Österreich war der Ansicht, daß Albanien ohne Skutari nicht lebensfähig sei, während Rußland die Stadt Montenegro zu-
sprechen wollte. Wichtigster Sprecher der österreichisch-ungarischen Kriegspartei war General Potiorek, der Landeschef von Bosnien und der Herzegowina, der Conrad in seiner Forderung nach einem bewaffneten Vorgehen gegen Serbien und Montenegro bestärkte[2]; auch in Rußland erhielt

---

1 Vgl. dazu die Dokumente GP 34 I, Kap. 167; sowie zu diesem Abschnitt auch H. Übersberger,
Österreich zwischen Rußland und Serbien, bes. S. 103 ff.
2 Vgl. die Dokumente GP 34 I, Nr. 12 709, Bericht des Militärattachés in Wien, Kageneck, 17. 1.
13; Nr. 12 736, ders., am 22. 1. 13; Nr. 12 735, Privatbrief Tschirschkys an Zimmermann,
23. 1. 13.

die panslawistische Strömung neuen Auftrieb. Da beide Staaten bereits militärische Vorkehrungen getroffen hatten, Österreich-Ungarn seine Truppen an der serbischen Grenze wie auch in Galizien beträchtlich verstärkt und Rußland den letzten Reservejahrgang nicht entlassen hatte, spitzte sich die Krise bedrohlich zu. In dieser Situation entschloß sich Kaiser Franz Joseph, einen Sonderbotschafter nach Petersburg zu entsenden. Er wählte den Prinzen Gottfried v. Hohenlohe-Schillingfürst aus, der als Militärattaché in Petersburg sich das besondere Vertrauen des Zaren erworben hatte. Hohenlohe sollte um Verständnis für die österreichische Balkanpolitik, besonders für die Zuteilung Skutaris an Albanien, werben und die russische Regierung über die friedlichen Absichten der österreichischen Politik Rußland gegenüber aufklären[3]. Noch während seines Aufenthaltes in Petersburg hatten die Montenegriner am 7. Februar 1913 ihre Angriffe auf Skutari wieder aufgenommen, womit die Frage einer kriegerischen Intervention Österreich-Ungarns unmittelbar akut wurde. (Hohenlohe traf am 10. Februar wieder in Wien ein.)

Berchtold hatte es für zweckmäßig gehalten, dem deutschen Reichskanzler Auszüge aus dem Text des Handschreibens Kaiser Franz Josephs an den Zaren mitzuteilen und es ausführlich zu erläutern[4]. Im deutschen Auswärtigen Amt jedoch war man von dem Erfolg der Mission keineswegs überzeugt, besonders nachdem Montenegro den Angriff auf Skutari wieder aufgenommen hatte; man fürchtete, daß ein militärisches Vorgehen Österreich-Ungarns ein russisches Eingreifen nach sich ziehen würde, so daß damit der große Krieg unvermeidlich würde. Deshalb beantwortete der Kanzler Berchtolds Schreiben mit einer nachdrücklichen Warnung:

»Wie ich die Lage auf Grund von zuverlässigen Informationen kenne, werden die Kräfte, die hinter der panslawistischen Hetze stehen, die Oberhand gewinnen, wenn Österreich-Ungarn in einen Konflikt mit Serbien hineintreiben sollte. Daran würde auch ein größeres oder geringeres Verständnis für die Gesichtspunkte voraussichtlich nichts ändern, die in einem solchen Fall für das Vorgehen der k. u. k. Regierung maßgebend sein würden.[5]«

Deutschland war zu diesem Zeitpunkt auf keinen Fall bereit, sich durch einen österreichischen Krieg gegen Serbien in einen Kontinentalkrieg ziehen zu lassen, weil man in Berlin auf einen günstigeren Termin dafür hoffte – nämlich auf die Zeit, in der Deutschland die Früchte der deutsch-englischen Zusammenarbeit ernten, das heißt mit der Neutralität Englands rechnen könnte.

---

3 Vgl. ÖU 5, Nr. 5564, Telegramm Berchtold, 27. 1. 13; Hantsch, Leopold Graf Berchtold, Bd. 1, S. 383 ff.
4 Ibid., Nr. 5679, Berchtold an Bethmann Hollweg, 5. 2. 13.
5 GP 34 I, Nr. 12 818, Antwortschreiben Bethmann Hollweg an Berchtold, 10. 2. 13; vgl. auch Hantsch, Leopold Graf Berchtold, Bd. 1, S. 388.

»Eine gewaltsame Lösung aber, selbst wenn manche Interessen der österreichischen Monarchie auf eine solche hindrängen sollten, in einem Augenblick herbeizuführen, in dem sich uns eine, wenn auch nur entfernte Aussicht eröffnet, den Konflikt unter für uns wesentlich günstigeren Bedingungen auszutragen, würde ich für einen Fehler von unermeßlicher Tragweite halten.«

Aus diesen Erwägungen heraus beschwor Bethmann Hollweg den österreichischen Außenminister, die Konsequenzen eines österreichischen Krieges gegen Serbien und Montenegro genau zu durchdenken. Die Vertreter der friedlichen Richtung in Rußland, Kokowzow und Sasonow, würden »von dem Sturm der öffentlichen Meinung einfach fortgeweht werden, falls sie versuchen sollten, sich ihm entgegenzustellen«. Bei objektiver Prüfung müsse man zu dem Ergebnis kommen, »daß es für Rußland bei seinen traditionellen Beziehungen zu den Balkanstaaten beinahe unmöglich ist, ohne einen ungeheuren Verlust an Prestige, einem militärischen Vorgehen Österreich-Ungarns gegen Serbien tatenlos zuzusehen.« Diese Ansicht des Kanzlers stützte sich auf einen Bericht des deutschen Botschafters in Petersburg, von Pourtalès, den der neue Staatssekretär des Äußeren Jagow angefordert hatte[6]. Die Folgen eines durch Österreichs Vorgehen ausgelösten russischen Eingreifens aber »würden auf einen kriegerischen Konflikt des – von Italien voraussichtlich *nicht* (im Original unterstrichen) mit großem Enthusiasmus unterstützten – Dreibundes gegen die Mächte der Triple-Entente hinauslaufen, bei dem Deutschland das ganze Schwergewicht des französischen und englischen Angriffs zu tragen hätte«. Die englische Haltung erwähnte Bethmann Hollweg mit besonderem Nachdruck. Im Gegensatz zur bosnischen Krise übe England jetzt einen mäßigenden Einfluß auf Rußland aus:

»Die englische Haltung gesellt sich den mancherlei Anzeichen zu, die darauf hindeuten, daß die Ententepolitik ihren Höhepunkt überschritten hat und daß wir einer Neuorientierung der englischen Politik entgegensehen dürfen, wenn es uns gelingt, ohne Konflikte aus der gegenwärtigen Krisis herauszukommen. Es handelt sich natürlich um Entwicklungen, die sich in den ersten Anfängen befinden und die einer gewissen Zeit bedürfen, um zu reifen.«

So kritisch und gefährlich sah Bethmann die Situation an, daß er Moltke veranlaßte, am gleichen Tag an seinen Kollegen in Wien, den Generalstabschef Conrad v. Hötzendorf, in ähnlich nachdrücklich warnendem Sinne zu schreiben. Während er seine Aufforderung zur Zurückhaltung letztlich mit der Notwendigkeit, auf die englische Haltung Rücksicht zu nehmen, motivierte, argumentierte Moltke gegenüber seinem österreichisch-ungarischen Kollegen mit dem Hinweis auf den jetzt noch fest ge-

---

6 AA-Bonn, NL Pourtalès, Jagow an Pourtalès, 2. 2. 13; vgl. auch GP 34 I, Nr. 12512. Lichnowsky an Bethmann Hollweg, 1. 12. 12.

schlossenen Balkanbund. Moltke hielt es für möglich, daß sich in naher Zukunft Bulgarien von dem Bündnis lösen und sich dem Dreibund zuwenden könnte.

Die dann auf dem Balkan gegebene Situation sei viel günstiger, weil sie »Österreich volle Aktionsfähigkeit gegen Rußland« eröffne. Er hielt zudem die psychologische Vorbereitung der Nation für unbedingt erforderlich.

> »Eure Exzellenz wissen, daß ein Krieg, in dem es sich um die Existenz des Staates handelt, der opferwilligen Zustimmung und der Begeisterung des Volkes bedarf. Das Gefühl der Bundestreue Österreich gegenüber ist in Deutschland stark und lebendig, es würde zweifellos in elementarer Weise zum Ausdruck kommen, wenn die Existenz Österreichs durch einen russischen Angriff bedroht werden sollte. Es würde aber schwierig sein, eine wirkungsvolle Parole zu finden, wenn österreichischerseits jetzt ein Krieg herausgefordert werden sollte, für dessen Entfesselung im deutschen Volke ein Verständnis nicht vorhanden wäre.[7]«

Moltke betonte damit die Notwendigkeit, daß der Dreibund bei Kriegsausbruch als Provozierter erscheine.

Mit seiner These, daß der kommende Krieg ein Existenzkampf zwischen Germanen und Slawen sein werde, befand sich Moltke in Übereinstimmung mit dem Kaiser[8], dem Kanzler[9] und dem Staatssekretär des Äußeren[10]; außerdem wußte er sich darin einig mit dem Empfänger seines Briefes, Conrad:

> »Nach wie vor bin ich der Ansicht, daß ein europäischer Krieg über kurz oder lang kommen muß, in dem es sich in letzter Linie handeln wird um einen Kampf zwischen Germanentum und Slawentum. Sich hierauf vorzubereiten, ist Pflicht aller Staaten, die Bannerträger germanischer Geisteskultur sind. Der Angriff muß aber von dem Slawentum ausgehen. Wer diesen Kampf kommen sieht, der wird sich klar darüber sein, daß für ihn nötig ist: die Zusammenfassung aller Kräfte, die Ausnutzung aller Chancen, vor allem aber das volle Verständnis der Völker für die weltgeschichtliche Entscheidung.[11]«

Im gleichen Sinne hatte sich auch der deutsche Botschafter in Wien gegenüber Baron Chlumecky, der als der publizistische Wortführer der österreichischen Kriegspartei galt, geäußert: »Jetzt, nachdem Österreich in den beiden von ihm aufgestellten Hauptfragen – der Hafen- und albanischen Frage – seinen Standpunkt durchgesetzt habe, sei es ein Wahnsinn, wegen der noch schwebenden Differenzen einen großen Krieg riskieren zu wollen. Niemand in Europa würde das verstehen. Die Abrechnung

---

7 Conrad, Aus meiner Dienstzeit, Bd. 3, S. 144 ff., vgl. GP 34 I, Nr. 12 824, Kageneck an Jagow, 11. 2. 13 (in der Anlage Brief Moltkes an Conrad, 10. 2. 13; vgl. auch Anm. ibid., S. 352).
8 AA-Bonn, Türkei 203, Nr. 6, Geh. Bd. 1, zit. F. Fischer, Griff nach der Weltmacht, 3. Aufl., S. 41.
9 Vgl. Schultheß' Europ. Gesch. Kal. 1913, S. 128.
10 Vgl. Paul Herre, Weltgeschichte der neuesten Zeit, Berlin 1925, S. 574.
11 Vgl. Anm. 7.

mit Serbien könne später vielleicht notwendig werden, das müsse die Zukunft zeigen. *Jetzt* halte seine eigene Regierung (die österreichische) die
Zeit dazu für nicht gekommen, und demnach sei es wohl die Pflicht jedes
guten Österreichers, diese Politik zu unterstützen.[12]«

Beide Briefe, das Schreiben Bethmann Hollwegs an Berchtold und das
Moltkes an Conrad, wirkten auf die Wiener Regierung sehr deprimierend.
Berchtold verstand sie als offenkundige Absage des Bundesgenossen in einem Augenblick, in dem es um die von Österreich-Ungarn für äußerst
wichtig gehaltene Grenze Albaniens ging. Er erkannte, daß die Balkanpolitik des Bundesgenossen von dessen eigenen europäisch orientierten Interessen bestimmt war, statt von der oft beschworenen Nibelungentreue
gegenüber der Donaumonarchie. Enttäuscht und erbittert schrieb Berchtold
an Franz Ferdinand: »Der deutsche Standpunkt, daß wir uns nicht rühren
sollen, damit das Pflänzchen der deutsch-englischen Annäherung nicht erdrückt werde, kommt darin mit sozusagen impertinenter Offenheit zum
Ausdruck.[13]«

Mit dieser Formulierung bezog er sich auf eine Äußerung Jagows. Dieser hatte am 7. Februar in der Budgetkommission des Deutschen Reichstages das deutsch-englische Verhältnis eine »zarte Pflanze« genannt, »die
man nicht durch zu frühes Berühren und Besprechen am Erblühen behin-
dern darf«[14]. Berchtold hat die Absichten des Auswärtigen Amts durchaus richtig erkannt, obwohl man in Berlin bemüht war, dem österreichischen Bundesgenossen die deutschen Intentionen nicht zu enthüllen. In einem Brief, in dem Jagow den deutschen Botschafter v. Tschirschky über
die Berliner Haltung unterrichtete, forderte er ihn ausdrücklich auf,
Berchtold gegenüber darüber zu schweigen. Die Londoner Botschafterkonferenz – so führte Jagow aus – habe England auf die Gefahren einer fortwährenden slawischen Expansion für Europa hingewiesen. Infolgedessen werde England jetzt beginnen, von Rußland abzurücken. Deshalb habe sich auch im Laufe der Verhandlungen das deutsch-englische Verhältnis gebessert. Der Staatssekretär betonte ausdrücklich, daß diese Mitteilungen dem Botschafter nur zur persönlichen Information dienen sollten und nicht zur Weitergabe an Berchtold geeignet seien. Im Gegenteil
solle Tschirschky alles vermeiden, was in Wien den Verdacht erregen
könnte, »als ließen wir uns in unserer Politik nur von dem Wunsche leiten, die *deutsch*-englischen Beziehungen bei dieser Gelegenheit zu bessern«[15].

Die russisch-österreichischen Verhandlungen, die durch die Mission Ho-

12 GP 34 I, Nr. 12 797, Tschirschky an Bethmann Hollweg, 5. 2. 13.
13 Zit. Hantsch, Leopold Graf Berchtold, Bd. 1, S. 388. (Aus dem NL des Erzherzogs Franz
   Ferdinand.)
14 Zit. Schultheß' Europ. Gesch. Kal. 1913, S. 59.
15 GP 34 II, Nr. 12982, Jagow an Tschirschky, 17. 13. 13.

henlohes eingeleitet worden waren, wurden in den folgenden Wochen fortgesetzt. Die russische Regierung war vor allem an einem Abbau der Mobilmachungsmaßnahmen interessiert, da sie der Öffentlichkeit und besonders den Panslawisten gegenüber dringend einen Erfolg brauchte. Als Österreich sich wegen der serbischen Bedrohung weigerte, seine Truppen in Bosnien und der Herzegowina zu reduzieren, wollte man sich in Petersburg sogar mit geringen Abrüstungsmaßnahmen in Galizien zufriedengeben[16]. Nach längeren Verhandlungen veröffentlichten die beiden Regierungen am 11. März ein gemeinsames Kommuniqué, in dem sich Rußland verpflichtete, den im Herbst 1912 zurückbehaltenen Reservejahrgang zu entlassen, wofür Österreich-Ungarn seine Truppen in Galizien »auf ein normales Maß« reduzieren wollte[17].

Diese Vereinbarung traf bei der deutschen Reichsleitung auf lebhafte Zustimmung. Besonders der Kaiser hatte im Februar und März Österreich immer wieder zu einem Entgegenkommen gegenüber Rußland gedrängt in der Überzeugung, daß Rußland sofort entsprechende Maßnahmen ergreifen würde. Er sah in einer zweiseitigen Abrüstung einen bedeutenden Schritt zur Beruhigung in Europa[18]. Als bekannt wurde, daß Österreich-Ungarn und Rußland sich grundsätzlich zu einer Abrüstung entschlossen hatten, schrieb Wilhelm in überschwenglichem Ton an Franz Ferdinand, daß er sich um Europa verdient gemacht habe. Der deutsche Generalstabschef v. Moltke hatte schon am 6. Februar an Jagow geschrieben:

> »Es ist mir unerfindlich, weswegen Österreich, wenn es ihm wirklich nur um einen modus vivendi mit Serbien zu tun ist, seit Monaten seine halbe Armee mobilisiert hält und sich finanziell ruiniert. Mit Rußland würde ein freundschaftliches Benehmen sofort zu haben sein, wenn Österreich seine galizischen Korps demobilisierte.[20]«

Die zwei Bedingungen für einen großen Krieg – Rußland der Angreifer, England neutral

Die Abrüstungsmaßnahmen führten allerdings nicht zu einer wirklichen Entspannung zwischen Österreich-Ungarn und Rußland, da man der Lösung der albanischen Grenzfrage auch durch die Hohenlohe-Mission nicht nähergekommen war. Rußland unterstützte Montenegro in seinem Bemühen, Skutari für sich zu gewinnen, und Österreich-Ungarn bestand

---

16 ÖU 5, Nr. 5698, Hohenlohe an Berchtold, 6. 2. 13.
17 Ibid., Nr. 6120 f., Kommuniqué der österreichisch-ungarischen und russischen Regierung, veröff. am 12./13. 3. 13.
18 Vgl. den Brief Wilhelms II. an Franz Ferdinand, 26. 2. 13, in Robert A. Kann, William II. and Francis Ferdinand, American Historical Review 57, 1952, S. 346. Ähnliches ergeben die Dokumente GP 34 I, Nr. 12 865, 12 881, sowie ÖU 5, Nr. 5923, 5947, 5958.
20 GP 34 I, Nr. 12 793, Moltke an Jagow, 6. 2. 13.

nach wie vor auf der Zugehörigkeit der Stadt zu Albanien. Als deutlich wurde, daß Rußland in dieser Frage nicht nachgeben würde, entschloß sich Berchtold, zuerst Dibra (18. Februar) und später auch Djakowa (20. März) als Kompensation für Skutari anzubieten. Hauptsächlich unter dem Druck der deutschen Reichsleitung hatte er diesen Entschluß gefaßt. Österreich habe, so Wilhelm am 30. Januar 1913 zu Szögyény, bei der Annexionskrise (um Bosnien 1908) die günstige Gelegenheit versäumt, mit Waffengewalt Serbien zu »züchtigen«. Damals wäre ein Krieg auch in Deutschland populär gewesen. Auch heute würde Deutschland seine Bundespflicht Österreich-Ungarn gegenüber selbstverständlich ganz erfüllen. Es würde ihm aber schwerfallen, seinem Volke plausibel zu machen, daß man sich deshalb schlagen solle, weil die Ebene von Skutari oder der Skutarisee nicht albanesisch, sondern montenegrinisch werden solle. Ob eine Abrechnung mit Rußland in Zukunft zu vermeiden sei, liege in Gottes Hand; jedoch wäre der jetzige Augenblick für Österreich-Ungarn ebenso wie für Deutschland ein ungünstiger, um sich einem Weltkriege auszusetzen [21].

Hinter dem deutschen Drängen auf österreichische Konzessionen in der Skutarifrage stand außerdem das Bestreben, Rußland vor der Welt ins Unrecht zu setzen, zum Beispiel dadurch, daß Rußland sich womöglich seinerseits nicht zu einem Entgegenkommen bereitfände [22]. Diesen Gedanken der österreichischen Regierung nahezulegen, war Deutschland in den folgenden Wochen bemüht, vor allem auch dann, als Rußland der Zuerkennung Skutaris zu Albanien zugestimmt hatte [23]. In einem Bericht vom 4. April schrieb Tschirschky an Bethmann Hollweg:

»Mit besonderem Nachdruck führe ich den obersten leitenden Stellen die Notwendigkeit vor Augen, daß, je mehr sie wirklich von der Notwendigkeit einer Lösung der Balkanfrage mit Waffengewalt überzeugt sein sollten, um so dringender es erforderlich sei, die Dinge so zu gestalten, daß Rußland sich im Unrecht befinde und entweder dieses selbst oder seine Trabanten als die Angreifer erscheinen. Nur bei einer dieses Ziel im Auge behaltenden Politik ermögliche man es England, wenigstens anfangs eine neutrale Haltung zu bewahren.[24]«

Nachdem Österreich-Ungarn am 20. März seine Einwilligung in die Zuteilung Djakowas an Serbien gegeben hatte, erklärte sich Sasonow bereit, an allen gemeinsamen Schritten der Mächte teilzunehmen, die Montenegro zur Aufgabe Skutaris zwingen sollten. An der Flottendemonstration gegen Montenegro, die Österreich-Ungarn schon lange gefordert hatte, und die der englische Außenminister als Vorsitzender der Botschafterkonferenz

21 ÖU 5, Nr. 5604, Bericht Szögyény über ein Gespräch mit dem Kaiser, 30. 1. 13.
22 GP 34 II, S. 558, Randbemerkung Wilhelms II. zu dem Brief Lichnowskys an AA, 26. 3. 13.
23 Vgl. zur deutschen Haltung in der Skutarifrage gegenüber Österreich: H. Übersberger, Österreich zwischen Rußland und Serbien, S. 132–137.
24 GP 34 II, Nr. 13 087, Tschirschky an Bethmann Hollweg, 4. 4. 13.

billigte, nahm Rußland allerdings nicht teil, gab jedoch seine Einwilligung dazu[25].

Wilhelm II. glaubte in der englischen Teilnahme schon das nahende Ende der Triple-Entente zu sehen und versah die Berichte über die geplante Flottendemonstration mit frohlockenden Kommentaren[26]. Auch der deutsche Botschafter in London, Fürst Lichnowsky, der sich bemühte, das Zusammenspiel der deutsch-englischen Interessen ostentativ zu betonen und die Friedensliebe Deutschlands ins rechte Licht zu setzen, feierte anläßlich eines Festessens der englischen Vereinigung der Handelskammern in London »die engen Beziehungen zwischen Handelsverkehr und Diplomatie: Handel und Diplomatie seien Verbündete, ihr Ziel sei, eine friedliche und gedeihliche Entwicklung zu sichern«[27].

Welche Bedeutung der Kanzler den deutsch-englischen Beziehungen zumaß, läßt die Tatsache erkennen, daß er vor seiner großen außenpolitischen Reichstagsrede zur Begründung der Wehrvorlage Lichnowsky aufforderte, Grey nach seiner Auffassung der gegenwärtigen politischen Situation zu fragen. Denn er – Bethmann Hollweg – wolle nicht in einem Ton darüber sprechen, »der Sir Edward Greys Widerspruch hervorrufen könnte«[28].

In dieser Rede vom 7. April stellte der Kanzler den englischen Außenminister heraus als den erfolgreichen Leiter der Botschafterkonferenz, der mit »außergewöhnlicher Hingebung und dem Geist der Versöhnlichkeit« den Frieden Europas gerettet habe, und betonte die Gemeinsamkeit der englischen und deutschen Ziele. Obwohl die Bündniskonstellationen fortbestünden, seien doch von einer Gruppe zur anderen freundschaftliche Beziehungen geknüpft, die unbedingt gepflegt werden müßten. »Wir werden das um so leichter tun können, je sicherer wir in richtiger Stärke sind.« Bethmann Hollweg bezeichnete politische Freundschaften als politische Geschäfte, die am leichtesten unter starken Partnern abgeschlossen werden könnten. »Der Schwächling kommt unter die Räder.« Mit dieser Argumentation versuchte er besonders der englischen Regierung die neuerliche deutsche Rüstungsvermehrung annehmbar zu machen[29].

Graf Szögyény, der österreichische Botschafter in Berlin, berichtete an seine Regierung, daß der Kanzler an die Adresse Österreich-Ungarns eine Bündniszusicherung »in vorsichtiger, aber doch sehr entschiedener Weise« gegeben habe, daß man aber gewiß in manchen österreichischen Kreisen einen entschiedeneren Beweis der deutschen Bündnistreue gewünscht hätte,

25 Ibid., Nr. 13 060, Jagow an Wilhelm II., 1 4. 13.
26 Vgl. die Randbemerkungen Wilhelms II. zu diesem Schreiben, ibid., S. 596.
27 Zit. nach RB, Nr. 106, 8. 5. 13, Oderint dum metuant.
28 GP 34 II, Nr. 13 090, Telegramm Jagow an Lichnowsky, 5. 4. 13.
29 Bethmann Hollweg im RT, Bd. 289, 7. 4. 13, S. 4512 ff.

nämlich die Aufmunterung zu einer aktiven Politik und nicht nur die Mitteilung der jeweiligen deutschen Bedenken zu einem österreichischen Vorhaben« [30].

Der Tenor der Reichstagsrede des Kanzlers entsprach genau der Taktik der deutschen Regierung, England die Schiedsrichterrolle in der Balkankrise und damit die Verantwortung zuzuspielen. Falls dann durch die Verzögerungstaktik der Russen oder die Schwäche der Engländer in London keine konkreten Ergebnisse erreicht würden, könnte ein eigenmächtiges Vorgehen Österreich-Ungarns als gerechtfertigt hingestellt werden. Bei allem Bemühen, Österreich von einer einen großen Krieg provozierenden Aktion zurückzuhalten, trat doch in Berlin allmählich die Sorge um das politische Ansehen des wichtigsten deutschen Verbündeten stärker ins Blickfeld. So bekundete der Kaiser seine Entschlossenheit, für Wien »den einzigen politischen Erfolg aus dem totalen politischen Zusammenbruch seiner verfehlten Balkanpolitik zu retten, nämlich ein autonomes Albanien. Und zu einem solchen Erfolge müssen wir Wien coute que coute verhelfen; auch mit den Waffen in der Hand.[31]« Die Stimmung Wilhelms II. war inzwischen umgeschlagen. Grey war ihm jetzt nicht mehr der englische Politiker, der erkannt hatte, daß die englischen Interessen bei Deutschland liegen, sondern der als Leiter der Botschafterkonferenz das »Signal zum Weltenbrand« gab. Hatte der Kaiser noch einen Monat zuvor geglaubt, England habe sich aus der Triple-Entente gelöst, so befürchtete er jetzt, daß es einen Kontinentalkrieg wünsche, in den es selbst erst später als tertius gaudens eintreten würde [32].

Nachdem es den europäischen Großmächten nicht gelungen war, Montenegro und Serbien an der Einnahme Skutaris (23. April 1913) zu hindern, glaubte die deutsche politische Führung, Österreich-Ungarn nicht mehr von einem isolierten Vorgehen auf dem Balkan abhalten zu können, es sei denn, die Mächte setzten in allernächster Zeit eine Lösung im Sinne ihres Beschlusses durch [33]. Immerhin betonte Jagow, daß Deutschland nicht alle »Wiener Dummheiten« mitmachen würde. Aber im Auswärtigen Amt unterschied man jetzt zwischen einer österreichischen Aktion gegen Montenegro, die man befürwortete, und einer gegen Serbien, vor der man warnte. In einem Privatbrief an Tschirschky begründete Jagow die deutsche Haltung ausführlich:

»Daß bei einer Aktion gegen Skutari Rußland schon eingreifen würde, glaube ich nach unseren Nachrichten nicht. Ob dies bei einem Vorgehen gegen Serbien

30 Vgl. ÖU 6, Nr. 6510, Szögyény an Berchtold, 8. 4. 13.
31 GP 34 II, S. 629, Schlußbemerkung Wilhelms II. zu Nr. 13 095, Bericht des Militärattachés in Wien, Kageneck.
32 Vgl. ibid., S. 760, 783, Marginalien Wilhelms II. zu Telegrammen von Tschirschky an AA, 28. 4. 13; 1. 5. 13.
33 Vgl. ibid., Nr. 13 207, Jagow an Lichnowsky, 26. 4. 13.

in gleichem Maße der Fall sein würde, dessen ist sich Pourtalès nicht so sicher. Schließlich würde dann auch die ganze Balkan- und slawische Politik Rußlands in Frage gestellt, und die panslawistische Strömung könnte dort am Ende über den schwachen Kaiser und die schwache Regierung – selbst wenn diese nicht wollten – die Oberhand gewinnen.«

Falls Österreich sich doch zu einem Krieg gegen einen oder beide Staaten veranlaßt sehe, hielt Jagow es für notwendig, daß man sich in Wien auf einen »offensichtlich feindlichen Akt Serbiens« berufen könnte.

»Unsere (d. h. Deutschlands) Haltung denke ich mir, le cas échéant, so: Wir erklären in Petersburg, daß österreichisch-montenegrinische und österreichisch-serbische Konflikte Auseinandersetzungen lokaler Natur seien, in die die anderen Mächte keinen Grund einzugreifen hätten und deshalb ruhig bleiben müßten. Dieselbe Erklärung müßten wir auch in Paris und London abgeben mit Andeutung der unausbleiblichen Folgen, die eintreten müßten, wenn Rußland Österreich angreift. Es ist für uns sehr wichtig, die Rolle des Provozierten zu haben, da ich glaube, daß England dann – aber wohl auch nur dann – neutral bleiben kann.[34]«

Die in der Skutarikrise liegende Gefahr des großen Krieges ging vorüber, weil die Zusammenarbeit Österreich-Ungarns und Italiens, die sich gegenseitig dabei im Schach halten konnten, König Nikita zwang, Skutari herauszugeben (5. Mai 1913). Die endliche Beilegung dieser Frage wurde als großer Erfolg Berchtolds gefeiert. Auch der deutsche Botschafter v. Tschirschky gratulierte ihm und nahm dabei die Gelegenheit wahr, wie Berchtold in seinem Tagebuch unter dem 5. Mai vermerkt, die deutsche Politik seit dem Oktober 1912 und speziell in dieser Krise zu erläutern:

»Alle letzten Kriege seien gewonnen worden von jenen, die sich Jahre darauf vorbereitet... Wir sollten uns (d. h. Österreich) auf einen Krieg vorbereiten, der uns Serbien und Montenegro und Nordalbanien, Italien Valona, Deutschland den Sieg über den Panslawismus zu bringen hätte.[35]«

Auch Kaiser Wilhelm notierte in diesen Tagen:

»Der Kampf zwischen Slawen und Germanen ist nicht mehr zu umgehen, er kommt sicher. Wann? Das findet sich.[36]«

Mit der Lösung der Skutarikrise war das Haupthindernis für die Gründung des neuen Staates Albanien weggeräumt. Besonders Österreich-Ungarn drängte auf die baldmöglichste Herstellung der Unabhängigkeit dieses Staates, während die anderen Großmächte sich für einige Zeit noch ein

---

34 AA-Bonn, Gesandtschaft Wien, Geh. III., Ganz geh. Sachen (1891–1921), Jagow an Tschirschky, 28. 4. 13.
35 Zit. Hantsch, Leopold Graf Berchtold, S. 420.
36 GP 34 II, S. 811, Schlußbemerkung Wilhelms II. zum Schreiben Pourtalès an Bethmann Hollweg, 6. 5. 13.

Aufsichtsrecht bewahren wollten. Dementsprechend wurde am 29. Juli 1913 die albanische Verfassung von der Londoner Botschafterkonferenz beschlossen: Albanien sollte ein autonomes Fürstentum unter der Garantie der sechs Großmächte bilden und seine Verwaltung bis zur Ernennung eines Herrschers in den ersten sechs Monaten unter der Kontrolle einer internationalen Kommission eingerichtet werden. Auf der letzten Sitzung der Botschafterkonferenz am 11. August einigte man sich auf die Einsetzung wiederum einer internationalen Kommission, die endgültig die albanischen Grenzen festsetzen sollte [37]. Diese Grenzziehungskommission, in der alle latenten und offenen Konflikte der Großmächte konzentriert waren, führte ihre Arbeit unter endlosen Friktionen ihrer Mitglieder durch; erschwert wurde ihre Tätigkeit durch den Ausbruch von Aufständen in Nordalbanien, wo seit der Skutarikrise immer noch serbische Truppen lagen – Aufstände, von denen vermutet wurde, daß Österreich-Ungarn sie angezettelt habe –, und durch die serbische Gegenaktion, die sich nicht nur auf die Serbien zugesprochenen Gebiete beschränkte, sondern auch auf albanisches Gebiet übergriff und damit im Herbst des Jahres eine neue schwere internationale Krise auslöste.

Der zweite Balkankrieg – Erneutes Drängen Österreichs auf Aktion und Deutschlands erneutes Nein

Das Königreich Rumänien hatte in den ersten Balkankrieg und die nachfolgenden kriegerischen Ereignisse (Besetzung Janinas durch Griechenland am 6. März, Eroberung Adrianopels durch Bulgarien am 26. März und Einnahme Skutaris durch Montenegro und Serbien am 28. April) nicht eingegriffen. Es leitete aus dieser Stillhaltepolitik, die es nach rumänischer Interpretation Bulgarien erst ermöglichte, gegen die Türkei zu marschieren und Eroberungen zu machen, den Anspruch auf Kompensationen in der Dobrudscha ab, dem umstrittenen Grenzgebiet zwischen beiden Ländern. Rumänien, das seit 1883 dem Dreibund angehörte (kraft Geheimvertrag, von dem nur König Carol und ein engster Kreis in der Regierung Kenntnis hatte), hatte in den Verhandlungen über die Erneuerung des Vertrages – in der Folge der Erneuerung des Dreibundes im Dezember 1912 – versucht, Österreich-Ungarns Unterstützung für die Gewinnung des bulgarischen Silistria einzuhandeln, was Österreich allerdings verweigerte [38]. Rumänien unterzeichnete den erneuerten Vertrag trotzdem am 12. Februar 1913. Zur Beilegung der rumänisch-bulgarischen Grenzstreitig-

---

37 GP 35, Nr. 13 690, Beschluß der Botschafterkonferenz in London vom 11. 8. 13.
38 Vgl. die Arbeit meiner Schülerin Dörte Löding, Deutschlands und Österreich-Ungarns Balkanpolitik von 1912–1914, Diss. Hamburg (Masch.) 1967, S. 76.

keiten wurde in Petersburg eine Botschafterkonferenz eingesetzt, die am 9. Mai 1913 Silistria Rumänien zusprach [39].

Aus diesem Grenzstreit bahnte sich seit dem März 1913 ein neuer schwerer Konflikt zwischen Österreich-Ungarn und Deutschland an. Grundlage der österreichischen Balkanpolitik war es, Serbien unter Kontrolle und möglichst schwach zu halten; von diesem Gesichtspunkt aus operierte die österreichische Politik auch gegenüber allen anderen Balkanstaaten. Um ein Gegengewicht gegen Serbien zu schaffen [40], bemühte sich Berchtold, Bulgarien aus dem Balkanbund herauszulösen und an die Doppelmonarchie heranzuziehen. Dagegen hielten es die deutsche Reichsleitung und besonders der Kaiser für die Zukunft des Dreibunds wie für Österreich selbst für ratsamer, Bulgarien zu isolieren und dafür Griechenland, Rumänien und Serbien in ein näheres Verhältnis zum Dreibund zu bringen. Hierin war der Kaiser einer Meinung mit den führenden deutschen Politikern, besonders mit Jagow:

> »Ich bin nach wie vor der Ansicht«, schrieb Wilhelm II., »daß die Kombination Serbien, Rumänien, Griechenland unter Österreichs Führung die natürliche und bessere ist; weil sich auch an sie die Türkei lieber anschließen wird, wie an eine bulgarische. Dann hätte Österreich einen präpondierenden Einfluß auf mindestens 3 slawische Balkanländer, die unter seiner Aegide zu eisernem Ring um Bulgarien gelegt werden könnten. Solchem Druck könnte Sofia auf die Dauer nicht widerstehen, und es würde doch allmählich von selbst sich heranfinden, wenn ihm Rußlands bevormundende Freundschaft zuviel wird. Immerhin ist durch das Bündnis Österreich, Serbien, Griechenland, Rumänien, die gefürchtete allslawische Welle gründlich geteilt. Während auf die von Berchtold beabsichtigte Weise alle Slawen Rußland in die Arme mit Kunst und Gewalt getrieben werden. [41]«

Ebenso dezidiert wie der Kaiser sprach sich auch der deutsche Staatssekretär Jagow gegenüber Berchtold für eine Annäherung Wien–Belgrad und Wien–Athen aus [42]. Nur der deutsche Botschafter in Wien hielt eine serbophile Politik Österreich-Ungarns aus innenpolitischen Gründen für undurchführbar [43].

Für den Anschluß Griechenlands an eine antibulgarische und das heißt zugleich antirussische Kombination ging die Initiative vom Kaiser selbst aus, der seine familiäre Verbindung als Schwager des griechischen Königs wie die Tatsache, daß Griechenland ebenso wie Rumänien kein slawischer Staat war, für diese Politik ausnutzen wollte. Deshalb unterstützte das

---

39 Die endgültige Festsetzung des Grenzverlaufs wurde einer rumänisch-bulgarischen Kommission überlassen, die allerdings – nachdem am 15. Juni der slawophile Danew Ministerpräsident in Sofia geworden war – von Bulgarien boykottiert wurde. Im Bukarester Frieden wurde die gesamte Süddobrudscha Rumänien zugesprochen.
40 ÖU 6, Nr. 6862, Erlaß nach Berlin, 2. 5. 13.
41 GP 34 II, S. 462, Schlußbemerkung Wilhelms II. zum Schreiben Tschirschky an Bethmann Hollweg, 5. 3. 13.
42 Vgl. die Dokumente ibid., Nr. 13 012, Jagow an Berchtold, 23. 3. 13; Nr. 13 069, Flotow an AA, 2. 4. 13.
43 Ibid., Nr. 13 000, Privatbrief Tschirschky an Jagow, 20. 3. 13.

Auswärtige Amt die griechischen Forderungen in der Inselfrage und bezüglich der albanischen Grenze [44], wenn auch etwas weniger emphatisch, als es der Kaiser tat:

>»Wenn Österreich–Italien Griechenland gegenüber unvernünftig sind, ist das nicht unsere Schuld! Wir sind nicht verpflichtet, *jeden* Unsinn mitzumachen, den diese vorhaben. Wir haben schon reichlich viel in dieser Beziehung auf unser Conto geladen, den Bundesgenossen zuliebe. – Wenn diese – im Verhältnis zum Dreiverband – ihre Situation stets nur verschlechtern, können wir sie warnen, aber nicht hindern; aber mitmachen brauchen wir nicht.[45]«

Für Berchtold dagegen war maßgebend, daß die griechische Regierung Ziele verfolgte, die seinen entgegengesetzt seien. Denn Griechenland stellte territoriale Ansprüche an Albanien und unterhielt freundschaftliche Beziehungen zu Serbien [46].

Wenn es Deutschland im Frühjahr und Sommer 1913 um eine Beruhigung der Balkanverhältnisse ging, so sah Österreich den über der Aufteilung Mazedoniens sich anbahnenden Konflikt zwischen Bulgarien und Serbien gar nicht ungern, da man in Wien darin eine Gelegenheit erblickte, Serbien zu schwächen. Die durch das Diktat der Großmächte aus Albanien herausgedrängten Serben wiederum glaubten, daß ihre Anstrengungen während des ersten Balkankrieges nicht genügend honoriert worden seien, und forderten deshalb eine Revision des Balkanvertrages [47]. Der österreichische Generalstabschef Conrad nahm die neue Konfliktsituation sogleich zum Anlaß, um die in der Skutarikrise verpaßte Chance einer »Abrechnung mit Serbien« nun endlich wahrzunehmen [48]. Am 10. Mai hatte er durch den österreichisch-ungarischen Militärattaché in Berlin, von Bienerth, seinen deutschen Kollegen Moltke wissen lassen, er bedaure, »daß man die Balkanfrage jetzt lediglich auf diplomatischem Wege zu lösen gedenke«. Moltke stimmte dieser Auffassung vollkommen zu, tröstete ihn aber, indem er ihm durch Bienerth bestellen ließ, »dies sei nur ein Aufschub und keine Lösung. *Daher* die Verstärkung der deutschen Wehrmacht.[49]«

Der österreichische Außenminister arbeitete zwar nicht mit der gleichen Entschlossenheit wie Conrad auf den bewaffneten Konflikt mit Serbien hin, aber auch er wünschte einen Zusammenstoß Serbiens mit Bulgarien nicht zu verhindern – zweifellos in der Hoffnung, daß dies zu einer Schwächung Serbiens führen werde [50]. Als nun der Zar als Protektor des

---

44 GP 35, Nr. 13 631, Jagow an Tschirschky, 16. 6. 13.
45 Ibid. S. 251, Schlußbemerkung Wilhelms II. zum Schreiben Lichnowskys an AA, 15. 6. 13.
46 Vgl. Anm. 40.
47 Vgl. Schultheß' Europ. Gesch.kal. 1913, S. 667.
48 Vgl. Conrad, Aus meiner Dienstzeit, Bd. 3, S. 322, 332; GP 34 II, Tschirschky an Bethmann Hollweg, 9. 5. 13.
49 Conrad, Aus meiner Dienstzeit, Bd. 3, S. 30, S. 328.
50 Hantsch, Leopold Graf Berchtold, Bd. 2, S. 435.

ehemaligen Balkanbundes durch ein Telegramm vom 10. Juni nach Sofia und Belgrad versuchte, beide Mächte vom Krieg abzuhalten, empfand Wien das als einen direkten Schlag gegen die österreichischen Intentionen. Wien wies die »Anmaßung« des Zaren zurück, sich als Protektor der Balkanstaaten und als »Haupt des gesamten Slawentums« aufzuspielen. Tschirschky berichtete über die Erbitterung in Wien, es habe sich die Ansicht verfestigt, »daß es schließlich ohne eine klare Auseinandersetzung zwischen der Monarchie und Rußland nicht werde abgehen können« [51].

Je gefährlicher sich der serbisch-bulgarische Konflikt zuspitzte, desto erheblicher verschärften sich die Differenzen zwischen der deutschen und der österreichisch-ungarischen Balkanpolitik, nachdem sie auch durch einen persönlichen Briefwechsel Berchtolds mit Jagow im März nicht hatten beseitigt werden können [52]. Österreich-Ungarn schürte den Gegensatz zwischen den beiden Balkanstaaten nach Kräften durch finanzielle Angebote an Bulgarien und sogar durch eine indirekte Aufforderung an Sofia, Serbien anzugreifen [53]. Berchtold erklärte nämlich mehrmals, daß im Falle größerer serbischer Siege ein Eingreifen Österreich-Ungarns unerläßlich sei, wobei er es sogar – wie Conrad berichtet – auf einen Krieg mit Rußland ankommen lassen wollte [54]. Der Wille, dieses Risiko einzugehen, war auch nach dem Ausbruch des zweiten Balkankrieges noch vorhanden. Das geht ganz deutlich aus einem Bericht Tschirschkys an das Auswärtige Amt vom 1. Juli hervor:

> »Man beabsichtigt hier, den Balkanereignissen gegenüber zunächst vollkommene Zurückhaltung zu beobachten. Sollte bei entscheidenden Siegen Bulgariens Rußland zugunsten Serbiens eingreifen, so würde man hier dem entgegentreten. Auf meine Frage, auf welche Weise letzteres geschehen sollte, meinte Graf Berchtold, entweder durch direkte Schritte in Petersburg oder etwa durch Besetzung Belgrads.« Dazu Wilhelm II.: »Total verrückt; also doch Krieg! [55]«

Dem deutschen Bundesgenossen hatte Berchtold die Aufgabe zugedacht, Rumänien für eine Verständigung mit Bulgarien zu gewinnen, damit dieses den Rücken für den Krieg gegen Serbien frei habe [56]. Jagow lehnte dieses Ansinnen jedoch ab, da er befürchtete, daß Rumänien sich dadurch noch weiter vom Dreibund entfernen würde, als es infolge der verfehlten und erfolglosen bulgarophilen Politik Berchtolds ohnehin schon geschehen sei [57]. Enttäuschung und Erbitterung spricht aus Berchtolds Kommentar zu dieser deutschen Absage: »Berlin aber versagt vollkommen in dieser hi-

---

51 GP 35, Nr. 13 410, Tschirschky an Bethmann Hollweg, 20. 6. 13.
52 ÖU 5, Nr. 6126, Berchtold an Jagow, 13. 3. 13; Nr. 6275, Jagow an Berchtold, 23. 3. 13.
53 D. Löding, Deutschlands und Österreich-Ungarns Balkanpolitik, Diss. (Masch.), S. 80 f.
54 Conrad, Aus meiner Dienstzeit, Bd. 3, S. 353.
55 GP 35, Nr. 13 475, Tschirschky an AA, 1. 7. 13; Marginalien des Kaisers, S. 116.
56 ÖU 6, Nr. 7490, Telegramm Berchtold, 25. 6. 13.
57 Ibid., Nr. 7516, Szögyény an Berchtold, 27. 6. 13.

storischen Stunde schicksalwendender Entscheidung.[58]« Daß Jagow ebenfalls einen neuen Balkankrieg für möglich hielt, die »historische Stunde«
dafür jedoch für noch nicht gekommen sah, geht aus seinem Schreiben an
Tschirschky vom 28. Juni hervor:

> »Daß ein kriegerischer Zusammenstoß der bisherigen Balkanalliierten wün-
> schenswert wäre, ist natürlich auch unsere Ansicht. Aber selbst wenn es *jetzt*
> nicht dazu kommen sollte, ist anzunehmen, daß die Interessengegensätze über
> kurz oder lang doch zu einer bewaffneten Auseinandersetzung führen müssen.
> Der ad hoc – zum Krieg gegen die Türkei – geschlossene ›Balkanbund‹ kann
> jedenfalls als definitiv begraben angesehen werden. Man soll die ›Balkanalliier-
> ten‹ nur in ihrem eigenen Fette schmoren lassen.[59]«

Wie das Auswärtige Amt und der Kaiser war auch der deutsche Generalstabschef v. Moltke zu diesem Zeitpunkt nicht bereit, falls Österreich-Ungarn im Balkan bewaffnet eingreifen sollte, in einen daraus entstehenden
Krieg mit Rußland einzugreifen. Er beschränkte sich vielmehr auf allgemeine Zusicherung der Bündnistreue. Am 29. Juni schrieb er an Conrad:

> »Die Schwüle der jetzigen Zeit drängt nach Entladung. Selbst wenn der den
> Balkanstaaten aufgezwungene Schiedsrichterspruch Rußlands den Ausbruch des
> Krieges unter den bisher Verbündeten vorläufig verhindern sollte, er wird im-
> mer nur ein Provisorium schaffen und der Staat, der das größte Opfer bringen
> muß, wird der erbitterte Feind des Schiedsrichters werden. Ich bin nicht dar-
> über orientiert, welche Haltung Ihre Regierung den Dingen auf dem Balkan
> gegenüber einnehmen wird, nur das weiß ich, daß, wenn es zum Schlagen
> kommt, der Dreibund seine Schuldigkeit tun wird.[60]«

Am 30. Juni wurde durch den Einmarsch bulgarischer Truppen in Serbien
der zweite Balkankrieg ausgelöst. Wenige Tage später stand Bulgarien
mit allen anderen Balkanstaaten im Kampf. Wie im ersten Balkankrieg
so setzte sich Deutschland auch diesmal wieder für eine Lokalisierung des
Krieges ein, während Österreich-Ungarn seine Entschlossenheit, bei einer
drohenden Niederlage Bulgariens bewaffnet einzugreifen, nicht verhehlte
und sein dringendes Ersuchen an den Reichskanzler und das Auswärtige
Amt wiederholte, Rumänien zum Stillhalten zu bewegen[61]. Doch der
Bundesgenosse wiegelte wieder ab. Unterstaatssekretär Zimmermann, der
den abwesenden Jagow vertrat, ließ Berchtold wissen, er sehe keinen
Grund für Österreich-Ungarn, militärisch aktiv zu werden. Eine deutsche
Démarche in Bukarest lehnte er ab, da er sie für nutzlos hielt[62]. Am weitesten waren zu dieser Zeit die Anschauungen Wilhelms II. von der österreichisch-ungarischen Balkanpolitik entfernt. Sobald er von dem bulgari-

---

58 Zit. Hantsch, Leopold Graf Berchtold, Bd. 2, S. 441.
59 GP 35, Nr. 13 428, Jagow an Tschirschky, 28. 6. 13.
60 Zit. Conrad, Aus meiner Dienstzeit, Bd. 3, S. 425.
61 ÖU 6, Nr. 7612, Berchtold an Szögyény u. a., 4. 7. 13.
62 ibid. Nr. 7633, Szögyény an Berchtold, 5. 7. 13.

schen Angriff erfahren hatte, äußerte er dem österreichisch-ungarischen Marineattaché in Berlin gegenüber: »Er hoffe so sehr, daß die Bulgaren ordentlich geschlagen und in die ihnen gebührenden Schranken zurückgewiesen würden und daß sie in ihren ambitiösen Bestrebungen keine Unterstützung finden würden.« Seiner Ansicht nach begehe die österreichische Politik einen großen Fehler, wenn sie Bulgarien zum Nachteil Serbiens und Rumäniens unterstützen wolle.

> »Jetzt würde sich wahrscheinlich die beste Gelegenheit ergeben, sich die Serben dauernd zu verpflichten und sich alle gewünschten Vorteile zu sichern und verdiene auch der König von Rumänien wegen seines jahrelangen treuen Festhaltens am Dreibund jede mögliche Rücksicht, während auf die Bulgaren wegen ihrer absoluten Unverläßlichkeit nie zu rechnen sein wird.[63]«

Nach wie vor vertrat der Kaiser die Überzeugung, daß Rumänien festzuhalten und Serbien an den Dreibund heranzuziehen, die am meisten erfolgversprechende Politik für Österreich-Ungarn sein würde.

Diese Haltung des engsten Bundesgenossen erzeugte in Wien erneut eine äußerst pessimistische und deprimierte Stimmung. Berchtold trug am 5. Juli in sein Tagebuch ein: »S. M. (Kaiser Franz Joseph) verschließt sich nicht der Schwierigkeit der Situation, die sich dahin zusammenfassen läßt, daß wir in einer Zeitenwende, wo es sich für uns um Sein oder Nichtsein handle, nahezu isoliert dastehen.[64]«

Auch Italien geht nicht mit

Noch viel weniger als Deutschland war der zweite Bundesgenosse, Italien, bereit, Österreich-Ungarns zum Kriege drängende Politik zu unterstützen. Am 3. und 4. Juli hatte der italienische Außenminister di San Giuliano, der das italienische Königspaar auf einer Deutschlandreise begleitete, eingehende Unterredungen in Berlin über das Balkanproblem geführt. Die Politiker waren sich darüber einig, daß, selbst wenn Serbien erfolgreich sein sollte, Österreich-Ungarn keine Veranlassung für ein bewaffnetes Vorgehen hätte [65]. Offensichtlich ist der italienische Außenminister jedoch erst später in vollem Umfang über die österreichischen Absichten informiert worden, denn erst am 11. Juli erfolgte seine entscheidende, scharf ablehnende Stellungnahme, bei der er sich auf das volle Einverständnis seines Ministerpräsidenten Giolitti berufen konnte.

63 Ibid., Nr. 7672, Bericht des ö.-u. Marineattachés in Berlin an das ö.-u. Kriegsministerium, 7. 7. 13.
64 Zit. Hantsch, Leopold Graf Berchtold, Bd. 2, S. 447.
65 GP 35, Nr. 13 493, Jagow an Tschirschky, 7. 7. 13.

San Giuliano hatte Giolitti am 8. Juli telegraphisch über die Wünsche der österreichischen Regierung informiert. Er bat den Ministerpräsidenten um eine ausdrückliche Ermächtigung, dem österreichischen Botschafter zu sagen, »daß wir eine solche eventuelle Aktion nicht als defensiv betrachten und deshalb nicht glauben, daß der casus foederis existiert«. Der König billige diese Haltung. Durch die Stellungnahme Italiens lasse sich womöglich die österreichische Entscheidung noch beeinflussen: »Gewiß wäre es Wahnsinn, sich aus diesem Motiv in einen europäischen Krieg hineinziehen zu lassen.« Giolitti antwortete am 10. Juli zustimmend:

> »Wenn Österreich gegen Serbien eingreift, ist es evident, daß der casus foederis nicht eintritt. Es ist ein Abenteuer, das es auf eigene Rechnung unternimmt, sei es, weil es sich nicht um Verteidigung handelt, da niemand daran denkt, es anzugreifen, sei es, weil es sich um eine Frage handelt, mit der kein Interesse Italiens oder Deutschlands verbunden ist.«

Giolitti bestimmte, »daß dies Österreich in der förmlichsten Weise erklärt werde, und es ist eine Aktion Deutschlands zu wünschen, um Österreich von dem hochgefährlichen Abenteuer abzuraten« [66].

Dementsprechend erklärte San Giuliano dem österreichisch-ungarischen Botschafter in Rom mit aller Deutlichkeit, daß er Wiens Furcht vor einem serbischen Angriff für völlig unbegründet halte. Ein Krieg Österreichs gegen Serbien sei also eine Offensivaktion im vollen Sinne des Wortes:

> »Es sei undenkbar, den Dreibund für diese Eventualität anzurufen, da derselbe einen ausschließlich defensiven Charakter habe und seit seinem Bestande von allen Staatsmännern der drei verbündeten Reiche auch immer nur in diesem Sinne interpretiert worden sei. Wo bliebe aber der defensive Charakter des Vertrages, wenn es einem der Alliierten freistünde, den casus foederis durch eine militärische Offensivaktion herbeizuführen, welche eine bestimmt vorhersehbare Gegenaktion der anderen Mächtegruppe provozieren würde?«

Er rechne bestimmt damit, so schloß der Minister seine Ausführungen, daß Österreich-Ungarn sich doch noch von der Verwirklichung seines Vorhabens werde abhalten lassen [67].

Diese Auffassung wurde – so versicherte Flotow, der deutsche Botschafter in Rom, in einem Gespräch mit San Giuliano – von der deutschen Regierung völlig geteilt. Auch Deutschland könne der Monarchie auf diesem Wege in den Krieg nicht folgen [68]. Zwar versuchte Tschirschky seinerseits, in Wien diese eindeutige Warnung wieder abzuschwächen, indem er Berchtold gegenüber äußerte, Flotow habe San Giuliano nur beruhigen wollen [69]. Tatsächlich aber hatte Bethmann Hollweg persönlich dem

---

66 Zit. nach Augusto Torre, Il progettato attaco austro-ungarico alla Serbia del luglio 1913, S. 1009 f.
67 ÖU 6, Nr. 7748; der römische Botschafter Mérey über seine Unterhaltung mit San Giuliano, 12. 7. 13.
68 Ibid., Nr. 7779, Telegramm von Mérey, 15. 7. 13.
69 Ibid., Nr. 7898, Gesprächsbericht Berchtold, 21. 7. 13.

österreichisch-ungarischen Botschafter Szögyény offen erklärt, daß seiner Ansicht nach eine österreichische Intervention gegen Serbien, die durch eine bulgarische Niederlage hervorgerufen würde, »keineswegs gerechtfertigt wäre«. Nachdem Österreich-Ungarn seine beiden Hauptforderungen gegenüber Serbien »in Übereinstimmung mit Italien erreicht habe, vermöge er nicht einzusehen, aus welchem Grunde die Feindseligkeiten, die zwischen den ehemaligen Verbündeten auf dem Balkan ausgebrochen seien, die Interessen Österreichs berühren könnten«. Auch eine Ausdehnung der serbischen Grenzen in Mazedonien zuungunsten Bulgariens könne er nicht als eine Gefahr für Österreich-Ungarn ansehen. Bethmann Hollweg hatte in Wien deshalb für vorsichtige Zurückhaltung plädiert, weil eine Intervention Österreich-Ungarns zugunsten Bulgariens, die sich auf eine diplomatische Form beschränke, zum sicheren Fehlschlag verurteilt sein würde; wenn sie hingegen die Form einer militärischen Aktion annähme, würde sie ohne Zweifel zu einem allgemeinen Krieg führen [70].

Angesichts dieses massiven italienisch-deutschen Drucks sah sich Österreich-Ungarn wie im ersten Balkankrieg wiederum gezwungen, von einer bewaffneten Intervention abzusehen – dies allerdings mit kaum noch verhüllter Erbitterung. So erklärte Berchtold Tschirschky, daß die »Politik des Berliner Kabinetts in der letzten Zeit systematisch darauf angelegt zu sein schiene, die Arbeiten des (russisch-französischen) Zweibundes zu besorgen« [71].

Europa nach dem Bukarester Frieden – Krisis im Verhältnis Wien–Berlin

Der zweite Balkankrieg endete mit einer Niederlage des im Streit um die türkische Beute allzu erfolgreichen Bulgariens. Das erst jetzt an der Seite Serbiens und Griechenlands in den Krieg eingetretene Rumänien ging eindeutig als Sieger und stärkste Macht auf dem Balkan aus dieser Auseinandersetzung hervor und vermochte den Frieden – Bukarest, 10. August – zu seinem und seiner Verbündeten Gunsten zu entscheiden. Dieser Ausgang der seit Oktober 1912 andauernden Balkankrisen war für Österreich-Ungarn eine schwere Niederlage. Zwar behielten sich die in der Londoner Botschafterkonferenz (die erst Mitte August auseinanderging, ohne sich offiziell aufzulösen) den Lauf der Dinge beobachtenden Großmächte formell eine Revision des Bukarester Friedens vor; doch England, Frankreich und Deutschland verzichteten im Interesse des errungenen Friedenszustandes darauf, und bald auch Rußland, das sich zunächst an einer Revision

---

70 Vgl. A. Torre, Il progettato attaco austro-ungarico, S. 1011 f.
71 Vgl. Anm. 69.

KARTE NR.1

Die Aufteilung der europäischen Türkei
nach den Balkankriegen 1912/13

Besitzstand des Osmanischen Reiches
auf dem Balkan 1912

Schraffur: Restbestand 1913

KSRR.
RUSSLAND

BESSARABIEN

KGR.
UNGARN

SLAWONIEN

BOSNIEN

KGR.
RUMÄNIEN

DALMATIEN

Herzegowina

KGR.
SERBIEN

1913 rum.

SCHWARZES MEER

KGR.
MONTENEGRO
1913 mont.

KGR.
BULGARIEN

1913 bulg.

ADRIATISCHES MEER

ALBANIEN
1912/13

1913 serb.

1913 bulg.

KGR.
ITALIEN

MAKEDONIEN
1913 griech.

OSMAN.
REICH

KORFU

KGR.
GRIECHENLAND

ÄGÄISCHES MEER

IONISCHES MEER

KRETA
1908/13 griech.

zugunsten Bulgariens interessiert gezeigt hatte. Österreich-Ungarn war also mit seiner Absicht, diese Revision herbeizuführen, völlig isoliert und mußte dulden, daß Bulgarien – nach dem Wunsch des Ballhausplatzes hätte es aus diesem Kriege als Gegengewicht gegen Serbien gestärkt hervorgehen sollen – erhebliche Einbußen an Territorium erleiden mußte. Das betrachtete Berchtold als eine weitere schwere Niederlage für die österreichisch-ungarische Balkanpolitik.

Serbien hatte sein Territorium verdoppeln können – das wog für Österreich-Ungarn am schwersten. Vergeblich hatte Berchtold gehofft, daß an Bulgarien wenigstens ein erheblicher Teil Zentralmazedoniens fallen würde, dazu noch der Hafen Kavalla, der statt dessen Griechenland zugesprochen wurde, und Adrianopel, das jedoch von den Türken, die es zurückerobert hatten, in Bukarest nicht herausgegeben wurde. Zunächst schien sich die Möglichkeit zu bieten – so argumentierte zum Beispiel Graf Tisza – daß Österreich-Ungarn gemeinsam mit Rußland von seiten der Türkei die Herausgabe Adrianopels an Bulgarien erzwinge. Eine kriegerische Aktion hätte sich jedoch für Österreich-Ungarn nur wirklich ausgezahlt, wenn sie sich gleichzeitig gegen Serbien gerichtet hätte. Berchtold jedoch wußte, daß er für dieses Unternehmen, auf das Conrad wie immer drängte, niemals russische Unterstützung finden könnte (genausowenig wie eine deutsche). So geschah nichts. Auch in Petersburg verzichtete man darauf, etwa für Bulgarien in den Krieg zu ziehen.

Conrads Pläne, den Augenblick zu nutzen, um Serbien endgültig niederzuwerfen und als Staat auszulöschen, sei es durch Annexion, sei es durch Aufteilung unter seine Nachbarn, waren zu diesem Zeitpunkt völlig unrealistisch. Abgesehen von den Dreibundpartnern Deutschland und Italien und von Rußland, dem Protektor Serbiens, lehnte Ungarn ein solches Unternehmen strikt ab. Auch der Thronfolger Franz Ferdinand forderte jetzt im Interesse des allgemeinen Friedens von Berchtold ausdrücklich den Verzicht auf eine österreichisch-ungarische Revisionspolitik.

Während die Türkei in der Adrianopelfrage durch direkte Verhandlungen mit Bulgarien im September zu einer Einigung gelangte (die Stadt blieb türkisch), blieben noch zwei Fragen offen: einmal die endgültige Grenzfestsetzung für das neugeschaffene Albanien gegenüber Serbien und Griechenland und zum anderen der Streit zwischen der Türkei und Griechenland um die ägäischen Inseln. Chios und Lemnos drohten ein neues Kreta zu werden. Die Kriegsgefahr zwischen den beiden Beteiligten dauerte bis zum Juli 1914 an.

Im Herbst 1913 herrschte in Wien das bittere Gefühl vor, vom Deutschen Reich im Stich gelassen zu sein. Besonders empfindlich registrierte man, daß Wilhelm II. während der Bukarester Verhandlungen sich aktiv für Griechenland eingesetzt hatte, damit es den Ägäishafen Kavalla behalten könnte – was es dann auch erreichte – und daß der deutsche Kaiser nach Abschluß des Friedens König Carol von Rumänien in einem offenen Telegramm zu seinem Erfolg gratuliert hatte. Nach wie vor rechnete sich die deutsche Reichsleitung die meisten Vorteile bei einem Balkanbund der nichtslawischen Staaten Rumänien und Griechenland gegen die von Rußland geförderte Konstellation der slawischen Staaten Serbien, Montenegro und Bulgarien aus. Wilhelm II. hoffte, mit seinen dynastischen Beziehungen zu dem Hohenzollern Carol von Rumänien und seinem Schwager Konstantin von Griechenland gute Trümpfe in der Hand zu haben. Er erwartete, daß diese Konstellation Serbien und die Türkei zum Anschluß zwingen würde. Vorbedingung für diese Pläne war allerdings, daß den Rumänen und Serben ein solcher Entschluß durch eine freundlichere Wiener Politik erleichtert würde. Berlin mußte also wünschen, daß Österreich-Ungarn in wirtschaftlichen und militärischen Fragen zu einem Modus vivendi mit Serbien gelangte und daß die gefährlichen Spannungen zwischen Bukarest und Wien die rumänische Minderheit in Ungarn betreffend abgeschwächt würden. Für das Deutsche Reich war es jedenfalls entscheidend, daß die verbündete Donaumonarchie im Falle eines großen Krieges an ihrer Südgrenze militärisch nicht gebunden war, sondern alle Kraft gegen Rußland einsetzen konnte.

Die österreichisch-ungarische Politik auf dem Balkan war dagegen, von Berchtold in vielen ausführlichen Denkschriften und in internen Verhandlungen festgehalten, von einer ganz anderen Konzeption bestimmt: Sie ging von dem Anerbieten Bulgariens aus und plante ein Bündnis mit dem von Revisionsansprüchen gegenüber Serbien erfüllten Verlierer des letzten Krieges, wennschon diese Verbindung – wie es auch Bulgarien bei seinem Angebot vorgesehen hatte – unter der Vorbedingung eines rumänisch-bulgarischen Ausgleichs hergestellt werden sollte. Diese vom Ballhausplatz bis zum Juli 1914 festgehaltene Konzeption mußte freilich wegen des deutschen Widerstandes zunächst dilatorisch behandelt werden. Berlin befürchtete, daß eine solche Politik eben nicht Rumänien im Dreibund festhalten, sondern es vielmehr von ihm weg und in die russischen Arme treiben würde. Abgesehen von dem gestörten Verhältnis, das Österreich-Ungarn zu Rumänien und Serbien wegen deren irredentistischen Bewegungen hatte, lehnte es auch ein Zusammengehen mit Griechenland ab, solange dieses gegenüber Albanien territoriale Ansprüche erhob und mit Serbien verbunden war. Albanien war der Doppelmonarchie als Pufferstaat gegen serbische Expansionspläne wichtig – aber noch immer waren die Grenzen des neuen Staates nicht endgültig fixiert und befriedet, noch immer hatte es keinen Fürsten – der in Aussicht genommene Neffe der rumänischen Königin, der Prinz zu Wied, zögerte noch wegen der unklaren Verhältnisse und vor allem wegen der noch nicht geklärten finanziellen

Situation, da die Mächte nur widerstrebend Mittel bewilligten. Vor allem aber schwelte unter der Oberfläche eines Quasi-Kondominiums von Österreich-Ungarn und Italien über Albanien die Rivalität der beiden Mächte um den vorherrschenden Einfluß auf diesen neuen Staat.

Der Ausgang der seit einem Jahr währenden Balkanwirren ließ am Ballhausplatz das Gefühl vorherrschen, daß der Schwerpunkt der Entscheidungen auf dem Balkan – gegen alle historischen und geographischen Gegebenheiten – sich von Wien nach Berlin verlagert hätte. Diese österreichisch-ungarische Mißstimmung wurde in Berlin durchaus erkannt. In der Wilhelmstraße wußte man sehr wohl, wie wichtig Österreich-Ungarn als Bundesgenosse des Deutschen Reiches war. Deutsche Balkanpolitik, deutsche Türkeipolitik und gerade auch der als unvermeidlich angesehene europäische Krieg verwiesen Deutschland auf das Bündnis mit Österreich-Ungarn. Deshalb galt es, der Gefahr einer anderen Orientierung Österreich-Ungarns zu begegnen, so wie sie durch dessen Bemühungen um französische Finanzhilfe zum Erwerb der Orientbahnen deutlich sichtbar wurde.

Seit dem Bukarester Frieden, besonders seit dem September 1913, läßt sich feststellen, wie sehr das Deutsche Reich, Monarch wie Regierung, mit allem Nachdruck und aller Sorgfalt sich bemühte, Österreich zu versöhnen und es der deutschen Unterstützung in seinen Balkanproblemen zu versichern. In Berlin hielt man es zu diesem Zeitpunkt für dringlich, Wien den Vorteil der Verbindung mit Deutschland vor Augen zu stellen, und die deutsche Entschlossenheit, für die österreichische Stellung auf dem Balkan mit aller Energie einzutreten, zu demonstrieren, um es dadurch an das deutsche »Leitseil« zu nehmen.

Oktober 1913 – Konopischt (I) und Wien: Sicherung der Südostfront gegen Rußland

Diese Absicht konnte man in der nächsten Krise, der vom Oktober 1913, um so unverfänglicher verwirklichen, als keine Gefahr bestand, daß sie sich zu einem großen Krieg, für den man *noch* nicht genügend vorbereitet war, auswachsen würde. In der zweiten Septemberhälfte 1913, als die europäischen Mächte der albanischen Frage schon herzlich überdrüssig waren, dachten die Serben trotz aller Aufforderungen nicht daran, die von ihnen besetzten Grenzorte in Nordalbanien zu räumen; ja, sie schickten sich an, mit weiteren Truppen die Grenze zu überschreiten, angeblich, um dort durch Aufständische gefährdete Bevölkerungsteile, die sich Serbien zugehörig fühlten, zu schützen – und um, wie Österreich wohl nicht zu Unrecht annahm, für immer dort zu bleiben. Tisza, der ungarische Ministerpräsident, Bilinski, der Finanzminister, und Forgách, eben im August dieses Jahres auf Tiszas Bemühen hin aus dem »Exil« in Dresden als Sektionschef ins Außenministerium zurückgerufen, forderten ein »kraftvolles Auftreten« [72]; Conrad, der Generalstabschef, drängte wie immer auf Krieg mit Serbien und auf seine Inkorporierung. Auch Berchtold entschloß sich zu energischem Vorgehen, nachdem er sich durch eine Mission von Forgách nach Berlin der deutschen Unterstützung in »serbischen und albanischen Angelegenheiten« [73] versichert hatte. Der Staatssekretär v. Jagow hatte Forgách bei dieser Gelegenheit auf das gebesserte deutsch-englische Verhältnis hingewiesen und eingehend von dem seit den Balkankriegen gesunkenen Prestige Rußlands, das keinen Respekt mehr einflößen könne, gesprochen. Auch Wilhelm II. begrüßte die Mitteilung, daß Österreich *diesmal* fest entschlossen sei, Serbien gegenüber nicht nachzugeben, mit großer Befriedigung und versicherte, »daß Österreich-Ungarn unserer Unterstützung durchaus sicher sein könnte« [74].

Nachdem Deutschland diese Zusage gemacht hatte, um nicht durch seine Absage das Verhältnis zu Österreich-Ungarn allzusehr zu belasten, ergriff die Donaumonarchie in der Durchführung der Beschlüsse der Londoner Botschafterkonferenz bezüglich der serbisch-albanischen Grenze die Initiative. Berchtold sandte am 18. Oktober eine ultimative Forderung an die serbische Regierung, ihre Truppen hinter die von der Londoner Konferenz gezogene Linie zurückzuziehen. Diese Aktion war von den Vertretern eines energischen Kurses in Wien bei der jetzigen Lage Europas als gefahrlos angesehen worden, und sie behielten recht. Da die rechtliche Position Österreich-Ungarns in dieser Frage sachlich unanfechtbar war, richteten sich die Mißbilligungserklärungen der Mitunterzeichner des Londoner Friedens allein gegen die Form der Aktion: das eigenmächtige und überraschende Vorgehen Österreich-Ungarns – nur Deutschland war vorher konsultiert worden. Serbien, das auch bei Rußland keine Unterstützung fand, mußte nachgeben und seine Truppen zurückziehen.

Am selben Tage, an dem Berchtold das Ultimatum absandte, am 18. Oktober, fand in Leipzig in Anwesenheit sämtlicher deutscher Bundesfürsten mit dem Kaiser an der Spitze, des Generalstabschefs Moltke, des österreichischen Thronfolgers Franz Ferdinand und des österreichisch-ungarischen Generalstabschefs Conrad v. Hötzendorf die Einweihung des Völkerschlachtdenkmals statt. Diese Feier, die letzte in einer Kette ähnlicher Jahrhundert-Feiern seit dem März 1913, stand unverkennbar im Zeichen eines hochgespannten, neu entflammten Nationalismus, der in den amtlichen Reden mit Rücksicht auf die Vertreter des Zaren ge-

72 Hantsch, Leopold Graf Berchtold, Bd. 2, S. 486.
73 Ibid., S. 488.
74 AA-Bonn, Preußen 1, Nr. 1 d, secr. Bd. 4, Wedel an AA, 17. 10. 13.

mäßigter im Ton, dafür in den am selben Tage abgehaltenen Feiern des Alldeutschen Verbandes um so radikaler zum Ausdruck kam. Bei dieser Gelegenheit versicherte der Kaiser dem österreichischen Generalstabschef in entschiedenster Weise, daß Österreich-Ungarn auf das Deutsche Reich rechnen dürfe, was immer auch aus dem Konflikt mit Serbien entstehe, das heißt auch im Falle eines Krieges mit Rußland.

Kurz danach begab sich Wilhelm II. auf eine Werbereise, die nacheinander der Verbesserung der persönlichen Beziehungen zu Kaiser Franz Joseph, Franz Ferdinand, Außenminister Graf Berchtold und zur Wiener Öffentlichkeit galt, um so die Wunden, die Deutschlands Verhalten in den vergangenen Monaten geschlagen hatte, zu heilen und Nibelungentreue zu demonstrieren.

Am 23. Oktober 1913 traf Wilhelm II. mit Franz Ferdinand auf dessen böhmischem Jagdschloß Konopischt zusammen. Gerüchte von dort angeblich getroffenen Vereinbarungen über die Vernichtung Serbiens sollen den ersten Anstoß zu Attentatsplänen serbischer Nationalisten gegen den Thronfolger gegeben haben. Ein Protokoll über die Unterredungen zwischen Wilhelm II. und Franz Ferdinand existiert nicht. Fest steht jedoch, daß der Kaiser am Ende überzeugt war, mit dem Erzherzog in allen wichtigen politischen Fragen übereinzustimmen.[75]

In Konopischt war der Kaiser auch mit zahlreichen Vertretern des böhmischen und ungarischen Hochadels zusammengetroffen – so berichtet Berchtold in seinem Tagebuch –, die sich alle »in der Klage über die zunehmende Präpotenz der slawischen Völkerschaften in der Monarchie« einig gewesen seien. Wilhelm II. war mit ihnen der Meinung – das geht aus dem Zusammenhang, in dem Berchtold davon berichtet, hervor –, daß die steigende Macht der Slawen, hinter denen er Rußland stehen sah, gebrochen werden müsse.

Drei Tage später, am 26. Oktober, unterhielt sich Wilhelm II. in der deutschen Botschaft, also bei Tschirschky, mit Berchtold über die Balkanpolitik und das Verhältnis der Verbündeten zu Rußland[76]. Dieser versuchte, dem Kaiser verständlich zu machen, daß die österreichische Politik seit dem Bukarester Frieden darauf abziele, »die Balkanstaaten gegeneinander auszuspielen, damit sie sich untereinander im Schach halten«. Diese Ausführungen des österreichischen Politikers beantwortete Wilhelm II. mit einer ausführlichen Darlegung über seine Auffassung der Weltlage. Wie schon beim Ausbruch des ersten Balkankrieges, vor Zusammentritt der Botschafterkonferenz, stellte er fest, daß es sich hierbei »nicht um vor-

75 Vgl. dazu auch den Briefwechsel zwischen Wilhelm II. und Franz-Ferdinand bei: R. A. Kann, Emperor William II and Archduke Francis Ferdinand in their Correspondence, Am. Hist. Rev. 57, 1952, S. 323 ff.
76 Vgl. ÖU 7, Nr. 8934, Bericht Berchtolds vom 28. 10. 13 über seine Unterredung mit Wilhelm II. am 26. 10. 13.

übergehende Erscheinungen handle, die durch Diplomatenarbeit geschaffen und gestaltet worden sind, sondern um einen weltgeschichtlichen Prozeß, in die Kategorie der Völkerwanderungen einzureihen, in diesem Falle um ein mächtiges Vordringen der Slawenmacht«, auch wenn die Vorgänge den russischen Panslawisten, die dahinter stünden, nicht ganz ins Konzept paßten.

> »Der Krieg zwischen Ost und West sei auf die Dauer *unvermeidlich* (Sp. vom Verf.) und wenn dann Österreich-Ungarn in seiner Flanke der Invasion einer respektablen Militärmacht ausgesetzt sei, so könne dies für den Ausgang des Völkerringens verhängnisvoll werden.«

Ebenso wie wenige Tage später dem König der Belgier, so bezeichnete Wilhelm II. auch dem österreichischen Außenminister gegenüber den großen kontinentalen Krieg als *unvermeidlich*. Seine Ratschläge an Berchtold bestätigen sein altes Bild von der europäischen Völkerwelt und verraten interessante Details über seine damalige Einschätzung der Lage. »Die Slawen seien nicht zum Herrschen geboren, sondern zum Dienen, dies müsse ihnen beigebracht werden«, so dozierte er im Blick auf die Südslawen in der Monarchie.

> »Und wenn sie glauben, daß ihr Heil von Belgrad zu erwarten sei, dann müsse ihnen dieser Glaube genommen werden. Mit Serbien könne es für Österreich-Ungarn kein anderes Verhältnis geben, als jenes der Abhängigkeit des Kleineren vom Größeren nach dem Planetensystem, wie überhaupt sich der Kaiser (so fährt Berchtolds Aufzeichnung über das Gespräch fort) keine andere Orientierung am Balkan denken könne, als die Vormachtstellung der Monarchie gegenüber allen dortigen Staatswesen.«

Der Kaiser machte auch gleich genaue Vorschläge, wie er sich die Lösung dieses Problems dachte: die Monarchie solle Serbien an sich »heranziehen – durch alles, was sie dort brauchen, das ist 1. Geld (vom König angefangen, seien alle für Geld zu haben); 2. Militärische Ausbildung; 3. Handelsbegünstigungen«. Dies Programm, das auf lange Sicht und mit Geduld verfolgt vielleicht gewisse Möglichkeiten hätte bieten können, wollte Wilhelm II. sofort in die Tat umgesetzt sehen. Zweifel Berchtolds an der Verwirklichung der einzelnen Punkte schob er beiseite. Den Hinweis auf »die derzeitige Geldknappheit der zentraleuropäischen Mächte« beantwortete er mit der Behauptung, daß auch Frankreich »nicht übermäßig viel Geld für die Balkanstaaten erübrigen werde, da es 1 1/2 Milliarden für den inneren Bedarf aufzubringen und ... mit einem Defizit von über 800 Millionen zu rechnen habe«. Die Ansprüche der ungarischen Agrarier, die den serbischen Exportinteressen entgegenstünden, wünschte er den höheren politischen Interessen unterzuordnen. Was aber die von Berchtold betonte »unüberwindliche Animosität der serbischen Rasse gegen die Monarchie anbelange, die dem Abschluß einer Militär-Konvention im Wege stehen könnte«, so erklärte der Kaiser, »daß man in diesem Belange nicht viel fragen dürfte«. Der Kaiser stellte sich vor, »daß Serbien für den Schutz, den ihm unsere, das heißt die österreichisch-ungarische Armee gegen fremde Übergriffe bieten würde, bereit wäre, uns seine Armee zur Verfügung zu stellen, letztere sozusagen uns unterzuordnen«.

> »Sollten sie dies verweigern, so müßte eben Gewalt angewendet werden, ›denn wenn Seine Majestät der Kaiser Franz Joseph etwas verlangt, so muß die serbische Regierung sich beugen, und tut sie es nicht, so wird Belgrad bombardiert und solange okkupiert, bis der Wille seiner Majestät erfüllt ist‹. – ›Und das können Sie sicher sein, daß ich hinter Ihnen stehe und bereit bin, den Säbel zu ziehen, wann immer Ihr Vorgehen es nötig machen wird‹. (Seine Majestät begleitete diese Worte mit einer Handbewegung nach dem Säbel.) [77] «

Nach Ansicht des Kaisers sollte *Rumänien* dazu benutzt werden, Serbien unter Druck zu setzen, damit es schneller auf die österreichischen Forderungen eingi. Der Kaiser bot an, seinem Gesandten in Bukarest den Auftrag zu erteilen, enge Fühlung mit dem österreichisch-ungarischen Kollegen in dieser Richtung zu halten. Besonders betonte der Kaiser seinen großen Einfluß auf die Türkei. Wilhelm II. informierte den österreichischen Außenminister bei dieser Gelegenheit zumindest in groben Umrissen über die beabsichtigte Militärmission des Generals Liman v. Sanders. Er unterließ es freilich, Berchtold mitzuteilen, daß dieser, der Chef der Militärmission werden würde, gleichzeitig zum Kommandeur des ersten türkischen Armeekorps in Konstantinopel ernannt werden sollte – zur Bestürzung und Erbitterung Rußlands! – Berchtold mußte außerdem den – unzutreffenden – Eindruck gewinnen, daß die russische Regierung über das deutsche Vorhaben orientiert war; denn Wilhelm II. berichtete ihm, daß er bereits im Mai, anläßlich der Hochzeit der Kaisertochter Viktoria Luise, mit dem Zaren über die Angelegenheit gesprochen habe. Es kam ihm nur darauf an, meinte der Kaiser,

> »›den Russen auch noch mundgerecht zu machen, daß wir Konstantinopel für die Türken befestigen wollen‹! Seine Majestät hätte dies so tourniert, daß Er sagte, die Pforte habe sich auch um Pioniere nach Berlin gewendet wegen der Befestigung der Tschataldscha-Linie. Es handle sich darum, die Türkei gegen Bulgarien zu schützen. Da hätte der Zar sofort eingewilligt – auch dann zugestimmt, als Seine Majestät hinzufügte, daß man bei dieser Gelegenheit auch an Schutzvorrichtungen für Konstantinopel werde denken müssen!«

Ohne auf die Wünsche der österreichisch-ungarischen Regierung in bezug auf *Bulgarien* einzugehen, tadelte Wilhelm im Gegenteil König Ferdinand wegen dessen Bemühungen um die Insel Samothrake (in türkischem Be-

---

77 Vgl. Hantsch, Leopold Graf Berchtold, Bd. 2, S. 506: Was die Linien der Orientgesellschaft betrifft, über die Österreich-Ungarn jetzt mit Serbien verhandeln, und deren Beibehaltung als Privatbetrieb es anstrebe, so solle, meint der Kaiser, Österreich-Ungarn sich diese Bahn »unbedingt reservieren«, »eventuell in der Art der russischen Bahn durch die Mandschurei«.

sitz, von den Griechen beansprucht) und weil er – wie Wilhelm behauptete – »den Besitz Konstantinopels Rußland angetragen habe«. Der König habe den Kaiser Nikolaus um Erlaubnis gebeten, die Stadt einzuneh-
men, was ja im ersten Balkankrieg im Oktober 1912 beinahe geschehen
wäre! »sich bereit erklärend, dieselbe dem Zaren zu Füßen zu legen«. Was
immer an dieser Behauptung richtig sein mag, so erklärt sie vielleicht, warum König Ferdinand, der Mitbegründer des Balkanbundes von 1912, der
damalige Schützling Rußlands, dem deutschen Kaiser seitdem immer suspekt, ja verhaßt war.

Das Wichtigste in dieser eineinviertelstündigen Unterhaltung mit Berchtold – größtenteils ein Monolog des Kaisers – waren freilich Wilhelms II.
Äußerungen über *Rußland*. Hier lehnte er zunächst dem außenpolitisch
verantwortlichen Staatsmann Österreich-Ungarns gegenüber mit Schärfe
und Entschiedenheit die politischen Ideen des österreichischen Thronfolgers Franz Ferdinand ab – was dieser selbst sein »politisches Glaubensbekenntnis« genannt hatte, und worüber der Kaiser durch den deutschen
Militärattaché in Wien, Graf Kageneck, seit etwa Ende August 1913 unterrichtet war (vielleicht hatte Franz Ferdinand auch drei Tage vorher in
Konopischt persönlich dem Kaiser seine Ansichten mitgeteilt) –: nämlich
das Ziel einer »Erneuerung des Dreikaiserbündnisses unter möglichem Anschluß Englands«. Demgegenüber bekannte der Kaiser (wie Berchtold weiter berichtet):

> »Was Rußland anbelangt, hält Seine Majestät eine Rückkehr zu den Überlie-
> ferungen der Heiligen Allianz und dem Dreikaiserbündnisse für ausgeschlossen.
> Er sei in diesen Traditionen aufgezogen, habe aber erkennen müssen, daß man
> seit Alexander III. mit einem anderen Rußland zu rechnen habe, mit einer uns
> feindseligen, auf unseren Untergang ausgehenden Macht, in welcher ganz an-
> dere Elemente regieren als der Kaiser.«

Diese Vorstellungen Wilhelms II. vom neuen antideutschen, antigermanischen, panslawistischen und zugleich industriell expansiven Rußland wurden von seinem Generalstabschef Moltke geteilt, von seinem Kanzler Bethmann Hollweg und vom Staatssekretär des Äußeren Jagow.

Der Reichskanzler hat ein halbes Jahr später seinem Vertrauten Riezler
gegenüber festgestellt: »Rußlands wachsende Ansprüche und ungeheure
Sprengkraft. In wenigen Jahren nicht mehr abzuwehren, zumal die jetzige
europäische Konstellation bleibt« (20. Juli 1914); und kurz vorher: »Die
Zukunft gehört Rußland, das wächst und wächst und sich als immer schwererer Alp auf uns legt[78]« (7. Juli 1914). Bereits 1912, nach seinem ersten
Rußlandbesuch, hatte der deutsche Kanzler ähnlich pessimistische Ausführungen über die wachsende Kraft Rußlands gemacht, als er davon

---

78 Zit. Erdmann, Bethmann Hollweg, in: GWU 15, 1964, S. 563.

sprach, in Hohenfinow keine neuen Bäume mehr zu pflanzen, da ja doch in ein paar Jahren die Russen da wären [79].

Allerdings behauptet der Kaiser in jenem Gespräch mit Berchtold außerdem – und will damit offenbar das von ihm empfohlene gewaltsame Vorgehen gegen Serbien ungefährlich erscheinen lassen! –, »vorläufig flöße Rußland (ihm) noch keine Besorgnis ein; für die nächsten sechs Jahre könne man von der Seite sicher sein«.

Der Kaiser bezog sich hierbei auf einen angeblichen Ausspruch des Zaren, den dieser im März des Jahres auf einem Kriegsrat in Zarskoje Selo getan habe: »›Dieu soit loué, nous ne ferons pas de guerre, avant six ans c'est impossible!‹ Bis dahin sei die Armee nicht schlagbereit und nebenher spuke das Gespenst der Revolution«, der Deutschland nachhelfen müsse.

Meinungsverschiedenheiten zwischen Berchtold und Bethmann Hollweg, zwischen Österreich und Deutschland, über Zweckmäßigkeit und Gefahren einer solchen Revolutionierungspolitik in Rußland, die man vom ersten Kriegstag an betrieb und während des ganzen Krieges weiterverfolgte, klangen hier schon an, wenn Berchtold darauf hinwies, daß dies doch »eine zweischneidige Waffe sei, daß darüber das monarchische Prinzip eine bedenkliche Erschütterung erfahren könnte« – während Wilhelm II.

»in temperamentvoller Weise versicherte, daß, wenn es einmal zum äußersten komme, ihm solche Konsiderationen ganz schnuppe wären, denn dann werde es ein Existenzkampf sein um Leben und Tod, wo wir beide (Deutschland und Österreich-Ungarn) zusammenstehen werden gegen einen gemeinsamen Gegner und da sei es schließlich gleichgültig, auf welche Weise der Gegner zugrunde gehe«.

Als Resümee der Unterredung notierte Berchtold:

»So oft sich während der fünfviertelstündigen Unterredung die Gelegenheit ergab, das Bundesverhältnis zu streifen, benützte Seine Majestät ostentativ den Anlaß, um zu versichern, daß wir voll und ganz auf Ihn zählen könnten. Dies war der rote Faden, der sich durch die Äußerungen des höchsten Herrn durchzog, und als ich beim Abschiede dies hervorhob und dankend quittierte, geruhten mich Seine Majestät zu versichern, daß, was immer vom Wiener Auswärtigen Amte komme, für Ihn Befehl sei . . .«

Ein Besuch bei dem alten Kaiser Franz Joseph und im Wiener Rathaus vertieften noch die neugefestigte Verbindung.

Daß es sich dabei nicht um eine gleichsam private Reise des Kaisers mit irgendwelchen impulsiven Äußerungen, sondern um »große Politik« handelte, das bestätigen die beiden Berichte deutscher Diplomaten speziell über die Aussprache des Kaisers mit Berchtold, die darüber an den Reichskanzler v. Bethmann Hollweg gingen: noch am 26. Oktober telegraphierte der Vertreter des Auswärtigen Amtes beim Kaiser, v. Treutler:

---

79 E. Zechlin, Kabinettskrieg, HZ 199, S. 400.

»Soweit ich beurteilen kann, ging in Konopischt und hier (Wien) alles *sehr* gut. S. M. hat mit Graf Berchtold, der sehr eingenommen von unserem Allergnädigsten Herrn zu sein schien, lange gesprochen.[80]«

Und am 28. berichtete der Botschafter Tschirschky (und sein Bericht bestätigt die Ausführungen Berchtolds), der Kaiser habe Berchtold in der Botschaft erklärt,

»es sei unbedingt notwendig, daß Österreich-Ungarn alles daransetze, um, wenn irgend möglich, à l'aimable mit Serbien zu einer Verständigung in wirtschaftlicher und politischer Beziehung zu kommen, sollte dies jedoch auf friedlichem Wege nicht zu erreichen sein, so müßte man aber energischere Mittel anwenden. Die Monarchie müßte sich Serbien *unter allen Umständen* auf irgendeine Weise, besonders auf militärischem Gebiet angliedern und sich dadurch zum mindesten die Garantie verschaffen, daß sie *im Falle eines Konfliktes mit Rußland* die serbische Armee nicht gegen sich, sondern auf ihrer Seite haben würde. S. M. hat hinzugefügt, es sei mit Bestimmtheit anzunehmen, daß Rußland in den nächsten sechs Jahren unfähig sein werde, eine kriegerische Aktion zu unternehmen.[81]«

Berchtold, so schloß Tschirschky seinen Bericht, zeigte sich sehr beeindruckt und äußerte, es sei »eine große Sache, zu wissen, daß Deutschland fest zu seinen Bundesgenossen stehe, er werde in seiner weiteren Politik auch gewiß nicht das geringste unternehmen, ohne mit uns in engster Fühlung zu bleiben«.

Der Kaiser und König Albert von Belgien November 1913 – Sicherung für den Krieg mit Frankreich

Mit diesen Gesprächen in Wien versuchte der deutsche Kaiser, die Südflanke seines Bundesgenossen zu sichern für die als »unvermeidlich« betrachtete kriegerische Auseinandersetzung mit Rußland – die, falls sie siegreich durchgestanden werden sollte, *vor* Ablauf der genannten sechs Jahre stattfinden mußte, die nach seiner Meinung Rußland noch brauchte, um kriegsbereit zu sein. Da diese Auseinandersetzung – nach den Bündnisverhältnissen wie nach dem deutschen Aufmarschplan – aber immer zugleich den Krieg Deutschlands mit Frankreich bedeutete, überrascht es nicht, daß Wilhelm II. und sein Generalstabschef sich wenig später darum bemühten, eine ähnliche Sicherung der deutschen Nordflanke zu erreichen. Sie ergriffen die Gelegenheit, als Anfang November der belgische König in Deutschland weilte. Die Bedeutsamkeit, die auch der König der Belgier den Gesprächen in Potsdam zumaß, geht daraus hervor, daß er sie als tiefstes Geheimnis und nur zu dessen persönlicher Orientierung

---

80 AA-Bonn, Österreich, Nr. 1 b, secr. Bd. 1; Treutler an Bethmann Hollweg, 26. 10. 13.
81 AA-Bonn, Österreich Nr. 25, Bd. 21, Tschirschky an Bethmann Hollweg, 28. 10. 13.

an den französischen Staatspräsidenten Poincaré weitergab. Hochbedeutsam waren die Gespräche auch deshalb, weil der Erwartung des großen Krieges hier außer dem »unvermeidlich« noch ein »nahe bevorstehend« hinzugefügt wurde; als Motiv des Konfliktes wurde diesmal nicht slawische Expansion, sondern französische Provokation angegeben.

Schon einmal vor der Kriegskrise von 1904/05 hatte Wilhelm II. einen Versuch unternommen, Belgien zur Aufgabe der Neutralität zu bewegen. Der nüchterne Verstand Leopolds II., des Vaters des jetzigen Königs, hatte sich durch die freigebigen Versprechungen französischen Territoriums nicht verwirren lassen. Jetzt, im Herbst 1913, versuchte der deutsche Kaiser dasselbe, diesmal aber nicht mit Hilfe eines Köders, sondern mit einem massiven Einschüchterungsversuch gegenüber König Albert. Albert, seit 1910 König der Belgier, hatte dem deutschen Kaiser die besondere Aufmerksamkeit erwiesen, ihn als erstes ausländisches Staatsoberhaupt nach seiner Thronbesteigung zu besuchen, und dieser hatte den Besuch erwidert, wobei die Bevölkerung in Belgien ihn mit großer Freundlichkeit aufgenommen hatte.

Wie es unter den Monarchen Europas üblich war, war König Albert »Chef« eines deutschen Regiments, des 16. Dragonerregiments in Lüneburg [82]. Er war Anfang November 1913 zur Übernahme seines Regiments nach Deutschland gekommen, und dieser Aufenthalt hatte, ohne irgendein Aufsehen zu erregen, die Möglichkeit zu einer Einladung nach Potsdam und zu eingehenden Gesprächen bei einem am 6. November ihm zu Ehren veranstalteten Galadiner im Neuen Palais gegeben. An diesem Mahl mit 55 Gedecken nahmen neben hohen Militärs, an der Spitze der Generalstabschef v. Moltke, der Kriegsminister v. Falkenhayn und Tirpitz, Prinzen und Prinzessinnen auch der Reichskanzler v. Bethmann Hollweg und als Vertreter des Auswärtigen Amtes Unterstaatssekretär Zimmermann teil. Neben dem persönlichen Gefolge König Alberts waren unter anderem der belgische Gesandte in Berlin, v. Beyens, und der Militärattaché bei der Gesandtschaft, Major Henri de Melotte, zu dem Festabend geladen.

Die Berichte des belgischen Gesandten und des belgischen Militärattachés zeigen, daß drei längere Gespräche geführt wurden, die offensichtlich aufeinander abgestimmt waren: zwischen Wilhelm II. und Albert, zwischen Moltke und Albert, zwischen Moltke und dem belgischen Militärattaché [83]. Der Tenor aller Gespräche war derselbe: Die Überzeugung der Deutschen, daß der große Krieg unvermeidlich und nahe bevorste-

82 Vgl. Schulthess' Europ. Gesch.kal., 1913, S. 349.
83 Vgl. zu diesen Gesprächen das Französische Gelbbuch von 1914; Baron Beyens, L'Allemagne avant la Guerre, Les Causes et les Responsabilités, Brüssel/Paris 1915, S. 24 ff.; Ders., Deux années à Berlin 1912–14, 2 Bde., Paris 1931, Bd. II, S. 38 ff.; R. Devleshouwer, Les Belges et le danger de guerre, Löwen 1958, bes. S. 207 ff.; Général Galet, S. M. le Roi Albert, Paris 1931, S. 80.

hend sei. König Albert erschien während des Festmahls bedrückt; schon
während der vorausgehenden Besichtigung des Schlosses ›Sanssouci‹ hatte
ihm nämlich Wilhelm II. erklärt:

> »Der Krieg mit Frankreich ist unvermeidlich und nahe bevorstehend. Man muß
> ein Ende machen.«

Als Begründung für diese Behauptung führte Wilhelm II. an, daß es
Frankreich sei, das den Krieg wolle, und »in dieser Absicht« so überstürzt
aufrüste; ein Beweis dafür sei die Einführung der dreijährigen Dienstzeit,
die er als Provokation betrachten müsse. Vergeblich versuchte König Albert diese Meinung Wilhelms zu widerlegen, mit dem Hinweis, daß Regierung und Volk in Frankreich – die er durch seine Reisen kenne – nicht
kriegslustig seien, und daß diese Nation nicht nach den Äußerungen einer
Minorität von exaltierten Patrioten beurteilt werden dürfe.

Moltke bestätigte die Ansicht seines Monarchen über die »Unvermeidlichkeit« eines Krieges mit Frankreich beim Cercle nach Tisch gegenüber
König Albert und fügte hinzu, daß ein deutscher Sieg absolut sicher sei,
weil das deutsche Volk bei dem Ruf: »›Es geht gegen Frankreich‹ geradezu
kolossal losbrechen und der Furor Teutonicus alles niederrennen werde.«
Schon vorher bei Tisch hatte sich Moltke gegenüber dem belgischen Militärattaché mit großer Offenheit eingehend ausgesprochen:

Seit Agadir habe die deutsche Reichsleitung »andauernd auf dem Qui-
Vive« gestanden. »Man wußte ja nie recht, wie der Balkankrieg ausgehe.
Dazu mußten wir, obwohl stets erzbereit, unsere Vorsichtsmaßregeln treffen, um nicht von den Ereignissen überrascht zu werden.« Auf die Bemerkung Melottes, daß die Balkanfrage sich ja glücklich einzurenken scheine und man wohl in eine »lange Friedensperiode« einträte, erwiderte
Moltke:

> »Machen Sie sich keine Illusionen. Der Krieg mit Frankreich ist unvermeidlich
> und viel näher als Sie glauben. Wir wünschen ihn nicht. Wir haben auf dieser
> Seite nichts zu gewinnen. Aber wir haben diesen fortgesetzten Lärm satt, der
> unserer Entwicklung schadet ... (Moltke bauschte unter anderem den Zwischen-
> fall in Lunéville auf, wo deutsche Luftschiffer bei einer Notlandung belästigt
> worden waren.) Ich wiederhole, wir wollen keinen Krieg. Wir werden ihn füh-
> ren, um ein Ende zu machen. Wir sind unseres Sieges sicher. Gewiß werden wir
> auch Mißerfolge erleiden. Wir werden sogar Schlachten verlieren. Aber schließ-
> lich werden wir triumphieren.«

Auf die Frage Melottes, was Deutschland von den anderen Ententemächten erwarte, gab Moltke die folgende Auskunft:

> »Die Interessen Rußlands und die unsrigen sind nicht gegensätzlich, im Gegen-
> teil. Und Großbritannien! ... Glauben Sie, wir hätten unsere Schiffe, die vielen
> Schiffe, Sie können Sie zählen, gebaut, damit unsere Flotte im Kriegsfall im Ver-
> steck unserer Häfen bleibt? Im Kriegsfall wird unsere Flotte Befehl erhalten, ge-

gen die britische Flotte anzurennen. Sie wird geschlagen werden, das ist sehr wohl möglich, sogar sehr wahrscheinlich, denn die Engländer haben die zahlenmäßige Überlegenheit. Aber was wird nach Zerstörung des letzten deutschen Panzerkreuzers von der englischen Flotte noch vorhanden sein? Gewiß, wir verlieren unsere Schiffe; England aber verliert seine Herrschaft zur See, die für immer an Amerika übergehen wird. Amerika wird dann schließlich den gesamten Gewinn aus einer europäischen Konflagration einziehen. Über die Seeherrschaft hinaus wird es vom wirtschaftlichen Standpunkt aus gesehen einen solchen Vorsprung erringen, daß es für Europa unmöglich wird, es einzuholen. Aus diesem Grunde ist England friedliebend (pacifique).[84]«

Nach diesen Ausführungen, die den Belgier von der günstigen Gesamtlage Deutschlands überzeugen sollten, folgte die Gretchenfrage Moltkes:

»Wie wird Belgiens Haltung in einem deutsch-französischen Kriege sein?«

Die Antwort des belgischen Militärattachés: »Belgien hat keinen anderen Ehrgeiz, als mit seinen Nachbarn in freundschaftlichen Beziehungen zu bleiben«, stellte Moltke nicht zufrieden; denn er insistierte weiter: »Und im Kriegsfall?« Diesmal war Melottes Antwort ganz unzweideutig:

»Im Kriegsfall wird Belgien neutral bleiben, solange unsere Lebensinteressen nicht auf dem Spiel stehen, was uns ohne Zweifel verpflichten würde, Partei zu ergreifen ... Wir würden uns mit allen Kräften zur Wehr setzen, falls die eine oder andere kriegführende Macht unsere Grenzen verletzte oder eine dritte interessierte Macht Truppen an unsere Küste landete, um sich dann unseres Territoriums als Operationsbasis zu bedienen.«

Als der belgische Gesandte Baron Beyens den Bericht Melottes für den belgischen Kriegsminister de Broqueville an den Außenminister Davignon weitergab, machte er die folgende einschränkende Bemerkung: zu den politischen Äußerungen Moltkes:

»Es ist keineswegs gewiß, daß England für Frankreich Partei nimmt im Falle eines Krieges mit Deutschland. Die Zusammenarbeit mit der britischen Flotte und Armee wäre im Jahre 1911 wahrscheinlicher gewesen, falls der Zwischenfall von Agadir zu einem Konflikt geführt hätte. Sie würde es heute um so weniger sein, als sich die deutsch-englischen Beziehungen sichtbar verbessert haben.«;

dann aber faßte er illusionslos den Kern der Ausführungen Moltkes zusammen:

»Was wir von den Vorschlägen Moltkes im Auge behalten müssen, ist, daß die Heeresleitung einen Krieg gegen Frankreich für unvermeidlich und nahe bevorstehend hält oder vielmehr ihn so wünscht, entgegen den Behauptungen des Generals. Da der Kaiser nur von Generalen umgeben ist, die ohne Zweifel die Weisung erhalten haben, dieselbe Sprache zu sprechen wie der Generalstabschef, so soll S. M. von seiner friedliebenden Einstellung bekehrt und von der Notwendigkeit dieses Krieges, wie der Überzeugung, daß Frankreich ihn provozieren will, durchdrungen werden ...«

---

84 Baron Beyens, Deux années Bd. II, S. 47–53.

Aber England würde gewiß nicht durch die Furcht geleitet werden, die Herrschaft über die Meere in amerikanische Hand übergehen zu sehen und einen unwiederbringlichen Vorsprung des amerikanischen Handels in Kauf nehmen zu müssen.

Baron Beyens nannte seinem Minister auch noch »die wahren Gründe für diese kriegerische Haltung« Moltkes, die er zwar nicht ausgesprochen habe, »die wir aber genau kennen«:

»Die Generale sind es, wie viele ihrer Landsleute, müde, zu sehen, daß Frankreich Deutschland gegenüber sich in den schwierigsten politischen Fragen behauptet, ihm beständig entgegentritt, es in Mißerfolge verwickelt, sich seiner Vorherrschaft widersetzt oder dem vorherrschenden Einfluß des Deutschen Reiches in Europa und seinen kolonialen Wünschen widersetzt, seine Armee ständig verzweifelt vermehrt, um das Gleichgewicht der Kräfte aufrechtzuerhalten, das seit langem, wie sie glauben, in Wirklichkeit nicht mehr existiert.« (Die Auffassung, daß Frankreich sich zu Unrecht Deutschlands Aufstieg widersetzte, teilte Moltke mit vielen Deutschen seiner Zeit.)

Schließlich bezeichnete der Gesandte auch den spezifischen Grund, warum Wilhelm II. seine Erklärung vor König Albert gegeben habe und Moltke den belgischen Militärattaché in seine Gedanken eingeweiht habe; es sei ihm gewiß, daß der Weg von Berlin nach Paris durch Belgien führen werde.

Auf Befehl König Alberts, der am Tag nach dem Potsdamer Festmahl, am 7. November, mit Beyens in Berlin sprach, sollte dieser unter strengster Geheimhaltung seinen französischen Kollegen Jules Cambon über die Gespräche informieren, mit der Bitte, daß dieser sie über den Außenminister Pichon an den Präsidenten der Republik, Poincaré, weitergebe. Der Eindruck dieser Mitteilungen auf die französischen Staatsmänner war denkbar stark: Man kannte König Albert als einen ruhig urteilenden Mann. Das tiefe Mißtrauen Frankreichs gegenüber den Absichten der deutschen Regierung oder zumindest gegenüber der auf den Krieg drängenden Gruppe und – wie Jules Cambon seit Herbst 1913 mehrfach bemerkt – ihr steigender Einfluß auf den bis dahin von ihm als »friedliebend« betrachteten Kaiser wurde weiter verstärkt. Die Vorgänge in Zabern und der schließliche Sieg der Militärs über Parlament und Zivilverwaltung waren geeignet, diese Ansicht zu bestätigen und das Mißtrauen gegenüber dem »militaristischen« Deutschland noch zu steigern.

Zu ihren Erwartungen, daß Belgien einen Durchmarsch deutscher Truppen im Falle eines Krieges mit Frankreich ohne Gegenwehr dulden würde, waren der Kaiser und Moltke offenbar durch Berichte des neuen deutschen Gesandten in Brüssel gekommen. Hatte dieser doch geschrieben:

»Die belgische Armee wird an Belgiens Ostgrenze einen Kanonenschuß zum Protest abfeuern und sich darauf hinter die Wälle der Festung Antwerpen zurückziehen. Damit gestattet Belgien den freien Durchmarsch des deutschen Heeres durch seine südlichen Provinzen gegen Paris.«

Auf diese Ausführungen des deutschen Gesandten in Brüssel, von Below-Saleske, weist jedenfalls ein Gespräch hin, das der über gute Beziehungen zum Berliner Hof verfügende Erzbischof von Köln, Kardinal Hartmann, im Frühjahr 1914 in Rom mit dem Primas von Belgien, Erzbischof von Mecheln, Kardinal Mercier, hatte. Der Deutsche, der sich über einen freien Durchmarsch des deutschen Heeres durch Belgien im Kriegsfall geäußert hatte, erhielt die selbstbewußte Antwort Merciers: »Wir Belgier sind keine Komödianten. Die Heilige Vorsehung gestattet nicht die Niedermetzelung eines freien Volkes, das für Recht, Ehre und seine Existenz kämpft.[85]«

Wenn die genannten Sondierungen das Bemühen Wilhelms II. und Moltkes zeigen, für einen kommenden Krieg an der Westgrenze sich Belgien als Aufmarschgebiet gegen Frankreich zu sichern, so galten parallele Kontakte mit militärischen Stellen der Schweiz dem Ziel, durch die Schweizer Armee einen für möglich gehaltenen Durchmarsch der französischen Truppen durch die Schweiz verhindern zu lassen. Die Deutschen wußten, daß die Wehrmacht der Schweiz dreimal stärker war als die Belgiens, ein Konflikt also nicht ratsam erschien. Wilhelm II. hatte bei seinem Besuch der Schweizer Manöver im September 1912 in der Ostschweiz den Milizen das Lob ausgesprochen, daß sie als sein südwestlicher Flankenschutz ihm drei preußische Armeekorps ersparten. Tatsächlich ist – wie erst kürzlich bekanntwurde – ein diesbezügliches Abkommen zwischen Moltke und dem Chef des Generalstabs der eidgenössischen Armee abgeschlossen worden, das in Aussicht nahm, bei einem französischen Angriff auf die Schweiz deren Streitkräfte dem deutschen Oberkommando zu unterstellen [86].

Vergleicht man die Gespräche, die der deutsche Kaiser und sein Generalstabschef – mit Wissen und zum Teil unter Mithilfe der Diplomaten – im Herbst 1913 mit den Österreichern wie mit dem König der Belgier geführt hat, so fällt auf, daß er im einen Falle für die »unvermeidliche« Auseinandersetzung nur Rußland als Gegner erwähnt, wobei die Rolle Frankreichs ganz im Hintergrund bleibt, das doch mit dem Zarenreich in einer Defensiv-Militärallianz verbunden war, während er den Belgiern gegenüber nur Frankreich als Kriegsgegner vorstellt und Moltke sogar

85 A. Gatti. Schriften zum Weltkrieg; E. Vercesi, Vaticano, Italia e la guerra 1914–1918.
86 Vgl. I. Geiss, Julikrise und Kriegsausbruch, Bd. II, 1964, S. 622 (Dokument Nr. 1070), Anm. 3 ff.
   D. Oncken. Das Problem des Lebensraums in der deutschen Politik, Diss. (Masch.), Freiburg 1948.

ausdrücklich sagt, daß zwischen Deutschland und Rußland keine Interessengegensätze beständen. Es sollte offenbar auf diese Weise die deutsche Situation dem Verbündeten wie dem umworbenen Neutralen gegenüber günstiger gezeichnet werden, als sie objektiv war, um sie zu überzeugen, daß ihre Interessen von seiten Berlins am besten vertreten würden, und sie so im Falle der kommenden großen Auseinandersetzung an das Deutsche Reich zu binden.

XI. KAPITEL

Deutscher Imperialismus 1912/13 zwischen Überseepolitik und der Achse Berlin–Bagdad

»In diesen Tagen der Weltmachtpolitik, des Imperialismus sind alle bürgerlichen Parteien militär- und flottenfromm geworden, ihre alte Opposition in diesen Dingen scheint aber nichts anderes mehr als eine Sage aus alter Zeit.[1]«

Diese Einschätzung von sozialistischer Seite vom April 1912 hält einer kritischen Nachprüfung durchaus stand; die bürgerlichen Parteien, voran Nationalliberale und Freikonservative, Historiker, Nationalökonomen und Sozialpolitiker wie Hans Delbrück, Gustav Schmoller, Max Weber, Friedrich Naumann und Ernst Francke, sie alle betonten den deutschen Anspruch auf *Weltmacht*politik, wenn auch mit unterschiedlichem Temperament und divergierender Motivierung.

Bedeutsam innerhalb dieses Prozesses seit 1897 wurde dabei die Tatsache, daß die »junge« Weltmacht Deutschland gewissermaßen als die »Unruhe im Uhrwerk des Imperialismus«[2] fungierte und daß spätestens seit 1911, dem Debakel in der Marokko-Krise, eine deutliche Verschärfung des Anspruchs auf einen »Platz an der Sonne« feststellbar ist. Die Programmschriften Bernhardis ›Deutschland und der nächste Krieg‹ und Claß' (Frymann) ›Wenn ich der Kaiser wär'‹, aber auch Rohrbachs ›Der deutsche Gedanke in der Welt‹ und Jaeckhs ›Deutschland im Orient‹ nach dem Balkankrieg, umschreiben dieses neue Selbstverständnis auf eindrucksvolle Weise; organisatorisch schlug sich dieses Streben in der Wehrvereins-Gründung und in der verstärkten Agitation und Einflußnahme des Alldeutschen Verbandes nieder. Bethmann Hollweg konstatierte rückblickend

---

1 Sozialdemokratisches Flugblatt vom April 1912, zit. Dokumente und Materialien zur Geschichte der deutschen Arbeiterbewegung, Reihe II, Bd. 4, Berlin 1967, S. 410.
2 Vgl. W. J. Mommsen, Max Weber und die deutsche Politik, München 1959, S. 59 ff., S. 91; A. Thimme, H. Delbrück als Kritiker der Wilhelminischen Epoche, Düsseldorf 1956, S. 112, D. Oncken, Das Problem des Lebensraums in der deutschen Politik, Diss. (Masch). Freiburg 1948, S. 200 f.

durchaus richtig, daß die »zunehmende Annäherung der konservativen und nationalliberalen Anschauungen an die alldeutsche Richtung« dabei zweifach motiviert war: Er sah sie in »Momenten der inneren und äußeren Politik zugleich begründet« [3]. Einerseits nämlich wurde nach der Wahlniederlage von 1912 verstärkt die imperialistische Agitation benutzt, um wenigstens auf diesem Wege das einmütige Zusammenstehen der bürgerlichen Parteien gegen die Sozialdemokratie zu erreichen, zum anderen verstärkte sich die Überzeugung in diesen Kreisen, daß ohne ein bewußtes Eintreten für »Ziele« in der äußeren Politik die zukünftige Entwicklung des Reiches gefährdet, wenn nicht in Frage gestellt sei. Die Ideen eines deutschen Kulturimperialismus (Rohrbach, Riezler) und die machtpolitisch und zunehmend rassisch-völkisch bestimmten Anschauungen der Alldeutschen und der Wehrverbände sind dabei in mannigfacher Weise miteinander verknüpft. Symptomatisch für die Radikalisierung breiter bürgerlicher Schichten ist dabei die Aufwertung des Alldeutschen Verbandes; Bassermann erklärte am 2. Dezember 1912 im Reichstag in Abwehr der sozialdemokratischen Angriffe, bei den Mitgliedern der nationalen Agitationsverbände handele es sich um »vortreffliche deutsche Schichten«, um »ganz hervorragend wertvolle Teile unserer Bevölkerung« [4], eine Anerkennung, die die Alldeutschen Blätter erfreut als Bestätigung der eigenen Arbeit hervorhoben. Zur gleichen Zeit erklärte Freiherr v. Zedlitz, der Führer der Freikonservativen, daß eine Arbeitsteilung zwischen Regierung und nationalen Verbänden geradezu unabdingbares Gebot sei.

Nationalliberale und Fortschrittliche Volkspartei

Die Nationalliberalen als Partei des wirtschaftlichen Imperialismus hatten seit der Wendung der 1890er Jahre eine ihrer Hauptaufgaben darin gesehen, die nationale Machtpolitik zu popularisieren.

Der Nationalismus des Bassermann-Flügels innerhalb der Partei, der, ohne ausdrücklich alldeutsch zu sein, für die breiten bürgerlichen Schichten in der Partei repräsentativ war, operierte mit dem Hinweis, das Signum des Zeitalters sei der »imperialistische Gedanke«, und vor allem die Partei der Reichsgründung müsse ihre Aufgabe darin sehen, auch eine Partei der Reichserweiterung zu werden. Dieses Selbstverständnis umriß Mitte 1912 der Herausgeber der in Erinnerung an Agadir gegründeten nationalliberalen Zeitschrift ›Der Panther‹, Axel Ripke, in einem programma-

3 Theobald v. Bethmann Hollweg, Betrachtungen zum Weltkriege, Berlin 1919, Bd. 1, S. 2 f.
4 Bassermann im RT, Bd. 286, 2. 12. 12, S. 2491 ff.; ABl, Nr. 49, 7. 12. 12, S. 440; v. Zedlitz, Die nationalen Agitationsvereine und die Regierung, in: Der Tag (rot), 25. 9. 12; zit. ABl, Nr. 41, 12. 10. 12, S. 362.

tischen Aufsatz mit dem Titel ›Großdeutscher Liberalismus‹ [5]; er gewinnt symptomatische Bedeutung auch deshalb, weil unter anderen Bassermann, Stresemann, F. Meinecke Beiträge für die Zeitschrift leisteten. Ripke tadelte an dieser Stelle, daß es bisher in Deutschland keine »maßgebende politische Partei« gäbe, die den »Imperialismus als erste selbstverständliche Forderung in Wort und Tat vertritt«, auch wenn einzelne vorhanden seien, die ihn als »Grundlage für die deutsche auswärtige Politik verlangen«. An dieser Stelle müsse Remedur geschaffen werden; denn der Imperialismus sei das »politische Programm, zu dem uns die Not der Zeit selbst zwingt«, und das allein »Deutschlands wirtschaftliche Größe erhalten und... erweitern« könne: Eine »imperialistische Wirtschaftspolitik« und das »Volkswohl« schienen ihm dabei in Abhängigkeit voneinander zu stehen. Voraussetzung einer solchen Politik indes sei der festgegründete nationale Machtstaat im Innern, in dem weder Platz sein dürfe für die »Herrschaft der Kirche noch für die erschlaffende Demokratie«.

Ripke ließ keinen Zweifel, daß es nicht das Ziel sein könne, in einer »weiteren Demokratisierung Deutschlands die Aufgabe zu erblicken«, um die es zu kämpfen lohne. Nicht der »Demokratie gehört die deutsche Zukunft, sondern dem Liberalismus«, und zwar einem imperialistischen Liberalismus, der das Deutsche Reich der »Weltmacht entgegenzuführen« am besten in der Lage sei. Stresemann, Syndikus des Verbandes sächsicher Industrieller, Präsidialmitglied des Bundes der Industriellen und Direktionsmitglied im Hansabund, feierte zur gleichen Zeit den Parteiführer Bassermann als den ersten deutschen Politiker, der es gewagt habe, »sich direkt zu einer Politik des deutschen Imperialismus zu bekennen« [6], und tadelte noch einmal Bethmann Hollweg, daß er im November 1911, »in dieser Zeit der großen weltpolitischen Aufgaben Deutschlands, in einer Zeit, in der eine Neuaufteilung großer Weltdistrikte sich entschied«, den innenpolitischen Hader nicht vergessen und, anstatt die Sozialdemokratie anzugreifen, sich gegen Bassermann und Heydebrand gewandt habe. Zur gleichen Zeit sprach der linksnationalliberale Geschäftsführer des Hansabundes, Frhr. v. Richthofen, davon, daß »der Anzug, den wir jetzt tragen,... uns zu klein« werde, und stellte programmatisch fest: »... Wir müssen uns ausdehnen. Die Erwerbung neuer Länder ist für uns eine dringende Notwendigkeit, weil die wirtschaftlichen Interessen unseres Landes es erfordern.[7]« Deutschland sei heute noch gezwungen, seine Rohprodukte aus dem Ausland zu beziehen, es brauche aber Länder, »aus denen wir unser Rohmaterial decken können«. Für Richthofen als Exponent der Exportindustrie und der Banken traten die Vereinigten Staaten wieder

---

5 Axel Ripke, Großdeutscher Imperialismus, in: Der Panther, I, Nr. 1, Juli 12, S. 1 ff.
6 Stresemann, ibid., S. 15.
7 Richthofen, Deutschlands Stellung in der Welt, in: Elbwart, Nr. 12, 15. 6. 12, S. 137 ff.

als der Hauptkonkurrent ins Blickfeld, die »weit gefährlicher« seien als England. Er war es auch, der kurze Zeit später den Gedanken in die Debatte warf, wohl kaum ohne Zustimmung des BdI und der Banken, durch die Schaffung eines zollpolitisch geeinten Mitteleuropa ein Gegengewicht zur Bedrohung durch die Vereinigten Staaten zu schaffen.

Der innerhalb der Gesamtpartei weniger bedeutsame jungliberale Flügel, der nur durch fünf Mitglieder im Zentralvorstand vertreten war (immerhin gehörte zu ihm Dr. Hermann Fischer, bis 1912 Mitglied des Geschäftsführenden Ausschusses der Gesamtpartei, einer der Geschäftsinhaber des Bankvereins), vertrat außenpolitisch den gleichen extensiven Imperialismus. Dr. Marwitz, der Berliner jungliberale Führer, sprach Anfang 1912 davon, daß sich die jungliberalen Anschauungen vielfach mit denen der Alldeutschen deckten, und Robert Kauffmann, der Führer des Jungliberalen Reichsverbandes, stellte am 21. Dezember 1912 programmatisch fest [8]: »Wir wollen unser ganzes Sein... in den Dienst der Machtpolitik, des imperialistischen Gedankens stellen.« So sehr Kauffmann den Gedanken einer freiheitlichen Fortentwicklung im Innern des Reichs bejahte, so stark betonte er ebenso die Pflicht, »für die Macht und Größe des Vaterlandes« einzutreten. Kauffmann präzisierte seine Ziele in seiner Programmschrift ›Der deutsche Weg. Fünf Gespräche über Macht und Freiheit‹, Berlin 1912, in der er als notwendiges Ziel der deutschen Politik die Herstellung eines Zollbundes propagierte, der von »Borkum bis Bagdad reicht«: Ein Wirtschaftsbund, ein sogenannter »mitteleuropäischer Zollverein«, sollte das Deutsche Reich, Österreich-Ungarn und den Balkan umfassen, wobei die deutsche Vormachtstellung stillschweigend vorausgesetzt war. Diese Berlin-Bagdad-Ideologie wurde auch von dem jungliberalen Publizisten Karl Mehrmann seit 1910 in Vorträgen und Broschüren vertreten; er gehörte auch dem Alldeutschen Verband an, für dessen Organ, die ›Alldeutschen Blätter‹, er in dieser Richtung tätig war. 1913 schrieb Mehrmann, gleichfalls für die zunehmend rechtsnationalliberal orientierte Frankfurter ›Mainbrücke‹, hinter der vor allem die Interessen der Großbourgeoisie und der chemischen Großindustrie standen (wichtiger Repräsentant war der Chemie-Industrielle Adolf Haeuser – Hoechst, vormals Meister, Lucius und Brüning). Ähnliche Ideen entwickelte der einflußreiche Publizist und Schmoller-Schüler Arthur Dix in seiner Schrift ›Deutscher Imperialismus‹ (1912). Seine Vorstellungen eines sogenannten »Staatenbund-Imperialismus«, das heißt eines festen militär-politischen Zusammenhaltes der Länder quer durch Mittel- und Südosteuropa, berührten sich dabei enger mit »alldeutschen« Gedankengängen [9]. Dix brachte hier das Ziel des deutschen Imperialismus auf die Formel:

8 JlBl, Nr. 21, Dez. 12, Probenummer der Halbmonatsschrift Zum Geleit.
9 Vgl. A. Ritter, Berlin–Bagdad, in: Der Volkserzieher, Nr. 17, 17. 8. 13, S. 129 ff.

»Die eigenen Interessen des Reiches verweisen uns ... auf den Zusammenhalt mit dem europäischen Südosten: auf die gemeinsame Freihaltung der mitteleuropäischen, durch Vorderasien führenden Ausgänge nach dem Indischen Ozean hin; auf die wirtschaftliche Annäherung und wechselseitige Kräftigung der Lande zwischen Elbe und Euphrat; auf die Ergänzung unserer volkswirtschaftlichen Produktion durch die Produktion Südosteuropas und die zu entwickelnden vorderasiatischen Kulturen; auf den festen militär-politischen Zusammenhalt der Lande quer durch Mittel- und Südosteuropa in der Abwehr nach Ost und West.[10]«

Diese Einheit wollte er als einen »Mitteleuropäischen Staatenbund-Imperialismus« bezeichnet wissen, denn es setze nur die indirekte deutsche Herrschaft voraus, nicht die »politische Herrschaft«.

Auch der Nationalismus des rechten Parteiflügels, der sich Mitte 1912 als Altnationalliberaler Reichsverband formiert hatte, war vom Nationalismus der Bassermann-Stresemann-Gruppe und dem der Jungliberalen kaum geschieden; er ist höchstens durch eine stärkere Annäherung an aggressive alldeutsche Gedankengänge charakterisiert. Fuhrmann, der Vorsitzende, erklärte in einem Gründungsaufsatz des Altnationalliberalen Reichsverbandes programmatisch, daß man »in einem national zuverlässigen liberalen Bürgertume« den »sicheren Wall gegen die drohende Demokratisierung unseres Vaterlandes« erblicke, und er forderte eine »entschlossene und weitschauende Weltpolitik ... als Gewähr unserer gesunden wirtschaftlichen Weiterentwicklung und der Erhaltung unserer staatlichen Einheit und Machtstellung« [11].

Die Einheitlichkeit der in der Gesamtpartei herrschenden Anschauung im Blick auf die imperialen Tendenzen der deutschen Außenpolitik brachte Bassermann, mit den Interessen der Banken und der Exportindustrie persönlich verbunden, Ende 1912/Anfang 1913 auf die Formel:

»Das 20. Jahrhundert ist beherrscht von der imperialistischen Idee. Weltmacht und Seegeltung sind die Ziele, an denen sich die Völker berauschen. Der Gedanke der Völkerverbrüderung und die Abrüstungsidee tritt vor der rauhen Wirklichkeit immer mehr in den Hintergrund. Es ist das Jahrhundert der gewaltigsten Rüstungen und der Blüte des nationalen Gedankens.[12]«

Diese Gedanken wären für alle führenden Nationen der Gegenwart verbindlich, für die USA und Japan ebenso wie für die europäischen Staaten. Wenn auch im ganzen die deutsche Weltpolitik seit 1897 keine große Machterweiterung gebracht habe, und auch der erneute Anlauf in der Marokkopolitik gescheitert sei, so buchte er doch als den großen Gewinn, »daß der nationale Gedanke ... sich in Deutschland machtvoll entfaltet« habe. Das deutsche Volk sei jetzt »von realem Sinn erfüllt in seinem Staats-

10 Arthur Dix, Deutscher Imperialismus, S. 21.
11 Der Tag (rot), Nr. 123, 29. 5. 12.
12 Ernst Bassermann, Der nationale Gedanke, in: Der Panther, I, Nr. 8, S. 235 ff.

und Machtbewußtsein, und nicht mehr das Volk der Dichter und Träumer«. Wie Stresemann tadelte er noch einmal die Politik der Regierung, in den Zeiten der Marokkokrise nicht in vollem Maße »das nationale Gefühl berücksichtigt« zu haben, indem er ihr vorwarf, daß ihre Ziele »der nötigen Klarheit« entbehrt hätten. Bassermann bejahte vorbehaltlos Tirpitz' Idee der deutschen Risikoflotte und Bülows »Weltpolitik« seit 1897. Keinesfalls dürfe Deutschland seinen »berechtigten Anspruch, in der Weltpolitik gehört zu werden«, aufgeben: Es dürfe sich den Weltmarkt für den Absatz seiner Industrieprodukte und den Einkauf der nötigen Rohstoffe nicht verschließen lassen.

Das imperialistische Glaubensbekenntnis der Partei galt dabei unmittelbar auch für die mit ihr verbundenen wirtschaftlichen Interessenorganisationen, den Hansabund und den BdI, Verbände, auf die sich seit 1912 immer stärker die Politik der Reichstagsfraktion ausrichtete. Der Aufsatz Ripkes »Der imperialistische Gedanke« vom April 1913 im ›Panther‹ mit seinen Klagen, daß der preußische Junker, »der feudale Rittergutsbesitzer«, der Sozialdemokrat und der ultramontane Zentrumsmann den imperialistischen Gedanken noch nicht voll unterstützten und, daß Deutschland der »imperialistische Mut« fehle, wurde auch von der Zeitschrift des BdI nachgedruckt. Ripke stellte hier noch einmal programmatisch fest:

»Das Wort ›die Welt wird reißend englisch‹ hat sich bisher bewahrheitet; und nur der Deutsche hat es in der Hand, die Prophezeiung zum Stillstand zu bringen.[13]«

Ganz im Zeichen dieses Anspruchs auf die deutsche Weltstellung stand auch die nationalliberale Zentralvorstandssitzung vom 9. Februar 1913, in der Stresemann betont an seine alten Überzeugungen anknüpfte, die er 1912 schon auf die Formel gebracht hatte: »Der Kaufmann folgt heute der Macht!« Wenn Deutschland seine Stellung in der Weltwirtschaft behalten wolle, dann müsse es neben der Weltwirtschaft auch Weltpolitik treiben. »Wir dürfen uns nicht fürchten, imperialistische Politik zu treiben.[14]« Bassermanns Rede in der Zentralvorstandssitzung [15] war abgestimmt auf den Tenor, daß die auswärtige Lage des Deutschen Reiches von Jahr zu Jahr schlechter geworden sei: »Feinde ringsum, und die Freunde, die wir besitzen, doch zum Teil jedenfalls laue Freunde.« Er tadelte die Schwäche der Regierung und schloß sich dem Rufe nach einem »starken Staatsmann . . ., wie es einst Bismarck war«, an: »Bismarck ist nicht tot, Bismarck lebt mehr denn je, nicht in der Regierung, aber im deutschen

13 Axel Ripke, Der imperialistische Gedanke, in: Der Panther II, Nr. 1, 20. 4. 13, S. 1 ff.
14 Zit. Elbwart, Nr. 16, 15. 8. 12, S. 185 »Imperialistische Politik«.
15 Vgl. das Stenogr. Protokoll der Sitzung, zit. Von Bassermann zu Stresemann, Die Sitzungen des nat. lib. Zentralvorstandes 1912–1917, bearb. von K.-P. Reiß, Düsseldorf 1967, S. 107 ff.

Volke.« Linksnationalliberale wie Rebmann, Altnationalliberale wie der
der Schwerindustrie nahestehende Röchling, waren einig in dem bedrük-
kenden Gefühl, die Welt sei verteilt worden, ohne daß das Deutsche
Reich daran partizipiert hätte. In den Mittelpunkt der deutschen auswärtigen Politik wollte Röchling die Parole gestellt wissen: »Wie können wir
für unsere deutsche Nation neues Land erwerben?« Deutschland sei eben
nicht »saturiert«. Für Röchling schien die Zukunft vor allem in »Kleinasien« zu liegen, was ganz in der Linie der Berlin-Bagdad-Pläne lag. Er
sprach offen aus, daß es wegen dieser Fragen »doch einmal wieder zu einem großen Kampf mit England« kommen müsse, und Leidig (bis 1908
stellvertretender Geschäftsführer des CdI) plädierte offen für den Alldeutschen Verband und dessen »hochgespanntes Nationalgefühl«, wobei er
mit einem Appell an den »Geist preußischer Offensive« schloß. Auch die
mittelparteiliche Gruppe (Vogel, Stresemann, Stadthagen) berief sich darauf, das Deutsche Reich sei nicht saturiert, und tadelte das Zurückweichen
der Regierungspolitik: »Es ist eine Schmach und Schande, daß wir immer
nur zurückweichen.« Stresemann forderte in einem zweiten Referat, der
Gedanke müsse Allgemeingut werden, daß das Deutsche Reich ebenso wie
die anderen Völker dahin zu streben habe, sich ein »abgeschlossenes Wirtschaftsgebiet zu schaffen, um unseren Rohstoffbedarf, unseren Export
sicherzustellen« [16].

Wie diese Apologeten eines wirtschaftlichen Imperialismus in der Partei
hervorhoben, war der »Siegeszug unserer deutschen Industrie, der so über-
mächtig ist«, vor allem einer Fülle »von erstklassigen, energischen, tatkräftigen, fleißigen Persönlichkeiten« zu verdanken. In der Leitung der äußeren Politik seien ähnlich tatkräftige Personen nicht zu finden; anstelle des
weitgehend feudalen Charakters der deutschen diplomatischen Vertretungen müsse es daher zu einer Reform kommen, die endlich die Kräfte des
neuen Deutschland stärker berücksichtigte. Einen Großteil der deutschen
Diplomaten (Schön, Tschirschky, Lichnowsky, Below, Waldthausen u.a.m.)
hielt Bassermann für unfähig.

Gleichzeitig mit dieser Stimmung, die die Möglichkeit kriegerischer Auseinandersetzungen in greifbare Nähe rückte, wuchs auch die Überzeugung,
das Deutsche Reich werde in einem Zukunftskrieg genötigt sein, »gegen drei
Fronten zu schlagen«, nämlich gegen England, Rußland und Frankreich.
Bassermann unterstrich, daß dieser Standpunkt auch vom Zentrum geteilt
werde (in einer Sitzung der Budget-Kommission Mitte 1912); der Krieg
der Zukunft sei ein »Weltkrieg«. Das Gefühl der »Einkreisung«, einer
zunehmenden Isolierung des Reiches, war für diese Stimmung ebenso charakteristisch wie die Sorge, daß »unser Handel immer mehr zurückgeht

---

16 Zit. nach einer Paraphrase von Arning, BA Koblenz, R 45 I, 1 Bl. 251 (bei Reiß nicht zitiert).

an gewissen Stellen, wo wir verdrängt werden, oder daß er große Mühe hat, sich aufrechtzuerhalten«. Dieser gesteigerte Anspruch auf Weltgeltung und Weltmachtstellung wurde auch in der Folgezeit vertreten, und zwar in zunehmender Schärfe des Tones. Bassermann forderte Anfang Oktober 1913 auf einer Tagung der Reichstagsfraktion in Wiesbaden, es dürfe eine »Politik der Resignation auf dem Gebiete der auswärtigen Politik« nicht geben: »Wir wollen Opfer nicht umsonst bringen, sondern wollen unsern Platz an der Sonne haben.« Ebenso sprach er sich im November 1913 auf einer Parteiversammlung in Saarbrücken aus, in der er zwar trotz der zunehmenden Reibungsflächen, die das imperialistische Zeitalter durch das »Ringen um die Auslandsmärkte« geschaffen habe, eine kriegerische Auseinandersetzung schon aufgrund des Risikos und der Stärke der beiden Bündnisblöcke zu vermeiden wünschte, andererseits aber deutlich machte, eine Konzentrierung der deutschen Politik auf Zentralafrika sei zu eng begrenzt: die Positionen in Ostasien und Kleinasien müßten gehalten werden, vor allem in Anatolien und Mesopotamien, »nachdem Hunderte von Millionen deutschen Kapitals ... in Bahnbauten und Entwässerungsarbeiten investiert« worden seien [17]. Im April 1913, auf dem 4. preußischen Parteitag, bezeichnete der Parteiführer die Triple-Entente sogar als ein »Länderverteilungssyndikat« und konstatierte, die Kriege der Zukunft seien keine dynastischen Kriege mehr, die »großen Interessen der Völker selbst und die Rassengegensätze« seien es, die verschärfend auf die Lage einwirkten [18]. In dieser letzten Formulierung klingt bereits das Leitmotiv der vom Kaiser im Dezember 1912 befohlenen, von Tirpitz, Moltke und Bethmann organisierten psychologischen Kriegführung an: Kampf des Germanentums gegen das Slawentum. Führende nationalliberale Publizisten wie Arthur Dix zogen nach; im ›Leipziger Tageblatt‹ stellte Dix, der im Winter 1913/14 sogenannte weltpolitische Erörterungsabende im Kreise des BdI abhielt, im Dezember 1912 fest, daß der Zeitpunkt immer näher rücke, der »entweder eine unmittelbare oder auch mittelbare Abrechnung zwischen den beiden anglo-germanischen Völkern Europas bringen muß oder aber eine ehrliche Annäherung, bei der Deutschland die ihm gebührenden Rechte findet und die zwingenden Bedürfnisse weltpolitischer Ausbreitung auch seinerseits stillen kann« [19]. A. Dix, Schmoller-Schüler und bis 1909 Chefredakteur der einflußreichen ›National-Zeitung‹ war Mitarbeiter an allen großen nationalliberalen Blättern, so auch 1913/14 an der in Berlin neugegründeten Zeitung, dem ›Deutschen Kurier‹. Er lieferte Beiträge für die dem Hansabund nahestehende ›Deutsche Wirtschaftszeitung‹, in welcher seine Schrift ›Deutscher Imperialis-

17 Zit. nach: Die Mainbrücke, Nr. 41, 11. 10. 13, S. 283: Nr. 45, 8. 11. 13, S. 312.
18 Zit. Nach Otfried Nippold, Der deutsche Chauvinismus, 2. Aufl. 1913, S. 111.
19 Zit. ibid., S. 50.

mus‹ (1912) zustimmend referiert wurde. In der nationalliberalen Wochen-
schrift ›Die Mainbrücke‹ (Frankfurt) wandte sich Dix im November 1913
in einem Aufsatz »Die Einkreisung des Germanentums« gegen die auch
schon von Bassermann bekämpfte Vorstellung, die Kriege der Zukunft
seien von dynastischen Interessen bestimmt; ebenso wie Maximilian Harden, Moltke und der Kaiser sprach er jetzt von der Notwendigkeit der
»rassenmäßigen« Auffassung einer früher rein politisch betrachteten Frage. Bereits im Juni 1913 hatte er sich in einem Artikel der ›Mainbrücke‹
gegen die Meinung Kauffmanns gewandt, die deutsche Weltmachtstellung
sei auch ohne Krieg durchzusetzen; er verurteilte es, die ohnehin bestehenden »Hemmungen tatkräftiger Weltpolitik« noch durch »Förderung
volkswirtschaftlicher Kriegsfurcht zu vermehren«; statt dessen forderte er
die wirtschaftliche Vorbereitung auf den Krieg und propagierte die Einrichtung eines »volkswirtschaftlichen Kriegsbeirats«.

Auf der Linie der Argumentation Richthofens und des Hansabundes
operierte auch das Mitglied der Fortschrittlichen Volkspartei, Karl v. Mangoldt, in einem Artikel des freisinnigen ›Berliner-Börsencouriers‹ (9. Januar
1912). Mangoldt lieh hier ebenfalls der »Erweiterung und Ausweitung unserer Weltstellung« das Wort. Deutschland brauche einen möglichst ungehinderten Bezug der notwendigen Rohstoffe und Absatzmärkte für seine
Fertigprodukte; schon um das Gewicht zu erhöhen, das Deutschland bei
handelspolitischen Abmachungen in die Wagschale werfen könne, trat er
für eine Zollunion mit Österreich-Ungarn ein, der nach Möglichkeit auch
die Balkanstaaten und die Türkei angeschlossen werden sollten. Auch einen
Beitritt Dänemarks, Schwedens, Hollands, Norwegens und der Schweiz
faßte Mangoldt ins Auge; aus der Gemeinsamkeit der wirtschaftlichen
Interessen würde sich leicht »eine gemeinsame oder wenigstens gleichge-
richtete auswärtige Politik« ergeben. Machtpolitisch endlich würden diese
»so vereinigten Staaten für jede absehbare Zeit ein Gebilde darstellen,
das den Wettlauf mit jedem der großen Weltstaaten aushalten könnte«.
Wie Rathenau teilte er die Überzeugung, daß in der modernen Welt sich
auch im staatlichen Leben mehr und mehr das »Gesetz des Großbetriebes
durchsetzt«. Als Freisinniger hielt er es freilich analog Rathenau für unabdingbar, daß Deutschland, um für eine solche Aufgabe fähig zu sein,
eine Liberalisierung im Innern – Aufhebung des Dreiklassenwahlrechts
und Ablösung des polizeilich-bürokratischen Regiments im Innern – betreiben müsse. Überhaupt ist das machtpolitische Selbstverständnis, vor
allem des kapitalistischen Flügels (Wiemer, Fischbeck) in der Fortschrittlichen Volkspartei sowie der ehemaligen Nationalsozialen in der Partei
um Friedrich Naumann, kaum vom Imperialismus des Linksnationalliberalismus zu unterscheiden; Rohrbach wie Jaeckh gehörten zu den ständigen Mitarbeitern von Naumanns Zeitschrift ›Die Hilfe‹, die eine betont

imperialistische Linie verfolgte. Bei all diesen Publizisten verband sich der Anspruch auf Weltmacht und Weltstellung mit dem Bemühen, im Innern eine Liberalisierung durchzuführen: nur eine antifeudale Großmacht Deutschland könne auf lange Sicht auch die Sozialdemokratie für eine nationale Machtpolitik gewinnen. Zudem war die Fortschrittliche Volkspartei durch alle ihre Reichstagsabgeordneten stark an die sozialen und wirtschaftspolitischen Ziele des Hansabundes gebunden. Rießer selbst stand politisch dem rechten Flügel der Fortschrittlichen Volkspartei bzw. dem Linksnationalliberalismus nahe, bevor er sich endgültig 1917 für letzteren entschied. Grundsätzlich war der imperialistische Gedanke in diesem Lager auf einen mäßigenden Ton gestimmt, und vor allem nicht so stark wie bei Bassermann und Stresemann antienglisch akzentuiert, schon deshalb, weil die Partei auch die Interessen des Großhandels und eines Teils der Banken repräsentierte.

Hansabund und Bund der Industriellen

Die den Nationalliberalen und der Fortschrittlichen Volkspartei nahestehenden wirtschaftlichen Verbände der Fertig- und Exportindustrien sowie die Banken, d. h. in erster Linie der Hansabund und der Bund der Industriellen, vertraten ähnliche Anschauungen, waren doch die führenden Repräsentanten der Verbände wie Stresemann (Präsidialmitglied des BdI, Beirat im Hansabund seit 1912) und v. Richthofen (Geschäftsführer des Hansabundes) unmittelbar mit jenen Parteien liiert. Für den Hansabund brachte v. Richthofen im November 1912 das Konzept auf die Formel: man wolle für einen »gesunden – nicht chauvinistischen – *Imperialismus*« (i. O. gesp.) eintreten [20]. Das Direktoriumsmitglied Steche, gleichzeitig Präsidialmitglied des BdI, sprach sich Ende 1912 im Organ des Hansabundes für eine »gesunde und notwendige Expansionspolitik« aus und wies als Ziel der Betätigung auf »Zentralafrika« hin; als Gegner der deutschen Weltmachtstellung erschienen ihm England und der russische »Panslawismus«, wobei er jedoch hoffte, eine »deutsch-englische Interessengemeinschaft« gegen die »Slawen« müsse erreichbar sein. England werde sich doch noch zum »Germanentum« schlagen, um so eine gemeinsame Phalanx gegen den russischen Koloß zu bilden: »Volk gegen Volk, Rasse gegen Rasse. [21]« Im Hansabundorgan referierte wiederum A. Dix, der im Frühjahr 1913 eine zunehmende Behinderung des deutschen Exports konstatierte [22], Befürchtungen, die auch Richthofen und Stresemann teilten.

---

20 DWZ, Nr. 22, 15. 11. 12, Sp. 978, Die erweiterten Richtlinien des Hansabundes.
21 Hansabund, Nr. 3, 18. 1. 13, S. 32 ff. »Nationale Energien«.
22 Ibid., Nr. 10, 8. 3. 13, S. 123 »Die Erschwerung des deutschen Exports«.

Stresemann unterstrich im Sommer 1913, gerade das Marokkoabkommen habe doch gezeigt, daß das Prinzip der offenen Tür nicht mehr ausreiche; da der »Kampf um die Weltwirtschaft... Kampf um die Stellung in der Weltpolitik« bedeute, müsse die deutsche Regierung einsehen, daß der »politische Einfluß« bei »formell noch unabhängigen Nationen« als »Stütze für die wirtschaftliche Vorherrschaft« unentbehrlich geworden sei: rückblickend bedauerte er noch einmal, daß Deutschland »statt Marokko die Kongosümpfe« erhalten habe, denn der »Kampf um Marokko war ja ein Kampf um seine Erzlager« [23]. Positiv verlangte er dabei nach dem Erwerb von »Kolonien... als Lieferanten von Rohstoffen zur Fundierung unserer Exportpolitik«. Daß diese Richtung einer imperialistischen Politik sich keineswegs auf Übersee beschränkte, beweist ein Aufsatz Richthofens vom August 1912 [24]. Richthofen sah ebenso wie Stresemann drei große Nationen um den Preis der Suprematie im Welthandel ringen: die drei »germanischen« Staaten England, Deutschland und vor allem die Vereinigten Staaten von Amerika: »Deutschland braucht Kolonien mehr als jedes andere Land, es muß unabhängig werden von Amerika, das uns eines Tages seine Rohstoffe, Getreide, Kupfer, Baumwolle versagen kann.« Darum sei es die Aufgabe der Zukunft, mit dem bisherigen System der Meistbegünstigung in der Handelspolitik zu brechen und an deren Stelle allein die Tarifvertragspolitik zu setzen. Zwar räumte der Autor ein, daß dieser »Entschluß eines Abweichens von unserem gegenwärtigen Handelsvertragssystem« gewiß der reiflichsten Prüfung bedürfe; denn Deutschland mit seinem großen Bedarf an ausländischen Rohprodukten und der starken Konkurrenz im Wettbewerb der Nationen könne es nicht leichtfallen, den »Abschluß solcher Tarifverträge unter gleichzeitiger Aufrechterhaltung des notwendigen Zollschutzes für seine auf dem Weltmarkt nur schwer konkurrenzfähig bleibende Landwirtschaft« durchzusetzen. Auf lange Sicht indessen werde die Entwicklung zu der Einsicht führen, daß die europäischen Industrieländer – abgesehen von dem durch seinen Kolonialbesitz unabhängigen England – gegenüber den außereuropäischen Ländern, von denen sie ihre Rohprodukte beziehen müßten, »eigentlich gemeinsame Interessen haben«. Deshalb könne sich eine weitsichtige Handelspolitik nicht der Anschauung verschließen, daß ein »engerer zollpolitischer Zusammenschluß des kontinentalen Europas oder wenigstens von einzelnen Staaten desselben« (i. O. gesp.) vielleicht »allein uns und unseren Nachbarländern die Sicherung unserer Absatzgebiete im Konkurrenzkampf gegen das außereuropäische Ausland, insbesondere gegen die Vereinigten Staaten von Amerika« werde verbürgen können. Das bedeute

---

23 DWZ, Nr. 12, 15. 6. 13, Sp. 523 ff. »Weltmarktskämpfe«.
24 Richthofen, Die Zukunft des deutschen Exports, in: Sächs. Ind., Nr. 21, 10. 8. 12, S. 324 ff.

dann auch eine Revision des Systems der deutschen Handelspolitik. Schon das gemeinsame Vorgehen von »zwei europäischen Staaten in diesem Sinne« müsse Ergebnisse zeitigen, so daß man leichten Herzens auf die Meistbegünstigungsklausel mit ihren großen Nachteilen werde verzichten können. Parallel hierzu wäre es geradezu nationale Pflicht, schon mit Rücksicht auf »unsere stets wachsende Bevölkerung«, »auf lange Zeiten gesicherte Absatzgebiete in Gestalt von Interessensphären und Kolonien« zu schaffen: würden alle diese Mittel unberücksichtigt gelassen, könne es dazu kommen, daß »unser Export langsam mehr und mehr Boden verliert und endlich ganz verschwindet« und so derjenige Faktor zu existieren aufhöre, auf dem »am letzten Ende der Wohlstand der Nation und damit die Macht des Reiches beruht«.

Im selben Sinne griff der Nationalökonom F. Gehrke in einem programmatischen Aufsatz mit dem Titel ›Änderungen in Wesen und Richtung des Handels‹ seine bereits 1910 in ›Conrads Jahrbuch‹ angelegten Pläne 1913 wieder auf und stellte fest: das Deutsche Reich müsse »Weltmacht« neben England, den USA und »ev. neben dem Landriesen Rußland« werden, dabei wäre die »Schaffung einer mitteleuropäischen Zollunion mit Deutschland als führender Macht unbedingte Notwendigkeit«: »Wir stehen an einem Wendepunkt der Weltgeschichte.« Deutschland müsse sich endgültig neben den drei Riesenreichen als Schutzmacht der kleinen Staaten in Europa etablieren [25].

Mit diesen Ideen, die auf dem Primat der Exportindustrie für die Wohlfahrt des Reiches basierten, wurden die alten Mitteleuropa-Pläne wieder neu akzentuiert, die ja schon um 1897 eine erste Renaissance erlebt hatten, und zwar als Gegengift gegen die Abschließungstendenzen »Greater Britain's« und »Pan-Amerikas«. 1904 waren diese Ideen durch die Bildung der mitteleuropäischen Wirtschaftsvereine wiederbelebt worden (Deutschland 21. Januar 1904 – Ungarn 10. Dezember 1904 – Österreich 4. April 1905). Wenn sie auch programmatisch eine »Zollunion der mitteleuropäischen Staaten« als Arbeitsaufgabe ausgeschlossen hatten, da eine solche aus »politischen und wirtschaftlichen Gründen... nicht durchführbar« sei, so war ihr Fernziel doch eine »handelspolitische Allianz« gewesen, und zwar auch als Abwehr gegen die »großen Märkte« USA, England und Frankreich [26].

Welche Gruppen die eigentlichen Promotoren dieser Ideen waren, zeigte sich, als am 12. September 1913 der Deutsch-Österreichisch-Ungarische Wirtschaftsverband gegründet wurde. Die Schwerindustrie war nicht sehr stark berücksichtigt; in dem vorläufigen Präsidium saßen Paasche (Mitglied

25 ZfgSW, 69. Jg. 1913, S. 239 ff.
26 Der Mitteleurop. Wirtschaftsverein; § 1 der Satzungen, zit. DWZ, Nr. 12, 15. 5. 05, Sp. 545.

des Gründungspräsidiums des Mitteleuropäischen Wirtschafts-Vereins von 1904), Lehmann (Verband Sächsischer Industrieller, BdI), Pschorr (Bayr. Industriellenverband, Präsident Hk München), Friedrichs (der Vorsitzende des BdI), Steinthal (Deutsche Bank), Stresemann (Präsidialmitglied des BdI und Direktor im Hansabund), Kommerzienrat Bing (stellvertretender Vorsitzender Hk Nürnberg), Kommerzienrat Sobernheim (Direktor der Commerz- und Disconto-Bank, Berlin), Kommerzienrat Stollwerk (Hk Köln), Michalsky (Hk Berlin), Pferdekämpfer (Verband Thüring. Industrieller, BdI), M. Schiff (Direktor der Nationalbank für Deutschland) und ein Syndikus Brandt. Im Vorstand saßen u. a. Ballin (Hapag), Brosien (Rheinische Creditbank), Eigenbrodt (Dt.-Luxemburgische Bergwerksgesellschaft), Flohr (Direktoriumsmitglied des CdI, Vulcan-Werft), Groebler (Buderus'sche Eisenwerke), Max v. Guilleaume (Felten & Guilleaume), Heinecken (Norddeutscher Lloyd), von Klemperer (Dresdner Bank), Sorge (Krupp-Gruson) und J. Maas (Vorsitzender des Handelsvertragvereins, Hk Berlin). Paasche wandte sich in seinem Gründungsvortrag in Berlin gegen das »fortschreitende Überwiegen der Nordamerikanischen Union«, proklamierte als Fernziel eine »Zollunion« zwischen Deutschland und Österreich-Ungarn und erinnerte an die »ähnlichen Ziele« des Mitteleuropäischen Wirtschaftsvereins, den es zu ergänzen gelte[27]. Zustimmungsadressen waren vom Präsidenten des Bundes Österreichischer Industrieller, dem Vertreter des Zentralverbandes Österreichischer Kaufleute und von einem Vertreter des K. K. Österreichischen Handelsmuseums eingegangen.

Im Umkreis dieser Ideologie müssen auch die Mitteleuropaideen Rathenaus von der AEG gesehen werden; Walther Rathenau, mit Rießer und Bassermann in enger Beziehung, stand den ökonomischen Interessen des Hansabundes und der Export- und Fertigindustrie nahe; sein Vater Emil Rathenau hatte zu den Rednern auf der Gründungstagung des Hansabundes 1909 gehört; die AEG selbst war durch einen ihrer leitenden Direktoren im Gesamtausschuß des Hansabundes engagiert. In seinem Aufsatz in der ›Neuen Presse‹ (25. Dezember 1913) . . . ›Deutsche Gefahren und neue Ziele‹ brachte Rathenau das deutsche Dilemma auf die Formel, die »Zeit der großen Erwerbungen« sei »verpaßt« worden, denn die Welt sei zu einem Großteil bereits verteilt. Weil direkte Erwerbungen nicht mehr in Frage kämen, so liege eine »letzte Möglichkeit« in der »Erstrebung eines mitteleuropäischen Zollvereins, dem sich wohl oder übel, über lang oder kurz, die westlichen Staaten anschließen würden«. Ebenso wie Richthofen sah auch Rathenau in den USA den wichtigsten wirtschaftlichen Konkurrenten der Zukunft; seiner Meinung nach könne allein ein zollpolitisch

---

27 Archiv der Handelskammer Hamburg, V 728, Deutsch-österreich-ungarischer Wirtschaftsverband.

geeintes Europa unter deutscher Vorherrschaft eine »wirtschaftliche Einheit schaffen, die der amerikanischen ebenbürtig, vielleicht überlegen wäre«.

Wie Bassermann und Richthofen glaubte auch Rathenau, Deutschland sei im Konzert der europäischen Mächte nicht zuletzt deshalb in die Defensive geraten, weil »Preußen nicht von staatsgeschäftlichen Talenten, sondern von verdienstvollen Beamten geführt« würde. Auch für Rathenau ruhte die Macht der Kulturstaaten auf ihrer wirtschaftlichen Potenz; dabei stellte er fest: »Unsere Rohstoffbasis« sei zu »schmal«, die Einfuhr von 10 Milliarden zu hoch, Deutschlands Macht aber stehe und falle mit der Einfuhr dieser Industrie-Rohstoffe, und insofern sei es von »der Gnade des Weltmarktes abhängig, solange es nicht über ausreichende Rohstoffquellen selbst verfügt«. »Wehe uns«, rief er aus, »daß wir so gut wie nichts genommen und bekommen haben!« Deutschland als das »volkreichste, heereskräftigste, reichste und industriellste« Land Europas habe aber einen berechtigten moralischen Anspruch auf einen den Nachbarstaaten »ebenbürtigen Raum in der Welt«, sei es doch die zweite Handelsnation der Erde.

»Die Zeit naht eilend heran, in der die natürlichen Stoffe nicht mehr wie heute willige Marktprodukte, sondern heiß umstrittene Vorzugsgüter bedeuten; Erzlager werden eines Tages mehr gelten als Panzerkreuzer, die aus ihren Gängen geschmiedet werden.«

Eine Einengung seiner weltpolitischen Ausdehnung könne man nicht zulassen, wenn etwa »Frankreich« versuchen wolle, »uns in den Halbschatten einer europäischen Großmacht zurückzudrängen«. Rathenau verstand seinen Plan als Möglichkeit, eine kriegerische Konflagration zu vermeiden, denn er glaubte, daß eine wirtschaftliche Verschmelzung Europas – »und das wird früher geschehen, als wir denken« – auch zu einer Verschmelzung der Politik führen werde, die die Spannungsfelder in Mitteleuropa zu mildern in der Lage wäre.

Freikonservative und Schwerindustrie

Der Imperialismus der Schwerindustrie war von den Anschauungen der Banken, der Export- und Fertigindustrie in seiner grundsätzlichen Argumentation kaum geschieden: so interpretierte das ›Centralblatt der Hütten- und Walzwerke‹ 1914 den Imperialismus als die »hervorstechendste politische und wirtschaftspolitische Erscheinung unserer Zeit; er sei eine Begleiterscheinung der modernen industriellen Entwicklung«, und an ein »Zurückweichen von der einmal angeschlagenen Bahn« sei nicht zu denken [28]. Der primär wirtschaftlich orientierte Imperialismus des CdI ging dabei ebenso wie bei den Exportindustriellen eine Symbiose mit rassischem Gedankengut ein: für sie verstärkte die nationale Idee und der »erwachte Rassestolz« noch den Zwang zur Weltmachtpolitik. Die ›Deutsche Arbeitgeberzeitung‹ sprach im Frühjahr 1913 sogar von »Rassenkämpfen«, die die Auseinandersetzungen der Zukunft bestimmen würden [29]. Im engeren Sinne war der Imperialismus hier gekennzeichnet durch eine vorrangig europazentrische Ausrichtung: »Europa ist das Zentrum der Welt. Deshalb verdient nur ein großer europäischer Krieg, auch einer, bei dem kein Stückchen Afrika oder Asien verteilt wird, den Namen Weltkrieg.[30]« Statt der bisherigen Politik der Gewinnung von »Länderfetzen« gelte es in Zukunft, eine »zugreifende Politik, diplomatisch oder in Waffen«, durchzuführen. Der deutsche Krieg der Zukunft könne nicht um Wertlosigkeiten wie Südmarokko oder Elsaß-Lothringen ausgekämpft werden: es könne sich dabei nur »um ein großes Stück Erde im unmittelbaren europäischen Machtbereich handeln ... das uns mit einem Male alle wirtschaftliche Unabhängigkeit gibt, die wir für den Export unserer Industrie, für die Brotversorgung unserer Massen, für die Beschäftigung des ungeheuren Menschenzuwachses von einer Million jährlich unumgänglich brauchen«. Damit war der Tenor angeschlagen, der auch in der Folgezeit die Diskussion bestimmen sollte: die Linie Berlin–Bagdad. Diese Stoßrichtung war nicht zufällig: seit 1910 hatte sich im CdI das Gefühl verstärkt, der deutschen Industrie werde »durch die Vereinigten Staaten soviel Terrain, vor allem im überseeischen Ausland, abgegraben« – daß »wir uns an vielen Stellen mit einer notdürftigen Nachlese begnügen müssen« [31]. Trotz der Enttäuschung über das Fiasko der deutschen Marokkopolitik – Kirdorf hatte geklagt, damit sei Deutschland aus der Liste der Großmächte gestrichen – wurde jedoch bis Mitte 1912 die Aktivität der Regierung nicht völlig verdammt. A. Thyssen unterstützte Mitte 1912 in der deutsch-englischen Verständigungsnummer der Zeitschrift ›Nord und Süd‹ einen Ausgleich mit England, ähnlich wie Gwinner und Rathenau, machte jedoch ganz deutlich, daß die »wirtschaftlichen Fragen heute die wichtigsten politischen Fragen« darstellten [32]. Zur gleichen Zeit verstand sich die ›Deutsche Industrie-Zeitung‹ (27. Juli 1912) zu einem – wenn auch geteilten – Lob der Außenpolitik Bethmanns, wenn sie umgekehrt darauf hinwies, daß die »auswärtige Politik des Reichskanzlers soeben wenigstens in weiterer Annäherung an Rußland ... erfreuliche Erfolge« zu verzeichnen

28 Centralblatt der Hütten- und Walzwerke, Nr. 18, 25. 6. 14, S. 347 ff. »Imperialismus und Handelspolitik«.
29 DADZ, Nr. 15, 13. 4. 13, 1. Beibl.
30 DVC, Nr. 60, 31. 7. 14 »Wie lange noch?«; für das folgende Zitat: ibid., Nr. 89, 10. 11. 11. »Weltpolitik oder Kontinentalpolitik«.
31 VMB des CdI, Nr. 118, Mai 1910, S. 13.
32 Zit. DWZ, Nr. 15, 18. 12. 12, Sp. 662.

habe. Spätestens nach dem 1. Balkankrieg verschärfte sich der Ton der industriellen Verbandsorgane beträchtlich; die Reichsregierung wurde aufgefordert, Deutschlands »bestehende politische und wirtschaftliche Einflußsphäre« auf dem Balkan und in Kleinasien nicht nur »bis auf den letzten Punkt« zu behaupten, sondern auch für die »Zukunft« den Grundsatz »gleichen Rechts für alle« zu bewahren[33]. Die DVC (7. Januar 1913) machte zur gleichen Zeit die Regierung auf ihre »Großmachtpflichten« aufmerksam, stellte sich vor Österreich-Ungarn und plädierte für ein »europäisches Vorderasien«. Jetzt, unter dem Eindruck der Direktiven vom Dezember 1912, schrieb die DVC (14. Januar 1913), daß der »große europäische Krieg« doch komme: es frage sich nur, »wann und wie«. Schweighoffer, Buecks Nachfolger in der Geschäftsführung des CdI, hatte diese zunehmende Krisenstimmung in seinem Geschäftsbericht vom 12. Dezember 1912[34] bereits auf die alarmierende Formel gebracht, es bestehe die »Gefahr, daß unter Umständen unser deutsches Volk um seine Weltmachtstellung, und damit um seine Existenz im höheren Sinne des Wortes, einen Kampf bis zum äußersten zu führen gezwungen sei« werde, wobei diese Gefahr wohl noch »niemals so groß gewesen ist wie gerade jetzt«. Zwar wandte sich Anfang 1913 Steinmann-Bucher, der Herausgeber der DIZ, gegen die Bestrebungen einzelner »alldeutscher und wie sie empfindender militärischer Kreise«, die bereits 1912 auf einen Krieg hingearbeitet hätten, und verwies darauf, daß gerade die »friedlichen Siege der letzten Dekaden doch die wahren Grundlagen unserer Weltstellung und unserer inneren Verfassung« gewesen seien[35]. Bereits im März meldete sich in der DIZ jedoch der Pressereferent des Wehrvereins mit einer Anti-Kritik, und Steinmann-Bucher zog sich jetzt in Erwiderung auf diesen Artikel auf den Appell zurück, wichtiger als die »Entfachung kriegerischen Geistes im Volke« wäre der Hinweis auf den Faktor, der Deutschlands Weltmachtstellung beschneiden wolle: den unzuverlässigen Reichstag.

Für die gewandelte Stimmung breiter Kreise innerhalb der Schwerindustrie zeugt augenfällig der einleitende Rückblick auf das Wirtschaftsjahr 1912, den der Syndikus, O. Martens, in der Jubiläumsnummer zum 50jährigen Bestehen der Handelskammer Dortmund verfaßte und den die ›Deutsche Industrie-Zeitung‹ im April 1913 abdruckte[36].

Für Martens war es undiskutierbares Eigentum deutschen Selbstverständnisses, daß

»das letzte und deshalb entscheidende, also höchste Ziel der Nationen beim Schwerte liegt. Wenn nicht alle Zeichen trügen, wird auch das neugeeinte gro-

---

33 Centralblatt der Hütten- und Walzwerke, Nr. 35, 15. 12. 12, S. 665.
34 Schweighoffer, Geschäftsbericht, erstattet vor der Delegiertenversammlung des CdI in Berlin vom 12. 12. 12; Berlin 1912, S. 26.
35 DIZ, Nr. 1, 4. 1. 13, S. 3 f. »An der Jahreswende«.
36 Ibid., Nr. 16, 19. 4. 13, S. 325 ff.

ße Deutschland früher oder später einen anderen Freiheitskrieg zu führen haben, den Kampf für die Freiheit unserer politischen und wirtschaftlichen Entwicklung als Weltmacht«.

Trotz der Entfaltung der deutschen Industrie nämlich habe das Deutsche Reich

>rein politisch genommen auch heute noch nicht die uns gebührende Bewegungsfreiheit in der Welt gewonnen. Sobald wir einen *Schritt vorwärts tun wollen, stoßen wir auf hartnäckigen Widerstand. Und dieser Widerstand muß gebrochen werden, selbst um den Preis eines neuen Welt-Freiheitskrieges.*«

Dabei hatte man bereits »Kriegsziele in petto«; so berichtete der damalige italienische Handelsminister Nitti rückblickend [37]:

>Als ich 1913 Handelsminister war, empfing ich eine Abordnung von deutschen Großindustriellen, die mit mir über das italienische Zollwesen sprechen sollten. Sie sprachen ohne Scheu von der Notwendigkeit, das Eisenbecken von Französisch-Lothringen in ihre Hände zu bekommen; der Krieg erschien ihnen als eine Angelegenheit der Industrie. Deutschland hatte die Kohle und wollte das Eisen, und die ganze Presse der Eisenindustrie verbreitete Kriegsgedanken.«

Zur gleichen Zeit findet sich auch ein erster scharfer Angriff auf die Haltung der Regierung in der ›Deutschen Arbeitgeber-Ztg. (27. April 1913): ebenso wie in der inneren Politik fehle auch in der äußeren Politik der »Wille zur Macht«. Jetzt, Mitte 1913, geriet Vorderasien immer stärker in den Mittelpunkt der Erörterungen: es erschien als das »größte und beste Weltobjekt, was auf der Erde zu vergeben ist« [38]. Die Devise »Weltpolitik ohne Krieg«, für die man vor allem die »Wilhelmstraße« verantwortlich machte, bringe nur *»Kolonialreiche, die im Monde liegen, aber keine Realitäten«.*

>Dies zentralafrikanische Kolonialreich ist nichts anderes als ein Trugbild, womit man uns dumme Deutsche von einer mannhaften Politik abziehen will.«

Die Nibelungentreue wurde jetzt immer stärker herausgestellt, Österreich-Ungarn galt als der »letzte Freund.« Für das machtpolitische Programm der Schwerindustrie, vor allem in Rheinland-Westfalen und Oberschlesien, war ein Aufsatz repräsentativ, den eine schwerindustrielle Korrespondenz Mitte 1913 verbreitete, und der die Affinität zum alldeutschen Lager ganz deutlich illustriert. Hier wurde nämlich die alldeutsche Broschüre A. Ritters, des 2. Geschäftsführers des ADV, die unter dem Pseudonym v. Winterstetten, ›Berlin–Bagdad. Neue Ziele mitteleuropäischer

37 Zit. Salis, Weltgeschichte der neuesten Zeit, Bd. 2, Zürich 1955, S. 225.
38 DVC, Nr. 47, 17. 6. 13 »Weltpolitik ohne Krieg«; ibid. Nr. 49, 24. 6. 13, »Deutschlands Freundschaften«.

Politik‹, Mitte des Jahres erschien, erstmalig präsentiert[39]. Ritter, der über enge Beziehungen zu österreichischen Industriekreisen verfügte, verkündete geradewegs, die Begriffe »Deutsches Reich« und »Österreich-Ungarn« seien für die moderne politische und wirtschaftliche Entwicklung nicht mehr von Bedeutung; statt dessen forderte er die »Verkörperung des Begriffes *Mitteleuropa* (i. O. gesp.) als unlösbarer weltpolitischer Schutz- und Trutzbund in sich unabhängiger und freier Staaten«. »Neben Großrußland, Weltbritannien, Allamerika« könne allein ein »rasch und lebensfähig organisiertes Mitteleuropa« überdauern: »das steht ebenbürtig, ja zur Führung berufen neben den Weltmächten«. Winterstettens Broschüre erschien als ein »ebenso geistvoller wie energischer Aufruf, bei dem in absehbarer Zeit bevorstehenden gänzlichen Zusammenbruch der Türkei die deutschen Interessen im Orient zu wahren und sie nicht wieder den Engländern und Franzosen preiszugeben«. Berlin–Bagdad, ein Programm, das ja auch »deutsche Kolonialpolitiker und Volkswirte wie A. Dix, Rohrbach und Jaeckh« verträten, müsse verbindlich werden für eine aktive deutsche Politik, »vielleicht die Herren im Berliner Auswärtigen Amte ausgenommen«. In einem »politischen und wirtschaftlichen Bunde« von der Nordsee bis zur Adria – die Türkei sollte dabei unter »dem Titel eines gleichwertigen Bundesgenossen angegliedert«, ihr ganzes Gebiet der »deutschen Arbeit offen« stehen – sah Ritter ein unabdingbares Gebot nationaler Expansion: »Bauern-Neuland, ein großes Wirtschaftsgebiet, Rettung des Deutschtums, offene Türen in Südosten.«

Die schwerindustrielle Korrespondenz schloß sich diesen Ausführungen an: zwar hänge von der Durchführung dieser Aufgabe noch nicht die »Zukunft der Deutschen auf der Erde« ab – wie Winterstetten meine –, andererseits gäbe es bei einem Mißlingen in der Verfolgung dieses Zieles »kein großes zusammenhängendes Stück Erde mehr, das der Deutsche einst beherrschen könnte«. Mit einer Vertröstung auf »Zentralafrika« könne man sich nach den Erfahrungen mit »Neu-Kamerun und dem Schlaf-Kongo« wohl schwerlich zufriedengeben. Die ungeheure Rüstung zu Lande und zu Wasser endlich müsse einmal dazu führen, daß »etwas mehr Raum« für die »Betätigung am Welthandel und an der Beherrschung der Erde« gefunden werde:

> »Wo soll denn eigentlich der Platz an der Sonne liegen, den man dem deutschen Volke vor länger als einem Jahrzehnt so fest versprochen hat?«

Auf dieser Linie Berlin–Bagdad lasse ich allein eine »Pax Germanica« über Vorderasien und die Balkanländer, »mit oder ohne das Einverständ-

---

39 DVC, Nr. 48, 20. 6. 13, Berlin–Bagdad. Winterstetten (d. i. A. Ritter), Berlin–Bagdad. Neue Ziele mitteleuropäischer Politik, 7. Aufl., München 1914 (das Buch erschien vor Ausbruch des Krieges).

nis der übrigen« gründen: anderenfalls müsse es zu einer »Pax Britannica« kommen. Mit deutlicher Spitze gegen die Regierung »in Berlin« hieß es:

> »Als ob man wirtschaftliche Interessen überhaupt anders vertreten könnte als mit politischen Mitteln, gegebenenfalls auch mit dem Krieg. Wer das nicht will, wird überall das Nachsehen haben.[40]«

Mit dieser Argumentation lag man unverkennbar auf gleicher Ebene wie die einflußreichen Organe der Freikonservativen und der Rechtsnationalliberalen, die parteipolitisch in erster Linie die Interessen der Schwerindustrie vertraten. Fuhrmann sprach im Sommer 1913 vor den westfälischen Nationalliberalen von dem Weg »Alldeutschlands zu Freiheit und Größe«[41] – und die ›Post‹ (3. Dezember 1912), seit Oktober 1912 offizielles Organ der Reichspartei – interpretierte die Reichstagsrede Bethmann Hollwegs vom 2. Dezember 1912 in dem Sinne, daß in einem kommenden Krieg »auch ein Teil der deutschen Fragen, die uns die Reichsgründung von 1870 ungelöst zurückgelassen hat, entschieden werden müßten«. Man wollte die Worte des Kanzlers in einem Sinne deuten,

> »daß *in* oder *durch* (i. O. gesp.) einen Weltkrieg ... das deutsche Volk in Mitteleuropa sich eine Stellung erwerben wird, die eine Wiederholung eines solchen allgemeinen Krieges gegen uns einfach unmöglich macht«.

Dabei sei es Pflicht der Regierung, die die »furchtbare Verantwortung« für solch einen »ungeheuren Weltkrieg« trüge, »im rechten Augenblick die Ziele und Preise, die wir fordern müssen« bekanntzumachen. Die Modalitäten dieses »Siegespreises« hatte die ›Post‹ bereits vorher formuliert[42]; sie hatte sich vorbehaltlos die Anschauungen von Bernhardis Schrift ›Deutschland und der nächste Krieg‹, zu eigen gemacht, die in einer »Volksausgabe« unter dem Titel ›Unsere Zukunft‹ auch einer breiteren Öffentlichkeit zugänglich geworden waren.

Das Zentrum

Das imperialistische Programm im Zentrum, der Partei der deutschen Katholiken, folgte insgesamt der breiten allgemeinen Strömung im bürgerlichen Lager. Martin Spahn, der auf dem rechten Flügel der Partei stand, wollte für eine deutsche auswärtige Politik im Dezember 1912 folgende Ziele aufgestellt wiesen: Die Nation müsse wieder darüber aufgeklärt

---

40 DVC, Nr. 53, 8. 7. 13.
41 Alt-nlb. Reichskorrespondenz Nr. 24, 13. 6. 13, S. 3, Festrede Fuhrmann vom 10. 6. 13.
42 Die Post v. 30. 11. 12.

werden, »daß für die auswärtige Politik das ganze Gebiet von der Nordsee bis zur Adria nach wie vor als einheitliches und gemeinsam mit Österreich zu deckendes« sein müsse:

»Deutschlands einziger ernster Nebenbuhler sei England; zum Wettbewerbe mit England müsse alles, was deutschem Einflusse erreichbar sei, zusammengefaßt werden – von Hamburg bis Triest. Ebenso aber müsse alles zusammengefaßt werden für den Augenblick des Zusammenbruchs der Türkei, damit der Stillstand in der Donauabwärts-Entwicklung deutschen Einflusses und deutscher Kultur von den anderen nicht verewigt, vielmehr endlich behoben werde.«

In diesem Artikel im ›Tag‹ (rot) vom 20. Dezember 1912 mit dem Titel ›Österreichs Sache unsere Sache‹, bejahte doch der Katholik Spahn die Führung Preußen-Deutschlands im Zweibund, den er als politische Form für den gemeinsamen Imperialismus der beiden »germanischen« Kaiserreiche verstand:

»Jeder Deutsche empfindet heute Genugtuung darüber, wie reiche Frucht die Entscheidung von 1866 für den Fortschritt unseres innerstaatlichen Daseins getragen hat. Aber die angesammelte Macht können wir für die auswärtige Politik nur nutzen, wenn die alte großdeutsche Gemeinsamkeit der auswärtigen Ziele entschlossen festgehalten wird – natürlich ebenso hüben wie drüben.«

Generell war in der Zentrumspolitik eine starke antirussische Einstellung weit verbreitet; gegenüber den »alldeutschen Vaterlandsvergrößerern« meldete man deutliche Vorbehalte an. Eine Politik der Ausdehnung in Europa, wie sie der Alldeutsche Verband forderte, lehnte zum Beispiel die ›Kölnische Volkszeitung‹ strikt ab. Wenn auch im Zentrum die proösterreichische, am Südosten interessierte und primär antirussische Komponente überwog, so gab es doch auch hier, zumal in seinem industriellen Flügel, die gleiche Anti-Englandhaltung, die im nationalliberalen Bürgertum und bei den Konservativen vorherrschte: ein besonders markanter Vertreter dieser Richtung war Matthias Erzberger.

Friedrich von Bernhardi – Heinrich Claß

Friedrich v. Bernhardi, 1898–1901 Chef der kriegsgeschichtlichen Abteilung im Großen Generalstab, 1909 als Kommandierender General des VII. Armee-Korps z. D. gestellt, war einer der führenden Militärschriftsteller seiner Zeit. 1912 hatte er den 2. Band seines Werkes ›Vom heutigen Kriege‹ vorgelegt, der seinen Ruf als führenden Experten festigte. Im Oktober 1911, unter dem unmittelbaren Eindruck der Marokkokrise, hatte Bernhardi sein Buch ›Deutschland und der nächste Krieg‹ geschrieben, das Anfang 1912 vorlag und bereits Ende 1912 die 5. Auflage, bis 1914 die 9. erlebte. Jenseits der Erörterungen über das »Recht zum Kriege«, der »Pflicht zum Kriege«, in denen sich alle die Gemeinplätze wiederfinden lassen, die das Bild vom Kriege in den Kreisen der deutschen Militärs bestimmten, und der sozialdarwinistisch motivierten Überzeugung vom Kampf ums Dasein der Völker, die ebenfalls für weite bürgerliche Kreise repräsentativ war, zeichnete sich das Werk des Generals durch ein pointiertes machtpolitisches Programm aus. Bernhardi machte deutlich, gerade auch der Verlauf der Marokkokrise habe bewiesen, daß »uns ein klar bestimmtes politisches und nationales Ziel« fehle, das »die Phantasie gefangennimmt, das Herz der Nation bewegt und zu einheitlichem Handeln zwingt«. Bernhardi sah die Schwierigkeiten der Lage Deutschlands dabei vor allem in der Tatsache, daß man die Bedeutung einer ausgreifenden Kolonialpolitik zu spät erkannt habe:

> »Für die Einfuhr der Rohstoffe sind wir fast ganz, für den Absatz unserer Fabrikate zum großen Teil auf das Ausland angewiesen ... Dabei haben wir keine gesicherten Märkte ... unsere Kolonien sind wenig aufnahmefähig, und die großen ausländischen Wirtschaftsgebiete suchen sich überall nach außen, besonders auch gegen Deutschland abzuschließen, um die eigene Industrie zu heben und sie ihrerseits vom Auslande unabhängig zu machen ... die Offenhaltung des Überseeverkehrs ist für uns eine Lebensfrage.[43]«

Von dieser Prämisse her – und damit operierte Bernhardi durchaus auf der gleichen Linie wie die Nationalökonomen, die politischen Publizisten und die Interessenvertreter der Wirtschaftsverbände – stellte sich für die Zukunft des Deutschen Reiches die Frage, ob es wachsen oder verkümmern wolle: Weltmacht oder Niedergang sei die Alternative für Deutschlands Zukunft. Um dabei eine Kolonialpolitik großen Stils treiben zu können – »das Mögliche ... müssen wir zu erreichen streben auch auf die Gefahr eines Krieges hin« –, müsse vorerst die kontinentale Machtstellung des Reiches auf gesicherte Grundlagen gestellt werden: »Befestigung und Erweiterung unserer europäischen Machtstellung« sei Aufgabe der deutschen Politik. Schon rein geographisch bildeten dabei die beiden Dreibundpartner Deutschland und Österreich-Ungarn »zusammen eine geschlossene Länderbrücke von der Adria bis zur Nord- und Ostsee«. Auf dieser Basis müsse eine Politik betrieben werden, die langfristig darauf abziele, den »Dreibund zu einem mitteleuropäischen Bunde« zu erweitern. Durch die »Ehrlichkeit und Kraft unserer Politik« müsse bei den Anrainern des Deutschen Reiches (Dänemark, Holland, Belgien und die Schweiz, vielleicht auch Schweden), Österreich-Ungarn und der Türkei (und den kleinen Balkanstaaten) die Überzeugung wachgerufen werden, daß deren Interessen im Anschluß an Deutschland am besten gewahrt blieben.

---

43 Friedrich v. Bernhardi, Deutschland und der nächste Krieg, Stuttgart/Berlin 1912, S. 86 f.

Eine Kolonialpolitik auf dergestalt gesicherter kontinentaler Basis könne die portugiesischen Kolonien und weitere Gebiete in Mittelafrika leicht
absorbieren, wobei der Gesichtspunkt der Politik der offenen Tür für die
Zukunft überholt sei: »Eigene Kolonien und überwiegender politischer
Einfluß in den Abnehmerstaaten« müßten die »leitenden Gesichtspunkte
für unsere deutsche Weltpolitik« werden. Bernhardi war sich dabei im
klaren, daß ein solches machtpolitisches Programm nur in einem großen
europäischen Krieg nach drei Fronten gegen England, Frankreich und Rußland zu verwirklichen sei; denn England würde eine Verschiebung des
europäischen Gleichgewichts ebensowenig wie Frankreich zulassen. Da dieser Kampf jedoch »notwendig und unvermeidlich ist, müssen wir ihn auch
ausfechten, koste es, was es wolle«. Im Falle eines Krieges müsse dabei vor
allem Frankreich »so völlig niedergeworfen werden, daß es uns nie wieder
in den Weg treten kann«; dafür gelte es die Stellung Österreichs, der Türkei und Italiens auf der anderen Seite nach Möglichkeit zu stärken. In der
Volksausgabe seines Buches [44] befaßte sich Bernhardi noch pointierter
mit dem deutsch-englischen Gegensatz und wiederholte sein machtpolitisches Glaubensbekenntnis:

»Erweiterung des Dreibundes zu einem mitteleuropäischen Staatenbund, und
damit die Möglichkeit, der deutschen überseeischen Politik eine erweiterte
Grundlage zu geben«,

oder aber freie Hand des Deutschen Reiches bei einer Machterweiterung
auf dem Festlande nach einem siegreichen Krieg gegen Frankreich, immer
verbunden mit einer »etwa beabsichtigten Umgestaltung der Besitzver-
hältnisse in Nordafrika«, kurz, Verzicht Englands auf die »beherrschende
Weltstellung, die es heute beansprucht, und eine praktische, nicht nur theoretische Anerkennung der Gleichberechtigung Deutschlands neben Großbritannien«. Zu diesem Zweck – schon um die vorderhand noch bestehende militärische Überlegenheit Deutschlands zu Lande ausnutzen zu
können – müsse der kommende Krieg psychologisch (Pressepolitik, Agitation der Verbände und der Regierung), wirtschaftlich und militärisch
(allgemeine Wehrpflicht, Aufstellung einer Ersatzreserve, von weiteren
Radfahrerbataillonen und Maschinengewehrabteilungen) vorbereitet werden, denn jedes »Abwarten« könne nur die feindliche Koalition stärken.
Die Aufnahme des Bernhardischen Buches in der Öffentlichkeit zeigt
deutlich, wie sehr der General Gedanken ausgesprochen hatte, die zum
gängigen Arsenal in der Argumentation der Apologeten einer deutschen Weltpolitik gehörten: die Besprechungen in der Hansabund-libera-
len ›DWZ‹ [45] stellte dann auch ausdrücklich fest: »Die allgemeinen poli-

44 Ders., Ein Mahnwort an das deutsche Volk, Stuttgart/Berlin 1912.
45 DWZ Nr. 13, 1. 7. 12, Sp. 604.

tischen und wirtschaftspolitischen Gedanken sind nicht eben neu, doch mit Wärme und literarischem Geschick zum Ausdruck gebracht«, einzig die militär-technischen Partien wollte man als originelle Leistung des Autors anerkennen. Die industrielle Presse bejahte die Thesen des Buches ohne Einschränkung (›Post‹, ›Tägliche Rundschau‹, ›BNN‹), die gouvernementale ›Kreuzzeitung‹ wies allein die Passagen zurück, die den friedlichen Ausgleich mit England als Fata Morgana hingestellt hatten. Vollends die ›Alldeutschen Blätter‹ faßten die Ausführungen Bernhardis als Beweis für die Tatsache auf, daß sich die außenpolitische Linie der Verbandsagitation durchsetzte, hätte doch ein Komm. General z. D. »auf 3 Seiten alldeutsche Gedanken« vorgetragen, »ohne auch nur ein einziges Mal das Wort alldeutsch zu gebrauchen«[46]. Bernhardi selbst kam tatsächlich erst durch die Vermittlung Pohls von der ›Post‹ im Oktober 1912 in engere Verbindung mit dem Alldeutschen Verband, dem er vorher ganz ferngestanden hatte.

Wie für Bernhardi, der wie Claß und Liebert seit 1912/13 zu den ständigen Mitarbeitern der ›Post‹ gehörte, erschien auch diesem freikonservativen Blatt je länger je mehr ein »Krieg« als das einzige Mittel, um die »Gleichberechtigung Deutschlands« durchzusetzen, falls England nicht freiwillig seine »beherrschende Weltstellung« aufgeben wolle (›Post‹ 23. Dezember 1912). Die machtpolitisch akzentuierte Mitteleuropa-Idee wurde ebenso uneingeschränkt bejaht wie eine ausgreifende Kolonialpolitik. Im Frühjahr, im Zusammenhang mit der Agitation für die Wehrvorlage, steigerte sich der deutsche Machtanspruch: Als Ziel jeder »national-imperialistischen Weltpolitik«, betrachtete die ›Post‹ (25. April 1913) die

> »Stärkung unserer mitteleuropäischen Stellung, die endgültige Auseinandersetzung mit Frankreich und England; die Erweiterung unseres Kolonialbesitzes, um dem Überschuß unserer Bevölkerung neue deutsche Wohnsitze zu verschaffen«.

›Das neue Deutschland‹ (18. Oktober 1913), das offizielle Organ der Reichs- und Freikonservativen Partei, verkündete in einer Betrachtung zum Völkerschlachtstag:

> »Heute macht ein Volk sich selber klein, wenn es im Ringen um die Welt zurückbleibt. Draußen, auf anderen Kontinenten, ist noch unermeßlicher Raum für die Tat. Allzulange haben wir Worte gemacht; jetzt müssen wir Taten tun wie 1870, wie 1866, wie in den Tagen der Leipziger Schlacht.«

Ein Krieg erschien dieser Zeitung als »eine geschichtliche Notwendigkeit«. Sie schrieb am 1. August 1914:

---

46 ABl Nr. 13, 30. 3. 12.

»Von Jahr zu Jahr wurde unsere wirtschaftliche Kraft größer, von Jahr zu Jahr streckten wir in frohem Tatendrang unsere Arme weiter aus über die Welt. Man will uns wieder einengen, uns wieder zur kleinen, zerrissenen Kontinentalmacht erniedrigen, will uns ... von allen Seiten zertreten ...«

Gerade in einem und durch einen Krieg erhoffte man die »Erneuerung und Läuterung des deutschen Volkstums«. Der »grimmige Kampf der Klassen und Stände« schien auf diese Weise überwunden werden zu können. So begrüßte man enthusiastisch den Ausbruch des Krieges im August 1914: »Was wir seit vielen Jahren erhofft haben, ist über Nacht Wirklichkeit geworden« (15. August 1914)... In diesen freikonservativ-schwerindustriellen Kreisen wurde die schärfste und aggressivste Form des deutschen Vorkriegsimperialismus vertreten; die Nähe zum alldeutschen Gedankengut war hier am unmittelbarsten gegeben. Bernhardi wurde nicht zufällig als Mitarbeiter für die ›Post‹ gewonnen und Claß schrieb hier mehrfach Artikel; vor allem seine aggressive Rede am Tage der Völkerschlacht wurde von der Zeitung als großer Leitartikel übernommen (18. Oktober 1913). Hier hatte der alldeutsche Führer noch einmal das Glaubensbekenntnis des alldeutschen Nationalismus formuliert: 1871 bedeute nur »einen Abschnitt, ja richtig betrachtet die Einleitung zu der weiteren Zusammenfassung aller Deutschen in Mitteleuropa zu einer Einheit«.

Alldeutsche, Bund der Landwirte und Konservative

Die alldeutsche Mitteleuropa-Ideologie mit ihrer alten pangermanischen Orientierung unter Einschluß Hollands, eventuell auch der Schweiz, war insgesamt sehr viel stärker machtpolitisch-völkisch bestimmt als die primär wirtschaftlich motivierten Zollunionspläne der Industriellen und Bankiers im Hansabund. In diesem Sinne unterschied W. Borgius vom Handelsvertragsverein 1913 bei den Zollvereinsplänen zwischen drei Varianten: 1. »pangermanischer Zollverein, 2. engerer Zollverein Deutschland-Österreich-Ungarn, 3. mitteleuropäischer Zollverein »zwischen sämtlichen europäischen Ländern außer Großbritannien«. Das alldeutsche Programm war insgesamt stärker auf Landnahme im Westen (Frankreich) und im Osten (Rußland) ausgerichtet sowie durch eine spezifische Mittelstandskomponente charakterisiert. Samassa hatte schon 1912 geschrieben: Als »Sicherung für eine weite Zukunft« müsse »Siedlungsland« erworben werden, und zwar für den Mittelstand, der »geradezu der Träger der völkischen Kultur« sei und auch »rassemäßig eine Auslese« bilde [47]. Diese Auffassungen setzten sich verstärkt durch, zumal in der Führungsgruppe um

---

47 Paul Samassa, Volkskraft und Weltmachtpolitik, ABl Nr. 14, 6. 4. 12.

Claß-Gebsattel-Stössel durch, während A. Ritter/Winterstetten zum Bei-spiel Siedlungsland allein in Südwesteuropa und Vorderasien anvisiert hat-te und von einer Landnahme in Rußland Abstand nehmen wollte. Claß, der Führer des ADV, hatte sich in seinem Buch ›Wenn ich der Kaiser wär'‹ schon deutlich genug geäußert. In dieser Programmschrift, die 1912 anonym ver-öffentlicht wurde (unter dem Pseudonym ›Frymann‹) und in der indu-striellen Presse z. T. begeisterte Aufnahme fand, führte Heinrich Claß, der Freund Alfred Hugenbergs, das machtpolitische Programm der im Alldeutschen Verbande führenden Kreise dezidiert und ohne alle Rück-sichten vor [48]. In seinem Kapitel ›Von den Grundzügen deutscher Macht-politik‹ hielt es Claß für »geboten, daß alle am öffentlichen Leben Inter-essierten umdenken lernen und verlangen, *daß wir tätige äußere Politik treiben, sagen wir ruhig aggressive*« (Sperrung i. O.). Marokko 1911 bil-dete auch für Claß den Tag der Besinnung; Deutschland müsse jetzt end-lich bemerken,

> »daß nicht nur im Inland der wirtschaftliche Kampf ums Dasein sich täglich verschärft, sondern daß auch der Absatz nach außen immer schwieriger wird; wir übersehen nicht, daß wir in bezug auf wichtige Rohprodukte vom Auslan-de abhängig sind und Gefahr laufen, eines Tages lahm gelegt zu werden, wenn es dem Ausfuhrstaate so beliebt«.

Wo könne Deutschland Expansionsgebiete finden: »in Europa oder über See« – damit war das alte Dilemma im Verband wieder neu aufgewor-fen, die Frage nach dem Primat der Übersee- oder Kontinentalpolitik. Claß wollte einen Raubkrieg in Europa mit der Möglichkeit, Neuland im Westen wie im Osten zu gewinnen (nach Evakuierung der Bevölkerung) jetzt noch eher reserviert betrachten, wenn er auch die Möglichkeit nicht ganz ausschloß:

> »Einem Verteidigungskrieg in diesem Sinne – als ›Strafe für ruchlosen Über-fall (sic!)‹«, wie er sich ausdrückte – »darf auch ein von deutscher Seite angriffs-weise geführter gleichgeachtet werden (!!!), den wir unternehmen müßten, um den Gegnern zuvorzukommen.«

Schlagender kann die deutsche Präventivkriegsideologie, wie sie ja auch Moltke formulierte, nicht dargetan werden. Hauptstoßrichtung der deut-schen Expansion sei Südosteuropa: Berlin–Bagdad; zu den europäischen Ambitionen müßten die überseeischen treten, aber deutlich von den erste-ren abgesetzt. In Afrika und in Marokko – das machte Claß ganz deut-lich – könne Deutschland dabei nicht auf die Gnade Englands angewie-sen bleiben, dieses müsse vielmehr seine Hegemonie mit Deutschland frei-willig teilen:

---

48 Daniel Frymann, Wenn ich der Kaiser wär'. Von den Grundzügen deutscher Machtpolitik, S. 136 ff.

»In dem Augenblick, wo England die Unhaltbarkeit dieses seines politischen Grundsatzes anerkennt, verschwindet der englisch-deutsche Konflikt, und die *beiden Vettern germanischen Blutes gestalten vereint das Schicksal der Welt.*«

Sollte England hierzu nicht bereit sein, könne die deutsch-englische Frage nicht durch Komiteekundgebungen und Freundschaftsbesuche gelöst werden, »*sondern nur durch Blut und Eisen*« (Hervorhebung i. O.).

Gegenüber Frankreich und Rußland entwarf Claß ein deutliches Programm, denn er rechnete fest mit einem Zusammenstoß mit den verbündeten Mächten. Auch hier meinte er lapidar:

»Das siegreiche deutsche Volk wird fordern müssen, daß die Bedrohung durch Frankreich *endlich und für alle Zeiten aufhört; also muß Frankreich zerschmettert werden;* wir müssen weiter verlangen, daß uns soviel des französischen Bodens abgetreten wird, wie wir zum Zwecke endgültiger Sicherung brauchen . . .«

Hinzu müsse dann noch der Gewinn der französischen Kolonialgebiete kommen. Belgien und die Niederlande seien zudem politisch und wirtschaftlich (bei Aufrechterhaltung der formellen Selbständigkeit) dem Deutschen Reich anzuschließen. Durch den Hinzutritt Österreich-Ungarns wäre dann die deutsche Hegemonie in Mitteleuropa garantiert. Von Rußland werde man nach einem siegreichen Krieg ebenfalls

»Gebietsabtretungen verlangen, die uns eine bessere Grenze und gleichzeitig Siedlungsland gewähren, wobei die Evakuierung sich nicht umgehen lassen wird; für unseren Bundesgenossen wird der Preis darin bestehen, daß ihm für seine Balkanpolitik Bewegungsfreiheit zugestanden wird«.

Hier war am schroffsten der deutsche Anspruch auf Weltmacht und Weltgeltung formuliert, und zwar in einer geistigen Haltung, die das faschistische Gedankengut vorwegnahm. Evakuierung, Lebensraum, rassischvölkische Motivierung, ein alldeutsches Mitteleuropa – alles das stand hier zusammen, und keineswegs vereinzelt und isoliert, wenn auch am aggressivsten formuliert.

Der Alldeutsche Verband spielte lediglich die Rolle einer Speerspitze in der imperialistischen Agitation. Gegenüber den vielfachen Versuchen, die Rolle der Alldeutschen in der Vorkriegszeit herabzuspielen und sie als eine einflußlose Gruppe kleinbürgerlicher Ideologen hinzustellen, muß hier mit allem Nachdruck auf ihre breiten politischen und gesellschaftlichen Beziehungen verwiesen werden. Die Mitglieder des Verbandes entstammten überwiegend dem Bildungs- und Besitzbürgertum; verstärkt kann seit 1910, besonders in den folgenden Jahren, auch ein Einbruch industrieller und großindustrieller Kreise in den Verband festgestellt werden. Aus dem Direktorium des Centralverbandes waren Hugenberg (der Gründer des Verbandes 1891) und Kirdorf Mitglieder des Alldeutschen Verbandes. Über das Verbandsmitglied v. Itzenplitz, Reedereibesitzer in Mülheim, waren Kontakte zu Stinnes, seinem Vetter, gegeben. Beumer, der Geschäftsführer des Langnamvereins und der Nordwestlichen Gruppe des Vereins Deutscher Eisen- und Stahlindustrieller, sowie Hirsch, Syndikus der Hk Essen, waren ebenfalls Mitglieder des Verbandes, ohne jedoch schon wegen ihrer exponierten Stellung öffentlich hervorzutreten. Wichtig waren die Verbindungen zu einflußreichen, meist freikonservativen und rechtsnationalliberalen Zeitungen: zu den ›Hamburger Nachrichten‹, der ›Deutschen Zeitung‹, den ›Berliner Neuesten Nachrichten‹, der ›Deutschen Warte‹, den ›Deutschen Nachrichten‹, vor allem zur ›Rheinisch-Westfälischen Zeitung‹ und zur ›Post‹. Hierher gehören auch die ›Danziger Neuesten Nachrichten‹, dann auch vor allem die auflagenstarken Blätter wie die ›Tägliche Rundschau‹ und die ›Leipziger Neuesten Nachrichten‹. In der letzteren spielte Paul Liman, der publizistische Adlatus des Kronprinzen, eine wichtige Rolle.

Winterstettens Programmschrift (die bis 1914 allein 7 Auflagen erlebte), Bernhardis Schriften ›Deutschland und der nächste Krieg‹ und ›Unsere Zukunft‹, Claß' Forderungen in seinem Buch ›Wenn ich der Käser wär'‹ (das bis zum Frühjahr 1914 5 Auflagen [20 000 Exemplare]) erlebte, illustrierten insgesamt die wachsende Kraft des imperialistischen Gedankens. Die Agitation des Wehrvereins, die Versammlungstätigkeit des ADV trugen noch zur Popularisierung des deutschen Anspruchs auf Weltmacht und Weltgeltung in breiten großbürgerlichen und kleinbürgerlichen Schichten bei. Vor allem die Tagung der Alldeutschen im September 1913 in Breslau war eine geschlossene Demonstration der nationalen Verbände für eine entschiedene Machtpolitik des Reiches nach außen. Das Motto, unter dem die Tagung stand, hieß: Wir wollen nicht entsagen! In seinem Hauptreferat führte Claß aus [49]:

> »Wofür die ungeheuren Opfer für Heer und Flotte, wenn wir nichts wollen und nichts erreichen? ... Diese Frage kann die Regierung eigentlich nicht mißverstehen. Unsere Flotte ist so stark, daß England sich vor ihr hüten muß. Unser Heer wird jetzt wieder auf die Höhe seiner Leistungsfähigkeit gebracht. Und da sollen wir eine Politik der Entsagung betreiben? Der Hunger nach Land drückt unserer Zeit den Stempel auf. Er will und muß befriedigt werden.«

Diese entscheidende Demonstration wurde unterstützt von den Vertretern der bekanntesten nationalen Verbände und fand in der Öffentlichkeit einen so breiten Nachhall, daß der Kronprinz, beeindruckt von der geschlossenen Demonstration nationalen Wollens, dem Vorstandsmitglied

---

49 ABl Nr. 37, 13. 9. 13, Durch Abordnungen waren auf diesem Verbandstag folgende Vereinigungen vertreten: Flottenverein, Wehrverein, Verein f. Deutschtum im Ausland (VDA), Verein Dt. Studenten (VDST), Dt. Nat. Handlungsgehilfenverband (DNHV), Ostmarkenverein (HKT-Verein), Evgl. Arbeiterbund, Verband Dt. Burschenschaftler u. a.

der Hauptleitung, Generalleutnant z. D. v. Liebert, seine persönliche Anerkennung über den Verlauf der Tagung telegraphisch mitteilte[50].

Die Jahrhundertfeiern zur Völkerschlacht bei Leipzig im Oktober boten Claß einen erneuten Anlaß, das expansionistische Programm des Verbandes und seiner politischen Freunde eindeutig zu formulieren. Auf einer Kundgebung, die neben den offiziellen Feiern abgehalten wurde, hielt Claß die Festrede, in der er ausführte[51]:

»Da lautet unser Leitwort: Mit dem Tag von Versailles ist die Entwicklung der Deutschen nicht abgeschlossen, er bedeutet nur einen Abschnitt, ja richtig betrachtet die Einleitung zu der weiteren Zusammenfassung aller Deutschen in Mitteleuropa zu einer Einheit, die sie befähigt, allen Stürmen der Zukunft zu trotzen. Das ist ein Hochziel – seine Verwirklichung ist nach unserer Überzeugung ebenso sehr politische Notwendigkeit, wie sie der geschichtlichen Gerechtigkeit entspräche...«

Mit vollem Recht konnten die ›Alldeutschen Blätter‹ am 20. September 1913 in Breslau schreiben:

»... die Früchte von so manchem vor langer Zeit unter Mühen gesenkten Keimen sehen wir dicht vor der Reife stehen — diese Erkenntnis brachte uns die Tagfahrt nach Osten... Wir kommen vorwärts, wir setzen uns durch... Die Erkenntnis, daß die Ziele, die wir dem deutschen Volk gesteckt sehen wollen, die wahren, die Wege, auf denen wir die Deutschen zu diesen Zielen führen wollen, die rechten sind, wächst zusehends.«

Aber nicht nur das imperialistische Großbürgertum – wobei Kehrs These gilt: »Kapitalismus, Industrie und moderne Machtpolitik sind sehr viel enger miteinander verbunden als Landwirtschaft und Imperialismus«[52] – sondern auch die preußischen Agrarier, seit dem Frühjahr 1913 bereits lose mit den Führungsgremien des ADV in Verbindung stehend, unterstützten den neuen Imperialismus. So griff der konservative ›Reichsbote‹ am 7. Juni 1912 das Buch des konservativen Publizisten Wolfgang Eisenhart ›Patriotische Sorgen und Hoffnungen‹ in einer ausführlichen Einzelbesprechung auf und identifizierte sich mit seiner Forderung, daß das Deutsche Reich gezwungen sei, »sich auszudehnen, es ist hinausgewachsen über seine engen Grenzen, es braucht Neuland«. Eine »konsequente Machtsteigerung« erschien als »Vorbedingung jeder künftigen auswärtigen Politik im großen Stile«. Bereits Anfang 1913 verurteilte die gleiche Zeitung (7. Januar 1913) das »Hangen und Bangen nach Frieden um jeden Preis«, das sie vor allem in der »Hochfinanz«, aber auch in »breitesten Volksschichten« glaubte vorfinden zu können. Im Sommer 1913 schlossen ADV und BdL dann ein förmliches Bündnis, und zwar im Sinne einer Art Ar-

50 Claß, Wider den Strom, S. 279.
51 ABl Nr. 42, 18. 10. 13.
52 Eckart Kehr, Schlachtflottenbau und Parteipolitik, S. 247.

beitsteilung zwischen beiden Verbänden dergestalt, daß in Fragen der äußeren Politik die Taktik der Agrarier mit der des ADV abgestimmt werden sollte [53]. Über den wirtschaftlichen Interessenverband der Großlandwirtschaft fand die alldeutsche Programmatik allmählich Eingang in die Reihen der Deutschkonservativen Partei.

Diese Entwicklung zeigt deutlich ein Leitartikel im deutschen konservativen ›Reichsboten‹ vom 14. März 1913, das heißt einem Organ, das seit 1911 unmittelbar mit der Partei verzahnt war. Angesichts der Diskussion um die Wehrvorlage hieß es hier in einem Leitartikel, den das Blatt als »Zuschrift«... kommentarlos veröffentlichte:

> »... so ist jeder deutsche Krieg der Zukunft ein Rassenkrieg, ein Kampf um rassisch-völkische Macht und Selbständigkeit, um Boden für slawische oder germanische Siedlung.«

Freilich würde das Deutsche Reich einen solchen Krieg erst dann führen, wenn die »Besiedlung im *eigenen* Lande zum Abschluß gelangt ist«. Dann jedoch sei bei einem siegreichen Krieg die »Hinzunahme einiger Landstriche« Frankreichs, schon aus strategischen Gründen, geboten, ebenso wie das »Auskaufen und die Aufnahme aller Bewohner dieser Landstriche, die nicht auf Grund ihrer geschichtlich-deutschen Abstammung deutsche Bürger werden wollen«; denn nicht in der »Beherrschung oder Ausbeutung der Nachbarn, sondern in der Besiedelung möglichst großer, geschlossener Gebiete liegt die Zukunft der Völker«.

Seit dem alldeutschen Verbandstag im September 1913 verbesserte sich tatsächlich das Verhältnis zwischen Partei und Alldeutschem Verband immer mehr, zumal nachdem der BdL eine Lanze für die alldeutschen Führer gebrochen hatte. Nach Meinung Wangenheims seien diese »verständige Elemente«: »Class macht einen sehr guten Eindruck und ist anscheinend allen nationalen Extravaganzen abgeneigt...[54]« So konnte auch Claß erfreut seinem Gesinnungsfreund Gebsattel Ende September 1913 mitteilen: »Das Schweigen über den ADV erkläre ich mir auch aus dem Mißtrauen gegen uns, das gerade bei den Konservativen tief sitzt, jetzt aber schnell schwinden wird. Breslau hat in dieser Richtung ausgezeichnet gewirkt.[55]« Wie bereits 1897 begegneten zwar die Wortführer der Agrarier einer kapitalistisch-industriellen Weltpolitik schon aus ökonomischen Gründen mit Zurückhaltung; jetzt, da ihre eigene soziale Machtstellung bedroht zu sein schien, unterstützten sie den neuen Imperialismus bereitwillig als Moment der Ablenkung von den inneren Schwierigkeiten. Am 15. November 1913 fand eine neuerliche Besprechung mit den Führern des

---

53 DZA I, ADV 480; ADV 90, Bl. 12–16.
54 DZA I, NL Wangenheim, Nr. 8, Bl. 51, Wangenheim an Roesicke, 27. 6. 13.
55 DZA I, NL Gebsattel, Nr. 1, Bl. 45, Claß an Gebsattel, 23. 9. 13.

BdL statt; Claß teilte als Ergebnis dem Geschäftsführenden Ausschuß mit, der BdL habe sich bereit erklärt, »zu großen Fragen der auswärtigen Politik erst nach Rücksprache mit uns Stellung zu nehmen. Im übrigen wurde vereinbart, die Zusammenkünfte fortzusetzen.«

Im Zuge dieser Annäherung – wobei Konservative wie Fürst Salm-Horstmar (Agitator im Flottenverein) und der Admiral v. Grumme-Douglas (Hapag) die Verbindung zum 50er-Ausschuß der Deutschkonservativen Partei schufen – setzte sich auch in der konservativen Presse eine verschärfte Tonart durch. Der ›Reichsbote‹ forderte am 5. November 1913 die eigene Partei auf, sie solle, wenn es nötig wäre, auch »Kritik an der Regierung üben und das Volk aufklären«. In diesem Sinne müsse man die Marokkorede Heydebrands von November 1911 »mit großer Freude… begrüßen«: Aller »Gouvernementalismus« könne nicht darüber hinwegtäuschen, daß die außenpolitische Entwicklung seit 1890 der Kritik bedürfe. Als machtpolitisches Programm forderte die Zeitung: 1. ein besseres Verhältnis zu Rußland im Sinne Bismarckscher Politik. 2. Verständigung mit Rußland und Österreich/Italien über die Türkei für den Fall ihrer Aufteilung. 3. die natürliche Richtung der »deutschen Expansion« weise nach dem »Oriente«. 4. das Deutsche Reich müsse verhindern, daß die »europäischen *Mittel*staaten mit germanischer Bevölkerung in Abhängigkeit von der gegen uns gerichteten Triple-Entente geraten«. Das gelte vor allem von Holland und den beiden skandinavischen Reichen, und es sei dahin zu wirken, »daß diese germanischen Länder politischen Anschluß bei Deutschland und seinen Verbündeten suchen« – schon Treitschke hätte eine Zollunion mit Holland als erstrebenswert bezeichnet. Ebenso müßten sich die Balkanstaaten dem »mitteleuropäischen großen Bündnis anschließen, soweit dies ohne Brüskierung Rußlands geschehen kann«. Konservative Politik müsse es in Zukunft sein, die Machtstellung des Reiches in Mitteleuropa so zu stärken, daß es so »unangreifbar« wie möglich dasteht.

Unschwer sind in diesem Programm die alldeutsch-völkisch bestimmten Mitteleuropa- und Berlin–Bagdad-Ideologien zu fassen. Doch auch die anderen nationalpolitischen Verbände übernahmen mehr und mehr alldeutsches Gedankengut. Das gilt vornehmlich auch für den Wehrverein. So forderte der Vorstand seiner Presseabteilung, Müller-Brandenburg, bereits im Sommer 1912 einen »Dreibund der nordischen Länder Dänemark, Schweden und Norwegen unter gleichzeitigem Bündnis dieser drei Staaten mit dem Deutschen Reiche«, zu dem noch Österreich hinzutreten müsse, und zwar als »Weg zur Verwirklichung der *germanischen Weltherrschaft*« [56]. Mit all dem wurden diese Ideologien in breiteste Kreise

---

56 PAR, Heft 5, 1912, S. 255 ff. Der Aufsatz erschien gleichzeitig im konservativen ›Reichsboten‹.

getragen. Auch wenn sich in Selbstverständnis und Aktion, in der Form der Argumentation deutliche Unterschiede feststellen lassen, so war doch der Impetus all dieser Anschauungen das Gefühl, das Deutsche Reich sei keineswegs saturiert, es müsse sich vielmehr ausdehnen und seine mitteleuropäische Stellung festigen und ausbauen. Diese Einschätzung bestätigt auch eine Auslassung der ›Allg. Evangel. Luther. Kirchenzeitung‹ vom Juni 1913 [57]:

> »Seit Jahrzehnten jammern wir Deutsche, die Welt sei verteilt und wir seien eben zu spät gekommen, aber davon ist kein Wort wahr. Die Welt wird immer noch verteilt, und wir stehen immer wieder mit offenen Mäulern dabei... Eine Diplomatie, die, während buchstäblich alle europäischen Großmächte wachsen, selber nichts Erkleckliches einzuheimsen weiß, taugt nichts... Unser Volk wird dabei nachgerade nervös! Das ganze Volk, nicht etwa nur die ›Alldeutschen‹. Die Alldeutschen waren ein Konventikel. Wer ist aber heute nicht alldeutsch in dem Sinne, daß er mehr Ellbogen für unsere Nation wünscht?«

Im November 1913 sprach die gleiche Zeitung offen aus, daß der »Wille aller Völker... zum Kriege« dränge, weil sie alle (!) die Überzeugung hätten, daß die »europäische Landkarte nicht mehr den tatsächlichen Machtverhältnissen entspricht«.

Bereits Ende 1912 hatte die Zeitung deutlich gemacht, daß es keineswegs nur die Alldeutschen seien, die die Tatsache, daß Deutschland nichts erworben hatte, bitter empfände: »denn in der Tat gärt es in allen gebildeten Schichten des Volkes von rechts bis weit nach links... Nur die ›Internationalen‹ bei uns stellen sich auch hier außerhalb des Volksempfindens«.

Die Sozialdemokratie

Außerhalb dieser imperialistischen Tendenzen stand zunächst allein die deutsche Sozialdemokratie. Sie hatte sich seit der offiziellen Inaugurierung der Weltpolitik 1897 mehrfach scharf gegen diese Politik ausgesprochen, in der man – außer der Gefahr möglicher kriegerischer Verwicklungen – vor allem auch die Taktik vermutete, »soziale Reformen im Internen (zu) verhindern« [58]. Auf dieser Linie operierte die Parteiführung auch in der Folgezeit; insgesamt jedoch kann man seit spätestens 1905 in der Argumentation des Gewerkschaftsflügels und der Revisionisten eine gewisse Akzentverschiebung konstatieren. In dem Maße nämlich, in dem die Partei und vor allem die eng mit ihr verbundenen Gewerkschaften die

---

57 AELKZ Nr. 23, 6. 6. 13, Sp. 547; die anschließenden Zitate vgl. Nr. 45, 7. 11. 13, Sp. 1074; Nr. 47, 22. 11. 13, Sp. 1120.
58 Dokumente und Materialien zur Geschichte der deutschen Arbeiterbewegung, Reihe II, Bd. 4, S. 51.

ökonomische Entwicklung des Reiches unmittelbar mit der eigenen sozialen Situation verknüpften, d. h. die Besserung der wirtschaftlichen Situation der Arbeiter als Folge der Machtsteigerung des Reiches betrachteten, kam sie auch zu einer gewissen Solidarisierung mit der geschmähten ›Weltpolitik‹. Dieser gewandelte Bezugspunkt wurde um so deutlicher, je mehr es den Gewerkschaften gelang, ihre Vorstellungen in der Partei zur Geltung zu bringen, ein Prozeß, der seit 1906 ganz augenfällig wurde. So erklärte der Wirtschaftstheoretiker R. Calwer, der dem rechten Flügel zuzuordnen ist, nach Vorstößen 1900 und 1901, 1905 in den ›Soz. Monatsheften‹ [59], daß das Deutsche Reich auf die »Erweiterung seines Wirtschaftsgebietes« nicht verzichten könne: »Deutschland kann nicht nur als politisch maßgebendes Land abdanken, sondern es geht auch wirtschaftlich zurück, und damit ist gleichzeitig die Lage der Arbeiterbevölkerung bedroht: gewerbliche Stagnation läßt keine Hebung der Lage der Arbeiter zu.« Calwer sprach sich für die Errichtung eines »einheitlichen Wirtschaftsgebietes« in Europa aus, und zwar unter Ausschluß Englands und Rußlands, da das Deutsche Reich sich hier allein den »großen Markt, den es außerhalb Europas nicht finden kann«, schaffen könne. Gerade die deutsche Arbeiterschaft müsse auch auf die Verwirklichung dieses Ziels hinarbeiten. Wenn auch diese Vorstellungen Calwers von der Parteiführung und den Zentristen nicht geteilt wurden, so stehen seine Überlegungen doch stellvertretend für Strömungen innerhalb der Partei, die eine Expansion schlechthin nicht verurteilen wollten. Der Wahlaufruf der Reichstagsfraktion vom 14. Dezember 1906 – wahrscheinlich nicht unbeeinflußt von der Propaganda der »nationalen« Parteien (Hottentotten-Wahlen 1907!) – wandte sich erstmalig nicht mehr prinzipiell gegen eine deutsche Kolonialpolitik. Hauptargument der ablehnenden Stellungnahme war das Argument, daß diese keine »Stärkung, sondern eine Schwächung Deutschlands« [60] bedeute. Insgesamt trat die Partei für eine Politik ein, die nur noch die Methoden der Ausbeutung unterentwickelter Länder und die Bereicherung privilegierter Schichten auf Kosten dieser Völker ablehnte. Der zentristische Flügel (Kautsky) wandte sich bereits 1907 pointiert gegen den »neuen Gedanken« einer »sozialistischen Kolonialpolitik« [61], und vollends der äußerst linke Parteiflügel lehnte weiterhin jede koloniale Expansion als unvereinbar mit dem Programm des Sozialismus ab. Der wachsende Niederschlag jener Ideen innerhalb der Partei selbst konnte freilich nicht gebremst werden.

Gerhard Hildebrands Programmschrift ›Sozialistische Auslandspolitik‹, veröffentlicht auf dem Höhepunkt der Marokkokrise, wollte

---

59 SMH Nr. 9, 1905, S. 745.
60 Dokumente und Materialien, Reihe II, Bd. 4, S. 203.
61 Ibid. S. 218 ff.

»von neuem für den Gedanken werben, daß auch vom sozialistischen Standpunkt aus die Sicherung kolonialer Domänen eine aktuelle wirtschaftliche Notwendigkeit wie für die übrigen westeuropäischen Industriestaaten so für Deutschland geworden ist, und daß... wir Deutschen als die gegenüber Frankreich und England stark Benachteiligten, als die von Frankreich und England Jahrzehnte hindurch Zurückgedrängten im Notfall einmütig für die Durchsetzung der dauernden Lebensinteressen unseres Volkes einzustehen haben.[62]«

Hildebrand, der wegen dieser Schrift aus der Partei ausgeschlossen wurde, nahm hier die Vorstellungen wieder auf, die Richard Calwer und Max Schippel, um nur die wichtigsten Repräsentanten zu nennen, wiederholt ausgesprochen hatten. Mit Schärfe beklagte Hildebrand die Tatsache, daß das Deutsche Reich in den 40 Jahren seiner staatlichen Existenz nicht vermocht hatte, seinen kolonialen Besitz entscheidend zu vergrößern, ebensowenig wie der gesamte Dreibund als Ganzes. Das klang wie der »Aufstand« der jungen Mächte gegen die alten, etablierten, und es überrascht daher nicht, daß Hildebrand als Nahziel eine »sozialistische« Mitteleuropa-Konzeption unter Führung des Deutschen Reiches propagierte, da eine solche allein die Basis für eine Kolonialpolitik großen Stils abgeben könne, weil lediglich ein mitteleuropäischer Block den nötigen wirtschaftlichen und politischen Rückhalt für derlei Aspirationen böte:

»Das sozialistische Verfahren ist..., die Lage und Bedürfnisse aller Einzelglieder der westeuropäischen Staatengemeinschaft zur Kenntnis und zur Anerkennung zu bringen, und das heißt in diesem Fall, den Anspruch der Dreibundmächte auf Gleichberechtigung zu vertreten. Gewiß ließe sich auch eine andere und radikalere Regelung der Verhältnisse denken: *Die Zollunion der westeuropäischen Staatengemeinschaft.* Käme diese Zollunion zustande, dann wären nicht nur die kolonialen, sondern auch viele andere Schwierigkeiten beseitigt ... *Die westeuropäische Zollunion wäre eine weltgeschichtliche Neubildung allerersten Ranges und von allergrößter Tragweite.*«

Diese Politik zu propagieren, müsse geradezu Pflicht der Arbeiterklassen sein: »Wir sind es der Zukunft unseres Volkes, der Zukunft unserer Kinder schuldig...«

Der rechte Parteiflügel und die Gewerkschaften unterstützten die Notwendigkeit einer »sozialistischen Auslandspolitik« auch weiterhin, auch wenn sich der Parteivorstand in der Marokkokrise noch einmal auf den Standpunkt zurückgezogen hatte, die Sozialdemokratie sei eine »konsequente Gegnerin des Imperialismus... Neue Kolonien würden nur neue Lasten und Gefahren für das deutsche Volk bringen.« So lautete der Aufruf vom 8. August 1911, der gegen die deutsche Marokkopolitik Stellung bezog, und auch das Flugblatt von Mitte August, das von Kautsky im Auftrage des Parteivorstandes geschrieben war: ›Weltpolitik, Weltkrieg und

---

62 Gerhard Hildebrand, Sozialistische Auslandspolitik, Betrachtungen über die weltpolitische Lage anläßlich des Marokko-Streites, Jena 1912, Vorwort S. IV, die folgenden Zitate S. 62 f.

Sozialdemokratie.[63]‹ Jedoch vermißte der äußerste linke Flügel an dem Kautsky-Flugblatt bereits, daß hier die »Weltpolitik« nicht als »ein gesetzmäßiges Produkt der kapitalistischen Entwicklung« – wie Rosa Luxemburg in ›Unser Marokkoflugblatt‹ monierte – gekennzeichnet worden sei; statt dessen habe man sich auf die »ethische« Verurteilung der Kriege zurückgezogen und den »bornierten Krämerstandpunkt: Uns Arbeitern blüht kein Geschäft aus der Weltpolitik« proklamiert.

Zumindest soviel war bei diesen Auseinandersetzungen deutlich geworden: Operierte der schwache linke Flügel in der Partei um Rosa Luxemburg, Karl Liebknecht, Georg Ledebour, Clara Zetkin weiterhin mit dem Hinweis, Weltpolitik und internationaler Kapitalismus seien untrennbar miteinander verknüpft, so versuchte die Parteimitte und vollends der rechte Flügel seit 1911 stärker »nationale« Gesichtspunkte zur Geltung zu bringen, zumindest in dem Sinne, daß das Phänomen der Weltpolitik auch im Zusammenhang mit der nationalstaatlichen Entwicklung, insbesondere mit dem Gegensatz Deutschland–England, gesehen und gewürdigt werden müsse. Der offizielle Wahlaufruf der Partei vom 5. Dezember 1911 verurteilte zwar wiederum deklamatorisch die »Unterjochung und Ausbeutung fremder Völker durch die Mittel der Kolonialpolitik«[64], legte aber im übrigen den Akzent auf die Notwendigkeit inner- und vor allem sozialpolitischer Reformen. So protestierte die Partei in einem Flugblatt »Die erste ›Tat‹ der Regierung nach den Reichstagswahlen!« vom März 1912 gegen die Rüstungspolitik und wandte sich gegen die Kriegstreiberei des Wehrvereins und der Alldeutschen. Im September erneuerte der Parteitag (15.–21. September 1912 in Chemnitz) in einer Resolution gegen den Imperialismus sein Bekenntnis, es gelte, auf das nachdrücklichste »imperialistische und chauvinistische Bestrebungen« zu bekämpfen. Doch war nicht zu verkennen, daß die »nationalen« Gesichtspunkte in der Folgezeit immer stärker das Selbstverständnis in der Partei prägten. Wenn auch die Partei seit der Marokkokrise in Aufrufen und Resolutionen gegen die imperialistische Agitation ankämpfte, wenn die Parteilinke Deutschland als »Emporkömmling des Imperialismus« und als hauptverantwortlich für die wachsende Kriegsgefahr hinstellte, so betonten umgekehrt der rechte Flügel und die breite Parteimitte die Notwendigkeit, in einem Angriffskrieg – zumal, wenn er von Rußland, diesem »Blut- und Raubregiment« ausgehe[65] – das Deutsche Reich zu schützen. Der Jenaer Parteitag vom September 1913 zog es vor, das Imperialismus-Problem zu übergehen, was sofort die Kritik des linken Flügels herausforderte. Der Bericht der Reichs-

63 Dokumente und Materialien, Reihe II, Bd. 4, S. 356 ff., vgl. auch zum folgenden ibid. S. 162 f.
64 Ibid. S. 393; Flugblatt vom März 1912, ibid. S. 403 ff.; Resolution des Parteitages gegen den Imperialismus, ibid. S. 420 ff.
65 Abg. David im RT Bd. 286, S. 2507 ff., 3. 12. 12.

tagsfraktion an den Parteitag [66] unterstrich lediglich den grundsätzlichen Friedenswillen der deutschen Sozialdemokratie und skizzierte das Verhältnis zu Rußland folgendermaßen: »Die etwaigen Gegensätze zwischen Germanentum und Slawentum würden durch unsere Ostmarkenpolitik genährt.«

Der Gewerkschaftsflügel und der rechte Flügel um die ›Sozialistischen Monatshefte‹ gerieten zusehends in den Bann der breiten imperialistischen Strömung im bürgerlichen Lager. Max Schippel hatte schon im Oktober 1912 die Idee Calwers aus dem Jahre 1905 aufgegriffen, wenn er die Imperialismus-Resolution des Chemnitzer Parteitages in den »Sozialistischen Monatsheften« kritisierte:

> »Wird der anschwellende Massenbedarf, den wir alle von der Überführung der heutigen europäischen Produktion in Arbeiterleitung erhoffen, die kommenden großen europäischen Arbeiterstaaten oder das kommende große vereinigte Arbeitereuropa nicht gerade zwingen, noch viel weiter und noch viel tiefer nach den unentbehrlichen überseeischen Produktionsgebieten hinüberzugreifen? [67]«

Schippel interpretiert 1913 den Imperialismus als die »schöpferische Kraft, ... dem geheimnisvoll waltenden Geist der Erde gleich«, und Ludwig Quessel zog sich Mitte 1913 auf den Glaubenssatz zurück: »Der Sozialismus kann den imperialistischen Geist, der, gewaltig wie das Schicksal selbst, über die Erde dahin schreitet, nicht mit Schlagworten abtun.« Diese Anerkennung des Imperialismus fand sich in einem Artikel mit dem programmatischen Titel: »Auf dem Wege zum Weltreich.[68]« Es überrascht nicht, daß Quessels Bekenntnis sofort von linksnationalliberaler Seite zustimmend aufgegriffen wurde; die ›Jungliberalen Blätter‹ sprachen davon, es lasse »eine glänzendere Rechtfertigung des Imperialismus aus sozialistischer Feder ... sich kaum denken« [69]. Quessel hatte nämlich weiter darauf aufmerksam gemacht, daß das von Deutschland bisher vertretene Prinzip der »offenen Tür« für Handel und Industrie nicht sehr nutzbringend sei, bedeute es doch zugleich Konkurrenz und niedrige Preise, das gegenteilige Prinzip der Einflußsphäre hingegen Monopol und hohen Gewinn. Mit dieser Argumentation, die davon ausging, daß es in den unter englischer oder französischer Herrschaft stehenden Gebieten keine »offene Tür« mehr gäbe, bewegte sich Quessel durchaus auf der Linie der deutschen Exportindustriellen und des Hansabundes. Es überrascht nicht, daß derselbe Autor sich im Mai 1914 durchaus auf den Standpunkt Rathenaus und der Nationalliberalen stellte, die den deutschen »bürokratischen Imperialismus« für

66 Protokoll des Parteitages 1913, S. 106.
67 SMH 17. 10. 12, S. 1275 f.
68 SMH 12. 6. 13, S. 656.
69 JlBll 1. 7. 13, S. 136.

zu schwerfällig hielten. Quessel wollte durchaus den »liberal-pazifistischen Imperialismus der Westmächte« als verpflichtendes Modell für Deutschland adaptieren, im Sinne der Devise »Weltpolitik ohne Krieg«, sowie der Parlamentarisierung im Innern.[70] Damit operierte diese Gruppe weitgehend auf der Linie der sogenannten liberalen Imperialisten.

Der Krieg als Retter vor Demokratie und Sozialismus

Für Bernhardi, die Alldeutschen und einen Teil der schwerindustriellen Presse war zunehmend klar: nur durch einen Krieg könne das Deutsche Reich den Durchbruch zur Weltmacht endgültig erzwingen. Hinzu kam die in alldeutschen und konservativen Kreisen sich festigende Überzeugung, ein siegreicher Krieg würde auch die innerpolitische Krise überwinden helfen. In diesem Sinne schrieb Gebsattel am 10. Juni 1913 an Claß: »Ich ersehne den erlösenden Krieg.[71]« Ebenso hatten Claß in seinem Kaiserbuch, Bernhardi in ›Deutschland und der nächste Krieg‹ und alldeutsche Ideologen wie Schmidt-Gibichenfels in der Schrift ›Der Krieg als Kulturfaktor, als Schöpfer und Erhalter der Staaten‹ (Berlin 1912) argumentiert. Die gleiche Überzeugung war auch 1913 in den Kreisen der Großindustrie und der Arbeitgeberverbände verstärkt anzutreffen. Für F. Kuh, den Redakteur der ›Deutschen Arbeitgeberzeitung‹ (9. Februar 1913), erschien der Krieg im Februar 1913 nicht nur als Zerstörer, sondern auch als »Retter«, als das manchmal »einzig mögliche Mittel der Heilung vorhandener Krankheiten«.

Die Auffassung des Krieges als eines inneren »Läuterungsprozesses« war aber nicht auf die Alldeutschen, Bernhardi und die Konservativen beschränkt. Die ›All. Evang.-Luther. Kirchenzeitung‹ [72] hatte bereits im November 1911 geschrieben, daß ein Volk »große Prüfungen« brauche, um nicht in »wachsendem Materialismus«, »Genußsucht« und »Schlemmerei« zu versinken. An sich entsprachen solche Klagen der breiten kulturpessimistischen Strömung der Zeit; eine aggressive Komponente erhielten sie dadurch, daß die Kirchenzeitung es als »sittliche Anarchie« bewertete, wenn immer weitere bürgerliche Schichten mit der Sozialdemokratie paktierten. Die Charakterisierung des Krieges als »Gottesgericht« verdeckte nur schlecht die Tatsache, daß man von einem Krieg zuallererst auch eine »Gesundung« der innerpolitischen Krise erwartete, und zwar im Sinne einer Nationalisierung und »Bekehrung« der Sozialdemokratie.

---

70 Quessel, Das parlamentarische Regierungsproblem und der Imperialismus, in SMH 7. 5. 14, S. 546 ff.
71 DZA I, NL Gebsattel Nr. 1, Bl. 16, Gebsattel an Claß, 10. 6. 13.
72 Vgl. für die folgenden Zitate: AELKZ, Nr. 45, 10. 11. 11, Sp. 1074 f.; Nr. 44, 1. 12. 12, Sp. 1051; Nr. 45, 7. 11. 13, Sp. 1074; Nr. 23, 5. 6. 14, Sp. 546; Nr. 25, 19. 6. 14, Sp. 592.

Von hierher bezog die »lutherische Freudigkeit am Krieg« einen wesentlichen Teil ihres Selbstverständnisses; zwar sollte die deutsche Politik »Krisen nicht künstlich herbeiführen, aber schon jeder Arzt weiß, daß sie notwendig sind, wenn der Organismus eine Krankheit loswerden soll«! Am 19. Juni 1914 rechnete man an der gleichen Stelle bereits mit einem »Weltkrieg«. Überhaupt wurde der Krieg – vornehmlich in den Kreisen der Militärs und der Oberlehrer – keineswegs als der gewaltige Zerstörer empfunden, im Gegenteil. Dies bezeugen die Beiträge in dem Band ›Die Technik des Kriegswesens‹ in der Sammelreihe ›Die Kultur der Gegenwart‹ (hrsg. von Paul Hinneberg). Generalleutnant August von Janson besprach das Werk im Juni 1913 in der renommierten ›Deutschen Literaturzeitung‹ [73] sehr lobend und vergaß nicht, auf den »prächtigen Optimismus« der Verfasser (Generäle, Marinebauräte, Direktoren der Militärtechnischen Akademie) hinzuweisen. Die Tatsache, daß der Herausgeber, Generalmajor Schwarte, im Krieg »einen der markantesten Faktoren der Kultur der Gegenwart« erkenne, und diese Bewertung in überzeugender Weise »an der Spitze der von ihm verfaßten Abschnitte ›Kriegsvorbereitung, Kriegsrüstung‹ begründet habe, registrierte Janson als eine »höchst bemerkenswerte und bedeutsame Tatsache in einer Zeit idealer Friedensbewegung und gleichzeitig des anarchistisch gefärbten Antimilitarismus«.

Der Kronprinz und die Fronde

Ganz im Zeichen dieser Überzeugungen stand auch das Vorwort des Kronprinzen zu dem Buch ›Deutschland in Waffen‹, das – nach einer Formulierung des ›Reichsboten‹ – die »neue kriegerische Weltanschauung« propagierte [74]. Er widmete das Buch der gesamten wehrfähigen Bevölkerung, jedem Mann, der »gesonnen ist, für die Ehre und Großmachtstellung des Vaterlandes mit der Waffe in der Hand seine Kraft und sein Leben freudig einzusetzen«. »Schlecht geschützt durch seine ungünstigen geographischen Grenzen, im Zentrum Europas gelegen, nicht von allen Nationen mit Liebe beobachtet«, habe nämlich das Deutsche Reich vor allen anderen Völkern der Erde die

> »heilige Pflicht, Heer und Flotte stets auf der größten Höhe der Schlagfertigkeit zu erhalten. Nur so, auf das gute Schwert gestützt, können wir den Platz an der Sonne erhalten, der uns zusteht, aber nicht freiwillig eingeräumt wird«.

Die allgemeine Wehrpflicht und die stete Kriegsbereitschaft wurden allen

---

73 DLZ, Nr. 23, 7. 6. 13, Sp. 1413 ff.
74 Deutschland in Waffen, Vorwort des Kronprinzen; Die folgenden Zitate bei: Paul Liman, Der Kronprinz, Minden 1914, S. 95 ff.

»weltfremden« Theorien internationaler Verständigung und internationaler Friedenskonferenzen als höhere Lebenswerte entgegengesetzt. Wenn auch die Pflicht der Diplomatie zum temporären Ausgleich der Konflikte nicht geleugnet wurde »und in der ernsten Entscheidung alle Berufenen ihrer ungeheueren Verantwortung voll bewußt sein« müßten, so werde doch »der Riesenbrand, einmal entfacht, nicht mehr so leicht und rasch erstickt werden« können. Aber wie der Blitz ein Spannungsausgleich zweier verschieden geladener Luftschichten sei, so wird das Schwert bis zum Untergange der Welt immer der letzten Endes ausschlaggebende Faktor sein und bleiben. Deshalb müsse jeder Mann alle Fähigkeiten zur höchsten Anspannung bringen, um vorbereitet zu sein »auf die ernste große Stunde, da der Kaiser zur Fahne ruft«, beseelt von »jenem ›Willen zum Siege‹, der doch niemals in der Geschichte erfolglos gewesen« sei. Luther und Fichte wurden zitiert, um dies zu bekräftigen. Krönender Abschluß des Vorwortes war die Schilderung einer Reiterattacke, die einen der Kameraden in den Ruf ausbrechen läßt: »Donnerwetter, wenn das doch Ernst wäre! ... Reitergeist! Alle, die rechte Soldaten sind, müssen's fühlen und wissen: Dulce et decorum est pro patria mori.«

Das Kronprinzenbuch ›Deutschland in Waffen‹ fand in der alldeutschen und konservativen Presse großes Lob. Kennzeichnend hierfür ist der Aufsatz des ›Reichsboten‹ (8. Mai 1913) »Oderint dum metuant«, der das mannhafte Eintreten des Kronprinzen für eine Politik, die nicht nur »Frieden, Frieden um jeden Preis« gemäß den großkapitalistischen Handelsinteressen erstrebe, begrüßte und gleichzeitig scharf gegen die Rede Lichnowskys vom 12. April 1913 auf dem Festessen der englischen Vereinigung der Handelskammern in London Stellung nahm, wo dieser die völkerverbindende Rolle des Handels gefeiert hatte. In Wirklichkeit sei eine »kräftige auswärtige Politik, gestützt auf Heer und Flotte, auch die beste Handelspolitik«. Aber nicht nur die nationalistische Presse stimmte in diesen Ruf ein; auf dem Verbandstag des Deutschnationalen Handlungsgehilfenverbandes im Juni 1913 [75] bejahte der Verbandsvorsitzende Bechly uneingeschränkt das Bekenntnis des Kronprinzen zum nationalen Machtstaatsgedanken in Abwehr aller »kosmopolitischen« Bestrebungen und der »Fremdlinge« auf deutschem Boden, das heißt der Juden. Bechly wandte sich gegen eine Politik, die den Frieden um jeden Preis aufrechterhalten wolle, und bekannte sich wie der Kronprinz zum »sogenannten Chauvinismus«. Auch der Jahresbericht der Handelskammer Dortmund für 1913 zitierte lange Passagen aus dem Kronprinzenvorwort und hob besonders den »Willen zum Siege« hervor, den Deutschland propagieren müsse [76].

---

75 DHW, Nr. 15, 5. 8. 13, S. 295.
76 Jahresbericht der HK Dortmund für das Jahr 1913, S. 19.

Solche geistige Vorbereitung auf den Krieg wurde nicht allein von den deutschen Nationalisten und im Lager der Bethmann-Fronde um Tirpitz und den Kronprinzen lautstark propagiert, sie fand auch in solchen Organen ihren Niederschlag, die mittelbar in Verbindung zur Regierung standen. So erschien in der ›Jungdeutschland-Post‹, einem Organ, das der Jung-Deutschland-Bund und die Deutsche Turnerschaft gemeinsam herausgaben, am 25. Januar 1913 ein Artikel von Otto v. Gottberg mit dem Titel ›Der Krieg‹, in dem dieser als die »hehrste und heiligste Äußerung menschlichen Handelns« gefeiert wurde: »Verlachen wir also aus vollem Halse alte Weiber in Männerhosen, die den Krieg fürchten und darum jammern, er sei grausig oder häßlich. Nein, der Krieg ist schön. Seine hehre Größe hebt das Menschenherz hoch über Irdisches, Alltägliches hinaus... Auch unser warten solche Stunden...«

Otfried Nippold, ein naturalisierter Schweizer Professor reichsdeutscher Herkunft, konstatierte zu Recht 1913 das »plötzliche Heranwachsen eines Chauvinismus in Deutschland«[77] und Theodor Heuss stellte zur gleichen Zeit fest, der Chauvinismus habe »in den letzten Jahren« an Gewicht zugenommen und auch »auf die Regierung stärkeren Einfluß erhalten«; die Besonderheit der deutschen Konstellation wollte er darin erkennen, daß »hier der Chauvinismus in jenen Kreisen zu Hause ist und wächst, auf die sich auch die innere, vorab die Wirtschaftspolitik der Regierung gestützt hat«[78].

Der Einbruch des Rassegedankens in den deutschen Nationalismus

Wenn schon seit Jahren durch die Schriften Gobineaus, Lagardes, Chamberlains und Schemanns und ihre Rezeption seit den 90er Jahren der Boden für eine an dem Rassegedanken orientierte Vorstellung über Geschichte, Nation und Politik vorbereitet war, so kam es doch erst mit den Diskussionen seit 1912/13 zum förmlichen Durchbruch dieser Ideen. Schon 1905 hatte der Jenaer Professor Kuhlenbeck auf dem Alldeutschen Verbandstag über die »Politischen Ergebnisse der Rassenforschung« referiert[79]. Kuhlenbeck sah als geistige Vorläufer den englischen Historiker Gibbon, dann Gobineau, und machte vor allem aufmerksam auf die Fortschritte der politischen Anthropologie in Deutschland, die bereits zwei Zeitschriften, nämlich die ›Politisch-Anthropologische Revue‹ und das ›Archiv für Rassen- und Gesellschafts-Biologie‹, hervorgebracht habe. Rasse interpretierte Kuhlenbeck als einen biologischen Typus: »Der Kulturwert

77 Otfried Nippold, Der deutsche Chauvinismus, Stuttgart 1912, S. 128.
78 Theodor Heuss, Der deutsche Chauvinismus, in: Der März, Nr. 3, 23. 8. 13.
79 Zit. nach: 20 Jahre alldeutsche Arbeit und Kämpfe, S. 272 ff.

eines Volkes hängt von seinem Rassenwert ab.« Dabei bemesse sich die Rassenwertigkeit der heutzutage in Europa unterschiedenen drei historischen Mischrassen, der slawischen, der romanischen und germanischen Nationen nach ihrem »Anteil an germanischem Blut«.

Diese Strömung hatte seitdem an Breite gewonnen, was auch daraus hervorgeht, daß sich die Deutsche Gesellschaft für Soziologie auf dem Zweiten deutschen Soziologentag vom 20.–22. Oktober 1912 in Berlin in einem Referat von Franz Oppenheimer mit dem Thema ›Rassentheoretische Geschichtsphilosophie‹ kritisch beschäftigte. Oppenheimer und Max Weber lehnten diese auf Rassengegensätzen aufbauende Geschichtsbetrachtung ab. Popularisiert wurden diese Denkschemata aber vollends unter dem Eindruck der Balkankriege, in denen man, wie Meinecke mißbilligend konstatierte, einen »Sieg des Slawentums über das Germanentum« erkennen wollte [80]. Zur gleichen Zeit stellte die ›Deutsche Arbeitgeberzeitung‹ (29. September 1912) fest: »Gobineau und Chamberlain werden mehr und mehr beachtet... Mit gutem Grunde strebt man danach, die völkische Eigenart des Germanentums in körperlicher und geistiger Beziehung vor dem Ansturm fremder Eindringlinge zu retten.« Die Agitation für die Wehrvorlage, bei der auch der Kanzler – wenn auch sich distanzierend – von einer Auseinandersetzung zwischen Germanentum und Slawentum gesprochen hatte, leistete dieser Vorstellungswelt noch stärkeren Vorschub. Auf dem Reichskommers des Vereins Deutscher Studenten am 18. Januar 1913 wurde das »unumschränkte Bekenntnis zum bewußten, rassisch-vertieften Nationalismus, zum ›Evangelium der deutschen Tat‹«, in der »das Geheimnis unserer Lebenskraft und Wirkung« läge, abgelegt, und zwar in Anwesenheit Seiner Exzellenz Feldmarschall von der Goltz, der Generalleutnante v. Liebert, von Henning, v. Gersdorff, v. Wrochem, der Generalmajore v. Bose und v. Rauschenplatt. Vorträge hielten General v. Liebert und Professor Otto Hoetzsch [81]. In der Zeitschrift für Armee und Marine ›Überall‹, einer vom Reichsmarineamt geförderten und von der Schwerindustrie mit Anzeigen und großen Einzelaufsätzen über industrielle Werke (Krupp, Gutehoffnungshütte, Phoenix etc.) bezahlten Zeitschrift, referierte im August 1913 der Alldeutsche Philipp Stauff über »Kriegsleistung und Rasse« und berief sich bei seinen Untersuchungen auf den »bekannten Rasseforscher Dr. Lanz v. Liebenfels« und auf zwei »seiner vorzüglichen Ostara-Hefte«. Das Fazit Stauffs war, daß die »germanische Rasse« zu allen Zeiten noch die besten Krieger gestellt habe. – Auf dem Alldeutschen Verbandstag 1913 in Breslau endlich referierte der Arzt Dr. med. Flitner über ›Rassen und Rassenpflege‹ [82].

---

80 Friedrich Meinecke, Werke, Bd. II, S. 67; Artikel vom 8. 11. 12.
81 Akademische Blätter, Nr. 21, 1. 2. 13, S. 346.
82 ABl, Nr. 38, 20. 9. 13, S. 322 ff.

Dabei ging der Rassismus in den allermeisten Fällen eine enge Verbindung mit dem Antisemitismus ein; so betonte Dr. Erich Keup, der Geschäftsführer der Gesellschaft für Innere Kolonisation, am 1. Dezember 1912 in der Zeitschrift des Kyffhäuserverbandes der Vereine deutscher Studenten[83]: »Die Rassenfrage ist für uns eine der vielen, wenn auch mit die wichtigste, die sich aus unserer nationalen Weltanschauung ableiten... Da aber die jüdische Rasse... sich als unassimilierbar für uns erweist..., so können wir die Konsequenz nicht umgehen, nach ihrer Ausscheidung aus dem Volkskörper zu streben.« Mit Hilfe des Genossenschaftswesens, durch Ausbau der Sparkassen, Abschaffung des Zwischenhandels in Getreide- und Viehhandel und Schließen der Grenzen gegen ostjüdische Einwanderung müsse »die Entartung ihres Blutes (der Juden) uns bei der wirtschaftlichen Verdrängung unterstützen... Da sind wir und wollen wir erst Rasse sein, sind Deutsche und dann erst humane Menschen«.

In der alldeutschen Zeitschrift ›Deutscher Volkswart‹ vom Oktober 1913 bezeichnete der Anthropologe Heinrich Driesmanns in einem Aufsatz »Rasse als geschichtliche Macht« und setzte sich dabei mit den Definitionen Chamberlains und Renans kritisch auseinander; seine eigene Anschauung brachte er auf die Formel, daß »die normativen Instinkte unserer Rasse« aus dem »zivilisierten Chaos unserer Tage« sich den Weg ins Freie »gewaltsam brechen« müßten, »zu Höhen und Gipfeln empor, wo wir wieder frei atmen, ›Höhenluft‹ atmen und unsere deutsche Welt unserer Natur und unserem Hochbaudrang gemäß gestalten und auswachsen lassen können«. In der gleichen Zeitschrift referierte Professor Ernst Keil über ›Völkische Aufgaben der deutschen Jugend‹, Adolf Bartels über ›Deutsches Volkstum‹, Professor Dr. Holle über ›Völkische Lebenskraft‹, Andreas Lorenzen über ›Richtlinien völkischer Weltanschauung‹, Karl Felix Wolff über ›Grundsätze der Rassenlehre‹ und die Professoren Kosinna und Frhr. v. Lichtenberg über ›Altgermanische Kulturhöhe‹ bzw. ›Die germanische Weltanschauung in den Werken Richard Wagners‹. Die »Schatzkammern deutschen Volkstums« wurden hier aufgefüllt mit dem »deutsch-völkischen Gedanken im Jugendschrifttum«, mit »deutschvölkischer Dichtung« und »Deutscher Kunst in das deutsche Haus und die deutsche Schule«. Daneben referierte Prof. Ludwig Schemann (Schöpfer der Gobineau-Gesellschaft 1894) über Moeller van den Bruck, Fritz Bley über ›Händlergeist und Kunst‹, Adolf Bartels über ›Weimar und das Deutschtum‹, Staatsrat Prof. Dr. Leopold v. Schroeder über ›Richard Wagner als nationaler Dramatiker‹, Rektor E. Hauptmann über ›Die erzieherische Bedeutung des Imperialismus‹ und Prof. Raimund Kaindl über ›Die Lage

---

83 Akademische Blätter, Nr. 17, 1. 12. 12, S. 277 ff.; »Die Juden als Bestandteil im Volks- und Wirtschaftskörper«.

und völkische Schutzarbeit der Karpathendeutschen‹ neben Rittmeister
a. D. Oskar Michel über ›Nationale Arbeiterbewegung‹ und Privatdozent
Albrecht Wirth über ›Industrie – Imperialismus‹ (wobei er sich für den
Primat einer Raumgewinnung für Ansiedlungszwecke aussprach). Haupt-
mann a. D. Preuss referierte über ›Kulturpolitik als Grundlage der Welt-
macht‹, Hofrat Spielmann über den ›Panslawismus‹, Generalmajor Leim-
bach über ›Nationale Jugenderziehung‹ und Seminardirektor Eduard
Klausnitzer über ›Nationale Jugendpflege‹ sowie Oberrealschuldirektor
Edmund Neuendorf über ›Leibeserziehung als Quelle sittlicher Volkskraft‹.
Alle Aspekte des neuen aggressiven Nationalismus waren in dem ersten
Jahrgang dieser Zeitschrift vertreten, Ideologien, die man gemeinhin nur
»den« Alldeutschen anlastet, erscheinen hier als Gemeingut einer breiten
Schicht von Universitätsprofessoren, Oberlehrern, Offizieren und Ärzten.
Gleiche Ideologien und Programme wurden im ›Volkserzieher‹ vertreten,
einer vor allem in den Reihen der Volksschullehrer und Förster viel gele-
senen Zeitschrift des Bundes deutscher Volkserzieher, einer freireligiösen
Erneuerungsgemeinde, deren Leiter und Leitartikler Wilhelm Schwaner, seit
Ende 1913 Freund Walther Rathenaus, war. Schwaner nahm im April
1913 bereits für die Alldeutschen und General Keim gegen »Guilleaume
le timide« Stellung und stellte sich im Juni 1913 gegen den »Juden-Frei-
sinn« und vor den deutschen Kronprinzen, den er gegen die Vorwürfe
verteidigte, zu eng mit den Nationalisten zusammenzugehen; dabei setzte
er die Alldeutschen den »All-Juden« entgegen. Im September 1913 sprach
er von »Rasse-Not und Rasse-Pflicht« und bewegte sich damit auf dem
Boden von Anschauungen, die die ›Deutsche Arbeitgeber-Zeitung‹ (13.
April 1913) auf die einprägsame Formel gebracht hatte: »Nicht Klassenkämpfe, wie Marx und seine Anhänger wollen, sondern Rassenkämpfe
machen den wichtigsten Inhalt der Geschichte aus.«
    Von hierher überrascht es nicht, wenn der Arbeitsplan des Deutschbun-
des in der Rassenfrage vom August 1913 folgende Leitsätze aufstellte:
1. Aufklärungs- und Werbearbeit für die Bedeutung der Rassenfrage, 2.
Förderung der Rassenforschung, 3. Propaganda für eine deutsche Rassen-
politik. Hier wirkten in den Führungsgremien (Bundeswart, stellvertretender Bundeswart, Bundeskammer) die Professoren Langhans (Jena), Bartels, Kuhlenbeck, der Geheime Baurat Wanckel, Staatsanwalt Spatz, der
Geheime Medizinalrat Breitung, Regierungsrat Gerstenhauer, Oberlehrer
Dr. Heil, Oberpostinspektor Heinecke, Generalagent Ruttke, Oberst Dr.
Hellwig (der Vorsitzende des Reichshammerbundes), und schließlich Vietinghoff-Scheel vom Alldeutschen Verband mit [84].
    Friedrich Meinecke war einer der wenigen deutschen Professoren, der

---

84 PAR, Nr. 6, 1913, S. 328 ff.

schon vor Kriegsausbruch vor diesem neuen rassischen Nationalismus mit seiner »Philosophie der Rasse, der ›Edelrasse‹, des ›Edelvolkes‹« warnte und von einer »Entartung der nationalen Idee« in den »Unternehmer-, Beamten-, und Offizierskreisen« (das nationalistische Kleinbürgertum rechnete er ohnehin der alldeutschen Bewegung zu) sprach: Hier wolle man, »daß die Deutschen ein ›Herrenvolk‹ seien...« [85].

Den bestehenden Theorien über den Imperialismus (Schumpeter, Lenin, Max Weber usw.[86]) soll an dieser Stelle keine neue hinzugefügt werden. Wirtschaftlicher Imperialismus als Tatsache, der ›Zwang‹ zur Weltpolitik war den Motivationen aller Industrienationen der Erde in dieser Periode gemeinsam [87]. Für Deutschland war die Situation im Bewußtsein der führenden sozialen Gruppen dadurch geprägt, daß es – und das hebt seinen Imperialismus von den anderen Imperialismen ab – zu dem Kreis der führenden Großmächte erst verspätet Zugang erhielt, als ein Großteil der Erde bereits verteilt war. Hinzu trat in Deutschland – und das bedeutet eine weitere Sonderstellung – die Tendenz von Großindustrie und Landwirtschaft als vielleicht wichtigstes Moment im Selbstverständnis beider herrschenden Schichten, die innenpolitischen Schwierigkeiten nach außen abzulenken, oder wie es Wilhelm Liebknecht schon 1884 in der Kolonialdebatte formuliert hatte: der »Export der sozialen Frage«. Diese künstliche Anheizung außenpolitischer Konflikte gehörte spätestens seit 1897 zum eisernen Bestand der Taktik der »schaffenden Stände«. Gerade auch unter diesem Gesichtspunkt erhält der deutsche Imperialismus seit 1911/12 seine spezifische Dynamik und in gewissem Sinne auch eine Eigengesetzlichkeit: Eine zupackende auswärtige Politik sollte den gefährdeten gesellschaftlichen Status quo zementieren helfen. Großindustrie und Junkertum, mit der von konservativem Geist erfüllten Armee und der Staatsbürokratie ideologisch und gesellschaftlich-personell verzahnt, wurden die spezifischen und verläßlichsten Träger einer »Staats-Idee«, die Weltpolitik und nationale Machtpolitik wesentlich als Mittel betrachtete, die sozialen Spannungen im Inneren durch die Stoßrichtung gegen außen zu entschärfen.

Diese Tendenz galt gewiß auch für den Imperialismus der anderen westlichen Industrienationen; nur waren die inneren Spannungen bei ihnen dadurch gemildert, daß es gelang, das Bürgertum in allen seinen Schichten viel stärker mit der Regierung und der Administration zu verbinden, oder gar, vor allem in England, die Arbeiterbewegung mit dem bürgerlichen Staat zu versöhnen bzw. in ihn zu integrieren. In Deutschland dagegen

85 Friedrich Meinecke, Werke, Bd. II, S. 83 ff.; Der zitierte Aufsatz: »Nationalismus und nationale Idee« entstand im Juli 1914 *vor* Kriegsausbruch.
86 Vgl. L. Köllner, Stand und Zukunft der Imperialismustheorie, in: JbSW, 1960, S. 103 ff.
87 Vgl. D. S. Landes, Some thoughts on the nature of Economic Imperialism, in: Journal of Economic History 21, 1961, S. 496 ff.

hatte der Militärstaat nicht einmal den Adel und die verschiedenen sozialen Gruppen im Bürgertum zu wirklich gemeinsam getragener politischer Verantwortung zusammengeführt, und noch viel weniger war es trotz der Bismarckschen Sozialpolitik gelungen, die schroffe soziale Trennung von Arbeiterschaft und Bürgertum-Adel zu überbrücken. Die Machtpositionen der herrschenden Klassen, und das heißt der soziale Status quo, wurden konsequent und eigensüchtig aufrechterhalten, ohne daß man bereit war, auch nur einen Fußbreit nachzugeben. Nach dem Scheitern des Sozialistengesetzes 1890 sollte die neue Formel der ›nationalen Erziehung‹ zur Weltpolitik den Mangel an Integration ersetzen, gerade auch gegenüber der nach wie vor bekämpften Sozialdemokratie. Schon die staatlich gelenkte Propaganda für die Flottenpolitik zeigt diese gewandelte Taktik: die Nationalisierung der Massen als Antrieb am Schwungrad der Macht. Mit dieser Methode hatte man seit 1911 deutliche Erfolge: Zwar hat es einen »Volksimperialismus«, den jüngstens noch Wolfgang Zorn angedeutet hat [88], um das Phänomen des deutschen Weltmachtstrebens in milderem Licht erscheinen zu lassen, vor 1914 sicherlich nicht gegeben; doch ein Zuwachs an Nationalismus und Sozialimperialismus im Lager der Gewerkschaftsbürokratie und der Revisionisten läßt sich innerhalb der Sozialdemokratischen Partei seit 1913/14 eindeutig nachweisen.

---

[88] Vgl. Wolfgang Zorn, Wirtschaft und Politik im deutschen Imperialismus, in: Festschrift für Friedrich Lütge, Stuttgart 1966, S. 354.

XII. KAPITEL

Gouvernementaler Imperialismus und die Ziele der Regierung 1912/13: Weltpolitik ohne Krieg?

Das Regierungslager 1912: Mitteleuropa und Mittelafrika

Die Diskussion um Mitteleuropa – in Form eines Staatenbund-Imperialismus (Dix), eines großen Völkerbundes unter Einschluß der Balkanstaaten mit der Formel Berlin–Bagdad (Winterstetten, Schwerindustrie), einer wirtschaftlichen Zollunion, möglichst unter Einschluß Frankreichs (Hansabund, Banken) oder sogar auf lange Sicht auch Englands (Walther Rathenau) – und Mittelafrika bestimmten also die Auseinandersetzungen um Form und Möglichkeiten eines deutschen Imperialismus seit der Marokkokrise von 1911.

Der Kaiser hatte wiederholt das Schlagwort der Schaffung der »Vereinigten Staaten von Europa« öffentlich verwendet, und zwar durchaus gemäß den Parolen von Nationalökonomen wie Albert Schäffle, der gefordert hatte: »Weltbritannien und Mitteleuropa... europäisch-germanische Welt sollten... der amerikanisch-russischen Vergewaltigung die Stirn bieten.[1]« Auch der Kanzler Bethmann Hollweg teilte diese Anschauungen. Seit seiner Ernennung zum Reichskanzler 1909 stand er mit Rathenau in Verbindung, der nach dem Marokko-Debakel, wie bereits erwähnt, im Frühjahr 1912 seine Zollunionpläne dem Kanzler nahegebracht hatte. Mittelafrika und Kleinasien waren dabei immer weitere Ziele, sowohl bei Rathenau als auch beim deutschen Kanzler. Am 11. Januar 1912, also kurz nach der Beilegung des Marokkokonflikts mit Frankreich, präzisierte Bethmann in einem Gespräch mit Admiral v. Müller und Valentini seine Ziele dahingehend, es beständen »friedliche Chancen«, mit England in Übersee ins Einvernehmen zu kommen, wenn man »jetzt keine Neubauten in Dreadnoughts vornähme.«

---

1 Zit. F. Fischer, Weltpolitik, Weltmachtstreben und deutsche Kriegsziele, in: HZ 199, 1964, S. 322.

»Wir würden ein großes Kolonialreich bilden können (Portugiesische Kolonien, Belgisch-Congo, Niederländische Kolonien), einen Keil in die Tripleentente treiben.[2]«

Der Kaiser seinerseits glaubte am Vorabend des Haldane-Besuchs, am 7. Februar 1912, im Gespräch mit Tirpitz und Müller ›Mittelafrika‹ schon mit ›Mitteleuropa‹ verbunden: Admiral v. Müller, der wie Tirpitz eine so optimistische Lagebeurteilung für verfehlt hielt, kommentierte:

»Er sah sich schon als Leiter der Politik der Vereinigten Staaten von Europa und für Deutschland ein Kolonialreich quer durch Zentralafrika.[3]«

Deutlich dachte man an ein schrittweises Vorgehen: erst eine gesicherte Machtstellung auf dem Kontinent schien den Erfolg einer tatkräftigen Überseepolitik zu gewährleisten. Voraussetzung hierzu war der ›Ausgleich‹ mit England. Rathenaus Forderung nach einem deutsch-englischen Neutralitätsvertrag, der »uns, gleichgültig, ob die Entente besteht oder nicht, zu Freunden macht«[4], Überzeugungen, die auch Rießer vom Hansabund und Gwinner (Deutsche Bank) teilten, war auch der Angelpunkt der Politik des Reichskanzlers.

So war es durchaus verfehlt, wenn die nationale Opposition der Regierung vorwarf, ihr fehle das Bewußtsein einer Außenpolitik mit nationalimperialistischer Zielsetzung. Seit 1912/13 wurde neben Mittelafrika auch der Balkan in das wirtschaftliche Betätigungsfeld der deutschen Politik und Wirtschaft miteinbezogen. Berlin–Bagdad war die Parole, zu der man sich auch im Regierungslager bekannte; dabei überspielte man ohne Bedenken den Bündnispartner Österreich-Ungarn. Dr. Baernreither[5], der frühere österreichische Handelsminister, notierte am 14. März 1913, daß die

»Deutschen... die Zeit unseres (des österreichischen) törichten handelspolitischen Konfliktes mit Serbien rücksichtslos benützt haben, um uns den dortigen Markt zu einem großen Teil wegzunehmen«.

Treffend umschrieb er die Ziele der deutschen Expansion auf dem Balkan:

»Sicherung des Bestandes der Türkei, des Weges nach Kleinasien und Mesopotamien, der deutschen Expansion im nahen und fernen Orient.«

Der Bukarester Frieden vom August 1913 machte besonders klar, wie stark

---

2 Der Kaiser, Aufz. Alex. v. Müller, S. 107.
3 Ibid., S. 112 (die Datierung verdanke ich einem freundl. Hinweis von J. C. G. Röhl).
4 W. Rathenau, England und wir – Eine Philippika, NFP 6. 4. 12, in: W. Rathenau, Zur Kritik der Zeit, Berlin 1925, S. 211 ff.
5 Für die folgenden Zitate siehe die Tagebuchaufzeichnungen von Josef M. Baernreither, Dem Weltbrand entgegen, Berlin 1928, S. 218 ff.; S. 284 f. (Notizen vom Frühjahr und Sommer 1913); S. 302 ff. (Frühjahr 1914).

sich das Schwergewicht auf dem Balkan zuungunsten Österreich-Ungarns verschoben hatte. Für Baernreither erschien Deutschland jetzt sogar als die »führende Balkanmacht«, die deutlich die serbische Politik stütze: »Aus dieser serbenfreundlichen Haltung zieht Deutschland jetzt Vorteile in handelspolitischer Hinsicht. Ich (Baernreither) konnte dem König (Ferdinand v. Bulgarien) erzählen, daß in Belgrad die Kaufleute, wenn sie die Wahl hätten, deutsche Waren vor österreichischen bevorzugen.« Über die Verhältnisse in Belgrad und das antiösterreichische Wirken des dortigen deutschen Generalkonsuls Schlieben war er genau unterrichtet.

Auf die österreichischen Vorhaltungen entgegnete Jagow am 11. März 1914:

> »Deutschland hat sich den östlichen Balkan und die östlichen Verkehrswege sichergestellt, es benötige sie wegen Anatolien. Die westlichen Verkehrswege auf dem Balkan kümmern Deutschland weniger und liegen vorwiegend im Interesse Österreich-Ungarns. Man begreift nicht, warum Österreich-Ungarn hier die Franzosen und Russen hereinlassen wolle, das sei politisch ganz unbegreiflich...«

Im übrigen berief er sich Baernreither gegenüber geschickt auf die »deutsche Kaufmannschaft, deren Rührigkeit der Hauptgrund der deutschen Expansion sei«. Der Kaiser unterstützte diese Politik, ja ging soweit, den Österreichern anzuraten, sie sollten ein »Zollbündnis mit Serbien schließen und endlich eine Militärkonvention«:

> »Wir müßten die jungen Serben ins Theresianum nehmen, die serbischen Offiziere in unserer Armee ausbilden, damit die Serben Schulter an Schulter neben den Österreichern stehen.«

Die enge Verzahnung von Wirtschaft und Politik würdigte Baernreither anschaulich anläßlich seines Besuches in Belgrad:

> »Überflügelung durch Deutschland auf der ganzen Linie... Deutschland verdient riesig an seinem Export, Eisen, Maschinen und an allem, was mit der Elektrizität zusammenhängt. Konkurrenzfähigkeit sei überraschend, es sei ein großer Zug in den deutschen Kaufleuten, sie beobachten genau, lernen überall und schlagen die anderen. Ihre Diplomaten unterstützen sie darin planmäßig. Der deutsche Gesandte in Bukarest setzt alles daran, um für Deutschland Lieferungen zu bekommen.«

Die trotz allem nicht verstummenden Angriffe der nationalen Presse, daß die Regierung überhaupt kein machtpolitisches Programm verfolge, suchte das im Oktober 1913 geschriebene Buch Kurt Riezlers zu widerlegen oder zumindest zu steuern. In seinen Erörterungen über ›Grundzüge der Weltpolitik in der Gegenwart‹ (1914) griff Riezler als persönlicher Vertrauter Bethmann Hollwegs den Ausgangspunkt des Kanzlers wieder auf: die Abwehr der naiven Politik der Gewalt, wie er sie den Alldeutschen vorwarf[6]. Er kritisierte die »Maßlosigkeit« des deutschen Nationalismus, seine »Sehnsucht zur Macht«, ohne allerdings das System selbst in Frage zu stellen. Sein Kulturimperialismus, der die »Weltherrschaft des deutschen Geistes« verkündete, konnte höchstens eine geistige Vertiefung des deutschen Anspruchs auf Weltgeltung bedeuten, den auch Riezler keineswegs leugnen wollte. Viel konsequenter als gouvernementale Imperialisten wie etwa Delbrück sah Riezler die moderne Welt bestimmt von dem Willen der Nationen zu politischer und wirtschaftlicher Expansion. Amerika als neue Weltmacht trat in den Blickwinkel seiner Betrachtungsweise, weiterhin Südamerika, Japan und China. Expansion war für Riezler das Signum der Epoche. Das Problem, ob die »wirtschaftliche oder politische Expansion« dabei »wichtiger sei«, war für ihn die zentrale Frage. Im Gegensatz zu der Ansicht der deutschen Industriellen, der Kaufmann folge heute der Macht, entwickelte Riezler eine Theorie der sogenannten parallelen Expansion, die ein gleichzeitiges wirtschaftliches Nebeneinander der Großmächte im »Kampf um die Absatzmärkte« durchaus noch für möglich hielt. Die indirekte Beherrschung lasse ein »Nebeneinander der friedlichen Rivalität« zu, wobei allerdings Riezler diesen Grundsatz auch nicht uneingeschränkt gelten ließ:

> »Der Kampf, der um die Anteile an den Gewinnen von Neuerschließungen gekämpft wird, ist natürlich nur zum Teil ein wirtschaftlicher Kampf. Er wird nicht allein durch die Güte der Waren, die Anpassungsfähigkeiten der Industrien, die Findigkeit der wirtschaftlichen Vertretungen ausgefochten. Zum anderen ist er ein Kampf um den politischen, zum Teil auch um den kulturellen Einfluß.«

Was Deutschland dabei brauche, sei zweierlei:

> »Absatzmärkte und solche Rohstoffbezugsgebiete, die von der Konkurrenz unabhängig sind. Es bedarf keiner Siedlungskolonien ... Es bedarf der Kolonien nur insoweit, als sie Absatzmärkte und Rohstoffbezugsgebiete sind, deren Unabhängigkeit durch die politische Beherrschung garantiert werden.«

Das Problem wirtschaftliche oder politische Expansion war also keineswegs eindeutig für Riezler gelöst. In dem Maße, in dem die freien Absatzmärkte und Rohstoffgebiete sich »verringern oder gefährdet werden«, war auch für Riezler die »politische Expansion Vorbedingung der wirtschaftlichen und damit notwendiger, bis sie schließlich zur Lebensfrage wird«. Für das Deutsche Reich stelle sich die Sachlage dergestalt, daß es »keiner weiteren Verkleinerung der freien Gebiete zusehen kann, daß es durch die Einschränkung der wirtschaftlichen Expansion in die politische

---

6 J. J. Ruedorffer (d. i. Kurt Riezler), Grundzüge der Weltpolitik in der Gegenwart, Stuttgart/Berlin 1914. Dort auch die folgenden Zitate.

Expansion getrieben werden muß.« Genauso wie Rathenau sah Riezler den zur »parallelen politischen Expansion« verfügbaren Raum für Deutschland immer schmaler werden:

>»Am Ende dieser Entwicklung stehen sich die politischen Expansionsgelüste der Großmächte, ohne die Möglichkeit eines Parallelismus, direkt gegenüber.«

Politische und wirtschaftspolitische Gegensätze waren auch für Riezler unlösbar miteinander verknüpft:

>»Die Verschärfung der Konkurrenzkämpfe und ihre Verquickung mit der Politik bedeutet nichts anderes, als daß auch das wirtschaftliche Nebeneinander auf dem Wege ist, in ein politisches Gegeneinander überzugehen.«

Die heutige Politik der Großmächte erschien von daher als eine »Politik des Aufschubs kriegerischer Auseinandersetzungen«; als Grund führte er die noch bestehende Möglichkeit zu einer parallelen Expansion an, weiterhin die allgemeine Interessenverflechtung und vielleicht als schwerwiegendst die Eigenart der modernen Kriege selbst: Die Kriege der Gegenwart würden Millionenheere in Bewegung setzen und Milliarden kosten und berührten damit die Grundlagen des verwickelten Wirtschaftslebens der Staaten. Unter diesen Umständen hätte sich die Kalkulation der Kriege verschoben: »das Risiko ist stärker gewachsen als der Nutzen«. Daß diese Philosophie des kalkulierten Risikos dabei keineswegs einen kriegerischen Zusammenstoß überhaupt ausschloß, zeigt seine Auffassung, daß »alle Nationen... das Nebeneinander als eine Vorbereitung des Gegeneinander, als einen Aufschub der Feindschaft« betrachteten. Die großen Gegensätze bestünden fort, ihre Lebendigkeit zeigten die Rüstungen und die weiterbestehenden Gruppierungen der Großmächte. Die zukünftige politische Entwicklung sah Riezler bestimmt durch den Lebenswillen und die Lebenskraft der Nationen: »Menschlicher Voraussicht nach gehört... der größeren Volkskraft der schließliche Sieg«. Von daher erschienen die Machtverschiebungen innerhalb der Großmächte letzten Endes nicht als Schöpfung der Diplomaten, sondern viel stärker als Kraftäußerung der Völker selbst:

>»Während die einen, noch verborgene jugendliche Kräfte entwickelnd und entfaltend, langsam aufsteigen, wachsen an Reichtum, Bevölkerungszahl, Einheit des Lebenswillens und kultureller Kraft, gehen andre zurück, sei es, daß ihr Lebenswille erschlafft, ihre Kultur zurückgeht, sei es, daß ihre Bevölkerung stagniert oder die wirtschaftliche Leistungsfähigkeit nicht fortschreitet.«

Als absteigendes Volk sah Riezler offenbar Frankreich wegen seines Geburtenrückgangs; England habe seine Stellung halten können. Als ausgesprochen junge Weltmächte figurierten Deutschland, die Vereinigten Staaten, Japan und vor allem Rußland. Hier befand er sich in enger Übereinstimmung mit dem Kanzler, auf dessen Reichstagsrede vom Frühjahr 1913 er sich bezog, wenn er feststellte:

> »Die Woge geht tief und rollt langsam, stetig wachsend, heran. Wird einmal die ganze Masse des russischen Volkes sich ihres Nationalismus bewußt, dann wird die Welt die an Umfang und unverbrauchter Intensität gewaltigste Bewegung sehen ... Der deutsche Reichskanzler hat von diesem Anwachsen mit einer sonst bei leitenden Staatsmännern selten gesehenen Offenheit geredet.«

Die deutschen Rüstungen würden nur durch eine »solche tiefere Einschätzung der allrussischen Bewegung als einer Gefahr der deutschen Zukunft« verständlich.

Diesem Bild des gewaltigen Wachstums Rußlands stellte Riezler die junge Weltmacht Deutschland gegenüber: »Ein junges Volk von enormer Arbeitskraft und Tüchtigkeit mit schnell wachsender Bevölkerung«, das »ungeheure Fortschritte auf wirtschaftlichem Gebiet« macht, dessen Interessen sich erweitern und über die »Meere greifen: Äußere Notwendigkeit und innerer Lebensdrang zwingen es zur Weltpolitik«. Es fände sich aber in seiner »weltpolitischen Bewegungsfreiheit vielfach gehemmt« und könne sich die »noch offenen weltpolitischen Betätigungsgebiete nicht verbauen lassen«. Ein Versuch einer solchen Verbauung würde auf die Dauer gerade auch an dem »gewaltigen Lebensdrang« der Nation scheitern.

Die gouvernementalen Imperialisten (Delbrück, Rohrbach, Jaeckh)

Ähnliche Überzeugungen wie Riezler, nur stärker machtpolitisch akzentuiert, vertraten die Publizisten, die 1912 die Regierungspolitik verteidigten. Hans Delbrück, Nachfolger Treitschkes als Herausgeber der ›Preuß. Jahrbücher‹ und Vertrauensmann von Kiderlen und Bethmann Hollweg, entwickelte auf dem Höhepunkt der Haldane-Mission 1912 ein dezidiertes Mittelafrika-Programm, das er dem Leiter des Auswärtigen Amtes mit der Bemerkung zusandte, er habe der Diskussion in der Öffentlichkeit eine »richtige Direktion geben wollen«[7]. Darin bejahte er den nationalen Expansionswillen ohne Einschränkung. Es überrascht deshalb keineswegs, daß die alldeutsche ›Deutsche Zeitung‹ sein Expansionsprogramm durchaus unterstützte, auch wenn dieses sich in manchen Punkten von der alldeutschen Richtung absetze: »Dieser Bekämpfer der ›Alldeutschen‹ ist im Grunde seines Herzens vielleicht alldeutscher, als er selber es wahrhaben möchte.[8]« Hatte Delbrück doch in den ›Preuß. Jahrbüchern‹ erklärt:

---

7 Vgl. K. Wernecke, Deutschlands Weltstellung, Diss. (Masch.), S. 195.
8 DZ, Nr. 197, 20. 7. 12; »Professor Delbrücks Expansionsidee«.

»Es ist die Wahrheit von gestern, daß unsere Flotte geschaffen worden ist, um unseren Handel zu schützen: heute sind wir so weit, uns ein höheres Ziel setzen zu dürfen: unsere Flotte soll nicht bloß unseren überseeischen Handel schützen, sondern uns auch den gebührenden Anteil an jener Weltherrschaft verschaffen, die das Wesen der Menschheit und ihre höhere Bestimmung den Kulturvölkern zuweist.[9]«

A. Thimme, die nachdrücklich auf die Kontinuität in Delbrücks Anschauungen seit 1896 hinweist, spricht mit einem gewissen Recht davon, daß diese »beide Aufsätze ... Delbrück nahezu als einen Alldeutschen erscheinen lassen« [10]. Soviel ist jedenfalls richtig: das machtpolitische Programm der gouvernementalen Imperialisten unterschied sich nur graduell von den sogenannten »alldeutschen« Zielsetzungen. Das zeigen die Auslassungen anderer Professoren, die, im Gegensatz zu den prononcierten Alldeutschen (Schäfer, Moulin-Eckart, Kloß, Georg v. Below), die »Weltpolitik« der Regierung verteidigen. Der Sozialpolitiker Ernst Francke, einer der Führer der »Gesellschaft für Soziale Reform«, Freund Albert Ballins, unterstützte die Weltpolitik 1913 mit den gleichen Argumenten, mit denen es die ›liberalen‹ Imperialisten (M. Weber, F. Naumann) seit Beginn der Inaugurierung der Weltpolitik getan hatten. Angesichts der Wehrvorlage von 1913 plädierte Francke für eine »kraftvolle Führung der auswärtigen Geschäfte«, für die »Erwerbung von Kolonien, im Schutz einer vollkommenen Rüstung zu Lande und zu Wasser«. Dabei betonte er die Kontinuität seiner Anschauungen: »Ohne Reichsmacht keine Sozialreform, aber auch ohne Sozialreform keine Reichsmacht.[11]« Der Bonner Nationalökonom W. Wygodzinski sah das 20. Jahrhundert bestimmt von dem Gegensatz zwischen der »europäisch-amerikanischen Kulturgemeinschaft« und den »farbigen Rassen« [12]; er vertraute darauf, daß die »›Vereinigten Staaten von Europa‹ ihre Gesamtinteressen gegenüber der farbigen Welt wahrzunehmen verstehen werden«. Paul Rohrbach, aus dem Kreis um Naumann herkommend, ein früherer Apologet der Kleinasienexpansion, stimmte ganz mit den Überzeugungen der Industriellen und der Bankiers überein:

»Es gibt für uns kein Stillstehen oder Innehalten, keinen selbst nur vorübergehenden Verzicht auf Ausdehnung unserer Lebenssphäre, sondern wir haben nur die Wahl zwischen dem Zurücksinken auf die Stufe der Territorialvölker oder der Erkämpfung eines Platzes an der Seite der Angelsachsen ... Unser Wachstum ist ein Vorgang von elementarer Naturkraft.[13]«

Kampf um den Weltmarkt und Expansion auf diesem hielt auch er für

9 PrJbb, Bd. 149, Aug. 1912, S. 362 ff. »Deutsche Ängstlichkeit«.
10 A. Thimme, Hans Delbrück als Kritiker der Wilhelminischen Epoche, S. 114.
11 Soziale Praxis, Nr. 29, 17. 4. 13, Sp. 833 ff.; Reichsmacht und Sozialform.
12 W. Wygodzinski, Einführung in die Volkswirtschaftslehre, Leipzig 1912, S. 145 ff.
13 P. Rohrbach, Der deutsche Gedanke in der Welt, Düsseldorf/Leipzig 1912; dort auch die folgenden Zitate.

die Signatur der Zeit; dabei sei das Verhalten Englands entscheidend für das Schicksal des deutschen Reiches. Entweder wolle die englische Politik eine Verständigung »über ihren und unseren Anteil« an der Weltwirtschaft oder aber sie verteidige ihre »Alleinherrschaft gegen uns«. Erkenne England die Gleichberechtigung Deutschlands nicht an, so war für Rohrbach ein zukünftiger Waffengang unumgänglich. Als Nahziel forderte Rohrbach eine koloniale Ausdehnung in Mittelafrika: »Das endgültige Revirement unter den afrikanischen Kolonialmächten« stände noch bevor, und es werde die deutsche Aufgabe sein, »dabei ein erheblich größeres afrikanisches Deutschland zu schaffen als wir es heute besitzen«. Grundtenor seiner Überlegungen war der »Anspruch der nationalen Gleichberechtigung«. Seine Forderung, Deutschland müsse ein »Weltvolk« werden, worüber letztlich »die Sprache der Geschütze entscheiden« werde, verstärkte Rohrbach noch in einem Aufsatz ›Deutsche Welt- und Kolonialpolitik‹ in den ›Preuß. Jahrbüchern‹ (25. Juni 1913) [14]. Auch hier machte er wieder geltend, daß mit den Errungenschaften von 1870/71 keineswegs »unser nationalpolitisches Ziel erreicht« sei, im Gegenteil; jetzt folge die Aufgabe, der deutschen Wirtschaft Raum zu schaffen. Für die unmittelbare Gegenwart komme es darauf an, die Türkei als direktes politisches und wirtschaftliches Einflußgebiet, und zwar ungeschmälert, für die deutschen Interessen zu erhalten:

> »Es ist genug und übergenug, was England, Rußland und Frankreich während des letzten Menschenalters sich angegliedert haben ... Weitere Angriffe entgegen unseren Interessen gestatten wir nicht – wenn anders, so mögen die Türen des Janustempels sich öffnen!«

In einem repräsentativen Sammelwerk, das zum 25jährigen Regierungsjubiläum Kaiser Wilhelms II. erschien, verschärfte Rohrbach in seinem Beitrag ›Welt- und Kolonialpolitik‹ [15] noch seine Vorstellung von der Entwicklung des künftigen deutsch-englischen Verhältnisses:

> »Die Konsequenzen für die ›Verständigung‹ mit England ergeben sich ... von selbst. Ob es überhaupt möglich sein wird, die große Zukunftsfrage für uns: *ob wir den notwendigen territorialen Spielraum zur Entwicklung als Weltvolk erhalten werden oder nicht,* ohne die Anwendung des alten Rezeptes ›Blut und Eisen‹ zu lösen, das ist nichts weniger als sicher. Im allgemeinen kann man sagen, daß die großen Entscheidungen im Völkerleben kaum je ohne den Anruf der Waffen gefallen sind. Unsere Lage als Volk ist heute vergleichbar mit derjenigen vor den Kriegen von 1866 und 1870, deren Durchkämpfung unvermeidlich war, damit die nationale Krise entschieden werde. Damals handelte es sich um die politische Einigung Deutschlands, heute um den Eintritt der Deutschen unter die Weltvölker oder um den Ausschluß aus dieser Gruppe.«

---

14 Zit. nach P. Rohrbach, Zum Weltvolk hindurch, Stuttgart 1914, S. 12 ff., S. 23 ff.
15 P. Rohrbach, Welt- und Kolonialpolitik, in: Das Jahr 1913. Ein Gesamtbild der Kulturentwicklung, Leipzig/Berlin 1913, S. 52.

Ähnlich wie für Bernhardi, der u. a. neben Stresemann, Georg v. Below, Martin Spahn, Ernst Troeltsch, Eduard Bernstein, Hugo Preuß, Emil Lederer und Karl Lamprecht zu den Mitarbeitern dieses Bandes gehörte – hieß auch für Rohrbach die Frage: Weltmacht oder Niedergang?

Ernst Jaeckh, mit Kiderlen-Wächter bis zu dessen Tod Ende 1912 besonders eng verbunden, brachte eine stärkere Betonung der Türkei-Expansion in sein machtpolitisches Konzept, das er Anfang 1913 unter dem Titel ›Deutschland im Orient nach dem Balkankrieg‹ veröffentlichte [16]. Jaeckh wertete die Agrarstaaten des Balkans und des Orients als geeignete Lieferanten von wichtigen Rohprodukten (Baum- und Schafwolle; Getreide und Erze) und als Abnehmer von Fertigfabrikaten. Er forderte dabei eine tatkräftige wirtschaftliche Interessenpolitik auf der Linie »Helgoland–Bagdad« mit dem Ziel, die Balkanstaaten und vor allem die Türkei wirtschaftlich zu stärken; den Gedanken deutscher Siedlungskolonien oder die Schaffung eines deutschen Kriegshafens (Alexandrette) lehnte er ab. Wie bei Rohrbach und Delbrück trat bei Jaeckh die Hoffnung auf Mittelafrika hinzu; »ein deutsches Äquatorialafrika kann und soll für unsere Söhne sich vorbereiten..., nicht eine extensive, getrennte, sich schwächende, sondern eine intensive, geschlossene, sich stärkende Gemeinschaft«, und zwar auch im Zuge eines Interessenausgleichs mit England. Jaeckh, einer der konsequentesten Apologeten der Türkei-Expansion aus dem Lager des sogenannten liberalen Imperialismus, wurde im Frühjahr 1914 Geschäftsführer der damals gegründeten Deutsch-türkischen Gesellschaft, die unter dem Ehrenpräsidium des Generalfeldmarschalls Frhr. Colmar v. d. Goltz-Pascha und dem Vorsitz von Karl Helfferich (Deutsche Bank) stand.

Auch Bernhard Harms, Professor am Institut für Weltwirtschaft an der Universität Kiel, folgte dem »Kulturimperialismus« Lamprechts und Rohrbachs in seiner Kaiserrede 1913:

> »Wir haben angefangen, uns darauf zu besinnen, daß wir als größter Bestandteil der germanischen Rasse in der Welt eine deutsche Kulturmission zu erfüllen haben. Das größere Deutschland steht vor unserem Auge.[17]«

Bei den liberalen Imperialisten war diese Vision eines größeren Deutschlands immer verknüpft mit einer Ausgleichspolitik gegenüber England; im Zuge einer Verständigung, sei es durch einen »Neutralitätsvertrag« (Rathenau 1912) oder eine andere Form der Detente, schien auch die Aussicht auf nationale Expansion in Übersee und auf Ausbau der deutschen Stellung in Mitteleuropa durchaus realistisch.

---

16 E. Jaeckh, Deutschland im Orient nach dem Balkankrieg, München 1913; Vorwort 30. 12. 12 Kiderlen-Wächter gewidmet); dort auch die folgenden Zitate.
17 B. Harms, Kaiser Wilhelm II. und die Triebkräfte des neudeutschen Sozial- und Wirtschaftslebens, Jena 1913, S. 36.

Die Schwerindustrie, die Konservativen und die Alldeutschen verurteilten eine solche »Ausgleichspolitik« sofort als Fata morgana. Im Zeichen solcher Kritik stand Bernhardis Buch ›Unsere Zukunft‹ vom November 1912. Die Quintessenz des Kapitels ›Der Ausgleich mit England‹ [18] lautete, daß England »seine gesamte Politik ändern müßte«, wenn es zu einer Verständigung mit Deutschland gelangen wolle, und das müßte bedeuten: »Ausscheiden aus der Triple-Entente, anderweite Verteilung seiner Flotte.« Eine solche Kehrtwendung Englands sei um so weniger zu erwarten, als sie gleichbedeutend mit der Aufgabe der englischen Suprematie sei. Darum könne die notwendige deutsche Expansion letzten Endes nur durch einen Krieg gesichert werden. Sollte England gleichwohl – das stellte Bernhardi deutlich heraus – sich zu einer »Einigung« in »Form eines Bündnisses« oder eines »Bündnis-Vertrages« auf der Basis Mitteleuropa–Kleinasien–Mittelafrika verstehen, dann wäre der Friede in Europa so gut wie gesichert und zugleich ein machtvolles Gegengewicht gegen den wachsenden Einfluß Amerikas geschaffen. Dann könne auch der

> »Druck des wenig kulturfördernden osteuropäischen Slawentums ... erfolgreich gemindert und den gelben Millionenrassen des fernen Ostens ein starker und geschlossener Wall entgegengestellt werden.«

Mit diesen Argumenten bewegte sich Bernhardi grundsätzlich auf der Ebene jener allgemeinen politischen Überzeugungen, die auch für den Kaiser und Moltke (Amerika, gelbe Rassen) und modifiziert für Bethmann Hollweg (Russophobie) repräsentativ waren.

Der Durchbruch der »nationalen Opposition« und regierungsoffiziöse Dämpfungsversuche 1913

Im Zeichen der Vorbereitung auf den »großen Krieg« bedeutete die Mobilisierung der öffentlichen Meinung, die der Kaiser am 8. Dezember 1912 Tirpitz, Moltke und Bethmann befohlen hatte und die die nationalen Verbände und Parteien sofort in Szene setzten, eine Zäsur. Bernhardi, der schon in ›Deutschland und der nächste Krieg‹ mit der Forderung nach einer psychologischen Kriegsvorbereitung vorangegangen war, hatte schon im November erklärt: »Alle echten Deutschen müssen sich heute einmütig und opferfreudig um den Kaiser scharen und jederzeit bereit sein, mit Gut und Blut für die Ehre, die Größe und die Zukunft des deutschen Volkes einzutreten: Durch Kampf zum Sieg! [19]«

---

18 F. Bernhardi, Unsere Zukunft, Stuttgart und Berlin 1912, S. 93 ff. (Volksausgabe seines Buches ›Deutschland und der nächste Krieg‹).
19 Ibid., S. 154.

Die Agitation um die große Wehrvorlage vom Frühjahr 1913 trug weiter dazu bei, die Stimmung der öffentlichen Meinung zu radikalisieren; eine Aufwertung der nationalistischen Verbände ging mit dieser Entwicklung Hand in Hand. Das ›Berliner Tageblatt‹ wies im April 1913 warnend darauf hin, daß im Zuge all dieser Machinationen der Spielraum der Regierung zunehmend eingeschränkt werden könnte; darum gelte es, eine Agitation zu bekämpfen, die den unvermeidlichen Krieg als Richtschnur der auswärtigen Politik predige:

> »Denn die letzte Zeit hat klargestellt, daß von diesen Schreiern zahlreiche Fäden ebenso zu den reaktionären Parteien wie zu amtlichen Stellen wie zu einflußreichen Kriegslieferanten hin- und hergehen. Finden Regierung, Reichstag und Volk nicht den Mut, zwischen sich und den Alldeutschen reinen Tisch zu machen, dann muß das Reich zuletzt im Rüstungssumpf ersticken und dann hilft auch alle offizielle Friedenspolitik nichts.[20]«

Die deutsche Diplomatie blieb, schon um den Ausgleich mit England nicht zu gefährden, nicht ganz untätig, zumindest nicht die englandfreundliche Gruppe um Kühlmann-Lichnowsky.

Ganz im Zeichen einer Dämpfung radikalisierter breiter bürgerlicher Schichten stand die anonyme Schrift ›Deutsche Weltpolitik und kein Krieg‹ vom Mai 1913, die von den Alldeutschen – irrigerweise – als offiziöse Stellungnahme des Auswärtigen Amtes angegriffen wurde. Als Verfasser fungierte der Londoner Vertreter des Wolffschen Telegraphenbüros, Hans Plehn; das Material für die Arbeit war ihm vom Londoner Botschaftsrat R. v. Kühlmann zugekommen. Der Unterstaatssekretär im Auswärtigen Amt, Zimmermann, verwahrte sich sofort dagegen, daß etwa die Broschüre in der Öffentlichkeit als offiziös betrachtet werde und gab die Anweisung: »Wir müssen diesem Unsinn energisch entgegentreten.[21]« Trotzdem war das hier vorgelegte Programm – zumindest als Meinungsäußerung des Pro-England-Lagers von symptomatischer Bedeutung. Plehn, der ganz im Sinne Lichnowskys und Kühlmanns auf eine deutsch-englische »Annäherung« und Verständigung bedacht war, wies in seiner Schrift die Präventivkriegsgedanken Bernhardis zurück und empfahl als Ziele einer deutschen Außenpolitik eine Arrondierung des deutschen Besitzes in Mittelafrika, wobei er jedoch die gewonnenen Positionen in der Türkei keineswegs abbauen wollte. Die Überzeugung, Weltpolitik sei nur »durch einen europäischen Krieg« möglich, wies Plehn zurück, auch wenn »in dem Jahre nach der letzten Marokkokrisis ... die Stimmung nahezu Allgemeingut der deutschen Nation« geworden sei, daß »wir uns nur durch einen europäischen Krieg die Freiheit zu unserer weltpolitischen Betätigung erkämp-

20 BT, Nr. 200, 21. 4. 13, Kurzkommentar zur Tagung des ADV in München, 20. 4. 13.
21 AA Bonn, Deutschland 126, Nr. 2, Bd. 18, Randbemerkung vom 21. 5. 13; zit. Wernecke, Deutschlands Weltstellung, (Masch.) S. 389.

fen können«[22]. Daß die Broschüre Plehns indes alles andere bewirkte, als die Wogen im nationalistischen Lager zu glätten, zeigen die Kommentare. Die schwerindustrielle DVC appellierte an die Traditionen der Bismarckschen Politik und forderte eine »offensive Politik«; mit der Devise »Weltpolitik ohne Krieg« gäbe es bestenfalls »Kolonialreiche, die im Monde liegen, aber keine Realitäten«[23], und Bassermann verurteilte die Broschüre als ein »törichtes Buch, erfüllt von müder Resignation«[24]. Kategorisch forderten die ›Berliner Neuesten Nachrichten‹ als Sprachrohr der Schwerindustrie und konservativ-kapitalistischer Kreise nach der Deckung der Wehrvorlagen:

> »Die Politik der Gefühlswallungen und der verpaßten Gelegenheiten muß vorüber sein. Wir dürfen verlangen, daß die Männer, hinter denen mehr als 800 000 Bajonette stehen, mit Ruhe, aber auch mit Nachdruck Deutschlands Interessen vertreten... Unser europäisches Kleid ist uns allzu eng geworden. Mögen die Männer, die unsere Geschicke leiten, Sorge tragen, daß Deutschland den Platz an der Sonne erhält, den es beanspruchen darf und muß.[25]«

Das Dilemma der Regierung, konfrontiert mit dem Drängen der großen wirtschaftlichen Interessenverbände und der unverhüllten Kriegstreiberei der Alldeutschen, illustriert in klassischer Form die Kontroverse Hans Delbrücks mit den Alldeutschen im Herbst 1913. Am Schluß seiner Novemberbetrachtung 1913 in den ›Preuß. Jahrbüchern‹ hatte Delbrück vor den öffentlichen Aufforderungen zum Kriege von seiten der Alldeutschen gewarnt und erklärt: »Die Gefahr für die Zukunft Deutschlands liegt nicht in der Sozialdemokratie und nicht im Zentrum, sondern bei den Alldeutschen.[26]« Die alldeutsch-schwerindustrielle ›Post‹[27] versäumte es nicht, in einem Leitartikel diese »Hans-Delbrückiade« scharf zu verurteilen, indem sie auf die Verdienste des ADV seit 1894 verwies. Hier im Alldeutschen Verband wären durchaus Repräsentanten versammelt, die »in ihrem Berufe und als freiwillige Kämpfer für Kaiser und Reich Gutes, wenn nicht sogar Hervorragendes geleistet haben«. Die Zeitung stand dabei nicht an, namentlich Claß, den Generalsuperintendenten der Rheinprovinz, Klingemann, Admiral z. D. Breusing, die Generale Liebert, Keim, die Professoren Langhans, Moulin-Eckart, den Senator der Freien und Hansestadt Lübeck, Neumann, den Herausgeber der ›Täglichen Rundschau‹, Rippler, den Verleger der RWZ, Reismann-Grone, anzuführen, weiterhin den Mitarbeiter der ›Preuß. Jahrbücher‹, Korrodi, die Industriellen v. Itzenplitz (Reedereibesitzer, Mülheim), Emil Kirdorf (RW-Koh-

---

22 Hans Plehn, Deutsche Weltpolitik und kein Krieg, Berlin 1913, S. 1.
23 DVC, Nr. 47, 17. 6. 13, »Weltpolitik ohne Krieg«.
24 Zit. nach: Die Mainbrücke, Nr. 45, 8. 11. 13, S. 312
25 BNN, Nr. 327, 1. 7. 13.
26 PrJbb 154, Nov. 1913, S. 528.
27 Post, Nr. 543, 19. 11. 13, »Eine Hans-Delbrückiade«.

lensyndikat, GBAG) und schließlich Dietrich Schäfer. Delbrück beantwortete diesen Gegenangriff mit einer neuerlichen Auslassung in seinen Jahrbüchern. Er zog sich hier auf eine taktische Linie zurück, die auch für Bethmann Hollweg galt, wenn er ausführte:

>Ein unnötiger oder auch schon ein zur Unzeit, bei nicht sehr günstiger Weltlage uns auferlegter Krieg ist das Gefährlichste und Furchtbarste, was uns treffen kann. Die höchste Aufgabe eines nationalgesinnten Mannes ist heute, was an ihm ist, zu tun, damit die Regierung unsere Geschicke nach diesen Grundsätzen lenke.[28]<

In der Tat stand Bethmann Hollweg auf dem gleichen Boden wie Delbrück. Als ihm der Rechtshistoriker Binding im März 1913 geschrieben hatte: >In demselben Augenblick, wo die Chancen des Sieges nicht absolut schlecht sind, bin ich nicht mehr für den Frieden< [29] – antwortete er ihm:

>Ihre Meinung über die von Ihnen berührte, außerordentlich delikate Kriegsfrage war mir sehr interessant. Wenn ich auch auf einem anderen Standpunkt stehe, so sind es nicht, wie ich vertraulich bemerke, theoretische Friedensneigungen, sondern Gesichtspunkte durchaus praktischer Natur, welche mich dazu veranlassen.<

Wie Delbrück operierte Bethmann auf zwei Ebenen: Die Notwendigkeit eines Krieges wollte er nur dann bejahen, wenn die >Ehre, die Sicherheit und die Zukunft Deutschlands bedroht< wären. Hinzu traten Gesichtspunkte >durchaus praktischer Natur<, nämlich die Lage Deutschlands so zu gestalten, daß nicht ein >zur Unzeit bei nicht sehr günstiger Weltlage uns auferlegter Krieg< (Delbrück) die Sondierungen um die Neutralität Englands zunichte mache. Nur von hierher kann sein bereits zitiertes Wort vom Juni 1913 richtig interpretiert werden, er habe von >Krieg und Kriegsgeschrei< genug. Von hierher war der Kanzler in seinen öffentlichen Darlegungen allein bereit, einen deutschen >Kulturimperialismus< zu verkünden und die >feineren Mittel< auszuspielen gegen die Berufung auf die >Gewalt< nach alldeutschem Rezept:

>Wir sind ein junges Volk, haben wir vielleicht allzuviel noch den naiven Glauben an die Gewalt, unterschätzen die feineren Mittel und wissen noch nicht, daß, was die Gewalt erwirbt, die Gewalt niemals erhalten kann.[30]<

Es ist in diesem Zusammenhang nicht ohne Interesse, daß der Kanzler diesen Brief an Lamprecht, im Juni 1913 geschrieben, in die Presse bringen ließ. Lamprecht veröffentlichte ihn am 12. Dezember 1913, kaum ohne das Einverständnis des Kanzlers, in einem Artikel in der >Vossischen Zeitung<

28 PrJbb, Bd. 154, Dez. 1913, S. 573 ff., Politische Korrespondenz: Die Alldeutschen.
29 Briefwechsel Bethmann Hollweg–Binding vom März 1913, zit. K. Stenkewitz, Gegen Bajonett und Dividende, S. 109 ff.
30 Bethmann Hollweg an Karl Lamprecht, 21. 6. 13; zit. nach J. J. Ruedorffer, Grundzüge der Weltpolitik, S. 251, Anm. 20.

(12. Dezember 1913). Die Resonanz sowohl auf Delbrücks Replik vom Dezember 1913 gegen die Alldeutschen wie auch auf diesen Brief des Kanzlers in der öffentlichen Meinung ist höchst kennzeichnend. Zeitlich fast parallelgehend, illustrierten sie, wie überaus eng der Aktionsradius der Regierung gegenüber dem Drängen der herrschenden Schichten geworden war. Die Befürchtungen Delbrücks, der »nationale Idealismus in Deutschland sei in Gefahr, in nationalen Fanatismus umzuschlagen«, die Warnungen Bethmanns vor dem »naiven Glauben an die Gewalt«, waren, wie die Reaktionen zeigten, nur allzu begründet. Die ›Post‹ [31] entgegnete Delbrück scharf, gerade die gegenwärtige Regierungspolitik lasse befürchten, unter den »ungünstigsten Verhältnissen« einen Krieg führen zu müssen. Selbst die Gewinnung eines großen Kolonialreiches, die Delbrück als erreichbares Ziel hingestellt habe, werde »unter Umständen durch einen Krieg zu Ende geführt werden müssen«. Die BNN wurden in ihrer Stellungnahme noch deutlicher: Die Entwicklung Deutschlands verlange, daß »um jeden Preis (i. O. gesp.), auch um den eines Krieges, neue Siedlungs- und Absatzgebiete« geschaffen würden, das läge durchaus im Zuge einer »gesunden Expansion« [32]. Und auch die Kommentare zu dem Bethmannschen Begriff einer »auswärtigen Kulturpolitik« und zu seiner Verurteilung des naiven Glaubens an die Gewalt waren ablehnend. Die ›Hamburger Nachrichten‹[33] betonten, daß »Macht- und Kulturpolitik ... untrennbar« seien und bekannten sich pointiert zu dem »naiven Glauben an die Gewalt«: »Sie ist in der Politik, gleichviel ob in der inneren oder äußeren, das Erste und Letzte. Wohl verstanden, nicht die rohe Gewalt, sondern die auf Recht begründete und organisierte Gewalt des Staates.« Und der konservative ›Reichsbote‹ [34] merkte an: »Man hätte ... von dem leitenden, im praktisch politischen Leben stehenden Staatsmanne ... mehr praktische positive Angaben über die Wege zum Ziele als geistreiche Allgemeinerörterungen mit einer so scharf pointierten Kritik des ›naiven Glaubens an die Gewalt‹, die tatsächlich wie eine Abkehr von der Tat zum Worte aussieht, erwarten sollen.« Der Kanzler hätte stärker das deutsche Volk über »seine hohe Mission in der Welt« aufklären sollen.

Spätestens seit diesem Zeitpunkt war Bethmann, gedrängt von den deutschen Militärs und Kriegstreibern im Lager der Schwerindustrie und der Alldeutschen, von der Möglichkeit eines großen Krieges, wenn nicht von seiner Unausweichlichkeit, überzeugt. Naumann zeichnete nach einem Gespräch mit dem gestürzten Kanzler im November 1917 auf, daß er, Bethmann, »seit Ende 1913 an Krieg geglaubt« [35] habe. Zur gleichen Zeit –

31 Post, Nr. 558, 28. 11. 13, »Treue und auch opferfähige Patrioten«.
32 BNN, Nr. 622, 8. 12. 13, »Die Wurzel allen Übels«.
33 HN, Nr. 591, 18. 12. 13, »Deutsche Kulturpolitik«.
34 RB, Nr. 294, 16. 12. 13, Gedanken des Kanzlers über »auswärtige Kulturpolitik«.
35 Zit. nach Theodor Heuss, Friedrich Naumann, S. 512.

und das zeigt deutlich, wie nüchtern und emotionslos der Kanzler die Lage beurteilte – kommentierte er die sogenannte Gebsatteldenkschrift vom Herbst 1913, die u. a. den Krieg nach außen empfohlen hatte, am 15. November 1913 mit den Worten:

> »In keinem Falle noch ist Ehre und Würde Deutschlands durch eine andere Nation angetastet worden. Wer ohne solchen Anlaß den Krieg will, muß Lebensaufgaben der Nation im Auge haben, die ohne Krieg nicht erfüllt werden können. *Um solcher Aufgaben und Ziele willen hat Bismarck die Kriege von 1864, 1866 und 1870 gewollt und gemacht...* In einem zukünftigen Kriege, der ohne zwingenden Anlaß unternommen wird, steht nicht nur die Hohenzollernkrone, sondern auch die Zukunft Deutschlands auf dem Spiel. Gewiß muß unsere Politik kühn geführt werden. Aber in jeder diplomatischen Verwicklung mit Schwertern (zu) rasseln, ohne daß die Ehre, die Sicherheit und die Zukunft Deutschlands bedroht sind, ist nicht nur tollkühn, sondern verbrecherisch.[36]«

Aus diesen Ausführungen, die den taktischen Zweck hatten, die Verbindungen der nationalen Opposition zum deutschen Kronprinzen zu lockern, eine prinzipielle Friedensliebe abzuleiten, wie es zum Beispiel E. Zechlin tut, ist allzu apologetisch; eine solche Interpretation trägt den psychologisch-subjektiven wie den real-objektiven Gegebenheiten im Zeitpunkt der Abfassung dieses Briefes nicht Rechnung.

Die Erwiderung des Kanzlers war weiter ein Versuch, gegenüber dem Kronprinzen und dem Kaiser vor einer Politik der Stärke in einem Moment zu warnen, in dem das Ziel der deutschen Diplomatie, England bei einer kommenden kriegerischen Konflagration der Großmächte neutral zu halten, ebensowenig erreicht war wie 1911. Kurt Riezler, der Sekretär des Kanzlers, empfand Ende 1913 gerade wie Bethmann Hollweg den Circulus vitiosus der deutschen auswärtigen Politik, die Interdependenz von Welt- und Kontinentalpolitik, als er schrieb [37]:

> »Die wirtschaftliche Expansion und der Lebenswille des Volkes drängen hinaus. Die deutsche Politik muß dem Circulus vitiosus entrinnen ... Es ist klar, daß die weltpolitische Bewegungsfreiheit des Deutschen Reiches desto größer ist, je unabhängiger von der Konstellation der Mächte seine kontinentale Stellung ist. Daher gilt es zunächst, das Deutsche Reich von dem cauchemar des coalitions zu befreien, der Bismarck bedrückte.«

Das »erste Erfordernis der deutschen Weltpolitik, daß Deutschland auf dem Kontinent so stark ist, daß jeder möglichen Konstellation gegenüber die Chancen des Sieges auf seiner Seite sind« (Riezler), war gewiß kein geringes Ziel; nur war es völlig ungewiß, wie weit sich das nationalistische Deutschland mit solchen grandiosen Zukunftsentwürfen zufriedengeben

---

36 Zit. nach Pogge-v. Strandmann, Staatsstreichpläne, Alldeutsche und Bethmann Hollweg, in: Die Erforderlichkeit des Unmöglichen, S. 35 ff. (von mir gesp. F. F.).
37 K. Riezler, Grundzüge der Weltpolitik, S. 106.

würde. Die »Begrenztheit seiner Expansionsmöglichkeiten«, die Riezler konstatierte und aus der er den Zwang zur »weltpolitischen Betätigung« ableitete, sahen die Exponenten einer »aktiven Politik« emotionsloser: Sie empfahlen den Durchbruch nach vorn und propagierten den »Willen zum Siege«. Die Situation der deutschen Regierung mußte nämlich um so schwieriger werden, je mehr die seit 1912 von den gouvernementalen Imperialisten empfohlenen Gebiete deutscher Expansion, die Türkei und Mittelafrika, gefährdet waren.

XIII. KAPITEL

Das Kartell der schaffenden Stände: Die Formierung der innerpolitischen Fronde gegen die Regierung 1913

Bündnissondierungen zwischen Junkertum und Schwerindustrie 1912/13

Die Reichstagswahlen von 1912 schienen zumal die wirtschaftliche und soziale Vormachtstellung von Junkertum und Großindustrie erschüttert zu haben. Um Entwicklungen wie zur Zeit Caprivis zu verhindern, rückten beide Gewalten zusehends enger zusammen. Mit der antisozialistischen Parole versuchte man jetzt wieder, die bürgerlichen Parteien zu sammeln. Bereits im Frühjahr 1912 stellte die konservative Reichstags-Fraktion einen Gesetzesantrag, der darauf zielte, durch Verbot des Streikpostenstehens und »Schutz« der Arbeitswilligen, die Koalitionsfreiheit der Arbeiter, und damit die Betätigung der Gewerkschaften, vor allem der sozialdemokratischen, entscheidend zu beschneiden, wenn nicht überhaupt lahmzulegen. Dieser konservative Antrag fand im Reichstag nur von seiten der Freikonservativen und einiger weniger Nationalliberaler Unterstützung, so daß er glatt abgelehnt werden konnte [1]. Die Regierung beschränkte sich wie bereits 1910/11 darauf, bei der angekündigten Neufassung des Strafgesetzbuches eine Revision der bestehenden Gesetze in Aussicht zu stellen, die auf eine Verschärfung der Strafbestimmungen hinausliefen. Mit dieser Auslassung waren Industrielle und Agrarier indes keineswegs zufriedenzustellen. Seit 1912 mehrten sich vielmehr die Stimmen, die einem Stopp der Sozialpolitik oder – wenn schon Sozialpolitik sein müsse – einer gleichwertigen Repression nach Bismarckschem Rezept das Wort redeten. In diesem Zeichen wurde das Bündnis von Industrie und Landwirtschaft bereits nach den Sondierungen der vorangehenden Jahre neu formiert. Die immer noch bestehenden Divergenzen in der Frage der Höhe der Agrarzölle (Forderung auf sogenannten lückenlosen Zolltarif) stellte man bewußt zurück. Die Schwerindustrie machte, wie schon 1911, lediglich deut-

---

1 Westarp, Konservative Politik, Bd. 1, S. 343 (22. 5. 12).

lich, daß sie einer weiteren Erhöhung der Lebensmittelzölle nicht zustimmen werde, und die Agrarier verzichteten zunächst auf grundsätzliche Proklamationen in dieser Richtung.

Im Februar 1913 stellten die Konservativen dann einen erneuten Antrag, der wie 1912 auf eine Ausnahmegesetzgebung gegen die sozialdemokratischen Gewerkschaften zielte, und machten sich hiermit wiederum zum Anwalt industrieller Interessen. Wiederum lehnte der Reichstag diesen Antrag ab, ja die Abwehrmehrheit erhöhte sich sogar noch [2]. Im Zeichen dieser neuerlichen Schlappe und des Protests gegen die Haltung der Regierung, die ihren alten Standpunkt bekräftigte, daß die Sozialpolitik keine Frage sei, die die Sozialdemokratie erfunden habe, sondern vielmehr »die wichtigste Aufgabe der Zeit darstelle« (Delbrück), stand die Generalversammlung des Bundes der Landwirte im Februar 1913. In ihrer Resolution richteten die Agrarier den bisher schärfsten Tadel an die Adresse der Regierung:

»Mit Sorge ... erfüllt uns der Gang der inneren Politik des Reiches. Wir sehen, wie die Demokratisierung auf fast allen Gebieten der Gesetzgebung und des öffentlichen Lebens Fortschritte macht, wie der größere Teil des Liberalismus im Kampf gegen rechts, im Haschen nach der Gunst der Massen – und dabei oft im Gegensatz zu seiner eigenen besten Vergangenheit – mehr und mehr demokratische Forderungen aufnimmt, womit er lediglich der Sozialdemokratie Vorspann leistet. Wir sehen wie unsere Regierungen die Gefahren dieser Entwicklung nicht deutlich zu erkennen scheinen, es nicht gewahr werden, daß die Sozialdemokratie zusehends einen Staat im Staate bildet und mit ihrem Terrorismus eine Position nach der andern erobert: im wirtschaftlichen Leben, in Stellungen, Ämtern und Mandaten.«

Positiv forderte die Generalversammlung einen Zusammenschluß von Landwirtschaft, Mittelstand und nationaler Arbeiterschaft mit dem Ziel, die Wirtschaftspolitik des Schutzes der nationalen Arbeit fortzuführen, eine mittelständische Sozialpolitik zu fördern und eine Steuerpolitik, die auch das Großkapital voll heranziehe, zu treiben [3]. Gleichzeitig richtete Hahn, der Agitator des BdL, scharfe Angriffe gegen den Hansabund und den Bund der Industriellen, die mit ihrer Politik einer »Öffnung nach links« die Gefahr einer Caprivischen Wendung der Dinge heraufbeschwörten. Bei dieser scharfen Kampfansage gegen den Linksliberalismus und den Hansabund, gegen Bassermann und Stresemann – die Wangenheim bereits im Februar 1912 öffentlich als »Totengräber des Liberalismus« gekennzeichnet hatte [4] – und vollends gegen die Sozialdemokratie fanden die Agrarier Unterstützung bei der Schwerindustrie und den ihr

2 Ibid, S. 343; Reichstagssitzung am 22. 1 13.
3 Puhle, Agrarische Interessenpolitik, S. 317 (Resolution).
4 Wangenheim auf der Generalversammlung des BdL im Februar 1912, Korr. des BdL, Nr. 10, 19. 2. 12; S. 39.

nahestehenden Arbeitgeberverbänden, deren Zentralen sich im April 1913 endgültig zu einer neuen Dachorganisation, der Vereinigung deutscher Arbeitgeberverbände, zusammengeschlossen hatten. Die ›Deutsche Arbeitgeberzeitung‹ kommentierte denn auch die Tagung der Agrarier mit ihrer scharf antisozialistischen Tendenz und der Wendung gegen die Regierung als »schärfsten, aber wohlverdienten Tadel« [5]. Im April 1913 brachte der Chefredakteur der ›Deutschen Arbeitgeberzeitung‹ und Geschäftsführer des Arbeitgeberverbandes Hamburg-Altona, Frhr. v. Reiswitz, den Unmut der Industriellen auf die knappe Formel, der Regierung fehle auf außen- wie auf innenpolitischem Gebiete der »Wille zur Macht«.

Das Dilemma der Industrie bestand darin, daß sie sich bei der Vertretung ihrer sozial- und wirtschaftspolitischen Forderungen im Reichstag seit 1912 nur auf die Konservativen – sofern sie diesen genug Konzessionen machen konnte –, die Freikonservativen und eine geringe Anzahl von nationalliberalen Abgeordneten stützen konnte. Was das Zentrum anbetraf, so konnte die Schwerindustrie wohl in der Wirtschafts- und Zollpolitik auf einer mittleren Linie Unterstützung erwarten, keineswegs aber mit ihren sozialpolitischen Wünschen. In der weitgehenden Isolierung im Reichstag traf die Schwerindustrie sich mit den Agrariern. Beide haben deshalb seit 1911/12 die neue Organisation des »alten« Mittelstandes, den Reichsdeutschen Mittelstandsverband, finanziell unterstützt, um sich eine Massenbasis zu verschaffen. Mittelstand und »nationale Arbeiterschaft« konnten sich um so leichter an Agrarier und Industrie anlehnen, als sie die gleiche antisozialistische Ideologie vertraten. Trotz dieser verstärkten Werbungsarbeit blieb aber der politische Ertrag für die alten Führungsgruppen verhältnismäßig gering, und die Konservativen wurden schließlich auch auf dem Gebiet der Steuerpolitik (Deckung der Wehrvorlage, 1913) in die Defensive gedrängt.

Die Kassandrarufe der Konservativen über eine zunehmende Parlamentarisierung Deutschlands und eine wachsende Einflußnahme der politischen Parteien im politischen und wirtschaftlichen Leben schienen in den Vorgängen des Sommers 1913 (Deckung der Wehrvorlage) ihre Bestätigung zu finden. Sowohl Agrarier wie Schwerindustrielle warfen dem Reichskanzler und dem Staatssekretär des Schatzamtes vor, daß sie sich von den liberalen Kräften auf einen Weg hätten drängen lassen, der die Grundlage des Deutschen Reiches gefährde. Von beiden Gruppen wurde die direkte Steuerbelastung des Besitzes als zu hoch empfunden. Die Industriellen behaupteten, daß mit diesem Vermögenssteuergesetz der sozialistischen Forderung nach »Konfiskation des Vermögens« Vorschub geleistet worden sei. Als Beleg dafür führten sie an, daß bei etwa 40 Millionen Steuerzah-

---

5 DAGZ, Nr. 8, 23. 2. 13, 1. Beiblatt.

lern nur 480 000 Personen durch diese Besitzsteuer zur Deckung herangezogen würden. Während 1909 die Parteien des schwarzblauen Blocks gegen den Widerstand des Handels und der verarbeitenden Industrie die Besteuerung vornehmlich des mobilen Kapitals durchgedrückt hatten, gelang es nun im Gegenschlag den liberalen Parteien, denen sich Sozialisten und die Mehrheit des Zentrums anschlossen, den immobilen Besitz, vorwiegend also Großgrundbesitz und Schwerindustrie, mit zur Deckung der Wehrkosten heranzuziehen. Wie alarmierend die drohende Steuerbelastung wirkte, das zeigte sich schon in der Tatsache, daß der CdI noch drei Wochen vor der Reichstagsabstimmung eine Ausschußsitzung zur Deckungsfrage in Berlin zusammenrief, um gegen die verhängnisvolle Entwicklung der Steuerpolitik im Reiche zu protestieren. Vorwiegend die Tatsache, daß die Vorschläge der Regierung in der Budgetkommission des Reichstages eine gravierende Abänderung im Sinne der Liberalen erfahren hatten, veranlaßte Schweighoffer, den »mehr oder weniger konfiskatorischen Charakter« der neuen Steuervorlage zu brandmarken. Während die Vertreter der Schwerindustrie – anders als die mit ihnen verbündeten Agrarier – eine Erbschaftssteuer noch für möglich hielten, war ihnen eine Vermögenssteuer schlechthin inakzeptabel. Warnend zitierten sie Sprecher der Sozialdemokratie, wie Südekum, der im Reichstag die vorgesehene Neufassung »als einen zweifellosen Erfolg der Sozialdemokratie und als ein Zugeständnis von nicht zu übertreffender Bedeutung« bezeichnet hatte [6].

Ein zweites wichtiges Argument, das von den Konservativen und den in ihnen vertretenen Wirtschaftsgruppen der Agrarier und der Schwerindustriellen gegen die Deckungsvorlage angeführt wurde, war die Furcht vor der Erweiterung der Finanzhoheit des Reichstages gegenüber den Bundesstaaten. Da die Konservativen nach einem Worte Oldenburg-Januschaus nicht bereit waren, das Portemonnaie der Besitzenden dem Reichstag auszuliefern [7], versuchten sie mit aller Macht zu verhindern, daß die in der Verfassung vorgesehene Trennung von indirekten Steuern für das Reich und direkten Steuern für die Bundesstaaten nicht angetastet würde. Solange die Konservativen in Preußen auf Grund des Dreiklassenwahlrechts praktisch die alleinige Verfügungsgewalt über ihre eigene Besteuerung und die Verwendung dieser Steuern innehatten, versuchten sie, jeden Abbau ihrer finanziellen-wirtschaftlichen Macht zugunsten einer demokratischen Reichstagsmehrheit zu verhindern. Sie beschuldigten vor allem die Reichsleitung in dieser Frage, »daß sie die Grundlagen unseres Reiches ohne ernsthaften Widerstand allmählich gefährden läßt« [8].

Und schließlich sah man in der Abänderung der Regierungsvorlage in

6 Südekum im RT, 16. 4. 13; vgl. DIZ, Nr. 24, 14. 6. 13, S. 482.
7 Westarp, Konservative Politik, Bd. 1, S. 272.
8 v. Heydebrand in der NPrZ, 2. Juli 1913; zit. Westarp, Bd. 1, S. 267.

der Budgetkommission einen entscheidenden Sieg des Parlaments über die konstitutionell unabhängige Stellung des Reichskanzlers.

Das Bündnis wird geschlossen: Die Resolution von Leipzig

Auf diesem Hintergrund muß man die Versuche vom Sommer 1913 sehen, zwischen Schwerindustrie, Agrariern und Mittelständlern eine Einheitsfront der »schaffenden Stände« aufzubauen, und zwar in Form eines machtvollen außerparlamentarischen Zusammenschlusses. Bereits im Juli 1913 berichtete der Führer der Alldeutschen, Claß, daß die Erbitterung der Konservativen über die Regierung gar nicht größer werden könne [9]. Das Mißvergnügen der Schwerindustrie über die Behandlung der Sozialdemokratie im Reichstag und durch die Regierung artikulierte am 9. August 1913 die ›Deutsche Industriezeitung‹: Man vermisse »Führung und Initiative der Regierung«, sie habe in den »letzten beiden Jahrzehnten nur allzusehr gefehlt«. Jetzt, nach der Verabschiedung der Wehrvorlagen, könne der etwaige Mangel an Kriegsbereitschaft und Kriegsstärke »kein Grund mehr sein, vor einer energischen Aktion zurückzuschrecken, falls eine solche zum Schutze der deutschen Industrie vor den Angriffen ihres Todfeindes, der zugleich der Todfeind der bürgerlichen Gesellschaft ist, erforderlich werden sollte«. »Dann« (das heißt, wenn darüber der offene Konflikt entstehe) »den Weg zu zeigen, ihn zuerst zu betreten, dazu ist die Regierung da. Sonst könnte es in der Stunde der Entscheidung leicht zu spät sein« [10]. 14 Tage später trafen sich die Vertreter des Mittelstandes, der Landwirtschaft und der Schwerindustrie anläßlich des 3. Reichsdeutschen Mittelstandstages vom 24. bis zum 28. August 1913 in Leipzig [11]. Für die Mittelständler referierte hier der Verbandsfunktionär Kückelhaus, Essen, für die Agrarier Rittergutsbesitzer Aus dem Winkel (Mitglied des Führungsgremiums des Bundes der Landwirte), als Vertreter des Centralverbandes deutscher Industrieller sein Geschäftsführer Dr. Schweighoffer und schließlich als Vertreter der Vereinigung christlicher Bauernvereine der Generalsekretär Dr. Kellermann. Die in Leipzig verabschiedeten Leitsätze forderten die Aufrechterhaltung des bestehenden Systems der Wirtschaftspolitik, verstärkte Sozialpolitik für den Mittelstand und vor allem eine scharfe Bekämpfung der Sozialdemokratie. Die Resolution faßte dieses Programm in vier Punkten zusammen:

1. Zusammengehen der drei Gruppen gewerblicher Mittelstand, Industrie und

9 DZA I, ADV 480, Bl. 139, Claß an Klitzing, 29. 7. 1913.
10 DIZ, Nr. 32, 9. 8. 1³, S. 609 ff. »Das nationale Wertgut der Industrie und seine Treuhänder«.
11 Vgl. Bericht über den Dritten Reichsdeutschen Mittelstandstag, Leipzig 22.–25. 8. 13, hrsg. vom Reichsdt. Mittelstandsverband, Leipzig 1913.

Landwirtschaft zur gegenseitigen Unterstützung und Bekämpfung der Auswüchse im Organismus unseres Wirtschaftslebens.

2. Aufrechterhaltung der Autorität in allen wirtschaftlichen Betrieben.
3. Schutz der nationalen Arbeit, Sicherung angemessener Preise und Schutz der Arbeitswilligen.
4. Bekämpfung der Sozialdemokratie und sozialistischen Irrlehren [12].

Hier feierte der Bismarcksche Gedanke eines »Kartells der Schaffenden Stände« Auferstehung. Der Leipziger Mittelstandstag wurde dann auch sofort von der agrarischen Presse als Wiederauflage des »Kartells der schaffenden Stände« von 1879 bezeichnet.

Wenn Beumer, der Geschäftsführer des Langnamvereins und führender Mann in der Nordwestlichen Gruppe Deutscher Eisen- und Stahlindustrieller, die Berechtigung der Leipziger Absprachen dahingehend interpretierte, eine »Verteidigung der Erwerbsstände gegen die Sozialdemokratie...« sei völlig im Sinne »Bismarcks des Großen« [13], so hatte er recht in seiner Berufung auf Bismarck; die Kehrseite dieser Medaille enthüllte Theodor Heuss, der junge Mann Friedrich Naumanns, der hervorhob, daß das Bündnis von »Schwerer Industrie« und den »Getreidemagnaten« sich nicht mehr wie noch 1879 auf die »stillen Abreden in Sitzungen und Kommissionen« verlasse, sondern eine »öffentliche Kampfgruppe« bilde, »eine offene Handelsgesellschaft«, die die bürgerliche Linke vor die Entscheidungsfrage stelle, ob »Rittergut und Zeche die Regierungssitze des künftigen Deutschlands« bleiben sollten oder nicht [14]. Friedrich Naumann sah in diesen neuen Formen der Einflußnahme der Industrie auf die Politik einen Strukturwandel überhaupt: Die generelle »Politisierung der Unternehmer« lag für ihn darin, daß im Gegensatz zum »älteren« Unternehmer, der nur als Staatsbürger, aber nicht eigentlich als Unternehmer »politisch« gewesen sei, nunmehr durch eine »generelle Politisierung der Unternehmer« eine Art »freiwillige Industrieregierung« entstanden sei. Nur noch eine kleine Schicht von Männern – Naumann sprach von ungefähr zwanzig – hielt die Fäden dieser Politik in Händen. Diese charakterisierte er als eine »Magnatenpolitik«, eine »Politik der Allergrößten«, in der ein »industrieller Hochadel« den Ton angebe. Die so charakterisierte Politik bezeichnete Naumann als »unliberal im Kern ihres Wesens«, als so unliberal, daß schon die aufstrebenden Mittelschichten von ihr abgestoßen würden [15]. Und Georg Gothein, keineswegs ein erklärter Feind industrieller Interessen, schrieb Ende November 1913 im ›Berliner Börsen Courier‹: »Das Kartell marschiert, ... aber nicht ein Kartell der

12 Ibid., S. 66 f.
13 SuE, Nr. 40, 2. 10. 13, S. 1662.
14 Theod. Heuss, Das Kartell der Schaffenden Arbeit, zit. nach Stegmann, Parteien und Verbände, Diss. (Masch.), S. 374.
15 Friedr. Naumann, Industrielle Strömungen, zit. Stegmann, Parteien und Verbände, ibid.

schaffenden Stände, sondern des großen Portemonnaies.« Ähnlich wie Naumann stellte er fest, in den großen Industrieverbänden werde »die Politik nur von einigen wenigen der ganz Großen gemacht, die anderen müssen folgen«[16]. Noch um einige Grade polemischer war die Bezeichnung des Kartells in sozialdemokratischen Kreisen. Hier sprach man schlichtweg vom »Kartell der *raffenden* Hände« und prägte damit ein Schlagwort, das aus der innenpolitischen Diskussion bis Kriegsausbruch nicht mehr verschwand.

Der Vertreter des Reichsdeutschen Mittelstandsverbandes, Kückelhaus, Essen, wies in seiner Rede darauf hin, daß heute noch 2 Mill. Handwerksbetriebe beständen, deren Arbeit »über 15 Mill. Menschen, also etwa den 4. Teil der ganzen Nation ernährt«[17]. Er hob hervor, daß die Autorität in der Leitung der Produktionsbetriebe gewahrt werden müsse, und betonte, daß »ein großes Stück der sozialen Frage gelöst sein würde«, wenn eine aktive mittelständische Sozialpolitik, verbunden mit der Selbsthilfe der Mittelstandsorganisationen, in Zukunft eine Gesundung des selbständigen Mittelstandes sichern würde. An der Spitze der Lebensinteressen der hier vereinigten Berufsstände müsse die Garantie eines »nach außen hin starken und im Innern Ruhe und Ordnung haltenden großen Staatswesens mit einer monarchischen Spitze« stehen, »die die Stetigkeit der Entwicklung gewährleistet und mit starker Hand die Macht und das Ansehen des Deutschen Reiches wahrt«. Schweighoffer akzentuierte sein Programm vor allem scharf antisozialistisch und wies daneben auf die Notwendigkeit einer »weisen Beschränkung in der sozialen Gesetzgebung« hin, wie sie auch erst gerade der deutsche Handwerks- und Gewerbekammertag gefordert habe.

Für den Bund der Landwirte betonte Rittergutsbesitzer Aus dem Winkel, daß Sozialpolitik für den bürgerlichen und bäuerlichen Mittelstand verstärkt getrieben werden müsse. Innerhalb der drei Verbände müßten bestehende Meinungsverschiedenheiten ausgeglichen werden und der Überzeugung weichen, »daß wir alle Glieder sind einer großen *Volksgemeinschaft*«, von der er die Sozialdemokraten »als Feinde der Gesellschaft« ausdrücklich ausschloß. Für die Vereinigung der christlichen Bauernvereine unterstützte der Generalsekretär Dr. Kellermann die Leipziger Programmpunkte.

---

16 BBC, Nr. 545, 21. 11. 13.
17 Bericht 3. Reichsdt. Mittelstandstag, S. 64 ff; vgl. auch für die folgenden Zitate.

Der Kundgebung von Leipzig schloß sich eine große Kontroverse in der Presse an, sie erregte aber auch innerhalb der Unterverbände des CdI Unruhe und Widerspruch. Dies war teilweise veranlaßt durch ungenügende vorherige Absprachen zwischen dem Direktorium des CdI und Kreisen süddeutscher Industrieller, die dem Verband angehörten. Hinzu kam, daß die liberale Presse, vor allem die ›Frankfurter Zeitung‹ und das ›Berliner Tageblatt‹, in ungewohnter Schärfe dem CdI unterstellte, er sei völlig auf die zollpolitischen Wünsche der Agrarier eingeschwenkt und unterstütze die Forderungen des BdL auf einen lückenlosen Zolltarif. In Wirklichkeit hatte der Centralverband wieder (wie 1911) unmittelbar nach der Tagung zu verstehen gegeben, daß lediglich daran gedacht sei, die Interessen von Industrie und Landwirtschaft auf einer mittleren Linie auszugleichen. In einem Rundschreiben, das der Generalsekretär verschickte, hieß es, daß von höheren Getreidezöllen für die Landwirtschaft nicht die Rede sein könne; »dazu würde sich kein Handwerker und kein Industrieller bereit finden lassen«. Und das Rundschreiben fügte hinzu: »Ob der BdL heute überhaupt höhere Getreidezölle verlangt, ist auch ganz ungewiß. Sollte er aber selbst solche verlangen, so würde er doch damit in dem jetzigen Reichstage kein Glück haben.« Resümierend stellte das Schreiben dann fest: »Es kann sich also bei der etwaigen Durchsicht unseres Zolltarifs und bei Abschluß neuer Handelsverträge nur um die Aufrechterhaltung einerseits der bestehenden Getreidezölle, andererseits der bestehenden Industriezölle handeln, also um die alte Gegenseitigkeitspolitik zwischen Landwirtschaft und Industrie, die sich für beide Teile und damit für unser gesamtes Wirtschaftsleben glänzend bewährt hat. Nur in diesem Sinne kann die Sicherung angemessener Preise, soweit sie durch Zollmaßnahmen erreicht werden kann, in obiger Entschließung gemeint sein.[18]«

Industrie und Landwirtschaft waren also beide in dem Punkte einig, daß es nur darum gehen könnte, eine Einigung auf mittlerer Linie zu finden und festzuhalten gegenüber den Überlegungen des Bundes der Industriellen und des Hansabundes, die geneigt waren, die großen Industriezölle und die ihnen überhöht erscheinenden Getreide- und Fleischzölle einer »Nachprüfung« zu unterziehen[19]. Gegen diese Forderungen auf »Überprüfung«, das heißt auf Senkung der Zölle beim Hansabund, beim BdI, bei den Linksnationalliberalen, bei der FVP und der Sozialdemokratie, sammelten sich im Sommer 1913 die alten Interessenten.

---

18 KZ, Nr. 973, 28. 8. 13 »Industrie und Landbund«; der Artikel wurde ungekürzt übernommen von der NPrZ, Nr. 404, 29. 8. 13.
19 Stapf, Syndikus des BdI, im BT, Nr. 435, 28. 8. 13.

Im Vorfeld der Auseinandersetzungen um die Gestaltung der Handels-verträge, die 1917 ausliefen, bedeuteten die Leitsätze des Leipziger Kartells die Forderung nach Aufrechterhaltung der bisherigen Zoll- und Wirtschaftspolitik. Schweighoffer präzisierte seine Leipziger Auslassungen noch einmal auf der Delegiertenversammlung des Centralverbandes deutscher Industrieller in Leipzig am 16. September 1913, als er davon sprach, »daß die forschreitende Demokratisierung des Volkes, der wachsende Druck der Massen auf die Staatsleitung, ... Begleiterscheinungen des schweren sozialen Kampfes der Gegenwart« seien, »die nur dann in den richtigen Bahnen gehalten werden können, wenn die

> staatlichen Behörden dieser Entwicklung feste Schranken zu ziehen wissen und sich zur rechten Zeit bewußt werden, daß in ihnen der Staatsgedanke verkörpert und vertreten wird und daß der Staat Macht ist.[20]«

In die gleiche Kerbe schlug der Senior der deutschen Schwerindustrie, H.A. Bueck, wenn er feststellte, daß »einzig die konservativen Parteien übrig blieben«, auf die »als Genossen in dem Bestreben, die Tatkraft der Regierung anzufachen ... gerechnet werden könnte«[21]. Und die ›Post‹ brachte das gemeinsame Konzept auf die Formel, es gelte, nicht nachzulassen »im Kampf gegen die antinationale staatsfeindliche Umsturzgemeinschaft: ›Volk wider Volk‹«[22].

Stopp der Sozialpolitik: Der Kampf gegen die »Versicherungsseuche«

Den sozialpolitischen Bezugspunkt der Leipziger Abmachungen präzisierte, in Front gegen den Hansabund und die Kathedersozialisten, Vorster, das Direktoriumsmitglied im CdI. Er forderte den »Zusammenschluß aller Arbeitgeber« gegen die »Versicherungsseuche«[23]. Der Sache nach ging es Vorster nicht nur um einen zeitweiligen Stopp der Sozialpolitik – dafür traten auch Hansabund und Bund der Industriellen ein – sondern um eine gründliche Revision der deutschen Sozialpolitik als Ganzes. Vorster bekannte sich zu dem Wort des Grafen Waldersee, »daß in unserer Sozialpolitik ein schwerer Fehler war. Wir haben unsere Arbeiter nicht zufriedener, sondern nur begehrlicher gemacht«. Nach einem Seitenhieb auf die Professoren in der Gesellschaft für Soziale Reform und die Intellektuellen in der Paulskirche – »Hundert Professoren, Vaterland, du bist verloren« – verband er seine Kritik an der sozialpolitischen Entwicklung des Deut-

---

20 SuE, Nr. 39, 25. 9. 13, S. 1618.
21 VMB des CdI 128, Okt. 1913, S. 139.
22 Post, Nr. 491, 19. 10. 13, »Vaterlandslose Gesellen«.
23 FZ, Nr. 335, 3. 12. 13.

schen Reiches mit der an der außenpolitischen Entwicklung, indem er darauf hinwies, daß man über »der Sozialpolitik die Weltpolitik vergessen« habe [24]. Eine ähnliche Verbindung zwischen der zu weit getriebenen Sozialpolitik und den mangelnden außenpolitischen Erfolgen zog auch Kirdorf – im April 1914. Bei einem Festessen im Anschluß an die Jahreshauptversammlung des Vereins für die Bergbaulichen Interessen im Oberbergamtsbezirk Dortmund und des Zechenverbandes erklärte er: »Jetzt ist der Zeitpunkt gekommen, wo man in der sozialpolitischen Entwicklung Halt machen müsse.« Zur Begründung gab er an, daß Deutschland wegen des wirtschaftlichen Wettbewerbs auf dem Weltmarkt eine weitere Belastung der Industrie nicht zulassen könne. Gleichzeitig kritisierte er die deutsche Außenpolitik: »Während andere Völker ein gewaltiges politisches Ansehen in die Waagschale werfen können, ist unser politisches Prestige seit Bismarcks Zeiten ständig zurückgegangen.[25]«

Mit diesen Klagen der Industrie stimmte auch die Kampfschrift des Berliner Staatsrechtlers Ludwig Bernhard überein, der zu dem Freundeskreis Hugenbergs gehörte. Im November 1912 erschien seine Schrift unter dem Titel: »Unerwünschte Folgen der deutschen Sozialpolitik«, in der er in einem Vorwort folgende Grundsätze mit schneidender Schärfe aussprach: »Die Einrichtungen der Sozialpolitik bilden heute den Kern der inneren Politik im Deutschen Reiche. Da sich also die Forderungen der sozialen Gerechtigkeit unauflöslich verbanden mit Forderungen politischer Macht, traten gewisse Entartungserscheinungen auf, die heute schon so tief wirken, daß sie nicht mehr mit der Phrase erklärt werden können: »Wo Licht, da Schatten.[26]« Neben der Kritik an den steigenden staatlichen Eingriffen in die Unternehmerinitiative (Teil I) griff das Buch insbesondere die »unerwünschten« Folgen der Rentenversicherung an (Teil II): die unterstellte steigende Neigung der Arbeiter, Krankheit oder Invalidität zu »simulieren«. Er leitete daraus eine förmliche »Rentensucht« der Arbeiterschaft ab, die den Willen zur Arbeit lähme und dazu die Industrie in zunehmendem Maße belaste. In einem dritten grundsätzlichen Teil prangerte Bernhard den, wie er sagte, »parteipolitischen Mißbrauch« sozialpolitischer Einrichtungen an, den er darin sah, daß die Parteien, auch bürgerliche, Initiativen und Vorlagen für den weiteren Ausbau der Sozialpolitik als Mittel zur Gewinnung von Wählerstimmen benutzen. Bernhards Pamphlet fand sofort die Unterstützung des Centralverbandes deutscher Industrieller [27].

---

24 Soz. Praxis. Nr. 11, 11. 12. 13, Sp. 297 f.
25 Dt. Kurier, Nr. 99, 29. 4. 14, 2. Beil
26 Ludwig Bernhard, Unerwünschte Folgen der Sozialpolitik, Berlin 1912, S. V.
27 Vgl. Stegmann, Parteien und Verbände (Masch.), S. 244 ff.; ähnlich hatte sich bereits im März 1912 Krupp in einer Denkschrift an den Kaiser geäußert; vgl. Dieter Fricke, Eine Denkschrift Krupps aus dem Jahre 1912, ZfG 5, 1957, S. 1249.

Noch schroffer war die Ablehnung der Forderungen, die darauf gerichtet waren, das Bismarcksche Sozialversicherungswerk nach dem Vorbild Englands durch eine Arbeitslosenversicherung zu ergänzen. Es handelte sich spätestens seit 1908 um Forderungen, die die Freien Gewerkschaften und dann auch die Sozialdemokraten gestellt hatten, und die dann auch im Lager der Kathedersozialisten und in den Ministerien des Innern der süddeutschen Staaten erörtert wurden. Der Badische Minister des Innern, v. Bodmann, ebenso wie der sozialpolitisch fortschrittliche Prinzregent von Bayern, hatten erwogen, zumindest auf kommunaler Basis eine derartige Vorsorge zu treffen in dem Sinne, daß den kommunalen Behörden durch die Landtage eine bestimmte Summe zur Verfügung gestellt werden sollte. Bereits Mitte 1912 wandte sich die ›Deutsche Arbeitgeberzeitung‹ gegen die Erklärung von Bodmann in der Zweiten Kammer des Badischen Landtags, wo er mitgeteilt hatte, daß »Bundesrat und Reichskanzler in Erwägungen betreffend die reichsgesetzliche Regelung der Arbeitslosenversicherung eingetreten seien« [28]. Diese war jedoch gerade seit dem Sommer 1913 im Zuge der sich abflachenden Konjunktur und auf dem Hintergrund der zunehmenden Arbeitslosigkeit von der Sozialdemokratie für dringlich erklärt worden. Auf dem Parteitag der SPD in Jena, im September 1913, war dieses Problem einer der Haupttagungspunkte. Als Referent wies der Gewerkschaftsfunktionär Timm darauf hin, daß die Gewerkschaften allein 1912 fast 9 Mill. Mark an Arbeitslosenunterstützung gezahlt hätten, daß aber die gegenwärtige Wirtschaftskrise es erforderlich mache, auch das Reich, die Einzelstaaten und die Gemeinden zu einem Beitrag heranzuziehen, da die Gewerkschaften selbst nicht mehr in der Lage seien, allein die Last zu tragen: »Wir verlangen deshalb eine öffentlich-rechtliche Arbeitslosenversicherung im Zusammenwirken mit den gewerkschaftlichen Organisationen der Arbeiter.[29]« Timm zitierte dabei das Handschreiben König Ludwigs III. von Bayern an seinen Minister v. Soden vom 27. Juli 1913, in dem dieser von der Notwendigkeit der Arbeitslosenfürsorge gesprochen und dabei auch die Frage der Arbeitslosenversicherung ins Gespräch gebracht hatte. Seit dem Sommer 1913 wandte sich die Schwerindustrie scharf gegen diese Pläne, schon weil man fürchtete, die Regierung könne tatsächlich in dieser Frage die Initiative ergreifen. In ausführlichen Artikeln versuchte der stellvertretende Geschäftsführer des CdI, v. Stojentin, nachzuweisen, daß eine derartige Einrichtung die sozialpolitische Belastung der Industrie ins Gigantische steigern müsse [30]. Einen Einblick in die Stimmung, die die Unternehmer gerade bei dieser Frage bewegte, geben zwei Artikel des Schiffbauindustriellen Ziese (Schichau-Werft, Dan-

28 DAGZ, Nr. 30, 28. 7. 12 »Kommt die Arbeitslosenversicherung«.
29 Prot. des Parteitages der Sozialdemokratie, Jena 1913, Berlin 1913, S. 388.
30 Vgl. DIZ, Nr. 44, 45; 1./8. 11. 13.

zig) vom Februar 1914 [31]. Ziese brachte das Problem auf die knappe Formel: »Arbeitslosenversicherung – unerhörtes Wort, geprägt vom Geschrei einzelner; denn wie die Technik, so hat auch die Amateursozialpolitik ihre Erfinderköpfe.« Er stellte auch die Frage: »Muß es nicht unser ganzes deutsches Volk bis ins innerste Mark korrumpieren, eine Versicherung für Nichtstun, für die Faulheit zu schaffen?« Auf die sozialpolitischen Reformer und den Staatssekretär des Innern, v. Delbrück, war Zieses Unterstellung gemünzt, daß »staatsfeindliche und unwissende Elemente, denen die Sache nichts kostet«, wacker daran arbeiteten, »der Hydra, der den deutschen Arbeitgebern skrupellos auferlegten enormen Geldopfer für Sozialversicherungen einen neuen Kopf anzusetzen«. Verbunden waren diese Auslassungen mit einem gezielten Angriff auf die Vertreter der staatlichen Gewalt, denen vorgeworfen wurde, es müsse als »ein Zeichen besonderer Schwäche angesehen werden, wenn Organe eines Staatskörpers, mit der der menschlichen Gesellschaft so unverfroren den Krieg erklärenden Sozialdemokratie noch großes Federlesen« machten.

Mit diesen Anklagen suchte die Industrie Anfang 1914, unterstützt von den Agrariern, einen erneuten Vorstoß auf verstärkten Schutz der Arbeitswilligen und Verbot des Streikpostenstehens einerseits, und einen Stopp der Sozialpolitik andererseits zu machen. Der Hansabund und der Bund der Industriellen ebenso wie die Parteien, die bereits 1912 und 1913 die konservativen Gesetzesvorlagen abgelehnt hatten, folgten indes nicht den Werberufen der im Leipziger Kartell verbündeten Gruppen. Das wurde deutlich, als ein neuerlicher Versuch der Konservativen Partei in dieser Richtung im Februar 1914 wiederum vom Reichstag abgelehnt wurde [32]. Die Kritik am Reichstag und an der Regierung – Delbrück hatte im Januar 1914 wiederum wie bereits Bethmann im Dezember 1913 seinen alten Standpunkt verteidigt – mußte sich unter diesen Umständen noch verschärfen. Bereits im Februar 1913 hatte nämlich Schweighoffer von der »Notwendigkeit eine Kampfes mit der unter dem Terror des Reichstagswahlrechts stehenden Reichstagsmehrheit« gesprochen, und der konservative Abgeordnete Oertel hatte am 16. Januar 1913 dem Kanzler attestiert, ihm fehle der Mut, die Bekämpfung der Sozialdemokratie voranzutreiben (ein Angriff, der zu einer Duellforderung Bethmanns führte, die beizulegen nur mit Mühe gelang [33]).

31 DWZ, Nr. 3, 1. 2. 14, Sp. 95 u. 93; Nr. 4, 15. 2. 14, Sp. 147 ff.
32 Vgl. Westarp, Kons. Politik, Bd. 1, S. 345.
33 Ibid., S. 346 f.; RT-Bd. 286, 14. 1. 13, S. 2946.

Neben den Klagen über die Sozialpolitik mit ihren finanziellen Belastungen und die falsche Behandlung der Sozialdemokratie durch die Regierung zeigt sich die Entschlossenheit dieser Gruppen, einer solchen Entwicklung für die Zukunft einen Riegel vorzuschieben am konsequentesten in ihren Plänen, das Reichstagswahlrecht abzuändern bzw. die Stellung des Reichstages durch Errichtung neuer, ihm neben- oder übergeordneter Instanzen zu schwächen oder zu paralysieren. Diese Stimmen waren bereits in den Kommentaren zur Reichstagswahl hörbar geworden. Über das Bekenntnis zur bestehenden Wirtschafts- und Gesellschaftsordnung und der Bekämpfung der Sozialdemokratie hinaus zeichnete sich als weitere Stoßrichtung des Kartells eine gezielte antidemokratische und zusehends antiparlamentarische Aktion ab. Was ohnehin in der Bismarckschen Staatsideologie mit Bezug auf Aushöhlung des Parlaments zugunsten einer ständisch gegliederten Kammer (Plan eines Volkswirtschaftsrates 1881 als Interessenvertretung der produktiven Stände) angelegt war, das sollte jetzt aktiviert werden. So interpretierte Steinmann-Bucher, der Herausgeber der ›Deutschen Industriezeitung‹, das Leipziger Bündnis in dem Sinne, daß allein eine »starke Organisation der Berufe« Schutz gegen die »Alleinherrschaft der Demokratie« und die »Parteienwirtschaft« bieten könne [34]. Ähnlich hatte Schweighoffer auf der Leipziger Tagung argumentiert, wenn er die Notwendigkeit der Interessensolidarität zwischen Landwirtschaft, Handwerk und Industrie folgendermaßen begründete: »Dieser Grundsatz wird nach unserem Dafürhalten um so mehr zu befolgen und aufrechtzuerhalten sein, je mehr sich die Größe der Gefahr steigert, die unserer bestehenden Gesellschafts- und Wirtschaftsordnung, der Grundlage aller unserer modernen Kulturerrungenschaften, durch die Demokratie und ihre Parteigänger droht. [35]«

Im Oktober 1913 veröffentlichte der Syndikus der Handelskammer Saarbrücken und Ausschußmitglied des CdI, Schlenker (zugleich Geschäftsführer der Südwestlichen Gruppe des Vereins deutscher Eisen- und Stahlindustrieller), eine Flugschrift mit dem provozierenden Titel »Abänderung des Reichstagswahlrechts oder Schaffung eines Reichsoberhauses« [36]. Schlenker bot zwei Alternativen an, entweder die Abänderung des bestehenden Wahlrechts oder aber – und dieser Gesichtspunkt schien ihm realistischer – die Einrichtung einer Ersten Kammer für das Reich, die Schaffung eines »Reichsoberhauses«. Er dachte dabei an eine berufsständisch gegliederte Kammer, in der die Vertreter der »produktiven Stän-

---

34 DIZ, Nr. 36, 6. 9. 13, S. 687.
35 Bericht des 3. Reichsdt. Mittelstandstages, S. 68.
36 Südwestdt. Flugschr., Nr. 27, Saarbrücken 1913.

de« ein wirksames Gegengewicht gegen den demokratischen Reichstag zu bilden imstande wären, da der Reichstag »nahezu völlig unter der Herrschaft der Massen steht«. Eine Verstärkung der Vertretung von Industrie und Handel in den ersten Kammern der Einzelstaaten, wie es der Bund der Industriellen, der Hansabund und auch der Syndikus der Handelskammer Düsseldorf, Brandt, gefordert hatten, erschien Schlenker als unzureichend. Brandt selbst hatte für eine mittlere Linie plädiert zwischen den Vorstellungen des BdI und des Deutschen Handelstages und den weitergehenden Plänen der Schwerindustrie; er wollte vor allem Sachverständigenausschüsse und interparlamentarische Fachausschüsse nach amerikanischem Vorbild, in denen Vertreter von Handel und Industrie an den Verhandlungen der parlamentarischen Ausschüsse beratend teilnehmen sollten. Brandt mußte dabei zugestehen, daß die Industriellen zum Großteil mit den bestehenden politischen Parteien zerfallen wären und nur noch eine Neuordnung nach berufsständischem Rezept für ausreichend hielten [37]. Wenn auch die Handelskammern des rheinisch-westfälischen Industriebezirks Brandts Vorschläge als Grundlage für eine Verbesserung der Vertretung der gewerblichen Interessen gelten lassen wollten, so war doch klargeworden, daß die industriellen Kreise in ihren Wünschen weiter dachten. Nicht von ungefähr warnte Brandt vor einem »Staatsstreich«, zu dem seiner Meinung nach die Pläne Schlenkers hindrängten; denn eine Entmachtung des Reichstages sei eben nur so möglich, nicht aber »durch reguläre Politik in friedlichen Zeiten«. Brandt sah deutlich die Gefahren der Radikalisierung des Unternehmertums, stand seiner Meinung nach doch »so ungefähr der gesamte gewerblich schaffende Teil des deutschen Volkes dem Parlament« mit »Verbitterung« gegenüber. Gerade im Unternehmertum sei die Stimmung verbreitet: »Die politischen Parteien sind tot, es lebe die neue berufsständische Gliederung in der Politik.« Schlenkers Appell an eine Gemeinschaftsarbeit mit dem ausdrücklichen Ziel, ein Reichsoberhaus zu schaffen, und zwar in Zusammenarbeit von Centralverband deutscher Industrieller, Bund der Industriellen, Hansabund, Handelstag und den Vertretern der Landwirtschaft, wurde jedoch von Industriellen im BdI und im Hansabund nicht aufgenommen. Stresemann lehnte bereits am 11. September 1913 auf der Generalversammlung des BdI eine Änderung des Reichstagswahlrechts ab, weil eine solche Aktion nur zu inneren Unruhen führen, ja die Gefahr einer Revolution mit sich bringen müsse [38]. Für die Kontinuität der Pläne Schlenkers, die von der ›Deutschen Arbeitgeberzeitung‹ und den industriellen Correspondenzen unterstützt wurden, spricht, daß noch im Frühjahr 1914 Brandt wiederum öffentlich vor einer solchen Poli-

---

37 Vgl. für diesen Zusammenhang die erwähnte Diss. von Dirk Stegmann, Parteien und Verbände (Masch.), S. 349 ff.
38 Zit. in: DI, Nr. 20, Okt. 1913, S. 316.

tik warnte, die seiner Meinung nach »nur unter Staatsstreich« durchzusetzen wäre [39]. Im Februar 1914 schrieb Kirdorf an Claß, daß seine »monarchische Gesinnung« längst »futsch« sei, aber die »Demokratie bringt uns erst recht in den Sumpf« [40]. Diese Meinung war aber nicht auf die Industriellen beschränkt. Der Bundesvorsitzende des BdL, Frhr. v. Wangenheim, hat im Februar 1914 auf der Generalversammlung des BdL in Abwehr aller Bestrebungen auf Demokratisierung oder gar Parlamentarisierung von der »Fruchtfolge« einer solchen Entwicklung gesprochen, die markiert sei durch die Trias von »Volksherrschaft-Pöbelherrschaft-Blutdiktatur« [41]. Am 17. April 1914 verurteilte der konservative Publizist, Leitartikler des ›Reichsboten‹ und der ›Kreuzzeitung‹, Wolfgang Eisenhart, auf der Tagung des Preußenbundes »den antimonarchischen demokratischen Freisinn und den revolutionären Sozialismus« als politische Bestrebungen, die dem »innersten Wesen des deutschen Volkes fremd sind« und »tatsächlich ein hochgefährliches Geschenk Frankreichs darstellen« [42]. Der antidemokratische und mit dem wachsenden Stimmengewinn der Sozialdemokratie antiparlamentarische Affekt war auch im dritten Bundesgenossen des Kartells, im »alten« Mittelstand, lebendig und unmittelbar mit der berufsständischen Ideologie verbunden. Auch in den Kreisen der Jugendbewegung wurden diese Ideen aufgegriffen; im ›Volkserzieher‹, einer Zeitschrift, die in den Kreisen der Volksschullehrer und Oberlehrer gelesen wurde, wandte sich der Herausgeber Schwaner gegen die »Pöbelherrschaft der Parlamente« und plädierte (in Verbindung mit einem betonten Antisemitismus) für den Gedanken einer volksorganischen Ständeregierung [43].

Das Bündnis zwischen Alldeutschem Verband und Bund der Landwirte

Angesichts einer so weitverbreiteten Kritik an der bestehenden Reichsverfassung und so greifbarer Pläne zu ihrer Umgestaltung überrascht es nicht, daß die Alldeutschen, ohnehin lose mit den Kartellgruppen verzahnt, sich im Herbst 1913 zu direkten Anwälten eines Staatsstreichs machten. Bereits in seinem Kaiserbuch hatte ja Claß im Frühjahr 1912 unter dem Eindruck der Wahlen und des Marokko-Debakels zwei Modelle für die Lösung der politischen Krisis, wie er sie sah, angeboten: entweder einen Verfassungsumbau nach einem siegreichen Krieg (der erst den Boden zu

39 Zit. nach: Dirk Stegmann, Parteien und Verbände (Masch.), S. 412.
40 Kirchdorf an Claß, 17. 2. 14, zit. ibid., S. 411.
41 Zit. C. v. Wangenheim, Lebensbild. Briefe und Reden, Berlin o. J. (1934), S. 101; Rede vom 16. 2. 14.
42 Die Tagung des Preußenbundes in Halle (17. 4. 14), Hannover 1914.
43 Volkserzieher, Nr. 20, 28. 9. 13, »Führer-Not und -Hoffnung«, S. 153 ff.

seiner Verwirklichung schaffen könne) oder aber, »will der Krieg nicht werden«, einen Staatsstreich mit Hilfe der Krone[44]. Claß' Buch war bis Ende 1913 in 20 000 Exemplaren verbreitet worden. Daneben hatte der Verband durch seine Agitation seit 1912 seine Stellung bei den nationalen Parteien und Verbänden erheblich verbessern können.

Während auf dem Alldeutschen Verbandstag 1912 bereits die verschiedenen nationalen Pressure-groups vertreten waren[45], war es dem Alldeutschen Verband jedoch noch nicht gelungen, engeren Kontakt zu den Vertretern der Preußischen Konservativen anzuknüpfen. Das gelang nun im Frühjahr 1913, als durch die Vermittlung des späteren Alldeutschen Geschäftsführers, v. Vietinghoff-Scheel, eine erste Kontaktnahme von Claß und dem BdL-Vorsitzenden Frhr. v. Wangenheim zustande kam. Am 6. Juli 1913 trafen sich dann im Haus des Bundes der Landwirte in Berlin die Spitzen des Alldeutschen Verbandes und des BdL[46]. Anwesend waren dabei von seiten der Agrarier der Vorsitzende, Frhr. Conrad v. Wangenheim, der Geschäftsführer Dr. Dietrich Hahn, Rittergutsbesitzer Aus dem Winkel und Oberbürgermeister a. D. Wadehn; Claß erschien in Begleitung von Admiral z. D. Breusing und des Lübecker Senators Dr. Neumann. Es ging bei dieser ersten Aussprache der beiden Verbandsleitungen vor allem um einen Austausch der Ansichten über die politische Situation des Deutschen Reiches, wobei sich beide Seiten schnell einig waren, daß »auf dem Gebiet der inneren Politik gegen die zunehmende Demokratisierung und Atomisierung eine Sammlung aller staatserhaltenden Kräfte notwendig« und daß deshalb eine engere Fühlungsnahme der beiden national orientierten Verbände dringend erwünscht sei. Aus diesem Grunde kam es zu einem förmlichen Bündnis zwischen den Alldeutschen und den Agrariern, bei dem sich die beiden Verbände wechselseitig auf den ihnen eigenen Gebieten Unterstützung zusagten. Die Alldeutschen sollten in Zukunft für den bis dahin rein agrarischen BdL als »rechte Sachverständige« auf dem Gebiet der Außenpolitik eintreten, während der Alldeutsche Verband zusagte, die Forderungen des BdL in den Fragen der inneren Kolonisation zu unterstützen. Gleichzeitig wurde eine Absprache der Pressepolitik vereinbart und als erstes Nahziel vorgesehen, den ehemaligen Alldeutschen und jetzigen außenpolitischen Mitarbeiter des BdL-Organs ›Deutsche Tageszeitung‹, Ernst Graf v. Reventlow, auf Wunsch

44 Daniel Frymann (d. i. Heinrich Claß), Wenn ich der Kaiser wär', S. 54 f.
45 Vgl. ABl. Nr. 37, 14. 9. 12, S. 311 f., wie z. B. der Flottenverein, der Wehrverein, der Verein für das Deutschtum im Ausland, der Deutschnationale Handlungsgehilfenverband, der VDST, der Evgl. Hauptverein für deutsche Aussiedler, der Rüdesheimer Verband der Burschenschaftler, der Bund der Deutschen in Böhmen, der Deutsche Nationalverein aus Krems an der Donau, der Verein Südmark; wobei 1913 noch die Kolonialgesellschaft und der Ostmarkenverein hinzukamen, der Kyffhäuserverband des VDST., der Evgl. Arbeiterbund, der Hammerbund, der Deutschbund, die Deutschen Burschenschaften, Akad. Turnerbund.
46 DZA I, ADV 480, Bl. 133; vgl. auch ADV 90, Bl 16.

des ADV schärfer unter Kontrolle zu halten. Der förmliche Bündnisschluß zwischen Alldeutschen und konservativen Agrariern kann in seiner Bedeutung für die Entwicklung der inneren und äußeren Politik des Kaiserreiches vor Ausbruch des Krieges nicht hoch genug eingeschätzt werden. Die Motive für das Bündnis enthüllte Admiral z. D. Breusing mit den Worten,

> »der Kampf der Demokratie gegen die Landwirtschaft gefährde (daher) das deutsche Volk in seiner Wurzel. Der demokratische Ansturm sei aber so stark geworden, daß ihm nicht mehr allein durch Verfechtung der wirtschaftlichen Interessen der Landwirtschaft entgegengetreten werden könne, es müsse die nationale Gefahr dieses Ansturms schärfer denn je hervorgehoben werden. Dazu gehöre aber, daß der Bund der Landwirte sich mehr als bisher mit nationalen Fragen beschäftige, sich auch nationale Ziele stecke und da der Bund auf diesem Gebiete noch nicht recht zu Hause ist, sei Annäherung an uns besonders willkommen.[47]«

Dieser Wunsch nach Zusammenarbeit ging in Erfüllung. Freilich wurde ausdrücklich festgestellt, daß nicht etwa an eine Vereinigung der beiden Verbände gedacht war. Bei ihren vielen Anhängern – gerade in liberalen Bürgerkreisen Süd- und Westdeutschlands – konnten sich die Alldeutschen die rein agrarische Interessenpolitik des BdL nicht ausdrücklich zu eigen machen. Außerdem wollte die alldeutsche Führungsgruppe in ihrer Ablehnung des Ultramontanismus die auf gemeinsamen agrarischen Interessen basierende Verbindung von BdL und rechtsgerichteten Zentrumsgruppen aus »nationalen« Gründen nicht unterstützen. In einer ersten Besprechung des Bündnisses hatte deshalb Heinrich Rippler, der als Herausgeber der ›Täglichen Rundschau‹ zum Geschäftsführenden Ausschuß des ADV gehörte, gemutmaßt, daß der BdL hauptsächlich »zur Erringung des Sieges in den kommenden Zollkämpfen« Verbündete suchte, was aber mit Rücksicht auf die alldeutsche Anhängerschaft nicht ungefährlich sei. Claß dagegen betonte, es sei doch für den ADV »ein großes Ziel, dahin zu streben, nationalpolitisch gewissermaßen der Sauerteig unter den etwa 400 000 Mitgliedern des Bundes der Landwirte zu werden«. Die Position von Claß wurde unterstützt durch Generalleutnant z. D. v. Liebert, der der Meinung war, daß der fortschreitende Zerfall der Parteien geradezu eine »Politisierung« der Wirtschaftsverbände erzwinge. »Diese günstige Gelegenheit wollen wir benutzen, die Annäherung an den Bund zu vollziehen und mit allen Kräften danach zu streben, ihn dann national zu ›durchseuchen‹.« Zu diesem Zwecke wurde vereinbart, daß der stellvertretende Vorsitzende des ADV, Admiral z. D. Breusing, der gleichzeitig als Verbindungsmann zum Reichsmarineamt fungierte, auch den Kontakt zu den Führern des BdL und zur Schriftleitung der ›Deutschen Tageszei-

---

47 DZA I, ADV 90, Bl. 12–17; vgl. auch für die folgenden Zitate.

tung‹ pflegen sollte, um von Fall zu Fall eine Verständigung über das gemeinsame Vorgehen herbeizuführen.

Nach einem weiteren Zusammentreffen der Leitungen im November 1913 war das auffälligste Ereignis in dieser Entwicklung, daß Wangenheim im Frühjahr 1914 als Hauptredner für eine Tagung des Alldeutschen Verbandes in Stuttgart gewonnen werden konnte [48]. Er wählte dabei als Thema die »Innere Kolonisation«.

Der deutsche Kronprinz und die alldeutschen Staatsstreichpläne

Inzwischen hatten die Alldeutschen ihren alljährlichen Verbandstag am 5.–8. September 1913 in Breslau abgehalten, auf dem sie einen noch größeren Kreis von Vertretern gesinnungsverwandter nationaler Verbände als im Jahre vorher um sich versammelten. Dieser Heerschau des aggressiven deutschen Nationalismus schickte der Kronprinz ein Zustimmungstelegramm [49], in dem er den Verband zu der glänzenden Tagung beglückwünschte. Das war ein großer Erfolg der nationalen Opposition. Claß lehnte den Vorschlag seiner alldeutschen Freunde, diese Kundgebung des Thronfolgers zu veröffentlichen, ab, da man dessen schwierige Stellung, in der er sich als offener Gegner Bethmanns befände, nicht noch zusätzlich erschweren wollte. Man beschränkte sich darauf, dem Thronerben durch General v. Liebert persönlich danken zu lassen. Bereits 1912 hatte Claß über die Adjutanten des Kronprinzen diesem sein Kaiserbuch zugehen lassen. Jetzt, da in der Welfenfrage die offene Gegnerschaft des Kronprinzen gegen den Kanzler und den Kaiser bekanntgeworden war, versuchte man, direkt an den Thronerben heranzukommen. Die Entschließung des Verbandstages in Breslau forderte, daß die Thronbesteigung des Prinzen Ernst August in Braunschweig nur dann zugelassen werden dürfte, wenn der Herzog von Cumberland und sein Sohn, Prinz Ernst August, der neue Schwager des deutschen Kronprinzen, der Welfenpartei eine öffentliche und unzweideutige Absage erteilte, indem beide ausdrücklich auf alle Ansprüche auf Hannover verzichteten [50]. Nur wenig später wurde durch eine Indiskretion der alldeutsch orientierten ›Leipziger Neuesten Nachrichten‹ (ihr politischer Redakteur war Paul Liman) bekannt, daß der Kronprinz in einem Schreiben an den Kanzler in ebenso entschiedener und scharfer Weise den Verzicht der Welfen auf ihre hannöverschen Ansprüche gefordert hatte [51]. Ohne Zweifel handelte es sich hier um

48 ABl, Nr. 17, 25. 4. 14, S. 147 ff.
49 H. Claß, Wider den Strom, S. 279.
50 ABl, Nr. 37, 23. 9. 13.
51 Vgl. die Presseübersicht in: Schultheß' Europ. Gesch. Kal. 1913, S. 327–332.

eine vom Kronprinzen selbst lancierte Nachricht, mit der er die Politik seines Vaters und des Reichskanzlers (der mit der Entspannung der Welfenfrage nicht nur eine innen-, sondern auch eine außenpolitische Frage im Hinblick auf England lösen wollte) zu torpedieren versuchte. Der Kronprinz hatte sich gänzlich die orthodoxe preußische Auffassung zu eigen gemacht, die keinerlei Schwächung der dominierenden Stellung Preußens im Reich zuzulassen bereit war. Die Initiative des Kronprinzen schlug in der deutschen Öffentlichkeit hohe Wellen und veranlaßte den Reichskanzler zum wiederholten Male an allerhöchster Stelle gegen die Einflußnahme des Thronfolgers Einspruch zu erheben [52]. Obwohl es in der Folge möglich war, eine formelle Einigung zwischen Bethmann und dem Thronerben herbeizuführen, war der Kronprinz doch so verstimmt, daß er an den offiziellen Staatsfeierlichkeiten zur Einweihung des Völkerschlachtdenkmals in Leipzig am 18. Oktober nicht teilnahm, sondern sich schmollend auf seinen Landsitz zurückzog. Die ebenfalls alldeutsch bestimmte ›Tägliche Rundschau‹ mit dem Chefredakteur Heinrich Rippler, der auch gute Beziehungen zu Paul Liman unterhielt, folgerte aus diesem Schritt des Kronprinzen mit Recht eine offen gegen den Reichskanzler gerichtete frondierende Haltung. Sie schrieb: »An unterrichteten Stellen legt man dem Schritt des Kronprinzen Bedeutung bei. Er kann nicht anders als eine neue Absage an die Politik des Reichskanzlers aufgefaßt werden. [53]«

Der Eindruck, den die Alldeutschen aus dieser Stellungnahme des Kronprinzen, dessen Überzeugungen ihnen ja spätestens seit dem November 1911 nicht unbekannt waren, gewannen, führte sie zu der Hoffnung, ihn jetzt direkt für ihre Sache gewinnen zu können. Sie übersandten ihm eine Denkschrift, die das Vorstandsmitglied des Alldeutschen Verbandes, General z. D. v. Gebsattel, in Übereinstimmung mit dem Vorsitzenden, Justizrat Claß, ausgearbeitet hatte. Die Ideen, die Gebsattel in dieser Denkschrift entwickelte, gehen zurück auf die Lektüre des anonym erschienenen Buches von Claß ›Wenn ich der Kaiser wär‹ vom März 1912, in dem Claß die ersten Vorschläge einer innenpolitischen Reform entwickelt hatte [54].

Gebsattel war von dem Gedanken erfüllt, daß »die Not der Zeit, in der zwei unvereinbare Weltanschauungen miteinander kämpften«, Mittel notwendig mache, die durch energisches Eingreifen und zielbewußtes Lenken »die Angriffe der sozialdemokratischen und fortschrittlichen Seite gegen Religion, Königtum und Staat beenden sollten«. Der Kern seiner Vorschläge lag in drei Punkten: der Revision des allgemeinen gleichen Wahl-

52 Paul Herre, Kronprinz Wilhelm, München 1954, S. 34 f.
53 Zit. nach Schultheß' Europ. Gesch. Kal. 1913, S. 333.
54 Eingehend wird die Denkschrift Gebsattels behandelt von H. Pogge-v. Strandmann, Staatsstreichpläne, Alldeutsche und Bethmann Hollweg, in: Die Erforderlichkeit des Unmöglichen, Hamburg 1965, S. 16 ff.; Vgl. auch die Darstellung von Kurt Stenkewitz, Gegen Bajonett und Dividende, S. 290 ff.

rechts im Reich, der »Lösung der Judenfrage« und einer verschärften Gesetzgebung zur Eindämmung des »jüdischen Presseunwesens«, womit die linksliberale (›Berliner Tageblatt‹, ›Frankfurter Zeitung‹) und sozialdemokratische Presse (›Vorwärts‹) gemeint war. Die Denkschrift forderte entsprechend dem Claßschen Buch, daß die Macht des Reichstages zugunsten des
Monarchen und seines Kanzlers eingeschränkt werden müsse; zu diesem
Zwecke verlangte er ein Pluralwahlrecht, bei dem die Wahlberechtigung
abhängig gemacht werden sollte von der Erfüllung der Militärpflicht und
der Höhe der gezahlten Wehrsteuer. »Nicht mehr lediglich die Masse«
sollte »über Wohl und Wehe des mit diesem Staat durch Leistung und Interesse mehr verbundenen Teiles der Bevölkerung« regieren, sondern vielmehr Besitz und Bildung in diesem Staat in ihrer Vorherrschaft erhalten
bleiben. Der Besitz in Landwirtschaft, Industrie und Gewerbe, das heißt
die wirtschaftlich tragenden Schichten, sollten zusammen mit dem national
orientierten Akademikertum eine Symbiose eingehen, die dazu dienen würde, die Ansprüche der emporstrebenden besitzlosen Schichten aus Kleinbürgertum und Arbeiterschaft niederzuhalten. Dem Klassenkampf von
unten, wie er sich für diese Schichten in den Organisationen der Arbeiterschaft und des linksliberalen Bürgertums darstellte, setzten die Alldeutschen
einen Klassenkampf von oben entgegen. In der Behandlung der Wehrvorlage, in der Abstimmung über die Deckungsvorlage und in der Forderung
nach Einführung des gleichen, geheimen und direkten Wahlrechts in Preußen sah Gebsattel den Ansturm der Demokratie und des Parlamentarismus gegen die Fundamente des preußisch-deutschen Reichs.

Was die Juden betraf, so sollten sie unter Fremdenrecht gestellt und
doppelt so hoch besteuert werden wie die »Germanen«, sie sollten zu keiner Staatsstellung zugelassen werden, keinen Grundbesitz erwerben dürfen,
ihren Einfluß in der Presse aufgeben und sich nicht mit der »germanischen
Rasse« vermischen. Da Gebsattel erwartete, daß bei Einführung des Frem-
denrechts ein Großteil der Juden auswandern würde, empfahl er die Sperrung von Grenzen und Banken, um sicherzustellen, daß Besitz und Kapital der Juden dem Reich nicht verlorengingen.

Die Reaktion des Kronprinzen auf die Denkschrift war positiv; er forderte Gebsattel per Handschreiben auf, ein zweites Exemplar nachzurei-
chen [55]. Offensichtlich beeindruckt von den Ideen und Vorschlägen Gebsattels und seiner Analyse der inneren Lage, sandte der Kronprinz je ein
Exemplar der Denkschrift an seinen Vater und an den Reichskanzler. Die
Übersendung dieses Schreibens fällt in die Zeit erneuter Bemühungen von
konservativen Militärs und Industriellen, Bethmann Hollweg zu stürzen;
deshalb dürfte die Absicht des Kronprinzen darauf gerichtet gewesen sein,

55 DZA I, Nl. Gebsattel, Bl. 63, Claß an Gebsattel, 6. 11. 13.

entweder den Kanzler – über den Kaiser – zu einer schärferen Gangart in der Innen- und Außenpolitik zu veranlassen, oder den Monarchen dahin zu bringen, daß er sich vom Kanzler trennte. In einem Begleitschreiben forderte der Kronprinz jedenfalls einen Reichskanzler, der »Tod und Teufel nicht fürchtet, und durchgreift, auch wenn dadurch andere auf die Füße getreten werden« [56].

Im Antwortschreiben des Kaisers, das der Chef des Geheimen Zivilkabinetts, v. Valentini, entworfen hatte, bat er den Sohn einzusehen, daß auch er (der Kaiser) mit den innenpolitischen Verhältnissen durchaus nicht zufrieden sei, zumal er sich gewissen schwaren Schäden des heutigen Staats- und Soziallebens nicht verschließen könne: »Ich bin keineswegs blind dafür, daß meine Regierung im Kampf gegen diese oder andere Mißstände es oft an der erwünschten Energie und Schneidigkeit fehlen läßt. Es ist mein steter Kampf, sie in dieser Hinsicht zu treiben und anzufeuern.« Aber »wir haben eben«, so sagte der Kaiser bedauernd und klagend, »keine starken Männer mit der Leidenschaft zum Kampf, und wenn es deren gibt, so wohnen ihnen wieder in anderer Richtung so hohe Mängel bei, daß man sie an leitender Stelle nicht brauchen kann. *Hier spielt die Rücksicht auf die äußere Politik eine starke Rolle*« [57]. Der Kaiser versicherte dem Kronprinzen, er habe in Bethmann Hollweg einen Mann, »zu dessen ehrlicher Politik das Ausland Vertrauen hat« – das heißt: durch die Person des Kanzlers schienen dem Kaiser die guten Beziehungen zu England gesichert. Als Kehrseite dieser Medaille müsse er aber »schon manche Schwäche in Bethmanns innerer Politik in Kauf nehmen«.

Auch dieser ergriff nunmehr gegenüber dem Kronprinzen Partei; ein eigenhändig entworfenes Gutachten, das zwanzig Seiten umfaßte, ging dem deutschen Thronfolger zu [58]. Darin lehnte Bethmann Hollweg Gebsattels Staatsstreichpläne nicht nur ab, sondern hielt sie auch zum gegenwärtigen Zeitpunkt einfach für utopisch: Deutschland als Bundesstaat biete für einen Staatsstreich viel ungünstigere Möglichkeiten als ein Einheitsstaat; die verbündeten Regierungen würden sich auf das Programm eines Staatsstreichs kaum einlassen. Noch gravierender sei die Notwendigkeit, auf die auswärtige Lage Rücksicht nehmen zu müssen, ganz abgesehen von der Gefahr einer Revolution im Innern:

> »Daß, wie die Dinge jetzt liegen, Frankreich eine Revolution in Deutschland benutzen würde, um uns anzugreifen, und daß sich diesem Angriff unsere sonstigen Feinde in der Welt anschließen würden, steht wohl außer Zweifel. Zu dem Krieg im Innern hätten wir dann den Krieg nach außen ...«

---

56 Zit. Pogge-v. Strandmann, Staatsstreichpläne, S. 28.
57 Ibid., S. 38; vgl. auch Strenkewitz, Gegen Bajonett und Dividende, S. 239; (von mir gesp. F.F.)
58 Bethmann Hollweg an Kronprinz Wilhelm, 15. 11. 13; zit. Pogge-v. Strandmann, S. 32 ff.; auch für die folgenden Zitate.

Bethmann sah das Problem pragmatisch: in allen Wehrfragen habe der Reichstag »immer alles bewilligt, was verlangt wurde, sei es mit Hilfe der Auflösung, wie unter Bismarck, sei es ohne solche, wie jetzt«! Die von Gebsattel vorgeschlagenen Maßnahmen zur Wahlrechtsänderung, zur Behandlung der Judenfrage und endlich die Mittel, die Pressefreiheit einzuschränken, lehnte Bethmann strikt ab. Einen Präventivkrieg ohne zwingenden Anlaß zu führen, wie es Gebsattel weiterhin geraten hatte, wies der Kanzler unter Berufung auf Bismarck zurück:

> »In einem zukünftigen Kriege, der ohne zwingenden Anlaß unternommen wird, steht nicht nur die Hohenzollernkrone, sondern auch die Zukunft Deutschlands auf dem Spiel. Gewiß muß unsere Politik kühn geführt werden. Aber in jeder diplomatischen Verwicklung mit Schwertern (zu) rasseln, ohne daß die Ehre, die Sicherheit und die Zukunft Deutschlands bedroht sind, ist nicht nur tollkühn, sondern verbrecherisch.«

Daß die Person des Kronprinzen auch nach der Abweisung des über ihn lancierten Staatsstreichvorschlags durch den Kaiser und den Kanzler nach wie vor eine politische Potenz war und sich um ihn eine Fronde bilden konnte, die versuchen würde, mit der Herausstellung seiner Person als Verkörperung des jungen unverbrauchten nationalen Deutschlands auf den Kaiser einen Druck auszuüben, um den Monarchen vom Reichskanzler zu lösen und einen Kanzlersturz zu erzwingen, beweist ein Buch, das im Frühjahr 1914 mit dem Titel ›Der Kronprinz. Gedanken über Deutschlands Zukunft‹ in einer Erstauflage von 22 000 Stück im Flottenverlag W. Köhler erschien. Sein Verfasser war Dr. Paul Liman, politischer Redakteur und rechtsnationalliberaler, alldeutscher Publizist, der die politische Richtung der ›Leipziger Neuesten Nachrichten‹ entscheidend bestimmte, eines Blattes, das neben den ›Danziger Neuesten Nachrichten‹ als das Lieblingsblatt des Kronprinzen galt. Die LNN, die innenpolitisch den schärfsten Repressionskurs gegen die Sozialdemokratie propagierten, und außenpolitisch – und nach einem Worte Hans Delbrücks – zu den »übelsten Hetzorganen alldeutscher Observanz« gehörten, forderten seit langem eine energische deutsche Politik und verteidigten stets den Kronprinzen, wenn er durch sein Hervortreten in der Öffentlichkeit die Kritik der liberalen Presse auf sich gezogen hatte.

Das Bild des Kronprinzen, so wie es Liman zeichnete, erscheint als das des Garanten einer neuen deutschen imperialistischen Weltpolitik mit »positiven« Zielen; der Vorwurf, »alldeutsch« zu sein, wird ins Positive gewendet:

> »Ist es ›alldeutsch‹, das Vaterland in den Mittelpunkt aller Betrachtung, jeder Hoffnung und jeder Sorge zu stellen, zugleich aber des Glaubens zu sein, daß das letzte Ziel deutschen Strebens noch nicht erreicht ist, daß die Zeit noch nicht kam, sich der Ruhe zu freuen, und im Austragstübchen dem Ringen der ande-

ren Völker zu folgen; ist es ›alldeutsch‹, nicht den Frieden allein als das Ziel aller Mannesarbeit zu erkennen, sondern dem Gesetze der Natur zu lauschen, daß alles Leben ein Kampf sei, so ist der Kronprinz sicherlich ›alldeutsch‹.[59]«

Innenpolitisch versuchte dieses Buch, den Kronprinzen als den einzig sicheren Vertreter eines kompromißlosen Kampfes gegen die demokratischen Kräfte der Zeit vorzustellen und ihn den »schaffenden Ständen« als sicheren Garanten für diesen Kampf zu empfehlen – im Gegensatz zur Kompromißbereitschaft des Kaisers und des Kanzlers. Enthusiastisch begrüßte Liman die Königsberger Rede des Kronprinzen (1910), in der dieser ausgeführt hatte »Wir sehnen uns nach der Betonung unseres deutschnationalen Volkstums im Gegensatz zu internationalisierenden Bestrebungen, welche unsere gesunde völkische Eigenart zu verwischen drohen«. Das sei die Erfüllung von Bismarcks Testament, der »Ersatz« für den toten Bismarck.

Ganz offen bekannte der publizistische Herold des deutschen Kronprinzen sich zum *Staatsstreich* »aus dem Volke heraus«. Der Staatsstreich wurde gerechtfertigt als Verteidigung der monarchischen Gewalt gegen die andrängenden Kräfte der Demokratisierung und Parlamentarisierung, der Thronerbe und spätere Kaiser herausgestellt als derjenige, der im Sturme eines rücksichtslosen Angriffs, eines »Verfassungsbruches aus dem Volke heraus«, auch den »Staatsstreich« wagen würde, einen »Staatsstreich vor allem, wie ihn Fürst Bismarck in seinem letzten Vermächtnis erwog, als er von dem deutschen Volke der Zukunft die Kraft und den Mut erhoffte, sich von Institutionen zu befreien, die seine Entwicklung hemmen«. So fest war Liman von der Entschlossenheit des Thronerben überzeugt, die Rechte der preußischen Krone zu wahren, daß er verkündete: »Nur ein tödlicher Kampf, das ist schon heute gewiß, würde zu dem letzten Ziele der Propheten des parlamentarischen Regiments führen.«

Die Fronde gegen den Kanzler wurde noch verstärkt durch die formelle Gründung des Preußenbundes, einer neuen außerparlamentarischen Organisation, die als Antwort auf die Wahlen vom Januar 1912 seit Mitte 1912 geplant war und sich nun am 18. Januar 1914 in Berlin konstituierte. Hier versammelten sich Syndici der Industrie, Großindustrielle, Konservative, Vertreter der Geistlichkeit, Militärs u. a.[60]. Diese Organisation prägte die scharfe Kampfansage gegen »Demokratie« und »Liberalismus«, wünschte das alte Preußen als antidemokratisches Bollwerk im Deutschen Reich zu erhalten und erstrebte darüber hinaus eine Veränderung des bestehenden Systems im Reichstage. Der ›Vorwärts‹ sprach ungeschminkt von

---

59 Paul Liman, Der Kronprinz, S. 36 f.; vgl. auch für die folgenden Zitate.
60 Mitbegründer des Preußenbundes waren u. a.: Syndikus Rogge (HK Hannover), Syndikus Wiebe (HK Dortmund), Graf Westarp (Heydebrand und Roesicke waren auf der Gründungsversammlung vertreten); Superintendent Roedenbeck, Pastor Philipps; Generalleutnant z. D. v. Wrochem; vgl. Stegmann, Parteien und Verbände (Masch.) S. 405 f.

der Formierung einer »Hilfstruppe der Staatsstreichler«[61]. Unmittelbar bedeutsam war bei der Preußentagung im Januar 1914, daß ausdrücklich dem Kanzler kein Begrüßungstelegramm zuging, wohl aber den Militärs und den Verantwortlichen in der Zabernkrise.

Zaberndebatte, Kanzlerkrisis und der Rechtsruck der Regierung Bethmann Hollweg; erste Erfolge des Leipziger Kartells

Parallel zu den Staatsstreichplänen der »Nationalen Opposition« und den daraus für den Kanzler erwachsenden Pressionen bot die Behandlung der Zabernaffäre durch den Reichskanzler neuerlich einen Grund, ihm Schwäche gegenüber dem Reichstag und dem Ausland vorzuwerfen, während die Sozialdemokratie und die bürgerliche Linke ihn wegen seines Versagens gegenüber den Militärs tadelten. Der Anlaß für die Auseinandersetzung war ein an sich unbedeutender Vorfall, der sich am 28. Oktober 1913 in dem kleinen elsässischen Garnisonsstädtchen Zabern abgespielt hatte. Die Beschimpfung eines elsässischen Rekruten mit dem als Beleidigung empfundenen Wort »Wackes« durch den preußischen Leutnant Frhr. v. Forstner wurde zum Ausgangspunkt der schwersten verfassungspolitischen Krise in Deutschland seit der Daily-Telegraph-Affäre. Die Reaktion der militärischen Instanzen, des Regimentskommandeurs v. Reuter und des Korpskommandeurs Generals v. Deimling, die das Verhalten Forstners an diesem Tage und in noch folgenden ähnlichen Fällen nicht unbedingt verurteilten – obwohl der Gebrauch des Wortes »Wackes« seit 1903 im XV. Armeekorps ausdrücklich verboten war – erregte in steigendem Maße die elsässische Bevölkerung. Die Behandlung dieser Vorgänge brachte das an sich schon gespannte Verhältnis von ziviler und militärischer Verwaltung im Reichsland zum offenen Konflikt. Die widerrechtliche Verhaftung von dreißig Zaberner Bürgern auf Veranlassung des örtlichen militärischen Befehlshabers, der eine angebliche Bedrohung der Offiziere durch Passanten mit dem Belagerungszustand beantworten wollte, womit er in die Kompetenzen der Zivilverwaltung eingriff, rief in ganz Deutschland eine solche Erregung hervor, daß nicht nur die zivile und militärische Reichsleitung, sondern auch der Reichstag sich mit den Vorfällen befaßte.

In dieser Lage wandten sich der höchste zivile Beamte in den Reichslanden, der Kaiserliche Statthalter Graf v. Wedel, wie der höchste militärische Befehlshaber, der bereits erwähnte Korpskommandeur General v. Deimling, direkt an den Kaiser, der als »Oberster Kriegsherr« die höchste Instanz der bewaffneten Macht und dem – auch nach der Gewährung

---

61 Vorwärts, Nr. 14, 15. 1. 14.

einer Verfassung für Elsaß-Lothringen 1911 – der Statthalter unmittelbar unterstand. Der Kaiser, der sich damals bei seinem Freunde, dem Fürsten Egon v. Fürstenberg in Donaueschingen aufhielt, stellte sich – wohl unter dem Einfluß seiner militärischen Umgebung – sofort eindeutig auf die Seite Deimlings, obwohl dieser selbst zugeben mußte, daß es keine gesetzliche Grundlage für das Vorgehen des Militärs gegeben hatte. Wilhelm II. war der Ansicht, daß die Autorität und die dominierende Stellung der Armee unter allen Umständen gewahrt werden müsse, besonders in diesem Raum, der von den Militärs wie eine große Festung und als Aufmarschgebiet gegen Frankreich betrachtet wurde. Der Zivilbehörde, dem Statthalter und seinen Beamten, warf der Kaiser vor, daß sie mit ihrem Verhalten den Erfordernissen der Armee nicht Rechnung getragen und ihr Vorgehen gegen die Bevölkerung nicht unterstützt, sondern sogar getadelt hätten.

Vom Reichskanzler, der das Zustandekommen der Verfassung für Elsaß-Lothringen wesentlich gefördert hatte und den ein gutes persönliches Verhältnis mit Wedel verband, erwarteten weite Kreise der Öffentlichkeit, auch Wedel selbst, eine offene Stellungnahme zugunsten der zivilen Behörde und der verfassungsmäßigen Rechte der Bevölkerung. Bethmann Hollweg war persönlich, wie aus Äußerungen Treutlers, des Vertreters des Auswärtigen Amts am Kaiserlichen Hoflager hervorgeht, davon überzeugt, daß die Militärs ihre Befugnisse weit überschritten hätten, und ihr Vorgehen in Zabern so gesetzwidrig gewesen sei, daß durch ein ähnliches Verhalten »auch in den alten Provinzen die ruhigste Bevölkerung erbittert worden wäre«[62]. Er verlangte daher vom Kaiser die Beurlaubung des Regimentskommandeurs v. Reuter und eine schnelle Bereinigung der Affäre, um in der bevorstehenden Reichstagsdebatte bei einer Interpellation über die Zabernaffäre beruhigend wirken zu können. Der Kaiser lehnte die vom Reichskanzler vorgeschlagenen Maßnahmen jedoch ab und veranlaßte lediglich über das Militärkabinett die Einleitung einer Untersuchung der Vorfälle. Diese Maßnahme durfte dem Reichstag allerdings nicht mitgeteilt werden, da hierin eine Konzession an den Reichstag gesehen werden konnte. Der Reichskanzler unterwarf sich dieser Entscheidung, obgleich er davon überzeugt war, daß das Verhalten der Militärs in Zabern verfassungswidrig war. Darüber hinaus forderte Bethmann auch den Statthalter Wedel auf, im Amt zu bleiben, obwohl der Kaiser in den Auseinandersetzungen zwischen den zivilen und militärischen Behörden auf Wedels Argumente überhaupt nicht eingegangen war und sich auch geweigert hatte, Wedel zum persönlichen Vortrag zu empfangen. Bethmann fürchtete, durch einen Rücktritt Wedels selber in Mitleidenschaft gezogen

---

62 Zmarzlik, Bethmann Hollweg, S. 117.

zu werden, da dann »die ganzen Vorwürfe wegen des vorgekommenen Rechtsbruches sich gegen den Träger der militärischen Kommandogewalt richten werden« [63]. Wenn eine solche Situation entstand, war jedoch Bethmann Hollwegs Stellung aufs äußerste gefährdet, da hierin eine offene Bestätigung der von der Öffentlichkeit gegen die Militärs erhobenen Anschuldigungen gesehen werden konnte. Rechnen mußte er auch mit der Opposition des Kronprinzen. Dieser forderte den Rücktritt des Kanzlers, stellte sich in Telegrammen an v. Reuter und Deimling auf deren Seite und forderte sie zu scharfem Vorgehen auf. Seine Entlassung wollte Bethmann jedoch mit allen ihm zur Verfügung stehenden Mitteln verhindern – selbst um den Preis einer Unterwerfung unter eine ausgesprochen chauvinistische Gesinnung in Kreisen der Militärs und des Hofes. Der Kanzler war der Überzeugung, daß er innen- wie außenpolitisch unentbehrlich sei, weil ein weiter rechtsstehender Kanzler die Nation nur spalten und die Feindschaft Englands herausfordern würde, ein weiter linksstehender aber bei den gegebenen gesellschaftlichen Verhältnissen und bei der Haltung des Kaisers überhaupt nicht denkbar war.

Die Auseinandersetzungen in der Reichsleitung über die Behandlung der Zabern-Affäre durch den Reichskanzler hatten diesen in eine äußerst schwierige Lage gebracht und seine Haltung gegenüber dem Reichstag so präjudiziert, daß ihm keine andere Möglichkeit blieb, als in Konflikt mit dem Parlament zu geraten. Bereits am 28. November hatten die elsässischen Abgeordneten im Reichstag vom Kanzler eine Stellungnahme gefordert, was er zum Schutz der elsässischen Soldaten und der Bevölkerung gegen weitere Übergriffe des Militärs zu tun gedenke. Durch Kriegsminister v. Falkenhayn ließ Bethmann Hollweg erklären, die ganze Affäre sei eine rein militärische Angelegenheit, deren Behandlung in der Presse unzulässigerweise erfolgt sei. Darüber hinaus weigerte sich Falkenhayn, dem Reichstag nähere Auskünfte über diese Angelegenheit zu geben.

Naturgemäß befriedigten diese Erklärungen weder die Elsässer noch die Sozialdemokraten noch die bürgerliche Linke, so daß in zwei neuen Interpellationen eine persönliche Stellungnahme Bethmann Hollwegs erzwungen wurde. Gegenüber der Empörung, die in den Reden der Vertreter der drei Parteien zur Begründung ihrer Interpellationen zum Ausdruck kam, mußten die Ausführungen Bethmann Hollwegs provozierend wirken. Nachdem er zuerst versuchte, durch Hinweis auf das schwebende Verfahren einer eindeutigen Stellungnahme auszuweichen und sich bemühte, den prinzipiellen Charakter der Vorfälle als Ausdruck eines Konflikts zwischen der Zivil- und der Militärverwaltung zu bestreiten, konnte er doch nicht umhin zuzugeben, daß die Militärbehörden in Zabern die ge-

---

[63] DZA I RKZ Nr. 171, Notiz Wahnschaffe vom 5. 12. 13.

setzlichen Grenzen nicht eingehalten hätten. Dennoch sprach er ihnen das Recht, ja sogar die Pflicht zu, die Armee gegen Angriffe seitens der Bevölkerung zu schützen: »Der Rock des Königs muß unter allen Umständen respektiert werden.« Neben diesem Bekenntnis zu Staatsraison und Autorität des monarchischen Staates, mit dem er seinen Entschluß, Wilhelm II. unter allen Umständen zu decken, realisierte, wirkte die Ausgleich suchende Schlußformulierung: »Die Autorität der öffentlichen Gewalten und die Autorität der Gesetze muß gleichmäßig geschützt werden« akademisch und blaß. Dieses matte Bekenntnis zur Rechtsstaatlichkeit wurde völlig entwertet durch die schneidend scharfen Äußerungen des Kriegsministers, der anschließend die Notwendigkeit betonte, daß »Autorität, Disziplin und Ehrgefühl der Armee und besonders des Offizierkorps« geschützt und hochgehalten werden müßten. »Disziplin und Ehrgefühl« seien der Nerv der Armee im Frieden und erst recht im Krieg. Sie müßten dem Soldaten anerzogen werden. Völlig unkritisch bejahten nur die Konservativen die Stellungnahme der Regierung und die Haltung des Militärs. Der überwiegenden Mehrheit des Reichstags sprach der Zentrumsabgeordnete Fehrenbach aus dem Herzen, als er nach Bethmann Hollwegs und Falkenhayns Reden diesen 3. Dezember als »dies ater« für das Deutsche Reich bezeichnete und dann den Reichskanzler direkt angriff:

> »Wenn der Herr Reichskanzler gesagt hat: Schützen des Rechts, aber auch Schützung der öffentlichen Gewalt, dann sage ich: das zarteste Pflänzchen, das hier des meisten Schutzes bedarf, ist Recht und Gesetz, und wenn Recht und Gesetz beeinträchtigt werden durch irgendwen, auch durch eine öffentliche Gewalt, dann sind die hiesigen Stellen berufen, hier Remedur eintreten zu lassen und für das geschwächte Recht ein mächtiges Wort auszusprechen.[64]«

Vergeblich suchte Bethmann Hollweg am nächsten Tag diesen Eindruck durch eine zweite Rede zu korrigieren. Vielmehr mußte er sich erneut von einem Abgeordneten des Reichstags (Haas/FVP) der Pflichtverletzung beschuldigen lassen:

> »Das war gestern das Große und das Gewaltige in den Ausführungen des Herrn Abg. Fehrenbach, daß man das Gefühl hatte, hinter ihm stand in jener Stunde fast das gesamte deutsche Volk. Eine Kluft besteht zwischen dem Zentrum und der Sozialdemokratie, und schwere Gegensätze bestehen zwischen dem Zentrum und den Liberalen und den Fortschrittlern und den Sozialdemokraten; aber da war vorhanden eine gewaltige Übereinstimmung, die Übereinstimmung, daß in Deutschland gelten muß Recht und Gesetz, und die Übereinstimmung, daß es Pflicht des Kanzlers ist, einzutreten für die Aufrechterhaltung des Gesetzes und des Rechts in deutschen Landen.[65]«

Bei dieser Stimmung im Reichstag war es nicht verwunderlich, daß ein Mißtrauensantrag gegen den Reichskanzler mit überwältigender Mehrheit

---

64 RT, Bd. 291, 3. 12. 13, S. 6192.
65 Ibid., 4. 12. 13, S. 6192.

angenommen wurde (293 Stimmen dafür, 54 dagegen, 4 Enthaltungen). In parlamentarisch regierten Ländern hätte diese Niederlage auch in der damaligen Zeit nur eine Konsequenz erlaubt: den Rücktritt des Kanzlers. Im Deutschen Reich bzw. Preußen jedoch trug diese Niederlage, die der Reichstag Bethmann Hollweg wegen seiner Unterwerfung unter das Militär und wegen der Verteidigung von Rechtsbrüchen durch das Militär bereitet hatte, eher zur Festigung der Stellung des Reichskanzlers beim Kaiser bei, und selbst den Konservativen, die ihn immer sehr mißtrauisch beurteilt hatten, schien er in dieser Angelegenheit richtig gehandelt zu haben. Daß sein Handlungsspielraum durch den Protest des Reichstags vermindert wurde, war jedoch offensichtlich. Allerdings war die bürgerliche Mehrheit des Reichstages nicht bereit, wie die Sozialdemokraten, nun vom Kanzler zu verlangen, daß er aus dem Mißtrauensvotum die Konsequenzen zog und seinen Rücktritt anbot, vielmehr interpretierte sie ihre Entschließung vom 4. Dezember lediglich als verbalen Protest, dem Taten nicht folgen sollten.

Erzberger beschränkte sich z. B. auf die ganz unverbindliche Äußerung: »Aus dem Beschluß wird so viel, wie der Deutsche Reichstag mit seiner Mehrheit aus ihm macht« [66], und Haußmann erklärte, man werde, falls der Kanzler seine Fehler nicht einsehe, ihn auch bei anderen Fragen spüren lassen, daß er nicht mehr das Vertrauen des Reichstags besitze. Hier wird deutlich, daß sogar die FVP bei aller Befürwortung des parlamentarischen Systems nicht gewillt war, die Realisierung dieses Systems im Wege eines Konflikts zu erzwingen. Wie das Zentrum und die Nationalliberalen wollte man sich mit einer Erklärung des Kanzlers, daß er sich auf den Boden der Verfassung stelle und die begangenen Fehler einsähe, begnügen. Bassermann erklärte sogar ausdrücklich, daß sich das Mißtrauensvotum nur auf diesen einzelnen Fall bezogen habe und nicht etwa die gesamte Politik der Regierung kritisieren solle. Diese Verfassungsdebatte zeigte im Grunde eine ganz ausweglose Situation. Die Parteien des Reichstages waren mit Ausnahme der Sozialdemokraten weder bereit noch fähig, sich für eine Veränderung des herrschenden Regierungssystems einzusetzen. Andererseits tadelten sie die Auswüchse dieses bestehenden Regierungssystems, das doch ganz offensichtlich immer wieder unverantwortlichen Stellen die Chance gab, das Verfassungsgefüge zum Wanken zu bringen. Der Wunsch, solche Entgleisungen, wie sie z. B. ja auch die Daily-Telegraph-Affäre gewesen war, zu verhindern, und die Unfähigkeit, die Systemimmanenz solcher »Pannen« zu erkennen, vermischten sich bei den bürgerlichen Parteien und dem Zentrum mit dem Willen, auf jeden Fall die Masse des Volkes von der Teilhabe an der staatlichen Macht auszuschließen – wenn nötig

---

66 Ibid., 8. 12. 13, S. 6363.

sogar um den Preis eines ewig schlecht funktionierenden, Recht und Gesetz mißachtenden Regierungssystems.

Das wichtigste Ergebnis dieser Vorgänge, die die deutsche und die Weltöffentlichkeit für einige Wochen tief erregten, war, daß der politisch einzig verantwortliche Beamte des Reiches durch seine Stellungnahme sich den konservativen Mächten unterworfen hatte. Wie bereits dargelegt, hatte diese Entscheidung den Handlungsspielraum der Regierung weiter verengt. Das zeigte sich auch im sozial- und wirtschaftspolitischen Raum. So wie der Kanzler in der Zabernaffäre die Vorherrschaft der militärischen Gewalten anerkannt hatte, so mußte er sich im Januar 1914 den Wünschen des Leipziger Kartells nach einem Stopp der Sozialpolitik und dessen Forderung nach Aufrechterhaltung der bestehenden Wirtschaftspolitik, das heißt der Schutzzollpolitik von 1902, unterwerfen. Delbrück erklärte am 20. Januar 1914 im Reichstag, daß nach der Zeit der sozialen Gesetzgebung der vergangenen Jahre jetzt ein Stopp notwendig sei. Zugleich versicherte er, daß sich das System der bisherigen Wirtschaftspolitik voll bewährt habe [67]. Diese beiden Äußerungen enthielten eine deutliche Absage an die Wünsche der Sozialdemokraten, der Fortschrittlichen Volkspartei und der Linksnationalliberalen. Die »Gesellschaft für soziale Reform« hielt zwar im Mai 1914 eine große Abwehrkundgebung gegen die nun einsetzende sozialpolitische Reaktion ab, an der für die Christlichen Gewerkschaften Stegerwald, für die Hirsch-Dunckerschen Gewerkvereine Hartmann, außerdem Organisationen der Beamten und Angestellten und von den bürgerlichen Sozialpolitikern Hitze (MdR), Kanzow (MdA), Mumm (MdR), Marquardt, zudem Posadowsky-Wehner, Berlepsch, Dernburg und Schmoller als Vertreter der an einer Fortführung der Sozialpolitik interessierten Kreise teilnahmen. Stegerwald interpretierte ausdrücklich die Politik der Reichsregierung als Sieg des »Kartells der schaffenden Stände« und charakterisierte den Appell für die Fortführung der Wirtschaftspolitik des Schutzes der nationalen Arbeit als »Sozialpolitik für Landwirtschaft und Industrie« [68]. Und Francke, der 2. Vorsitzende der »Gesellschaft für soziale Reform«, warnte vor dem industriellen und konservativen »Gewaltpolitikern« mit ihrem Streben nach einer »Zertrümmerung der Gewerkschaften«. Trotz dieser massiven Proteste war aber unübersehbar, daß der Einfluß des Kartells der schaffenden Stände wesentlich größer war, als die Heerschau dieser hier versammelten sozialen Gruppen. Nach wie vor herrschten in Preußen-Deutschland Konservative und Schwerindustrielle, und die Regierung mußte deren Forderungen nachgeben, wenn sie nicht riskieren wollte, ihr eigenes politisches Todesurteil zu unterschreiben.

---

67 RT, Bd. 292, 20. 1. 14, S. 6637 ff.
68 Soziale Praxis, Nr. 33, 14. 5. 14, Sp. 929 ff. »Nun erst recht Sozialreform«.

XIV. KAPITEL

Wachsende Schwierigkeiten für die deutsche Expansion – die Konkurrenz Frankreichs, Englands und der USA

I. Die wirtschaftliche Rivalität Deutschlands mit seinem Bündnispartner Österreich-Ungarn und den Ententemächten auf dem Balkan

In der zweiten Hälfte des 19. Jahrhunderts hatte Österreich-Ungarn im Handel mit den Balkanstaaten dominiert. Seit der Jahrhundertwende wurde Deutschland jedoch als Handelspartner der Balkanstaaten immer wichtiger und verdrängte die wirtschaftlich schwächere Donaumonarchie aus ihrer Position. Seiner Wirtschaftsstruktur nach war Deutschland auch eher für die landwirtschaftlichen Produkte der Balkanländer aufnahmebereit als das noch stärker agrarisch strukturierte Österreich-Ungarn, wo sich vor allem der ungarische Adel im Interesse seiner eigenen landwirtschaftlichen Produktion gegen den Import von Agrarprodukten wehrte. Ebenso konnte das verhältnismäßig viel finanzstärkere Deutschland den kapitalbedürftigen Balkanstaaten eher helfen als Österreich-Ungarn, das ständig Anleihen auf dem europäischen Geldmarkt aufnehmen mußte.

Serbien

Dieses Konkurrenzverhältnis innerhalb des Dreibunds läßt sich besonders gut an der Politik gegenüber Serbien verfolgen. Bis 1905 beherrschte Österreich-Ungarn den serbischen Außenhandel und übte auch in der serbischen Binnenwirtschaft den überragenden Einfluß unter den ausländischen Kapitalgebern aus. Als Österreich-Ungarn dann im Jahre 1905 durch die Einfuhrsperre für serbisches Vieh einen Zollkrieg mit Serbien begann, nutzte Deutschland die Situation, um in den serbischen Markt einzudringen, und Serbien selbst begann mit einer Umorientierung seines Außenhandels, durch die es sich aus der einseitigen Abhängigkeit von Österreich-Ungarn lösen wollte. Wenn Deutschland in der Annexionskrise von 1908/09 sein politisches und militärisches Gewicht auch zugunsten des Bündnispartners in die Waagschale warf, so ließ es doch nicht die Chance vorübergehen, um in Serbien wirtschaftlich stärker Fuß zu fassen. Schon seit 1905 arbeitete die Berliner Handelsgesellschaft unter Carl Fürstenberg als einzige deutsche Großbank in Serbien mit der Banque Franco-Serbe, in der hauptsächlich französisches Kapital vertreten war, zusammen. Geschäftlich ausnutzen konnte die Berliner Handelsgesellschaft ihre Beteiligung zunächst noch nicht, da die preußische Regierung die serbische Staatsanleihe von 1906, von der die Deutsche Bank 25 % in Deutschland plazieren sollte, nicht zum Börsenhandel an den preußischen Börsen zugelassen hatte, weil die mit der Anleihe verbundenen Rüstungsgeschäfte von Serbien ausschließlich mit französischen Firmen abgeschlossen worden waren. Doch schon 1909 wurde eine deutsche Beteiligung genehmigt, weil jetzt die Rüstungsgeschäfte im Verhältnis von 75 % zu 25 % zwischen französischen und deutschen Rüstungskonzernen geteilt worden waren [1].

Allerdings gelang es weder den deutschen Finanzkreisen noch der deutschen Industrie, die dominierende Stellung Frankreichs in Serbien zu erschüttern; so scheiterte 1912 der Versuch, eine deutsch-serbische Großbank einzurichten, und als die Deutsche Bank Anfang 1913 sich um die Gründung einer deutschen Gesellschaft zur Ausführung öffentlicher Arbeiten in Serbien bemühte, hatte sie ebensowenig Erfolg. Die durch die Kosten der Balkankriege und die Entwicklung der neuerworbenen Gebiete notwendig gewordenen großen Staatsanleihen in Höhe von 250 Mill. frs. an Serbien im Jahre 1913 wurden von französischen Banken aufgebracht [2].

Vor Ausbruch und während der Balkankriege versuchte Österreich-Ungarn, das zwischen einem kriegerischen Vorgehen gegen Serbien und diplomatisch-ökonomischem Druck schwankte, wieder mit Serbien ins Geschäft zu kommen. Es wurden dabei Erwägungen über eine Zollunion Österreich-Ungarns mit Serbien angestellt oder wenigstens der Abschluß eines Handelsvertrages mit einer Vorzugsstellung für Österreich-Ungarn im serbischen Außenhandel angestrebt. Diese Pläne ließen sich aber nicht realisieren; denn abgesehen vom Widerstand Serbiens war das verbündete Deutsche Reich nicht bereit, sich aus seiner wirtschaftlichen Position in Serbien durch Österreich-Ungarn verdrängen zu lassen [3].

Der gleichen Politik dienten wie die Zollunionspläne die Versuche Österreich-Ungarns, das Verkehrsnetz des Balkans in die Hand zu bekommen [4]. Eine österreichische Bankengruppe erwarb im April 1913 die Aktienmehr-

1 Vgl. Raymond Poidevin, Les intérêts financiers français et allemands en Serbie de 1895 à 1914, Revue Historique 232, 1964, S. 49–66.
2 Vgl. AA Bonn, Serbien 7, Bd. 22.
3 Vgl. zu diesem Abschnitt die Arbeit meiner Schülerin Dörte Löding, Deutschlands und Österreich-Ungarns Balkanpolitik von 1912–1914 unter besonderer Berücksichtigung ihrer Wirtschaftsinteressen, Diss. (Masch.) Hamburg 1967, S. 36 ff.
4 Ibid., S. 176 ff.

heit der Orientbahn, die sich seit 1888 in den Händen der Deutschen Bank befunden hatte. Da nun die Türkei ihren gesamten europäischen Besitz einschließlich Adrianopels verloren zu haben schien, wollte die Deutsche Bank jenen Besitz abstoßen, um sich ganz auf die Bagdadbahn zu konzentrieren, zumal Serbien, das durch den Erwerb des größten Teils von Mazedonien einen großen Teil der Orientbahn in die Hand bekommen hatte, erwog, die Bahn zu verstaatlichen. Um dies zu verhindern, bemühte sich Österreich um eine finanzielle Zusammenarbeit mit Frankreich; gleichzeitig hoffte Wien, sich auf diesem Wege wieder den französischen Kapitalmarkt zu eröffnen. Als die Türkei im Juli 1913 Adrianopel und einen Teil Thraziens zurückeroberte und somit auch wieder Teile der Orientbahn in die Hand bekam, war die Bahn für die Deutsche Bank wieder attraktiv, und sie versuchte, mit Unterstützung des Auswärtigen Amts ihr Rückkaufsrecht auszuüben. Hiergegen leistete Österreich mit Rücksicht auf Frankreich jedoch Widerstand. Als Kompromiß wurde schließlich ausgehandelt, daß die Deutsche Bank auf ihr Rückkaufrecht unter der Bedingung verzichtete, daß sie den Weiterverkauf der Bahnaktien an eine ihr nicht genehme Gruppe verhindern konnte. Im Dezember 1913 entstand dann der Plan einer Internationalisierung der Orientbahn mit österreichischer, französischer, russischer und serbischer Beteiligung. Als auch dieses Projekt im April 1914 gescheitert war, versuchte Österreich, mit Serbien eine Eisenbahnkonvention abzuschließen. Die Verhandlungen hierüber dauerten bei Kriegsausbruch noch an.

Griechenland

Auch in Griechenland stand die deutsche Wirtschaft in harter Konkurrenz mit Frankreich und England. Hinzu kamen auch noch militärische und propagandistische Rivalitäten. Als sich nämlich 1913 die griechische Armee in den Balkankriegen auszeichnete, nahmen sowohl die Franzosen wie die Deutschen das Verdienst für die griechischen Siege für sich in Anspruch. Dabei konnte Frankreich darauf hinweisen, daß die griechische Armee seit 1908 von französischen Instrukteuren ausgebildet worden war, während der deutsche Kaiser den Sieg darauf zurückführte, daß der griechische König Konstantin im Mai 1913 nach der Ermordung seines Vaters den Thron bestiegen hatte und eine Reihe hoher griechischer Offiziere in der preußischen Armee ausgebildet worden waren. Als der griechische König im September 1913 erst Berlin und dann Paris besuchte, entlud sich dieser Streit zwischen Deutschland und Frankreich in propagandistischen Aktionen und Stellungnahmen, die in Griechenland sogar zu einer Regierungskrise führten, weil sich der König in Berlin zu stark auf eine rein dynastische, der Regierungspolitik zuwiderlaufende deutschfreundliche Politik festgelegt zu haben schien [5].

Der deutsche Kaiser hoffte, in Griechenland wie in Rumänien durch eine dynastische Politik fehlende gemeinsame politische und militärische Interessen ersetzen zu können und durch die Gewinnung der beiden »nicht-slawischen« Balkanstaaten den Dreibund im Mittelmeerraum zu stärken.

Im Falle Griechenland konnte die deutsche Politik schon deswegen nichts ausrichten, weil sie sich wegen der Türkei nicht eindeutig für die griechischen Ansprüche auf die Inseln in der Aegeis einsetzen wollte. Zu diesem Problem kam hinzu, daß Familienpolitik mangelnde finanzielle Stärke nicht ersetzen konnte; denn der Vorschlag, den schon im April 1913 der deutsche Gesandte Quadt gemacht hatte, Griechenland durch die Gewährung einer Anleihe zu einer Anlehnung an Rumänien und die Türkei zu bewegen und dadurch ein Gegengewicht gegen Serbien und Montenegro und Bulgarien zu schaffen [6], scheiterte an Finanzierungsschwierigkeiten in Deutschland. Der zuständige Referent im Auswärtigen Amt lehnte daher auch eine Beeinflussung der deutschen Banken ab [7]. Auch als König Konstantin im September 1913 bei seinem Besuch in Berlin nochmals um eine deutsche Beteiligung an der neuen griechischen 500-Mill.-frs.-Anleihe bat, wollte das Auswärtige Amt nicht eingreifen, und auch eine Initiative des Kaisers bei Paul v. Schwabach vom Bankhaus Bleichröder und bei Salomonsohn von der Disconto-Gesellschaft fruchtete nichts. Deutschland war in diesem Moment einfach nicht imstande, zusätzlich zu seinen anderen Verpflichtungen noch neue zu übernehmen. Im Frühjahr 1914 schloß daher Venizelos nach langen Verhandlungen in Paris einen Anleihevertrag mit französischen Banken ab [8]. Als Gegenleistung für die Gewährung der Anleihe erhielt Frankreich ein Monopol für alle Waffenlieferungen, ferner die Konzession für den Bau der Anschlußbahn von Larissa an die Orientbahn und für den Ausbau des von Griechenland neu erworbenen Hafens Saloniki. Die Proteste des deutschen Gesandten gegen diese Ausschließung der deutschen Industrie vom griechischen Markt waren vergeblich [9]. Auch die Aufträge für den Bau von zwei Dreadnoughts für die griechische Flotte, auf deren Vergabe an Deutschland Wilhelm II. gedrängt hatte, gingen an die englische Firma Armstrong. Schon vorher hatte Griechenland die telegraphische Ausstattung für seine Flotte nicht bei Siemens in Berlin, sondern bei Marconi in Italien bestellt. Deutschland konnte nicht einmal eine Teilung dieses Auftrages mit Italien erreichen [10].

---

5 Vgl. dazu meinen Aufsatz: Weltpolitik, Weltmachtstreben und deutsche Kriegsziele, in: HZ 199, 1964, S. 298.
6 AA-Bonn, Griechenland, 55, Bd. 1, Quadt an Bethmann Hollweg, 28. 4. 13.
7 Ibid., Randbemerkung von Rosenberg.
8 AA-Bonn, Griechenland 46, Bd. 3; Griechenland 63, Bd. 2.
9 Vgl. meinen Aufsatz, HZ 199, S. 297.
10 AA-Bonn, Griechenland 47, geh. Bd. 1.

Vergeblich versuchte Deutschland, in der ersten Jahreshälfte 1914 durch einen Ausgleich zwischen Griechenland und der Türkei in dem Streit um die Inseln, der beide Länder an den Rand eines Krieges führte, Griechenland in die Kombination Türkei–Bulgarien–Rumänien-Dreibund hineinzuziehen. Der griechische Ministerpräsident gab sich zwar nach außen in hinhaltenden diplomatischen Gesprächen kooperationsbereit, in Wahrheit jedoch hatte sich Griechenland finanziell und durch die Militärmission an Frankreich gebunden.

Rumänien

Erfolgsversprechender als die Bemühungen um Griechenland, die immer eine Art Privatpolitik Wilhelms II. blieben, waren die deutschen Bemühungen um Rumänien, das seit den achtziger Jahren dem Dreibund angehörte, und das noch 1912 sein Bündnis mit Österreich erneuert hatte. In den 80er und 90er Jahren hatten die deutschen Großbanken den höchsten Anteil an den rumänischen Staatsanleihen, der allerdings von 1895 mit 64,4 % vor allem durch das Anwachsen des französischen Anteils bis 1915 auf 54,3 % sank. Schon seit den 80er Jahren hatte die Disconto-Gesellschaft und später auch die Deutsche Bank zuerst im Eisenbahngeschäft, dann im Petroleumgeschäft große Kapitalien investiert. Zur Sicherung der Zinsen und Tilgungen der dafür begebenen Anleihen hatte Rumänien die Einnahme der Orientbahnen, die Zolleinnahmen, Schürfrechte und Hafennutzungsrechte, z. B. in Constanza, verpfändet. Die Deutsche Bank hatte 1903 zusammen mit dem Wiener Bankverein die rumänische Erdölgesellschaft Steaua Romana gegründet; von der Disconto-Gesellschaft und von Bleichröder war bereits 1897 als erste deutsche Kreditbank in Rumänien die Banca Generala Romana errichtet worden, und seit 1911 beteiligten sich die beiden deutschen Banken durch die von ihnen abhängige Deutsche Erdöl-A. G. in scharfer Konkurrenz nicht nur mit holländisch-englischen und amerikanischen Firmen, sondern auch mit der Steaua Romana am rumänischen Erdölgeschäft [11].

Während sich die Disconto-Gesellschaft schon bald wegen des geringen Erfolgs der eigenen Bohrungen an die englisch-amerikanische Gruppe anlehnte, verfolgte die Deutsche Bank mit ihrer Beteiligung am rumänischen Erdölgeschäft weitgesteckte Ziele. Sie wollte mit Hilfe ihrer rumänischen Erdölkonzessionen die amerikanischen Erdölkonzerne vom deutschen Benzin- und Petroleummarkt verdrängen und ein eigenes, den deutschen Markt

---

11 Vgl. S. F. Haase, Die Erdölinteressen der Deutschen Bank und der Disconto-Gesellschaft in Rumänien, Berlin 1922, S. 54 ff.

beherrschendes Unternehmen aufbauen, das durch Reichsgesetz dann in ein deutsches Petroleummonopol verwandelt werden sollte. Obgleich der Kaiser die Deutsche Bank bei diesem Vorhaben unterstützte, scheiterte dieser so erfolgversprechende Plan schon im Stadium der innerdeutschen Vorberatungen vor allem am Widerspruch der agrarischen Interessenvertreter [12]. Insgesamt war allerdings der deutsche Anteil am rumänischen Erdölgeschäft seit 1911 ständig zurückgegangen [13].

Seit den 90er Jahren war auch Rumänien Schauplatz für scharfe Konkurrenzkämpfe zwischen den Waffenproduzenten Europas. Besonders Krupp und Schneider-Creusot, die beide von ihren Regierungen tatkräftig unterstützt wurden, gerieten dabei immer wieder aneinander, und zugleich rangen die deutschen und die französischen Banken um die Führung im rumänischen Anleihegeschäft. In den 90er Jahren hatten die Disconto-Gesellschaft und Bleichröder das rumänische Anleihegeschäft uneingeschränkt beherrscht. Seit 1905 waren dann aber an allen rumänischen Anleihen französische Banken mit einem Drittel beteiligt worden [14]. Die Frühjahrsanleihe von 1913 in Höhe von 150 Mill frs. fiel dann wieder vollständig an Deutschland, weil die französische Gruppe aus politischen Rücksichten auf ihre Beteiligung verzichtete. Die Herbstanleihe 1913 in Höhe von 250 Mill. frs. sollte dagegen wegen Finanzierungsschwierigkeiten in Deutschland auf Wunsch der rumänischen Regierung vollständig in Frankreich plaziert werden. Da Frankreich jedoch die Bedingung stellte, daß als Gegenleistung für die Anleihe alle rumänischen Staatslieferungen in den nächsten beiden Jahren aus Frankreich bezogen werden sollten, verzichtete Rumänien auf die französische Finanzhilfe, da deren Bedingungen notwendigerweise zu einer Auseinandersetzung mit Deutschland geführt hätten. Es wandte sich erneut an Deutschland, das aus politischen Gründen einer Plazierung der Anleihe in Deutschland zustimmte, dem aber ihre Begebung nur unter großen finanziellen Schwierigkeiten gelang [15].

Die der Schichau-Werft versprochenen Schiffsbestellungen jedoch gingen an Italien [16]. Zugleich wies die zuvorkommende Behandlung Rumäniens durch Frankreich auf das Heranziehen auch dieses Staates an die Triple-Entente hin. Weder die intensive Tätigkeit von Krupp, von der Rheinischen Metallwarenfabrik, von Mauser-Rottweil und von der Deutschen Bank noch die Bemühungen Wilhelms II. um König Carol und den Kronprinzen Ferdinand oder die des Auswärtigen Amtes um die rumänischen Politiker, besonders der konservativen Richtungen wie Carp, konnten ver-

12 Vgl. DZA I, NL Wangenheim 11, Briefwechsel Wangenheim mit Roesicke 1912.
13 Vgl. meinen Aufsatz, HZ 199, S. 300, Anm. 1.
14 Vgl. ibid., S. 301, Anm. 2.
15 AA-Bonn, Rumänien 4, Bd. 13; Bericht des Geschäftsträgers in Bukarest, Waldburg, 19. 10. 13.
16 Vgl. ibid. Rumänien 6, Bd. 29 u. 30.

hindern, daß Rumänien seinen wirtschaftlichen Interessen, denen der französische Kapitalmarkt größere Möglichkeiten bot, und seinen nationalen Bestrebungen in Siebenbürgen folgte und sich der Entente näherte. Deutschland hatte diese Entwicklung mit größter Sorge verfolgt, und Wilhelm II. persönlich drängte den ungarischen Ministerpräsidenten Tisza wiederholt, durch Konzessionen und Reformen für die Rumänen in Siebenbürgen es dem König und der Regierung in Bukarest zu erleichtern, am Dreibund festzuhalten; dadurch und durch seine Aufmerksamkeiten gegenüber König Carol glaubte Wilhelm die seiner Ansicht nach verfehlte Rumänienpolitik Österreich-Ungarns ausgleichen zu können[17]. Der Bündnispartner Österreich-Ungarn wünschte dagegen, durch eine Veröffentlichung des Dreibundvertrages eine Klärung des Verhältnisses zu Rumänien herbeizuführen und zugleich die Wege für eine Beteiligung Bulgariens am Dreibund zu eröffnen. Nicht zu Unrecht befürchtete Deutschland, daß eine solche Politik nur zum endgültigen Bruch mit Rumänien und zu dessen Ausscheiden aus dem Dreibundvertrag führen könnte. Der deutsche Botschafter in Wien, v. Tschirschky, riet im Dezember 1913 dazu, die Banken zu einer dritten Anleihe an Rumänien zu bewegen; Rumänien müsse durch einen »Griff in die Geldtasche« beim Bündnis gehalten werden[18].

Bulgarien

Anders als Rumänien war in Bulgarien seit den 80er und 90er Jahren französisches Kapital in Staatsanleihen und im Rüstungsgeschäft dominierend. Doch hatte sich auch hier die deutsche Finanz eingeschaltet. Während die Deutsche Bank als Hauptaktionär der Orientbahn schon seit 1889 im Lande vertreten war, gründeten Disconto-Gesellschaft, Norddeutsche Bank und Bleichröder 1905 die Banque de Crédit in Sofia, was freilich sofort wieder französisch-ungarische Bankinstitute zu Konkurrenzgründungen veranlaßte[19]. Auch im Außenhandel Bulgariens konnte Deutschland unter Zurückdrängung Österreich-Ungarns seinen Anteil steigern. Um 1900 stand Deutschland beim bulgarischen Export an dritter und beim Import an fünfter Stelle[20]; die deutschen Exporte nach Bulgarien und die deutschen Importe aus Bulgarien verzeichneten in den Jahren vor dem Weltkrieg hohe Zuwachsraten. Wie alle Balkanstaaten brauchte Bulgarien besonders nach seiner Niederlage im dritten Balkankrieg Ende 1913

---

17 Vgl. GP 36 I, Nr. 13 781, Wilhelm II. an AA, 16. 8. 13.
18 GP 39, Nr. 15 810; Privatbrief Tschirschky an Jagow, 30. 12. 13; vgl. auch die Fußnote, ibid., S. 410.
19 Vgl. dazu K. Strasser, Die deutschen Banken im Ausland, 2. Aufl. München 1925.
20 Vgl. Statistisches Jahrbuch für das Deutsche Reich, Bd. 36, Jg. 1915; S. Zuckermann, Statistischer Atlas zum Welthandel, Berlin 1921.

ausländische Finanzhilfe. Da Frankreich in dieser Lage Sofia eine Anleihe anbot, forderte Berchtold, der Bulgarien an den Dreibund heranziehen wollte, Jagow auf, sich bei den deutschen Banken für eine Anleihe an Sofia einzusetzen. Berchtold hatte dabei nicht nur politische Ziele, sondern hoffte, daß Österreich-Ungarn sich an diese Anleihe »anhängen« könnte, um auf diesem Wege auch für die Donaumonarchie wirtschaftliche Vorteile zu erlangen[21]. Aber diese österreichisch-bulgarischen Wünsche trafen beim Auswärtigen Amt auf politische, bei den Großbanken angesichts der großen Geldknappheit 1913/14 auf finanzielle Bedenken. Die Deutsche Bank verhielt sich daher trotz Drängens von Unterstaatssekretär Zimmermann ebenso wie das Preußische Handelsministerium gegenüber einer Anleihe für Bulgarien zurückhaltend. Diese Bank, als Hauptvertreterin der deutschen wirtschaftlichen Interessen in der Türkei, fürchtete nämlich, daß durch eine Anleihe für Bulgarien der deutsche Markt noch mehr verengt würde und dadurch die deutsche Stellung in den Ländern, in denen man traditionell eine starke Stellung besaß, erschwert werden könnte. Die Anleihebegebung für die industriell unterentwickelten Staaten war ja in erster Linie eine Maßnahme zur Förderung des Industriegüterexports der hochindustrialisierten Nationen. Die Deutsche Bank wünschte daher eine Konzentration des deutschen Kapitalmarkts auf Anleihen für die Türkei, um wenigstens diesen Markt nicht in die Hände Englands und Frankreichs fallen zu lassen. Zudem hatte die Bank damals in größerem Umfang den weiteren Ausbau der Bagdadbahn aus eigenen Mitteln vorfinanziert und wollte nun diese Mittel zur Stärkung der eigenen Liquidität wieder vom deutschen Geldmarkt aufbringen lassen[22]. Österreich versuchte dagegen, sich mit Frankreich zu arrangieren und mit Hilfe des Pariser Geldmarktes wenigstens Teile des Balkangeschäfts gegenüber dem stärkeren Deutschland zu behaupten.

Mit der deutschen Anleihe vom Juli 1914 an Bulgarien gelang im begrenzten Umfang eine Zurückdrängung des französischen Kapitals in Bulgarien durch Deutschland. Wegen der allgemein flauen Wirtschaftsentwicklung war damals auch in Frankreich das verfügbare Kapital knapper geworden, so daß Frankreich dem russischen Wunsch, Bulgarien durch die Gewährung einer Anleihe an den Zweibund zu fesseln, nicht entsprechen konnte[23]. Der deutsch-bulgarische Anleihevertrag, der am 12. Juli 1914 unterzeichnet worden war, gewährte Bulgarien durch ein deutsches Bankenkonsortium unter Führung der Disconto-Gesellschaft ein Sofort-Dar-

---

21 Vgl. D. Löding, Deutschlands und Österreich-Ungarns Balkanpolitik von 1912–1914 (Masch.), S. 113.
22 Vgl. dazu AA Bonn, Türkei 110, Bd. 72, Begleitschreiben Helfferichs an Zimmermann zur Eingabe der Deutschen Bank an AA, 29. 5. 14, über die Finanzierung der Bagdadbahn.
23 Vgl. dazu F. Seidenzahl, Entwicklungshilfe im Jahre 1914. Das Vertragswerk zwischen dem Konsortium der Disconto-Gesellschaft und dem Bulgarischen Staat, in: Beiträge zu Wirtschafts- und Währungsfragen und zur Bankgeschichte (Hrsg. Deutsche Bank), Nr. 4. März 1967, S. 20 ff.

lehen, mit dem laufende Verbindlichkeiten des bulgarischen Staats gegenüber russischen, österreichisch-ungarischen und französischen Banken abgetragen wurden, und darüber hinaus eine Anleihe in Höhe von 500 Mill. frs., die zum Teil zur Konsolidierung des Sofort-Darlehens, zum Teil zur Finanzierung von Industrieaufträgen an deutsche Firmen dienen sollte. U. a. sollten mit diesen Mitteln die bulgarischen Braunkohlegruben modernisiert und der Ausbau des Eisenbahnnetzes sowie der Neubau eines Hafens in Porto Lagos durchgeführt werden[24].

Österreich-Ungarn

Wie die Untersuchung der wirtschaftlichen Beziehungen Deutschlands und Österreich-Ungarns zu den einzelnen Balkanstaaten bereits zeigte, war Deutschland ohne Rücksicht auf den wirtschaftlich schwächeren, weil weniger industrialisierten und kapitalärmeren Bündnispartner auf dem Balkan vorgegangen; die Handelsstatistiken zeigen, daß der relative Anteil Österreich-Ungarns am Import wie am Export der betreffenden Länder zurückging oder zumindest stagnierte, während der deutsche Anteil am Balkanhandel sprunghaft stieg und jener Frankreichs oder Englands etwa konstant blieb[25]. Diese Entwicklung wurde in Österreich mit großer Besorgnis verfolgt, und Kaufleute wie Konsuln beklagten sich über das deutsche Eindringen in ihre Märkte. Den Zwist Österreich-Ungarns mit Serbien hatte Deutschland für seine wirtschaftlichen Interessen ausgenutzt. Am 14. März 1913 notierte der ehemalige österreichische Handelsminister v. Baernreither:

»Ich glaube, daß es unter den Regierungsmännern in Berlin manche gibt, die eine enge Beziehung zwischen der Monarchie und Serbien gar nicht wünschen; denn sie müßte vor allem auch eine handelspolitische, auf gegenseitig bevorzugtem Verkehr (wenn auch nur als ausgebildetem Grenzverkehr) beruhende sein. Das paßt aber den Deutschen nicht, die die Zeit unseres törichten handelspolitischen Konfliktes mit Serbien rücksichtslos benützt haben, um uns den dortigen Markt zu einem großen Teil wegzunehmen.[26]«

Die wirtschaftliche Durchdringung des Balkans von seiten des Deutschen Reiches wog um so schwerer, als in den unmittelbaren deutsch-österrei-

---

24 Die Quoten des Bankenkonsortiums, zit. Seidenzahl, Entwicklungshilfe im Jahre 1914, S. 26 f.: Disconto-Gesellschaft 15 %. Dresdner Bank 15 %. S. Bleichröder 8 %. Bank für Handel und Industrie 6 %. Commerz- und Discontobank 2½ %. Nationalbank für Deutschland 2½ %. Oppenheim ½ %. A. Schaafhausen 2½ %. Norddeutsche Bank 3½ %. Warburg 6 % etc. Österreichisch-Ungarische Gruppe 25 % (Wiener Bankverein etc.). 3 niederländische Banken (zusammen 3 %). 2 belgische Banken (zusammen 2 %). 1 Schweizer Bank 1 %. Bulgarische Banken 3 %.
25 Vgl. Carl Grünberg, Wirtschaftliche Zustände Rumäniens vor dem Kriege, in: Balkan und Naher Orient, 14 Vorträge, gehalten in Wien, März 1916, hrsg. Ludwig Cwiklinski, Wien 1916, S. 7 ff.
26 Joseph M. Baernreither, Dem Weltbrand entgegen, S. 218.

chisch-ungarischen Handelsbeziehungen Österreich eine negative Handelsbilanz aufwies. Es kaufte viel mehr Waren von Deutschland, als es selbst an Deutschland lieferte. In der deutschen Ausfuhr stand Österreich mit 11,6 % an zweiter Stelle hinter England, während es in der deutschen Einfuhr mit 7,8 % erst an vierter Stelle hinter den USA mit 14,8 %, Rußland mit 14,3 % und Großbritannien mit 7,9 % rangierte. Von Österreich aus gesehen war Deutschland für Import und Export der wichtigste Handelspartner; bei der österreichischen Ausfuhr lag Deutschland 1912 mit 39 % weit vor Großbritannien mit 9,1 %. Dieser Abstand war bei der österreichischen Einfuhr noch größer, die Einfuhr aus Deutschland betrug 39,3 % der österreichischen Gesamteinfuhr, der nächstfolgende Partner England hatte nur 7 % Anteil [27]. Der einseitigen handelspolitischen Ausrichtung entsprach auch eine einseitige finanzielle Abhängigkeit Österreichs von Deutschland. Die Anleihen an österreichisch-ungarische staatliche und kommunale Empfänger betrugen 25 % der deutschen an europäische Länder begebenen Anleihen. Allerdings war bis zur zweiten Marokkokrise Frankreich noch der Hauptkapitalgeber Österreich-Ungarns; danach zogen die Franzosen ihre Gelder zum großen Teil ab. Dadurch war Österreich-Ungarn für seinen Finanzbedarf vornehmlich auf Deutschland angewiesen; dies wog um so schwerer, als gerade durch die monatelangen Mobilmachungsmaßnahmen und verstärkten Rüstungen Österreich-Ungarns während der Balkankrise vom Oktober 1912 bis August 1913 der Finanzbedarf der Donaumonarchie ungeheuer gestiegen war [28].

Schon vor Ausbruch des Balkankrieges kam es zu Klagen in Österreich; der Direktor der Österreichischen Kreditanstalt, Spitzmüller, sprach die Überzeugung aus, daß die ungünstige finanzielle Situation Österreichs nur die Folge der politischen Konstellation in Europa sei:

»Österreich habe das Mißgeschick, Verbündete zu haben, die ihm auf finanziellem Gebiet von gar keinem Nutzen seien. Er sei ein warmer und überzeugter Anhänger des Bündnisses mit Deutschland, es könne aber nicht geleugnet werden, daß Österreich z. Z., finanziell wenigstens, unter dem Bündnis leide.[29]«

Eine Einigung mit Frankreich, so meinte Spitzmüller, sei deshalb von großer Bedeutung für die Donaumonarchie. Tschirschky berichtete von ähnlichen Klagen anderer Bankleute und Politiker in Österreich. Ein solches Hinüberschauen Österreichs nach Frankreich löste in Berlin Nervosität aus; zumal in Ungarn eine einflußreiche, oppositionelle politische Gruppe um Graf Andrassy und Graf Apponyi eine Distanzierung der Monarchie vom Dreibund anstrebte. Um der Gefahr einer Abwendung Österreichs vom

27 Statistisches Jahrbuch für das Deutsche Reich, Jg. 1913, S. 241.
28 Vgl. D. Löding, Deutschland und Österreich-Ungarns Balkanpolitik von 1912–1914 (Masch.), S. 248.
29 AA-Bonn, Österreich 72, Bd. 10, Tschirschky an Bethmann Hollweg, 10. 7. 12.

Dreibund entgegenzutreten, sah sich Deutschland gezwungen, während der Jahre 1913/14 mehrere große Anleihen an Österreich zu geben, die allein im Zeitraum vom April 1913 bis zum April 1914 insgesamt 971,6 Millionen betrugen [30]. Diese Anleihen dienten u. a. zur Finanzierung der im Herbst 1913 und Frühjahr 1914 – parallel mit den Militärabsprachen mit Deutschland und im Blick auf die russischen Rüstungen – beschlossenen Aufrüstungen von Armee und Flotte Österreich-Ungarns.

Diese Anleihen hatten bei der angespannten Lage des deutschen Kapitalmarktes einen hochpolitischen Charakter, wie die innerdeutschen Auseinandersetzungen über ihre Bewilligung zeigen. Der preußische Handelsminister v. Sydow, der über die Zulassung dieser Anleihen an der Berliner Börse zu entscheiden hatte, war ein entschiedener Gegner einer so weitgehenden Finanzhilfe an Österreich-Ungarn, während Jagow unter Hinweis auf die politische Notwendigkeit sich mit größtem Nachdruck für die Zulassung einsetzte. Jagow betonte, daß die Verweigerung der geplanten Anleihe

> »in Österreich-Ungarn der in letzter Zeit stärker hervorgetretenen, von auswärtigen Gegnern geschürten Agitation gegen den Dreibund ein zugkräftiges Propagandamittel zuführen und unübersehbare Rückwirkungen ausüben würde« [31].

Einige Tage später unterstrich Jagow noch einmal den politischen Charakter der Anleihe, als er von den erheblichen wirtschaftlichen Opfern sprach, die Deutschland gebracht habe, um den Bundesgenossen zu stärken und festzuhalten; denn diese Anleihen an Österreich seien nur möglich gewesen durch ein Zurückstecken der Gewährung von Anleihen an die Türkei und Griechenland:

> »Hätten wir über die an Österreich-Ungarn übergegangene Milliarde frei verfügen können, so wären wir in der Lage gewesen, uns Aufträge im Werte von Hunderten von Millionen zu sichern, die uns jetzt entgangen sind, weil die kapitalsuchenden Staaten die Erteilung von Aufträgen von der Gewährung entsprechender Anleihen abhängig machen mußten. [32]«

Diese Auffassung des deutschen Staatssekretärs des Äußern über die Österreich-Anleihen und ihre Auswirkungen wurde auch von Vertretern der deutschen Hochfinanz geteilt. So äußerte sich Dr. Carl Melchior vom Bankhaus Warburg im April 1914 in einem Aufsatz im ›Bankarchiv‹ [33], daß heutzutage Bankier und Warenlieferant aus dem gleichen Lande stammen und daß die Staaten ihre industrielle Ausfuhr in unentwickelte Länder selbst

---

30 Ibid., Bd. 11, Deutsche Bank an AA, 4. 6. 14 (Anlage).
31 Ibid., Bd. 10, Jagow an Sydow, 10. 4. 14.
32 Ibid., Bd. 10, Jagow an Tschirschky, 24. 4. 14.
33 Carl Melchior, Deutsche Kapitalinteressen im Ausland, in: Bankarchiv, Nr. 16, April 1914; vgl. auch den Geschäftsbericht der Disconto-Gesellschaft für 1913, der ebenso argumentiert.

finanzieren müßten. Das gelte besonders für Deutschland, das sich eine Stockung seiner industriellen Ausfuhr nicht leisten könne. Eine Ausnahme bildeten nur die rein politischen Anleihen, wobei er Österreich-Ungarn als wichtigstes Beispiel anführte. Hier habe man aus rein außenpolitischen Gründen große Summen investiert.

II. Die Türkei: Zentrum der deutschen wirtschaftlich-politischen Interessen im Orient

Die Entwicklung der deutschen Expansion in der Türkei

Schon seit den 70er und 80er Jahren und verstärkt seit Beginn der 90er Jahre stand die Türkei im Mittelpunkt der imperialistischen Bestrebungen des Deutschen Reichs. 1894 wurde die Bedeutung der Türkei für die deutsche Expansionspolitik in einer Denkschrift der Handelspolitischen Abteilung des Auswärtigen Amtes ausdrücklich hervorgehoben:

> »Kleinasien (hat) Wichtigkeit für uns als Absatzgebiet für die deutsche Industrie, als Unterkunftsstätte für werbende Kapitalien und als ein hochentwicklungsfähiges Bezugsgebiet für ... notwendige Importartikel.[1]«

Unter diesen Umständen stießen 1895 Salisburys Vorschläge zur Aufteilung des Osmanischen Reichs in Deutschland auf wenig Gegenliebe; vielmehr wurde die ungeschmälerte Erhaltung der Türkei zu einem der wichtigsten Axiome der deutschen Politik. Wilhelm II. spielte sich 1898 auf seiner Orientreise in spektakulärer Form zum Schutzherrn des Osmanischen Reichs und aller Mohammedaner auf, was Rußland, England und Frankreich gegenüber, unter deren Herrschaft Millionen von Mohammedanern lebten, als Herausforderung wirken mußte. Der deutschen Diplomatie gelang es allerdings, in der Türkei diese Propagandaleistung in konkrete geschäftliche Vorteile umzumünzen. 1899 wurde zwischen einer Gesellschaft, die unter der Führung der Deutschen Bank stand, die ihrerseits auch die seit 1889 bestehende Anatolische Eisenbahngesellschaft kontrollierte, und der türkischen Regierung ein Finanzierungsvertrag über die Fortführung der Anatolischen Bahn bis Bagdad abgeschlossen. Da die türkische Regierung zunächst außerstande war, die übliche Zins- und Tilgungsgarantie für die zum Bau einer Bahn erforderlichen Anleihen durch Verpfändung von Staatseinnahmen zu übernehmen, blieb dieser Vertrag für

---

1 Denkschrift der Handelspolitischen Abt. des AA, 14. 7. 94; zit. W. v. Kampen, Studien zur deutschen Türkeipolitik in der Zeit Wilhelms II., Diss. (Masch.) Kiel 1968, S. 24 ff. Die Dissertation von v. Kampen ist zwar die jüngste Darstellung zur deutschen Türkeipolitik, aber kaum die abschließende, zumal die wirtschaftlichen Aspekte dieses Themas nicht berücksichtigt sind.

einige Zeit ohne Bedeutung[2]. Erst am 21. März 1903 wurde die Société Impériale Ottomane du Chemin de Fer de Bagdad (Bagdadbahn-Gesellschaft) gegründet, an der französische Gruppen mit 30 %, die Deutsche Bank direkt mit 40 % und mit weiteren 10 % über die Anatolische Eisenbahn und neutrales Kapital mit 20 % beteiligt waren. Im gleichen Jahr erhielt die Gesellschaft von der türkischen Regierung die Konzession zum Bau der Bahn, und am 25. Oktober 1904 wurde der erste Bahnabschnitt eröffnet. In den folgenden vier Jahren verhinderte die türkische Finanzlage die Fortführung des Bahnbaus. Auch als 1907 mit Zustimmung der Dette Ottomane, der von Frankreich und England eingerichteten türkischen Staatsschuldenverwaltung, der türkische Importzoll von 8 % auf 11 % erhöht wurde, stand kein Geld für den Bahnbau zur Verfügung[3].

Neben den Eisenbahninteressen gewannen die Erdölinteressen in der Türkei besondere Bedeutung. Die Erdölvorkommen bei Mossul und Bagdad wurden von der türkischen Staatsregie, die die Ausbeutung für die Zivilliste des Sultans betrieb, nur in sehr begrenztem Umfang erschlossen. Doch schon 1901 hatte eine deutsche Technikergruppe Vorschläge zu einer Ausbeutung im großen Stil entwickelt, und als 1903 die englisch-australische d'Arcy-Gruppe mit Bohrungen in Mesopotamien fündig wurde, schaltete sich die Deutsche Bank ein. Sie bewarb sich um eine Prospektierungskonzession für das Euphrat- und Tigristal und erhielt diese im Oktober 1904. Zusammen mit der von ihr kontrollierten Steaua Romana und der »Internationalen Baugesellschaft« entsandte die Deutsche Bank eine Kommission zur Prüfung der Erdölvorkommen in das Konzessionsgebiet. Doch nach dem Bericht dieser Sachverständigenkommission erschien die Abbauwürdigkeit der entdeckten Erdölvorkommen fragwürdig, zumal erhebliche verkehrstechnische Probleme gelöst werden mußten und andererseits die Deutsche Bank, die die Hauptlast aller Erschließungskosten hätte tragen müssen, in Rumänien über die Steaua Romana erfolgversprechendere Vorkommen besaß[4].

Auch in das türkische Kapitalgeschäft hatten sich deutsche Banken seit der Jahrhundertwende direkt eingeschaltet. 1899 wurde unter Führung der Berliner Privatbank v. d. Heydt & Co. die Deutsche Palästina Bank A. G. gegründet. 1904 eröffnete die Nationalbank für Deutschland eine eigene Bank in Konstantinopel, und 1906 gründeten die Dresdner Bank

---

2 Vgl. E. M. Earle, Turkey, the Great Powers and the Bagdad Railway, New York 1923, S. 34; vgl. zum Gesamtkomplex auch die grundlegenden Arbeiten von: Lothar Rathmann, Die Nahostexpansion des deutschen Imperialismus vom Ausgang des 19. Jahrhunderts bis zum Ende des Ersten Weltkrieges. Eine Studie über die wirtschaftspolitische Komponente der Bagdadbahnpolitik. Teil I–III, Habil. Schrift, Leipzig 1961; Louis Ragey, La question de chemin de fer de Bagdad 1893–1914, Paris 1936; Maybelle K. Chapman, Great Britain and the Bagdad Railway 1888–1914, Nordhamton (Mass.) 1948.
3 Donald C. Blaisdel, European Financial Control in the Ottoman Empire, New York 1929, S. 158 f.
4 Vgl. E. M. Earle, The Turkish Petroleum Company – A Study in Oleaginous Diplomacy, in: PSQ 39 (1924), S. 265 ff.

und der Schaafhausensche Bankverein die Deutsche Orientbank, die 1911
bereits 16 Filialen in der Türkei, Ägypten und Marokko besaß. Im Jahre
1908 eröffnete dann die Deutsche Bank eine eigene Zweigniederlassung
in Konstantinopel [5]. Freilich behielten für alle Finanzgeschäfte in der Türkei bis 1914 englische und französische Banken eine größere Bedeutung als
die deutschen Institute, aber ein merkliches Ansteigen der deutschen Beteiligung war doch zu verzeichnen.

Vom Gesamtkapital ausländischer Banken in der Türkei entfielen im
Jahre 1887 lediglich 6 % auf Deutschland, 1910 hingegen hatte sich der
deutsche Anteil auf 21 % erhöht. Als Gläubiger war Deutschland damals
mit 22 % an der türkischen Staatsschuld beteiligt, an den Schulden von
Privatunternehmungen mit 33 %. An der Gesamtauslandsverschuldung
der Türkei hatte Deutschland einen Anteil von 25 %, während Frankreich
mit 60 % der größte Gläubiger war. Die deutschen Investitionen in der
Türkei wuchsen von 40 Mill. Mark im Jahre 1880 auf über 600 Mill.
Mark im Jahre 1914; davon war der größte Teil in der Bagdadbahn in-
vestiert. Parallel zum Anwachsen des deutschen Anteils an der türkischen
Auslandsverschuldung ist ein Ansteigen des Warenaustausches zwischen
Deutschland und der Türkei zu verzeichnen. Von 1897 bis 1910 wuchs
Deutschlands Anteil an der Einfuhr der Türkei von 6 % auf 21 %, wäh-
rend Englands Beteiligung im gleichen Zeitraum von 60 % auf 35 % und
Frankreichs Beteiligung von 18 % auf 11 % fielen [6].

Durch die jungtürkische Revolution wurde vorübergehend die für
Deutschland überaus positive Entwicklung in der Türkei gestoppt. Als
jedoch im Herbst 1910 eine türkische Anleihe in England und Frankreich
an den politischen und ökonomischen Forderungen der beiden Staaten
scheiterte, sprang ein deutsch-österreichisches Bankkonsortium in die Lük-
ke und ebnete damit den Weg zu einem neuen Vertrag über den seit 1905
stockenden Bau der Bagdadbahn. Gegen einen Verzicht auf die Konzession für die Strecke Basra–Persischer Golf erhielt die Bahngesellschaft
finanzielle Garantien für den Streckenabschnitt Helif–Bagdad (s. Karte) sowie Konzessionen für den Bau einer Zweiglinie nach Alexandrette
und für den Ausbau des Hafens von Haidar-Pascha [7]. Zu dem Verzicht
auf den Weiterbau des letzten Streckenabschnitts bis zum Persischen Golf,
der insofern nicht vollständig war, als die Bagdadbahn-Gesellschaft die
Garantie erhielt, an dem Bau dieser Strecke mindestens ebenso stark wie

5 C. A. Schaefer, Ziele und Wege für die jungtürkische Wirtschaftspolitik, Karlsruhe 1913, S. 96 ff.
6 Für die statistischen Angaben vgl. Herbert Feis, Europe the World's Banker, 1870–1914. An
account of European foreign investment and the connection of world finance with diplomacy
before the War, New Haven 1930, S. 319 f.; W. W. Gottlieb, Studies in Secret Diplomacy
during the First World War, London 1957, S. 21; Kurt Wiedenfeld, Die deutsch-türkischen
Wirtschaftsbeziehungen und ihre Entwicklungsmöglichkeiten, München und Leipzig 1915; J.
Krauss, Deutsch-türkische Handelsbeziehungen seit dem Berliner Vertrag unter besonderer
Berücksichtigung der Handelswege, Jena 1901.
7 Vgl. GP 27 II, Nr. 10 037, Marschall an AA, 21. 3. 11.

jede andere Gruppe beteiligt zu werden, hatte die türkische Regierung die Bahngesellschaft vor allem aus Rücksichtnahme auf englische Interessen und Forderungen gedrängt [8].

Neben solchem finanziellen und wirtschaftlichen Engagement versuchte Deutschland nicht ohne Erfolg durch die Tätigkeit deutscher Militärinstrukteure Einfluß auf die Politik der Türkei zu gewinnen. Unter Führung des Generals v. d. Goltz, der zeitweilig auch stellvertretender Chef des türkischen Generalstabs gewesen war, bildeten die deutschen Militärinstrukteure die türkische Armee nach preußisch-deutschem Vorbild aus und versuchten zugleich die Vergabe von Rüstungsaufträgen für die türkische Armee an deutsche Firmen sicherzustellen. Nach der jungtürkischen Revolution wurde v. d. Goltz, der von 1885 bis 1897 in der Türkei gewirkt hatte, im Jahre 1909 erneut in die Türkei berufen. Sein Einfluß auf die von ihm ausgebildeten Offiziere sorgte mit dafür, daß es nach einer kurzen Entfremdung wegen der jungtürkischen Politik, die sich mehr zur Entente zu orientieren schien, gelang, die alten Beziehungen wieder zu festigen.

Die deutsche Orientpolitik wiederum erhielt neuen Auftrieb, als im Juni 1910 der ehemalige Gesandte in Bukarest, v. Kiderlen-Wächter, die Leitung des Auswärtigen Amtes übernahm. Er stand auch persönlich mit den Direktoren der hauptsächlich an der Türkei interessierten Deutschen Bank auf gutem Fuß. Helfferich begrüßte daher die Ernennung und beglückwünschte Kiderlen-Wächter mit den Worten:

»Ich freue mich, daß Ihnen endlich der Ihnen zukommende Wirkungskreis gegeben ist, für mich persönlich und für meine Geschäfte und nicht zuletzt für unsere deutsche Politik, die es so bitter nötig hat.[9]«

Auch die Erörterungen über die türkische Anleihe, die Bagdad-Bahn und das Petroleummonopol im Oktober 1910 zeigen die enge Zusammenarbeit zwischen den Bankiers und Kiderlen-Wächter, die bis zu seinem Tode Ende Dezember 1912 anhielt.

Als die Türkei durch die Balkankriege fast vollständig aus Europa verdrängt worden war, wurde die deutsche Türkeipolitik vor neue schwere Probleme gestellt. Vor allen Dingen gab auch die Lage der türkischen Staatsfinanzen zur Beunruhigung Anlaß. Ihre Neuordnung wurde daher der Pforte von den Großmächten nicht allein überlassen, sondern die Hauptgläubiger England, Frankreich, Österreich-Ungarn und Deutschland nahmen diese Angelegenheit in der Pariser Finanzkonferenz selber in die Hand. Doch war die Türkei finanziell, wirtschaftlich und militärisch so

---

8 Vgl. ibid., Nr. 9958, Anlage: Helfferich an Gwinner, 30. 11. 08; Nr. 10 029, Marschall an AA, 5. 3. 11.
9 Zit. Jaeckh, Kiderlen-Wächter, Bd. 2, S. 108 f.

stark erschüttert, daß allgemein Skepsis herrschte, ob es durch Sanierungsversuche gelingen könnte, sie jemals wieder zu einem lebensfähigen Staat zu machen. Und auch die deutsche Reichsleitung, die bis dahin bestrebt gewesen war, die Türkei zu stützen und als Ganzes zu erhalten, hielt jetzt ein Auseinanderfallen dieses Staates in näherer oder fernerer Zukunft für möglich [10].

Die deutsche Haltung gegenüber der Pforte war durchaus zwiespältig. Je nach der politisch-militärischen Lage der Türkei während des Jahres 1913 plädierte die deutsche politische Führung alternativ für eine uneingeschränkte Unterstützung und für die volle territoriale Integrität der asiatischen Türkei oder aber dafür, sich über die Interessen des »kranken Mann am Bosporus« hinweg mit den übrigen Großmächten auf eine Aufteilung der Türkei zu einigen und dafür Sorge zu tragen, daß Deutschland dabei einen möglichst großen Anteil erhielt. Einig waren sich jedoch alle an der Formulierung der deutschen Türkeipolitik beteiligten Stellen – der Botschafter Frhr. v. Wangenheim in Konstantinopel ebenso wie Kiderlen-Wächter und nach dessen Tod Jagow, der Reichskanzler und der Kaiser – darüber, daß den deutschen Interessen am ehesten eine möglichst ungeschmälerte, militärisch und wirtschaftlich wiedererstarkte Türkei entsprach und daß daher eine Teilung möglichst verhindert werden mußte [11], wenn auch der Kaiser nach der jungtürkischen Revolution unter Enver Bey im Januar 1913 wieder einmal einer Politik der Emotionen das Wort redete und empfahl, der Türkei die deutsche Unterstützung zu entziehen [12]. Uneinigkeit herrschte in deutschen Regierungskreisen allerdings darüber, ob die Türkei überhaupt noch lebensfähig war. Der deutsche Botschafter, Frhr. v. Wangenheim, war fest davon überzeugt, daß die Türkei auch ohne die europäischen Gebiete überleben konnte, und ähnlich argumentierte auch Kiderlen-Wächter. Bethmann Hollweg war in dieser Frage schon weit weniger zuversichtlich, aber ihn interessierte hauptsächlich, wie im Falle einer Aufteilung der Türkei diese für Deutschland am günstigsten gestaltet werden und wie sie für den auf der Botschafterkonferenz begonnenen deutsch-englischen Dialog nutzbar gemacht werden konnte [13].

Der Kaiser legte der Politik seines Reichskanzlers allerdings immer wieder Steine in den Weg. Im April 1913 notierte er auf einem Bericht des deutschen Generalkonsuls in Tiflis, der über russische Truppenansammlun-

10 Vgl. dazu GP 34, Nr. 12 718, Zimmermann an Lichnowsky, 23. 1. 13; an der Jahreswende 1912/13 hatte Jagow gegenüber dem englischen Botschafter davon gesprochen, daß er ein Weiterbestehen der Türkei in Asien nicht mehr lange für möglich halte; vgl. BD 10 II/2, Nr. 454, Rodd an Grey, 6. 1. 13.
11 Vgl. u. a. Jaeckh, Kiderlen-Wächter, Bd. 2, S. 195; GP 38, Nr. 15 376, Wangenheim an Jagow, 8. 8. 13; GP 34 I, Nr. 12 737, Aufzeichnung Bethmann Hollweg, 25. 1. 13; Der Kaiser, Aufz. Alex. v. Müller, 1. 2. 13, S. 128.
12 Vgl. GP 33, Nr. 12 225, Aufz. Wilhelms II. in Rominten, 4. 10. 12.
13 Vgl. D. Löding, Deutschlands und Österreich-Ungarns Balkanpolitik von 1912–1914, (Masch.) S. 66 ff.; vgl. auch Bericht Wangenheims an Bethmann Hollweg, 21. 1. 13 in: GP 34, S. 255 f. (Fußnote).

gen an der Grenze zur Türkei berichtete, daß es sich hierbei offensichtlich schon um Vorbereitungen zur militärischen Absicherung der Aufteilung der Türkei handele. Um Palästina und Syrien, so glaubte der Kaiser, stritten sich England und Frankreich bereits »auf Leben und Tod«:

> »Also Achtung, aufgepaßt, daß die Aufteilung nicht ohne uns gemacht wird. Ich nehme Mesopotamien, Alexandrette, Mersina! Die einsichtigen Türken erwarten dies ›Schicksal‹ bereits in Geduld.[14]«

Zur Sicherung dieser deutschen Ansprüche wollte der Kaiser Kriegsschiffe nach Alexandrette und Mersina entsenden, um dadurch zu verhindern, daß andere Mächte Deutschland zuvorkämen. Daß eine solche Kanonenboot-Diplomatie – abgesehen davon, daß sie den Ereignissen vorausgeeilt wäre und die deutsche Stellung in der Türkei psychologisch sehr erschwert hätte – sofort zum Zusammenstoß mit England führen und die Politik Bethmanns, durch deutsch-englische Kooperation auf möglichst vielen Gebieten der internationalen Politik allmählich Vertrauenskapital für Deutschland in England zu gewinnen, torpedieren mußte, übersah Wilhelm II. Er ließ sich – und darin ist ein Grundzug seiner Politik zu sehen – von zufälligen Stimmungen treiben und von unverantwortlichen Ratgebern beeinflussen, ohne über die Konsequenzen seiner Politik nachzudenken. Seine Vorstellungen zur Türkeipolitik des Reichs konnte er dann allerdings auch nicht gegen den Widerstand des Reichskanzlers durchsetzen.

Gleichzeitig mit den innerdeutschen Überlegungen begannen auch Gespräche mit den Dreibundpartnern über die Abgrenzung der gegenseitigen Interessensphären, falls die Aufteilung der Türkei beschlossen werden sollte. Dabei ging der Anstoß von Deutschland aus. Jagow begann mit den Sondierungen im Mai bei seinem Antrittsbesuch in Wien und erörterte die Frage dann im Juli mit dem italienischen Ministerpräsidenten bei dessen Besuch in Kiel. Die deutschen Vorstellungen waren in einem Arbeitspapier niedergelegt, welches das Auswärtige Amt in enger Zusammenarbeit mit der Deutschen Bank erstellt hatte. Wie aus der beigefügten Kartenskizze hervorgeht, wünschte Deutschland für sich eine Interessensphäre, die sich in Südanatolien auf einer Breite von rd. 400 km entlang der Linie Eskischehir–Adalia nach Osten bis zur persischen Grenze erstreckte. Es handelte sich dabei, wie betont wurde,

> »ausschließlich (um) solche Gegenden, welche durch Bahnbauten unter deutscher Führung erschlossen worden sind oder demnächst erschlossen werden[15]«.

14 AA-Bonn, Orientalia gen. Nr. 5 geh., Bd. 17; Schulenburg an AA, 30. 4. 13; mit den Marginalien des Kaisers, vgl. auch ibid. die Bemerkungen Wilhelms II. an dem Schreiben von Tirpitz über die Errichtung einer Mittelmeerdivision, 15. 5. 13.
15 GP 38, Nr. 15 312, Bericht Wangenheims an Bethmann Hollweg, 21. 5. 13, vgl. dazu die Kartenzeichnung von Wangenheim (AA-Bonn, Orientalia, gen. Nr. 5, Bd. 93) publ. bei v. Kampen, Studien zur deutschen Türkeipolitik, Anhang III.

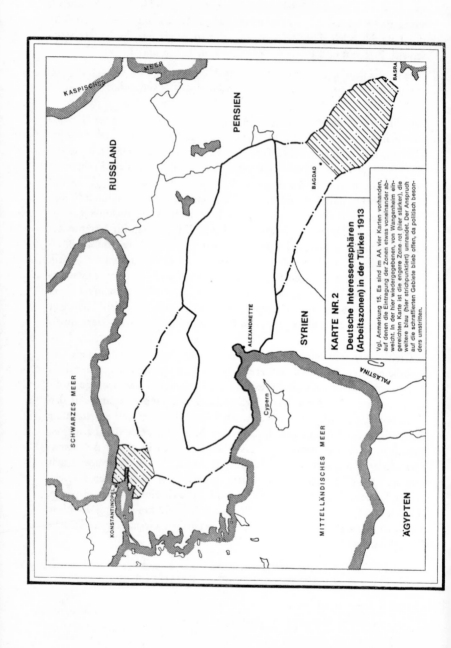

KARTE NR. 2

Deutsche Interessensphären (Arbeitszonen) in der Türkei 1913

Vgl. Anmerkung 15. Es sind im AA vier Karten vorhanden, auf denen die Eintragung der Zonen etwas voneinander abweicht. In der hier wiedergegebenen, von Wangenheim eingereichten Karte ist die engere Zone rot (hier stärker), die weitere blau (hier strichpunktiert) umrandet. Der Anspruch auf die schraffierten Gebiete blieb offen, da politisch besonders umstritten.

KASPISCHES MEER

RUSSLAND

PERSIEN

BASRA

BAGDAD

SCHWARZES MEER

ALEXANDRETTE

SYRIEN

PALÄSTINA

KONSTANTINOPEL

Cypern

MITTELLÄNDISCHES MEER

ÄGYPTEN

Problematisch war für die deutsche Führung, daß beide Dreibundpartner teilweise dieselben Gebiete als eigene Interessensphäre reklamierten.

Der deutsche Botschafter Wangenheim teilte diese deutsche Interessensphäre nach ihrer Wichtigkeit in zwei Zonen ein. Die erste, deren Erwerb sich Deutschland in jedem Fall sichern sollte, schloß die Häfen Alexandrette und Aleppo mit ihrem Hinterland und das Gebiet um den mittleren Streckenabschnitt der Bagdadbahn mit den Erzlagern und den Ölvorkommen ein; das übrige Gebiet war nach Wangenheims Ansicht zwar als Siedlungsland und als Baumwollanbaugebiet für Deutschland von Interesse, aber seine Erwerbung war nicht vorrangig. Obgleich sich auch Wangenheim so intensiv mit der Frage beschäftigte, was Deutschland bei einer Aufteilung erwerben konnte, empfahl er jedoch immer wieder die Beachtung folgender Gesichtspunkte:

»Wir müssen die Türkei solange wie möglich zu erhalten suchen und durch Beteiligung an dem Reformwerke der Türkei nicht nur ehrliche Hilfe leisten, sondern gleichzeitig auch unseren Einfluß in der gesamten Türkei zu stärken suchen. Gleichzeitig aber hätten wir uns auf den schlimmsten Fall, die Teilung, vorzubereiten...[16]«

Die deutsche Politik, die immer nur die eigenen Interessen verfolgt hatte, stieß in der Türkei in zunehmendem Maße auf Mißtrauen; vor allen Dingen wurde die Deutsche Bank angegriffen, weil man in ihr den Exponenten einer Politik sah, die sich auf Kosten der Türkei bereichern wollte[17]. Und als Deutschland in der Liman-Sanders-Mission wieder auf die Linie einer Stärkung der Türkei in militärischer und politischer Hinsicht eingeschwenkt war, führte diese Mission nicht nur mit Rußland zu ernsten Auseinandersetzungen, sondern auch zu Reibungen mit der Türkei.

Die Lösung des Konflikts suchte Bethmann Hollweg im deutschen Interesse über eine Zusammenarbeit mit England zu erreichen, wofür er gegen den Widerstand deutscher Wirtschaftskreise sogar bereit war, wirtschaftliche Nachteile für Deutschland in Kauf zu nehmen. Daß diese Haltung nur die schon früher betriebene Politik fortsetzte, zeigt eine Untersuchung der Verhandlungen über die Bagdadbahn, die Erdölkonzessionen und den türkisch-englischen Dockvertrag zwischen Deutschland und England.

Bagdadbahn- und Dockvertrag

Die englisch-türkischen Verhandlungen über die durch die Bagdadbahn aufgeworfenen Fragen führten im Frühjahr 1913 schon nach kurzer Dau-

---

16 Ibid., Nr. 15 376, Wangenheim an Jagow, 8. 8. 13.
17 Chapman, Great Britain and the Bagdad Railway, S. 141 ff.

er zu einem vorläufigen Abkommen. Der Weg zu dieser Vereinbarung war dadurch geebnet worden, daß Deutschland sich schon im März 1911 grundsätzlich bereit erklärt hatte, auf die über Basra hinausgehenden Konzessionen für die Bahn zu verzichten. In dem türkisch-englischen Abkommen von 1913 wurde unter der Voraussetzung des deutschen Verzichts vereinbart, daß englische Firmen eine Schiffahrtskonzession für den Euphrat und Tigris erhielten und die Türkei ihre Hoheitsrechte über das Scheichtum Kuweit endgültig zugunsten Englands aufgab. Der deutschen Politik kam es in wirtschaftlicher Hinsicht darauf an, die für die Fortführung der Bagdadbahn erforderliche Garantie der Zins- und Tilgungsleistungen einer neuen Anleihe zu erhalten. Daher waren wirtschaftliche Zugeständnisse an England und Frankreich, die beide als Mitglieder der Dette Ottomane in allen türkischen Finanzangelegenheiten ein entscheidendes Mitspracherecht besaßen, unvermeidlich. So mußte sich Deutschland die Erhöhung der türkischen Importzölle um 4 %, deren Einnahmen als Sicherheiten für eine Bagdadbahn-Anleihe dienen sollten, regelrecht erkaufen. England gegenüber fand sich Deutschland bereit, nun auch vertraglich Basra als Endpunkt der Bagdadbahn zu akzeptieren und darüber hinaus England durch die Aufnahme von zwei Verwaltungsratsmitgliedern auch direkten Einfluß auf die Bagdadbahn-Gesellschaft einzuräumen. Außerdem erklärte sich Deutschland bereit, den Ausbau der Häfen von Basra und Bagdad einer türkischen Gesellschaft mit 40 %iger Beteiligung englischer Firmen zu überlassen. Über die mögliche Weiterführung der Bagdadbahn von Basra bis zum Persischen Golf sollten sich, so wurde es zwischen Deutschland und England vereinbart, die Regierungen der Türkei, Englands und Deutschlands gegebenenfalls einigen [18].

Die deutsch-britischen Verhandlungen über die Bagdadbahn wurden auf deutscher Seite von dem Botschaftsrat in London, Richard v. Kühlmann, vorangetrieben, der ebenso wie die deutsche Reichsleitung diese Verhandlungen vor allen Dingen zur Anbahnung besserer Beziehungen zu England nutzen wollte. Daher drang die deutsche Regierung auch darauf, die Veröffentlichung des bereits abgeschlossenen englisch-türkischen Vertrages möglichst lange hintanzuhalten, damit nicht die deutsche Öffentlichkeit und die Interessenten durch lärmende Proteste und Erregung antienglischer Stimmung die politischen Absichten der Regierung durchkreuzen konnten [19].

Ähnliche Überlegungen bewogen die deutsche Regierung, sich auch in der Frage des englisch-türkischen Dockvertrages, der England praktisch ein Monopol auf alle Schiffsneubauten, Schiffsreparaturen und Schiffsaus-

---

18 E. M. Earle, Turkey, the Great Powers and the Bagdad Railway, S. 258 ff.; Chapman, Great Britain and the Bagdad Railway, S. 182 ff.
19 Vgl. die schriftl. Anfrage Nr. 81 von Richthofen und Bassermann im RT, Bd. 289; die Antwort Jagows, RT, Bd. 290, S. 5326, 30. 5. 13.

stattungen gab, nur sehr zurückhaltend zu äußern. Die Interessenkreise verlangten dagegen eine sofortige Intervention des Reichs bei der türkischen Regierung gegen den Vertrag. Krupp intervenierte in diesem Sinne über den mit ihm persönlich befreundeten Legationsrat v. Bergen beim Auswärtigem Amt, und der Vertreter der Deutschen Bank, Helfferich, erschien mit einem Telegramm des Direktors der Anatolischen Eisenbahnen bei Unterstaatssekretär Zimmermann, in dem über den Dockvertrag ausgeführt wurde:

> »Dadurch kommt unsere Basis Türkei und Konstantinopel maritim unter englische Herrschaft und man wird sagen, (daß die) Bagdad-Bahn anfängt im englischen Arsenal und aufhört im englischen Fangnetz, Persischem Golf. An maßgebender Stelle scheint man die Tragweite nicht vollkommen zu erfassen . . .[20]«

Aber auch der deutsche Botschafter in Konstantinopel, Wangenheim, schloß sich den Klagen der Interessenten an; er empfahl dem Reichskanzler, in London mit Nachdruck darauf hinzuweisen,

> »daß wir keine Interpretation des Dock-Vertrages anerkennen könnten, welche uns auf dreißig Jahre von jedem Wettbewerbe im türkischen Schiffsbau ausschlösse«[21].

Die Proteste der Wirtschaftskreise zeigen deutlich an, daß man dort die wirtschaftlichen Verzichtleistungen der deutschen Reichsregierung nicht verstand bzw. eigene wirtschaftliche Interessen nicht den politischen Interessen der Reichsleitung, die unbedingt ein gutes Verhältnis zu England erreichen wollte, unterordnen wollte. Der Kaiser dagegen war zumindest Ende 1913 davon überzeugt worden, daß Bethmann Hollwegs Vorgehen in dieser Frage für die deutsche Politik nützlich war[22], zumal wenn die türkischen Abkommen im Zusammenhang mit den gleichzeitigen Verhandlungen über die Erdölfrage und über die Aufteilung der portugiesischen Kolonien gesehen würden.

Gleichzeitig mit den deutsch-englischen Verhandlungen fanden auch Gespräche zwischen Deutschland und Frankreich über die französische Beteiligung an der Bagdadbahn statt. Schon vor der Marokkokrise hatten hierzu erste Sondierungen stattgefunden, aus denen hervorgegangen war, daß sich die französischen Teilhaber aus der Bagdadbahn zurückziehen wollten und dafür die Konzessionierung von Bahnbauten in Nordostanatolien anstrebten. In äußerst schwierigen Gesprächen, die bis in den Februar 1914 dauerten und die mehrmals wegen Einwendungen von türkischer Seite gegen schon fast fertige Vertragsentwürfe hatten vertagt wer-

---

20 AA-Bonn, Türkei 142, Bd. 37, Günther an Helfferich, 2. 12. 13.
21 Ibid., Wangenheim an Bethmann Hollweg, 9. 12. 13; vgl. ibid., Bd. 36, Krupp an AA, 11. 11. 13; ibid., Bd. 37, Krupp an Diego v. Bergen, 23. 12. 13 und 27. 12. 13.
22 AA-Bonn, Türkei 139, Bd. 30; Marginalien Wilhelms II. zum Schreiben Wangenheim an AA, 20. 12. 13.

den müssen, gelang eine Einigung, die allen Parteien akzeptabel erschien. Die französische Gruppe schied aus der Bagdadbahn-Gesellschaft aus und tauschte ihre Anteile an den für die Bahn aufgenommenen Anleihen gegen Anteile der allgemeinen türkischen Staatsanleihe ein. Zugleich wurden die bisher errichteten Bahnen und die erteilten Bahnkonzessionen geteilt; deutsche und französische Unternehmer erhielten damit je 1360 km Bahnlinie bzw. Baukonzessionen. Außerdem wurde den französischen Firmen noch der Ausbau von Häfen an der Schwarzmeer- und der syrischen Küste übertragen [23]. Wie bei allen solchen Abkommen mußte der schwächste Partner die entstehenden Lasten tragen; so hatte die Türkei, die dringend Geld benötigte, die französische Anleihezusage – es wurde tatsächlich vor Kriegsausbruch nur noch die erste Rate realisiert – mit großen Zugeständnissen an Frankreich erkaufen müssen. Und auch für Deutschland bedeutete das Ausscheiden der französischen Gruppe aus der Bagdadbahn-Gesellschaft ja keineswegs nur den Vorteil, nun die Bagdadbahn allein zu beherrschen, sondern damit war der Nachteil verbunden, daß es in Zukunft noch schwieriger sein würde, für den Weiterbau der Bahn Geld aufzutreiben; denn nun war ja Frankreich an der Bahn nicht mehr direkt interessiert, und es war mehr als fraglich, ob der französische Kapitalmarkt dem Unternehmen auch in Zukunft offenstehen würde. Letztere Aussicht war bei der chronisch schwierigen deutschen Geldmarktlage für die Bahn nicht gerade vielversprechend.

Konkurrenzkämpfe um die türkischen Erdölkonzessionen

Der Kampf um die türkischen Erdölvorkommen war 1906 in eine neue Phase getreten; denn in diesem Jahr hatte sich die australisch-englische d'Arcy-Gruppe mit Unterstützung der britischen Regierung um die Konzessionen beworben, die die Deutsche Bank 1904/05 besessen, nach der Prospektierung aber nicht zu Bohrungen genutzt hatte. Die Verhandlungen zwischen der interessierten Gruppe und der türkischen Regierung verliefen jahrelang ohne jedes konkrete Ergebnis und komplizierten sich 1909 noch dadurch, daß die Einnahmen aus den Erdölvorkommen von der Ziviliste des Sultans auf die allgemeine staatliche Finanzverwaltung übertragen wurden. Die Frage der Ölkonzessionen war jetzt also immer mit dem überaus komplizierten Mechanismus der türkischen Staatsfinanzen verknüpft, deren Gestaltung nicht von der Türkei allein abhängig war, sondern auf die auch die europäischen Großmächte über die Dette Ottomane entscheidenden Einfluß gewinnen konnten.

---

[23] Vgl. dazu die franz. Dokumente: DDF, 3. Série, vol. IX, bes. No. 177; 313.

Nachdem sich die d'Arcy-Gruppe 1909 mit der Anglo-Persian-Oil-Company verbunden und dieser Gesellschaft alle ihre Ansprüche auf Erdölkonzessionen in Mesopotamien übertragen hatte, traten als weitere Konkurrenten die britisch-holländische Royal Dutch und die Shell unter Henry Deterding und Sir Marcus Samuel auf, die von C. S. Gulbenkian bei der türkischen Regierung unterstützt wurden. Daneben erhielt weiter die deutsche Gruppe unter Führung der Deutschen Bank ihre Ansprüche aufrecht. Die Tatsache, daß alle konkurrierenden Unternehmungen sich nur auf äußerst zweifelhafte Rechtsansprüche stützen konnten, machte sich schließlich Sir Ernest Cassel zunutze. Er schlug 1912 vor, alle konkurrierenden Firmen sollten sich in einer Gesellschaft vereinigen und gemeinsam bei der türkischen Regierung die Konzessionen beantragen. Im gleichen Jahr kam es noch zur Gründung der Turkish Petroleum Company, die zu 50 % von der durch Cassel kontrollierten National Bank of Turkey und zu je 25 % von der Royal Dutch/Shell-Gruppe und der Deutschen Bank beherrscht wurde [24]. Das entscheidende Handikap für diese neue Gesellschaft war jedoch, daß sich die Anglo-Persian-Oil-Company, die als einzige Firma eine Art von Vorkonzession – freilich ohne amtliche Bestätigung – besaß [25], geweigert hatte, der Vereinigung beizutreten. Die Anglo-Persian besaß zudem die Unterstützung der britischen Admiralität, die die Umstellung der britischen Flotte von Kohle- auf Ölfeuerung beschlossen hatte und wünschte, daß die Ölversorgung von einer rein britischen Gesellschaft vorgenommen wurde. Die britische Admiralität versuchte daher, der Anglo-Persian, die bereits Konzessionen in Persien besaß, auch in Mesopotamien die Konzessionen zu verschaffen, so daß die Gesellschaft dann ein Monopol im Raum des Persischen Golfs besessen hätte.

Im Sommer 1913 schaltete sich auch die deutsche Regierung in die Petroleumfrage ein. Am 2. Juli 1913 unterrichtete Fürst Lichnowsky Bethmann Hollweg davon, daß im Gegensatz zu der 1912 erreichten Einigung zwischen Cassel, der Deutschen Bank und der Royal Dutch/Shell die englische Regierung und die englische Botschaft in Konstantinopel nun die Ansprüche der Anglo-Persian-Oil-Company offen unterstützten. Lichnowsky wies die deutsche Regierung aber zugleich darauf hin, daß die englische Regierung offensichtlich nicht die deutsche Gruppe aus dem Erdölgeschäft verdrängen wollte, sondern daß sie die britisch-holländischen Gruppen, die 75 % der Anteile der Turkish-Petroleum-Company hielten, durch die Anglo-Persian ersetzen wollte. Er empfahl daher, sich dahingehenden Absichten der englischen Regierung nicht zu widersetzen [26].

24 E. M. Earle, The Turkish Petroleum Company, S. 265 ff.
25 Fritz Seidenzahl, Das Abkommen über die Turkish Petroleum Company, in: Beiträge zu Wirtschafts- und Währungsfragen und zur Bankgeschichte (Hrsg. Deutsche Bank), Nr. 5, Aug. 1967, S. 19.
26 GP 37 I, Nr. 14 762, Lichnowsky an Bethmann Hollweg, 2. 7. 13; ibid., Nr. 14 764 Lichnowsky an Bethmann Hollweg, 16. 7. 13.

Die deutsche Seite operierte in ihren Verhandlungen nun ständig mit den 1904 erteilten Konzessionen. Allerdings war die Rechtslage äußerst verworren; sicher konnte weder die deutsche Seite die Gültigkeit noch die englische Seite die Ungültigkeit der damals erteilten Konzessionen behaupten. Daher ging auch die britische Regierung auf den Vorschlag von Kühlmann ein, vor Auseinandersetzungen auf Regierungsebene erst einmal die direkt betroffenen Interessenten allein verhandeln zu lassen [27]. Die Deutsche Bank war mit diesem Verfahren nicht einverstanden; denn bei dem Widerstand der englischen Interessenten und bei der geringeren Finanzkraft der deutschen Seite fürchtete sie, ohne staatliche Unterstützung den Konkurrenzkampf zu verlieren, zumal die britische Regierung Ende 1913 Cassel, der sich immerhin kooperationsbereit gezeigt hatte, zur Aufgabe seiner Stellung in der Turkish Petroleum gezwungen und die Anglo-Persian diese übernommen hatte [28]. Die deutsche Position wurde schließlich nur dadurch gerettet, daß sich die amerikanische Standard Oil Company mit dem Angebot, einen hohen Barvorschuß auf die Konzessionsgebühren zu zahlen, in das Geschäft drängen wollte [29]. Nun intervenierten aber die deutsche und die englische Regierung gemeinsam gegen den Versuch der amerikanischen Gesellschaft, die älteren Rechte der deutschen und britischen Gesellschaften durch den Einsatz ihrer überlegenen Kapitalkraft beiseite zu schieben. Die englische Regierung drang jetzt darauf, möglichst schnell auf Regierungsebene mit Deutschland zu einer Verständigung zu kommen. Wie notwendig schnelles Handeln jetzt war, zeigte deutlich die Antwort des Großwesirs auf die deutsche Intervention:

»Die Türkei brauche Geld und sie könne nicht auf unbestimmte Zeit hin vorteilhafteste Anerbieten zurückweisen. Die Deutschen müßten endlich daran gehen, ihre Ansprüche zu realisieren.[30]«

Der amerikanische Vorstoß beschleunigte daher die deutsch-englischen Verhandlungen, zumal die türkische Regierung den 23. März 1914 als letzten Termin für die Entgegennahme eines Antrags auf endgültige Konzessionierung bestimmt hatte. Die britischen Vorschläge, die unmittelbar nach dem amerikanischen Auftreten präzisiert worden waren, gingen dahin, entweder eine neue Gesellschaft mit 50 % Anglo-Persian und 50 % Deutsche Bank oder mit 50 % Anglo-Persian, 25 % Deutsche Bank und 25 % Royal Dutch/Shell zu gründen. Dabei erneuerte der britische Botschafter in Berlin, Sir Goschen, weisungsgemäß noch am 12. März gegenüber Jagow das 50 : 50 % Angebot. Auch noch am 14. März wiederholte

27 Ibid., Nr. 14 772, Kühlmann an Bethmann Hollweg, 21. 8. 13.
28 Zur Rolle von Cassel vgl. die Denkschrift der Deutschen Bank an AA, 5. 12. 13; abgedruckt bei Seidenzahl, Turkish Petroleum Company, S. 22 ff. (s. Anm. 25).
29 GP 37 I, Nr. 14 813, Lichnowsky an AA, 29. 1. 14.
30 Ibid., Nr. 14 815, Mutius an AA, 31. 1. 14.

Jagow in einem Telegramm an Wangenheim, daß die Deutsche Bank einverstanden sei, eine Ölkonzession für eine neue Gesellschaft zu beantragen, in der Deutsche und Engländer zu je 50 % vertreten wären[31]. Das Erstaunliche jedoch war, daß am 19. März ein Vertrag mit England zustande kam, der nun der Deutschen Bank nur eine 25 %ige Beteiligung gewährte, womit die deutsche Seite auf die ihr zugestandene Parität verzichtete und der vorherrschende Einfluß Englands in der neuen Gesellschaft sichergestellt war. Das Angebot, mit 50 % an der türkischen Erdölförderung beteiligt zu sein, hatte die deutsche Gruppe freiwillig ausgeschlagen. Nach den monatelangen, mit äußerster Erbitterung geführten Verhandlungen und nach den Vorwürfen, die die Deutsche Bank der Regierung wegen zu geringer diplomatischer Unterstützung der eigenen Ansprüche gemacht hatte, war dies immerhin eine überraschende Entscheidung der unter Führung der Deutschen Bank stehenden deutschen Gruppe. Die Erklärung für dieses Vorgehen findet sich in einer Denkschrift der Deutschen Bank vom Mai 1914. Dort wurde ausgeführt, daß Deutschland mit dem im März geschlossenen Vertrag zufrieden sein könnte; denn dadurch sei für

»die für die Bagdadbahn so wichtige Erschließung der mesopotamischen Ölfelder, deren Finanzierung allein Investitionen von 100 Millionen Mark und weit darüber erfordern kann und nach Lage der deutschen Börsengesetze und angesichts der Bedingungen der Zulassungsstelle in Deutschland kaum denkbar ist, ... der englische Kapitalmarkt in vollem Umfange gesichert«[32].

Außerdem würde Deutschland durch den Vertrag ebenso wie England Heizöl für seine Marine erhalten,

»obwohl wir deutsches Kapital nur während des Explorationsstadiums und auch da nur in geringem Verhältnis gegenüber den englischen Leistungen zur Verfügung zu stellen nötig haben dürften«.

Deutschland hatte sich also auf die Juniorpartner-Rolle beschränkt, weil für weitergehende Ansprüche die deutsche Kapitalkraft nicht ausreichte.

Dieses deutsch-britische Vertragswerk bedurfte nun nur noch der Zustimmung der türkischen Regierung durch Erteilung der Konzessionen. Die Türkei führte die Verhandlungen hierüber hinhaltend, sie wollte mit Hinweis auf andere Interessenten wie die Standard Oil Company möglichst hohe Konzessionsgebühren für die türkische Staatskasse herausschlagen –, so daß erst am 25. Juni eine Konzession erteilt wurde[33].

---

31 Ibid., Nr. 14 838, Jagow an Wangenheim, 14. 3. 14; »Deutsche Bank einverstanden, wird Strohmann vorschieben.«
32 Ibid., Nr. 14 888, Denkschrift der Direktion der Deutschen Bank an AA, 20. 5. 14.
33 Ibid., Nr. 14 908, Wangenheim an AA, 25. 6. 14.

Der deutsch-britische Bagdadbahn-Vertrag bedurfte zu seiner Inkraft-
setzung noch der Ergänzung durch deutsch-türkische und britisch-türkische
Abkommen, in denen die Frage der Bahnkonzessionen und die auftretenden finanziellen Probleme geregelt werden mußten. Die deutsche und die
britische Regierung gingen davon aus, daß die Türkei die beim Bahnbau
entstehenden Lasten zu tragen hatte, daß aber ihre Vorfinanzierung durch
England bzw. Deutschland erfolgen mußte. Die hierfür begebenen Anleihen sollten in Verzinsung und Tilgung durch die türkische Regierung garantiert sein, so daß den Kapitalgebern jedes Risiko abgenommen war. Die
Absicherung der Anleihen und die Befreiung der britischen bzw. deutschen
Unternehmungen in der Türkei von einer Reihe von türkischen Abgaben
und Steuern waren daher die Forderungen Deutschlands und Englands an
die Türkei; als Gegenleistung wollten die englische und die deutsche Regierung der Pforte die Erhöhung einer Reihe von Zöllen und Steuern und
die Einführung von neuen Staatsmonopolen zur Vergrößerung der Staatseinnahmen gestatten.

Die Ausgangspositionen für die deutschen und die britischen Verhandlungen mit der Türkei waren sehr verschieden. England, das seinen ganzen Kapitalreichtum in die Waagschale werfen konnte, kam verhältnismäßig rasch zu einem Übereinkommen mit der Pforte und setzte fast alle
seine Forderungen durch. Deutschland dagegen geriet durch das türkisch-
britische Abkommen in eine Zwickmühle; denn einerseits drängte Grey
darauf, möglichst schnell den britisch-türkischen Vertrag, der bereits Ende
April paraphiert war [34], und den deutsch-britischen Bagdadbahn-Vertrag, dessen Grundzüge feststanden, der aber erst am 15. Juni paraphiert
wurde [35], dem Unterhaus zur Ratifizierung vorzulegen. Anderseits benutzte der türkische Finanzminister Dschawid Bey die Tatsache, daß
Deutschland unter Zeitdruck handeln mußte, dazu, den deutsch-türkischen Vertrag für die Türkei finanziell so erträglich wie möglich zu gestalten. Selbst als die britische Regierung auf Bitten Deutschlands bei Dschawid Bey intervenierte, blieb dieser intransigent. Deutschland hatte die türkische Zustimmung zu seinen Forderungen auch mit handelspolitischen
Zugeständnissen zu erkaufen gesucht, durch die der im Juni 1914 ablau-
fende Handelsvertrag ohne weitere Verhandlungen und ohne jede Debatte im Reichstag um ein Jahr verlängert wurde. Man hatte jedoch in Deutschland den Widerstandswillen des türkischen Finanzministers unterschätzt,
der offensichtlich keine Veranlassung sah, Deutschland besonders entgegenkommend zu behandeln, solange es im Verhältnis zu den anderen Geld-

---

34 Vgl. ibid., Nr. 14 876, Lichnowsky an Bethmann Hollweg, 22. 4. 14.
35 Ibid., Nr. 14 900, Lichnowsky an AA, 15. 6. 14.

gebern der Türkei, Frankreich und England, finanziell so schwach war. Bis in die Julikrise hinein blieben die deutsch-türkischen Verhandlungen daher ohne das konkrete Ergebnis, das von der ursprünglichen deutschen Konzeption her eine Unterzeichnung des deutsch-britischen Bagdadbahn-Vertrages gestattet hätte, ohne daß sich in der deutschen Öffentlichkeit nicht sofort scharfe anti-englische Stimmen erhoben hätten. Als sich Ende Juli 1914 die deutsche Regierung dennoch zur Unterzeichnung des deutsch-britischen Abkommens bereitfand, war das nur noch ein letzter verzweifelter Versuch, mit solchen Zugeständnissen die britische Neutralität im kommenden Weltkrieg zu erkaufen, hatte aber nichts mehr mit den ursprünglichen wirtschaftlichen Zielen des Bagdadbahn-Abkommens zu tun.

Die französische Anleihe und die Krise der deutschen Türkei-Politik

Wie sehr die wirtschaftliche und damit die politische Stellung Deutschlands im Orient im Frühjahr 1914 bedroht war, zeigt vor allem die Tatsache, daß Deutschland nicht in der Lage war, der Türkei eine ausreichende Staatsanleihe zur Verfügung zu stellen. Diese mußte vielmehr auf dem Pariser Markt emittiert werden, und zwar mit ganz enormen Konzessionen, die die Türkei dabei unter offensichtlicher Schädigung deutscher Interessen Frankreich gewährte. Der deutsche Staatssekretär v. Jagow versuchte zwar im März 1914, die französisch-türkischen Anleiheverhandlungen noch durch einen Bluff zu stören, indem er dem französischen Botschafter Cambon erklärte, solange die französisch-türkischen Anleihe-Verhandlungen nicht beendet wären, könne er dem Drängen der deutschen Finanz nach einer türkischen Anleihe, dem er sich bisher aus Loyalität gegenüber Frankreich widersetzt hätte, nicht länger Widerstand leisten. In Wirklichkeit glaubte aber auch Jagow nicht, »daß es möglich sein würde, den türkischen Geldbedarf in Deutschland zu decken« [36].

Tatsächlich gewährte Frankreich der Türkei eine 500-Millionen-Francs-Anleihe und erhielt dafür Eisenbahnkonzessionen in Kleinasien, die auf Interessen der Anatolischen Eisenbahn trafen, sowie Hafenkonzessionen in Jaffa, Haifa, Tripolis und Herakleia am Schwarzen Meer, wodurch die Pläne von Hugo Stinnes gefährdet wurden. Diese Überrundung Deutschlands durch die französische Finanzkraft fiel zusammen mit der krisenhaften Zuspitzung des Verhältnisses zwischen Militärmission und türkischer Regierung (s. unten!). Für den Reichskanzler war dies der Anlaß, in einer Immediateingabe den Kaiser um eine Entscheidung über die zukünftige Stellung der Militärmission in Konstantinopel zu bitten [37].

---

36 AA-Bonn, Türkei 110, Bd. 71, Jagow an Wangenheim, 15. 3. 14.
37 Ibid. Türkei 139, Bd. 32, Marginalien des Kaisers zur Immediateingabe Bethmann Hollwegs, 20. 5. 14.

»Das deutsche Interesse an der Erstarkung der türkischen Armee«, so führte der Kanzler aus, »steht und fällt mit unserem politischen Einfluß am Goldenen Horn. Nur wenn und solange die Türkei uns politisch ergeben bleibt, sind wir an dem Erfolge des Reformwerks interessiert. Gelänge es uns nicht, die Türken bei der Stange zu halten, so würde eine erhöhte Schlagfertigkeit ihrer Armee nur für unsere Gegner Gewinn sein. Für Frankreich oder Rußland den türkischen Säbel zu schleifen, haben wir keine Veranlassung ...«

Die Randbemerkungen des Kaisers zu diesem Immediatbericht [38] enthüllen schlaglichtartig die Situation, in der sich das Reich mit seiner Orient-Politik Ende Mai 1914 befand. Über den deutschen Einfluß in der Türkei sagte der Kaiser:

»Der ist gleich Null! Im Vergleich zu früher! Sie denkt nicht mehr daran (bei der Stange zu bleiben)! Sie (ist) ins russisch-französische Fahrwasser, wo es *Geld* gibt, abgeschwenkt und speist uns mit Worten ab.«

Die eminente Bedeutung, die die deutsche Finanzknappheit für die große Politik hatte, illustriert die kaiserliche Randbemerkung, Deutschland könne die Türkei nicht bei der Stange halten, »da wir kein Geld haben! Sie sind nicht an der Stange mehr!«

Der Kaiser, der die Dinge voreingenommen von der griechischen Seite her betrachtete, sah die Türkei bereits im Lager der Triple-Entente, die ihr nicht nur Geld, sondern auch Unterstützung im Kampf gegen Griechenland um die Inseln gewährte:

»Während sie uns mit Phrasen und klingenden Worten und ein paar türkischen Prinzen [39] abspeist, schließt sie sich für antigriechische Zwecke an Rußland und die 3ple-Entente an, für die wir tatsächlich die türkischen Waffen schleifen.«

Die »Unehrlichkeit« und »Hohlheit« der Türken zeigte sich für den Kaiser darin, daß sie »sogar von uns Kreuzer jetzt sofort gegen Athen kaufen« wollten. Damit scheiterte Wilhelms II. griechisch-türkische Ausgleichspolitik, und das ausgerechnet zu einer Zeit, da deutsche Offiziere bemüht waren, »Ordnung – *ohne Geld* natürlich – in dieses verlumpte Heer zu bringen«. Wilhelm II. drohte:

»Das werde ich nicht weiter dulden. Wenn die Türken mit den Griechen wegen der Inseln Krieg machen wollen, ziehe ich die Offiziersmission zurück! *Die Türkei ist eben nicht mehr zu retten.* Und nichts mehr wert! Sie mag in der 3ple-Entente Arme halt eben in Stücke gehen. Wilhelm I. R.«

Nicht nur das französische Kapital, mit dem Deutschland nicht mehr konkurrieren konnte, und die Politik der Entente gefährdeten die deutsche

38 Ibid.
39 Nachdem sich Liman mit Major von Strempel überworfen hatte, ging dieser als Gouverneur von drei türkischen Prinzen, die in Deutschland militärisch erzogen werden sollten, nach Wiesbaden, AA-Bonn, Türkei 139, Bd. 31.

Stellung in der Türkei, sondern auch die innenpolitische Konstellation des Osmanischen Reiches. Nach Meinung des Kaisers log die jungtürkische Regierung dem deutschen Botschafter »die Hucke voll«, sie näherte sich der Entente und war »verlogen, unzuverlässig, eitel, eingebildet und bestechlich«.

Wenn auch die exaltierte Sprache des Kaisers die Dinge in überscharfen Tönen darstellte, so entsprach seine Schilderung doch im ganzen der Sachlage und vor allem der Beurteilung der Dinge durch die deutsche Reichsleitung. Die Bedrohung der politischen und wirtschaftlichen Stellung Deutschlands in der Türkei zeigte sich auch in einem Streit zwischen den beiden wichtigsten deutschen Wirtschaftsexponenten in der Türkei: auf der einen Seite Krupp, verbunden mit der Dresdner Bank; auf der anderen Seite Bagdadbahn und Deutsche Bank. Krupp und die mit ihm verbundene Rheinische Metall- und Waffenfabrik, in deren Aufsichtsrat der Vizepräsident des Reichstages, Paasche, saß, wünschten, gerade um nicht von Schneider-Creusot vom türkischen Markt verdrängt zu werden – siehe die mit der französischen Anleihe an Griechenland verbundene Auflage aller Waffenlieferungen durch Frankreich! –, daß eine 120-Millionen-Anleihe für die Türkei auf dem Berliner Markt untergebracht würde, um deutsche Waffenlieferungen an die Türkei zu finanzieren [40].

Gegen dieses Vorhaben wandten sich in einer Reihe von heftigen Eingaben an das Auswärtige Amt, die aber für den Kaiser bestimmt waren, die Direktoren der Deutschen Bank, Helfferich und Gwinner. Sie wollten eine neue, von der Deutschen Bank zum Weiterbau der Bagdadbahn dringend benötigte Anleihe von 250 Millionen frs. auf dem Berliner Kapitalmarkt unterbringen und wiesen daraufhin, daß nach ihrer langjährigen Erfahrung der Berliner Markt zwei solche Anleihen für die Türkei – bei der Schwierigkeit der Sicherheiten – aufzubringen nicht in der Lage sei [41]. Die Deutsche Bank war um so mehr auf die für sie günstige Marktgestaltung am Berliner Platz angewiesen, als nicht nur Krupp, der für die Türkei und für Bulgarien Anleihebegebungen zu erzwingen hoffte, ihr Konkurrent war, sondern auch das Auswärtige Amt – aus politischen Gründen – den Ausgleich mit England betrieb, damit aber die Sicherung und den Absatz der Bagdadbahn-Werte in Gefahr brachte.

Die Deutsche Bank fuhr gegen diese Bedrohung das schwerste Geschütz auf. In einem Brief an Zimmermann prophezeite Helfferich am 29. Mai 1914 den baldigen Zusammenbruch der deutschen Türkeipolitik, wenn das Auswärtige Amt die Finanzierung der Bagdadbahn nicht energisch unterstützte:

---

40 Ibid., Türkei 142, Bd. 38 und 39; Türkei 110, Bd. 71 und 72.
41 Ibid., Türkei 110, Bd. 72, Denkschrift der Deutschen Bank an AA, 29. 5. 14.

»So wie sich die Dinge zuspitzen, steht für Bagdad alles auf dem Spiel ... kein Mensch in unserer Direktion kann die Verantwortung übernehmen, mit den Vorschüssen für den Bagdad-Bau ohne die sichere Aussicht auf die Begebung einer Bagdad-Anleihe in allernächster Zeit auch nur einen Schritt weiterzugehen. Wenn uns der Markt durch Bulgaren – oder eine türkische Rüstungsanleihe kaputtgemacht wird, müssen wir die Bude zumachen![42]«

Helfferich und Mankowski, der dritte Direktor der Deutschen Bank, drohten dem Auswärtigen Amt, die Bauarbeiten einzustellen und damit das Prestige Deutschlands in der Türkei scheitern zu lassen, wenn nicht das Reich eine Begebung der Bagdadbahn-Anleihe unter Monopolbedingungen unterstützte und erzwänge.

Die Anleihe wurde tatsächlich allein von der Deutschen Bank »für Bagdad« ausgegeben. Krupp erhielt vor allem für die mit ihm verbundenen Industriefirmen seinen Anteil (d. h. die Dresdner Bank mußte sich zurückziehen). Nach Unterbringung der Bagdadbahn-Anleihe wurde aber auch für Bulgarien – jetzt aus politischen Gründen – ein Emissionsweg, wenn auch mit Mühe, gefunden, und zwar durch die Disconto-Gesellschaft. Wie eng die Frage dieser Anleihen mit der Position Deutschlands in der Türkei und seiner Stellung in der Weltpolitik verknüpft war, das erhellt die rückschauende Betrachtung Gwinners, der am 13. Juni 1914 – zwei Wochen vor Sarajewo – schrieb:

> »Wir haben geglaubt, diese Opfer auf uns nehmen zu müssen (die nicht gesicherten großen Vorschüsse für den beschleunigten Weiterbau), weil alles darauf ankam, gegenüber den der Bagdad-Bahn unfreundlich gesinnten Mächten Stärke zu zeigen, und weil ein Einstellen des Weiterbaus, wie es auch rein finanziellen und kaufmännischen Gesichtspunkten richtig gewesen wäre, bei unserem Gegner die Deutung erfahren hätte, daß die deutsche Finanzkraft zur Durchführung des großen Werkes nicht ausreiche, Deutschland also in der Auseinandersetzung über die türkischen Eisenbahnfragen alle Bedingungen annehmen müsse.[43]«

Waren auch die Argumente Helfferichs und Gwinners aus taktischen Gründen übertrieben, so zeigt sich in dieser Auseinandersetzung zwischen Krupp und der Deutschen Bank doch das Dilemma des deutschen Imperialismus: War das Rüstungsgeschäft nicht mehr zu finanzieren, so verlor die deutsche Industrie – die auf Export angewiesene überdimensionierte Schwerindustrie – Absatzmärkte; waren aber die Investitionsmittel für das über lange Jahre laufende Bauunternehmen der Bagdadbahn nicht aufzubringen, so litt nicht nur das deutsche Prestige, sondern auch die deutsche Stellung im Orient. Damit aber war im Juni 1914 mit dem Balkan nicht nur die Brücke zum Orient, sondern auch das Objekt deutscher politischer wie wirt-

---

42 Ibid., Begleitschreiben Helfferichs zur Denkschrift.
43 Ibid., Türkei 139, Bd. 33; Immediateingabe der Deutschen Bank an Wilhelm II. zum Fall Kuebel, 13. 6. 14.

schaftlicher Expansion im Orient, die Türkei selbst, in Gefahr, für Deutschland verlorenzugehen.

III. Hoffnungen auf ein deutsches Mittelafrika

Verhandlungen mit England über eine Teilung der portugiesischen Kolonien und des Kongo

Parallel mit den Bagdadbahn-Absprachen liefen Verhandlungen mit England über die Aufteilung der portugiesischen Kolonien und der belgischen Kongokolonie. Spätestens seit 1911 war Mittelafrika im Austausch für deutsche Verzichtleistungen in Marokko und zur Erweiterung der im deutsch-französischen Vertrag erworbenen Gebiete des französischen Kongo (die sogenannten »Entenschnäbel« – die freilich die deutsche Öffentlichkeit nicht befriedigten) *das* Kolonialziel der deutschen Diplomatie. Während der Marokkokrise äußerte Kiderlen am 29. Juli 1911 gegenüber Admiral v. Müller:

> »Das Mehr an Zentralafrika, das wir bekämen, sei ein Glied im Plan quer durch Afrika als Gegenplan zu dem englischen Afrika vom Nil zum Kap.[1]«

Bethmann Hollweg sah bei einer Politik Deutschlands, die auf Verständigung zielte und bei einem Verzicht auf den forcierten Dreadnoughtbau die Chance, daß England den deutschen Ansprüchen auf kolonialem Gebiet entgegenkommen würde. Dabei waren für ihn die Verhandlungen über koloniale Objekte aber nicht Selbstzweck, sondern primär ein Mittel, um mit England zu einer allgemeinen politischen Annäherung zu kommen. Kiderlen-Wächter dagegen neigte – im Gegensatz zu seinem Nachfolger Jagow und zu dem Dirigenten der Politischen Abteilung im Auswärtigen Amt v. Stumm – stärker dazu, in dem Objekt eines deutschen Mittelafrika ein bedeutendes weltpolitisches Ziel zu sehen. Er fand dabei die Unterstützung einer Gruppe von Männern, die, prononciert pro-englisch eingestellt, bereit waren, die Stellung Deutschlands als eines Juniorpartners des Britischen Weltreiches vorteilhafter zu beurteilen als eine Machtauseinandersetzung mit England. Das waren vor allem der spätere Staatssekretär des Reichskolonialamtes Dr. Solf, der Londoner Botschafter Graf Metternich und sein zweiter Nachfolger, Fürst Lichnowsky, dazu der Botschaftsrat an der Londoner Botschaft v. Kühlmann und der spätere deutsche Gesandte in Lissabon, Rosen. Sie alle befürworteten eine

---

1 Der Kaiser, Aufz. Alex. v. Müller, S. 88; für den Gesamtzusammenhang vgl. besonders Jacques Willequet, Le Congo Belge et la Weltpolitik 1894–1914, Bruxelles et Paris 1962, S. 327 ff.

»Weltpolitik ohne Krieg« und sahen in einer spektakulären kolonialen Expansion eine Möglichkeit, die nationalen und sozialen Gegensätze des Reiches »ableiten« und gleichzeitig ein dauerhaftes Arrangement mit England herbeiführen zu können, das sowohl die Möglichkeit einer Aufweichung der Entente als auch die Sicherung der deutschen Stellung in Übersee geboten hätte. Sie glaubten, mit ihrer Politik um so mehr Erfolg haben zu können, als die englische Regierung ihrerseits bereit zu sein schien, insbesondere nach der an den Rand des Krieges führenden Marokkokrise, einer deutschen Expansion in Mittelafrika die Wege zu öffnen.

Metternich wollte deswegen Anfang Dezember 1911 folgende deutsche Marschroute festgelegt wissen: Deutschland solle mit England

> »zwei Verträge schließen: Den einen über den belgischen Kongo und einen anderen revidierten Vertrag über die portugiesischen Kolonien« [2].

Bezüglich des belgischen Kongo solle »stipuliert werden, daß im Falle eines Besitzwechsels England uns die diplomatische Unterstützung verspricht, daß wir ihn erwerben«; bezüglich der portugiesischen Kolonien solle eine Revision des deutsch-englischen Abkommens von 1898, das diese Kolonien in Interessensphären zwischen England und Deutschland aufteilte, dahingehend erfolgen, daß die im alten Vertrag der englischen Einflußsphäre zugewiesene Enklave in Angola mit dem Hafen Loanda im neuen Vertrag Deutschland zugesprochen werden solle, das dafür seinen Anspruch auf die Insel Timor an England abtreten würde. Dann könne die deutsche Regierung weiter versuchen, »durch Vermittlung der englischen Regierung von der Südafrikanischen Union die Walfischbai gegen den Katangazipfel mit seinen Kupferminen zwischen Nordost- und Nordwest-Rhodesia zu erhalten«:

> »Dann haben wir die Grundlagen zu einem Kolonialreich von einer Größe gelegt, wie sie bisher noch von keiner deutschen Regierung erträumt worden ist. England ist die Macht, die uns zur Ausführung dieses Plans verhelfen, die aber auch seine Verwirklichung verhindern kann.«

Für Metternich waren das grandiose Perspektiven, wobei das näherliegende Ziel in seinem Zweistufenplan die Geltendmachung der deutschen Interessen in den portugiesieschen Kolonien war. Portugal, so behauptete er, stehe vor einer finanziellen Anarchie, und wenn England Frankreich dazu zwinge, keine neue Anleihe an das verschuldete Land zu geben, sei der Weg frei zu einer Veräußerung der portugiesischen Kolonien, deren Wert die Schulden Portugals decken könnte. Den Überlegungen des Botschafters schloß sich auch der Botschaftsrat v. Kühlmann an. Er brachte

---

2 GP 31, Nr. 11 339, Metternich an Bethmann Hollweg, 9. 12. 11; auch für das folgende Zitat.

dabei die England vorrangig interessierende Frage der neuen deutschen Flottennovelle ins Spiel und schlug einen Tauschhandel zwischen Deutschland und England vor. Deutschland sollte auf Teile seiner neuen Flottennovelle verzichten und dafür die englische Unterstützung bei der Projektierung eines deutschen Mittelafrikas erhalten. Kühlmann skizzierte die Möglichkeiten für eine deutsche koloniale Expansion folgendermaßen:

> »Es bedarf nur eines Blickes auf die Karte, um zu sehen, daß dann (nach Erwerb großer Teile der portugiesischen Kolonien) nur ein unentbehrlicher Schlußstein im Gewölbe fehlt, um das große deutsche Kolonialreich in Zentralafrika zu realisieren, und das ist die Erwerbung des Kongobeckens. Daß dieser Erwerb wünschenswert ist, bedarf wohl keines Nachweises; es ist das reichste Stück des mittleren Afrikas.[3]«

Kühlmann glaubte, daß in England »maßgebende Kreise« bereit wären, »den Deutschen auf kolonialem Gebiet Ellbogenraum zu lassen«, um dafür auf marinepolitischem Gebiet Zugeständnisse zu erkaufen. Diese englische Bereitschaft wollte Kühlmann konsequent nutzen, während Marinekreise und der Kaiser einer solchen Politik grundsätzlich ablehnend gegenüberstanden. Doch gelang es Bethmann Hollweg mit immer größerem Erfolg, diese Politik auch gegen die Einwände des Kaisers durchzusetzen. Dabei konnte der Kanzler auf die Unterstützung von Bankiers (Gwinner, Helfferich, Ludwig Delbrück) sowie von Krupp, der Hamburger Schiffahrtslinien (Ballin) und des Bankhauses Warburg & Co. rechnen. Am 19. Januar 1912 äußerte sich Bethmann Hollweg in Gegenwart des Kaisers und der Bankiers Gwinner und L. Delbrück noch einmal zu den Möglichkeiten für Deutschlands Politik:

> »Wir würden ein großes Kolonialreich bilden können (Portugiesische Kolonien, Belgisch-Kongo, Niederländische Kolonien).[4]«

Das waren offensichtlich Vorüberlegungen für die am 10. Februar in Berlin stattfindenden Besprechungen mit Haldane. Deren Ergebnis auf kolonialem Gebiet skizzierte Bethmann Hollweg in einer Aufzeichnung. Deutschland solle

> »ganz Angola, England aber Timor zufallen ... England wird nichts dagegen haben, wenn wir dermaleinst von Belgien Teile des belgischen Kongos kaufen sollten. Für diesen Fall wird es die Fortführung der Eisenbahn von Katanga nach Nordrhodesien wünschen. Ich habe die Erfüllung dieses Wunsches zugesagt ... Es liegt im Wunsche Englands, daß wir Angola bald erwerben könnten.[5]«

---

3 Ibid., Nr. 11 345, Kühlmann an Bethmann Hollweg, 8. 11. 12; vgl. dort auch die Marginalien des Kaisers (abgedruckt auch bei Tirpitz, Aufbau der deutschen Weltmacht, S. 269 f.).
4 Der Kaiser, Aufz. Alex. v. Müller, S. 104.
5 Ibid., Nr. 11 362, Aufzeichnung Bethmann Hollwegs, 12. 2. 12; vgl. Nr. 11 376, Aufzeichnung Bethmann Hollwegs, 28. 2. 12.

Außerdem würde England, nach der Aufzeichnung des Kanzlers, bereit sein, die Inseln Sansibar und Pemba Deutschland zu überlassen, wenn das Reich seinerseits England in der Bagdadbahn-Frage entgegenkäme.

Dieses Entgegenkommen sollte so aussehen, daß England keinen Einspruch gegen die Vollendung der Bagdadbahn erheben würde, dafür aber Deutschland beim Bau der Strecke Bagdad–Basra den englischen Wünschen auf »Anerkennung einer Sonderstellung« Rechnung tragen sollte. Als Gegenleistung sollte Deutschland eine Beteiligung bei den südpersischen Bahnen eingeräumt werden, was wiederum damit gekoppelt war, daß Deutschland seinerseits der Erwerbung einer Konzession für die Bahn von Basra nach Kuweit durch England keinen Widerstand entgegensetzen und somit seine Ansprüche hier aufgeben würde. Ferner sollte Deutschland England bei der Erwerbung einer Hafenkonzession in Kuweit unterstützen. Vor allem die Strecke Bagdad–Basra lag den Engländern am Herzen. Haldane hatte in den Gesprächen am 10. Februar 1912 als wichtige Forderung eine englische Mehrheitsbeteiligung (51 %) genannt; Bethmann Hollweg wollte sich jedoch zu diesem Zeitpunkt noch nicht auf Details einlassen.

Im März 1912 wurden die Kolonialverhandlungen mit England wieder aufgenommen, nachdem die beiden anderen Komplexe – Neutralitätsvertrag und Flottenrüstungs-Begrenzung – gescheitert waren. In einem eingehenden Gespräch, das Metternich mit Grey und dem englischen Kolonialminister Harcourt führte, gewann allerdings der Botschafter den Eindruck, daß im Unterschied zu der Stimmung vor dem Haldane-Besuch, jetzt, nachdem die Engländer die neue deutsche Flottennovelle genauer studiert hatten, ihre »Opferfreudigkeit« in kolonialen Fragen »auf den Nullpunkt herabgesunken sei«. Zunächst erklärten die beiden Minister, daß alle von Haldane gemachten Vorschläge unverbindlicher Natur gewesen seien. Was die Revision des deutsch-englischen Vertrags über die portugiesischen Kolonien betraf, so sollte nach ihrem Wunsch gleichzeitig mit dem Text des neuen Vertrages der des alten veröffentlicht werden; denn nur so könnte die englische Öffentlichkeit erkennen, welche Konzessionen Deutschland für Englands Verzicht auf die Enklave in Angola mit dem Hafen Loanda gemacht hatte. In dieser Frage ließ sich eine Einigung nicht erzielen. Bethmann Hollwegs Hoffnung, über einem kolonialen Arrangement eine Annäherung an England ohne Flottenrüstungsverzicht zu erreichen, erhielt einen starken Dämpfer. Auch in der Frage der Benguelabahn sicherte England Deutschland »Kulanz« nur noch dann zu, wenn Deutschland bei den territorialen Fragen Entgegenkommen zeigen würde. In der Frage des belgischen Kongo betonte Grey nun allein das englische Interesse an Katanga; über das übrige Gebiet, falls der Kongo »auf den Markt kommen sollte« –, müsse sich das Deutsche Reich mit Frankreich verständigen, sehe doch der deutsch-französische Marokkovertrag ein französisches Vorkaufsrecht auf den Kongo und ein deutsches Mitspracherecht vor. Metternich sah, daß in dieser Frage von einem englischen Entgegenkommen nun nicht mehr die Rede sein konnte. Die Aussichten auf eine Realisierung der deutschen kolonialen Aspirationen im Kongo schienen ihm nun so gering, daß er für den Fall eines deutsch-englischen Kolonialabkommens nur einen Passus über die Zukunft dieses Gebiets in ein Sonderabkommen aufnehmen wollte. Für die Überlassung von Sansibar und Pemba an Deutschland forderte England jetzt die Abtretung des nordwestlichen Teils von Deutsch-Ostafrika und war nicht mehr bereit, deutsche Verzichtleistungen an der Bagdadbahn als Ausgleich zu akzeptieren. Aufgrund dieser Sachlage wurde die Frage des belgischen Kongo für die nächste Zeit bei den Verhandlungen ausgespart. Erst Ende April 1914 kam Solf wieder hierauf zurück.

Anfang April 1912 wurden die Verhandlungen durch einen Erlaß Bethmann Hollwegs an Metternich weitergeführt. Der Kanzler sah die kolonialen Fragen wieder als Teil seiner prinzipiellen außenpolitischen Konzeption:

>Es wird von dem Grade der Bereitwilligkeit abhängen, den die englische Regierung jetzt zu positiver Unterstützung unserer Kolonialpolitik zeigt, ob das eingeleitete Verständigungswerk irgendwelche Ergebnisse zeitigen wird. Die Stellungnahme Englands in der Frage des portugiesischen Kolonialbesitzes wird in dieser Hinsicht ausschlaggebend sein.[6]<

Bethmann wies den Botschafter an, er solle erklären: Nachdem die englische Regierung Haldanes Vorschläge habe fallenlassen, könne auch Deutschland die vorher ausgesprochene Bereitschaft zu einem Junktim zwischen dem Kolonialabkommen in Afrika und einem Abkommen über die Bagdadbahn und den Persischen Golf nicht mehr anerkennen. Ein deutsches Interesse bestände allerdings weiterhin an dem Erwerb Angolas und zwar >in absehbarer Zeit<, wobei Deutschland auch zu einem Verzicht auf Mozambique bereit sein würde; dann wäre seiner Meinung nach auch der Weg frei für eine Regelung der Sansibarfrage.

Um eine Anwartschaft auf Angola realisieren zu können, mußte es für Deutschland wichtig sein, ein direktes wirtschaftliches Engagement in dieser Kolonie zu erreichen. England dachte nämlich keinesfalls an eine gewaltsame Änderung des Status quo; erst 1899 hatte es im sogenannten Windsorvertrag die alte Besitzgarantie Portugals erneuert. Außerdem war der Zeitpunkt eines Staatsbankrotts Portugals, der es zur Verpfändung seiner Kolonien gezwungen hätte, immerhin eine höchst unsichere Rechnung, zumal wenn dritte Mächte, wie Frankreich, ihm finanziell Hilfe leisten würden. Nur wenn Deutschland – das war die Überzeugung der

---

6 Ibid., Nr. 11 440, Bethmann an Metternich, 3. 4. 12.

Reichsregierung – in wirtschaftlichen Unternehmungen in den ihm als Interessensphären zugesprochenen Teilen der portugiesischen Kolonien Fuß gefaßt hätte, glaubte es ausreichende Pressionsmittel in der Hand zu haben, um in nicht zu ferner Zeit Portugal zur Abtretung der betreffenden Gebiete zwingen zu können. Dahin zielte auch der Versuch Deutschlands, die Zustimmung der englischen Regierung zu einem Ergänzungsvertrag (zu dem ausgehandelten »Teilungsvertrag«) zu gewinnen. Er sollte die Vertragschließenden berechtigen,

> »falls ihre Interessen in den Teilen des portugiesischen Kolonialbesitzes, dessen Zolleinnahmen ihnen zugewiesen sind, durch *Mißwirtschaft* der portugiesischen Kolonialverwaltung bedroht sein sollten, diese Interessen dort nötigenfalls im Wege der *Selbsthilfe* wahrzunehmen«[7].

In diesem Fall sollte die portugiesische Regierung nicht berechtigt sein, die Bündnisverträge anzurufen oder englische Hilfe zu erwarten. Doch die englische Regierung lehnte dies ab mit dem Hinweis darauf, daß die Voraussetzung des alten Vertrags (von 1898) »ein freiwilliger Verzicht Portugals auf seine Hoheitsrechte durch Verpfändung gewesen (sei) beziehungsweise der Abfall der Kolonien vom Mutterland«, und dies müßte auch für die neuen gelten. »Ein Gewaltakt« aber widerspräche diesen Grundlagen.

Trotz dieser Verzögerungen und aufbrechender Gegensätze kam es in den vom April 1912 bis zum Juni 1914 geführten Verhandlungen über die »Teilung« der portugiesischen Kolonien doch im Juli 1913 zu einem Vertragsentwurf[8]. Dieses revidierte Abkommen wünschte England zusammen mit dem älteren Vertrag von 1898 und mit dem 1899 zwischen England und Portugal abgeschlossenen Garantievertrag zu veröffentlichen, und zwar in kürzester Frist, schon um nicht das Mißtrauen Portugals und vor allem auch Frankreichs wachzurufen. Dies mußte Deutschland mit allen Mitteln vermeiden; denn wenn der Vertrag überhaupt veröffentlicht werden sollte, dann konnte Deutschland dem nur zustimmen, wenn das Abkommen über die portugiesischen Kolonien zusammen mit den schwebenden deutsch-englischen und deutsch-französischen Abkommen über die Türkei veröffentlicht werden würde. Der in der Türkei gewonnene Vorteil sollte das Abkommen über die portugiesischen Kolonien, das wegen seiner unverbindlichen Form als zweifelhaft angesehen werden konnte, aufwiegen. Die englische Absicht bei all diesen Verhandlungen war die gleiche, wie sie schon Lichnowsky Ende 1911 formuliert hatte. Jetzt griff

---

7 GP 37 I, Nr. 14 662, Anlage zu dem Brief Lichnowskys an Bethmann Hollweg vom 20. 3. 13.
8 GP 37 I, Nr. 14 681, Kühlmann an Bethmann Hollweg, 19. 8. 13 (Anlage); vgl. dort auch die Diskussion um die einzelnen Paragraphen; vgl. bereits Nr. 14 674, Lichnowsky an Bethmann Hollweg, 18. 7. 13.

er sie wieder auf, als er im Sommer 1913 in einem Privatbrief an Jagow wiederholte, daß in London die »ausgesprochene Tendenz« bestehe,

> »unserer kolonialen Ausbreitung nicht nur keine Schwierigkeiten in den Weg zu legen, sondern ihr möglichst die Bahn zu ebnen, schon um uns von der Nordsee abzulenken und unseren vermeintlichen Landhunger auf Gegenden zu lenken, die für die britische Machtstellung unbedenklich erscheinen«[9].

Fünf Tage später bekräftigte der Botschafter diese Überzeugung noch einmal:

> »Man wünscht hier ... unserem Kolonial-Ausbreitungsdrang nichts in den Weg zu legen und sieht es sogar aus naheliegenden Gründen nicht ungern, wenn unsere Kräfte in fernen Weltteilen nach Betätigung suchen.«

Die deutschen Banken verhielten sich gegenüber diesen Überlegungen der Diplomaten reserviert. Sie wollten nur einer staatlichen Initiative folgen, obwohl Ende November 1912 Gwinner (Deutsche Bank) gegenüber dem deutschen Gesandten in Lissabon, Rosen, grundsätzlich das Interesse der Banken an einer deutschen Expansion in Afrika betont hatte:

> »Was die portugiesische Kolonialfrage im einzelnen betrifft, so kann ich Ihnen mitteilen, daß alle Großbanken sich für sie lebhaft interessieren und die Mittel für ihre Lösung bereitzustellen entschlossen sind. Ich werde in den nächsten Tagen mit Ihnen und Helfferich alle Einzelheiten durchsprechen.[10]«

Helfferich folgte dieser Zustimmung nur mit Vorbehalt. Der Teufel lag im Detail, und die Erfahrungen mit der Bagdadbahn ließen die Banken, besonders die Deutsche Bank, nur dann auf das Afrikageschäft eingehen, wenn ihnen die sichere Mehrheit in den projektierten oder bereits vorhandenen Unternehmen (Benguela-Bahn) zugesichert wurde. Ohne diese Sicherheit glaubten die deutschen Banken nicht, in Afrika eine Chance gegenüber dem Block der ökonomischen Interessen von Engländern, Amerikanern, Franzosen und Belgiern zu haben[11]. Kein Wunder also, daß sie den »Teilungsentwurf« skeptisch beurteilten und nur zögernd den staatlichen Pressionen folgten. Auch Jagow, der Nachfolger Kiderlens, war in dieser Frage von vornherein wesentlich skeptischer als Lichnowsky, Kühlmann und Rosen.

Den im Juni zwischen England und Deutschland ausgehandelten Vertragsentwurf würdigte Unterstaatssekretär Zimmermann in einem Schreiben an den Gesandten v. Treutler, den Vertreter des Auswärtigen Amts

---

9 Ibid., Nr. 14 671, Lichnowsky an Jagow, 2. 7. 13; für das folgende Zitat ibid., Nr. 14 672, Lichnowsky an AA, 7. 7. 13.
10 Zit. F. Rosen, Aus einem diplomatischen Wanderleben, Bd. 2, S. 84; Gwinner im Gespräch zu Rosen, Herbst 1912.
11 Diesen Hinweis verdanke ich Herrn Priv.-Doz. Dr. Helmut Böhme.

beim Kaiser, am 4. August 1913 als einen Fortschritt gegenüber dem Abkommen von 1898, weil Deutschland jetzt die Anwartschaft auf Gesamt-Angola mit Ausnahme eines an Nordrhodesien angrenzenden Stückes bekommen habe. Als Kompensation für diesen Deutschland gewährten Vorteil in Angola willigte es seinerseits in eine Vergrößerung der England zugesprochenen Teile von Mozambique, die jetzt nicht bis zum Sambesi, wie es der alte Vertrag vorsah, sondern bis zum Lugera reichen sollte, damit das englische Nyassaland einen direkten Hafen erhalten könnte. Timor schied aus dem alten Vertragsentwurf aus mit Rücksicht auf ein Vorkaufsrecht Hollands (das die eine Hälfte von Timor bereits besaß); dafür erhielt Deutschland einen Anspruch auf die Westafrika vorgelagerten Inseln São Tomé und Principe. Die sogenannte Teilung bedeutete zunächst nur die zwischen Deutschland und England abgesprochene Anwartschaft auf Sicherung von an Portugal zu begebende Anleihen – durch Verpfändung der Zolleinnahmen in den jeweils einer der beiden Mächte zugesprochenen Interessensphären. Rosen betonte denn auch sehr bestimmt das Interesse der Banken am Zustandekommen eines definitiven Vertrages, sonst müsse es

»zu erheblichen Verlusten und einer nicht ungerechtfertigten Verstimmung unserer Finanz führen, wenn alle ihre Aufwendungen und Arbeiten sich eines Tages als vergeblich herausstellen sollten ... Denn es kann wohl keinem Zweifel unterliegen, daß die Finanz nur dadurch zu ihrem Vorgehen ermutigt worden ist, daß ihr die Annahme beigebracht wurde, als sei an dem Zustandekommen des Staatsvertrages mit England überhaupt nicht zu zweifeln.[12]«

Während die Bankiers sich aber mit öffentlichen Äußerungen zurückhielten, kritisierten Tirpitz und die schwerindustrielle Presse sofort die unbestimmte Fassung des Vertrages. Der Staatssekretär des Reichsmarineamts lancierte in Zusammenarbeit mit dem Nationalliberalen Arning Artikel in die Presse, so unter anderem einen Leitartikel in die ›Kieler Neuesten Nachrichten‹ vom 1. November 1913 mit dem Titel ›Zentralafrikanische Hoffnungen‹, in dem der »große Erfolg« auf das richtige Maß zurückgeführt werden sollte [13]. Ebenso ablehnend reagierte die schwerindustrielle Presse, die in dem Abkommen nur »Kolonialreiche, die im Monde liegen, aber keine Realitäten« erblicken wollte und ihr Urteil so zusammenfaßte:

»Dies zentralafrikanische Kolonialreich ist nichts anderes als ein Trugbild, womit man uns dumme Deutsche von einer mannhaften Politik abziehen will.[14]«

Daß die deutsche Diplomatie kein Interesse daran haben konnte, das Abkommen so zu veröffentlichen, wie es die Engländer vom Herbst 1913 an

12 GP 37 I, Nr. 14 710, Aufzeichnung von Rosen, 30. 5. 14.
13 Tirpitz, Aufbau der deutschen Weltmacht, S. 404, Bericht des deutschen Marineattachés in London, 2. 11. 13.
14 Vgl. Kap. 11, Anm. 76.

verlangten, war also begreiflich. Das Buch von Plehn, ›Weltpolitik und kein Krieg‹, das die Mittelafrika-Politik Kühlmanns und Lichnowskys verteidigte, war ja bereits bei seinem Erscheinen im Mai 1913 als Dokument deutscher Schwäche und Resignation aufs schärfste angegriffen worden, und zwar nicht nur von den Alldeutschen und der Schwerindustrie, sondern auch von Nationalliberalen wie Bassermann. Ebenso verhielten sich Jagow und Stumm äußerst skeptisch gegenüber dem Afrika-Arrangement.

Das Projekt der Benguela-Katanga-Eisenbahn und die Nyassa-Kompanie

Daß der Reichskanzler allerdings dieses Abkommen für wichtig hielt, zeigte sein Bemühen, Reichsgelder als Sicherheit zur Verfügung stellen zu lassen zur wirtschaftlichen Durchdringung der Deutschland zugesprochenen Interessensphären. Am 28. Juli 1913 [15] erklärte Bethmann Hollweg es als dringend erwünscht, daß es »Deutschland gelänge..., in den portugiesischen Besitzungen wirtschaftlich festen Fuß zu fassen und sich dort gewichtige finanzielle Interessen zu schaffen«. Eine sehr günstige Gelegenheit hierzu böte sich durch eine deutsche Beteiligung an der Benguela-Bahn-Gesellschaft, »deren Linie den Hafen von Benguela mit Katanga verbinden soll«. Die Bahn, deren Gesamtstrecke bis zu diesem Zeitpunkt nur etwa bis zur Hälfte ausgebaut war, brauchte Gelder, und die englische Regierung hatte, im Zusammenhang mit den Kolonialgesprächen, den Leiter der Bahngesellschaft – Williams – an Deutschland verwiesen. Die erforderliche Summe betrug rund 60 Mill. Mark; die Ausführung der Finanzierung war so gedacht, daß ein deutsch-belgisches Konsortium (da die Bahn in belgisches Gebiet hineinführte, mußten die Belgier beteiligt werden) in Deutschland unter der Führung der Deutschen Bank, in Belgien unter Führung der Société Générale, hinter der nach Bethmanns Mitteilung »wieder der belgische Staat steht«, 30 Mill. Mark aufbringen sollte.

Schon die Aufbringung von 30 Millionen – und das zeigt wieder das deutsche Dilemma des Kapitalmangels – begegnete Schwierigkeiten:

»Dem deutschen Konsortium... fällt es bei der gegenwärtigen außerordentlichen Inanspruchnahme des Geldmarktes schwer, seinen Anteil bereitzustellen. Es hat daher gebeten, der Fiskus möge ihm die nötigen Mittel gegen Hergabe entsprechender Sicherheiten gegen mäßigen Zins vorstrecken, wie dies bereits in

15 DZA I, RKz Nr. 913, Bethmann Hollweg an Kühn, 28. 7. 13 (Konzept). Der Entwurf des Schreibens stammte von Solf, vgl. Rosen, Diplomatisches Wanderleben, Bd. 2, S. 257; Solf an Rosen, 28. 7. 13: »Ich war vorigen Sonntag bei ihm (Bethmann Hollweg) in Hohenfinow, und ich glaube, er wird sich für die Durchführung der Benguela-Bahn stark machen. Jedenfalls habe ich den Brief an Kühn vom Standpunkt des Starken geschrieben.«

ähnlicher Weise beim Bau der St.-Katharina-Bahn (Südbrasilien) aus politischen Gründen geschehen sei.«

Wie aussichtsreich der Reichskanzler diese Chance beurteilte, mit Hilfe der Benguela-Bahnbeteiligung in Mittelafrika Fuß zu fassen, zeigen seine fast beschwörenden Ausführungen, die, in wörtlicher Übereinstimmung mit Solfschen Formulierungen, den taktischen Sinn hatten, die Zurückhaltung des Staatssekretärs des Reichsschatzamtes, Kühn, zu überwinden, zugleich aber das Konzept Bethmann Hollwegs sehr deutlich umreißen:

> »Es handelt sich hier um eine *letzte* Möglichkeit, die Grundlagen für weitere koloniale Erwerbung zu legen, deren Besitz die Ausfuhr aus Deutschland wesentlich stützen und fördern, und die der deutschen Industrie in wesentlich größerem Umfange als bisher den Bezug ihrer Rohstoffe aus Ländern unter deutscher Verwaltung sichern könnte, die in manchen Teilen auch deutsche Kolonisten ernähren würden. *Diese letzte Gelegenheit darf unter keinen Umständen ungenutzt vorübergehen . . .*«

Aus dieser Lage gesehen, überrascht es nicht, daß Bethmann Hollweg Kühn empfahl, eventuell auch mit dem preußischen Finanzminister Lentze und dem Präsidenten der preußischen Seehandlung (Staatsbank) zusammenzugehen, um die erforderlichen Mittel bereitzustellen:

> »Gelänge es nicht, den deutschen Anteil am Kapital flüssig zu machen, so würde das England und Belgien gegenüber politisch sehr bedenklich sein; das Fehlen der verhältnismäßig doch nicht großen Summe müßte auch das Ansehen des Reiches gegenüber dem gesamten Auslande in empfindlicher Weise schädigen.«

Die Bereitstellung staatlicher Mittel sei um so dringlicher, als das deutschenglische Abkommen auf englischen Wunsch hin endgültig Anfang 1914 veröffentlicht werden sollte; bis dahin müsse Deutschland seine finanziellen Interessen gesichert haben. Doch trotz dieses Appells reagierte Kühn zurückhaltend [16]. Er antwortete am 17. September 1913, die Preußische Seehandlung glaube, das Benguela-Unternehmen nicht unterstützen zu können, »weil sie nicht über die nötigen Mittel verfügt«, und weil sie auch aus prinzipiellen Gründen einen solchen Kredit nicht geben könne. Die Reichsbank scheide überhaupt aus, da sie Geld nur zu den üblichen Bedingungen zur Verfügung stelle und die Banken damit nicht einverstanden seien. Diese wollten ja gerade eine Vorzugsbehandlung in diesem politischen Geschäft mit ökonomischen Zielen. Deshalb schlug Kühn vor, das Reich solle selbst in das Bahnunternehmen einsteigen und einen besonderen Fonds in den Etat des Reichskolonialamts einstellen. Dieser sollte es ermöglichen, sowohl die Sicherung als auch die von den Banken geforderte Zinsgarantie (4 %) zu übernehmen; allerdings wäre

---

16 Ibid., Kühn an Bethmann Hollweg, 17. 9. 13; vgl. für den folgenden Abschnitt Kühn an Bethmann Hollweg, 6. 10. 13.

»das Dispositiv ... ganz allgemein zu fassen, vielleicht: ›zur Beteiligung an kolonialen Unternehmungen‹; Erläuterungen wären nicht zu geben, sondern der Erörterung der Budgetkommission vorzubehalten, wie dies schon jetzt bei den strategischen Bahnen und ähnlichen Etatansätzen geschieht, die unter Ausschluß der Öffentlichkeit verhandelt werden«.

Bethmann Hollweg akzeptierte am 4. Oktober 1913 dieses Vorgehen und entschied, falls es noch 1913 in den Verhandlungen mit Williams, dem Bahnkonzessionär und den deutschen und belgischen Banken zu einem Vertragsabschluß käme, könnten die erforderlich werdenden Zahlungen an die Deutsche Bank vorschußweise geleistet und durch einen späteren Ergänzungs- oder Nachtragsetat geregelt werden. Nun aber mußte man noch die Parteien an dieser Politik »mitwirken« lassen. Bassermann für die Nationalliberalen, Spahn für das Zentrum, Westarp für die Konservativen und Payer für die Fortschrittliche Volkspartei wurden zu einer vertraulichen Aussprache gebeten und erklärten gegenüber dem Kanzler ihre Zustimmung zu dem Vorgehen der Regierung.

In einer Aufzeichnung Zimmermanns vom 15. Oktober 1913 [17] für diese Parteiführerbesprechung waren noch einmal sehr deutlich die deutschen Ziele umschrieben worden: der seit 1898 bestehende deutsch-englische Vertrag über die portugiesischen Kolonien habe eine Abänderung erfahren, durch die Deutschland der größte Teil der Provinz Angola zugesprochen worden sei. Gerade die Benguelabahn würde mit Hilfe einer Anschlußbahn im belgischen Kongo eine Verbindung zwischen dem Atlantischen Ozean und den »reichen Mineraldistrikten von Katanga« herstellen. Unter allen Umständen müßte dem zu bildenden deutsch-belgischen Konsortium die Kontrolle über die Benguelabahn-Gesellschaft gesichert werden, und das bedeute vor allem auch, den Hauptinteressenten der englischen Gesellschaft, welche die Bahnkonzession erworben habe, Williams, festzuhalten, um zu vermeiden, daß dieser sich das Geld anderweitig beschaffe. Zimmermann schloß mit der Warnung:

> »Auf die Bedeutung der ganzen Angelegenheit noch weiter einzugehen, dürfte sich erübrigen. Sind wir nicht imstande, 30 Millionen aufzubringen, so geht die Benguelabahn uns für immer verloren und damit die wirtschaftliche Erschließung eines großen Teils von Angola. *Noch schlimmer wäre der moralische Eindruck einer derartigen Leistungsunfähigkeit,* der insbesondere in England verhängnisvoll wirken müßte, um so mehr als Williams sich indirekt auf Veranlassung Sir Edward Greys hierher gewandt hat.«

Entscheidend war es nun, ob man an der Benguelabahn nicht nur beteiligt wurde, sondern auch die Aktienmehrheit erhielt, also die Kontrolle. Eben dies konnten die deutschen Diplomaten aber trotz angestrengter Werbe-

17 Ibid., Aufzeichnung Zimmermann, 15. 10. 13; dort auch die Zustimmungserklärung der Parteiführer.

tätigkeit und Versprechungen von Williams nicht erreichen: Die Mehrheit gab Williams nicht aus der Hand. Damit hatten sich die deutschen Hoffnungen mehr oder weniger als trügerisch erwiesen. Trotz der Paraphierung des Vertrages im Oktober 1913 konnte doch wenig Konkretes erhofft werden, um so weniger, als sich England ja vorbehalten hatte, eine Erneuerung des mit Portugal bestehenden sogenannten Windsorvertrages gleichzeitig mit der Veröffentlichung des deutsch-englischen Vertrages vorzunehmen. Solf selbst [18] wollte diesen Schritt nicht zu tragisch nehmen, wenn England nicht erklärte, daß der Kolonialbesitz Portugals »*unter allen Umständen*« garantiert werde. Er war geneigt, in der Politik Greys keine »Illoyalität gegenüber unseren berechtigten Ausdehnungsbestrebungen« zu sehen. Die deutsche »nationale« Öffentlichkeit reagierte schärfer. Wenn auch Bethmann Hollweg am 9. Dezember 1913 in seiner Reichstagsrede betonte, daß von »einseitigen Verzichtleistungen Deutschlands« nicht die Rede sein könnte und ebensowenig von Kompensationen, »die in Vorderasien für Vorteile in Zentralafrika oder umgekehrt gemacht werden könnten« [19], so zeigte doch dieses positive Bild, das der Kanzler vor dem Deutschen Reichstag zeichnete, bereits einige dunkle Flecken. Die Kongoteilung war aufgeschoben, die Benguelabahn-Verhandlungen stagnierten. Zwar hatten deutsche Gesellschaften in Südangola eine neue Aktivität entfaltet, deutsche Unternehmer in der Nyassakompanie in Mozambique die Aktienmehrheit erworben [20], vor allem aber war hier die deutsche Regierung sehr an der Übernahme der Hoheitsrechte interessiert, »die die Gesellschaft von der portugiesischen Regierung verliehen bekommen hat« [21]. Solf, der Staatssekretär des Reichskolonialamts, hatte maßgeblich dazu beigetragen, »die Gelder für die Nyassakompanie von Reichs wegen« zu bekommen und resümierte:

> »Wenn das gelingt, will ich die Ostafrikanische Gesellschaft vorspannen und das Territorium der Nyassakompanie sofort von Deutsch-Ostafrika aus in deutsche Verwaltung nehmen lassen.«

Zwar war Anfang 1914 ein Überseestudiensyndikat gegründet worden, dessen Gesellschafter Warburg, die Hapag (Ballin), die Woermann-Linie, die Norddeutsche Bank (Max v. Schinckel), F. Rosenstern (Hamburg), die Deutsche Bank, die Berliner Handelsgesellschaft, die Disconto-Gesellschaft, Briske & Pohl und Krupp waren, aber die Erwerbung der Aktienmehrheit an der Benguelabahn-Gesellschaft (50 % der Aktien + 1 Aktie),

---

18 Ibid., Solf an Bethmann Hollweg, 28. 11. 13.
19 RT, Bd. 291, 9. 12. 13, S. 6281 f.
20 Vgl. hierzu Rosen, Diplomatisches Wanderleben, Bd. 2, passim; Alfred Vagst, M. M. Warburg & Co., VSWG 1958, S. 346 ff.
21 Rosen, Diplomatisches Wanderleben, Bd. 2, S. 262; Solf an Rosen, 15. 12. 13; s. dort auch das folgende Zitat.

das heißt die Führung der deutschen Banken – von Rosen auf die Formel gebracht: »to lead or not to lead that is the question[22]« – diese alles entscheidende Erwerbung wollte nicht gelingen. Ende Januar 1914 waren die Verhandlungen auf deutscher Seite zwischen den Kommissaren des Reichsschatzamtes und Helfferich als Vertreter der Deutschen Bank so gut wie abgeschlossen[23]. Die Bankiers waren wie 1913 vorrangig daran interessiert, finanzielle Garantien von der Reichsleitung zu erhalten. Das »Geschäft« selbst sahen sie für unsicher an, obwohl Helfferich aus seiner »günstigen Beurteilung« bei einer deutschen Majorität in der Bahngesellschaft kein Hehl machte. Ja, es gelang der Deutschen Bank, ihren Vertragsentwurf dem Reichsschatzamt zu oktroyieren. Entscheidend waren jetzt die Verhandlungen mit Williams. Noch im Februar 1914 hatte der englische Konzessionär die Deutsche Bank auf die Erwerbung der Majorität vertröstet und belgisches Mißtrauen vorgeschützt[24]. Ende März kam Williams dann nach Berlin, um an einer von Solf arrangierten Besprechung mit Gwinner und Helfferich[25] teilzunehmen. Hier erklärten sich die deutschen Bankiers noch einmal bereit, die zur Fertigstellung der Bahn benötigte Summe bereitzustellen, aber wieder nur unter der Bedingung, daß die Aktienmehrheit und damit die Kontrolle in deutschen Händen liegen müsse, daß weiterhin die portugiesische Regierung der Transaktion zustimme und endlich, daß die Belgier ebenfalls ihr Einverständnis erklärten. Nach Rücksprache von Williams mit dem Präsidenten der Société Générale, J. Jadot, und den Vertretern der Deutschen Bank scheiterten die Verhandlungen endgültig. Williams suchte und fand das benötigte Kapital in Belgien und Frankreich. Die deutschen Hoffnungen in Angola waren im Frühjahr 1914 gescheitert, nicht zuletzt, weil Frankreich energisch in London interveniert hatte.

Wenn auch der Ankauf der Nyassakompanie endgültig am 28. Mai 1914 gelang, so waren doch die deutsch-englischen Verhandlungen Ende März vorerst gescheitert. Jagow ließ am 27. März 1914 dem englischen Botschafter Goschen wieder mitteilen, daß es der deutschen Regierung nicht möglich sei, den neuen Vertrag zu unterschreiben, wenn – wie es die Engländer schon kurz nach der Paraphierung im Herbst 1913 verlangt hatten – seine Veröffentlichung mit der des Windsor-Vertrages gekoppelt würde. Selbst Rosen, als Vertreter der pro-englischen Gruppe, hatte diese Entschei-

---

22 Ibid., S. 268; Rosen an Solf, 21. 12. 13; dort auch der Bericht von Rosen über die weiteren Bahnen in Angola, die Ambaca-Bahn, die Mossamedes- und die Südangola-Bahn.
23 DZA I, RKz 913, Kühn an Bethmann Hollweg, 26. 1. 14; vgl. dort auch für das folgende: Solf an Bethmann Hollweg, 13. 3. 14. (Mit Vertragsentwurf der Deutschen Bank.)
24 Rosen, Diplomatisches Wanderleben, S. 273; Rosen an Solf, 17. 2. 14; dort der Bericht über sein Gespräch mit Williams: »In Brüssel wäre die Atmosphäre für die Verhandlungen keine günstige gewesen wegen des Mißtrauens der anwesenden Belgier. Er hätte aber trotzdem in Gegenwart der Belgier erklärt, daß er stets bereit sei, der Deutschen Bank die Hälfte der Aktien abzutreten. Mehr sei augenblicklich nicht möglich.«
25 Willequet, Le Congo Belge et la Weltpolitik, S. 394 f. Das Gespräch fand wahrscheinlich am 20. 3. 14 statt.

dung Londons bereits im Herbst 1913 als »starkes Stück« bezeichnet. Ebenso wie Solf wollte er trotzdem nicht den Diplomaten im Auswärtigen Amt recht geben, die hier eine »Tücke Albions« unterstellten. Im Frühjahr 1914 war die England-Gruppe mit der »Weltpolitik ohne Krieg« doppelt düpiert: Der »Tausch« Bagdad–Benguelabahn war mißlungen, und der »Ausgleich« mit England hatte sich nicht eingestellt. England hatte Ende März 1914 nach Meinung Lichnowskys den Vertrag ganz »fallengelassen« [26]:

> »Mein Gesamteindruck war, daß er (Grey) nur ungern an die ganze Sache wieder herantritt, da er sich wohl den Franzosen gegenüber schon verpflichtet und anscheinend im Kabinett erklärt hatte, daß er teils aus Rücksicht auf unseren Widerstand gegen die Veröffentlichung, teils wegen französischer Empfindlichkeit den Vertrag habe fallenlassen.«

Jagow, der wie Stumm und Langwerth von vornherein »mit wenig Freude« an das Abkommen herangegangen war, interpretierte das Erreichte dahin, daß der paraphierte Vertrag »zum mindesten eine moralische Bindung« bedeute [27]. Lichnowsky wurde beauftragt, dies in London mitzuteilen und im übrigen darauf zu verweisen, daß eine Veröffentlichung des Windsor-Vertrages »überhaupt nicht in Frage kommen kann, solange unser Reichstag versammelt ist«. Das Auswärtige Amt fürchtete offenkundig die Kritik der öffentlichen Meinung. Das war indes ein schlecht verhülltes Eingeständnis des Fiaskos der deutschen Bemühungen. Die Englandpolitik des Kanzlers war ohne Fortune gewesen. Jetzt kam es nur darauf an, den Draht nach England nicht ganz abreißen zu lassen. Es überrascht daher nicht, daß Bethmann Hollweg am 2. Juli in Berlin [28] Lichnowsky anwies, neue Verhandlungen aufzunehmen; das war 5 Tage nach dem Attentat in Sarajewo. Jetzt erklärte sich die Regierung bereit, einer Veröffentlichung aller drei Verträge zuzustimmen, mit der aber bis zum Herbst gewartet werden sollte. Noch am 27. Juli 1914 wurde Lichnowsky mit neuen Direktiven für seine Gespräche mit Grey versehen.

Wiederaufnahme der Teilungspläne für den belgischen Kongo

Schon am 20. April 1914 hatte Solf angeregt [29], den 1912 zunächst gestoppten zweiten Punkt der Kolonialverhandlungen wiederaufzunehmen: die Teilung des belgischen Kongo, oder vorerst – das hielt er für gangbarer – die »bloße Beschneidung des belgischen Kolonialbesitzes« anstelle der völligen Aufteilung unter Deutschland, England und Frankreich.

---

26 GP 31 I, Nr. 14 705, Lichnowsky an Bethmann Hollweg, 1. 4. 14.
27 Ibid., Nr. 14 706, Jagow an Lichnowsky, 4. 4. 14.
28 Ibid., Nr. 14 714, Anm. S. 133.
29 AA-Bonn, Kongo Nr. 4, Solf an Jagow; zit. Willequet, Le Congo Belge et la Weltpolitik, Anl. IX, S. 444 ff., vgl. auch für das folgende.

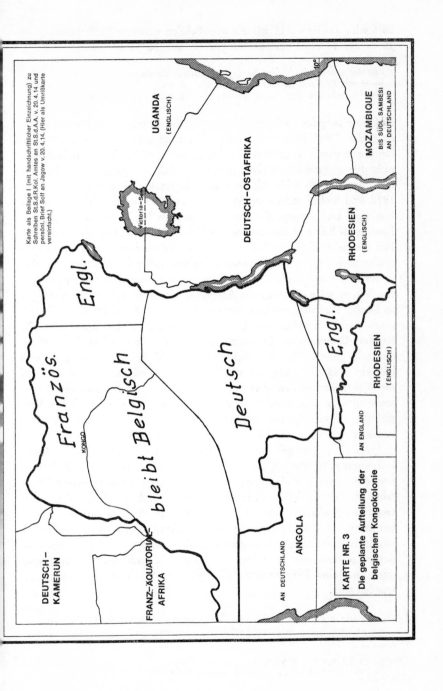

Karte als Beilage I (mit handschriftlicher Einzeichnung) zu Schreiben St.S.d.R.Kol. Amtes an St.S.d.A.A. v. 20.4.14 und persönl. Brief Solf an Jagow v. 20.4.14. (Hier als Umrißkarte vereinfacht.)

DEUTSCH–KAMERUN

FRANZ.-ÄQUATORIAL-AFRIKA

Französ. Engl.

KONGO

bleibt Belgisch

Deutsch

UGANDA (ENGLISCH)

Victoria-See

DEUTSCH–OSTAFRIKA

10°

MOZAMBIQUE

BIS SÜDL. SAMBESI AN DEUTSCHLAND

RHODESIEN (ENGLISCH)

Engl.

RHODESIEN (ENGLISCH)

ANGOLA

AN DEUTSCHLAND

AN ENGLAND

KARTE NR. 3

Die geplante Aufteilung der belgischen Kongokolonie

Solf wies Jagow dabei auf die von Belgien geplante Zollerhöhung von 10 % der konventionellen Kongozölle auf 30 % ad valorem hin:

> »In der gemeinschaftlichen Versagung unserer Zustimmung zu dieser Zollerhöhung mit England zusammen haben wir ein ausgezeichnetes Mittel, unsere innerafrikanischen Expansionsabsichten beschleunigt durchzusetzen.«

Auf einer beigefügten Karte skizzierte er die deutschen Interessensphären, da er die »Möglichkeit eines baldigen Zusammenbruchs der belgischen Kolonialwirtschaft« angesichts der belgischen Defizite im Kolonialbudget nicht für ausgeschlossen hielt. Solf bezog sich ausdrücklich auf die Verhandlungen Metternichs mit Grey am 9. Dezember 1911 und am 11. März 1912 und wollte auf dieser Basis die Gespräche weiterführen: Zuschlag Katangas und »eventuell« eines Gebietes im Nordosten des belgischen Kongos an England, der Region nördlich des Kongoflusses an Frankreich. Für Deutschland nahm Solf eine »breite Verbindung von Deutsch-Ostafrika nach dem in unsere Interessensphäre fallenden Teil von Angola« in Aussicht und für die Zukunft die Erwerbung des großen Kongobogens Am besten wäre es dabei, die Ansprüche Englands auf »Ober-Katanga« zu beschränken und »weitere englische Forderungen auf das wertvolle belgische Gebiet westlich von Uganda« abzulenken; hier lägen wertvolle Kupfer-, Diamant- und Goldvorkommen, so daß England durchaus zufrieden sein könnte. Der Staatssekretär des Reichskolonialamtes hielt auch hier ein »Handinhandgehen mit England« für geboten, das er auch auf die Wahrnehmung deutscher Verkehrsprojekte in Afrika ausgedehnt wissen wollte. Am 23. April[30] antwortete Kühlmann auf die Solfschen Vorschläge; er berief sich auf schriftliche Zusicherungen, daß England als Grenze seiner Ansprüche den 10. Breitengrad angegeben habe.

Trotz dieser fortgehenden Bemühungen der Gruppe um Solf, Rosen, Lichnowsky, Kühlmann, gegen alle Widerstände doch mit England zu einem Arrangement zu kommen, war im Frühjahr 1914 nicht mehr zu übersehen, daß das Projekt der Errichtung eines deutschen Kolonialreichs »Mittelafrika« gescheitert war. Plehn, der 1913 ein »Ventil« für nötig gehalten hatte, »um unsere überschüssige Volkskraft freizulassen«, mußte sich in seinen optimistischen Wünschen und Voraussagen getäuscht sehen. Statt dessen gewann jene Stimmung an Boden, die nach den Worten Plehns schon im Jahre 1912 »nahezu Allgemeingut der deutschen Nation« geworden war,

> »daß wir uns nur durch einen großen europäischen Krieg die Freiheit zu unserer weltpolitischen Betätigung erkämpfen könnten.[31]«

---

30 DZA I, NL Solf Nr. 40, Kühlmann an Solf, 23. 4. 14.
31 H. Plehn, Deutsche Weltpolitik und kein Krieg, Berlin 1913, S. 1.

IV. Deutsche wirtschaftliche Interessen in Frankreich und Belgien

Trotz der starken Konkurrenz der amerikanischen, englischen und französischen Stahlindustrie war die Geschäftslage der großen deutschen Stahlwerke bis Ende 1912 glänzend. Das war nicht zuletzt bedingt durch den deutschen Flottenbau, die Umstellung der deutschen Heeresrüstung auf modernere Geschütze und den Materialbedarf Südosteuropas in den Balkankriegen. Bereits 1910 erwarb die von Hugo Stinnes beherrschte Deutsch-Luxemburgische Bergwerks- und Hütten-AG das halbe Aktienkapital der Saar- und Moselbergwerksgesellschaft, der Gewerkschaft Kaiser Friedrich, der Zeche Tremonia und der Dortmunder Union und erweiterte durch eine im folgenden Jahr geschlossene Interessengemeinschaft ihren Einfluß auf die Rümelinger und St. Ingberter Hochöfen und Stahlwerke. 1912 übernahm Stinnes die Nordseewerke in Emden sowie die Mehrheitsbeteiligung der Emdener Hohenzollernhütte. Zusammen mit August Thyssen kontrollierte er den Mülheimer Bergwerksverein und den Hüttenverein Sambre et Moselle. Den Kern der Thyssenunternehmungen bildete die Gewerkschaft Deutscher Kaiser in Hamborn-Brockhausen: 1902/03 kauften Thyssen und Stinnes für rund 1 Million Mark Aktien der Gelsenkirchener Bergwerksgesellschaft (Emil Kirdorf) und setzten der Fusion des Schalker Gruben- und Hüttenvereins und des Hüttenvereins Rote Erde in Aachen (Adolf Kirdorf) mit Gelsenkirchen keinen Widerstand entgegen. Hinzu kamen in dieser Zeit große Kohlen- und Eisenerweiterungsbauten Thyssens (wie bereits vorher bei der GBAG) und kleinere von anderen Unternehmen. Die Phoenix-AG (Wilhelm Beukenberg) konnte ihren Einfluß durch Fusionen mit dem Hörder Verein (1906) und den Düsseldorfer Röhren- und Eisenwalzwerken, vorm. Poensgen, ausdehnen. Erweiterung der Produktion, Kampf um die Quote in den Syndikaten und direkter Ausbau zum Gemischtbetrieb, von der horizontalen zur vertikalen Organisation, kennzeichneten die Situation in der Montanindustrie. Im Zuge dieser Konzentrationsbewegungen kam es zu einer zum Teil forcierten Kapitalaufstockung in den Unternehmen. Die Deutsch-Luxemburgische Bergwerks- und Hütten-AG hatte 1906 ein Aktienkapital von 24 Millionen, 1910 verdoppelte sie ihr damaliges Kapital von 50 Millionen auf 100 Millionen Mark, und in der Folgezeit wurde es auf 130 Millionen hinaufgeschraubt. Gelsenkirchen steigerte sein Kapital von 130 Millionen (1906) auf 180 Millionen im Jahre 1911; Phoenix kam im gleichen Zeitraum über 35 Millionen im Jahre 1904/05 und 100 Millionen 1906 auf 106 Millionen seit 1911. Die Ausweitung der Betriebe, die Errichtung neuer Stahlwerke wie das der GBAG in Esch (Luxemburg) und das von Thyssen in Hagendingen brachte eine Steigerung der Stahlproduktion, aber auch einen steigenden Bedarf an hochwertigen Erzen mit sich.

Deutschland, das 1901 das bis dahin führende England auf dem Gebiet der Roheisenerzeugung, 1907 auch auf dem der Stahlgewinnung überflügelt hatte, wurde der größte Eisenerzverbraucher Europas.

Frankreich als Erzlieferant

1913 verteilte sich die Roheisenproduktion der Welt wie folgt: Frankreich 6,6 %, England 13,2 %, Deutschland 24,0 % und USA 38,4 %. Von Deutschland aus gesehen war der Produktionsanstieg stetig: 1885 hatte sein Anteil an der Welterzeugung 18,1 %, 1910 22,1 % und 1912 23,8 % betragen. Eindrucksvoll war das Wachstum des deutschen Anteils an der Stahlproduktion in diesem Zeitraum: von 14,6 % (1880) stieg er über 22,75 % (1910) und 24,0 % (1912) auf 25,2 % (1913). Der Anteil Englands fiel in dem gleichen Zeitraum von 30,9 % auf 10,4 %; übertroffen wurde Deutschland wiederum nur durch die USA, die 1880 einen Anteil von 29,7 % hatten und 1913 an der Spitze der Weltproduktion mit 42,3 % lagen [1].

In dem Zeitraum von 1900 bis 1913, in dem sich die deutsche Eisen- und Stahlproduktion etwa verdreifachte, hatte sich die deutsche Erzförderung jedoch nur verdoppelt: Die deutsche Erzeinfuhr stieg im gleichen Zeitraum um 350 %, damit der Bedarf gedeckt werden konnte. 1900 kamen unter Zugrundelegung des Eisengehaltes 28,8 %, 1913 bereits 44,5 % der in Deutschland verhütteten Erze aus dem Ausland. 1911 beruhte die rheinisch-westfälische Eisenindustrie, die 40 % der deutschen Roheisenproduktion lieferte, zu zwei Dritteln auf der Verhüttung ausländischer Erze. Schon 1910 wurde von diesen Kreisen konstatiert, daß »heute tatsächlich eine Erzknappheit vorherrscht, welche zu ernsten Besorgnissen für die Zukunft Veranlassung gibt« [2]. Von hierher erklärt sich auch das starke Interesse der deutschen Schwerindustrie, womöglich in Marokko Fuß zu fassen, dessen Erzvorräte für reichhaltig und abbauwürdig befunden wurden. Im Mai 1911 war in diesem Zusammenhang das pessimistische Wort Emil Kirdorfs gefallen, was aus Deutschlands Industrie eigentlich werden solle, wenn die deutsche Diplomatie es nicht vermöge, eine Geltendmachung der deutschen Ansprüche durchzusetzen.

Haupterzzufuhrgebiete blieben Schweden, Spanien, Frankreich und Rußland. Von der Jahrhundertwende bis 1913 verdreifachte sich der Erzimport aus Schweden, das mit 4 563 635 to 1913 an der Spitze der Einfuhrländer lag; es folgte Frankreich, das in diesem Zeitraum eine enorme

---

1 Vgl. hierzu: Die wirtschaftlichen Kräfte Deutschlands, hrsg. von der Dresdner Bank, Berlin 1913, S. 20.
2 Zit. bei H. Schumacher, Die volks- und weltwirtschaftliche Bedeutung der Moselkanalisierung, in: Technik und Wirtschaft, 3, 1910, S. 716.

Steigerung der Importrate um nahezu das 60fache der eingeführten Erz-
menge des Jahres 1900 verzeichnete. An dritter Stelle rangierten die Importe aus Spanien, die in diesem Zeitraum eine Steigerungsrate von 200 %
aufwiesen, an vierter Stelle endlich kam Rußland mit 489 382 to. Die Aufstellung zeigt folgendes Bild: [3].

	Frankreich	Schweden	Spanien	Rußland
1900	66 283	1 437 555	1 848 529	32 808
1904	259 915	1 584 081	3 003 421	250 095
1908	919 535	3 137 770	1 978 868	528 081
1910	1 773 809	3 248 995	2 861 228	779 402
1912	2 691 982	3 875 126	3 726 206	654 483
1913	3 810 887	4 563 635	3 632 058	489 382

Deutlich ist in dieser Aufstellung das sprunghafte Anwachsen der Erzim-
porte seit 1908 (in absoluten Zahlen) aus Frankreich, während die Zufuhr
aus Schweden sich ungefähr auf gleichbleibender Höhe hält. Auf diese
Akzentverschiebung wies eine Denkschrift der rheinisch-westfälischen Industrie an den Reichskanzler vom 30. März 1910 [4] hin. Hier heißt es, daß
bei dem steigenden Erzbedarf der deutschen Industrie, dem Mangel der
Ruhrindustrie an eigenen Lagerstätten in Deutsch-Lothringen und Ab-
schließungsbestrebungen in Schweden,

> »der einzige, ernstlich in Frage kommende Ersatz für die nicht genügend zur
> Verfügung stehenden deutsch-lothringer Erze sowohl wie die schwedischen Er-
> ze ... in den gewaltigen Erzreichtümern Frankreichs zu sehen« sei.

Die Denkschrift argumentierte weiter, daß gerade die Verhältnisse in
Schweden den dortigen Grubenbesitzern die Möglichkeit böten, die Erz-
preise willkürlich zu erhöhen. Die dadurch hervorgerufene Steigerung der
Produktionskosten aber müsse für die deutsche Eisenindustrie auf dem
Weltmarkt, angesichts der billigen Produktionsmöglichkeiten anderer Län-
der, »die schwersten Schädigungen im Gefolge haben«.

Schweden war zu diesem Zeitpunkt noch der zentrale Eisenerzexpor-
teur, und Deutschland Abnehmer von 70–80 % der schwedischen Erzausfuhr. In der französischen Minette aber erblickte die Ruhrindustrie
nicht nur einen Ersatz für schwedische phosphorhaltige Erze – das stärkere Zurückgreifen auf die französischen Vorräte ermöglichte es ihr vor
allem auch, sich einem drohenden schwedischen Verkaufsmonopol nicht fü-
gen zu müssen. Denn entscheidend war für die deutsche Schwerindustrie,
phosphorhaltige Erze zu bekommen, verkürzte Transportwege und damit
die Möglichkeit, auf die Preisgestaltung einwirken zu können, da sonst
die Konkurrenz der deutschen Industrie auf dem Weltmarkt nicht mehr

---

3 Angaben nach: Stat. Jb. 1904, 1908, 1910 und 1914.
4 Archiv GBAG 450 18/2; für diesen Hinweis danke ich meinem Schüler Peter Weber, der eine
Studie über die deutsch-belgischen Wirtschaftsbeziehungen vorlegen wird.

gewährleistet war. Frankreich und auch Spanien wurden immer stärker die Gebiete, auf die man sein Augenmerk richtete; billige Importe und Schonung der eigenen Vorräte waren Maximen der Geschäftspolitik der Großkonzerne.

»Pénétration pacifique« seit 1900

Der Wunsch, die eigenen Erzlager für die Zukunft zu schonen, zeigt sich bereits in den Anstrengungen, die die deutsche eisenverhüttende Industrie um die Jahrhundertwende unternahm. Ihre Prospektoren waren in Asien, Australien, Afrika und selbst auf den Neuen Hebriden tätig[5]. Zur gleichen Zeit setzten Bemühungen ein, sich feste Anteile an den reichen Minette-Vorkommen in Französisch-Lothringen – vor allem im Becken von Briey – zu sichern[6].

Die Firma August Thyssen, deren besondere Schwäche der Mangel an eigenen Erzfeldern in Deutschland war, eröffnete 1900 mit dem Erwerb einer Eisenerzkonzession ein sich über Jahre erstreckendes Eindringen der deutschen Schwerindustrie nach dem östlichen Frankreich. Im gleichen Jahre noch erwarb die später von Hugo Stinnes beherrschte Deutsch-Luxemburgische Bergwerks- und Hütten AG ein Viertel der Anteile an einer Bergwerksgesellschaft im gleichen Distrikt[7].

Zu diesen Beteiligungen kamen noch die Erwerbungen der vorangegangenen Jahre; nämlich 1031 ha in Jouaville, 688 ha in Batilly (beide im Besitz von A. Thyssen) und endlich 696 ha in Moutiers, die der Deutsch-Luxemburgischen Bergwerks- und Hütten AG gehörten. Bis 1914 waren also mit Ausnahme von Krupp die den Stahlwerksverband beherrschenden Großfirmen: die Gelsenkirchener Bergwerks AG (Kirdorf), die Röchling'schen Eisen- und Stahlwerke in Völklingen, der Lothringer Hüttenverein Aumetz-Friede (Klöckner), das Eisen- und Stahlwerk Hoesch-AG in Dortmund (Fr. Springorum), das Hasper Eisen- und Stahlwerk, die Phönix AG für Bergbau und Hüttenbetrieb Hörde (Wilh. Beukenberg)

---

5 L. Bruneau, L'Allemagne en France, Paris 1914, S. 2. – Hermann Schumacher, Die volks- und weltwirtschaftliche Bedeutung der Moselkanalisierung, Technik und Wirtschaft 3, 1910, S. 717.
6 Die Eisenerzreserven im französischen Minettegebiet wurden von französischer wie deutscher Seite auf 3 Milliarden Tonnen geschätzt. Der Eisengehalt dieser Erze ist höher als der der deutschen, was vor allem auf das Briey-Becken zutrifft (Eisengehalt 37–38 % gegenüber Longwy mit 30–33 %): M. Ungeheuer, Die wirtschaftliche Bedeutung der ostfranzösischen Erz- und Eisenindustrie, Technik und Wirtschaft 5, 1912, S. 650, 653.
7 Vgl. dazu jetzt die umfassende Studie von Raymond Poidevin, Les relations économiques et financières entre la France et l'Allemagne de 1898 à 1914, Paris 1969; L. Bruneau, L'Allemagne en France, Paris 1914; Die Industrie im besetzten Frankreich, bearbeitet im Auftrage des Generalquartiermeisters, München 1916 (vertraulicher Abdruck); F. Engerand, Le fer sur une frontière. La politique metallurgique de l'état allemand, Paris 1919; M. Ungeheuer, Die wirtschaftliche Bedeutung der ostfranzösischen Erz- und Eisenindustrie, in: Technik und Wirtschaft 5, 1912, S. 649 ff, S. 718 ff; ders. Die industriellen Interessen Deutschlands in Frankreich vor Ausbruch des Krieges, Technik und Wirtschaft 9, 1916, S. 89 ff. S. 158 ff.; S. 222 f.; S. 253 ff.; S. 293 f. Hiernach auch die Angaben in den beiden Tabellen.

TABELLE I

Interessen der deutschen Schwerindustrie an den Eisenerzvorkommen im Becken von Longwy-Briey

Name der Konzession	Größe ha	Interessen	Bemerkungen (Förderung 1913
Jarny (B)	812	Hüttenkonsortium *Phönix, Haspe, Hoesch* u. frz. Senelle-Maubeuge zu je ¼	347 206 t
Sancy (B)	735	(seit 1906)	668 000 t
St. Pierremont (B)	917	*Gelsenkirchen* seit 1906 Haupt-beteiligung mit $7/12$	860 200 t
Crusnes (L)	475	Gelsenkirchen	(nahezu
Villerupt (L)	326	seit 1909	inaktiv) 124 000 t (1909)
Jouaville (B)	1031	seit: 1902	
Batilly (B)	688	1903	Sämtlich
Bouligny (B)	436	1906	Projekte
Valleroy (B)	886	*Röchling* 50 % frz. Aciéries de Longwy 50 % 1907	200 000 t
Pulventeux (L)	216	Röchling-Besitz	208 720 t
Murville (B)	496	Peter Klöckner Aumetz-Friede $4/5$ seit 1907	405 000 t
Serouville (B)	720	*Hugo Stinnes* über 50 % seit 1908	(inaktiv)
Moutiers (B)	696	Rümelingen-St. Ingbert Deutsch-Luxemburg seit 1900 mit 25,67 %	919 843 t
Conflans (B)	820	*Dillinger* Hütte 70 % – (Die üblichen Angaben lauten fälsch-licherweise auf nur 35 %).	(inaktiv)
Errouville (B)	948	⅓ *Burbacher* Hütte ⅔ *de Wendel*	187 000 t
Bellevue (B)	589	Burbacher Hütte seit 1907 $1/3$, später Erweiterung des Anteils	(inaktiv)
Dazu: Bois d'Avril (B)	432	de Wendel	
Mance (B)	842	de Wendel	
Hatrize (B)	720	de Wendel – Beteiligung	

B = Becken von Briey
L = Becken von Longwy

Karte Nr. 4

Übersicht über deutsche Interessen im Becken von Longwy-Briey

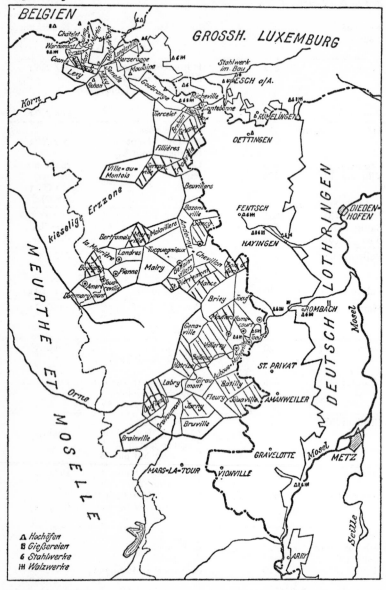

(M. Ungeheuer, Die wirtschaftliche Bedeutung der ostfranzösischen Erz- und Eisenindustrie, Technik und Wirtschaft 5, 1912, S. 651)

Die schraffierten Gebiete geben die deutschen Beteiligungen an Erzfeldern laut Tabelle I wieder.

und die außerhalb des Stahlwerksverbandes stehende Dillinger Hütte (Stumm), in Frankreich an Erzfeldern beteiligt.

Die (Luxemburgischen) Vereinigten Hüttenwerke Burbach-Düdelingen besaßen neben Anteilen an zwei Konzessionen im Briey-Distrikt ein weiteres Erzfeld im Minette-Gebiet um Nancy. Obwohl exakte Angaben nicht zu erhalten sind, läßt sich mit Sicherheit feststellen, daß bis 1914 17 Konzessionen im Distrikt von Longwy völlig oder teilweise in deutsche Hand gelangt waren – 6 von ihnen befanden sich fest in deutschem Besitz, an weiteren 7 war deutsches Kapital mehr als zur Hälfte beteiligt. Infolge dieser ganz verschiedenartigen Mehrheitsverhältnisse läßt sich der Umfang des deutschen Einflusses im ostfranzösischen Gesamtfeld nicht genau angeben. Es wird geschätzt, daß sich bei Kriegsausbruch zwischen 10 und 15 % des Erzvorrates in deutscher Verfügungsgewalt befanden [8].

Untersucht man den Zeitpunkt des Eindringens genauer, so wird man feststellen, daß die Erwerbung von Kuxen in zwei Wellen vor sich ging. Nach einem vorfühlenden Eingreifen in den Jahren 1900 bis 1904 – in einer 1905 im Reichsmarineamt verfaßten Denkschrift konnte noch verzeichnet werden: »*Einzelne* Beteiligungen deutschen Geldes *dürften* sich in Bergwerken, Hochöfen und Gießereien befinden« [9] – setzte das volle deutsche Interesse an dem französischen Erz im Jahre 1907 ein, als in Schweden unter dem Einfluß des Premierministers Lindmann die zuvor selbständigen drei großen Erzfeldaktiengesellschaften in einer einheitlichen Organisation zusammengefaßt wurden, an der dem schwedischen Staate eine maßgebliche Beteiligung eingeräumt wurde. Auf dieser halbstaatlichen monopolistischen Grundlage wurde eine Kontigentierung der gesamten schwedischen Erzerzeugung vorgenommen, so daß auf eine Verstärkung des Zustroms schwedischer Eisenerze nach Deutschland nicht mehr gerechnet werden konnte. Die Kontrakte der Ruhrindustriellen mit den schwedischen Gesellschaften liefen 1917 ab [10]. Dieser nahenden Vorratsschmälerung suchte die deutsche Schwerindustrie auf zwei Wegen zu entgehen. Auf der einen Seite ist für das Jahr 1907 ein verstärktes Eindringen nach Französisch-Lothringen zu verzeichnen, begleitet von einer gewissen Schwerpunktsverlagerung in der eisenverhüttenden Industrie überhaupt, denn Kirdorf und Thyssen begannen Neuanlagen in Esch und in Hagendingen zu errichten, die in unmittelbarer Nähe ihrer ostfranzösischen Erzfelder lagen [11]. Kirdorf erwarb außerdem Gießereien und Hochöfen in

---

8 Alfred H. Brooks and Morris F. La Croix: The Iron and associated Industries of Lorraine, the Saar District, Luxembourg and Belgium. Dept. of the Interior, U. S. Geological Survey, Bulletin 703, Wash. 1920, S. 16.
9 Die Entwicklung der deutschen Seeinteressen im letzten Jahrzehnt, zusammengestellt im Reichsmarineamt, Berlin 1905, S. 133. – v. Verfasser hervorgehoben.
10 Die schwedische Eisenerzfrage, Stahl und Eisen 27, 1907, S. 533/34, Schumacher, Moselkanalisierung, S. 718 f.
11 Schumacher, Moselkanalisierung, S. 721. – Bruneau, S. 2.

Aubrives (Ardennen) und zu seiner Konzession in Villerupt das dortige Stahlwerk [12]. Bei St. Pierremont war eine Stadt im Entstehen begriffen, die eine rein Kirdorfsche Schöpfung war [13].

Der zweite Weg führte zu den Erzlagern in der Normandie, deren Ausbeutung die französischen Besitzer bisher offenbar wegen der damit verbundenen hohen Investitionen gescheut hatten. Auch hier übernahm Thyssen die Führung. August, Fritz und Joseph Thyssen erwarben direkt oder über ihren Generaldirektor Franz Dahl und französische Mittelsleute den Hauptanteil an drei Gerechtsamen (Soumont, Perrières, Dielette) in den Départments Calvados und Manche [14]. Phönix, Haspe, Hoesch und die Deutsch-Luxemburgische sicherten sich 1907/08 drei Erzfelder in der Nähe von Caen (St. André, Bully, Maltot). Krupp (1909 Kauf von Larchamps) und die Gutehoffnungshütte (1911 Erwerb von 80 % der Anteile an Barbery, Urville, Estrées-la-Campagne) standen ihnen nicht nach [15]. Auf dem Wege über den holländischen Erzhändler de Poorter, mit dem langfristige Verträge geschlossen wurden und der gleichzeitig die Beförderung des Erzes über Rotterdam ins Ruhrgebiet übernahm, erlangten Thyssen, Stinnes und Krupp 1912 die Kontrolle über die Förderung weiterer 4 Erzfelder (Ondefontaine, Jurques, Bourberouge, Mortain). Diese drei Industriellen sollen weitergehende Pläne zum Ausbau eines Hafens in der Nähe von Caen und der Errichtung von Hütten gehabt haben [16]. Es darf angenommen werden, daß sich unter Einbeziehung der holländischen Firma de Poorter etwa drei Viertel der normannischen Eisenerzfelder unter maßgeblicher deutscher Kontrolle befanden. Der Anteil Thyssens allein darf auf $1/_6$ geschätzt werden [17]. Direkt von deutschem Kapital kontrolliert wurden 12 der 22 Konzessionen im Gebiet südlich von Caen [18].

Thyssen begann 1912 mit dem Bau eines großzügig geplanten Hochofenwerkes bei Caen, das die Kohlen aus seinen Zechen am Niederrhein beziehen sollte [19]. Um möglichen gesetzlichen Maßnahmen von französischer Seite zu entgehen, schob er in der Normandie wie in Französisch-Lothringen von ihm beherrschte belgische und teilweise französische Gesellschaften vor. 1909 soll er zudem daran gedacht haben, einen seiner Söhne die französische Staatsangehörigkeit erwerben zu lassen [20].

---

12 Handbuch der Deutschen Aktiengesellschaften, 1913/14 I, S. 837.
13 Bruneau, S. 65/66.
14 Chambre Syndicale Française des Mines Métalliques, Annuaire, Troisième Année, 1912–13, Paris 1912, S. 46, 91, 183.
15 Bruneau, S. 22 f., S. 37, S. 53 f., – Ferdinand Friedensburg, Kohle und Eisen im Weltkriege und in den Friedensschlüssen, München und Berlin 1934, S. 44. – Hans W. Gatzke, Germany's Drive to the West. A Study of Germany's Western War Aims during the First World War, Baltimore, 1950, S. 32 f.
16 Bruneau, S. 28 ff.
17 Friedensburg, S. 44.
18 Nach Zeichnungen und Zahlenangaben bei: Paul Krusch, Die Versorgung Deutschlands mit metallischen Rohstoffen, Leipzig 1913, S. 154 f.
19 Bruneau, S. 137 ff. – Friedensburg, S. 45: es wurde 1917 eröffnet.
20 Gatzke, Germany's Drive to the West, S. 34.

Die dritte Welle des Einströmens von deutschem Kapital in französische Bergwerksgesellschaften als Folge des Ausgangs der zweiten Marokkokrise anzusprechen, ist sicher nicht richtig. Die Aktivität der deutschen Schwerindustrie in Frankreich war vornehmlich bedingt durch die in Schweden vorgenommenen Veränderungen. Für 1911 lassen sich allein die Erwerbungen der Gutehoffnungshütte in der Normandie feststellen sowie ein stärkeres Fußfassen von Aumetz-Friede im Becken von Briey, denn im gleichen Jahre gelang es Klöckner, seinen 1907 erworbenen Besitzanteil von 18 % an der Konzession von Murville auf 80 % zu erweitern. Die Erwerbungen und Beteiligungen in der Normandie zeigen folgendes Bild:

TABELLE II

Deutsche Interessen an den Erzvorkommen in der Normandie.

Name der Konzession	Größe	Dt. Interessen	Bemerkungen
Bully	402	völlig in dt. Händen je $^3/_8$ Dt-Lux u. Phönix,	Gegr. 1910 Ak 2,8 mio
St. André	389	$^2/_8$ Hoesch	
Maltot	430	(Erwerb 1907/08)	
Barbery	325	80 % Gutehoffnungshütte	Gegr. 1902 Ak 500 000 frs.
Urville	255	80 % Gutehoffnungshütte	Gegr. 1911 Ak 100 000 frs.
Estrée la Campagne	780	70 % Gutehoffnungshütte (unter der Bez. Soc. de fer de Basse-Normandie) (Erwerbung sämtlich 1911)	Gegr. 1901 Ak 99 000 frs. frs.
Soumont	773	40 % Thyssen	
Perrières	1442	40 % Thyssen	
Ext. v. Soumont	2300	von Thyssen beantragt	
Diélette	345	nahezu völlig Thyssen	
Montpincon	602		
Ondefontaine	599	Sämtlich mehr als $^3/_4$	
Jurques	365	de Poorter	
Mont en Gérome	1490		
Mortain Barantos	1250		
Larchamps		Kruppinteressen über die Firma Frielinghaus, Essen	

Dazu gehörten in fast jedem Falle Ansprüche auf sogenannte Extensionen, die noch im Besitz von Schürfgesellschaften waren und deren Angliederung an die eigentlichen Konzessionen den deutschen Gesellschaften bis zum Sommer 1914 nicht gelang.

Karte Nr. 5

Übersicht über deutsche Interessen in der Normandie (nur Nähe Caen)

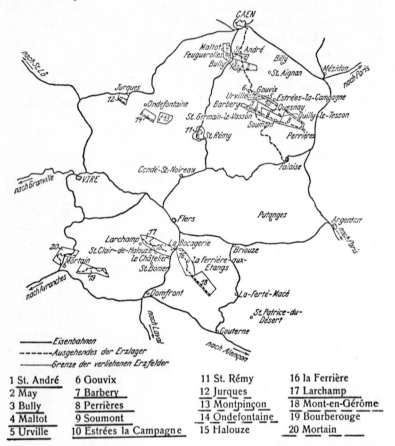

1 St. André
2 May
3 Bully
4 Maltot
5 Urville
6 Gouvix
7 Barbery
8 Perrières
9 Soumont
10 Estrées la Campagne
11 St. Rémy
12 Jurques
13 Montpinçon
14 Ondefontaine
15 Halouze
16 la Ferrière
17 Larchamp
18 Mont-en-Gérôme
19 Bourberouge
20 Mortain

(M. Ungeheuer, Die industriellen Interessen Deutschlands in Frankreich vor Ausbruch des Krieges, Technik und Wirtschaft 9, 1916, S. 162)

_____ deutsche Interessen

_ _ _ _ de Poorter

Gleichlaufend mit dem Erwerb von Konzessionen – eine Anzahl der Minen konnte bis 1914 noch nicht in Betrieb genommen werden – bemühten sich die Direktionen der deutschen Stahlwerke um eine Erhöhung der Zufuhr von Erzen aus Ostfrankreich überhaupt. Hoesch, Haspe, der Hoerder Verein und die Gewerkschaft Deutscher Kaiser (Thyssen), unterstützt von den Handelskammern in Dortmund, Duisburg und Hagen, ersuchten nach 1907 in verschiedenen Anträgen die Regierung um Ausdehnung des Erzausnahmetarifs aus dem französischen Erzgebiet. Die Ergebnisse dieser Bemühungen, bei steigender Stahlproduktion die eigenen Erzlager für die Zukunft vorsorgend aufzubewahren, sei mit einigen statistischen Angaben wiedergegeben. Während die Ausfuhr von Erzen aus Deutschland gedrosselt wurde – sie fiel von 3,699 Millionen Tonnen im Jahre 1905 sich etwa gleichmäßig verringernd auf 2,307 Millionen Tonnen 1912 –, stieg die Gesamterzeinfuhr von 6,1 Millionen Tonnen im Jahre 1905 über 10,8 Millionen Tonnen (1911), 12,1 Millionen Tonnen (1912) auf 14,0 Millionen Tonnen 1913. Wie eng die Verbindung ostfranzösisches Becken – Ruhrindustrie wurde, zeigt ein Blick auf den Umfang der französischen Erzförderung. In dem gleichen Zeitraum, in dem die deutsche Eisenerzeinfuhr aus Frankreich sich vervierfachte, konnte die Förderung im Département Meurthe-et-Moselle nur etwa verdoppelt werden (1907: 8,8 Mill. Tonnen; 1913: 19,9 Mill. Tonnen) [21].

Auch das luxemburgische Erz sollte trotz seines geringeren Reichtums und seiner geringeren Vorräte für die Ruhrindustrie gesichert werden. 1912 griff Thyssen mit einem Übergebot in einen erbitterten innerpolitisch-luxemburgischen Kampf um das letzte noch zu vergebende Erzfeld ein, um sich weitere Vorräte für sein Werk in Hagendingen zu sichern. Da der luxemburgische Staat sich aber durch die sogenannte Verhüttungsklausel bei der Verleihung von jüngeren Bergwerksgerechtsamen die Verhüttung der gewonnenen Erze im Lande selbst vorbehalten hatte, zog er sich wieder zurück. Als sich 1913 Kirdorf und Stinnes zusammen mit zwei luxemburgischen Unternehmen in den letzten luxemburgischen Erzbesitz teilten [22], waren 64 % des Erzgebietes und der Eisen- und Stahlwerke in Luxemburg unter deutsche Kontrolle gelangt [23].

---

21 Angabe nach: Statistique Générale de la France, Annuaire Statistique 28 (1908), 34 (1914). – Die Förderung von Erzen in der Normandie fällt dabei nicht ins Gewicht. (Calvados 1913: 388 923 to; Manche 1913: 61 388).
22 M. Ungeheuer, Die wirtschaftliche Bedeutung der luxemburgischen Erz- und Eisenindustrie, Schmoller's Jahrbuch, 40. Jg., 1916, 3. Heft, S. 22.
23 Brooks, S. 67/68.

Im Frankfurter Frieden von 1871 war bestimmt worden, daß dem deutschen Handel in Frankreich die Meistbegünstigung – d. h. die Sätze des Mindesttarifs – ohne weiteres zustehe. Begünstigt durch diese Vorteile hatte die deutsche Industrie noch während der Regierungszeit Bismarcks in dem französischen Markt ein verhältnismäßig gutes Absatzgebiet gefunden, aber der Warenaustausch zwischen den beiden Ländern hatte nach 1880 doch eine rückläufige Tendenz aufzuweisen. Die Wende in dieser Entwicklung wurde herbeigeführt durch das Caprivische Handelsvertragssystem. Die Ausfuhr von Fertigwaren nahm seit den 90er Jahren einen ungeheuren Aufschwung. Bezeichnend für diese Losung des »Exports um jeden Preis« ist es, daß auch die Abneigung Frankreichs, durch langfristige Handelsverträge eine gewisse Stetigkeit der Zollverhältnisse zu schaffen – die einzelnen Sätze des französischen Zolltarifs konnten jederzeit durch eine Gesetzesvorlage abgeändert werden –, die deutsche Industrie in keiner Weise davon abhielt, ihre Erzeugnisse in verstärktem Maße nach Frankreich auszuführen. Maschinen, Geräte und chemische Produkte – in erster Linie Farben und Arzneimittel [24] – bildeten den Hauptbestandteil der deutschen Ausfuhr nach Frankreich. Deutschland und Frankreich traten in ein beständig enger werdendes gegenseitiges Abhängigkeitsverhältnis zueinander, in dem aber Deutschland immer mehr zum beherrschenden Faktor wurde. Seit 1910 schlug die bislang für Frankreich günstige Handelsbilanz zugunsten Deutschlands um. In den letzten Jahren vor Kriegsausbruch stiegen die deutschen Exporte nach Frankreich sprunghaft an, als die Hochkonjunktur in Deutschland ihr Ende nahm und die deutsche Industrie bei Überproduktion, übersättigtem Inlandsmarkt und fallenden Preisen zu einer forcierten Warenausfuhr schritt [25]. Deutschland nahm nicht nur den zweiten Platz im französischen Außenhandel ein, sondern es gelang jetzt auch, die Vereinigten Staaten zu übertreffen und England nahezukommen. Außer Kohle und Koks waren die deutschen Hauptexportgüter Fertigfabrikate: allein 34,1 % der französischen Fertigwareneinfuhr stammte aus Deutschland. Besonders die deutsche Maschinenbauindustrie (Spezialmaschinen, Waggon- und Lokomotivbau), die deutsche chemische Industrie und die Elektroindustrie (AEG, Siemens) waren der französischen Konkurrenz überlegen und beherrschten zum Teil den französischen Markt.

In der Periode zwischen Algeciras und Agadir wurden Ansätze zu einer deutsch-französischen wirtschaftlichen Zusammenarbeit, die sich seit der Jahrhundertwende in einem gewissen Auf und Ab entwickelt hatten, zu

---

24 Vgl. R. Poidevin, Les relations, bes. S. 107 ff., S. 375 ff.; Statistisches Jahrbuch für das Deutsche Reich, Jg. 34 (1913), S. 237. Jahrgang 35 (1914), S. 235. – Vgl. Bruneau, S. 181 f., 219 f., 243 f.
25 Annuaire Statistique de la France 34, 1914/15, S. 82 ff.; R. Poidevin, passim.

einer »forte interpénétration des interêts 1906–1910« verstärkt, wie es Raymond Poidevin in seinem Werk über die deutsch-französischen Finanz- und Wirtschaftsbeziehungen nennt. Bei fortdauernder Rivalität zwischen deutschem und französischem Kapital kam es in verschiedenen Regionen wie in der Türkei, den Balkanstaaten, aber auch in Südamerika und Mittelafrika zu gemeinsamen Unternehmungen deutscher und französischer Banken. Was die direkte Beteiligung deutscher Unternehmer und Banken in Frankreich selbst betraf, so stieß bereits in diesem Zeitraum die Beteiligung deutschen Kapitals an französischen Unternehmen und der direkte Erwerb von Erzfeldern im Lager der nationalistischen Rechten und auch der Sozialisten (die eine Verstaatlichung der Gruben forderten) auf Kritik. Der große Umschwung trat ein mit dem erneuten Zusammenstoß über Marokko, nachdem es schon 1910 nach der Vorlage des neuen französischen Zolltarifs zu Friktionen gekommen war. – Die Jahre 1911–14 stellen eine Ära wachsender Schwierigkeiten dar: Das Ende gemeinsamer Finanzierungsprojekte zeichnete sich ab, und auch der französische Kapitalmarkt stand den Deutschen nicht mehr zur Verfügung. Zugleich kam es zu einer Verschärfung der Kämpfe zwischen dem deutschen und französischen Kapital auf dem Gebiet der direkten finanziellen Einflußnahme auch in den Gebieten, in denen vorher noch die Möglichkeit zur Zusammenarbeit gegeben war. In Rußland wurde Deutschland fast ganz ausgeschaltet, ja Frankreich bemühte sich, seine finanziellen Machtmittel gegen Deutschland in Österreich-Ungarn einzusetzen. Nur Italien blieb noch dank der große Teile der Industrie kontrollierenden Banca Commerciale, in der die Deutschen die Mehrzahl der Aufsichtsratsmitglieder stellten, stärker mit Deutschland verbunden [26].

»La Campagne contre l'invasion germanique« [27]

Die Verschlechterung der deutsch-französischen Finanzbeziehungen wirkte sich auch auf allgemein handelspolitischem Gebiet auf dem Erzsektor aus. Es kam zu zollpolitischen Schikanen, und es erhoben sich Stimmen, die gerade auch eine Erschwerung der Erzausfuhr nach Deutschland in Form eines Ausfuhrzolls forderten. Die Verhärtung der Fronten auf diesem Gebiet wurde 1912 angeheizt durch die deutsche Agitation gegen den Einfluß französischen Kapitals in Elsaß-Lothringen [28] und durch französische Gegenangriffe. Durch genaue Auslegung des Artikels 15 des französischen Zollgesetzes von 1892, durch Forderung auf durchgängige Herkunftsbezeichnung eingeführter Waren und Einführung genauer Tarabezeichnun-

---

26 R. Poidevin, Les relations, S. 671 ff., La multiplication des revalités financières dans le monde.
27 R. Poidevin, ibid., S. 727 in einer Kapitelüberschrift.
28 Die sog. Graffenstaden-Affäre 1912, R. Poidevin, S. 751 ff.; für die Zollschikanen vgl. S. 761 ff.

gen (seit Ende 1911) wurden die Spannungen verstärkt, obwohl die Regierungen sich zurückhielten und mäßigend einzuwirken versuchten. Die Pressekampagnen vom Frühjahr 1913 und die Proteste der französischen nationalistischen Rechten gegen die deutsche »wirtschaftliche Gefahr« taten ein weiteres, um die Beziehungen zu verschlechtern. Die Zeitschrift des Handelsvertragsvereins protestierte im Januar 1913 gegen den »wirtschaftlichen Chauvinismus in Frankreich«[29], verhielt sich aber insgesamt zurückhaltend, schon weil es den Erfolg gewisser projektierter französischer Maßnahmen (Bevorzugung französischer Waren, Maßregeln gegen die Niederlassung deutscher Kaufleute oder Gründung deutscher Filialen in Frankreich, Einführung einer Nationalmarke für französische Produkte, allgemeine Importvermerke) nicht hoch einschätzte. Zudem warnten 1913 einflußreiche Publizisten in Frankreich, wie der Chefredakteur des ›Figaro‹, vor den Boykottbestrebungen; er verwies darauf, daß Frankreich, dessen Ausfuhr seine Einfuhr beträchtlich übersteige, leicht selbst der Leidtragende bei solchen Maßnahmen werden könne. Zudem habe die antideutsche Kampagne schon »jenseits unserer Ostgrenze noch mehr Erbitterung hervorgerufen als die marokkanische Frage«[30]. Doch diese mäßigenden Stimmen waren auf beiden Seiten selten. Engagierter als die nationalistische Presse in Frankreich zeigten sich die Zeitungen der alldeutschen Richtung. Die ›Post‹ prangerte Anfang 1913 den »deutschen Industrieverruf« in Frankreich an und bemühte sich, durch eine Rundfrage auch die Stellungnahmen führender Industrieller zu diesem Thema zu erhalten. Walther Rathenau wollte sich zwar nicht schriftlich äußern[31], merkte aber an, daß die französische Agitation schwerlich diesen Umfang hätte erreichen können, wenn die deutsche Presse von vornherein die Möglichkeit von Repressalien angedeutet hätte. Er ging so weit, praktische Maßnahmen in Vorschlag zu bringen:

> »Wollte man nämlich durch Zollmaßnahmen gegen die französische Weinausfuhr nach Deutschland vorgehen, so würde man ein an sich in hohem Maße bedrohtes Hauptgebiet der französischen Nationalwirtschaft so entscheidend treffen, daß die französische Regierung ernstlich mit Aufständen und inneren Bewegungen zu rechnen haben würde.«

Es sei dahingestellt, ob diese Maßnahme angesichts der umfangmäßig bescheidenen Weineinfuhr aus Frankreich realistisch war, die Stellungnahme ist aber kennzeichnend für die Verhärtung der Positionen[32]. Im August 1913 konstatierte wiederum die sonst sehr maßvolle Zeitschrift des

29 Deutscher Außenhandel, Nr. 2, 20. 1. 13, S. 4.
30 Zit. nach: Dt. Außenhandel, ibid., S. 5.
31 W. Rathenau an Die Post, 20. 2. 13; zit. Rathenau, Politische Briefe, Dresden, 1929, S. 5.
32 Vgl. z. B. die Broschüre von Arthur Dix, Französischer Boykott. Deutsche Abwehr. Ein Mahnruf an die deutsche Hausfrau, Krefeld 1912.

Handelsvertragsvereins, dessen Geschäftsführer Borgius gleichzeitig Geschäftsführer des Deutsch-Französischen Wirtschaftsvereins war, einen »wirtschaftspolitischen Chauvinismus in Frankreich« [33], und auch der Deutsche Handelstag unterstützte in einer Eingabe vom 28. Juli 1913 [34] an den Reichskanzler die Klagen einzelner Handelskammern über die strenge Anwendung des Art. 15 des französischen Zollgesetzes; der Centralverband deutscher Industrieller schlug darüber hinaus in einer Eingabe direkte Repressalien vor. Zur gleichen Zeit war auch der Direktor der handelspolitischen Abteilung im Auswärtigen Amt, von Koerner, davon überzeugt, daß eine Änderung der französischen Haltung nur durch Gegenmaßnahmen von deutscher Seite, wie etwa die Forderung strikter Herkunftsbezeichnungen, erreicht werden könne. Die deutsche wie die französische Regierung behandelten die Zollfragen indes mit großer Zurückhaltung; es kam zwar im November 1913 zu einem französisch-deutschen Zollkongreß in Paris, der von den jeweiligen doppelstaatlichen Wirtschaftsverbänden beider Länder getragen war, aber sowohl die französische wie die deutsche Regierung weigerten sich, in förmliche Zollverhandlungen einzutreten. Gerade auch die nationalistische Presse in Deutschland war nur allzu bereit, die bestehenden Spannungen noch agitatorisch zu verschärfen; die ›Tägliche Rundschau‹ war am 3. März 1913 so weit gegangen zu sagen, der Zoll- und Wirtschaftskrieg stelle nur die erste Stufe zu einer militärischen Auseinandersetzung dar [35]. Wirtschaftspolitische Spannungen und die Agitation um die Wehrvorlage verbanden sich nicht nur in diesem auflagenstarken Blatt des Evangelischen Bundes zu Drohungen gegen den Nachbarn, sondern verdichteten sich in Blättern alldeutsch-schwerindustrieller und konservativer Couleur zu Kriegszielprogrammen, sei es der Forderung auf Abtretung von Land (›Reichsbote‹ 14. März 1913) oder auf Einfügung Frankreichs in ein »Mitteleuropa« unter deutscher Führung (›Post‹ 2. Dezember 1912; Bernhardi).

Einschneidender für die deutsche Industrie waren die französischen Gegenmaßnahmen auf dem Erzsektor. Für das ostfranzösische Becken galt Mitte 1912 das Diktum eines Vertrauensmannes der deutschen Schwerindustrie, Bettendorf, der Konzessionen in Frankreich aushandelte und der resümierte, es herrsche »die allgemeine Annahme, es sei unmöglich, noch in eine Briey-Konzession hineinzukommen« [36]. Das war um so schwerwiegender, als bereits zwischen 1907 und 1911 keine weiteren Konzessionen an deutsche Firmen vergeben worden waren. Verhandlungen über den Ankauf von Gruben in der Bretagne wurden zwar noch im Frühjahr 1914

33 Deutscher Außenhandel, Nr. 15/16, 20. 8. 13.
34 Vgl. R. Poidevin, Les relations, S. 763; auch für das folgende.
35 Zit. ibid., S. 785.
36 Archiv der Erzstudiengesellschaft (Düsseldorf), Abt. Frankreich, Bettendorf an Phönix-Hörde, 27. 6. 12.

geführt, erreichten aber keinen Abschluß mehr. Ende des Jahres 1912 kam
es zu einem vertraulichen Rundschreiben des französischen Innenministe-
riums an die Präfekten, den genauen Umfang der ausländischen Beteiligungen an französischen Großunternehmen festzustellen [37]. Diese Bestrebungen wurden in Deutschland bekannt und führten hier zu ähnlichen
Aufstellungen. Es stellte sich dabei heraus, daß die französischen Beteiligungen in Deutschland weit geringer waren und kaum eine Rolle spielten. Von französischer Seite kam es jetzt zu Abwehrmaßnahmen; die seit
1911 diskutierten Versuche, durch die Verschärfung der Bergwerksgesetze
die deutsche pénétration pacifique zu stoppen, führten bereits im Frühjahr
1912 und endgültig im Dezember 1913 dazu, die Vergabe neuer Konzessionen ganz zu unterbinden. Thyssen war endgültig im Frühjahr 1912 gezwungen worden, eine Minderheitsbeteiligung von 40 % an der Société
des Mines de Saumont hinzunehmen; seine Gesellschaft in Caen mußte
ebenfalls eine französische Mehrheitsbeteiligung akzeptieren, ja, darüber
hinaus bekamen seine Gesellschaften nunmehr auch nur 40 % der Produktion zugesichert. Um eine Eisenbahnlinie zwischen den Gebieten in Saumont und Perrières zum Hafen Colombelles zu erhalten, war Thyssen
überdies gezwungen, seine Mehrheitsbeteiligung an französische Gesellschaften zu übertragen. Schwierigkeiten traten auch für Peter Klöckner in
Murville auf [38], wo ihm eine Drahtseilbahn verweigert wurde; ebenso
bemühte sich die Gutehoffnungshütte (Reusch) seit 1911 vergeblich um
neue Konzessionen. Poidevin spricht insgesamt von einer gewissen »Fran-
zösierung« [39] der deutschen Montanunternehmungen in Frankreich. Von
daher ist es nicht verwunderlich, daß sich die deutsche Aktivität 1913 nach
Luxemburg verlagerte, wo sich die deutschen Industriellen trotz hoher
finanzieller und wirtschaftlicher Forderungen von seiten des Staates um
die letzten 580 ha noch nicht vergebener Erzfelder bemühten. Bettendorf
berichtete am 5. Mai 1913 an Kirdorf über die Aktivität Thyssens [40]:

>»Er hat außer ... 350 000 Tons kein Lot kieseliges Erz und kauft allen Schund
>zu jedem Preis von den kleinen Gruben, die selbst in einigen Jahren erschöpft
>sein werden. Wo will er dann die kieseligen Erze herholen?«

Die optimistische Äußerung August Thyssens aus dem Jahre 1907 [41], als er
davon gesprochen hatte, wie nützlich es sein würde,

>»wenn zwischen Deutschland und Frankreich recht freundliche Beziehungen
>bestünden. Sie haben in Lothringen ungeheuer viel Eisen, aber gar keine Kohle,

37 R. Poidevin, Les relations, S. 728 f.; vgl. auch für die folgenden Angaben.
38 DDF, 3. Série, vol. III, Nr. 382, Aufz. Poincarés, 7. 9. 12, über ein Gespräch mit v. d. Lancken,
   in dem sich letzterer vergeblich zugunsten einer Drahtseilbahn-Konzession an Klöckner verwandt hatte.
39 R. Poidevin, Les relations, S. 735; »... les Thyssen doivent donc accepter une certaine francisa-
   tion des affaires qu'ils contrôlaient en Normandie«.
40 Archiv der GBAG, Nr. 45 818/3.
41 Zit. nach Jules Huret, In Deutschland, Leipzig 1907, S. 244.

während wir einen Überfluß an Kohle besitzen, aber gar kein Eisen. Deshalb ist es durchaus notwendig, daß unsere beiden Länder nicht nur friedlich, sondern auch freundschaftlich miteinander stehen« –

diese optimistische Auffassung wich in den folgenden Jahren steigender Resignation, ja einer gereizten Aggressivität. Schon 1910 hatte der französische Botschafter Cambon aus Berlin nach Paris geschrieben, daß aus der Erzfrage noch einmal ein Krieg zwischen beiden Ländern entstehen könnte[42]:

»Cette question de fer est en effet une de celles qui peuve rendre un conflict souhaitable aux jeux de la nation allemande.«

1913 nun, als die Aussichtslosigkeit offenkundig geworden war, die friedliche Durchdringung in Frankreich fortzusetzen, sprach eine Abordnung von deutschen Großindustriellen gegenüber dem damaligen italienischen Handelsminister Nitti[43]

»ohne Scheu von der Notwendigkeit, das Eisenbecken von Französisch-Lothringen in ihre Hände zu bekommen; der Krieg erschien ihnen als eine Angelegenheit der Industrie«.

Am 29. August 1917 versicherte Vögler im Namen der rheinisch-westfälischen Eisenindustriellen dem Reichskanzler Michaelis[44]:

»Unser (Erz-)Bedarf aus Deutschland gedeckt für höchstens 60 Jahre; mit Briey um 40 Jahre länger. Frankreich hat für 600 Jahre Erz. Für den Erwerb von Briey würden wir 10 Jahre länger Krieg führen.«

Insgesamt verhärteten der Fortgang der Auseinandersetzungen und die finanziellen Niederlagen Deutschlands im Frühjahr 1914 auf dem Balkan und in der Türkei sowie die wirtschaftspolitischen Spannungen mit dem von Frankreich finanzierten Rußland – im Dezember 1913 kam es zu einer französischen Milliardenanleihe an Rußland – die schon 1912/13 zutage getretenen antifranzösischen Stimmungen in Deutschland. Bindet man die Stellungnahmen führender Industrieller wie Hugenberg, die Diskussion der Militärs und die Zunahme kriegerischer Bereitschaft auch im Auswärtigen Amt (Koerner) und das Bekenntnis Bethmann Hollwegs im Januar 1914 gegenüber Cambon zusammen, wo der Reichskanzler die Notwendigkeit der deutschen Expansion betonte[45], so wird man das vorsichtige Urteil Poidevins in Frage stellen müssen, ob sich wirklich im Licht der

42 DDF, 2. Sér., tom. XIII, Nr. 78, Cambon an Pichon, 12. 12. 1910: »Les gisements les plus riches sont en France, sur la frontière allemande et au Maroc.« Dort auch der Verweis, daß die Industriellen die Grenzziehung von 1871 als für Deutschland ungünstig empfanden.
43 F. Nitti, Das friedlose Europa, 2. Aufl. Frankfurt 1922, S. 23.
44 Zit. nach F. Fischer, Griff nach der Weltmacht, 3. Aufl., S. 327, Anm. 39.
45 DDF, 3. Série, tom. IX, Nr. 177, Cambon an Doumergue, 28. 1. 14; zu Hugenberg und Koerner vgl. unten Kap. 21; zur handelspolitischen Auseinandersetzung mit Rußland vgl. unten Kapitel 16; zu den Überlegungen der Militärs vgl. unten Kap. 18 und 19.

bisherigen Quellen keine Kontinuität zwischen den Zielen des deutschen Vorkriegsimperialismus und der deutschen Politik im Krieg feststellen läßt[46].

Handelsverflechtungen und Bankverbindungen mit Belgien

In Struktur und Zielsetzung ähnlich wie in Frankreich, doch unter Verlagerung des Schwerpunktes, drangen deutsche Banken, Industrie und Handel auch in Belgien ein. In besonderem Maße wurde durch die Erwerbung von Aktien belgischer Bankhäuser, durch die Errichtung von Bankfilialen und die Neugründung von Banken eine engere Bindung des belgischen Marktes an den deutschen erstrebt. Diese deutsche Bankaktivität, die in ihrem Umfang oft unterschätzt worden ist, erreicht mit der Mitbegründung von mindestens vier größeren Banken im Jahre 1911 ihren Höhepunkt. Direkt oder auf dem Wege über belgische Banken, an denen sie sich Anteile gesichert hatten, konnten die deutschen Banken über insgesamt – neben ihren Filialen – wenigstens elf mittlere und größere Banken Einfluß auf Belgiens Wirtschaftsleben nehmen. An fünf der zehn größten belgischen Banken war deutsches Kapital in nicht unerheblichem Maße beteiligt[47]. Hauptstütze der deutschen Einflußnahme war die 1898 gegründete Banque Internationale de Bruxelles, von deren Aktienkapital von insgesamt 25 Millionen Francs sich 6,6 Millionen Francs in deutschen Händen befanden. Das Kapital der von den großen Frankfurter Bankhäusern Ladenburg, Speyer, Ellisen, Sulzbach und der Mitteldeutschen Creditbank 1871 gegründeten Banque de Bruxelles befand sich 1913/14 nicht mehr in deutschen Händen[48]. Standen die deutschen Banken dabei zwar noch beträchtlich hinter den französischen zurück, so nahmen sie einen unbestrittenen zweiten Rang vor den amerikanischen und den Londoner Bankhäusern ein.

Auf der anderen Seite verzichtete die deutsche Großbankwelt auch nicht auf die Unterbringung belgischer Werte in Deutschland, denn »ein Verzicht auf die Erwerbung ausländischer Fonds wäre gleichbedeutend mit dem Verzicht auf die politische und wirtschaftliche Geltung Deutschlands als Großmacht«, urteilte die Disconto-Gesellschaft. In ähnlichem Sinne sprach sich auch die Deutsche Bank aus[49].

---

46 Die ausgezeichnete Studie von R. Poidevin unterschätzt bei aller Gründlichkeit die Bedeutung der wirtschaftlichen und finanziellen Aktivität Frankreichs in Rußland vor 1914 und deren Rückwirkung auf die deutsche Politik.
47 Vgl. dazu die Angaben in: Le Receuil Financier, Jg. 20, 1913; auch für den folgenden Abschnitt.
48 Belgiens Wirtschaftsleben und Handelsbeziehungen zu Deutschland. Gutachten im Auftrage des deutschen Handelstages erstattet von der Handelskammer Frankfurt a. Main, 1915, S. 18.
49 Zit. nach Technik und Wirtschaft, Nr. 4, 1911, S. 278 f.

Zusammen mit den deutschen Metallkonzernen (vornehmlich Metallbank und Metallurgische AG in Frankfurt a. M.) legten deutsche Banken Kapital in belgischen Export- und Importunternehmen sowie in Kolonialgesellschaften an. Unter diesen verdienen besondere Erwähnung das deutsch-belgische Gemeinschaftsunternehmen Société Commerciale Belgo-Allemand du Congo sowie die Beteiligung der Disconto-Gesellschaft (durch Franz Urbig) an der Société Industrielle et Minière du Katanga und der Compagnie du Chemin de fer du Congo [50].

Es würde zu weit gehen, den ohnehin schwer erfaßbaren deutschen Anteilen bis ins einzelne nachzugehen. Erwähnt werden soll an dieser Stelle nur noch die überaus starke Beteiligung des Schaafhausenschen Bankvereins an der Compagnie Electrique Anversoise.

Der genaue Anteil der deutschen Schwerindustrie an der belgischen Stahl und Eisen erzeugenden Industrie läßt sich nicht feststellen. Nach Schätzungen betrug der deutsche Anteil etwa 17 % [51]. Mit Sicherheit nachweisbar ist eine Beteiligung von Thyssen und Klöckner [52].

Obwohl sich zwei belgische Waffenfabriken unter deutscher Kontrolle befanden [53], war die Ausfuhr von Waffen aus Belgien nach Deutschland gering. 1913 erreichte sie einen Wert von 1,8 Millionen Mark, wobei es sich vorwiegend um Jagd- und Kleinkaliberwaffen handelte [54]. Deutsche Beteiligung an belgischen Kohlenzechen läßt sich in vier Fällen nachweisen [55]; in gleicher Weise soll deutsches Kapital stark an belgischen Bleihütten beteiligt gewesen sein [56]. Die deutschen Anteile an belgischen Eisenbahn- und Straßenbahnwagengesellschaften, die eine der Hauptquellen für Belgiens Reichtum darstellten, fielen kaum ins Gewicht [57].

Deutschlands Handelsbeziehungen mit Belgien konnten nicht zuletzt auf der Grundlage dieser Aktivität beständig enger gestaltet werden. Auf der anderen Seite ist der hohe Anteil Belgiens an der deutschen Gesamtein- und -ausfuhr zum Teil bedingt durch die durchaus unterschiedliche Struktur des industriellen Aufbaus in den beiden Ländern. Wegen der im eigenen Lande geringen Absatzmöglichkeiten mußte die belgische Industrie, um bestehen zu können, in erster Linie Artikel für den Weltmarkt herstellen: Glas, Autos, Eisenbahn- und Straßenbahnwagen. Deutschland trat so in Belgien nicht als der Hauptkonkurrent der einheimischen Industrie auf, sondern sprang in die Lücke ein, die die belgische Industrie offenlassen

50 Receuil Financier, 1913, bes. S. 17 ff., auch für das folgende.
51 Alfred H. Brooks, Morris F. La Croix, The Iron and Associated Industries, S. 84.
52 Ibid., S. 110. – Vgl. Receuil Financier 1913, S. 1266.
53 Receuil Financier 1913, S. 1186. – Die beiden Werke waren die Fabrique nationale d'armes de guerre und das Ancien établissement Peiper, beide in Herstal (Lüttich).
54 Hans Oskar Ehm, Die deutsch-belgischen Handelsbeziehungen von 1871–1914, Diss. Köln 1937.
55 Vgl. Receuil Financier, S. 392, 416, 1320, 1341.
56 Belgiens Wirtschaftsleben . . ., S. 33.
57 Beteiligung der Berliner Großbanken, der Gesellschaft für elektrische Anlagen, der Gesellschaft für elektrische Unternehmungen, der AEG, vgl. Receuil Financier, S. 215, 222, 234, 257, 1148/49.

mußte: Fast zwei Drittel der deutschen Gesamtausfuhr nach Belgien bestanden in Halb- und Fertigfabrikaten, für die Belgien außergewöhnlich aufnahmefähig war [58]. Der Warenaustausch mit Belgien verlief auf der Basis eines 1892 geschlossenen Handels- und Zollvertrages und einer ergänzenden Novelle vom Jahre 1904, die durch das neue deutsche Zolltarifgesetz von 1902 notwendig geworden war. Während andere Vertragsstaaten auf diesen Tarif mit beträchtlichen Zollerhöhungen auf deutsche Fertigfabrikate antworteten, wurde der Handelsverkehr zwischen Deutschland und Belgien von dem Tarifgesetz von 1902 kaum betroffen, da die belgischen Gemüselieferungen nach Deutschland mengenmäßig nicht ins Gewicht fielen. Die beiden Vertragspartner gestanden sich zudem gegenseitig die Meistbegünstigung zu [59].

Das Hauptinteresse der deutschen Wirtschaft an diesen Verträgen aber zeigte sich in dem Bemühen, die ausgezeichneten Verbindungen belgischer Exporthäuser zum Weltmarkt auch deutschen Erzeugnissen dienstbar zu machen. Der wichtigste Punkt der Verträge bestimmte, daß Deutschland und Belgien sich untereinander im Eisenbahntarifwesen wie Inländer behandelten und »daß keiner der vertragabschließenden Teile an irgendeiner Grenze seines Gebietes günstigere Abgaben erheben darf als an der Grenze gegen das Gebiet des anderen Teils«. Damit war erreicht, daß für Waren, die über belgische Häfen eingeführt wurden, die gleiche niedrige Taxe gezahlt zu werden brauchte wie für Waren, die über deutsche Häfen importiert wurden. Belgien wurde so zum Durchgangs- und Umschlagsplatz für deutsche Waren.

Antwerpen als Zentrum der deutschen Aktivität

Antwerpen, Belgiens größter Hafen, wurde nach Abschluß dieser Verträge zum Zentrum der deutschen Aktivität in Belgien. Der deutsche Anteil am Warenumschlag, der 1888 1/2 Mill. Tonnen betragen hatte, stieg bis 1904 auf etwa 2 1/2 Mill. Tonnen. Im Jahre 1912 kamen von oder gingen nach Deutschland 3,862 Mill. Tonnen vom Gesamtumschlag von 22,9 Mill. Tonnen (an zweiter Stelle lag England mit 3,1 Mill. Tonnen) [60]. Die Bedeutung Antwerpens für den deutschen Welthandel wird dadurch noch unterstrichen, daß Deutschland außer den für den eigenen Bedarf Belgiens bestimmten Waren noch etwa 8,8 % seiner Gesamtausfuhr und 5,8 % seiner Gesamteinfuhr über Belgien führte. Antwerpen erhielt selbst einen

---

58 Statistisches Jahrbuch, 1911, S. 288/89, 1914, S. 262/63.
59 Ehm, Deutsch-belgische Handelsbeziehungen, S. 29 ff., S. 52 ff.
60 Belgiens Wirtschaftsleben ..., S. 72. – R. de Rautlin de la Roy, Les Allemands au Port d'Anvers en 1912, Paris 1913, S. 14 ff.

großen Prozentsatz der für Belgien direkt bestimmten Waren, so daß in diesem Hafen mindestens der zehnte Teil der deutschen Gesamtausfuhr umgeschlagen wurde. Für die Einfuhr belief sich der Anteil Antwerpens auf etwa 7,5 %[61]. Obwohl aufgrund der günstigen Eisenbahntarife hochwertige und leichtgewichtige Waren auf dem Schienenwege nach Deutschland befördert wurden, betrug in der Flußschiffahrt der Anteil deutscher oder für Deutschland bestimmter Waren noch 25 %. Dieser Transitverkehr wurde von belgischer Seite durch weitgehende Erleichterungen systematisch begünstigt. Antwerpen wurde so vor dem Kriege auch zum größten Ausfuhrhafen des Stahlwerksverbandes[62].

Angesichts der auf nationalistischer belgischer und französischer Seite erschienenen Schriften ist es schwierig festzustellen, in welcher Weise zur Wahrung deutscher Handelsinteressen eine deutsche »Infiltration« Antwerpens erreicht worden ist. Als gesichert kann gelten, daß die deutsche Linienschiffahrt sich die besten Scheldekais anzueignen verstand[63] und daß die zum großen Teile noch jungen deutschen Exportfirmen sich der Verbindungen bedienten, über die die belgischen Exporthäuser zum Weltmarkt, insbesondere zu England und seinen Kolonien verfügten. Das in belgischen Handelshäusern angelegte Kapital wurde bereits für 1905 von amtlicher deutscher Seite auf mehr als 160 Mill. Mark geschätzt[64]. Zusammengehend damit nahm die Zahl der in belgischen Firmen beschäftigten Deutschen beständig zu. Für das Jahr 1902 wurde die Zahl der in Antwerpen lebenden Deutschen mit 8 710 angegeben. Unter Berücksichtigung der durch die Statistik nicht erfaßten Familienmitglieder und der etwa 10 000 in Antwerpen naturalisierten Deutschen dürfte die Angabe, daß der Anteil der deutschen Bevölkerung in dem 1912 300 000 Einwohner zählenden Raum von Großantwerpen nahezu 30 000 betragen habe, nicht übertrieben sein[65]. Gegenüber 1871 würde dies etwa eine Verdreifachung der deutschen Kolonie bedeuten. Die Reaktion von nationalistischer belgischer Seite war heftig – die Wirkung der deutschen Einflußnahme in Antwerpen unverkennbar. So schrieb die englische ›Fortnightly Review‹ im Herbst 1911[66]:

»There is a German tendency in the commercial circles of Antwerp which is already half a German city, and there is a sort of feeling in bureaucratic circles that Germany would prove a good and possibly an inevitable protector.«

Die kulturelle Tätigkeit der deutschen Kolonie in Antwerpen darf ge-

61 Ibid., S. 75.
62 Hermann Schumacher, Antwerpen. Seine Stellung und Bedeutung für das deutsche Wirtschaftsleben, München und Leipzig 1916, S. 40/41.
63 Ibid., S. 37.
64 Deutschlands Seeinteressen, S. 134.
65 de Rautlin, Les Allemands, S. 43 f.
66 Zit. bei Robert Devleshouver, Les Belges et le danger de Guerre, Löwen 1958, S. 210 f.

wiß nicht unterschätzt werden; es ist aber verfehlt zu behaupten, daß sie versucht hätte, irgendwelchen größeren Einfluß auf die Flamenbewegung auszuüben. Die Flamenfrage hat zu dieser Zeit in Deutschland kaum Beachtung gefunden – die Flamen standen zudem einer Unterstützung ihrer Bestrebungen von Deutschland her mehr ablehnend als zustimmend gegenüber. Selbst der rührige Flämische Ausschuß des Alldeutschen Verbandes vermochte nicht mehr als die Gründung einer einzigen flämisch-deutschen Zeitschrift (›Germania‹) zu erreichen [67].

Die deutsche Vorkriegsaktivität in Belgien stand durchweg unter der Dominante wirtschaftlicher Gesichtspunkte.

Die neben den oben genannten Interessengruppen in erster Linie auf eine verstärkte deutsche Einflußnahme auf Belgiens Wirtschaftsleben bedachte Ruhrindustrie betrachtete die wirtschaftliche Bindung Belgiens an Deutschland für so unerläßlich, daß sie in ihrem Organ, der ›Rheinisch-Westfälischen Zeitung‹, dem Bau eines Rhein-Maas-Schelde-Kanals den unbedingten Vorrang gegenüber der patriotischen Forderung einer deutschen Rheinmündung in der Gestalt eines Wesel-Emden-Kanals für hochseegängige Schiffe gab [68].

An Versuchen, auch in Rotterdam Fuß zu fassen, hat es nicht gefehlt, aber trotz einer Reihe von Niederlassungen deutscher Handelshäuser in Holland gelang es angesichts der Kapitalkraft der Niederlande nicht, hier einen nennenswerten Einfluß auszuüben. Diese Tatsache scheint die deutsche Stoßrichtung nach Antwerpen in nicht unerheblichem Maße verstärkt zu haben.

---

67 Theodor Heyse, La propagande allemande en Belgique avant la guerre, Brüssel 1925, S. 12 ff.
68 PAH, 21. LP, 5. Sess. 1912/13, Bd. 2, Sp. 2463 f., 8. 3. 12; Sp. 2568, 11. 3. 12.

XV. KAPITEL

Die Liman-Sanders-Krise – Deutsch-russische Konfrontation in Konstantinopel und an den Meerengen

Russische Meerengenpolitik 1908–1912

Die Meerengenfrage nahm seit Katharina der Großen in der russischen Politik eine Schlüsselstellung ein. Ganz abgesehen von den jahrhundertealten Traditionen der Sehnsucht nach Konstantinopel, die auch im 19. und beginnenden 20. Jahrhundert noch eine wichtige Rolle spielten, entwickelte sich der Bosporus zur Hauptschlagader des russischen Handelsverkehrs. In den Jahren vor dem Weltkrieg (1903–1912) wurden auf dem südlichen Seewege im Durchschnitt 37 % der gesamten russischen Ausfuhr abgewickelt, wobei im einzelnen der Getreideexport 60–70 % erreichte, Weizen und Roggen sogar 75–80 %. Von 1906–1910 führte Rußland über die baltischen Häfen etwa 1 Mill. Tonnen Getreide aus, über die Häfen des Schwarzen und des Asowschen Meeres 7,5 Mill. Tonnen [1]. Gerade das Getreide war der wichtigste Posten, der eine positive Handelsbilanz garantierte und dadurch dem russischen Staat eine ordnungsmäßige Tilgung der Zinslasten aus den auswärtigen Staatsschulden ermöglichte.

Schon im 19. Jahrhundert hatte es immer wieder Bemühungen gegeben, die Meerengen unter russische Kontrolle zu bringen, sei es durch eine direkte Eroberung Konstantinopels, sei es durch vertragliche Sicherungen. Nach dem Scheitern der Ostasienpolitik durch die Niederlage im Krieg mit Japan 1904/05 bemühte sich besonders der Außenminister Iswolski seit 1908 um eine Reaktivierung der russischen Politik im Nahen Osten. Auf einer

---

1 E. A. Adamow, Die europäischen Mächte und die Türkei während des Weltkrieges. Konstantinopel und die Meerengen, Bd. 2, Dresden 1930 (nach der russischen Ausgabe Moskau 1925, hrsg. von Kurt Kersten und Boris Mironow), S. 5; V. I. Bovykin, Iz istorii vozniknovenija pervoj mirovoj vojny. Otnošenija Rossii i Francii v 1912–1914 gg. (Aus der Entstehungsgeschichte des Ersten Weltkrieges. Die Beziehungen Rußlands und Frankreichs 1912–1914.) Moskau 1961, S. 126. K. F. Šacillo, Razvitie černomorskogo flota nakanune pervoj mirovoj vojny (Die Entwicklung der Schwarzmeerflotte am Vorabend des Ersten Weltkrieges), in: Istoričeskie zapiski, Bd. 75, 1965, S. 91, Anm. 25. Die Sichtung russischer Literatur und die Übersetzung russischer Texte verdanke ich meinem Schüler Karl-Heinz Schlarp, dessen Dissertation über die Sowjetische Historiographie zur Vorgeschichte des Ersten Weltkriegs demnächst vorgelegt wird.

Konferenz von Regierungsvertretern und Militärs »über die Lage in der kleinasiatischen Türkei und auf der Balkanhalbinsel«, die am 3. Februar 1908 in Petersburg stattfand[2], setzte er sich für die Aufgabe der defensiven Politik seines Vorgängers Graf Lamsdorff in Balkanfragen ein. Ministerpräsident Stolypin erklärte indes kategorisch, daß der Außenminister im Augenblick auf keinerlei Unterstützung einer entschiedenen Politik in dieser Richtung rechnen dürfe, und schrieb ihm für die nächsten Jahre eine strikt defensive Politik vor, die sich auch im Falle ernster Verwicklungen auf dem Balkan nur auf diplomatische Mittel stützen dürfe. Eine Woche später wurde auf einer Sitzung des Landesverteidigungsrats festgestellt, daß auch Armee und Schwarzmeer-Flotte zur Zeit zu keiner kriegerischen Aktion fähig seien[3].

Seine diplomatische Kunst versuchte Iswolski im Herbst 1908 mit dem bekannten Kompensationsgeschäft unter Beweis zu stellen, in dem er von dem österreichischen Außenminister Aehrenthal am 15. September 1908 in Buchlau das Versprechen einhandelte, sich einer Öffnung der Meerengen für russische Kriegsschiffe nicht widersetzen zu wollen, und seinerseits als Gegenleistung der Annexion Bosniens und der Herzegowina durch Österreich-Ungarn zustimmte, die seit 1878 schon unter österreichischer Verwaltung standen. Von Buchlau aus begab sich Iswolski auf eine Rundreise durch die europäischen Hauptstädte, um auch von den anderen Mächten die gleiche Zustimmung zur Änderung der Meerengenkonvention von 1871 zu erwirken. Noch bevor er die für seine Absichten entscheidenden Stationen Paris und London erreichte, schritt Österreich am 6. Oktober 1908 zur Inkorporation Bosniens und der Herzegowina in die Doppelmonarchie und löste damit eine gefährliche internationale Krise aus. War man in Paris nur zurückhaltend, so stieß Iswolski in London auf entschiedene Ablehnung. Grey war lediglich bereit, über eine Öffnung der Meerengen für die Kriegsschiffe aller Mächte zu verhandeln, was natürlich den russischen Vorstellungen zuwiderlief. Zudem war England seit der jungtürkischen Revolution im Juli 1908 geneigt, alle Maßnahmen der Pforte zur Sicherung der Meerengen, natürlich auch gegen Rußland, zu unterstützen. In diesem Sinne hatte zum Beispiel der englische Konteradmiral Gamble die Reorganisation der türkischen Flotte übernommen.

Während der schwierigen Lage der Türkei im Krieg gegen Italien und wegen der Konzentration der deutschen und französischen Politik auf die Marokkofrage erschien der zaristischen Diplomatie im Herbst 1911 die Gelegenheit günstig, die Lösung der Meerengenfrage voranzutreiben. An-

2 Protokoll dieser Konferenz bei M. Pokrowski, Drei Konferenzen (Zur Vorgeschichte des Krieges), Deutsche Ausgabe von der Redaktion Russische Korrespondenz Hamburg 1920, S. 17–30.
3 Ibid., S. 31, vgl. auch GP 25 II, Nr. 8723, Pourtalès an AA, 23. 2. 08; Nr. 8724, Tschirschky an Bülow, 24. 2. 08; Nr. 8725, Pourtalès an Bülow, 21. 2. 08.

fang Oktober 1911 erhielt der Botschafter in Konstantinopel, Čarykov, die Anweisung, Verhandlungen mit der türkischen Regierung über Zugeständnisse im Hinblick auf die Durchfahrt russischer Kriegsschiffe durch die Meerengen aufzunehmen. Dieses Mal kam die Türkei selbst durch ihre kategorische Ablehnung dem offenen Auftreten Englands und Frankreichs gegen den russischen Plan zuvor. Daraufhin ließ der gerade in Frankreich weilende Außenminister Sasonow die Demarche Čarykovs am 9. Dezember 1911 im Pariser ›Matin‹ dementieren. Von Petersburg aus gab er dann seinem Botschafter die Anweisung, den Meinungsaustausch mit der türkischen Regierung abzubrechen.

Infolge eines drohenden italienischen Angriffs auf Konstantinopel sperrte die Türkei die Ausfahrt aus dem Schwarzen Meer für einen Monat (vom 19. April – 18. Mai 1912) und lieferte damit einen handgreiflichen Beweis für die ungeheure Bedeutung, die eine freie Durchfahrt durch die Meerengen für die russische Wirtschaft hatte. Der Handelsbilanzüberschuß ging dadurch von 491 Mill. Rubel 1911 auf 391 Mill. 1912 zurück [4]. Hatte diese relativ kurze Schließung schon so schwerwiegende Folgen, welche Auswirkungen mußte dann erst ein längerer Ausfall dieser Wasserstraße für die russische Wirtschaft haben, besonders, da die Entwicklung der aufstrebenden ukrainischen Industrie weitgehend von der Freiheit des südlichen Seewegs abhängig war. Die Aufrechterhaltung des Status quo an den Meerengen war seit dieser Erfahrung das wichtigste Ziel der russischen Außenpolitik.

Die neue deutsche Militärmission in der Türkei

Angesichts dieser Tatsache mußte die kleinste Veränderung an den Meerengen, vor allem wenn sie von einer dritten Macht ausging, eine scharfe russische Reaktion hervorrufen. Eine solche Situation war mit der Entsendung der Militärmission unter Generalleutnant Otto Liman v. Sanders nach Konstantinopel gegeben. Zum erstenmal stießen Deutschland und Rußland unmittelbar aufeinander, während das sonst nur bei der deutschen Verteidigung der Interessen Österreichs der Fall gewesen war. Dieser Zusammenstoß führte zur letzten (und entscheidenden) diplomatischen Krise zwischen Deutschland und Rußland vor dem Kriege.

Die schwere Niederlage der durch deutsche Militärinstrukteure (Mission v. der Goltz) ausgebildeten türkischen Armee im ersten Balkankrieg wurde auch als eine Niederlage des deutschen militärischen Ausbildungssystems

4 M. N. Pokrowskij, Imperialistskaja vojna. Sbornik statej 1915–1927 (Der imperialistische Krieg. Aufsatzsammlung 1915–1927), Moskau 1928, S. 124.

und der Krupp-Waffen empfunden [5]. Wollte Berlin sein Prestige nicht völlig verlieren, so mußte es neue Initiativen ergreifen, um den eigenen Einfluß in der Türkei zu wahren, ja, ihn womöglich zu verstärken. Bereits kurz nach der Niederlage der Türkei im ersten Balkankrieg hatte daher der Kaiser entschieden, eine neue Militärmission in die Türkei zu entsenden. Alle diese neue Mission betreffenden Anweisungen wurden im Militärkabinett vorbereitet; schon damals tauchte der Gedanke auf, deutsche Offiziere sogar zu Kommandeuren von türkischen Truppenteilen zu ernennen [6]. Auf der schicksalsschweren Konferenz vom 8. Dezember 1912 faßte Wilhelm II. die Türkei als militärischen Bundesgenossen (möglichst unter Einschluß von Rumänien und Bulgarien) ins Auge, um die Balkanfront gegen Rußland zu stärken [7]. Am gleichen Tag gab er, wie berichtet, auch seinem Staatssekretär des Äußern, v. Kiderlen-Wächter, den Auftrag, durch Abschluß von »Militärabkommen« mit der Türkei, Bulgarien und Rumänien, eventuell noch Japan die deutsche Stellung für den kommenden Krieg zu stärken.

In Konstantinopel, wo man sich ebenfalls nach dem militärischen Zusammenbruch auf dem Balkan um eine baldige Entsendung deutscher Offiziere bemühte [8], spielte Schewket Pascha, der schon vorher im deutschtürkischen Waffengeschäft als Vermittler aufgetreten war, eine entscheidende Rolle bei der Formulierung der türkischen Wünsche [9]. Kurz nach dem Januarumsturz 1913 äußerte sich dieser, inzwischen Großwesir geworden, gegenüber Dschemal Pascha, einem der führenden Männer des jungtürkischen Komitees und späterem Marineminister, wie folgt:

»Was unsere Armee betrifft, so glaube ich, daß wir uns den Methoden der Deutschen nicht mehr verschließen können. Seit mehr als dreißig Jahren haben wir in unserer Armee deutsche Instruktoren, unser Offizierkorps ist durchaus nach den deutschen militärischen Methoden erzogen worden, unsere Armee ist mit dem Geiste deutscher Erziehung und deutscher Instruktion durchaus vertraut. Dies jetzt zu ändern, ist ein Ding der Unmöglichkeit. Ich habe daher die Absicht, eine deutsche Militärmission großen Stils kommen zu lassen und selbst, falls dies notwendig sein sollte, das Kommando eines türkischen Armeekorps einem deutschen General anzuvertrauen, an die Spitze einer jeden Einheit desselben deutsche Stabs- und Subalternoffiziere zu stellen und auf diese Art ein Musterarmeekorps zu bilden.[10]«

5 GP 38, Nr. 15 446, Zimmermann an Lucius, 8. 11. 13. Der Schock für die militärischen Kreise in Deutschland war um so größer, als von der Goltz noch ein Jahr vor Ausbruch des Balkankrieges sich äußerst optimistisch über die Schlagkraft der türkischen Armee gezeigt hatte.
6 A. S. Awetjan, Kroprosu o roli missii Limana fon Sandersa v politike germanskogo imperializma na Bližnem vostoke nakanune pervoj mirovoj vojny (Zur Frage der Rolle der Mission Liman von Sanders in der Politik des deutschen Imperialismus im Nahen Osten am Vorabend des Ersten Weltkrieges), in: Učenye zapiski Erevanskogo gosudarstvennogo russkogo pedinstituta imeni Ždanova, Bd. 8, Erevan 1957, S. 52/53.
7 Vgl. oben Kap. 9, I, S. 233 ff.; sowie: Der Kaiser, Aufz. Alex. v. Müller, S. 124 f.
8 GP 38, Nr. 15 435, Wangenheim an AA, 2. 1. 13, Fußnote S. 193 f.
9 Hallgarten, Imperialismus vor 1914, Bd. 2, S. 430.
10 Ahmed Dschemal Pascha, Erinnerungen eines türkischen Staatsmannes, München 1922, S. 69.

Die Gespräche über dieses Vorhaben nahm der Großwesir wenig später mit dem deutschen Botschafter Wangenheim und dem Militärattaché, Major Strempel, auf. Als Schewket Pascha am 2. April Strempel um Entsendung einiger deutscher Offiziere zur Durchführung von Befestigungsarbeiten um Konstantinopel bat, gab der Kaiser seine Zustimmung, fügte aber hinzu, daß solche Offiziere erst nach Beendigung des Balkankrieges entsandt werden könnten [11].

Am 26. April 1913 machte Schewket Pascha Wangenheim in einem längeren Gespräch mit seinem innenpolitischen Programm bekannt. Es sah eine Aufgabenteilung zwischen den europäischen Nationen bei der Reorganisation fast aller Bereiche des türkischen Staates vor [12]. Dem Deutschen Reich war die Reform des Heeres und des Unterrichtswesens zugedacht. So führte Schewket aus:

> »Für die Reorganisation der Armee rechne ich bestimmt auf Deutschland. Dies ist der wichtigste Punkt meines Programms. Die Armee muß von Grund auf reformiert werden. Dazu wird die Tätigkeit von Instruktionsoffizieren, wie sie jetzt hier und da als bloße Ratgeber in unsere Organisation eingeschoben sind, nicht genügen.«

Wangenheim kommentierte dieses Programm mit dem Hinweis, daß England zwar ein sehr großer Teil der Reformtätigkeit, so auf dem Gebiet der Marine, überlassen worden sei, daß aber dennoch der deutsche Einfluß dominieren werde. »*Die Macht, welche die Armee kontrolliert, wird in der Türkei immer die stärkste sein.* Es wird keiner deutsch-feindlichen Regierung möglich sein, sich am Ruder zu halten, wenn die Armee von uns kontrolliert ist!« In der Betrauung Deutschlands mit der Reform des Unterrichtswesens sah Wangenheim »nicht absehbare Möglichkeiten, das türkische Volk mit deutschem Geist zu durchdringen« [13]. Daß die Deutschen bei der Reorganisation des türkischen Staates eine ganz besondere Stellung einnehmen sollten, betonte Schewket Pascha noch einmal im Mai 1913 gegenüber Wangenheim. Den Deutschen sollte die Reform der Armee »unter der fast diktatorischen Oberleitung eines deutschen Generals« zugedacht sein. Der Einfluß, der den Deutschen dadurch eingeräumt werde, sei bedeutend größer als der englische [14].

Am 22. Mai 1913 wurde der deutsche Kaiser von Schewket Pascha offiziell ersucht, einen leitenden deutschen General für die türkische Armee zu entsenden, wobei der Großwesir den Vorschlag machte, daß dessen Mission eine ähnliche Stellung haben könnte wie die französische des Generals Eydoux in Athen [15].

---

11 Vgl. Anm. 8, GP 38, Fußnote S. 195.
12 GP 38, Nr. 15 439, Wangenheim an Bethmann Hollweg, 26. 4. 13.
13 Ibid. (i. O. gesp.).
14 Ibid., Nr. 15 303, Wangenheim an AA, 17. 5. 13.
15 Ibid., Nr. 15 440, Wangenheim an AA, 22. 5. 13.

Eine günstige Gelegenheit, die Haltung Englands und Rußlands zu einer eventuellen neuen deutschen Militärmission zu sondieren, bot sich für Wilhelm II. anläßlich der Heirat seiner Tochter Viktoria Luise am 24. Mai 1913, zu der der russische Zar und der englische König Georg V. geladen waren. Der Kaiser informierte sie über das deutsche Vorhaben, drückte sich dabei jedoch so aus, daß Georg V. und Nikolaus II. annehmen mußten, es handle sich dabei um eine Erneuerung im Rahmen der früheren v.-der-Goltz-Mission, wogegen die beiden Monarchen dann auch keine grundsätzlichen Einwände erhoben.

Am 30. Juni 1913 ernannte der Kaiser den Generalleutnant Otto Liman v. Sanders, Kommandeur der 22. Division in Kassel, zum Chef der deutschen Militärmission in Konstantinopel. Bis zur Beilegung des letzten Konflikts auf dem Balkan Ende September war auch der neue Vertrag mit der Türkei im wesentlichen fertiggestellt, wurde jedoch streng geheim gehalten, um politische Schwierigkeiten zu vermeiden, die durch das einseitige Engagement Deutschlands für das Osmanische Reich entstehen könnten. Man hatte dabei vor allem Bulgarien im Auge, das in den politischen und militärischen Plänen zumal Österreichs eine entscheidende Rolle spielte [16].

Im Laufe des Oktobers 1913 billigten der Kaiser, die zuständigen militärischen Stellen und das Auswärtige Amt sowie der türkische Ministerrat den Vertragsentwurf, so daß Liman v. Sanders den Vertrag am 28. Oktober in Berlin unterzeichnen konnte [17]. Einzelheiten des neuen Missionsauftrages drangen schon bald nach außen, als der russische Marineattaché in Konstantinopel, Schtscheglow, am 6. November von den Bedingungen dieses Vertrags berichtete. Wie sehr sich Zweck und Ziel der neuen Mission von der früheren Tätigkeit deutscher Militärinstrukteure in der Türkei unterscheiden sollte, zeigen die Worte Wilhelms II., mit denen er bei der geheimen Abschiedsaudienz für alle Mitglieder der neuen Mission am 9. Dezember 1913, die weitgesteckten Absichten umriß:

1. »Germanisierung der türkischen Armee durch Führung und unmittelbare Kontrolle der Organisationstätigkeit des türkischen Kriegsministeriums.
2. Aufmerksame Beobachtung und strenge Kontrolle der Politik anderer Mächte in der Türkei.
3. Unterstützung und Entwicklung der türkischen Militärmacht in Kleinasien so weit, daß sie als Gegengewicht gegen die aggressiven Absichten Rußlands dienen kann.
4. Die Behauptung der dominierenden deutschen Autorität und des Einflusses auf Fragen der Außenpolitik.
5. Die Arbeit der Mission muß im allgemeinen wenig auffällig sein, besonders im Augenblick, da ihre Tätigkeit noch nicht die Bedeutung einer vollendeten Tatsache erlangt hat und die Nervosität, die die Mächte in der Frage der Bedeutung und der Aufgaben der Mission zeigen, sich noch nicht gelegt hat.

---

16 Ibid., Nr. 15 443, Jagow an Wangenheim, 24. 8. 13.
17 Endgültig wurde das Abkommen am 27. November zwischen Strempel und dem türkischen Marineminister Mahmut Pascha besiegelt. Vgl. GP 38, Nr. 15 465, Wangenheim an AA, 5. 12. 13.

Daher solle die Mission ihre Arbeit in den kleinasiatischen Besitzungen der Türkei beginnen, wo es schwieriger sei, ihre Tätigkeit zu verfolgen. Ungünstige politische Umstände, die durch die feindliche Haltung von seiten der Mehrzahl der europäischen Mächte bedingt sind, dürfen die Arbeit der Mission nicht stören.«

Weiter führte der Kaiser aus:

»Von den Mitgliedern der Mission wird es abhängen, die Sympathie der türkischen Soldaten zu erringen und für mich eine neue starke Armee zu schaffen, die meinen Befehlen gehorcht ... Wißt, daß, wie sich eure Tätigkeit auch entwickelt und was für neue Aufgaben ich euch auch auferlege, die Wahrscheinlichkeit eines aktiven Protests seitens der interessierten Mächte gering ist. Zu groß ist in Europa die Furcht vor dem deutschen Plan. Ihr seid in der Tat Pioniere bei der in Zukunft bevorstehenden Aufteilung der Türkei. Arbeitet beharrlich und einträchtig.[18]«

Der Kaiser setzte sich persönlich dafür ein, daß Liman jährlich 1 Mill. Mark zur Verwendung nach eigenem Ermessen (sprich zur Bestechung) zur Verfügung gestellt werden sollten, während den früheren Instrukteuren höchstens 30 000 Mark bewilligt worden waren[19]. Liman v. Sanders traf am 14. Dezember 1913 mit den ersten 10 deutschen Offizieren in Konstantinopel ein. Ihre Zahl erhöhte sich laut Vertrag später auf 42. Am Tag nach ihrer Ankunft wurden sie vom Sultan empfangen, und nach 5 Tagen trat Liman das Kommando des 1. Armeekorps in Konstantinopel an.

War die Tätigkeit der Mission v. der Goltz auf eine zeitlich begrenzte Inspektion der türkischen Truppen und die Organisation von Manövern beschränkt geblieben, wobei ihre Mitgliederzahl nie über 30 Offiziere hinausging, bei denen es sich zudem noch meistens um unliebsame Angehörige der deutschen Armee handelte, so umfaßte das Aufgabengebiet der Mission Liman v. Sanders', für die nur erstklassige Militärspezialisten bereitgestellt wurden, alle Bereiche des türkischen militärischen Lebens. Die deutschen Offiziere besetzten Schlüsselpositionen sowohl in der Truppenführung wie auch im Generalstab und im Kriegsministerium. Liman selbst hatte durch seine Stimme im Obersten Kriegsrat die Möglichkeit, auf alle militärischen Entscheidungen der Türkei Einfluß zu nehmen. Außerdem war er Chef aller Kriegsschulen, Ausbildungslager und auch der auslän-

---

18 I. I. Kublašwili: Germanskaja voennaja ekspansija v Turcii i carskaja Rossija. Missija germanskogo generala Limana fon Sandersa v Turcii (Die deutsche militärische Expansion in der Türkei und das zaristische Rußland. Die Mission des deutschen Generals Liman von Sanders in der Türkei) in: Trudy Kutaisskogo gosudarstvennogo pedagogičeskogo instituta imeni A. Culukidze Bd. 20, Kutaissi 1959, S. 9 ff. Bericht des russischen Militärattachés in Berlin, Bazarow, vom 16. Dezember 1913. Bazarow verfügte immer über beste Informationen, so daß die deutsche Regierung im Frühjahr 1914 versuchte, sich von ihm zu befreien. Die hier zitierten Stellen sowjetischer Autoren stützen sich auf nicht veröffentlichtes Quellenmaterial aus dem Archiv des russischen Außenministeriums und verschiedener historischer Archive.
19 C. Mühlmann, Deutschland und die Türkei 1913–1914, Berlin 1929, S. 88–92. Vgl. GP 38, Nr. 15 444 (Vertrag, Auszug), Jagow an Wilhelm II., 20. 9. 13.

dischen Offiziere, die sich in türkischem Militärdienst befanden. Weiter erhielt er vom Kriegsministerium das Recht, Truppenteile, Festungen, Eisenbahnen und Garnisonen zu inspizieren. Die theoretische Ausbildung der Offiziere des osmanischen Generalstabes nahm er zusätzlich auf sich.

Die Arbeit der Mission konzentrierte sich auf die Meerengen mit ihren Befestigungsanlagen und auf Ostanatolien, das durch topographische Aufnahme und Geländeerkundung aufmarschmäßig erschlossen werden sollte. Für das östliche Armenien besaß Liman überhaupt die weitestgehenden Handlungsvollmachten und hat diese auch systematisch ausgenutzt [20]. Für die Verstärkung der Meerengenbefestigungen und ihrer Artilleriebestükkung arbeiteten deutsche Spezialisten einen Plan aus, der aber nur ein Teil der deutschen Bemühungen war, sich im Gebiet der Meerengen eine unangreifbare Stellung aufzubauen. Am 16. Februar 1914 reiste Liman zur Berichterstattung nach Berlin, wobei er dem Kaiser vor allem Material über die Meerengen vorlegte, dessen Kernpunkt die Frage ihrer Beherrschung war. Wilhelm II. erklärte angesichts dieser Unterlagen:

>Entweder flattert die deutsche Fahne bald auf den Festungen des Bosporus oder mich trifft dasselbe traurige Schicksal des großen Verbannten auf der Insel St Helena.[21]«

Einige Tage nach der Rückkehr Limans nach Konstantinopel wurde der Personalbestand der Mission zwecks Verstärkung der deutschen Kontrolle über die Meerengen um 25 % erhöht (sie wuchs bis Kriegsbeginn auf 25 Köpfe). Der erste Schritt in dieser Richtung war der Versuch Limans, den türkischen Kommandostab in den Batterien der Bosporusartillerie durch deutsche Offiziere zu ersetzen. Er scheiterte jedoch, da die türkische Regierung aus Furcht vor internationalen Schwierigkeiten Widerstand leistete. So beschränkte man sich auf Teilmaßnahmen, die schließlich auch zum gewünschten Erfolg führten. Im April 1914 arbeiteten deutsche Spezialisten u. a. einen neuen Plan zur Verminung der Meerengen aus, die Artillerie der Küstenbefestigungen wurde auf moderne deutsche Geschütze umgerüstet, womit zwangsläufig ein Eindringen in die Bedienungsmannschaften verbunden war, und bereits Ende Mai leitete ein deutscher Artillerieinstruktor alle Befestigungsanlagen am Bosporus [22].

Solche Ausweitungen des Kompetenzbereiches und der Einflußmöglich-

---

20 Zur armenischen Frage vgl. den Aufsatz: Das türkisch-russische Grenzgebiet in Armenien, in: Vjh. f. Truppenführung und Heereskunde, hrsg. vom Großen Generalstab, 10. Jg. 1913, 3. Heft, S. 512 ff.; Zum Vorgehen von Liman v. Sanders vgl. die Darstellung: I. I. Kublašvili, Germanskaja voennaja ekspansija ... S. 41/42. Die meisten Berichte über die Tätigkeit der deutschen Militärmission stammen vom russischen Militärattaché in Konstantinopel, Leontew, an den Chef des Stabes des Kiewer Militärbezirks.
21 Ibid., S. 44.
22 A. S. Awetjan, Germanskij imperializm na Bližnem vostoke. Kolonial'naja politika germanskogo imperializma i missija Limana fon Sandersa (Der deutsche Imperialismus im Nahen Osten. Die Kolonialpolitik des deutschen Imperialismus und die Mission Liman von Sanders'), Moskau 1966, S. 99/100.

keiten der Deutschen, die alle politischen und militärischen Fragen im Sinne der Interessen ihres eigenen Reichs zu lösen und zu entscheiden suchten, hatte schon frühzeitig eine gewisse Besorgnis und Unruhe unter den türkischen Regierungsmitgliedern und Militärs ausgelöst. Besonders zwischen dem prodeutschen Kriegsminister Enver Pascha[23], der sich als das eigentliche Haupt der militärischen Reformarbeit fühlte, und Liman v. Sanders, der sich mit voller kaiserlicher Rückendeckung häufig in die Kompetenzen des türkischen Kriegsministers einmischte, kam es zu gefährlichen Reibereien. Auf Initiative Enver Paschas beschloß der Oberste Kriegsrat am 29. März 1914 schließlich, die Tätigkeit der deutschen Militärmission zu begrenzen. In konservativen Kreisen entstand sogar der Plan zur Beseitigung der »deutschen Tyrannei« durch ein Attentat auf Liman v. Sanders[24]. Diese Erbitterung rührte daher, daß die meisten Mitglieder der türkischen Regierung zwar überhaupt nicht genau über die Kompetenzen der Militärmission unterrichtet waren, deshalb aber nur desto schlimmere Befürchtungen hinsichtlich der deutschen Aspirationen in der Türkei hegten.

Schwierigkeiten gab es jedoch nicht nur zwischen Deutschen und Türken, sondern auch unter den Deutschen in Konstantinopel selbst. Ein Beispiel für die Unstimmigkeiten innerhalb der Mission bietet der Stabschef der Mission, Major Strempel, dem aufgrund seiner langjährigen Türkei-Erfahrung und seiner Beziehungen zu den Jungtürken die Verhandlungen über die Militärmission anvertraut worden waren und der sich auch selbst Hoffnungen auf ihre Leitung gemacht hatte. Doch solche Hoffnungen vertrugen sich mit dem neuartigen Charakter der Mission nicht. Obwohl auch das Auswärtige Amt ihn stützte, so mußte Strempel eben wegen dieser guten Beziehungen zu osmanischen Regierungskreisen und seiner »halbtürkischen Einstellung« sich mit dem Posten des Stabschefs bei Liman zufriedengeben. Dieser hielt den in türkischen Dingen erfahrenen und selbständigen Mann dann auch auf diesem Posten für untragbar und drängte seit Februar 1914 auf seine Abberufung. Ende März mußte Strempel Konstantinopel daher verlassen, und bald folgten ihm auch andere türkeierfahrene Offiziere, die schon unter v. der Goltz gearbeitet hatten.

Auch das Verhältnis Limans zum deutschen Botschafter in Konstantinopel, Wangenheim, der sich über das erzwungene Ausscheiden Strempels entsetzte, da sich dieser durch seine ausgezeichneten Verbindungen der deutschen Industrie immer sehr nützlich erwiesen hatte[25], war äußerst

23 Vgl. Der Kaiser, Aufz. Alex. v. Müllers, S. 130, Notiz vom 29. 1. 14. Wilhelm II. sprach über Enver Pascha, »der sich sehr gut mit Liman v. Sanders, dem Chef unserer Militärmission, steht«. Während der Kaiser in ihm bis dahin bloß einen »ruchlosen Revolutionär« gesehen hatte, bezeichnete er Enver Pascha jetzt als »die letzte Hoffnung der Türkei«.
24 I. I. Kublašwili, Germanskaja voennaja ekspansija, S. 52.
25 Hallgarten, Imperialismus vor 1914, Bd. 2, S. 441.

kühl, wenn nicht sogar feindlich, da Liman fortwährend seine Kompetenzen überschritt, indem er sich in rein diplomatische Angelegenheiten einmischte und ohne vorherige Konsultation mit der deutschen Botschaft auf die Politik der Türkei Einfluß zu nehmen suchte. Diese Spannungen erreichten einen Höhepunkt, als Anfang Mai 1914 der bayrische Major Kübel der Mission zugeordnet wurde. Als Leiter der Eisenbahnabteilung im türkischen Kriegsministerium hatte er die Aufgabe, das kleinasiatische Eisenbahnnetz zu inspizieren und innerhalb eines halben Jahres auf Kriegserfordernisse umzustellen. Mit dem Argument, die Anatolische und die Bagdadbahn würden den militärischen Anforderungen nicht genügen, bemühte er sich selbst um die Leitung dieser Linien – was gleichzeitig eine Aufsicht der türkischen Militärverwaltung bedeutet hätte, in deren Dienst Kübel ja stand – und verlangte 100 Mill. Mark für die Durchführung einer gründlichen Reform. Er besaß dabei die volle Unterstützung Limans. Die Kampagne, die Kübel zur Erreichung dieses Zieles im türkischen Kriegsministerium gegen die Vertreter der Eisenbahngesellschaften führte, sah Wangenheim als eine Gefährdung der bisherigen deutschen Orientpolitik an, da die Militärmission nicht Selbstzweck, sondern lediglich Hilfsmittel dieser Politik zu sein hätte und daher den diplomatischen Interessen untergeordnet werden müßte[26]. Er setzte sich deshalb beim Auswärtigen Amt für die Abberufung Kübels ein, scheiterte jedoch, obwohl Jagow seine Forderung unterstützte, an der Weigerung des Kaisers, Liman zu desavouieren. Erst als die Deutsche Bank dem Kaiser in einem Schreiben vom 13. Juni 1914 bekanntgab, wie bedenklich die von ihr finanzierte Bagdadbahn durch das Auftreten dieses deutschen Offiziers gefährdet wurde, stand einer Abberufung Kübels nichts mehr im Wege[27].

Die russische Reaktion

Nachdem im Oktober 1913 in der deutschen Presse Artikel über die bevorstehende Entsendung einer neuen Militärmission erschienen waren[28], berichtete am 2. November 1913 als erster der russische Botschafter Baron Giers, daß in Konstantinopel neue deutsche Militärinstrukteure mit dem Generalleutnant Liman v. Sanders an der Spitze erwartet würden[29]. Sie

---

26 Es ist recht aufschlußreich, daß Major Kübel im Frühjahr 1913 eine umfangreiche Studie über ›Die Eisenbahnen in der Türkei und ihre militärische Bedeutung‹ veröffentlicht hatte, und zwar in den Vjh. f. Truppenführung und Heereskunde, 10. Jg. 1913, 2. Heft, S. 323–360. Die Zeitschrift wurde hrsg. vom Großen Generalstab; vgl. auch George W. F. Hallgarten, Imperialismus vor 1914, 2. erw. Aufl., Bd. 2, S. 443.
27 Privatbrief Wangenheims an Jagow vom 9. 6. 14, zit. bei Hallgarten, Bd. 2, S. 562 ff. Schreiben der Deutschen Bank vom 13. 6. 14, abgedruckt ibid., Bd. 2, S. 565 ff.
28 Vgl. VZ, 22. 10. 13, Die neue deutsche Militärmission in der Türkei, BBC, 30. 10. 13. Die türkische Armee und die Politik, BT, 31. 10. 13. Die militärische Reform der Türkei.
29 Ja. Zacher, Konstantinopol' i prolivy (Konstantinopel und die Meerengen), in: Krasnyj archiv Bd. 7, Moskau 1925, S. 38.

sollten sich jedoch nicht nur auf Instruktionstätigkeit beschränken, sondern ein deutscher Offizier sollte sogar Kommandeur des 1. türkischen Armeekorps in Konstantinopel werden. Am 5. November teilte Giers mit, er habe dem deutschen Botschafter auf diese Nachricht hin gesagt, daß »es unvergleichlich vernünftiger gewesen wäre, für ein Musterkommando irgendein anderes Korps auszuwählen, das irgendwo weg von Konstantinopel und den Meerengen gelegen sei«. Der russische Marineattaché in Konstantinopel schrieb am 6. November, schon in Kenntnis näherer Einzelheiten:

»Das alles bedeutet, daß wir im Falle unserer Landungsoperationen im Gebiet des Bosporus in Zukunft hier auf ein deutsches Korps stoßen werden.[30]«

Später fügte der russische Militärattaché Leontjew dieser Charakteristik noch hinzu, daß »die Deutschen die türkische Armee nicht für einen Krieg mit Griechenland ausbilden würden, sondern für den Fall eines künftigen europäischen Zusammenstoßes, wobei sie darauf rechneten, sie (die türkische Armee) für sich in die Waagschale werfen zu können«[31].

Dieser deutsche Vorstoß in das machtpolitische Vakuum des durch die Balkankriege geschwächten Osmanenreiches führte eine entscheidende Wendung in der Stimmung der russischen Diplomatie herbei. Durch ein entschlossenes Auftreten versuchte sie diese Veränderung des Status quo im Gebiet der Meerengen zu verhindern.

Besonders die Ernennung eines deutschen Offiziers zum Kommandierenden des 1. Armeekorps in Konstantinopel rief in Petersburg höchste Erregung hervor, da, wie der russische Unterstaatssekretär des Auswärtigen Amtes, Neratow, dem deutschen Geschäftsträger Lucius v. Ballhausen mitteilte, »alles, was sich in Konstantinopel und an den Meerengen ereigne, ... für Rußland von höchster Bedeutung (sei)«[32]. Sasonow, der von den deutschen Absichten während seines Aufenthaltes in Jalta erfuhr, bezeichnete die deutsche Militärmission als einen »offensichtlich unfreundlichen Akt« gegenüber Rußland, wobei, wie er ausdrücklich feststellte, gegen eine Mission im herkömmlichen Sinne nichts einzuwenden wäre, um so mehr aber gegen die ständige Stationierung der Mission in Konstantinopel und die Kommandogewalt eines deutschen Generals, die er als ein völliges Novum bezeichnete[33]. Neratow beauftragte am 7. November den russischen Botschafter Swerbejew in Berlin, mit der deutschen Regierung hierüber freundschaftlich zu sprechen. Der Unterstaatssekretär des deutschen Auswärtigen Amtes, Zimmermann, erklärte dem Botschafter auf dessen Vorstellung hin, die Entsendung der Mission sei auf Wunsch der Pforte

30 A. S. Awetjan: Germanskij imperializm, S. 67.
31 A. S. Awetjan, K voprosu, S. 61.
32 GP 38, Nr. 15 445, Lucius an AA, 7. 9. 13.
33 A. S. Awetjan: Germanskij imperializm, S. 68; GP 38, Nr. 15 448 Lucius an AA, 17. 11. 13.

erfolgt, und es würde für das Berliner Kabinett schwer sein, ihren Wunsch abzuschlagen. Außerdem wunderte er sich über die russischen Befürchtungen, ein Musterkorps in Konstantinopel könne Rußland bedrohen [34].

Weil der russische Ministerpräsident Kokowzow auf seiner Rückreise von den Pariser Anleiheverhandlungen ohnehin in Berlin Station machen wollte, um dem deutschen Kaiser eine Dankesvisite für die Verleihung des »Schwarzen Adler« abzustatten, tauchte in Petersburg der Gedanke auf, diesen Aufenthalt für die Klärung der ganzen Streitfrage zu benutzen. Nach seiner Ankunft am 17. November 1913 hatte Kokowzow eine Unterredung mit Bethmann Hollweg, in deren Verlauf dieser ihn mit dem Hinweis zu beruhigen versuchte, daß die Stationierung der Mission in Konstantinopel ja nichts Neues sei. Ein Verzicht der Entsendung hätte einen Bruch in der langjährigen deutschen Orientpolitik bedeutet. Wegen seiner großen wirtschaftlichen Interessen in der Türkei widerstrebte Deutschland deren Aufteilung und es sei ihm vielmehr an ihrer Konsolidierung gelegen. Diese sei jedoch nur möglich, wenn die Armee gut organisiert werde. Kokowzow konnte sich mit diesen Erklärungen nicht zufriedengeben und schlug folgende Lösung der Krise vor: entweder Modifizierung der Kommandogewalt (nach früherem Muster) mit Sitz in Konstantinopel, oder bei Beibehaltung der Kommandogewalt Verlegung des Musterkorps an einen Ort, der nicht die Interessen Rußlands berühre, zum Beispiel nach Adrianopel [35].

Wilhelm II. führte Kokowzow gegenüber die Zustimmung ins Feld, die der Zar und der englische König ihm im Mai 1913 in Berlin gegeben hätten. Deutschland könne eine zwanzigjährige Tätigkeit in der Türkei nicht einfach ergebnislos abbrechen, da sich die Pforte bei einer deutschen Absage an irgendeine andere Macht wenden und diese ohne zu zögern in die Lücke springen würde. Für Rußland wären vielleicht französische Instrukteure angenehmer, aber für Deutschland würde eine solche Wendung der Dinge eine schwere moralische Niederlage bedeuten. Eine Rückkehr zur reinen Instruktionstätigkeit deutscher Offiziere in der Türkei lehnte der Kaiser ab, da eine solche (seiner Meinung nach) nicht in der Lage sei, eine straffe Organisation und Disziplin zu gewährleisten und die Armee vor der politischen Beeinflussung abzuschirmen. Die deutschen Instrukteure müßten eine starke Machtposition besitzen, um die türkischen Offiziere umerziehen zu können [36].

---

34 I. I. Kublašwili: Germanskaja voennaja ekspansija, S. 19; vgl. GP 38, Nr. 15 446, Zimmermann an Lucius, 8. 11. 13.
35 GP 38, Nr. 15 450, Aufzeichnungen Bethmann Hollwegs über sein Gespräch mit Kokowzow vom 19. 11. 13. Bericht Kokowzow über seine Reise nach Paris u. Berlin vom 2. 12. 13, ibid. Anm. 3. Vgl. auch Stieve, Bd. 3, S. 415 f.: Kokowzow hatte den Eindruck, daß der Reichskanzler wohl kaum von dem beabsichtigten Schritt in Konstantinopel unterrichtet gewesen sei.
36 GP 38, Nr. 15 451, Aufz. Bethmann Hollwegs, 19. 11. 13. Als Ergänzungen hierzu siehe I. I. Kublašwili: Germanskaja voennaja ekspansija, S. 22 und Siebert: Graf Benckendorffs Diplomatischer Schriftwechsel, Bd. 3, Nr. 978, S. 205.

Eine definitive deutsche Antwort wurde Kokowzow in Berlin noch nicht gegeben, Bethmann Hollweg versprach ihm lediglich, die russischen Wünsche genau zu prüfen. In einem Privatbrief vom 27. November drückte er dann sein Bedauern darüber aus, daß die Bedingungen sich jetzt nicht mehr ändern ließen, da die Verhandlungen mit der türkischen Regierung schon abgeschlossen seien (am 27. November Unterzeichnung des Vertrages in Konstantinopel). Außerdem sei eine Verlegung des Kommandos schon aus technischen Gründen unmöglich, weil sich in Konstantinopel alle zuständigen militärischen Stellen und die wichtigsten Kriegsschulen befänden. Hinzu komme, daß ohne Kommandogewalt die Reformtätigkeit von vornherein gelähmt sei und lediglich auf eine Wiederholung der früheren ungenügenden Resultate hinausliefe [37].

Hinter diesen technischen und organisatorischen Vorwänden verbarg sich auf deutscher Seite der Gedanke, daß man die türkische Armee in einem bevorstehenden Krieg als deutsche Hilfstruppen einsetzen wollte [38], oder wie Wilhelm II. es ausdrückte: »Rußland fürchtet Stärkung der Türkei durch uns und Erhöhung ihrer Milit(ärischen) Widerstandskraft bzw. Verwendbarkeit für uns gegen es, wenn Rußland uns seinerzeit angreifen wird.« Hinzu kam noch, daß man in Berlin bei einem Nachgeben gegenüber Rußland in der mohammedanischen Welt das eigene Prestige zu verlieren glaubte [39].

Frankreich und England und Rußland – Die Petersburger Sonderkonferenz vom 13. Januar 1914

Dieser Prestigegrund wurde besonders relevant, als der dem französischen Außenministerium nahestehende ›Temps‹ berichtete, daß Kokowzow gegen die Stationierung der deutschen Militärmission am Bosporus in Berlin protestiert hatte [40]. Das war für die deutsche Regierung der Vorwand, den Dialog abzubrechen. Eine Modifizierung des Auftrages der Mission, die nach Ansicht Bethmann Hollwegs nach seinem vertraulichen Gespräch mit dem russischen Ministerpräsidenten noch möglich gewesen wäre, käme jetzt, so schrieb der Kanzler am 29. November 1913 an den deutschen Geschäftsträger in Petersburg, für die Reichsleitung nicht mehr in Frage, da sie nun als ein Zurückweichen vor dem französischen und russischen Druck erschienen wäre [41].

Nach den Worten von Sabatier d'Espeyrant, dem Sekretär der franzö-

37 GP 38, Nr. 15 455, Bethmann Hollweg an Kokowzow, 27. 11. 13.
38 Vgl. Beschluß vom 8. 12. 12 und die Rede Wilhelms II. vom 9. 11. 13.
39 GP 38, Nr. 15 452, Schlußbemerkung Wilhelms II. zu einem Schreiben Jagows, 23. 11. 13.
40 Ibid., Nr. 15 458, Anm. 4.
41 Ibid., Nr. 15 458, Bethmann Hollweg an Lucius, 29. 11. 13.

sischen Botschaft in Petersburg, sah Frankreich in der Liman-Sanders-Krise eine günstige Angelegenheit, »um die Brücke zwischen Petersburg und Berlin abzubrechen«[42]. Dementsprechend sagte der französische Außenminister Pichon sofort die völlige Solidarität und Bereitschaft Frankreichs zur energischen Unterstützung zu, als Sasonow am 25. November seinen Ententepartnern eine gemeinsame Demarche in Konstantinopel vorschlug, die das Ziel haben sollte, von der Pforte gebührende Kompensationen zu verlangen[43]. Schon am 21. November hatte sich Pichon den russischen Standpunkt voll zu eigen gemacht und gegenüber dem türkischen Botschafter in Paris darauf hingewiesen, daß Frankreich »außerordentliche Entschädigungen moralischer und sonstiger Art verlangen« würde, falls die Pforte die Verwirklichung des Plans nicht aufgebe. Auch die neue Regierung Doumergue (seit Dezember 1913) beteuerte ihre Bereitschaft, den Bündnisverpflichtungen voll nachzukommen, war aber zugleich bemüht, Rußland von vorschnellen Schritten abzuhalten[44], da sie sich nur bei englischer Unterstützung engagieren wollte.

Englands Haltung in der Liman-Sanders-Frage wurde von drei Faktoren bestimmt: 1. der angestrebten Verständigung mit Deutschland in Nahostfragen, 2. den englisch-russischen Gegensätzen in Persien und vor allem 3. der Anwesenheit britischer Marineinstrukteure mit Kommandogewalt in der Türkei. Seit 1908 betrieb England die Verstärkung der türkischen Flotte, damit diese in der Lage sein würde, Konstantinopel und die Meerengen sowohl vor den deutschen als auch den russischen Ansprüchen zu schützen. Seit Frühjahr 1912 war der englische Admiral Limpus Oberkommandierender der türkischen Flotte und gleichzeitig Organisationsleiter des Marineamtes (von weiteren 72 britischen Marineoffizieren hatten 10 Kommandostellen inne). England förderte den Ausbau der türkischen Flotte auch durch Ankauf von Kriegsschiffen, besonders aus südamerikanischen Staaten[45], und die Ausbildung türkischer Seeoffiziere in England, ja sogar durch den Bau von 2 Schlachtschiffen auf britischen Werften. Aus dieser Tatsache resultierte die starke Zurückhaltung Englands in der Frage der deutschen Militärmission. So gab der Unterstaatssekretär des Foreign Office, Nicolson, als Reaktion auf den Vorschlag Sasonows vom 25. November, der englischen Botschaft in Petersburg folgende Anweisung: »O'Beirne solle Sasonow taktvoll zu verstehen geben, daß die

---

42 E. A. Adamow: Konstantinopel und die Meerengen, Bd. 1, S. 74.
43 B. v. Siebert, Diplomatische Aktenstücke zur Geschichte der Ententepolitik der Vorkriegsjahre, Berlin/Leipzig 1921, S. 678.
44 Vgl. Diplomatischer Schriftwechsel Iswolskis, Bd. 3, Nr. 1135, 1140, 1192, 1193, Siebert, Diplomatische Aktenstücke, S. 669.
45 So konnte die Türkei im Frühjahr 1913 den Dreadnought »Reschad V.« und im Dezember die »Rio de Janeiro« erwerben. Den Auftrag zum Bau eines 3. Dreadnoughts erhielt gemäß dem Dockvertrag vom 2. 12. 13 die englische Firma Armstrong-Vickers. Einen Tag nach Abschluß des Dockvertrages schrieb Wangenheim, daß es sich dabei um eine Parallelaktion zur Armeereform durch Deutschland handele und die Vertretung der Mission gegenüber der Triple-Entente erleichtere, vgl. Fußnote in GP 38, Nr. 15 462, S. 232 f.

Liman-Sanders-Frage zwar nicht ohne Interesse für England sei, jedoch nicht von derselben Wichtigkeit wie für Rußland.[46]« Das Foreign Office war also nicht bereit, auf den Vorschlag Sasonows einzugehen, sondern wollte lediglich eine mündliche Erkundigung bei der türkischen Regierung über die genauen Aufgaben und Kompetenzen der Mission zulassen, wobei eine kollektives Vorgehen vermieden werden sollte[47].

Dennoch stimmte England Anfang Dezember einer gemeinsamen Demarche der drei Ententemächte bei der Pforte zu, die Sasonow nach seinem ersten Mißerfolg angeregt hatte[48]. Dadurch sollten russische Kompensationsforderungen in Armenien neutralisiert und Petersburgs Vertrauen in die Zuverlässigkeit seiner Partner erhalten werden. Hatte doch Sasonow dem englischen Geschäftsträger in Petersburg, O'Beirne, gerade erst vorgehalten, daß die Liman-Sanders-Angelegenheit »ein Test für den Wert der Tripel-Entente sei«. Sasonow war der Meinung, daß »Deutschland nicht weiter auf seinen Absichten beharren würde, wenn die drei Mächte wirklich einen decidierten Standpunkt einnähmen«. Er habe den Eindruck, daß »Deutschland die Einwände Frankreichs und Rußlands ignorieren könne, wenn es nicht gleichzeitig die englische Flotte fürchten müsse«[49].

Sasonow mußte jedoch erleben, daß sich die britische Haltung immer mehr von seinen Vorstellungen entfernte. Am 9. Dezember 1913 rückte Grey endgültig von der vorbereiteten Demarche ab und befürwortete nur noch eine mündliche Anfrage der drei Botschafter in Konstantinopel über den Inhalt des Vertrages mit Liman v. Sanders[50]. Eine der »angeblichen« Ursachen für den englischen Rückzug war der Bericht des Botschafters in Konstantinopel, Mallet, über die Stellung der britischen Marinemission in der Türkei[51]. Die englische Diplomatie fürchtete mit gutem Grund, daß Deutschland anhand dieser Tatsache jeden Einwand parieren und England in eine unangenehme Lage versetzen könnte.

Ein weiteres Motiv für die englische Zurückhaltung war die Unsicherheit in London über die wahren Absichten Sasonows, das heißt mit welchen Maßnahmen er seine Forderungen durchzusetzen bereit sei. Das war aus seinem Gespräch mit O'Beirne am 7. Dezember nicht genügend klar hervorgegangen. Der russische Außenminister macht in dessen Verlauf von neuem die Unentschlossenheit der Ententemächte für die deutschen Erfolge verantwortlich. Für den Fall des Scheiterns einer Intervention gegen die deutsche Militärmission nannte Sasonow Druckmittel gegen die Türkei;

46 BD 10 I, Nr. 379, O'Beirne an Grey, 25. 11. 13.
47 Schriftwechsel Iswolskis, Bd. 3, Nr. 1144, 1158; BD 10 I, Nr. 383, Minute von Nicolson zum Schreiben O'Beirne an Grey, 29. 11. 13.
48 BD 10 I, Nr. 387, Telegramm Grey an Mallet, 2. 12. 13.
49 Ibid., Nr. 412, 418, 385, O'Beirne an Grey bzw. Nicolson, Anf. Dez. 1913.
50 Ibid., Nr. 408, Grey an Mallet, 9. 12. 13; Text des Iradés GP 38, Nr. 15 465, S. 234 f.; Telegramm Wangenheim an AA, 5. 12. 13.
51 Ibid., Nr. 403, Mallet an Grey, 5. 12. 13; vgl. GP 38, Nr. 15 480, Kühlmann an Bethmann Hollweg, 12. 12. 13.

zum Beispiel einen Finanzboykott, die Verweigerung der 4 %igen Zoller-höhung, Abberufung der Botschafter und als äußerstes Mittel die Beset-zung von türkischen Häfen am Schwarzen- und am Mittelmeer [52].

Obwohl Sasonow auch in einem späteren Gespräch die Notwendigkeit eines gemeinsamen festen Auftretens der Tripel-Entente wiederholte, ant-wortete er auf die Frage O'Beirnes, ob Rußland wegen der Liman-San-ders-Krise bereit sei, ein Kriegsrisiko einzugehen:

> »Natürlich nicht; aber zur Erreichung des Ziels wären eine von den drei Mäch-ten eingenommene feste Haltung und die Ausnutzung der friedlichen Druck-mittel auf die Türkei völlig ausreichend.[53]«

Die mündliche Anfrage der drei Ententebotschafter bei der Pforte am 13. Dezember 1913 wurde vom Großwesir als Einmischung in deren innere Angelegenheiten abgelehnt. Auf die heftige deutsche Reaktion hin erklär-te Grey dem Botschafter Fürst Lichnowsky, daß England sich an keinen weiteren Schritten in Konstantinopel zu beteiligen beabsichtige [54]. Des-halb mußte sich Sasonow schließlich damit abfinden, daß er trotz der wiederholten dringenden Vorstellungen beim britischen Geschäftsträger England nicht zu einem weitergehenden Schritt bewegen konnte.

Nach all diesen Mißerfolgen ging Sasonow am 19. Dezember gegenüber dem aus dem Urlaub zurückgekehrten englischen Botschafter Sir George Buchanan noch weiter und erklärte ihm, nichts könne den Frieden mehr gefährden als der Anschein, man scheue den Kampf – und diesen Eindruck habe man in der Welt unglücklicherweise von Rußland. Wiederum zählte er die schon genannten möglichen Druckmittel gegen die Türkei auf und fügte noch die Besetzung Ostanatoliens an. In einer Randbemerkung zu dem Bericht Buchanans über dieses Gespräch schrieb der Hilfsunter-staatssekretär im Foreign Office, Sir Eyre Crowe, bevor der Zar englische und französische Unterstützung bei einer russischen Intervention in Ostana-tolien erwarten könne, müsse man ihm klarmachen, daß daraus ein Krieg mit dem Dreibund entstehen könnte und ihn fragen, ob er wirklich be-reit sei, dies Risiko einzugehen [55].

Als Sasonow am 29. Dezember durch den russischen Geschäftsträger in London, Botschaftsrat v. Etter, erneut versuchte, England zu einem ge-meinsamen scharfen Protest zu bewegen, riet das Foreign Office dringend davon ab, da man dadurch Deutschland, das gerade jetzt durch die wieder-aufgenommenen Botschaftergespräche in Konstantinopel Entgegenkom-men zeige, ein Nachgeben fast unmöglich mache. Im übrigen mache Saso-

---

52 Ibid., Nr. 406, 412, O'Beirne an Grey, 7./15. 12. 13.
53 Ibid., Nr. 439, O'Beirne an Grey, 29. 12. 13.
54 GP 38, Nr. 15 485, Lichnowsky an AA, 15. 12. 13.
55 BD 10 I, Nr. 440 (S. 391), Minute E. A. Crowes, 20. 12. 13.

now es England und Frankreich schon deshalb so schwer, seine Politik zu unterstützen, da er nie ganz klar sage, was er wirklich erreichen wolle und mit welchen Mitteln. Bevor dies nicht geklärt sei, könne er nicht auf gemeinsames Handeln rechnen. Während Grey betonte, daß er eine Demarche in Berlin für unnötig halte, da die Frage nur mit geduldigem Druck (patient pressure) gelöst werden könne, nannte Eyre Crowe Etter gleichzeitig vertraulich folgende drei Fragen, die vor einer Unterstützungszusage der Ententepartner Rußlands geklärt werden müßten:

1. welches sind die minimalen Forderungen Rußlands – will es eine Änderung der Stellung Liman v. Sanders' erreichen oder ist es mit irgendwelchen Kompensationen einverstanden?

2. welche Schritte plant Rußland für den Fall der endgültigen Absage der Türkei, auf die geforderten Zugeständnisse einzugehen?

3. zu welchen äußersten Maßnahmen ist Rußland bereit, wenn die Türkei von Deutschland unterstützt wird, hinter dem der ganze Dreibund steht[56]?

Auch die französische Regierung wünschte am 30. Dezember 1913 eine klare Antwort, »welche Entscheidungen Rußland für nötig halten würde, Frankreich und England vorzuschlagen, für den Fall, daß Deutschland es ablehnen sollte, ihre Forderungen zu erfüllen«[57].

Obwohl in der zweiten Dezemberhälfte erste Anzeichen einer Bereitschaft Deutschlands sichtbar wurden, den Wünschen Rußlands formal entgegenzukommen, entschloß sich Sasonow die drei Fragen Crowes zu beantworten. Er tat dies in einer am 5. Januar 1914 verfaßten Denkschrift[58].

Grundsätzliche Voraussetzung für jeden weiteren Vorstoß – so führte Sasonow darin aus – sei ein gemeinsames Vorgehen mit England und Frankreich. Die wichtigste Aufgabe der russischen Regierung sei deshalb, sich zu erkundigen, ob diese beiden Mächte zu Zwangsmaßnahmen gegen die Türkei und Deutschland bereit seien. Entschiede man sich unter dieser Voraussetzung zur Aktion, zum Beispiel durch die Besetzung der türkischen Häfen Smyrna und Beirut, Trapezunt oder Bayazid, so müsse mit der Möglichkeit einer deutschen Unterstützung für die Türkei gerechnet werden. »In diesem Falle kann die Lösung der Frage aus Konstantinopel und der Türkei an unsere Westgrenze übertragen werden samt allen Folgen, die sich daraus ergeben.« Doch für wahrscheinlicher hielt Sasonow, daß sich die feste Entschlossenheit als ausreichend erweisen werde, um die gebührende Genugtuung zu erreichen. Ein Nachgeben in der für Rußland so wesentlichen Frage des deutschen Kommandos in Konstantinopel käme einer bedeutenden politischen Niederlage gleich und könnte

---

56 Ibid., Nr. 452, Minute Crowes, 29. 12. 13.
57 Istorija diplomatii (Geschichte der Diplomatie), Bd. 2, Moskau 1963, S. 761.
58 Text der Denkschrift bei E. A. Adamow, Konstantinopel und die Meerengen, Bd. 1, S. 77–80.

die gefährlichsten Folgen nach sich ziehen. »Vor allem wird uns diese Nachgiebigkeit nicht vor der wachsenden Aspiration Deutschlands und seiner Verbündeten schützen, die immer mehr und mehr einen unnachgiebigen und unversöhnlichen Ton in allen Fragen, die ihre Interessen berühren, anzunehmen beginnen. Andererseits wird sich in Frankreich und England die gefährliche Überzeugung festigen, daß Rußland um der Erhaltung des Friedens willen zu beliebigen Zugeständnissen bereit ist.«

Die daran anknüpfende Besorgnis über eine Zerrüttung der Einheit der Ententemächte zeigt, daß Sasonow die deutsche Absicht einer Verständigung mit England auf Kosten Rußlands durchaus durchschaute. In einem solchen Falle drohte dem Zarenreich die völlige Isolierung, da es bei einem Versagen Englands wohl kaum auf Frankreich rechnen konnte.

Es käme also im Augenblick – so Sasonow – alles darauf an, sich der Unterstützung der beiden Ententepartner zu versichern. Notfalls jedoch müsse auch das sehr ernste Risiko eines separaten Auftretens Rußlands (oder nach russ. Original »von Einzelaktionen Rußlands«) bedacht werden. Im Falle positiver Antworten Frankreichs und Englands, so schloß Sasonow seine Ausführungen, »müßten wir bei aller notwendigen Zurückhaltung und Vorsicht zur möglichsten Verhinderung von Verwicklungen unsere Interessen entschlossen bis ans Ende verteidigen«.

Für seine Botschafter in London, Paris und Konstantinopel sowie als Arbeitsgrundlage für eine in Aussicht genommene Sonderkonferenz, stellte der russische Außenminister noch ein Aktionsprogramm von Gegenmaßnahmen der Ententepartner als Antwort auf die Errichtung der deutschen Militärmission in der Türkei zusammen, das aus acht Punkten bestand [59]. Darin unterstrich er noch einmal, daß Rußland sich mit der Anwesenheit eines ausländischen Generals als Kommandeur eines militärischen Verbandes in Konstantinopel nicht abfinden könne, jedoch die Möglichkeit eines deutschen Kommandos über irgendeine türkische Truppeneinheit außerhalb Konstantinopels (zum Beispiel in Adrianopel) zugestehe. In diesem Sinn sollte zunächst alles versucht werden, durch Verhandlungen in Berlin und Konstantinopel zum Ziele zu kommen. Zwangsmaßnahmen gegen die Türken, wie Besetzung von Hafenstädten, Finanzboykott oder Abberufung der Botschafter der drei Mächte, waren für den Fall, daß diese Verhandlungen scheiterten, nur mit Zustimmung Englands und Frankreichs vorgesehen.

Doch Sasonows Rechnung ging nicht auf. Weder London noch Paris waren bereit, sich der drohenden russischen Haltung anzuschließen, da jede Drohung gegen die Türkei die Gefahr in sich barg, deutsche Gegenmaßnahmen heraufzubeschwören. Zudem war Frankreichs Beteiligung an

---

59 Ibid., S. 81/82.

einem finanziellen Boykott der Türkei sehr unwahrscheinlich und England nach wie vor zu einer wohlwollenden Unterstützung der Verhandlungen Rußlands mit Deutschland zur Beilegung des Konflikts bereit[60]. So gesehen hatte die in der Denkschrift Sasonows zu erkennende Bereitschaft zum Risiko nach der ablehnenden Haltung Englands und Frankreichs keine praktische Bedeutung mehr.

Dennoch fand die geplante Sonderkonferenz am 13. Januar 1914 statt[61]. Unter dem Vorsitz des Ministerpräsidenten Kokowzow nahmen Sasonow, der Kriegsminister Suchomlinow, der Marineminister Grigorowitsch und der Generalstabschef Žilinski teil. Als bei Eröffnung der Sitzung ein Telegramm aus Konstantinopel verlesen wurde, wonach eine Niederlegung des Kommandos Liman von Sanders' bevorstand, wurde festgestellt, daß »man die jetzige Konferenz als weniger dringend anerkennen könne, und die Prüfung der Lage bloß akademischen Charakter tragen würde«.

Trotz seiner gemäßigten Haltung erinnerte Kokowzow die Konferenzteilnehmer zu Beginn daran, daß Rußland das moralische Recht und die Pflicht habe, seinen Standpunkt, wie er ihn während der Verhandlungen in Berlin im November 1913 vertreten habe, zu verteidigen. Doch die Militärs rückten von der früher erwähnten Verlegung des deutschen Kommandos außerhalb Konstantinopels ab und gaben klar zu verstehen, daß »die dem General Liman zu übertragende ›Inspektion‹ nur dann als zulässig erachtet werden könne, wenn unter ›Inspektion‹ die allgemeine Aufsicht über die Armee und nicht ein territoriales Kommando verstanden werden solle«. Suchomlinow war der Ansicht, daß »die türkischen Truppen, deren Ausbildung der deutschen Militärmission übertragen ist, sich an unserer Kaukasusgrenze befinden werden und natürlich gegen Rußland gerichtet seien«. Der Erörterung der Frage gewaltsamer Aktionen gegen die Türkei, die Suchomlinow anzuschließen wünschte, kam Kokowzow zuvor, indem er betonte, daß man sich ultimativer Forderungen, die Deutschland den Kompromißausweg nur erschwerten, enthalten und die Verhandlungen mit Berlin solange fortsetzen solle, bis es sich endgültig herausstelle, daß auf diesem Weg das gesteckte Ziel nicht erreicht werden könne. Die Diskussion der »Einwirkungsmaßnahmen« führte Kokowzow gleich ad absurdum, indem er feststellte, daß »bevor die Kaiserliche Regierung diesen oder jenen Beschluß faßt, sie wissen muß, in welchem Maße ihr von Frankreich Unterstützung gewährt wird, und ob man auf eine aktive Teilnahme Englands bei der Einwirkung auf die Pforte rechnen könne«.

---

60 BD 10 I, Nr. 465, S. 416, Minutes von Grey und Nicolson.
61 E. A. Adamow, Konstantinopel und die Meerengen, Bd. 1, S. 82–85; ebenso bei M. Pokrowski, Drei Konferenzen, S. 32–45.

Diese Gewähr schien ihm besonders von seiten Englands im Augenblick nicht gegeben, da dieses bisher allen Einsprüchen Rußlands Widerstand entgegengesetzt hätte, wodurch Deutschland das Handeln sehr erleichtert worden wäre. Daraufhin trat Sasonow abermals mit seiner Ansicht hervor, daß eine energische Einwirkung der drei Mächte nicht unbedingt zum Kriege mit Deutschland zu führen brauche:

> »In Wirklichkeit erscheine ein Auftreten Rußlands, wenn es von Frankreich allein unterstützt werde, für Deutschland nicht besonders gefährlich..., der Kampf unter Teilnahme Englands aber könne für Deutschland verhängnisvoll werden, da Deutschland sich der Gefahr klar bewußt sei, daß es im Falle einer englischen Intervention *innerhalb von 6 Wochen* einer völligen inneren sozialen Katastrophe preisgegeben würde.[62]«

Während Sasonow damit seine Bereitschaft, bis an die Grenze eines Krieges zu gehen, demonstriert hatte, womit er aber offensichtlich gerade eine große Auseinandersetzung zu vermeiden hoffte[63], hielt Kokowzow schon allein das Risiko eines Krieges für verhängnisvoll. Die Frage, ob Rußland im Augenblick überhaupt in der Lage sei, einen Krieg mit Deutschland zu führen, bejahten Suchomlinow und Žilinski. Rußland sei bereit »zum Zweikampf mit Deutschland, vom Zusammenstoß mit Österreich allein schon gar nicht zu sprechen; jedoch ist ein solcher Einzelkampf kaum wahrscheinlich, man wird es vielmehr mit dem ganzen Dreibund zu tun haben«. Obwohl beide auch für Einzelaktionen gegen Kleinasien eintraten, kam man zu dem Schluß, daß zu Druckmitteln nur bei aktiver Teilnahme Frankreichs und Englands gegriffen werden sollte. Auf die Frage Sasonows, welche Haltung die Regierung einnehmen würde, falls letztere gesichert wäre, antwortete Kokowzow nur, daß er »den Krieg für Rußland im Augenblick für das größte Unglück halte« und äußerte sich in dem Sinne, »daß es äußerst unerwünscht wäre, Rußland in einen europäischen Konflikt hineinzuziehen«, welcher Meinung sich die übrigen Mitglieder der Konferenz anschlossen.

Für den Fall eines Mißerfolges aller russischen Bemühungen schlug Kokowzow als einziges Druckmittel wiederum einen finanziellen Boykott der Türkei vor. Er schätzte dessen Wirkung so hoch ein, daß er sich sogar bereit erklärte, den Franzosen die Verluste, die ihnen infolge der Unterbrechung der Zahlung der Anleihecoupons seitens der Türkei entstehen könnten, aus der russischen Staatskasse zu ersetzen.

Ebenso wie Rußland, das offensichtlich ohne englische Unterstützung keine aktive Meerengenpolitik treiben konnte, bemühte sich auch die deutsche Reichsleitung, England auf ihren Kurs zu bringen, um sich das engli-

---

62 Ibid., Bd. 1, S. 84, gesp. vom Hrsg.
63 Dazu zählen auch die Bemühungen von Sasonow, die Entente in ein Bündnis zu verwandeln, um dadurch endlich den deutschen Aspirationen wirksam begegnen zu können.

sche Wohlwollen gegenüber ihrer Orientpolitik, noch mehr aber für ihre Gesamtpolitik zu sichern. Als sich in Berlin der politische Aspekt des deutschen Engagements in der Türkei durchsetzte, was in erster Linie der Einsicht Jagows und Wangenheims zu verdanken war, erachtete man eine Konzession an die russischen Forderungen endlich als möglich.

Deutschland lenkt ein – im Blick auf England

Das Deutsche Auswärtige Amt hatte sich schon vor der Demarche der Ententemächte in Konstantinopel gegen ein allzu starres Festhalten an der für Liman vorgesehenen Stellung ausgesprochen. Jagow hatte am 5. Dezember 1913 erklärt, er halte es nicht für ausgeschlossen, daß die Türkei gegenüber der russischen Regierung nachgeben würde, zumal diese über so starke Druckmittel, wie zum Beispiel das Versagen ihrer Zustimmung zur 4 %igen Zollerhöhung verfüge. In diesem Falle solle sich Deutschland mit Adrianopel als Standort der Mission zufriedengeben, da es sich ja schließlich um eine türkische Angelegenheit handele [64].

Von Mitte Dezember an befürwortete dann das Auswärtige Amt eine Lösung, wonach Liman von Sanders die Inspektion über die gesamte türkische Armee übertragen werden sollte. Damit wären Rußlands Wünsche befriedigt und gleichzeitig der deutsche Einfluß in der türkischen Armee vergrößert worden [65]. Nach Verhandlungen der deutschen und russischen Militärattachés in Konstantinopel über die Modalitäten und den Zeitpunkt der Veränderung der Stellung Limans, gab dieser schließlich am 14. Januar 1914 das Kommando über das 1. Armeekorps ab und wurde – nunmehr zu einem türkischen Marschall der Kavallerie ernannt – Generalinspekteur des türkischen Heeres. Damit hatte sich das Auswärtige Amt gegenüber dem Kaiser durchgesetzt, der zunächst entschlossen gewesen war, es über diese Frage auf eine Kraftprobe ankommen zu lassen: »Es handelt sich um unser Ansehen in der Welt, gegen das von allen Seiten gehetzt wird! Also Nacken steif und Hand ans Schwert! [66]« Das von den Diplomaten im Auswärtigen Amt und in der Reichskanzlei schließlich erreichte deutsche Einlenken war in der Überlegung begründet, daß Modalitäten der deutschen militärischen Einflußnahme auf die türkische Armee dem weiteren Ziel untergeordnet sein müßten, das Ottomanische Reich politisch zu kontrollieren, um es in der erwarteten Konflagration mit Rußland als Bundesgenossen zur Verfügung zu haben.

---

64 GP 38, Nr. 15 466, Telegramm Jagow an Treutler, 5. 12. 13.
65 Ibid., Nr. 15 487, Wangenheim an AA, 16. 12. 13; Nr. 15 493, Privatbrief Wangenheim an Jagow, 17. 12. 13.
66 Ibid. Nr. 15 483, S. 256, Schlußbemerkung des Kaisers zu einem Schreiben von Pourtalès, 13. 12. 13.

Durch das anmaßende Auftreten deutscher Offiziere der Militärmission wurde indessen das deutsche Ansehen in der Türkei im Frühjahr 1914 erheblich gefährdet. Liman von Sanders, so legte Bethmann Hollweg dem Kaiser am 20. Mai in einer Immediateingabe dar, scheine nicht zu begreifen,

> »daß seine Mission nicht Selbstzweck, sondern Mittel zum Zweck ist. Das deutsche Interesse an der Erstarkung der türkischen Armee steht und fällt mit unserem politischen Einfluß am Goldenen Horn. Nur wenn und solange die Türkei uns politisch ergeben bleibt, sind wir an dem Erfolg des Reformzwecks interessiert. Gelänge es uns nicht, die Türken bei der Stange zu halten, so würde eine erhöhte Schlagfertigkeit ihrer Armee nur für unsere Gegner Gewinn sein. Für Frankreich oder Rußland den türkischen Säbel zu schleifen, haben wir keine Veranlassung.[67]«

Weiterhin ging es um die Sicherung möglichst großer Teile Anatoliens bei einer möglichen künftigen Aufteilung der Türkei. Die Verwirklichung des russischen Vorschlags, die Ententemächte sollten ihre Zustimmung zur 4 %igen türkischen Zollerhöhung verweigern, hätte für Deutschland den Wegfall jeder Sicherung ihrer Bagdadbahn-Anleihen bedeutet, da ja die Einkünfte aus den europäischen Provinzen, die bisher zur Sicherung gedient hatten, nach den Balkankriegen weggefallen waren. Im Zusammenhang mit den Kompetenzstreitigkeiten zwischen der Militärmission und der deutschen Botschaft in der Türkei betonte Wangenheim im Mai 1914 noch einmal – und er wußte sich darin mit dem Auswärtigen Amt einig – »die Militärmission ist nicht Selbstzweck, sondern lediglich Hilfsmittel unserer Bagdadbahn-Politik«[68].

Neben der Sorge um die Bagdadbahn und der Hoffnung auf den türkischen Bundesgenossen war es die Furcht vor einer neuerlichen Entfremdung Londons, die das Auswärtige Amt veranlaßte, dem Wunsch der Ententemächte nachzugeben. Dies war verbunden mit dem Bemühen, England von seinen Partnern abzuspalten. So schrieb Zimmermann am 18. Dezember 1913 an Wilhelm II., er glaube,

> »S. M. huldreichen Direktiven zu entsprechen, wenn wir uns angelegen sein lassen, das Einvernehmen zwischen Rußland und England in dieser Frage nach Möglichkeit zu erschüttern und aus diesem Grunde die Dardanellen-Frage und das Kommando des englischen Admirals im Bosporus weiterhin auszuspielen«[69].

Dem gleichen Ziel diente die Zurückhaltung der deutschen Reichsleitung bei dem englisch-türkischen Dock-Vertrag, der die deutschen Wirtschafts-

---

67 AA-Bonn, Türkei, Nr. 139, Bd. 32, Immediateingabe Bethmann Hollwegs an Wilhelm II., 20. 5. 14, s. a. oben S. 461 f.
68 Ibid., Bericht Wangenheim an AA, 1. 5. 14.
69 AA-Bonn, Türkei, Nr. 139, Bd. 30, Begleitschreiben Zimmermanns zum Bericht Wangenheims an Wilhelm II., 18. 12. 13. (Dieses Schreiben ist in der GP nicht abgedruckt.)

interessen in der Türkei außerordentlich beeinträchtigte. Der zweite Direktor der Anatolischen Eisenbahn, Günther, telegraphierte an Helfferich, der das Telegramm sofort an Zimmermann weiterleitete:

»dadurch kommt unsere Basis Türkei und Konstantinopel maritim unter englische Herrschaft und man wird sagen, daß die Bagdad-Bahn anfängt im englischen Arsenal und aufhört im englischen Fangnetz, Persischem Golf. An maßgebender Stelle scheint man Tragweite nicht vollkommen zu erfassen.[70]«

Diese Wirtschaftsinteressen mußten jedoch hinter dem politischen Ziel der deutsch-englischen Verständigung und – wenn möglich – einer Sprengung der Entente zurückstehen. Deshalb versuchte man, die Bedeutung des Dock-Vertrages für Deutschland zu verharmlosen. Wangenheim sprach von einer »Parallelaktion« zur türkischen Armeereform durch Deutschland[71], und der Kaiser sah in der russischen Verstimmung über den Dock-Vertrag schon den ersten Schritt zu einer Isolierung Englands und damit zu einer deutsch-englischen Annäherung.

»Wunderschön!« jubelte Wilhelm II. »daher muß 3ple-Entente den englischen Interessen sich unterwerfen! Und für Deutschland ist es wichtig, sie nicht durch Zank mit uns zu vergrämen.«

Schon sah er seine Überzeugung, daß das angelsächsische Brudervolk an die Seite des Dreibundes treten werde, realisiert:

»Londons Interessen sind durch Zusammengehen mit Berlin mehr gesichert als durch Gehen mit Ententemächten! das heißt auf Deutsch, die Entente entspricht nicht den englischen Interessen. Ergo zieht sie nicht mehr.[72]«

Jedoch wurde diese Siegesstimmung zuweilen wieder durch Zweifel unterbrochen, die fast immer in der Verachtung der angeblich schwächlichen und unentschlossenen Haltung Greys ihren Ausdruck fand:

»Grey hat sich louche benommen! Wie lange will er noch auf beiden Seiten hinken? Ist's Rußland, so gehe er offen mit ihm; sind wir es, so gehe er offen mit uns.[73]«

Die russische Regierung drückte zwar nach außen hin ihre Befriedigung über das deutsche Einlenken aus, war sich aber darüber im klaren, daß dieser Schritt die Betätigungsmöglichkeiten der deutschen Militärmission im Grunde noch erheblich erweitert hatte. »Nowoje Wremja« fragte am 21. Januar 1914 die russischen Diplomaten, ob sie denn tatsächlich glaub-

70 Ibid., Günther an Helfferich, 2. 12. 13, s. a. oben S. 454 ff.
71 GP 38, Anm. zu Nr. 15 462, S. 232 f. Telegramm von Wangenheim, 3. 12. 13.
72 AA-Bonn, Türkei, Nr. 139, Bd. 30, Randbemerkungen Wilhelms II. zum Schreiben von Wangenheim an AA, 20. 12. 13.
73 GP 38, Anm. zu Nr. 15 492, S. 265; Schlußbemerkung Wilhelms II. zum Telegramm Wangenheim an AA, 19. 12. 13.

ten, »daß sie durch die Erreichung einer Ausdehnung der realen Kommandogewalt der deutschen Generale über die türkischen Streitkräfte gegenüber den ursprünglichen Absichten irgendeinen Sieg über jemanden errungen hätten? [74]« Die russische Regierung hielt sich aber zurück und ließ es auch bei der Ernennung des Obersten Nikolai zum Kommandierenden General der Division in Skutari am 24. Februar 1914 nicht mehr zu einem offenen diplomatischen Konflikt kommen.

Rußland überprüft seine Meerengenpolitik – Die Petersburger Sonderkonferenz vom 21. Februar 1914

Der türkisch-italienische Krieg, der zur zeitweisen Sperrung der Meerengen geführt hatte, und die Balkankriege, in deren Verlauf die Bulgaren zweimal Konstantinopel unmittelbar bedroht hatten, hatten Rußland die Gefährdung der Meerengen vor Augen geführt. Die damit nahegerückte Möglichkeit, in Zukunft den Status quo an den Meerengen mit den bisherigen diplomatischen Mitteln nicht mehr aufrechterhalten zu können, führte den russischen Außenminister Sasonow dazu, die eventuelle Notwendigkeit des Einsatzes bewaffneter Streitkräfte zur Sicherung der russischen Interessen am Bosporus zu überdenken. Dies tat er in einer großen Denkschrift [75], die er am 6. Dezember 1913 abschloß, d. h. zu einer Zeit, in der der Ausbruch der Liman Sanders-Krise dieser Frage eine neue Aktualität gegeben hatte, ohne daß Sasonow auf dieses Ereignis direkt Bezug nahm. Die Denkschrift sollte als Arbeitsgrundlage einer Sonderkonferenz über diese Fragen vorgelegt werden. Sasonow ging davon aus, daß die Türkei im Falle eines entschiedenen Schlages von außen nicht die Kraft hätte, ihn zu parieren. Dabei sei es im Augenblick nicht möglich, für die Stabilität der allgemeinen politischen Lage in Europa zu garantieren, obwohl der Wunsch – so sagte er – nach Frieden unter den Großmächten vorzuherrschen scheine. Sasonow erwog, ob Rußland im Augenblick nach einer Besitzergreifung der Meerengen streben solle oder nicht, welche Opfer dies kosten und welchen Wert sie für Rußland besitzen würden:

> »In letzter Zeit komplizierte sich die Meerengenfrage durch neue Umstände, die einerseits die wirtschaftliche Bedeutung der Meerengen für Rußland verstärkten und andererseits die politischen und strategischen Schwierigkeiten auf dem Weg zu ihrer möglichen Inbesitznahme kompliziert machten.«

Kaum ein verantwortungsbewußter Politiker würde sich im Zarenreich finden, der nicht zugäbe, »daß im Falle einer Änderung der herrschenden

---

[74] Zit. bei A. S. Awetjan, Germanskij imperializm, S. 93.
[75] Text der Denkschrift bei E. A. Adamow, Konstantinopel und die Meerengen, Bd. I, S. 88–94.

Lage (an den Meerengen) Rußland eine Entscheidung der Frage gegen seine Interessen nicht zulassen könne; mit anderen Worten, unter den bekannten Bedingungen könne es nicht unbeteiligter Zuschauer der Ereignisse bleiben«. Sasonow schloß die Frage an, ob es vom Standpunkt der russischen Interessen zulässig sei, daß die Meerengen von einem anderen Staat außer der Türkei eingenommen würden. Diese würde nicht ewig bestehen, und deshalb könne Rußland es sich nicht leisten, unvorbereitet Ereignissen gegenüberzustehen, die die Lage von Konstantinopel und den Meerengen von Grund auf verändern würden.

»Die Meerengen in den Händen eines starken Staates, das bedeutet die völlige Unterwerfung der wirtschaftlichen Entwicklung des ganzen russischen Südens unter diesen Staat.«

Dazu erörterte Sasonow die große wirtschaftliche Bedeutung der Meerengen für Rußland an Hand von Zahlenbeispielen, wobei er sich auf die verheerenden Folgen der zeitweiligen Schließung 1912 für das wirtschaftliche Leben des ganzen Landes bezog. Was würde erst sein, fragte er, wenn anstelle der Türkei die Meerengen von einem Staat beherrscht werden, der in der Lage ist, den russischen Forderungen Widerstand zu leisten?

»In der Tat, wer die Meerengen beherrscht, der bekommt nicht nur die Schlüssel zum Schwarzen und zum Mittelmeer in seine Hand; er wird auch die Schlüssel für eine Durchdringung Kleinasiens und für die Hegemonie auf dem Balkan besitzen.«

Besondere Gefahr für die Meerengen drohte seitens der Bulgaren, die sich schwerlich mit dem Ausgang des zweiten Balkankrieges zufriedengeben würden. Ihr alter Traum einer Hegemonie auf dem Balkan und der Eroberung der Meerengen könne aufs neue lebendig werden und kein Mensch Tag und Stunde bestimmen, wann Bulgarien sich in einem stürmischen Angriff auf die Türkei stürzen werde. Dies aber könnte zu einem vernichtenden Schlag für das Ottomanenreich werden. Eine Neutralisierung der Meerengen und die Schleifung ihrer Befestigungen hielt Sasonow nicht für geeignet, um einer überraschenden kriegerischen Besetzung durch eine dritte Macht vorzubeugen, zumal auch die russische Schwarzmeerflotte noch keineswegs in der Lage wäre, eine fremde Besetzung zu verhindern. Der gegenwärtigen Schwäche der russischen Schwarzmeerflotte stellte Sasonow die außerordentliche in erster Linie mit englischer Hilfe durchgeführte Verstärkung der türkischen Kriegsflotte gegenüber. Angesichts dieser Umstände forderte Sasonow,

1. die Mobilisierung eines numerisch ausreichenden Landungskorps zu beschleunigen;
2. die für diese Mobilisierung notwendigen Verbindungswege (innerhalb Rußlands) instand zu setzen;

3. die Schwarzmeerflotte in einer Weise zu verstärken, daß sie in Verbindung mit den Landstreitkräften die Meerengen provisorisch oder dauernd besetzen könne;
4. die Transportmittel für eine Landungsoperation zu vergrößern;
5. die Eisenbahnen im Kaukasus auszubauen.

Nach diesen Vorschlägen für die militärisch-technische Seite der Frage kam Sasonow zur politischen Seite des Problems:

»Ich wiederhole meinen Wunsch, daß der Status quo möglichst lange unverändert bleibe, und muß wiederum wiederholen, daß die Meerengenfrage schwerlich anders, als unter den Bedingungen allgemein-europäischer Verwicklungen aufgeworfen werden kann. Diese Entwicklungen würden uns, nach den gegenwärtigen Verhältnissen zu urteilen, im Bunde mit Frankreich und möglicherweise, aber lange nicht ganz sicher, auch mit England finden oder mindestens gegenüber einer wohlwollenden Neutralität Englands. Im Falle von europäischen Verwicklungen könnten wir auf dem Balkan auf Serbien und vielleicht auf Rumänien zählen. Hieraus wird eine Aufgabe unserer Diplomatie deutlich, die Bedingungen für eine möglichst große Annäherung an Rumänien zu schaffen.«

Sasonow sah zwei Faktoren, die die Unsicherheit der gegenwärtigen Lage auf dem Balkan verursachten:

»Der erste Faktor ist Österreich-Ungarn, wo die Nationalitätenbewegung zusehends wächst, hervorgerufen durch den Erfolg der Serben und Rumänen und durch den Eindruck, den diese Erfolge bei ihren Landsleuten innerhalb der Grenzen der Habsburger Monarchie hervorgerufen haben. Der zweite Faktor liegt in der Unmöglichkeit für Bulgarien, sich mit den schweren Folgen des Bukarester Friedens abzufinden.«

Sasonow behauptete dann, daß Serbien und Bulgarien ihre nationalen Ziele nur gemeinsam und in Aktionseinheit mit Rußland, wenn dieses selbst zur Realisierung seiner historischen Ziele schreite, erreichen könnten. Nur wenn Rußland leitende, aktive Kraft auf dem Balkan sei, könne das unausweichliche Chaos dort vermieden werden. Er schloß mit den Worten:

»Nicht vom Standpunkt theoretischer Träumereien oder der Überspannung der Mission Rußlands müssen wir alle diese Bedingungen erörtern. Wir müssen an die Zukunft denken und uns Rechenschaft darüber geben, daß die Erhaltung des so wünschenswerten Friedens nicht immer in unseren Händen liegen wird.«

Für die russische Diplomatie forderte Sasonow einen festen Kurs, um dem Vorwurf der einheimischen Nationalisten und Revolutionäre, die russische Außenpolitik sei ziellos, zu begegnen.

Ähnliche Überlegungen zur Frage der Sicherung der Meerengen hatte der russische Admiralstab bereits nach den Erfahrungen des italienisch-türkischen Krieges angestellt[76]. Der Stab schickte am 20. November einen

---

76 Denkschriften dazu gab es seit Sommer 1912, siehe dazu J. Zacher, Konstantinopel' i prolivy, in: Krasnyj archiv, Bd. 6, Moskau 1924, S. 48–76.

Bericht an den Marineminister, in dem er dessen Aufmerksamkeit auf die vorrangige Aufgabe der russischen Schwarzmeerflotte, nämlich Sicherung des Ausganges aus dem Schwarzen Meer, hinlenkte. Der Admiralstab war der Ansicht, daß diese Aufgabe in nächster Zukunft unaufschiebbar sein würde; für spätestens 1918 müßte es der Flotte möglich sein, aktive Operationen im Schwarzen und Mittelmeer durchzuführen und sich nicht nur auf die Verteidigung der russischen Küsten zu beschränken, er fragte an, ob er dem Schiffsbauprogramm der nächsten Jahre diese spezielle Zielsetzung zugrunde legen dürfe. »Auch das Außenministerium sei auf seiten einer Konzentration der Marinebemühungen im Schwarzen und im Mittelmeer, um der russischen Stimme bei der Entscheidung der ›östlichen Frage‹ mehr Gewicht zu verleihen.« Außerdem seien die Wünsche des französischen Admiralstabes bekannt, der die Verstärkung seiner Mittelmeerflotte gegen Österreich und Italien durch russische Schiffe sehr begrüßen würde. Der Marineminister erklärte sich mit diesen Intentionen völlig einverstanden und wandte sich am 19. Januar 1914 an Sasonow mit der Forderung, die Schwarzmeerflotte bald zu verstärken. Er berief sich auf die Nachrichten des Admiralstabs über die rasche Verstärkung der türkischen Kriegsflotte durch den Ankauf mehrerer, auf englischen und nordamerikanischen Werften für südamerikanische Staaten im Bau befindlicher Linienschiffe (Dreadnoughts), wodurch die ottomanische Kriegsflotte in den nächsten Jahren auf einen Bestand von sechs Linienschiffen kommen würde. (Ende 1914/Mitte 1915 würde sie drei, vielleicht sogar vier Linienschiffe besitzen.)

> »Die Schiffe werden mit der Flotte, die die Türkei bereits besitzt, eine Seemacht ausmachen, die unsere jetzige Schwarzmeerflotte erdrückend, annähernd um das Sechsfache übertrifft.«

Erst in den auf 1916 folgenden Jahren würde die russische Seemacht im Schwarzen Meer allmählich wieder die der Türkei übertreffen. Eine solche Überlegenheit der Türken zur See würde die Gefahr mit sich bringen, daß im Kriegsfall die rechte Flanke der Kaukasusarmee und zugleich der linke Flügel der an der westlichen Grenze stehenden russischen Armee durch eine türkische Landung umgangen werden könnte, da dann der Uferstreifen von Odessa bis Sewastopol für Rußland nicht gesichert sei. Nicht zu vergessen, daß die moralischen Folgen einer eventuellen neuen Niederlage zur See (wie 1905), diesmal durch die Türkei, unvermeidlich ein Sinken der russischen Stimme im internationalen Konzert mit sich bringen würde[77].

---

77 Die internationalen Beziehungen im Zeitalter des Imperialismus, Reihe I, Bd. 1, Nr. 50, Russ. Marineminister an Sasonow, 19. 1. 14.

Entsprechend den von Sasonow in seiner Denkschrift vom 6. Dezember geäußerten Befürchtungen liefen seit dem 18. Januar 1914 Berichte russischer Vertreter in Sofia ein [78], wonach Bulgarien die Revision des Bukarester Vertrages anstrebe, notfalls auch mit kriegerischen Mitteln, und vor allem den Griechen einige der ihnen in der Folge des zweiten Balkankrieges verlorengegangenen Städte, so den Hafen Kavalla sowie Seres und Drama, wieder abzunehmen gedenke. Da dieses Ziel aber nur in Zusammenarbeit mit der Türkei möglich sei, habe Bulgarien seit dem Friedensschluß mit der Türkei (Ende September 1913) versucht, durch gegenseitige Militärbesprechungen – im Augenblick weilte der bulgarische stellvertretende Generalstabschef in Konstantinopel – ein Abkommen abzuschließen, das gegenseitige Zusicherung von zukünftigem territorialem Gewinn vorsah (für die Türkei ging es dabei um die Rückgewinnung der ägäischen Inseln, die den Meerengen vorgelagert sind). Gelänge es den Bulgaren, eine Anleihe abzuschließen, so würde ihnen der Kriegsentschluß dadurch noch leichter fallen. Für Rußland seien solche »riskanten Abenteuer«, betonte der Bericht vom 18. Januar aus Sofia, eine Gefährdung des Status quo, an dessen Veränderung die Regierung in Petersburg nicht interessiert sein könne. (Tatsächlich wurde am 25. Januar 1914 eine bulgarisch-türkische Militärkonvention [79] für diesen Krieg mit Griechenland unterzeichnet, die detaillierte Absprachen über die militärische Zusammenarbeit und Abgrenzung der Interessensphären für die zu erwartende territoriale Beute enthielt.)

Diese Nachrichten aus Sofia, die, wie gezeigt, einen realen Hintergrund hatten, mußten für Rußland – wie für alle Großmächte – die Frage aufwerfen, ob ein solcher Krieg noch zu lokalisieren wäre. Würde sich aber aus ihm eine Stärkung der Türkei und Bulgariens abzeichnen, so wäre ein Eingreifen Serbiens und Rumäniens kaum zu verhindern. In solch einem Falle würde Österreich-Ungarn nicht untätig bleiben, weil es eine Vergrößerung seiner beiden Nachbarn nicht zulassen wollte.

Vor dem Hintergrund einer neuen allgemeinen Kriegsgefahr auf dem Balkan und einer befürchteten Intervention Österreich-Ungarns gegen Serbien gilt es, Sasonows Denkschrift vom 20. Januar 1914 zu beurteilen. Er unterstellte, daß Österreich-Ungarn sich am Rande des Zerfalls befand, und befürchtete, die kriegerische Strömung in Wien könne leicht, besonders wenn Deutschland seine Hilfe zusage, den einzigen Ausweg aus den wachsenden inneren Schwierigkeiten in einem Krieg erblicken. Eine solche Entwicklung wäre kaum möglich, so Sasonow, wenn die Regierung der Donaumonarchie nicht an ihrer stärksten slawischen Nationalität – der

---

78 Ibid., Nr. 44, Sabler an Sasonow, 18. 1. 14.
79 Vgl. ibid., Nr. 108, Romanowski an Danilow, 26. 1. 14; Nr. 224, Hartwig an Sasonow, 10. 2. 14.

polnischen – eine Stütze fände. Sasonow wies darauf hin, daß Österreich in seinen polnischen Gebieten (Galizien) eine liberale Politik betreibe und sie gegen die zentralistische Polenpolitik Rußlands geschickt ausspiele, wobei er sich kritisch gegen einige jüngst durch die russische Verwaltung in Kongreßpolen erlassene, die Polen einengende und damit verstimmende Gesetze wandte. Ja, die Österreicher seien im verflossenen Jahr noch weiter gegangen und hätten ihren galizischen Bevölkerungsteilen Versprechungen dahingehend gemacht, daß ein künftiger Krieg zur Befreiung und Einigung der Polen führen würde. (Österreich-Ungarn seinerseits beklagte sich damals über russische Agitation in Ost-Galizien und Karpato-Ungarn [80].) Sasonow kam am Schluß zu der Überzeugung, Rußland müsse in seiner Nationalitätenpolitik im In- und Auslande sich zu einer konsequenten Linie bekennen, wolle es nicht auf seine führende Rolle unter den slawischen Völkern auf dem Balkan verzichten.

Obwohl diese Denkschrift Sasonows der am 21. Februar 1914 unter seinem Vorsitz [81] stattfindenden Sonderkonferenz vorlag, wurde sie dort nicht erörtert, man konzentrierte sich vielmehr ganz auf die Frage Konstantinopels und der Meerengen. In der politischen Vorbetrachtung wurde festgestellt, Bulgaren und Griechen, die wahrscheinlich einem russischen Unternehmen an den Meerengen entgegentreten würden, seien untereinander verfeindet und dadurch gelähmt. Daß eine russische Aktion an den Meerengen lokalisiert bleiben könnte, hielt Sasonow für unwahrscheinlich – für einen dann zu erwartenden großen europäischen Krieg rechnete er auf eine Unterstützung durch Serbien im Kampf gegen Österreich. In einem solchen Falle – so führte der Generalstabschef Žilinski aus – würde das Schicksal Konstantinopels und der Meerengen an der russischen Westfront entschieden. Für diese aber sei kein Korps zu entbehren, und auch nach der im Oktober 1913 beschlossenen Heeresvermehrung würden Truppen frühestens 1915/16 zur Verfügung stehen, daher sei also eine isolierte Landungsoperation nicht durchführbar. – Gegen die Auffassung, daß durch einen erfolgreichen Kampf an der Westgrenze Rußland die Meerengen zufallen würden, wandte sich Kapitän Nemitz (Chef der zweiten operativen Abteilung des Admiralstabs der Schwarzmeerflotte) mit der Begründung, Rußland werde auf dem Weg zu den Meerengen nicht auf die gleichen Hauptgegner stoßen wie im Westen; denn hier stünden ihm auch Frankreich und England im Wege. Nemitz empfahl darum, gleichzeitig mit den Operationen an der Westfront auch Konstantinopel und die Meerengen mit Waffengewalt zu besetzen, um für den Augenblick der Friedensverhandlungen die vollendete Tatsache der Besitzergreifung zu

80 Ibid., Nr. 52, Denkschrift Sasonow an Nikolaus II., 20. 1. 14.
81 Ibid., Nr. 295, Protokoll der Sonderkonferenz vom 21. 2. 14; E. A. Adamow, Konstantinopel und die Meerengen, Bd. 1, S. 96–102; M. Pokrowski, Drei Konferenzen, S. 46–67.

schaffen. – Daraus folgerte der Generalstabschef, daß ein Krieg an den Meerengen dem Zusammenstoß an der russischen Westfront vorangehen müsse. Wie würden sich aber Frankreich und England dazu verhalten? Angesichts des katastrophalen Zustands der russischen Handels- und Kriegsflotte im Schwarzen Meer müßten allerdings dafür die marinetechnischen Voraussetzungen geschaffen werden, d. h. in erster Linie Transportmittel für eine Landungsarmee. Diese Vorbereitung benötigte jedoch mindestens noch drei Jahre planmäßiger Arbeit. Der stellvertretende Chef des Admiralstabs, Kapitän Nenjukow, stellte beim Vergleich der russischen und türkischen Marinestärken im Schwarzen Meer fest, daß die Übermacht in nächster Zeit an die Türkei übergehen würde. (Sasonow hatte in seiner Denkschrift vom 6. Dezember die Jahre 1914/16 als Zeitraum der türkischen Überlegenheit angenommen[82].) Solange das der Fall sei, sei an eine Durchführung einer Landung nicht zu denken, und deshalb müsse eine Beschleunigung des Marineaufbauprogramms für die Schwarzmeerflotte beschlossen werden, die nunmehr vorrangig vor der Baltischen Flotte behandelt werden sollte.

Im Einklang mit diesen Schlußfolgerungen wurde im März 1914 vom Marineministerium in der Duma ein Gesetzentwurf für den Ausbau der Schwarzmeerflotte eingebracht, der endgültig am 24. Juni 1914 Gesetzeskraft erhielt[83]. Für die Verwirklichung dieses Programms war die Zeit von 1917 bis 1919 angesetzt.

Angenommen, daß die deutsche Regierung und der deutsche Generalstab Kenntnis vom Protokoll der Konferenz vom 21. Februar hatten[84] – konnte daraus der Beweis dafür abgeleitet werden, daß Rußland bereit war, in nächster Zeit, frühestens 1917, einen großen Krieg auszulösen? Man wird sagen können, daß aus diesem Dokument keineswegs ein unmittelbares Kriegsinteresse Rußlands herauszulesen ist; dagegen spricht die Projektierung einer Aktion für frühestens 1917–1919 und vor allem die russische Politik im Frühjahr und Sommer 1914, die darauf ausging, Bulgarien von kriegerischen Aktionen abzuhalten und die Türkei womöglich ins eigene Lager zu ziehen. Gewiß, was 1917 geschehen wäre, läßt sich historisch nicht beweisen. Sicher ist aber, daß nach den Protokollen der beiden Sonderkonferenzen Petersburg einen Krieg nur an der Seite der Westmächte in Aussicht nahm. Es war jedoch, wie gezeigt wurde, nicht imstande, sie zur Teilnahme an einer kriegerischen Aktion gegen Konstantinopel zu verpflichten. Damit aber war ein solches Vorgehen jedenfalls bis zu dem Zeitpunkt, da Rußland für eine selbständige Durchführung stark genug sein würde, als Casus belli ausgeschlossen.

---

82 Ibid., Bd. I, S. 92.
83 K. F. Šacillo, Razvitie černomorskogo flota, S. 118.
84 Bei Siebert findet sich kein Hinweis.

Daß diese russische Politik insgesamt der deutschen, die sich wirtschaftlich, politisch und militärisch so stark in der Richtung Berlin–Bagdad engagiert hatte, bedrohlich erscheinen mußte, ist unleugbar, und sie hat den Entschluß zum »Präventivkrieg« in den Kreisen der Militärs und der Regierung und gewisser Wirtschaftskreise noch verstärkt.

Die Türkei nähert sich Rußland

Nachdem Deutschland Ende 1913, Anfang 1914 sich, wenn nicht unwillig, so jedenfalls unfähig gezeigt hatte, der Türkei in ihrem finanziellen Bankrott zu helfen und diese Aufgabe Frankreich überlassen hatte, und nachdem sich weiterhin die Türkei der gemeinsamen Pression Deutschlands und Englands auf Erdölkonzessionen ausgesetzt sah, und schließlich das Auftreten des Generals Liman v. Sanders viele Türken verstimmt hatte, während zugleich die deutsche Militärmission wie die deutsche Regierung von der Türkei enorme Summen für den Ausbau der Bagdadbahn forderten [85], verschlechterte sich das deutsch-türkische Verhältnis zusehends, und die türkische Regierung suchte, unter Vermittlung der französischen Diplomatie, Annäherung an Rußland.

Seit März 1914 warnte Wangenheim seine Regierung vor dieser Schwenkung der türkischen Politik, worüber er aus Gesprächen mit seinem russischen Kollegen v. Giers in Konstantinopel indirekte Informationen besaß. Es fiel ihm auf, daß sich das Verhalten von Giers vollständig geändert hatte, wie positiv dieser zum Beispiel unaufhörlich von der augenblicklichen türkischen Regierung sprach. Giers habe ihm mitgeteilt – so meldete der Botschafter –, Rußland sei jetzt auf die Seite derjenigen getreten, die die Aufteilung der Türkei verhindern wollten; denn bei dieser würden die Russen sich wegen Konstantinopels und der Meerengen nicht gegen England durchsetzen können. Außerdem müßte Deutschland an einer Aufteilung beteiligt werden, und eine deutsche Nachbarschaft in Kleinasien sei Petersburg nicht angenehm [86]. Auch der österreichisch-ungarische Botschafter in Berlin warnte zur selben Zeit das Auswärtige Amt vor der neuen Politik des Zarenreiches. Szögyény stellte fest, daß die spürbare russisch-türkische Annäherung von Rußland ausgehe. Wie Wangenheim meldete auch er, Giers habe dem Großwesir gegenüber die Meinung vertreten, seine Regierung gedenke alles zu vermeiden, was ihr Deutschland auch noch in Asien zum Nachbarn machen könnte (Marginalie des Kaisers dazu: »Wird es auch nicht, wenn es Stambul oder Armenien nimmt.[87]«)

---

85 Vgl. Hallgarten II, S. 441 ff.
86 GP 39, Nr. 15 856, Wangenheim an AA, 26. 3. 14.
87 AA-Bonn, Orient Gen. 5, Bd. 95, Öst.-ung. Botschaft Berlin an AA, 27. 3. 14. Auch der deutsche Geschäftsträger in Wien, Stolberg, bestätigte die Eindrücke der österreichischen Politiker von der türkisch-russischen Annäherung.

Die Umorientierung der russischen Politik muß auf dem Hintergrund der Februar- und Märzkonferenzen in Petersburg gesehen werden – Reaktionen auf die Liman-Sanders-Provokation. Sie hatten ergeben, daß Rußland zu einer gewaltsamen Inbesitznahme der Meerengen zur Zeit nicht in der Lage sei; deshalb mußte es jetzt vor allem dafür sorgen, jede fremde Inbesitznahme auszuschließen. Das schien am ehesten durch eine russisch-türkische Annäherung erreichbar.

Die Wiener Regierung war von ihrem Botschafter in Konstantinopel, Markgraf Pallavicini, darüber unterrichtet worden, der mit Recht als besonders genauer Beobachter der dortigen Szene galt: Er teilte am 23. März 1914 mit, daß ein türkisch-russisches Komitee gegründet worden sei, das sich die Verbesserung der beiderseitigen Handelsbeziehungen zur Aufgabe gestellt habe. Dies sei aber seiner Ansicht nach nur die äußere Etikette einer Entwicklung, der »viel weitergehende politische Bedeutung beizumessen ist«.

»Rußland arbeitet seit längerer Zeit mit französischer Unterstützung daran, einen Umschwung in der türkischen Politik herbeizuführen, und sind diese Anstrengungen, wie ich aus verschiedenen Anzeigen in der letzten Zeit entnehmen konnte, nicht ohne Erfolg geblieben. Es macht sich hier mehr und mehr ein Einschwenken der Regierung zur Gruppe der Ententemächte bemerkbar. An diesem Umschwung der türkischen Politik dürfte zum großen Teile die Haltung Deutschlands Schuld tragen, welche bei der Pforte das Gefühl wachgerufen hat, sie sei in allen vitalen Fragen der letzten Zeit von Deutschland im Stich gelassen worden. Ich habe den Eindruck, daß man sich türkischerseits von der deutschen Freundschaft mehr erwartet hat und über die Haltung des Dreibundes und speziell Deutschlands in der Inselfrage sehr enttäuscht war. Die türkischen Sympathien für das Deutsche Reich dürften auch durch das zu starke Betonen der Interessensphärenpolitik in Berlin abgekühlt worden sein.«

Besonders ungeschickt sei es gewesen, der türkischen Regierung gegenüber immer von deutschen, italienischen, englischen und französischen Interessensphären zu sprechen und das Land in fremde »Arbeitsfelder« einzuteilen. Die Russen, als die nicht unmittelbar Beteiligten (sie hatten in Armenien durchaus ihre eigenen Interessen), hätten diese Kränkung geschickt ausgenutzt und die türkische Regierung zu überzeugen versucht, daß ihr Reich als einzige Großmacht kein Interesse an der Aufteilung Anatoliens habe [88]. Wenige Tage später kam der Botschafter auf die Frage der Umorientierung der türkischen Politik zurück, indem er noch ein weiteres Motiv nannte, nämlich den türkischen Eindruck, man sei in der Frage der Militärmission von Deutschland im Stiche gelassen worden.

»Der bisherige Glaube an dessen Allmacht ist erschüttert; die großen russischen Rüstungen impressionieren.[89]«

---

88 ÖU 7, Nr. 9503, Pallavicini an ö.-u. AA, 23. 3. 14.
89 Ibid., Nr. 9550, Pallavicini an ö.-u. AA, 4. 4. 14.

Die führenden Politiker in der Türkei seien zu der Überzeugung gekommen, daß man im Falle eines russischen Angriffes allein stehe und sich auf niemand, auch nicht auf Deutschland, verlassen könne. Deshalb strebe man jetzt eine russische Garantie der Existenz des türkischen Staates an. Talaat Bey, der Innenminister, habe die Lage in folgendem Bild beschrieben: »Die Türkei befinde sich in der Lage eines Mannes, der in einem Wald von einem Räuber angefallen werde, und der gerne seine Kleider, sein Geld und seine Habseligkeiten ausliefern werde, nur um das Leben und allenfalls ein Hemd zu behalten.« Halil Bey, der Präsident des Staatsrats, habe ihm erklärt, Rußland betreibe eine aktive Politik, würde der Dreibund das gleiche tun, so wäre alles ganz anders; »jedoch hätten die Ereignisse der Vergangenheit (er spielte hier auf die Balkankriege und die Inselfrage an) die Türkei belehrt, daß auf eine dezidierte Stellungnahme seitens des Dreibundes leider nicht zu rechnen sei«. Aus diesen Gesprächen schloß Pallavicini, der Abschluß eines Geheimvertrages zwischen der Türkei und Rußland sei sehr wohl denkbar, »des Inhalts etwa, daß letzteres gegen freie Bosporuspassage der ersteren den Schutz der Dardanellen garantiere«.

Wangenheim teilte den Pessimismus Pallavicinis nicht ganz. Wie sein Bericht vom 25. März 1914 zeigt [90], glaubte er nicht daran, daß es den russischen Bemühungen so schnell gelingen könnte, das jahrzehntelange Mißtrauen zwischen Konstantinopel und Petersburg zu überwinden. Er meinte auch, es würde den Russen an Geduld fehlen, in diesem Bündnis so lange auf ihre Aspirationen Verzicht zu üben; – und er glaubte deswegen immer noch an eine erfolgreiche deutsche Politik in der Türkei. Aber zehn Tage später warnte auch er dringender vor dem neuen Wind, der in Konstantinopel wehte. Am 6. April berichtete er dem Auswärtigen Amt über eine Unterredung mit dem Präsidenten des Staatsrats, Halil Bey, den er als das einflußreichste Kabinettsmitglied charakterisierte. Deutlich habe Halil Bey seiner Enttäuschung über die deutsche Politik Ausdruck gegeben und eine bevorstehende Neuorientierung der Türkei angekündigt. Die Pforte habe zwei Dinge gelernt. Erstens: Die Triple-Entente, vor allem Rußland, sei stärker und willenskräftiger als der Dreibund; zweitens: Der Dreibund stütze die Türkei nicht gegen Rußland. Darum, so habe Halil Bey gefolgert, müsse die Türkei sich mit Rußland und seinen Verbündeten verständigen. Dieser Mitteilung gab Wangenheim noch größeres Gewicht, indem er die Vermutung Pallavicinis über ein bevorstehendes türkisch-russisches Geheimbündnis weitergab. Eine solche Nachricht mußte Berlin alarmieren!

90 GP 39, Nr. 15 856, Wangenheim an Bethmann Hollweg, 26. 3. 14; GP 38, Nr. 15 434, Bericht Wangenheims an AA, 6. 4. 14, über die Unterredung mit Halil Bey.

Wie Pallavicini war auch Wangenheim der Meinung, Deutschlands Politik trage an der drohenden russischen Ausrichtung der türkischen Regierung die Schuld. Monate hindurch hatte Wangenheim vor dem vom Kaiser befürworteten Plan gewarnt, unter der Protektion Deutschlands eine griechisch-türkische Aussöhnung herbeizuführen. Anfang Mai 1914 sprach er seine Bedenken noch einmal ganz hart aus: Der Stellungnahme Deutschlands für König Konstantin in der Inselfrage werde die Türkei niemals zustimmen. Als der Botschafter in einer Audienz beim Großwesir weisungsgemäß den »griechischen Charakter« der Inseln hervorhob, sei ihm kühl erwidert worden: »Deutschland meint also, daß wir auch Smyrna und schließlich Konstantinopel an Griechenland abtreten sollen, weil da so viele Griechen wohnen. Warum geben Sie nicht Lothringen zurück? [91] Dem in Berlin ins Auge gefaßten Balkanbund zwischen Griechenland, Rumänien und der Türkei unter Anlehnung an Deutschland stellte Wangenheim die Konzeption eines Bündnisses zwischen Rumänien, Bulgarien und der Türkei entgegen, weil er auf diese Weise dem »voraussichtlichen Plan Rußlands«, Serbien, Bulgarien und die Türkei auszusöhnen und an Rußland heranzuführen, zu begegnen hoffte.

Einen Höhepunkt der sich abzeichnenden Annäherung zwischen Rußland und der Pforte bildete der Empfang einer türkischen Sondergesandtschaft, bestehend aus dem Innenminister Talaat Bey, dem früheren Kriegsminister Izzet Pascha und Oberst Schükri Bey, durch den Zaren auf dessen Sommersitz Liwadia auf der Krim am 11. und 12. Mai 1914. Zu diesem Ereignis kamen aus Petersburg der russische Außenminister Sasonow und aus Konstantinopel der russische Botschafter v. Giers. Giers empfahl seiner Regierung, »die Ankunft der Gesandtschaft zuzulassen, damit nicht der für uns gegenwärtig sehr ungünstige Eindruck hier Wurzel faßt, daß wir die jetzige Regierung in ihrem Bestreben, eine Annäherung an Rußland zu suchen, nicht fördern wollen« [92]. Wie Sasonow seine Botschafter in Paris, London, Wien und Berlin instruierte, hat Talaat Bey bei der Begegnung unmißverständlich zum Ausdruck gebracht, daß die Türkei engste Annäherung an Rußland wünschte. Der Türke habe, so betonte Sasonow, besonders das Wort »Alliance« zweimal ausgesprochen, worauf er erwidert habe, »daß diese Frage natürlich einer Prüfung bedürfe, daß wir aber von jetzt an bereit seien, eine gegenseitige Annäherung (rapprochement) zu fördern«. Es zeigte sich, daß in der Frage der Meerengen, auf die von den Russen sofort das Gespräch gelenkt wurde, eine Einigung nicht leicht zu erreichen sein würde. Die Russen beharrten auf ihrem Standpunkt:

91 AA-Bonn, Orient Gen. 5, Secr. Bd. 17, Wangenheim an Jagow, 5. 5. 14.
92 Internationale Beziehungen, Reihe I, Bd. 2, Nr. 295, Giers an Sasonow, 25. 12. 14. Der Wunsch zu diesem Treffen war von der jungtürkischen Regierung ausgegangen. Zu den Gesprächen in Liwadia siehe den Bericht von Sasonow (undat.) an die russ. Botschafter in Paris, London, Wien und Berlin, ibid., S. 408–410, Beilage.

»was wir (die Russen) nicht zulassen könnten und womit wir uns niemals aussöhnen würden, das sei eine zeitweilige Situation, bei der wir in den Meerengen nicht nur mit der Türkei, sondern auch mit einer anderen Macht zusammenstoßen würden: in diesem Falle würden wir die Pflicht haben, uns selbst eine Sicherung unserer Interessen zu suchen«. Talaat stimmte dem zwar im allgemeinen zu, wich aber mit dem Hinweis auf den internationalen Charakter der Meerengenfrage aus.

Berlin erfuhr von verschiedenen Seiten vom Inhalt der Gespräche. Der deutsche Botschafter in Petersburg, Graf Pourtalès, berichtete von dem angenehmen Eindruck, den der Besuch beim russischen Außenminister hinterlassen habe; fügte aber als seine persönliche Meinung hinzu, daß er der optimistischen Beurteilung des Treffens durch Sasonow nicht allzu große Bedeutung beimessen wolle[93]. Pourtalès' Interpretation stimmte mit der Meinung des Staatssekretärs v. Jagow überein[94], jedenfalls so, wie er sie gegenüber Wien und gegenüber Wangenheim aussprach: Jagow berief sich darauf, daß Versuche zu einem Abbau des russisch-türkischen Mißtrauens immer wieder unternommen worden, aber auch immer wieder im Sande verlaufen seien. Es muß offenbleiben, ob diese Stellungnahme Jagows nicht in erster Linie dazu dienen sollte, die bestürzten österreichisch-ungarischen Politiker zu beruhigen. Graf Berchtold jedenfalls war über die russisch-türkischen Gespräche in Liwadia so besorgt, daß er seinen Botschafter in Konstantinopel nach Wien kommen ließ, um ihn über die Lage zu befragen. Dieser hat ihn, nach seinen uns bekannten Ansichten, gewiß nicht beruhigt[95]. Zweifellos hat die Zusammenkunft von Liwadia die Kräfte in Berlin bestärkt, die in Rußland eine für Deutschlands Interessen und europäische Machtstellung bedrohliche Zukunftsgefahr sahen und auf einen Präventivkrieg gegen West und Ost hindrängten.

93 GP 36 II, Nr. 14 595, Pourtalès an Bethmann Hollweg, 24. 5. 14.
94 Vgl. ibid. Fußnote, S. 750.
95 Vgl. ÖU 8, Nr. 9664 und 9665, Berichte von Pallavicini, 13. 5. 14, über die politische Lage nach den Gesprächen in Liwadia.

XVI. KAPITEL

Die Krise der deutschen Handelspolitik: Die Diskussion im Frühjahr 1914

I. Wirtschaftliche Rezession 1913/14

Das Jahr 1913 wird, betrachtet man die wirtschaftliche Entwicklung des Deutschen Reiches vor dem Ersten Weltkrieg von der konjunkturtheoretischen Seite her, zur letzten Aufschwungphase gerechnet, die seit dem Jahre 1909 datiert. Zugleich wird mit dem Jahre 1913 das Endjahr der großen, die wirtschaftlichen und sozialen Verhältnisse Deutschlands verändernden Zunahme der Industrieproduktion angesprochen.

Ende des Jahres 1912 wußte der Centralverband deutscher Industrieller zu berichten, daß sich trotz aller politischer Unruhe »unsere deutsche Industrie zur Zeit in einer Konjunktur befindet, die man als eine andauernd glänzende bezeichnen kann«[1]. Ein ebenso optimistisches Bild zeichnete der Jahresbericht des Stahlwerksverbandes von seiner Unternehmergruppe, und selbst Emil Kirdorf wußte von einer Kohlenhausse zu berichten, wie sie noch nie dagewesen sei.

Vor allem wurde betont, daß der Grund für diese Hochjunktur der deutschen Stahlindustrie in einem Nachlassen der amerikanischen Expansion zu suchen sei, und festgestellt, daß die Möglichkeit der nach den Worten Klöckners derzeitigen glänzenden Exporttätigkeit der deutschen Eisenindustrie nur ermöglicht worden sei durch die strikt durchgeführte Handelspolitik des Schutzes der nationalen Arbeit. Erst dadurch nämlich sei es möglich geworden, in Konkurrenz mit Amerika zu treten. Tatsächlich hatte Deutschland erst jetzt begonnen, auf dem Weltmarkt Amerika und England Konkurrenz zu machen, und unterstützt von den deutschen Großbanken, gelang es auch in verhältnismäßig kurzer Zeit, sich eine Position zu erobern. Wenn auch dieses Engagement im Vergleich mit dem binnenländischen als nicht sehr hoch eingeschätzt werden darf, so bedeutete doch

---

1 DIZ, Nr. 50, 14. 12. 12, S. 864, Rötger auf der Delegiertenversammlung des CdI vom 12. 12. 12.

die Intensivierung des Exportes nicht nur eine Erschließung neuer Absatzmärkte, sondern zugleich auch eine Absicherung der binnenländischen Position, die ja zumeist durch Syndikatsabsprachen bestimmt war. Bei einer
Zunahme von 8,4 bzw. 10,5 % in den Jahren 1911, 1912 und 1913 der
deutschen Roheisenerzeugung, deren syndikatsmäßige Bindung in Quoten
abhängig war von der Leistung der einzelnen Unternehmen im Export,
bedeutete das Ausgreifen nach Übersee für die Konzerne die einzige Möglichkeit, ihre Position auf dem Binnenmarkt auszubauen. Bei allen Trans-
aktionen aber waren sie dabei in zunehmendem Maße auf die Unterstützung der Banken angewiesen. Nur mit Hilfe dieser Banken war es möglich
gewesen, die industrielle Entwicklung in Deutschland voranzutreiben.

Hier aber zeigte sich nun frühzeitig, wie schmal die Kapitaldecke der
deutschen Banken in zunehmendem Maße wurde. Nicht nur engagiert im
Staatsanleihenwesen, in der Besorgung von Kommunalobligationen, Eisen-
bahnaktien und anderen Effekten, sondern vor allem in der Beschaffung
des notwendigen Kapitals für die Investitionen der deutschen Industrie –
und zwar nicht nur der Montanindustrie – waren die deutschen Banken
immer weniger in der Lage, allen Anforderungen, sowohl den politischen
als auch den wirtschaftlichen, gerecht zu werden.

Der deutsche Kapitalmangel

Vor allem aber verschlossen sich die ausländischen Geldmärkte und Börsen
immer mehr, je stärker das deutsche Engagement zu Friktionen mit den
jeweiligen nationalen Interessen führte. Der »größte Geldgeber« war immer noch London; Englands großer Einfluß in Südamerika, insbesondere
in Argentinien, aber auch in Portugal und Spanien ruhte auf der Emis-
sionstätigkeit der Londoner Börse. Am »reinsten«, so sah es Riezler, sei
die Methode des »finanziellen Imperialismus« durch Frankreich ausgebildet worden [2]:

> »Frankreich ist nicht durch größeren Reichtum, aber durch größere Liquidität
> zum Bankier der Welt geworden. Deutschland, England, die Vereinigten Staa-
> ten sind heute bei weitem reicher; aber keines dieser reicheren Länder hat so
> viel liquides, anlagesuchendes Kapital als Frankreich.«

Der Geschäftsbericht der Disconto-Gesellschaft für 1913 sprach den deutschen Kapitalmangel indirekt aus und gab zu, daß allein politische Gründe für die trotzdem emittierten Auslandsanleihen maßgebend gewesen
seien:

---

2 J. J. Ruedorffer (d. i. K. Riezler), Grundzüge der Weltpolitik in der Gegenwart, Stuttgart/
Berlin 1914, S. 235 f.

»Wenn deutsches Kapital stärker als in den letzten Jahren für ausländische Anleihen in Anspruch genommen worden ist, so geschah es wesentlich aus Rücksichten und Verpflichtungen politischer und wirtschaftlicher Natur, denen sich
das deutsche Kapital nicht entziehen konnte. Das gilt sowohl für die deutsche
Beteiligung an der großen chinesischen Reorganisationsanleihe als auch für die
Übernahme österreichischer, ungarischer und rumänischer Anleihen. . . . Wenn
die Übernahme einer fremden Anleihe politisch nützlich ist, wenn die Aufrechterhaltung alter und bewährter Beziehungen zu einem fremden Lande in
Frage kommt, und wenn die Öffnung des inländischen Marktes für die Geld-
bedürfnisse des Auslandes, sei es sofort oder erst in Zukunft, direkt oder indirekt, unserem Handel und unserer Industrie die Betätigung im Auslande erleichtern kann, so darf die augenblickliche Lage des Geldmarktes nicht allein
ausschlaggebend für die Entscheidung sein. Vielmehr ist im Auge zu behalten,
daß die Machtstellung eines Staates nicht nur durch seine Wehrkraft, sondern
auch durch die Kapitalkraft seiner Bevölkerung bedingt wird, sowie daß Geltung und Ansehen einer Nation im Rate der Völker wesentlich auch vom recht-
zeitigen Gebrauch dieses Machtmittels abhängen.[3]«

Schlenker, der Interessenvertreter der Saarindustrie, verknüpfte diese Klagen mit dem Hinweis auf die sozialpolitische Belastung der deutschen Industrie. In einem Vortrag vor der Hauptversammlung der Eisenhütte
Südwest am 15. Februar 1914 betonte er [4]:

»So kommt es, daß uns das zur Entfaltung unserer wirtschaftlichen und politischen Macht nötige Geld, mit dem Frankreich den ›Bankier der Welt‹ spielt,
und mit dem es nach Rußland jetzt wieder in Griechenland politische und wirtschaftliche Eroberungen macht, nicht immer in dem wünschenswerten Umfange
zur Verfügung steht. Wir müssen noch viel mehr als bisher in die Lage kommen, *Deutschland* als *Geldmacht* einzusetzen für *Deutschland* als *Weltmacht*.«

Der Niedergang der Konjunktur 1913

Bereits 1911, während der Marokkokrise, hatte sich die Ermattung und eine spürbare Verknappung des deutschen Kapitalmarktes gezeigt, als die
Franzosen und Engländer kurzfristig ihre Gelder abzogen und ihre Börsen für deutsche Werte verschlossen. Mit Mühe nur hatte man die Börse
in Berlin liquid erhalten können. – Das war der Sachverhalt, auch wenn
damals die Regierung in Zusammenarbeit mit Bankiers wie Helfferich
und Fürstenberg diesen Eindruck zu zerstreuen suchte, indem sie offiziös
die deutsche Situation aus dem Marokko-Abkommen als sehr günstig hinstellte.

Ende des Jahres 1912, als durch die Balkankriege eine erneute Unsicherheit in das europäische Geldgeschäft getragen wurde, zeichnete sich
frühzeitig auf dem deutschen Geldmarkt eine Erschöpfung der Vorräte
an beweglichem Kapital ab. Wohl wurde betont, daß nach dem Abzug

---

3 Zit. Der deutsche Ökonomist, Nr. 1627, 7. 3. 14, S. 173 ff.
4 Südwestdeutsche Flugschriften Nr. 30, Saarbrücken 1914, S. 6, Arbeiterschutzgesetzgebung und
ihre wirtschaftlichen Rückwirkungen.

der ausländischen Kapitalien nun der deutsche Kapitalmarkt auf eigenen Füßen stehe und damit den Beweis erbracht habe, kapitalkräftig genug zu sein; aber trotzdem zeigte sich schon Ende des Jahres 1912 der Direktor der Deutschen Bank, Karl Helfferich, beunruhigt über die abwartende Haltung der Konsumenten und »die gewisse Ruhe«, die sich trotz der noch auf Hochtouren laufenden deutschen Industrie schon auf dem Industriemarkt bemerkbar mache. Um diese Unsicherheit und Unentschlossenheit zu überwinden und die Gefahr eines erneuten Sparkassensturms wie zur Zeit der Marokko-Krise aufzuhalten, entschloß man sich in den Zentralen der Banken, Optimismus zu verbreiten und, trotz interner Sorgen, der Öffentlichkeit Vertrauen einzuflößen.

Dies sollte vor allem 1913 ein Buch des Direktors der Deutschen Bank, Karl Helfferich, bewirken, das mit lebhaftesten Farben den deutschen Volkswohlstand und die Sicherheit der deutschen Valuta schilderte: ›Deutschlands Volkswohlstand 1888–1913‹. Das Buch Helfferichs war als Auftragsarbeit in Zusammenarbeit mit der Regierung entstanden und sollte vor allem auch im Ausland den kritischen Stimmen entgegentreten. In gleiche Richtung zielte das Buch Steinmann-Buchers, des Herausgebers der ›Deutschen Industriezeitung‹, das den programmatischen Titel trug: ›Das reiche Deutschland‹. Das Buch Helfferichs lag bis Juni 1914 in vier Auflagen vor und hatte zweifellos einen großen Einfluß auf das Verhalten des Börsenpublikums. Es konnte aber trotzdem nicht die immer deutlicher werdende Erschöpfung der in Deutschland zur Verfügung stehenden Kapitalvorräte überdecken; denn auch Helfferich war gezwungen, zuzugeben, daß Deutschland sich bereits, wie er es euphemistisch ausdrückte, »auf dem Abstieg in ruhigere Bahnen befand«.

Eine zurückhaltendere Lageeinschätzung der deutschen Kapitaldecke und der Liquidität der Banken hielt 1913 einer der führenden Finanzfachleute im Preußischen Finanzministerium, der Wirkliche Geheime Oberfinanzrat Dr. Otto Schwarz, für geboten. Er setzte sich in einer Ende 1913 erschienenen Studie über die finanzielle Stellung der europäischen Großmächte [5] deutlich ab von der, seiner Meinung nach, viel zu günstigen Einschätzung in den Arbeiten Helfferichs und auch Rießers in dessen Buch ›Finanzielle Kriegsbereitschaft und Kriegführung‹. Von einer höheren oder gleich hohen Liquidität Deutschlands und Frankreichs nämlich könne keine Rede sein. Nach der »überaus bedenklichen Finanzkrise« des Jahres 1908/09 sei zwar durch die im »sozialen Sinne« nicht gerade befriedigende Lösung der Reichsfinanzreform von 1909 eine Besserung eingetreten, aber gerade die neuerliche enorme Belastung des Geldmarktes durch

---

5 Otto Schwarz, Die finanzielle Stellung der europäischen Großmächte. Zugleich im Hinblick auf ihre finanzielle Kriegsbereitschaft, Stuttgart 1913, S. 9, 16 ff. 20.

die große Heeresvorlage (1 Milliarde M. für den Wehrbeitrag, 186 Millionen laufende Mehrausgaben) habe wieder einen fühlbaren Rückschlag eingeleitet. Die abflachende Konjunktur kompliziere die Verhältnisse darüber hinaus:

> »In wirtschaftlicher Hinsicht beginnt sich ... die Lage zu verschlechtern. Die Ergebnisse des Rechnungsjahres 1911 weisen noch fast durchweg Rekordziffern auf. Für 1912 sind und werden die Ergebnisse meist nicht mehr ganz so günstig sein. Die Etats für 1913 zeigen aber fast durchweg bereits Spuren beginnender Schwäche. Sie bauen auf Hochkonjunktur und bedürfen meist doch neuer Steuern ... Schlechte Ernten, vorzeitiges Nachlassen der Hochkonjunktur könnte für die meisten von ihnen verhängnisvoll wirken.«

Diese Einschätzung gelte nicht nur für Deutschland, sondern für alle Staaten mehr oder weniger stark. Der »Rückschlag« der Konjunktur, der sich immer sichtbarer zeige, werde »voraussichtlich schärfer und von längerer Dauer sein ..., wie seine Vorgänger 1900 und 1907«. Insgesamt schätzte Schwarz die Lage der englischen Finanzen »auch heute noch als eine glänzende« ein. Die französische Finanzlage mache demgegenüber – schon angesichts der enormen Aufwendungen für die Rüstungen – einen »recht ungünstigen Eindruck ... Hier kann man schon heute von einem erheblichen wirklichen und einem noch größeren verschleierten Defizit sprechen«. Noch ungünstiger gestalte sich die Situation in Österreich-Ungarn: »Wenn erst die Gesamtliquidation der Balkanwirren vorliegt, wird sich nach alledem ein sehr trübes Bild der Finanzlage Österreich-Ungarns ergeben«. Günstiger liege die Sachlage in Italien. Am bemerkenswertesten hätten sich die Finanzverhältnisse in Rußland entwickelt: »Ein für die letzten Jahre durchweg glänzendes Bild weisen die russischen Finanzen auf.« Seit 1910 (keine Aufnahmen neuer Anleihen, Bereitstellung größerer Summen für den außerordentlichen Etat für produktive Zwecke [Bahnbau], gute Finanzverwaltung) habe sich die Verfassung der russischen Finanzen deutlich gebessert, nicht zuletzt auch aufgrund der »guten, für Rußland so außerordentlich wichtigen Ernten in den Jahren 1909 und 1910« und im Zuge der »allgemeinen wirtschaftlich günstigen Konjunktur«. Neuerdings, im Jahre 1913, sei wieder ein gewisser Rückschlag eingetreten. Die großen Heeres- und Flottenverstärkungen, als Reaktion auf das deutsche, österreichische und rumänische Vorgehen, würden kaum »ohne Anleiheaufnahme stattfinden können ... Ansätze zur Verschlechterung der Finanzlage sind also auch für Rußland gegeben«.

Bereits zu Beginn des Jahres 1913 zeichnete sich ein leichter Umschwung der Wirtschaftskonjunktur ab [6]; wohl steigerte sich noch die Roheisenpro-

---

6 Für den folgenden Abschnitt vgl. das grundlegende Werk: Arthur Feiler, Die Konjunkturperiode 1907–1913 in Deutschland, Jena 1914. bes. S. 129 ff. (Das Ende der Hochkonjunktur); Konsulatsberichte über die wirtschaftliche Lage und den Geldmarkt 1910–1914, in: Staatsarchiv Dresden.

duktion, der Bedarf war weiterhin groß, und die Werke hatten langfristige Aufträge gebucht. Aber weitere Bestellungen blieben aus, und die Preise bröckelten ab. Die Werke, die 1912 nur mit Überschichten der Nachfrage Genüge tun konnten, zeigten nun eine vorsichtige Marktdisposition. Diese Entwicklung begann nur zögernd und kaum bemerkbar, und erst als Mitte des Jahres in zunehmendem Maße auf Lager produziert werden mußte, zeigte sich das Ausmaß der rückläufigen Konjunkturbewegung. Ähnlich war die Entwicklung bei der Kohle; bereits im Januar/Februar begannen die Klagen und, obwohl das Syndikat die Preise hoch halten konnte, jedenfalls vorerst, begann auch hier der Markt nachzugeben, und nur durch neue große Exporte konnte die Preishaltung des Kohlensyndikats gestützt werden. Ende des Jahres 1913 hatte sich die Situation in der Montanindustrie im Vergleich zu 1911/12 bereits grundlegend gewandelt. Die Produktion war weiter gesteigert worden, aber die Preise stark gefallen. Besonders der heimische Absatz war gesunken und nur durch einen stark forcierten Export ausgeglichen worden, der durch die früher vorgenommene technische Verbesserung der Werke und die damit erreichte Verbilligung der Selbstkosten ermöglicht wurde. Ähnlich war die Situation in der Maschinen- und in der Textilindustrie. Nach einem kurzen Aufschwung begann auch hier eine zuerst zögernde und dann rasche Rezession. Überproduktion bei sinkenden Preisen, das war das Signum des Jahres 1913, Überproduktion angesichts neuer schwerer Auseinandersetzungen mit den Rohstofflieferanten Frankreich und Rußland, Überproduktion bei außerordentlich hohen Zinssätzen. Bereits Mitte des Jahres 1913 konnte der konservative ›Reichsbote‹ (6. Juli 1913), ebenso wie das sozialdemokratische ›Hamburger Echo‹ (12. Juli 1913) von einer wirtschaftlichen Krisis sprechen und Befürchtungen äußern, »daß die Zeichen am wirtschaftlichen Horizont ... auf Sturm und herannahende Katastrophen« deuteten. Wenn auch diese Äußerungen zweifellos als übertrieben gelten müssen, so bewirkte doch die starke Anspannung des Geldmarktes bei gleichzeitiger Stockung der Aufträge und sinkenden Preisen auf den Warenmärkten – wie es die Handelskammer Arnsberg aussprach – starke Kursrückgänge an der Börse für Aktienpapiere, aber vor allem auch für Renten.

Gerade der Rückgang der Rentenpapiere war ein Anzeichen für die Unsicherheit des deutschen Publikums, das angesichts der ungeklärten Lage auf dem Balkan auf einen baldigen Frieden hoffte.

Es war kein Wunder, daß Verbraucher und Händler aus ihrer Reserve

---

Außenministerium Nr. 6427, bes. Bericht v. Metzler (Frankfurt) vom 21. 2. 1914. Vgl. Jahresbericht der HK Essen, Mülheim, Oberhausen für 1913, S. 5 ff.; Wirtschaftliche Rundschau der DAGZ (dort auch die Jahresberichte der Handelskammern, der Banken, Reedereien und Schiffahrtsgesellschaften); vgl. Kurt Stenkewitz, Gegen Bajonett und Dividende, S. 146 ff.

nicht herausgehen wollten. Ebenfalls Mitte des Jahres 1913 mußte ein repräsentatives Presseorgan der Montanindustriellen zugeben, daß »in der gewerblichen Entfaltung Deutschlands ein Umschwung, eine Abschwächung« eingetreten sei. Zudem senkte sich der Beschäftigungsgrad in zahlreichen Industriezweigen, vor allem in der Eisen-, Holz-, Nahrungsmittel- und Textilindustrie. Auch nach dem Friedensschluß auf dem Balkan zeigte es sich, daß die ungünstige Konjunktur anhielt. Die Balkanwirren waren wohl mit einer der wesentlichsten Anlässe für die Entstehung der Rezession, aber als wesentlicher muß wohl die sehr starke Geldknappheit bei gleichzeitiger Überproduktion der stark expandierten Unternehmen als Grund der Depression gelten.

So stellte rückschauend die ›Deutsche Industriezeitung‹ am 28. Februar 1914 fest, daß der Geldmarkt »fast während des ganzen Jahres unter dem Zeichen der Geldknappheit gestanden« habe, einer Geldknappheit, »die einerseits auf die Erschöpfung der Vorräte an beweglichem Kapital, andererseits auf die politischen Beunruhigungen« zurückzuführen sei. »In den Zeiten des glänzenden Konjunkturanstieges«, so fuhr die ›Deutsche Industriezeitung‹ in ihrer wirtschaftlichen Analyse des Jahres 1913 fort, »– 1909 bis 1912 –, sei mehr Kapital verbraucht worden, als gleichzeitig durch Sparen wieder aufgebracht« werden konnte. Als nun der Mangel an Kapital deutlich wurde, und es zu gleicher Zeit zu einer Thesaurierung baren Geldes kam, schnellte der deutsche Diskontsatz auf eine empfindliche Höhe – der höchsten während der gesamten Konjunkturentwicklung seit 1908 –, und in zunehmendem Maße zwang dieser »höchste Zinssatz seit Jahren« (6 % Reichsbankdiskont, 5,88 % Privatdiskont) Handel und Industrie, in ihren Investitionen zurückhaltender zu werden. Der Geldbedarf konnte nicht mehr durch eine erhöhte Ausnützung des Bankkredits gedeckt werden. Zugleich aber konnten auf dem Kapitalmarkt nur noch mit Schwierigkeiten Anleihen untergebracht werden. Nach dem Urteil des Nationalökonomen Franz Eulenburg[7] zeigte der Kapitalmarkt ... eine auffallende Versteifung: »der Niedergang der Konjunktur ist ganz offensichtlich, wenn wir auch nicht direkt von einer Krise sprechen können ... Wir machen einen ausgesprochenen Niedergang unseres Wirtschaftslebens in seinen Anfängen durch.« Eulenburg prophezeite eine »Erschlaffung unseres Wirtschaftslebens für einige Jahre«. Seine Formulierung trifft sehr präzis die wirtschaftliche Lage Deutschlands im Jahre 1913. Krisenartige Entwicklungen waren nur auf einzelnen Sektoren feststellbar, zum Beispiel in der Bauindustrie und in der Lebensmittelindustrie. Gute Produktion hingegen zeigte bei weichenden Preisen immer noch die

---

7 Franz Eulenburg, Die gegenwärtige Wirtschaftslage in Deutschland, in: DWZ, Nr. 21, 1. 11. 13, Sp. 914 ff.

Montan- und Maschinenindustrie, die aber in zunehmendem Maße auf den Export angewiesen war, einen Export jedoch, der sich nur noch mit Hilfe von Dumping-Preisen einen Markt erobern konnte. Eine ausgesprochene Hausse erlebten die Elektrizitäts- und die chemische Industrie, vor allem die AEG, die Deutsch-Überseeische Elektrizitätsgesellschaft, Siemens-Schuckert, die Gesellschaft für elektrische Hoch- und Untergrundbahnen, die Märkischen Elektrizitätswerke, und die großen Farbwerke (Bayer, Hoechst, Badische Anilin & Soda-Fabrik).

Gestützt wurde die forcierte Exportpolitik – wenn auch nur noch mit großen Schwierigkeiten – von den Banken. Aber gerade auf diesem Sektor wiesen alle Anzeichen darauf hin, daß die deutschen Kreditverhältnisse in eine tiefgreifende Strukturkrise geraten waren. Wenn auch die Bankdirektoren zu Beginn des Jahres 1913 noch einem vorsichtigen Optimismus das Wort redeten – »von einem Zuendegehen der Konjunktur« sei nicht zu reden – so Herbert W. Gutman von der Dresdner Bank – und kein Grund ersichtlich war, von einer Wirtschaftskrisis zu reden, so konnte schon im April 1913 der nationalliberale Abgeordnete Paasche im Reichstag aussprechen: »Es ist doch unbestreitbar, daß die Beunruhigung auf dem Geldmarkt, die heute nicht nur die Börsenmänner, nicht nur die Banken und Großbetriebe, sondern vor allen Dingen auch die vielen, vielen kleinen Geschäftsleute unendlich hart und schwer trifft, die ihr Kreditbedürfnis kaum, oder nur zu ganz enormen Zinsen befriedigen können«, nicht mehr zu leugnen sei [7a].

Bereits begann man von einer »Erschlaffung unseres Wirtschaftslebens für einige Jahre« zu reden und die »Expansionsunvernunft, das Über-die-Absatzgrenzen-hinweg-kalkulieren« zu kritisieren [8]. Ende des Jahres 1913 bzw. im Frühjahr 1914 wurde es deutlich, daß die deutsche Wirtschaft sich wohl – trotz des Rückzuges ausländischer Gelder – als widerstandsfähig gezeigt hatte; es kündigte sich aber auch eine nicht zu verhüllende Rezession an. Besonders die Bilanzen der deutschen Großbanken, aber auch der deutschen Großunternehmen zeigten, daß ein Konjunkturumschwung vorhanden war. Obwohl die Provisions- und Zinsenkonten des Jahres 1913 noch angestiegen waren, hatten bereits die Verluste auf den Effekten- und Konsortialkonten die Mehreinnahmen aus dem regulären Inlandsgeschäft verschlungen. War auch im Jahre 1913 der gesamte buchmäßige Reingewinn bei den deutschen Großbanken noch höher als im Jahre 1912, so sank doch der Gewinn aus dem Auslandsgeschäft seit 1909 ständig.

7a H. W. Gutman, Was ist von der deutschen Wirtschaftskonjunktur 1913 zu halten? in: Die Mainbrücke, Nr. 2, 11. 1. 13, S. 10; Paasche (Nat. lib.) im RT, 10. 4. 14, zit. nach Schultheß' Europ. Gesch.kal. 1914, S. 172 f.
8 Alfons Goldschmidt, 1913, in: März (24. 1. 14), S. 136.

Bereits 1913 waren deswegen drei von den sechs großen Banken gezwungen, in einer Zeit scheinbar guter Wirtschaftsentwicklung ihre Dividende herunterzusetzen. Gleichzeitig waren auch die Notierungen für Stabeisen in vier Monaten von 124,50 Mark auf 109,00 Mark gefallen. Überproduktion und Geldverknappung, hohes Engagement auf dem Balkan, in der Türkei, Südamerika und Asien, die politischen und finanziellen Auseinandersetzungen mit England und Frankreich hatten es in Deutschland unmöglich werden lassen, die simple Forderung von Hugo Stinnes zu verwirklichen: »Billiges Geld, und alle Schwierigkeiten sind behoben.[9]«

Aber billiges Geld war nicht zu beschaffen, und daher blieben die Schwierigkeiten bestehen. Wenn man auch im Herbst 1913 die Hoffnung aussprach, »an der Klippe einer eigentlichen *Wirtschaftskrisis*«[9a] vorbeigekommen zu sein, so lagen doch die Kurseinbußen maßgebender industrieller Wertpapiere in der Zeit vom Dezember 1912 bis Dezember 1913 im Durchschnitt etwa um 10 %. Auch zu Beginn des Jahres 1914 glaubten die Banken und die deutsche Industrie nicht an eine Frühjahrskonjunktur. »Die Eisenmärkte liegen still« – klagte im Frühjahr 1914 die Berliner Handelsgesellschaft –, und die Preise neigten eher zu einer Abschwächung: »Auch das Auslandsgeschäft hat eine erhebliche Einschränkung erfahren. Seit mehr als zwei Jahren war ein so schwacher Export wie im Mai nicht zu verzeichnen.« Die Rezession schritt unaufhaltsam fort; Montanindustrie, Textilindustrie, Maschinenbauindustrie und das Baugewerbe wurden besonders betroffen. Einzelne Bankzusammenbrüche und Bankrotte kennzeichneten die Entwicklung im Sommer 1914; der Rückgang griff jetzt auch auf die Schiffahrtsindustrie voll über. Mitte des Jahres 1914 betonte der Verein Hamburger Reeder, das Wirtschaftsjahr 1913/14 sei ein Jahr »des ausgesprochenen Niederganges gewesen«. Und dieselben Klagen wurden im Baugewerbe und in der Textilindustrie hörbar, wobei jedoch die Rezession auf diesen Sektoren durchaus parallel verlief zu einer weltweiten Depression, die auch in Belgien und England zu Kapazitätseinschränkungen bis zu 10 % geführt hatte.

Arbeitsmarkt und Arbeitslosigkeit

Der wirtschaftliche Rückgang wirkte sich auch auf den Arbeitsmarkt aus. Während der Konjunktur der Jahre 1909 bis 1913 hatten nicht nur die Großindustrien ihre Konzerne erweitern können, war nicht nur der Absatz besonders der großen Monopolunternehmen mit hohen Profiten ho-

---

9 Zit. DAGZ, Nr. 48, 30. 11. 13, Wirtschaftliche Rundschau.
9a DAGZ, Nr. 38, 21. 9. 13, Wirtschaftliche Rundschau.

noriert worden. Gleichzeitig war es auch gelungen, den Reallohn auf einem Stand einfrieren zu lassen, der dem der Krise von 1907/08 entsprach. Die gleichzeitige erhebliche Steigerung der Ausgaben für Kleidung, Hausgerät und Nahrungsmittel verschärfte die Lage der Arbeiter schon während der Hochkonjunktur. Sie spitzte sich nun immer mehr zu, als durch Produktionseinschränkungen im Jahre 1913/14 Arbeiterentlassungen an der Tagesordnung waren. Der Arbeiter wurde nicht als ein Konsument, sondern wesentlich als ein Unkostenfaktor betrachtet. »Sehr große Bevölkerungsschichten« – so beobachtete der Wirtschaftsredakteur der ›Frankfurter Zeitung‹, Arthur Feiler –[10]

> »hörten 1910 von einer Vermehrung der Beschäftigung, aber sie verspürten bloß die Vermehrung des Wettbewerbs, mit dem sie zu kämpfen haben; sie hörten von der Ausdehnung des deutschen Wirtschaftsbetriebs und der deutschen Wirtschaftsbetriebe, aber sie spürten diese Ausdehnung als etwas gegen sie Gerichtetes, auf ihre Kosten Erfolgendes; sie hörten zwar von der Besserung der Wirtschaftslage, aber sie verspürten nur die Teuerung der Lebenshaltung durch Monopole, Zölle und Steuern«.

So traf die Rezession von 1913 nicht einen Arbeiterstand, der während der Hochkonjunktur eine erhebliche Verbesserung seiner Lage erreicht hatte, sondern, »dank den Unternehmerorganisationen und der Teuerung«, den in seinem Reallohn geschwächten Arbeiter der kleinen und mittleren Firmen wie auch der Großbetriebe.

Die dort während der Hochkonjunktur durchgeführten Rationalisierungen, die im Zuge der wirtschaftlichen Konzentration immer besser werdende Kooperation der Unternehmen auch in Streikzeiten hatte es mit sich gebracht, daß selbst in Hochzeiten der Produktion die Nachfrage nach Arbeitskräften in mäßigen Grenzen geblieben war. Selbst im Jahre 1912 gab es eine große Zahl Arbeitsloser. Man konnte also mit einer Arbeiterreserve rechnen und seine Politik diesen Umständen anpassen; denn die große Masse der Arbeiter, besonders die der wenig qualifizierten und der Hilfsarbeiter, konnten weder höhere Löhne durchsetzen noch der Arbeitslosigkeit entgehen. Während der Rezession des Jahres 1913 kamen auf 100 offene Stellen fast 179 männliche Arbeitsuchende. Im letzten Quartal des Jahres 1913 waren bei rund 9 Millionen Beschäftigten in Industrie, Bergbau und Baugewerbe etwa 450 000 Arbeiter ohne Beschäftigung. Wohl hatte der gewerkschaftliche Zusammenschluß den Arbeitnehmern die Möglichkeit gegeben, mit größerem Erfolg gegenüber den Unternehmern ihre Interessen anzumelden und durchzusetzen, aber bei einem Vergleich des Anstiegs der Löhne und der Preise ist festzustellen, daß die Preise der vegetabilen Lebensmittel im allgemeinen um 15 bis 25 %

---

10 Feiler, Konjunkturperiode 1907–1913, S. 87 f.

und die für Fleisch ebenfalls um 20 % gestiegen waren, während die Lohnerhöhungen nur in wenigen Fällen 10 % erreichten. Bei Bauhilfsarbeitern und Zimmerleuten schwankte die Steigerung je nach Situation und Macht der Organisation zwischen 5,9 und 16,8 %. Bei den Metallarbeitern betrug die höchste Zunahme 7,7 %, und der Zuwachs im Steinkohlenbergbau lag ebenfalls weit unter 10 %. So kamen die Gewerkschaften zu der Überzeugung, daß alle Bemühungen, einen Ausgleich zu der Verteuerung der Lebensmittel zu schaffen, immer schwieriger wurden. Der Gewerkschaftler Timm wies als Referent zum Thema »Arbeitslosenfürsorge« auf dem sozialdemokratischen Parteitag in Jena Mitte September 1913 [11] auf die wachsende Arbeitslosigkeit hin, für die er die »Überproduktion der vorhergegangenen Jahre«, den »Balkankrieg und andere wirtschaftspolitische Erschütterungen« verantwortlich machte. Er sprach davon, daß eine »große Wirtschaftskrise« hereinbreche, als deren Zeichen die »außerordentliche Teuerung aller Lebensmittel, der Mieten und aller Gebrauchsgegenstände« gelten müsse. Um diese Notstände zu beheben, forderte er die Regierung dazu auf, eine Arbeitslosenversicherung zu schaffen, Bestrebungen, die die Unternehmer jedoch strikt ablehnten. Als sich Ende des Jahres zeigte, daß es »als seine Erbschaft Kämpfe hinterließ«, »Kämpfe, hervorgehend aus den sich zuspitzenden sozialen Gegensätzen, Kämpfe, die jene Gegensätze noch weiter verschärfen müssen« [12], war die Erbitterung des industriellen Unternehmertums schon so weit fortgeschritten, daß jetzt immer beschwörender die Forderung ausgesprochen wurde, die soziale Gesetzgebung zeitweilig einzustellen, da sonst die Wettbewerbsfähigkeit der deutschen Industrie immer mehr in Frage gestellt werde. Die Verschärfung der sozialpolitischen Kampffronten war Anfang 1914 unübersehbar geworden. Eine zeitgenössische Stimme von Rang, die des Handelsredakteurs der ›Frankfurter Zeitung‹, Arthur Feiler, verband in einer kritischen Bestandsaufnahme die Symptome der »Wirtschaftskrise« mit denen der sozialpolitischen Auseinandersetzungen [13]:

> »So wächst die soziale Spannung, wächst die klaffende Spaltung zwischen Rohstoffindustrie und Fertigindustrie, zwischen den Nutznießern unserer Wirtschaftspolitik und den durch sie Benachteiligten, zwischen Besitzenden und Besitzlosen, zwischen Kapital und Arbeit. Und die Tendenz geht dahin, daß im Verlauf des Konjunkturrückgangs diese Spaltung noch größer wird.«

Die Krisensymptome schwächten sich tatsächlich auch in den ersten sechs Monaten des Jahres 1914 nicht ab. Der Kursverlust führender Industriewerte setzte sich ebenfalls fort. So fielen zum Beispiel die Aktien der

---

11 Parteitagsprotokoll Jena 1913, S. 385 f. (Referat von Timm über Arbeitslosenfürsorge).
12 Aufsatz von Kautsky in: Leipziger Volkszeitung, Nr. 302, 31. 12. 13, 8. Beil.
13 Feiler, Konjunkturperiode 1907–1913, S. 165.

G.B.A.G. vom 31. März 1914 von 195 auf 180,30 Punkte am 28. April, in der gleichen Zeit die der Laurahütte von 152 auf 144,50, der Deutsch-Luxemburg. Bergwerksgesellschaft von 131,60 auf 126,10, der AEG von 248,25 auf 242,25, der Siemens- und Halske-AG von 217,60 auf 212. Im Mai hielten sich die Kurse ungefähr auf diesem Niveau. Insgesamt – das machte die ›Wirtschaftliche Rundschau‹ der ›Deutschen Arbeitgeberzeitung‹ im Mai 1914 noch einmal deutlich [14] – war nicht zu verkennen, daß ein »Rückgang oder Stillstand« der wirtschaftlichen Entwicklung eingetreten war. So war im »ersten Quartal 1914 die Summe der Kapitalinvestierungen so klein wie in keinem Jahre der letzten Konjunkturperiode«, und die Unternehmungslust »blieb sogar noch hinter dem sogenannten Krisenjahre 1908 zurück«. Von da – Kapitalmangel, Rezession, sozialpolitische Belastung der deutschen Industrie – eine Erschwernis der deutschen Expansion abzuleiten, war nur ein Schritt:

»Unsere Kapitalkräfte (wachsen) noch nicht schnell genug... So ist dem deutschen Unternehmungsgeist, dem deutschen Kapital die Bahn gerade nicht geebnet. Aber erhöhte Leistungsfähigkeit gepaart mit größerer Anspruchslosigkeit muß die Schwierigkeit überwinden.[15]«

II. Die Diskussionen um die Erneuerung der Handelsverträge mit Rußland und Österreich

Der Aufmarsch der Interessenten in Deutschland

Auf diesem Hintergrund der wirtschaftlichen Rezession und der immer spürbarer werdenden Tendenz der großen Mächte und Märkte, sich abzuschließen, muß auch die Diskussion um die Erneuerung der deutschen Handelsverträge im Frühjahr 1914 gesehen werden. Frhr. v. Richthofen, der Geschäftsführer des Hansabundes, hatte bereits Ende Dezember 1913 von dem neuen »merkantilen Imperialismus« als Zeichen der Zeit, und ein Nationalökonom wie Frhr. Sartorius v. Waltershausen analog von einem »Neomerkantilismus« gesprochen. Die Serie der Handelsverträge, die 1904/05 geschlossen waren, liefen spätestens Ende 1917 ab, und es war klar, daß dieser Reichstag – sollte er nicht vorher aufgelöst werden – über die Modalitäten neuer Handelsverträge beschließen mußte. Das Kartell in Leipzig hatte sich ja auch gerade deswegen formiert, um die alte Kardorff-Mehrheit von 1902 wieder zu restituieren. Das mußte aber

---

14 DAGZ, Nr. 20, 17. 5. 14; ›Wirtschaftliche Rundschau‹; vgl. auch Mayer (Z) im RT, Bd. 292, 19. 4. 14, S. 6603, der von »internationaler, weltwirtschaftlicher Depression« sprach.
15 Der deutsche Ökonomist, Nr. 1625, 20. 2. 14, S. 97 ff. »Deutschlands Betätigung als Unternehmer im Auslande.«

um so schwieriger sein, als die nationalliberale Reichstagsfraktion sich immer stärker auf die Linie des Hansabundes ausrichtete, und somit – setzte man die Zuverlässigkeit des Zentrums für die Rechte voraus – zumindest die Möglichkeit einer sogenannten »Linksmehrheit« von Nationalliberalen, Fortschrittlern und Sozialdemokraten bestand, die das bisherige System auflockern könnte.

Für die Politik des Hochschutzzolls hatte man sich in Deutschland in den 30 Jahren vor 1914 entschieden. Nicht zuletzt aus Sorge, daß mit der Bildung einer mitteleuropäischen Zollunion der Warenumsatz mit den Vereinigten Staaten sowie mit Rußland und England so erheblich zurückgehen würde, daß Mitteleuropa als Absatz- und Produktionsgebiet einen Ausgleich nicht erbringen könnte. Den Beweis für die Richtigkeit dieser Handelspolitik sahen Landwirtschaft und Industrie in dem großen Anstieg der industriellen Erzeugung seit der Bismarckschen Hochschutzzollgesetzgebung. Man erblickte im einheimischen Wirtschaftsgebiet noch immer die »Hauptgrundlage unserer nationalen Arbeit« und betonte, daß nichts verhängnisvoller wäre, als wenn die deutsche Handelspolitik von dem Glauben geleitet würde, die Ernährung der Bevölkerung sei vom Außenhandel abhängig [16].

Der Aufmarsch der Interessenten hatte sich zuerst im Leipziger Kartell im August gezeigt. Seit diesem Zeitpunkt traten dann auch die Konkurrenten auf den Plan, der Hansabund und der Bund der Industriellen. Gegenüber den Leipziger Kartellgruppen, die an der Aufrechterhaltung des Status quo, dem Hansabund und dem BdI hingegen, die an einer Liberalisierung der bestehenden Tarifpositionen interessiert waren, verhielt sich die Regierung zunächst abwartend. Angesichts der scharfen Angriffe der »nationalen Opposition« auf ihre Politik, gab dann der Staatssekretär des Innern, Clemens v. Delbrück, im Reichstag am 20. Januar 1914 eine Erklärung ab, die den Wünschen des Kartells stark entgegenkam. Sie war mit den Ressorts Handel, Landwirtschaft und Finanzen in Preußen und mit dem Reichskanzler abgesprochen. Delbrück erklärte hier [17]:

»unsere Wirtschaftspolitik hat zweifellos einen allgemeinen großen wirtschaftlichen Aufschwung fast aller produzierenden Stände im deutschen Vaterlande zur Folge gehabt ... Wir haben aus diesem Grunde kein Interesse, an den bewährten Grundsätzen der bisher geführten Zoll- und Wirtschaftspolitik irgendwie zu rühren, und ich möchte im Anschluß an diese Ausführung als die ausdrückliche Meinung der Reichsleitung folgendes feststellen: Der Zolltarif vom 25. Dezember 1902 hat in Verbindung mit den auf seiner Grundlage abgeschlossenen Tarif- und Meistbegünstigungsverträgen sowohl den Interessen des inneren Marktes als auch unserem Streben nach einem erweiterten und ge-

---

16 Vgl. Schweighoffer auf dem 3. Reichsdeutschen Mittelstandstag in Leipzig, 24. 8. 13 und auf der Delegiertenversammlung des CdI am 15. 9. 13 u. ä.
17 RT Bd. 292, 20. 1. 14, S. 6637 ff.

sicherten Auslandsabsatz Rechnung getragen. Die Reichsleitung vertritt daher nach wie vor den Standpunkt, daß unser bisheriger Zollschutz im allgemeinen genügt, daß er aber auch aufrechterhalten werden muß, und daß ferner die Richtung unserer Vertragspolitik im wesentlichen dieselbe bleiben muß. Insbesondere muß unserer Landwirtschaft der derzeitige Zollschutz nach wie vor erhalten werden.«

Den »Interessentenkreisen«, das heißt vor allem dem Hansabund und BdI, machte Delbrück klar, daß der »gegenwärtige Zustand durchaus den Bedürfnissen der deutschen Volkswirtschaft« entspreche; Ziel müsse es sein, die »bisherige Wirtschafts- und Handelspolitik in gesicherten Bahnen fortzuführen«. Eine Kündigung der Tarifverträge von 1906 sei nicht geplant und »einstweilen« bestehe auch nicht die Absicht, »dem Reichstag eine Novelle zum Zolltarif vorzulegen«. Delbrück sprach die Hoffnung aus, daß sich die Vertragsstaaten mit Deutschland auf »einfache Verlängerung der geltenden Handelsverträge« einigen würden. Würden diese selbst die Verträge kündigen oder die Tarife ändern, dann müßten selbstverständlich von Deutschland die erforderlichen Maßnahmen getroffen werden. Die Eingaben der Verbände würden geprüft und der Wirtschaftliche Ausschuß würde gegebenenfalls zu Rate gezogen werden.

Die Äußerung Delbrücks vor dem Reichstag wurde als ein Beweis gegen die Auffassung gewertet, daß »Deutschlands Grenzen zu eng geworden waren«, und so interpretiert, daß die »Bereitschaft zum Kriegsrisiko in der Julikrise, die Rathenausche Mitteleuropaidee und die Strukturveränderungen« der deutschen Volkswirtschaft sich »nicht zu einer wirtschaftlich motivierten Expansion verknüpfen« lassen [18]. Zechlin glaubt, die Berücksichtigung des Beschlusses über die Handelspolitik vom Januar 1914 und das Interesse an Ersatzmärkten würden meine These aufheben, daß die deutsche Führung gewillt war, »diesen Krieg zum Durchbruch Deutschlands zur Stellung einer Weltmacht zu benutzen..., da die Ziele der deutschen Weltpolitik vor dem Krieg... durch den Ausbruch des Krieges keineswegs aufgehoben waren«. Die Überbetonung der handelspolitischen Entscheidung des Jahres 1914 in dem Sinne, wie sie Egmont Zechlin interpretiert, muß jedoch abgelehnt werden. Wie es die Diskussion um die Fortführung der deutschen Handelspolitik nach Kriegsausbruch zeigt, besonders die Gespräche zwischen Delbrück und Bethmann Hollweg im ersten Kriegsjahr, war die Handelspolitik ebenso wie die Mitteleuropafrage ein Problem, in dem sich Kontinuitäten im Übergang von Frieden zum Krieg darstellten. Dabei muß betont werden, daß die »Wiederherstellung des Status quo und dessen Ausbau« als momentan beste handelspolitische Lösung nicht gleichgesetzt werden darf mit der Absage Bethmann Hollwegs

---

18 Egmont Zechlin, Deutschland zwischen Kabinetts- und Wirtschaftskrieg, HZ 199, 1964, S. 402.

an jede expansionistische Politik. Vielmehr ist doch der Blick auf jene Formulierung Delbrücks zu richten – und darin berührte er sich mit den Eingaben des CdI, des BdL und der mit diesen beiden Organisationen verbundenen Pressure groups –, in der er den *gegenwärtigen* Zustand der Zoll- und Handelspolitik als den Bedürfnissen der deutschen Volkswirtschaft angemessen bezeichnete. Abgesehen von Delbrücks sehr allgemein gehaltener Aussage war aber gerade dieser Zustand außerordentlich gefährdet, da es unsicher war, ob es gelingen würde, sowohl die Wünsche der Landwirtschaft als auch der deutschen Industrie, vor allem gegenüber Rußland, durchzusetzen. Gerade die Aufrechterhaltung der Handelsverträge, die von den deutschen Handelspartnern als eine außerordentlich schwere Last empfunden wurden, war sehr zweifelhaft. Man wußte, daß Rußland darum kämpfen würde, diesen Vertrag aufzulösen und zu ändern.

Beachtet man diese Akzentsetzung in der deutschen Handelspolitik, so wird erkennbar, daß der Entschluß zu einer traditionellen Handelspolitik keineswegs in einem unüberbrückbaren Gegensatz stand zu den Mitteleuropaplänen Rathenaus oder zu den gleichzeitigen Bemühungen Kirdorfs, Stinnes' oder Thyssens, sich direkt an den Rohstoffbasen, sei es in Rußland, Frankreich oder Spanien zu beteiligen. Allen Überlegungen und Entscheidungen war gemeinsam, die autonome Position der deutschen Wirtschaftspolitik zu erhalten.

Zweifellos fehlte, wie Zechlin zu Recht betont, vor dem Krieg bei den Ressorts der Zwang, eine andere handelspolitische Orientierung einzuleiten, als sie bisher verfolgt worden war. Aber die Bemühungen der deutschen Unternehmer, einerseits in direkten Verhandlungen ihre Interessen zu sichern, andererseits mit Hilfe von Syndikatsabsprachen den Binnenmarkt zu erhalten, zeigen doch das Bestreben, neben die offizielle deutsche Handelspolitik Vereinbarungen zu setzen, die eine Alternative bilden könnten, wenn, wie es in allernächster Zeit erwartet wurde, die Fortführung einer Handelspolitik, basierend auf der Solidarität von Industrie und Landwirtschaft, unmöglich gemacht werden sollte. Auch die Anstrengungen um die Liberalisierung des Tarifes bedeuteten ebenfalls eine Alternative, ebenso wie die Ideen, eine mitteleuropäische Zollunion herzustellen [18a].

Das offenbare Dilemma einer weltmarktorientierten deutschen Wirtschaftspolitik, die aber gleichzeitig gebunden war an den Schutz ihrer Pro-

---

18a Vgl. in diesem Zusammenhang den Brief Delbrücks an Bethmann Hollweg, 13. 9. 14, DZA I, RKz 2476, Bd. 1, Bl. 105 f., aus dem deutlich hervorgeht, wie bedingt die Erklärung des Staatssekretärs vom Jan. 1914 zu verstehen war. Delbrück schrieb darin: »Ein Zollverein, der den größten Teil Europas umfaßt, bedeutet einen Bruch mit unserer Wirtschaftspolitik und leitet einen Abbau unserer Zölle ein ... Die Voraussetzungen, auf denen unsere bisherige Wirtschaftspolitik beruhte, liegen nicht mehr vor, wir kämpfen nicht mehr um die Herrschaft auf dem Weltmarkt.«

duktion und ihrer Landwirtschaft durch hohe Zollmauern, wurde zu Beginn des Jahres 1914 ebensowenig gelöst wie in den Jahren zuvor. Die Politik, die Bethmann Hollweg und Delbrück zu diesem Zeitpunkt einschlugen, war wohl weniger die einer Diagonalen, als vielmehr die der Erhaltung der traditionellen Politik. Aber sie war nichts weniger und nichts mehr als der bloße Aufschub der zur Entscheidung drängenden Frage nach der Weiterentwicklung und der zukünftigen Machtverteilung in Preußen-Deutschland. Daß dem so war, zeigen die sich an die Ausführungen Delbrücks anschließenden Diskussionen ganz deutlich.

Der Handelsvertragsverein interpretierte Delbrücks Erklärung in seinem Sinne, indem er erklärte, daß »durch die Entwicklung unserer Weltmarktbeziehungen die agrarische Wirtschaftspolitik immer stärker desavouiert und auch im Reichstag die Vertretung der wirtschaftlich reaktionären Tendenzen noch weiter geschwächt wird, so daß in absehbarer Zeit die handelspolitischen Rückschrittler endgültig und gründlich zu Boden geworfen werden können« [19]. Die Führung des BdI [20] war weit vorsichtiger; im Blick auf die Reaktion im Ausland wollte sie die Erklärung Delbrücks über eine »abwartende oder defensive Handelspolitik des Deutschen Reiches ... nur sehr bedingt« verstehen, da sich eine einfache Verlängerung, wie sie der Regierung vor Augen stünde, ohnehin bei dem Protest Österreich-Ungarns und vor allem Rußlands nicht erreichen lassen werde. Hinzu komme, daß auch die deutsche Regierung im Blick auf das jetzige Provisorium mit England (Verlängerung des Meistbegünstigungsvertrages bis zum 31. Dezember 1913) und auf den neuen amerikanischen Underwood-Tarif von 1913 und den alten Wunsch, Handelsverträge mit Dänemark, Spanien, Kanada und Argentinien abzuschließen, keine einfache Verlängerung der bestehenden alten Verträge ins Auge fassen könne. Der BdI halte die Neuregelung der deutschen Handelspolitik, vor allem auch für die deutsche Exportindustrie, im Sinne einer langfristigen Regelung für die wichtigste Aufgabe.

Der zurückhaltenden Stellungnahme zu den Delbrückschen Ausführungen von dieser Seite folgte weitgehende Zustimmung aus dem Lager des BdL und der Schwerindustrie, obwohl man auch hier eine Präzisierung der Vorstellungen seitens der Regierung vermißte. Die agrarische ›Deutsche Tageszeitung‹ wie die schwerindustrielle ›Rheinisch-Westfälische Zeitung‹ bemängelten allein den Zeitpunkt der Ankündigung Delbrücks und wiesen ebenso wie der BdI und der Hansabund auf die Stimmen aus Rußland hin, die eine einfache Verlängerung als unzumutbar für die russische

19 Zit. HC, Nr. 42, 24. 1. 14, »Verlängerung der Handelverträge« (Zuschrift des Handelsvertragsvereins).
20 Mitteilung der Geschäftsführung des BdI vom Jan. 1914 in: Veröffentlichungen des BdI, H. 7a, S. 79.

Industrie zurückgewiesen hatten [21]. Die Agrarier interpretierten Delbrücks Rede vor allem in dem Sinne, daß die von ihm ausgesprochene Hoffnung auf eine einfache Verlängerung der Verträge Deutschland zu sehr in eine passive Rolle hineinstelle.

Rußland begegnete der Politik der deutschen Regierung sofort stark ablehnend. Schon am 25. Januar erfolgte von einem Vertreter der Kadettenpartei [22] eine Antwort auf die Rede Delbrücks. Er forderte die russische Regierung auf, sich rechtzeitig darauf vorzubereiten, Gegenmaßnahmen zu ergreifen, um Deutschland keine Möglichkeit zu geben, äußere Komplikationen zu schaffen und dann wie 1904 die Bedingungen des deutsch-russischen Handelsvertrages zu diktieren. Von vornherein verquickte sich diese Agitation von russischer Seite mit der Verbitterung über die deutschen Haltung in der Liman-Sanders-Affäre. Am 13. Januar 1914 hatte die ›Nowoje Wremja‹ bereits Pressionen wirtschaftlichen Charakters gegen Deutschland gefordert. Von Januar bis April 1914 waren nahezu in jeder Nummer der Zeitung der Kadetten, der Oktobristen und der gemäßigten Rechten (das Barometer der offiziellen Stimmung war die ›Nowoje Wremja‹) Aufrufe enthalten, die dafür stimmten, den Rußland von den Deutschen im Jahre seiner Not (1904/05) auferlegten »unmöglichen, ungerechten, für die Ehre beleidigenden und materiell schädlichen« Handelsvertrag zu revidieren. – Allgemein wurde dazu aufgefordert, sich von dem deutschen wirtschaftlichen Einfluß zu befreien, wobei man sogar so weit ging, von der Befreiung von fremden Fesseln zu sprechen. So wurde von dem ehemaligen russischen Handelsminister Timirjasew folgende Stellungnahme berichtet: »Wir können nicht dulden, daß die russische Industrie von der deutschen vollständig erdrückt wird.«

Ablehnend war auch die Stellungnahme Österreich-Ungarns. Die österreichische Industrie forderte eine Revision des Handelsvertrages, weil die eigene Industrie unter dem alten Vertrag gelitten habe; während sich Deutschlands Ausfuhr nach Österreich-Ungarn seit 1901 mehr als verdoppelte habe (1901 – 492 Mill. Mark, 1912 – 1036 Mill. Mark), seien Österreichs Exporte nach Deutschland nicht entsprechend gestiegen. (Export nach Deutschland 1901 – 693 Mill. M., 1912 – 830 Mill. M.). Die Stimmung in Österreich gegen Deutschland war so scharf, daß der Präsident des Zentralverbandes der Industriellen Dr. Broche in der ›Neuen Freien Presse‹ davor warnte, den Handelsvertrag mit Deutschland zu kündigen. Er befürwortete einen Zusatzvertrag und im übrigen die »Auf-

21 RWZ, Nr. 114, 28. 1. 14 (vgl. Presseübersicht); Hoesch (Kons.) im RT, Bd. 292, 29. 1. 14, S. 6828 ff.; DWZ, Nr. 6, 15. 3. 14, Sp. 259 (Vortrag Schweighoffers vom 22. 1. 14).
22 Vgl. F. J. Notowic, Imperialističeskie protivorečija nakanune pervoj mirovoj vojny (Die imperialistischen Widersprüche am Vorabend des 1. Weltkrieges), in Istoričeskie zapiski, Nr. 23, 1947, S. 226; Zur Haltung von Timirjasew, vgl. DWZ, Nr. 8, 15. 4. 14, Sp. 354.

rechterhaltung des Vertrages für eine weitere 10jährige Vertragsperiode[23].

Am 4. März 1914 gab der preußische Minister für Handel und Gewerbe, von Sydow, im Preußischen Abgeordnetenhaus eine neuerliche Erklärung ab, die die Ausführungen Delbrücks bestätigte und präzisierte. Sydow machte klar, daß einerseits von einem Abbau der Zölle keine Rede sein könne, andererseits aber auch kein Bedürfnis zu einer allgemeinen Verstärkung des Zollschutzes vorliege. In der Frage der einfachen Verlängerung machte er geltend, daß bei einer Ablehnung einer solchen Politik von seiten der anderen Vertragsstaaten die »Frage einer Zolltarifnovelle brennend« werde, die »unsere Rüstmittel für den Abschluß neuer Verträge verstärkt, Neuerscheinungen auf dem wirtschaftlichen Gebiete berücksichtigt und zugleich einzelne Mängel des Zolltarifs beseitigt«[24]. Mit dieser Stellungnahme – Sydow hatte einen »Zusammenschluß der schaffenden Stände in Gewerbe und Landwirtschaft, dem das Zolltarifgesetz von 1902 zu verdanken ist«, bei einer »neuen« Lage verlangt – bewegte er sich auf dem Boden der Vorstellungen des Kartells. Für den BdI brachte Dietrich, der stellvertretende Vorsitzende seines Handelspolitischen Ausschusses, auf einem Vortrag am 21. März 1914 offen seine Enttäuschung zum Ausdruck und interpretierte Delbrücks und Sydows Ausführungen jetzt als ein eindeutiges Festhalten an der einseitigen Förderung der Landwirtschaft. Er stellte fest, daß beim deutschen Export der Rückgang der Fertigfabrikate ganz deutlich sei: 58 % des deutschen Exports bildeten Rohstoffe und Halbfabrikate, während nur noch 35 % Fertigfabrikate seien. Im Gegenzug forderte er eine tatkräftige Förderung der deutschen Exportinteressen: Das System der Einfuhrscheine, das die Agrarier auf Kosten der Exportindustrie gegenüber Rußland begünstigte, müsse eingeschränkt und abgebaut werden[25]. Der Vorsitzende des Handelspolitischen Ausschusses des BdI, Clauß, forderte zur gleichen Zeit für die Belange der sächsischen Industrie eine Novelle zum Zolltarif, die Vorbereitung einer allgemeinen Erneuerung der Handelsverträge und den Abschluß langfristiger Handelsverträge. Die agrarischen Wünsche (Milch-, Kartoffel-, Gemüse-, Heringszoll) müßten zurückgewiesen werden, und gleichzeitig sollte eine Ermäßigung der Futtermittelzölle stattfinden[26]. Außerdem appellierte der BdI an die Schwerindustrie, diesmal nicht mit den Agrariern zusammenzugehen. Dieser Appell war jedoch vergeblich. Beumer, der Ver-

---

23 Zit. DWZ, Nr. 8, 14. 4. 14, Sp. 356 (vgl. bereits den halbamtlichen Kommentar aus Wien vom Jan. 1914, der die einfache Verlängerung des bestehenden Vertrages als »selbstverständlich undenkbar« zurückgewiesen hatte, zit. HC, Nr. 50, 28. 1. 14); DWZ, Nr. 4, 15. 2. 14, Sp. 165 (Klagen österreichischer Industrieller).
24 PAH, Bd. 3, 41. Sitzung, 4. 3. 14, Sp. 3359 ff.
25 DI, Nr. 7, 6. 4. 14, S. 100 ff. Die zukünftige Gestaltung der deutschen Zoll- und Handelspolitik.
26 DI, Nr. 6, 20. 3. 14, S. 85 f. Zur Vorbereitung der Handelsverträge.

treter der Schwerindustrie, hatte schon am 3. März im Abgeordnetenhaus [27] darauf hingewiesen, daß die vorangegangenen Beratungen klargemacht hätten, daß die Mehrheit des Preuß. Abgeordnetenhauses wiederum entschlossen sei, »an der bewährten Wirtschaftspolitik des Fürsten Bismarck festzuhalten«. Auch weiterhin müsse die Wirtschaftspolitik vom Standpunkt der »Produktion aus orientiert werden und nicht vom Standpunkt des ›Nur-Konsumenten‹«. Er machte gegen Delbrück geltend, daß an eine einfache Verlängerung der Verträge nicht zu denken sei, da bereits die beiden Hauptkontrahenten, Österreich-Ungarn und Rußland, Änderungswünsche zugunsten ihrer Interessen vorgebracht hätten. Gleichzeitig appellierte Beumer an die deutsche Öffentlichkeit, man solle nicht soviel von »unserem Reichtum« reden und nicht soviel von der »Ausdehnung unserer deutschen Produktion und unserer Handelsbeziehungen«, wobei er an die Wirtschaftskrise der Jahre vor 1879 erinnerte. Hoesch für die Konservativen schloß sich am 4. März 1914 ausdrücklich den Ausführungen Beumers an; Deutschland dürfe nicht in der Defensive verharren, sondern müsse gegebenenfalls einen »Kampftarif« schaffen, das heißt: die Konservativen wollten einem Zollkrieg nicht ausweichen. Er erneuerte das Bündnisangebot an die Schwerindustrie und wollte für die Agrarier, wie er sich ausdrückte, allein die »Ausfüllung einiger unwesentlicher Lücken« durchgeführt wissen. Dabei müsse jedoch der gegenseitige »Besitzstand auf wirtschaftspolitischem Gebiet« zugesichert werden. Wie Beumer tadelte auch er die Verquickung des Systems der Meistbegünstigung mit dem System der Vertragspolitik; denn Beumer hatte davon gesprochen, Deutschland habe 1902 aufgrund der Meistbegünstigungspolitik zu viel verschenkt und dadurch »einer Reihe von Staaten in den Handelsverträgen aufgrund der Zolltarifnovelle von 1902 die deutschen Meistbegünstigungsobjekte viel zu billig verkauft«. Auch der Zentrumsabgeordnete Herold ebenso wie der freikonservative Führer Frhr. v. Zedlitz stellten sich hinter einen entsprechenden nationalliberalen Antrag, der noch durch einen von beiden eingebrachten Zusatzantrag stärker die Aufrechterhaltung des bisherigen Systems betonte. Für die Fortschrittliche Volkspartei wies Pachnicke darauf hin, daß mit dem Zolltarif von 1902 ein Höhepunkt erreicht sei, »von dem es nur noch einen Abstieg geben kann«. Das »Kartell der schaffenden Stände« interpretierte er als einen Versuch, nur den Agrariern das Feld freizumachen für neue Zollerhöhungen. Die Fortschrittliche Volkspartei wisse, daß Ermäßigungen nicht durchzusetzen seien; dafür werde sie ihre Politik darauf einrichten, »daß wenigstens keine Steigerung stattfinde«. Der Ruf nach Sammlung war für ihn ein »Tauschgeschäft zwischen dem

<hr />

27 PAH, Bd. 3, 40. Sitzung, 3. 3. 14, S. 3325 ff.; für die Sitzung am 4. 3. 14 vgl. die Reden von Hoesch (Kons.) ibid., Sp. 3344 ff. Pachnicke (FV), Sp. 3364 ff.; Leinert (Soz.), Sp. 3372 ff.

Großagrariertum und der Großindustrie: Gibst Du mir meine Agrarzölle, gebe ich Dir Deine hohen Industriezölle.« Pachnicke lehnte – vor allem auch im Interesse der Exportindustrie, auf die eine zukünftige Handelspolitik viel stärker zugeschnitten werden müsse – eine Politik des Zollkrieges ab und wollte den Antrag der alten Kardorff-Mehrheit ebensowenig unterschreiben wie Leinert als Sprecher der Sozialdemokratie. Dieser hob hervor, die ganze Zolltariffrage sei vorallererst eine finanzielle Frage, eine »Frage des Verdienstes der Interessenten und nichts weiter«. Hinter dem »Kartell der schaffenden Stände«, das seine Einigkeit betone, um auch auf die Regierung Eindruck zu machen, stände »weiter nichts als der organisierte Raubzug auf den Arbeitslohn aller Angestellten und Arbeitenden im Volke«. Die Verteuerung der Lebensmittel und aller notwendigsten Bedarfsartikel werde durch ein Fortführen der alten Politik nicht behoben, sondern nur noch gesteigert. Unter Ausspielung der Tatsache, daß 110 Sozialdemokraten im Reichstage säßen, forderte er, dem »Kartell der raffenden Stände« ein Kartell der »schaffenden Hände« entgegenzustellen. Gegen die Stimmen von Sozialdemokratie und Fortschrittlicher Volkspartei wurde der nationalliberale Antrag jedoch angenommen.

Mit dieser Haltung, die die Aufrechterhaltung, wenn nicht sogar den Ausbau des zollpolitischen Status quo anstrebte, wurde die Erbitterung der russischen Agrarier und Industriellen noch gesteigert, die ihrerseits gar nicht daran dachten, einer einfachen Verlängerung der für sie so ungünstigen Handelsverträge von 1904/05 zuzustimmen. Die die Situation noch verschärfende Formulierung des preußischen Handelsministers Sydow vom 4. März wurde in Rußland mit steigender Ablehnung aufgenommen.

Rußland gibt nicht nach

Die Verschlechterung des deutsch-russischen Verhältnisses angesichts dieser Stellungnahmen sowie der russischen Gegenmaßnahmen seit Januar 1914 spitzte sich im März und April zu einer offenen Krise zu. Für die russischen Agrarier bedeutete der deutsche Widerstand nur, um so fester an ihren Forderungen festzuhalten. Schon auf dem Kongreß südrussischer Exporteure in Kiew wurde Anfang März eine Resolution angenommen, in der es hieß:

»Rußland muß sich von der für eine Großmacht erniedrigenden wirtschaftlichen Abhängigkeit von Deutschland befreien. Zu diesem Zwecke sollten unverzüglich Maßnahmen ergriffen werden, um die Handelsbeziehungen mit anderen Staaten in höherem Maße zu fördern, besonders mit England, Belgien und Holland, wo es keine agrarischen Schutzzölle gibt. Bei Abschluß eines neuen Handelsvertrags mit Deutschland sind schriftliche Kontrakte für die nach Deutschland gehenden russischen Arbeiter zu fordern, und es müßte vertraglich festgesetzt werden, daß den russischen Saisonarbeitern der deutsche Arbeiterschutz voll zugute kommt. Schließlich soll untersucht werden, ob es nicht möglich ist, für die Hunderttausende von russischen Saisonarbeitern, die jährlich nach Deutschland gehen, innerhalb Rußlands selbst lohnende Beschäftigung zu finden. Gegen die offenen und versteckten Ausfuhrprämien deutscher Industriesyndikate wurde die Einführung von Ausgleichszöllen als wünschenswert bezeichnet.[28]«

Die deutschen Agrarier und Schwerindustriellen blieben ihrerseits fest: Die Presseorgane der deutschen Schwerindustrie, unterstützt von den agrarischen Blättern, drohten mehr oder weniger deutlich mit einem Zollkrieg. Ende März 1914 warnte das Blatt des Handelsvertragsvereins vor solchen Maßnahmen, die ohnehin schon bestehende diplomatische Spannungen nur noch weiter verschärfen könnten:

»Man braucht kaum darauf hinzuweisen, daß bei der hochgradigen politischen Spannung zwischen beiden Ländern jeder handelspolitische Konflikt eine ernstliche Belastungsprobe des Friedens bedeutet. Darum sollte man sich hüben und drüben vor aller Hetzerei und Scharfmacherei hüten.[29]«

Solche Mahnungen verhallten indes ungehört, nachdem die Reichsduma am 9. April 1914 als erste Gegenmaßnahme die Einführung eines Zolles auf Getreide (Roggen, Weizen, Gerste, Hafer, Buchweizen) sowie auf Erbsen und Bohnen in Höhe von 30 Kopeken per Pud (oder 3,96 M. für den Doppelzentner) beschlossen hatte. Damit wuchs auch die Kritik bei den Gruppen, die bis dahin für Mäßigung eingetreten waren. Der Handelsvertragsverein brachte die neue Sachlage am 20. April 1914 auf die Formel:

»Ja, wenn der neue Schutzzoll unsere Getreideeinfuhr gänzlich unterbindet, was ja sein Zweck ist, so kommt der Zoll einem tatsächlichen Einfuhrverbot gleich, das gleichfalls nach Artikel 5 des Vertrages nicht zulässig wäre ... *Unerhört ist es jedenfalls bisher in der europäischen Handelspolitik, daß ein Vertragsstaat gegen die Ausfuhr des anderen Vertragsstaates noch vor Ablauf des Vertrages in einer so einschneidenden Weise vorgeht* [30].«

Vor allem der deutsche Großgrundbesitz in Ostpreußen wurde durch diese russischen Abwehrmaßnahmen aufs schärfste bedroht. Gerade hier hatte man mit Hilfe des Einfuhrscheinsystems, das als Exportprämie wirkte, den Roggenanbau für den Export intensiviert. Diese Entwicklung war eine direkte Auswirkung des im Januar 1906 in Kraft getretenen Handelsvertrags mit Rußland, der die Zollsätze für Roggen von 3,50 auf 5 Mark pro Doppelzentner erhöht hatte, und die Fernwirkung der Aufhebung des sogenannten Identitätsnachweises für Getreide im Jahre 1894. Bis

28 Zit. Deutscher Außenhandel, Nr. 6, 20. 3. 14, S. 71.
29 Deutscher Außenhandel, Nr. 7, 4. 4. 14, S. 83, Zollkrieg mit Rußland?
30 Ibid., Nr. 8, 20. 4. 14, S. 93 ff., Ein deutsch-russischer Handelskrieg (I)?, (i. O. gesp.).

dahin wurde der Zoll nur dann rückvergütet, wenn nachgewiesen werden konnte, daß das exportierte Getreide vorher importiert worden war, also aus dem Ausland stammte. Seit diesem Zeitpunkt wurde auch für exportiertes deutsches Getreide ein sogenannter Einfuhrschein [30a] ausgestellt, der als direkte Exportprämie wirkte (Wer eine bestimmte Menge Getreide ausführte, erhielt dafür einen Einfuhrschein, das heißt, er konnte damit Getreide zollfrei importieren, später auch Kaffee, Öl, Petroleum). Durch die Erhöhung der Getreidezölle, vor allem von Roggen, stieg seit 1906 auch der Einfuhrschein im Wert, nämlich von 35 Mark pro Tonne auf 50 Mark. Letzten Endes lief das Einfuhrscheinsystem auf eine direkte Subventionierung der ostelbischen Landwirtschaft hinaus, die seit 1906 unter der Vergünstigung der hohen Getreidezölle und des gesteigerten Anreizes des Einfuhrscheines den Roggenanbau einseitig forcierte. Rittergut und Einfuhrscheinsystem bedingten einander. Seit 1908 wurde Deutschland wieder Roggenausfuhrland. Während bis dahin starke Einfuhrüberschüsse an Roggen zu verzeichnen waren, wurde jetzt in steigendem Maße exportiert, ein starker Anteil nach Rußland (das von keinem Lande außer Deutschland Getreideimporte aufnahm), hier vor allem nach Finnland und Polen-Litauen, dann aber auch in die früher vorzugsweise von Rußland belieferten skandinavischen Länder [30b]. 1913 stieg die deutsche Ausfuhr nach Rußland sogar auf 231 000 Tonnen. In der gleichen Zeit sank die russische Roggenausfuhr nach Deutschland von 1902 842 000 auf 1912 269 000 Tonnen; abgesehen von erntebedingten Schwankungen setzte dieser Rückgang deutlich seit 1907 ein. Wenn auch die russische Einfuhr ziffernmäßig noch über dem deutschen Export nach Rußland lag, so spielte der deutsche Roggen vor allem in den russischen Westprovinzen »die Rolle vernichtender Konkurrenz wie ehemals russischer Roggen in Deutsch-

---

30a Friedrich Beckmann, Einfuhrscheinsysteme, Karlsruhe 1911. Gottfried Junge, Die Getreideeinfuhrscheine im Rahmen unserer Schutzzollpolitik, Berlin 1912. – Für die statistischen Angaben vgl. Statist. Jahrb. f. d. Dt. Reich und die Tabellen bei Junge.

30b Ziffern für den deutschen Import und Export an Roggen:

	Einfuhr	Ausfuhr
	(in 1000 Tonnen)	
1894	653	49
1902	970	104
1906	418	229
1907	608	232
1908	347	594
1909	274	650
1910	389	820
1912	332	811
1913	364	937

Deutsche Roggenausfuhr nach:

	Rußland	Dänemark	Niederlande	Schweiz	Norwegen	Schweden
1902	6,5	28,6	18,5	0,3	7,3	28,3
1908	142,2	77	108,2	12,5	117,1	19,5
1910	134,1	146	134,7	62,0	139,6	55,1

land«. Zudem wurde der russische Roggenexport in die skandinavischen Länder durch die deutsche Konkurrenz stark beeinträchtigt. Zu dem Roggenexport trat noch eine erhebliche Roggenmehlausfuhr, die auch durch Einfuhrscheine subventioniert wurde. Nutznießer waren die Großagrarier in Ostelbien und die Seehandelsplätze in Ost- und Westpreußen. Seit 1909 mehrten sich in Rußland die Stimmen, die sich gegen den deutschen »Prämienroggen« wandten. Seit 1913 liefen die Vorbereitungen der landwirtschaftlichen Verbände in Rußland und auch der Regierung, die bei der Revision des Handelsvertrages vor allem die Abschaffung der deutschen Einfuhrscheine ins Auge faßten. Mußte diese russische Forderung, die zudem noch in Deutschland vom Hansabund und vom Bund der Industriellen unterstützt wurde, die Großagrarier alarmieren, so galt das gleiche von weiteren Restriktionsmaßnahmen. So zum Beispiel mußte die russische Drohung, die Grenzen für die polnischen Wanderarbeiter zu schließen, die Erntebestellung, die zu einem großen Teil von polnischen Wanderarbeitern bestritten wurde, erschweren. Aber auch die großen Seehandelsplätze – Danzig und Königsberg – standen, wie der Handelsvertragsverein konstatierte, vor einer »wirtschaftlichen Katastrophe«[31].

Hinzu kam die gravierende Drohung des russischen Verkehrsministeriums, der deutschen Industrie in Zukunft Lieferungsverträge für das russische Eisenbahnministerium zugunsten der englischen und französischen Konkurrenz zu entziehen, falls man nicht zur Stellung einer Kaution für die persönliche Sicherheit der russischen Agenten in Deutschland bereit sein sollte. Das war eine Antwort auf die antirussische Stimmung in Deutschland seit Frühjahr 1914, in deren Verlauf es mehrfach zu Belästigungen und teilweise zu polizeilichen Festnahmen russischer Agenten gekommen war. Zum anderen kam in dieser Maßnahme der Wunsch zum Ausdruck, durch gezielten Druck die deutsche Industrie vom russischen Markt fernzuhalten. Im April 1914 erließ der Marineminister einen Runderlaß, durch den die deutsche Industrie von Lieferungen nicht nur für direkte Zwecke des staatlichen Schiffsbaus, sondern auch von den Lieferungen des sonstigen Bedarfs der für das Marineministerium beschäftigten Werke ausgeschlossen werden sollte. Diesem Vorgehen der Verkehrs- und Marineminister soll sich auch der Kriegsminister, deutschen Korrespondentenberichten zufolge, angeschlossen haben. Die ›Frankfurter Zeitung‹ (9. April 1914) ging soweit, von einer »wirtschaftlichen Kriegserklärung« zu sprechen, die ein »ungewöhnlich hohes Maß von politischer Gehässigkeit« voraussetze[32]. Die

---

31 Deutscher Außenhandel Nr. 8, 20. 4. 14, S. 94.
32 Vgl. Deutscher Außenhandel, Nr. 8, 20. 4. 14, S. 99, Boykott der deutschen Industrie in Rußland? Der Art. der Frankf. Zeitung, Nr. 99, 9. 4. 14, ist abgedruckt bei Anton Jux, Der Kriegsschrecken in der europäischen Presse, Berlin 1929, S. 220 f. Zu den russischen Protesten vgl. die Quellensammlung bei Jux, S. 205 ff.

russische Politik konnte man jedoch auch emotionsloser interpretieren; der frühere französische Außenminister Gabriel Hanotaux hatte eine Woche vorher in einem Artikel in der ›Vossischen Zeitung‹ (1. April 1914) bemerkt, daß das Rußland des Jahres 1914 nicht mehr das Rußland des Jahres 1904 darstelle:

> »Rußland produziert jetzt selbst. Zu seinen Bergwerken und landwirtschaftlichen Produkten kommen noch Textil- und Zuckerfabriken. Das ungeheure Bahnnetz ist ausgebaut, und Rußland denkt sogar an Export... Das als ruiniert verschriene Rußland wird mit jedem Tag reicher und handelspolitisch von seinen Nachbarn unabhängiger.«

Vor allem waren in Rußland auch starke Strömungen wirksam, die Landwirtschaft von staatlicher Seite zu fördern. Nach Meldungen der ›Frankfurter Zeitung‹ vom 10. 6. 14 arbeite Rußland an einer Umgestaltung der Methoden seiner Ernteverwertung, die dahin zielte, den Privathandel auszuschalten. Die russische Staatsbank baue Getreidespeicher, bevorschusse das eingelagerte Getreide, um es je nach Marktlage anbieten zu können. Parallel dazu liefen Bestrebungen, den Auslandsverkauf durch staatliche russische Agenten in den einzelnen Ausfuhrländern zu regeln. Die ›Frankfurter Zeitung‹ brachte die Einführung des russischen Getreidezolls mit diesen Plänen in Verbindung. Der Agrarexperte F. Beckmann[32a] sah in dem Rückgang des russischen Getreideexports eine Bedrohung der auch nach Stolypins Tod fortgehenden russischen Agrarreformen und sprach in diesem Zusammenhang von einem russischen »Agrarimperialismus«. Tatsächlich erhielten nach der Entlassung Kokowzows in Petersburg diejenigen Gruppen innerhalb der Ministerialbürokratie das Übergewicht, die im Zuge eines umfassenden Agrarprogramms auch vor einem Zollkrieg mit Deutschland nicht zurückschrecken und sich sowohl den deutschen Getreideimporten wie den deutschen Landkäufen in den russischen Westgebieten widersetzen wollten[32b].

Die Dumabeschlüsse vom 9. April 1914 erhielten Anfang Juni 1914 Gesetzeskraft. Das Gesetz zur Erhöhung des russischen Getreidezolles wurde am 5. Juni 1914 vom Zaren endgültig unterzeichnet und trat am 12. Juni 1914 in Kraft. Mit diesem Gesetz schützte Rußland seine Grenzen gegen ausländische Getreideimporte mit einem Zoll von 30 Kopeken pro Pud (= 3,96 Mark pro Doppelzentner). Das bedeutete einen Schlag gegen die Landwirtschaft der deutschen Ostprovinzen; denn von dem deutschen Roggenexport, der 1913 9,34 Mill. Doppelzentner betrug, gingen allein

---

32a F. Beckmann, Die Entwicklung des deutsch-russischen Getreideverkehrs unter den Handelsverträgen von 1894 und 1904, in: Conrads Jahrbücher, 46. Bd., 1913, S. 145 ff.
32b Vgl. zu den innerrussischen Gruppierungen und Zielsetzungen den Bericht des französ. Geschäftsträger in Petersburg, Doulcet, vom 13. 3. 1914 in DDF, 3e Série, Tome IX, Nr. 453. Demnach gab es eine Front Landwirtschaftsminister, Finanzminister, Eisenbahnminister als Vertreter der harten Linie.

2,31 Mill. Doppelzentner nach Rußland[33]. Es blieb die Frage, ob die übrigen Roggenkäufer Deutschlands (Dänemark, Niederlande, Belgien, Norwegen, Schweden) diesen Überschuß aufnehmen könnten. Gleichzeitig war damit auch das Problem gestellt, wohin in Zukunft die bisherigen Getreide- und Mehlausfuhren nach Finnland (die ein Viertel der Gesamtausfuhr ausmachten) gehen sollten, die durch Zoll zu stoppen von Rußland auch geplant war. Diese Beschränkung konnte zwar durch eine Klausel im Handelsvertrag vorläufig noch nicht in Kraft treten, aber die Duma hatte Mitte Mai 1914 einen Gesetzentwurf vorgelegt, der die bestehenden Hemmnisse abschaffen sollte. Sogar die liberale ›Frankfurter Zeitung‹ (10. Juni 1914) bewertete diese Maßnahme als »geradezu verhängnisvoll«. Für die ostpreußischen Agrarier war diese Entwicklung dazu angetan, die ohnehin feindliche Stimmung gegenüber Rußland noch zu verschärfen. Die russischen Agrarier argumentierten ihrerseits, durch die versteckten Kornausfuhrprämien für das deutsche Getreide werde der russische Roggenpreis gedrückt. Eine Beseitigung des Einfuhrscheinsystems zuzulassen, waren die deutschen Agrarier jedoch nicht bereit. Frhr. v. Mirbach sprach davon, daß eine Beseitigung der Exportprämien für die ostelbische Landwirtschaft, deren Höhe 1913 immerhin ca. 150 Millionen Mark betrug, die »Wiederkehr der unheilvollen Zustände der Caprivizeit« bedeuten würde[34].

Auch in der Folgezeit waren Schwerindustrie und Großagrarier in Deutschland weit davon entfernt, ihre Forderungen zu mäßigen. Auf der Delegiertenversammlung des CdI in Köln am 5. Juni 1914[35] forderte Schweighoffer eine stärkere Spezialisierung der deutschen Tarifsätze und die Schaffung schärfer abgegrenzter Verhandlungsobjekte, wobei er darauf hinwies, daß Rußland, Österreich-Ungarn und auch Italien eifrig rüsteten, um durch höhere Zölle die deutsche Einfuhr fernzuhalten. So hätte zum Beispiel der Vorsitzende des landwirtschaftlichen Ausschusses in der Duma *»von dem bevorstehenden großen wirtschaftlichen Zweikampf zwischen Rußland und Deutschland«* gesprochen. Schweighoffer wiederholte in einem Vortrag am 19. Juni 1914 vor den wirtschaftlichen Vereinen der Saarindustrie in Saarbrücken seine Warnungen und Forderungen, von einer Herabsetzung der Zölle dürfe keine Rede sein; denn – so erweiterte er noch den Katalog seiner Klagen – auch das am 3. Oktober 1913 in Kraft getretene neue amerikanische Zolltarifgesetz sei von dem »früheren System ganz exorbitant hoher Zölle« nur wenig herabgegangen. Zudem seien 1913 auch die Zölle in Frankreich, in Portugal, in Schwe-

---

33 Frankf. Ztg., Nr. 169, 10. 6. 14. Vgl. Deutscher Außenhandel, Nr. 9, 4. 5. 14, S. 107 ff. Ein deutsch-russischer Handelskrieg (II)? (mit ausgiebigem statistischem Material).
34 Vgl. die Presseausschnitte im Archiv des Reichslandbundes, Berlin-Ost, Nr. 54 A, Bd. 7, Bl. 200.
35 VMB des CdI, 129, 5. 6. 14, S. 25 f.; Vortrag vom 19. 6. 14: »Neuregelung unserer Handelsbeziehungen«, Südwestdeutsche Flugschriften, H. 31, Saarbrücken 1914.

den und in Japan heraufgesetzt worden, und auch die protektionistischen Bestrebungen in Rußland und Italien zeigten den Vormarsch des Schutzzollgedankens. Noch einmal wies er darauf hin, daß der inländische Markt etwa ³/₄ der binnenländischen Warenerzeugung aufnehme und daß dieser Inlandsmarkt, gestützt auf eine kaufkräftige Landwirtschaft, eine möglichste Sicherung erfahren müsse. Er forderte ferner Vorbereitungen »für den bevorstehenden handelspolitischen Kampf«.

In der gleichen Zeit lebten im Lager der deutschen Exportindustrie und der Banken die Zollunions-Pläne wieder auf. Am 6. Januar 1914 kam es in Budapest zu einer mitteleuropäischen Wirtschaftskonferenz mit anschließender vertraulicher Besprechung der Vorsitzenden der Wirtschaftsvereine Deutschlands und Österreich-Ungarns in bezug auf die Erneuerung der Handelsverträge. Paasche, der Vorsitzende des Deutsch-Österreich-Ungarischen Wirtschaftsverbandes, betonte am 3. April 1914 auf einer Tagung in Magdeburg, daß »das System der Meistbegünstigung sich überlebt habe«. Auch wenn ein Zollverband zwischen Deutschland und Österreich-Ungarn vorläufig noch nicht möglich sei, drängten doch die »Verhältnisse auf einen sehr intimen Vertrag hin« [36]. Am 28. April 1914 kam es in Wien zu einer neuen Absprache, auf der man sich fürs erste darauf einigte, eine Kündigung des Vertrages mit Deutschland zu vermeiden. Allerdings sei es dringend geboten, »rechtzeitig Sicherheit darüber zu schaffen, daß das Deutsche Reich durch eine einvernehmliche Revision des Handelsvertrages in wichtigen Belangen den legitimen Forderungen der Wirtschaftskreise der Monarchie Rechnung trage« [37]. Die ungarischen Industriellen, vor allem der Bund der ungarischen Fabrikindustriellen, wiesen diese Stellungnahme sofort zurück. Eine radikale Änderung des mit Deutschland bestehenden Zolltarifvertrages sei »unbedingt nötig, weil die deutsche Konkurrenz eine gedeihliche Entwicklung der ungarischen Industrie unmöglich« mache; außerdem wandte sich der Verband gegen das deutsche Einfuhrscheinsystem. Ebenfalls ablehnend verhielt sich der Zentralverband österreichischer Industrieller: Die österreichische und ungarische Industrie würden »Selbstmord begehen, wenn sie zu einem Abbau der Zollmauern ihre Hand bieten wollten«. Nach wie vor waren die verschiedenen Lager – in Deutschland wie in Rußland und Österreich – unversöhnlich. Die Krise der deutschen Handelspolitik war seit Frühjahr 1914 deutlich geworden.

---

36 Zit. DWZ, Nr. 10. 15. 5. 14, Sp. 443.
37 Deutscher Außenhandel, Nr. 9, 4. 5. 14, S. 109, vgl. auch für die folgenden Zitate.

XVII. KAPITEL

Deutschland und die »slawische Gefahr« –
Der »Angreifer« wird aufgebaut

Rußland kriegsbereit? »Noch nicht!«

In seinem 1913 veröffentlichten Buch »Rußland« unternahm der Professor für Osteuropäische Geschichte an der Universität Berlin, Otto Hoetzsch, den Versuch, die im Zuge der Agitation um die Wehrvorlage vom Frühjahr d. J. geschürte antirussische Stimmung zu dämpfen. Hoetzsch ging davon aus, daß die in der deutschen Gesellschaft vorhandenen Vorurteile gegenüber Rußland – die große Furcht vor dem östlichen Nachbarn wie zugleich die verachtungsvolle Geringschätzung ihm gegenüber – durch die weitreichende Unkenntnis über die innerrussische Entwicklung seit Beginn des Jahrhunderts bedingt seien. Dieser Unkenntnis wollte er mit seinem Buch abhelfen und ein »richtiges« Bild Rußlands zeichnen.

Aus dem gleichen Grund betrieb Hoetzsch den Plan, eine Deutsch-Russische Gesellschaft zu gründen, die über kulturellen Austausch hinaus allgemein die beiderseitigen Beziehungen bessern helfen sollte. Als die Gesellschaft am 16. Oktober 1913 zu ihrer konstituierenden Sitzung zusammentrat, hatte das Unternehmen jedoch schon eine entscheidende Niederlage erlitten: das Auswärtige Amt begrüßte und unterstützte den Plan keineswegs, sondern hatte im Gegenteil alles versucht, die Gründung dieser Gesellschaft zu hintertreiben. Bereits im Februar 1913 hatte Hoetzsch die Wilhelmstraße von seiner Absicht in Kenntnis gesetzt. Dort jedoch wurde sofort ein Vortragender Rat damit beauftragt, dem rußlandfreundlichen Professor seinen Plan auszureden. Wegen der gespannten Lage sei ein solcher Schritt im Augenblick nicht wünschenswert. Derartige Gesellschaften würden, »wenn überhaupt, erfahrungsgemäß nur dann einige Aussicht auf praktischen Erfolg versprechen, wenn sie sich sinngemäß in die jeweilige allgemeine politische Situation einfügen«[1].

---

[1] AA-Bonn, Deutschland, Nr. 131, Bd. 34, Aktennotiz von Mirbach über eine Unterredung mit Hoetzsch, 7. 3. 13.

Hoetzsch wurde aufgefordert, die Ausführung seiner Idee zu verschieben. Zwar ließ er sich nicht entmutigen, aber auch der Einsatz des schlesischen Magnaten Fürst Hermann Hatzfeld, Herzog zu Trachenberg, und des Nationalökonomen Max Sering, die im Mai bzw. Juni 1913 in Briefen an den Unterstaatssekretär Zimmermann um die Unterstützung des Auswärtigen Amts in der Gründungsangelegenheit warben, blieb erfolglos. Sering erhielt immerhin die Gelegenheit, in mündlicher Unterredung mit Zimmermann die Konzeption der Initiatoren zu erläutern. Bei diesem Gespräch erreichte der Unterstaatssekretär die Zusicherung, daß die Satzung der Gesellschaft in ihrem Tenor »durchaus unpolitisch« sein werde.

Der Einladung von Hoetzsch zur konstituierenden Sitzung folgte Zimmermann nicht; als Vertreter des Auswärtigen Amts wurde statt dessen Legationsrat Nadolny entsandt. Auch eine Teilnahme am ersten Vortragsabend, der am 10. März 1914 stattfand, lehnte Zimmermann ab. Die Einladung dazu datierte vom 3. März; das war ein Tag, bevor Sydow im Preußischen Abgeordnetenhaus die harte zollpolitische Linie der deutschen Regierung bekräftigen sollte, ein Tag nach der Veröffentlichung des Artikels »Rußland und Deutschland« in der ›Kölnischen Zeitung‹, durch den die deutsch-russische Pressekampagne entfacht wurde, und es war eine Woche, nachdem der deutsche Generalstabschef, General v. Moltke, eine Ausarbeitung über die Kriegsbereitschaft Rußlands an den Staatssekretär des Äußeren übersandt hatte [2].

Was Moltke hier im einzelnen ausführte, basierte auf einem Bericht des deutschen Militärattachés in Petersburg, v. Eggeling [3]. Übereinstimmend betonten beide Berichte die Verstärkung der russischen Kriegsbereitschaft seit der russischen Niederlage 1905. Eggeling hatte dabei – was in Moltkes Bericht an Jagow nicht wiederaufgenommen wurde – als frühesten Termin für die russische Kriegsbereitschaft das Jahr 1916 angegeben. Welches Ziel verfolgte diese Denkschrift Moltkes an Jagow? Neu war ihr Inhalt weder für den Generalstabschef noch für den Staatssekretär des Äußeren; denn schon im Sommer 1913 hatte der Wirkliche Geheime Oberfinanzrat Schwarz vom Preußischen Finanzministerium in einer Abhandlung über die finanzielle Kriegsbereitschaft der Großmächte [4] die zunehmende finanzielle Erstarkung Rußlands beschrieben, im September 1913 war in den vom Großen Generalstab herausgegebenen ›Vierteljahresheften für Truppenführung und Heereskunde‹ ein Artikel über »Rußlands finanzielle Erstarkung seit 1906« erschienen [5], und gleichzeitig waren im Kriegsmini-

2 Vgl. GP 39, Nr. 15 839, Moltke an Jagow, 24. 2. 14.
3 Vgl. Anton Jux, Der Kriegsschrecken in der europäischen Presse, Berlin 1929, S. 34.
4 Vgl. Otto Schwarz, Die finanzielle Stellung der europäischen Großmächte zugleich im Hinblick auf ihre finanzielle Kriegsbereitschaft, Stuttgart 1913.
5 ›Rußlands finanzielle Erstarkung‹, in: Vjh. für Truppenführung und Heereskunde, Hrsg. vom Großen Generalstab, 3. Heft, 1913, S. 561–571.

sterium und Generalstab laufend Berichte und Aufstellungen über den Wiederaufbau und die Reformmaßnahmen der russischen Armee angefertigt worden. Offensichtlich diente diese Denkschrift dazu, die zivile Reichsleitung, speziell das Auswärtige Amt, darauf vorzubereiten, daß ein Fortgang der russischen Rüstungen die Sicherheit des Reiches gefährdete und daß man dieser Entwicklung durch präventive Maßnahmen rechtzeitig entgegentreten müßte [6].

In welche Richtung diese präventiven Maßnahmen gehen sollten, das deutete am gleichen Tage, dem 24. Februar 1914, ein Leitartikel der ›Post‹, des Parteiorgans der Freikonservativen mit traditionell guten Beziehungen zur militärischen Führung, an [7]. In einem über die Morgen- und Abendausgabe verteilten Artikel unter der Überschrift »Österreich und die Dreibundpolitik« wurde Deutschland zum Präventivkrieg gegen Rußland aufgefordert. An diesem selben 24. Februar hatte Conrad in Wien dem Kaiser Franz Joseph Vortrag gehalten über die drohenden Maßnahmen des Zarenreiches, die Conrad dahingehend interpretierte, daß sie nur den Zweck haben könnten, Krieg zu führen [8]. Zweifellos versuchte Conrad mit dieser Audienz den politischen Anschauungen des österreichischen Thronfolgers entgegenzuwirken. In der Franz Ferdinand nahestehenden Zeitung ›Reichspost‹ war am Tag zuvor (23. Februar) die Ansicht vertreten worden, daß zwischen Österreich-Ungarn und Rußland »reelle Gegensätze« nicht vorhanden seien, sondern daß vielmehr »der Zusammenschluß der Drei-Kaisermächte ... in mancher Hinsicht auch heute noch das natürliche Gebilde des Kontinents« wäre und daß er den europäischen Frieden sichern würde [9]. Auf diesem Hintergrund muß der Artikel in der ›Post‹ interpretiert werden, der sich wie eine Zuschrift aus großdeutschen Kreisen Österreichs lesen sollte, zugleich aber die Meinung des deutschen Generalstabs genau wiedergab. Nach einer ausführlichen Betrachtung der europäischen Lage und insbesondere der Situation des Dreibunds, die sich von Jahr zu Jahr ungünstiger gestalte, so daß der als unvermeidlich angesehene Krieg immer schwieriger werde, kommt der Artikel zu dem Schluß, daß die Aussichten für einen siegreichen Präventivkrieg momentan noch günstig seien:

> »Frankreich ist noch nicht kampfbereit, England in innere und koloniale Schwierigkeiten verwickelt. Rußland scheut den Krieg, weil es die innere Revolution fürchtet. Wollen wir abwarten, bis unsere Gegner fertig sind, oder sollen wir den günstigen Augenblick benutzen, um die Entscheidung herbeizuführen? Das ist die inhaltsschwere Frage, die zur Entscheidung steht.

6 Die Denkschrift des Großen Generalstabs ist also in keiner Weise als Reaktion auf die Beschlüsse der sog. russischen Meerengen-Konferenz zu verstehen; vgl. oben Kap. 15, »Die russische Sonderkonferenz vom 13. Jan. 1914«.
7 Jux, Der Kriegsschrecken, S. 36.
8 Conrad, Aus meiner Dienstzeit, Bd. 3, S. 626.
9 Zit. Nach Jux, Der Kriegsschrecken, S. 36.

Noch ist das österreichische Heer zuverlässig und brauchbar, noch steht Italien fest zum Dreibunde, und wenn es auch im Augenblick die Erhaltung des Friedens vorziehen würde, um die Wunden des letzten Krieges zu heilen, so weiß es doch genau, daß es – wenn Deutschland geschlagen ist – rettungslos der englisch-französischen Vergewaltigung verfallen ist und seine selbständige Mittelmeerstellung verliert. Es würde heute treu zu uns halten. Auch auf die Türkei und Rumänien können wir unter Umständen rechnen. Noch haben wir also Trümpfe in der Hand, könnten durch eine entschlossene Offensive das Heft der europäischen Politik in die Hand bekommen und könnten unsere Zukunft sicherstellen.

Damit ist nicht gesagt, daß wir den Krieg vom Zaune brechen sollen; aber wo ein Konflikt der Interessen sich zeigt, sollten wir nicht zurückweichen, sondern es auf einen Krieg ankommen lassen und ihn durch entschlossene Offensive beginnen, sei es um ein neues Marokko oder um die Stellung des Generals v. Liman oder die vorderasiatischen Fragen; der Vorwand ist gleichgültig, denn um diesen handelt es sich gar nicht, sondern um unsere ganze Zukunft, die auf dem Spiele steht.[10]«

Der Artikelschreiber gesteht zu, daß diese verantwortungsvolle Entscheidung dem Reichskanzler angesichts der sozialistischen und demokratischen Tendenzen der Öffentlichkeit schlaflose Nächte bringen werde. Er ist aber der Meinung, daß aus äußeren und inneren Gründen ein siegreicher Krieg »mehr Gutes« wirken könne als er Leiden und Opfer bringe:

»Da entsteht also die Frage, ob die numerische Überlegenheit unserer Gegner einen Sieg unmöglich macht. Die Antwort lautet: *Noch nicht!*«

Zwei Tage später wiederholte die ›Post‹ diese Überzeugung von der Notwendigkeit einer kriegerischen Lösung in einem Artikel ihres Petersburger Korrespondenten [11].

Diese Artikel der ›Post‹ blieben in der deutschen Presse fast ohne Echo. Die ›Kölnische Volkszeitung‹ (26. Februar 1914) protestierte in einem Leitartikel unter dem Titel »Pessimismus und Frivolität« vehement, was wiederum die ›Post‹ zu einem Gegenangriff veranlaßte; und auch die ›Hamburger Nachrichten‹ wiesen in einem Leitartikel vom 26. Februar »das Gerede von russischen Rüstungen« zurück und polemisierten gegen die österreichische Kriegspsychose gegenüber Rußland. Das Zarenreich sei noch lange nicht kriegsbereit, und außerdem gebe es keine vitalen Interessengegensätze zwischen Berlin und Petersburg.

Großen Widerhall in der deutschen und europäischen Öffentlichkeit fand erst ein Artikel, der in einem als Sprachrohr des Auswärtigen Amts geltenden Blatt, der ›Kölnischen Zeitung‹, erschien [12].

---

10 Post, Nr. 92, 24. 2. 14.
11 Jux, Der Kriegsschrecken, S. 41.
12 Die Kölnische Zeitung hatte seit Bismarck enge Verbindungen zum AA und zur Reichskanzlei und trat oft als Sprachrohr der Regierung auf. Zur Rolle der Köln. Zeitung in der antirussischen Pressekampagne vgl. Wernecke, Deutschlands Weltstellung, Diss. (Masch.), S. 350 ff.

Dieser Artikel stammte aus der Feder des Petersburger Korrespondenten der ›Kölnischen Zeitung‹, Dr. Ullrich. Der Artikel war bereits am 24. Februar fertiggestellt [13] und wurde in der folgenden Woche im Redaktionsbüro der Zeitung in Köln mehrfach korrigiert. Die Redaktion war sich also des Gewichts und der möglichen Wirkung dieses Artikels durchaus bewußt. Er enthielt alarmierende Meldungen über Kriegsvorbereitungen des Zarenreiches. Die russische Armee habe, so heißt es darin, in Rüstungs- und Ausbildungsstand die Scharte von 1904 ausgewetzt und sei auf dem besten Wege, eine vorher nie erreichte Schlagfertigkeit zu erlangen. Zwar sei die Reform der Armee (der große »Rahmen« Suchomlinows, wie dieser ihn nannte) noch nicht beendet, dies werde 1917 der Fall sein, dann aber müsse es zu einem Krieg kommen:

> »Vorweggenommen sei, ... daß Rußland heute nicht in der Lage ist, politische Drohungen mit Waffengewalt zu unterstützen ... Ganz anders wird jedoch die politische Wertung der russischen Heeresmacht in drei bis vier Jahren ausfallen. Die Gesundung der Finanzwirtschaft und Hebung des Kredits, den übrigens Frankreich gegen deutschfeindliche militärische Versprechungen immer gern gewährt, haben Rußland in einen vorwärtsstrebenden Kurs gebracht, dessen Ziel, wenn es ruhig weitersteuern kann, im Herbst 1917 erreicht ist ...«

»Gegen wen«, so fragt der Korrespondent, »wird die russische Politik die Waffe, über die sie in wenigen Jahren verfügt, am ehesten zu kehren geneigt sein?«, und er gibt die Antwort:

> »Vor zwei Jahren scheute man sich noch, jetzt spricht man es offen aus, sogar in amtlichen militärischen Zeitschriften, daß Rußland zum Kriege gegen Deutschland rüste.«

Zur Begründung der Mißstimmung gegen Berlin wird angeführt:

> »Deutschland hat uns (die Russen) in Voraussicht unserer Niederlagen in den unglücklichen Krieg (gegen Japan) gehetzt und uns dann durch den Handelsvertrag von 1904 wirtschaftlich auf die Knie gezwungen.«

Dr. Ullrich berief sich in seinem Artikel u. a. auf eine Schrift des Fürsten Trubetzkoi und auf deren Besprechungen, zum Beispiel in der ›Nowoje Wremja‹, »der größten und einflußreichsten Zeitung Rußlands«, die bei jeder Gelegenheit betone,

> »daß Deutschland gegen Rußland eine machiavellistische, auf Rußlands Zurückdrängung überall da, wo es expansiv vorgehen wolle, gerichtete Politik treibe«.

---

13 Jux, Der Kriegsschrecken, S. 47.

Als Ziele der russischen Expansion zählt Ullrich Schweden, das man »in das russische System der Beherrschung der Ostsee hineinziehen« möchte, die Dardanellen und die »Brennpunkte der russischen Politik«, Persien und die Türkei auf. Die Auseinandersetzung um die deutsche Militärmission habe einen neuen Interessenkonflikt sichtbar werden lassen. Als Motiv Rußlands zum Kriege an seiner Westfront gibt Ullrich die sich »angeblich in Konstantinopel kreuzenden deutsch-russischen Interessen« an. Aber an den Dardanellen stehe auch England und sperre die Durchfahrt. Das Fazit des Ullrichschen Artikels lautet:

> »Wir wissen, woran wir sind ... Dieses Gebaren der amtlichen russischen Politik sollte aber endlich einmal die Legende von der geschichtlichen deutsch-russischen Freundschaft zerstören ...«

Überall wurde der Artikel sofort als offiziöse Auslassung interpretiert. Russische Blätter, wie zum Beispiel der ›Swet‹, vermuteten eine gemeinschaftliche Arbeit des Botschafters Graf Pourtalès und des Militärbevollmächtigten Graf zu Dohna-Schlobitten mit Dr. Ullrich. Aus Paris meldete der Botschafter Frhr. v. Schoen am 4. März, auch nach den Dementis glaube man in Frankreich noch an amtliche Inspiration des Artikels; man sei überzeugt, der Artikel gebe die Meinung einflußreicher Militärs wieder [14]. Ebenso ging man in den skandinavischen Ländern davon aus, daß die amtliche deutsche Politik mit dieser antirussischen Kampagne in Verbindung stehe [15]. In der Londoner ›Times‹ erschien ein besorgter Artikel unter der Überschrift »What does it mean?« Auch in der deutschen Presse wurde die Vermutung laut, daß dieser Artikel vom Auswärtigen Amt oder einem anderen Ressort inspiriert sei. Die Aufregung war so groß, daß die Börsen in Berlin, Paris und Petersburg abrupt nachgaben. Die ›Frankfurter Zeitung‹ versuchte am 4. März in einem Artikel »Deutschland und Rußland« die aufkommende Panikstimmung herunterzuspielen (vielleicht auf Weisung des Auswärtigen Amtes). Jedoch untergrub sie den Wert dieser Abwiegelung dadurch, daß sie nicht genug konkrete Gegenargumente brachte. Und wenige Tage später beurteilte die ›Frankfurter Zeitung‹ das, was vorher als Geschrei politisch nicht urteilsfähiger Leute hingestellt worden war, als doch wesentlich schwerwiegender:

> »Dieser Artikel hat wie ein Signal gewirkt, und obwohl jeder amtliche Ursprung seiner Ausführungen in Abrede gestellt wird, – der offiziellen Vertretung des Deutschen Reiches in Petersburg soll der Artikel in hohem Grade unerwünscht gewesen sein – haben weite Teile der Öffentlichkeit sich von einer Nervosität fassen lassen, die den Rüstungsschwärmern und Kriegsfanatikern

---

14 AA-Bonn, Deutschland 131, geh. Bd. 17, Pourtalès an AA, 14. 3. 14; vgl. auch den Leitartikel der RWZ, Nr. 298, 10. 3. 14.
15 Ibid. Bericht aus Christiania, 11. 3. 14; vgl. hier auch das Material über die Resonanz des KZ-Artikels in der europäischen Presse.

einen günstigen Boden liefert, um die Saat neuer Wehrforderungen hineinzusäen... Vor zwei Jahren noch war für den General v. Bernhardi, der jetzt in der »Post« Rußland und Frankreich für die gefährlichsten Feinde erklärt, deren Angriff man gar nicht erst abwarten dürfe, England der Feind... Wie rasch hat er umgelernt![16]«

Die Stellung der ›Kölnischen Zeitung‹ und des in Militärfragen kompetenten Petersburger Korrespondenten, Dr. Ullrich, legten die Vermutung nahe, daß es sich bei dem »Krieg-in-Sicht-Artikel« nicht um eine rein persönliche, durch eine Augenblickserregung hervorgerufene Äußerung handelte, sondern daß sich Ullrich zu seinem Artikel durch eine amtliche Stelle, sei es von Personen aus dem Auswärtigen Amt oder aus dem Kriegsministerium, inspirieren ließ. Dem Botschafter Graf Pourtalès soll, wie aus einem Brief Neven du Monts, des Verlegers der ›Kölnischen Zeitung‹, an Wahnschaffe vom Juni 1914 hervorgeht, dieser Artikel nicht wie üblich vorher vorgelegt worden sein, weil trotz Ullrichs Bemühungen keine Rücksprache mit dem Botschafter zustande gekommen sei. Es erscheint völlig unglaubwürdig, daß der Botschafter nicht bereit gewesen sein soll, Ullrich zu empfangen, wenn dieser sich wirklich mit dem Hinweis auf die Wichtigkeit seines Artikels, der er sich zweifellos bewußt war, dringlich an ihn gewandt hätte. Außerdem ist es unwahrscheinlich, daß sowohl Ullrich als auch die Redaktion, die den Artikel ihres Petersburger Korrespondenten an herausragender Stelle wiedergab, diesen Artikel (falls sie es nicht auf ein Versiegen ihrer amtlichen Informationen ankommen lassen wollte, was ebenfalls unwahrscheinlich ist) veröffentlicht hätte, wenn sie der Meinung sein mußte, damit amtlichen Intentionen zu widersprechen. In den folgenden Wochen führte denn auch die ›Kölnische Zeitung‹ ihre Angriffe gegen Rußland ständig weiter. Wäre der Artikel ein Betriebsunfall gewesen, so hätten die amtlichen Stellen sich zweifellos sofort darum bemüht, die Haltung der Zeitung zu korrigieren. Der Hauptschriftleiter der ›Kölnischen Zeitung‹, Posse, bestätigte am 27. März in einem Brief an den Petersburger Korrespondenten Ullrich rückblickend den Erfolg des Artikels:

> »Er enthielt das, was wir erwartet hatten, nämlich nach einer Krise, die allgemein als Änderung des Kurses bewertet wurde, eine allgemeine Darstellung der Beziehungen Rußlands zu Deutschland und den Hinweis auf die Gefahren, die uns von dort drohen.[17]«

Nicht mit Pourtalès, wohl aber mit dem deutschen Militärattaché v. Eggeling hat Ullrich den Inhalt seines Berichts besprochen. Unterstützung fand er ebenfalls im deutschen Generalkonsulat in Moskau[18], und aus Deutschland hörte Ullrich von Posse, »daß man (nach einem Gespräch mit

---

16 Vgl. dazu Wernecke, Deutschlands Weltstellung, Diss. (Masch.), S. 339.
17 Posse an Ulrich, 27. 4. 14; zit. Jux, Der Kriegsschrecken, S. 47.
18 Ibid., S. 47.

mehreren Herren in Berlin) im Grunde mit dem Erscheinen des Aufsatzes ganz zufrieden sei«[19].

Für die Beurteilung jenes Artikels der ›Kölnischen Zeitung‹ ist die Tatsache wichtig, daß die ›Germania‹ am gleichen 2. März ebenfalls einen Alarmartikel gegen Rußland brachte. Eine merkwürdige zeitliche Übereinstimmung! Bei dem ›Germania‹-Artikel ist die Herkunft ganz eindeutig. Die Redaktion betonte in einer einleitenden Bemerkung, daß ihr Artikel von gut unterrichteter Seite aus »hohen militärischen Kreisen« stamme[20]. Der Artikel mit der Überschrift »Die Zuspitzung der internationalen Lage« resümierte die Maßnahmen zur Verstärkung der russischen Armee. In einer Erläuterung unterstellte die Schriftleitung eine gegen Deutschland geplante russische Aktion, die von Frankreich unterstützt werde:

> »Auch dort (in Frankreich) setzte die Kriegspartei, unbeirrt durch die entstehende Gefährdung der allgemeinen internationalen Lage, ihre Wühlarbeit fort.«

Und in ihrer Abendausgabe vom 3. März übernahm die ›Germania‹ die wichtigsten Auszüge aus dem Artikel der ›Kölnischen Zeitung‹ unter der Überschrift »Der kommende Krieg mit Rußland«.

Auch die ›Kölnische Volkszeitung‹ stimmte jetzt den Ausführungen der ›Kölnischen Zeitung‹ ebenfalls zu mit den Worten:

> »Auch die ›Kölnerin‹ schildert, wie die amtlichen Stellen Rußlands ganz offensichtlich zum Kriege gegen uns rüsten, der uns um so furchtbarer treffen muß, je später er ausbricht.«

Den Höhepunkt in der ganzen Kampagne bildete – wenn man bedenkt, daß diese Zeitung bisher allen scharfmacherischen Äußerungen entgegenzutreten pflegte – ein mit drei Sternen gezeichneter Artikel im ›Berliner Tageblatt‹ vom 9. März, zu dem die Redaktion anmerkte, er sei ihr von »besonderer Seite« zugegangen:

> »Wir stimmen ihm (dem Artikel), obgleich wir die Situation nicht so ungünstig beurteilen, in sehr vielen Punkten bei, möchten aber keinen Zweifel daran lassen, daß uns jeder Präventivkrieg, wie er auch begründet werde, verwerflich erscheint.«

Auch der Verfasser wolle nur eine entschiedene Politik im Interesse des Friedens. – Der Artikel bestreitet zunächst, daß es in Berlin »eine zum Krieg treibende Militärpartei gebe«. »Der deutsche Generalstab ist sich vollständig klar darüber, welchen Schwierigkeiten ein Feldzug nach Ruß-

---

19 Ibid., S. 67.
20 Ibid., S. 45.

land begegnen muß. Der Kaiser ist friedlich bis auf die Knochen.« Auch
Österreich sei auswärtigen Abenteuern abgeneigt. Wie verhalte sich aber
Rußland gegenüber »diesem guten und freundlich gesinnten Nachbarn«?!
Das Außenministerium und das Finanzministerium in St. Petersburg verhielten sich zwar meist korrekt; demgegenüber aber stehe eine anscheinend kaum noch Order parierende, aber nie desavouierte Schar von wüh-
lerischen Konsuln, Diplomaten, Militärattachés und offen zum Kriege treibenden Militärs. Namentlich Österreich gegenüber betreibe man jetzt die
Politik des d'abord avilir, puis démolir. – Zugleich wurde in dem Artikel England belehrt, wo seine wahren Interessen lägen:

> »Wir können wohl auch hoffen, daß allmählich den Engländern die Schuppen
> von den Augen fallen und ihnen jetzt der Unterschied klar geworden ist zwi-
> schen dem friedlichen Zielen nachgehenden Deutschland und den auf Expan-
> sion nach allen Seiten und unter allen Bedingungen gerichteten Bestrebungen
> des russischen Reiches.«

Für wen läuft die Zeit, fragt der Verfasser, »für das zivilisierte Europa,
wie es im vorliegenden Fall durch Deutschland und Österreich-Ungarn
repräsentiert wird, oder für Rußland?« Und er gibt die für Deutschland
pessimistische Antwort:

> »Die enorm wachsende Einwohnerzahl dieses Weltreiches, der Geburtenrück-
> gang im Westen, die wirtschaftliche Erstarkung der Russen, der Ausbau ihrer
> Bahnen, Festungen, der schier unerschöpflich fließende Geldstrom Frank-
> reichs, die leider nicht wegzuleugnende fortschreitende Dekomposition der Habs-
> burgischen Monarchie, alles dies sind ernste Momente.«

Wie Ullrich in der ›Kölnischen Zeitung‹, so sah der Verfasser des Artikels
im ›Berliner Tageblatt‹ Österreich und Deutschland gleichermaßen durch
die »sarmatische Gewaltpolitik« Rußlands bedroht; eines der Elemente
dieser Politik sei der Zwang zur »slawischen Solidarität«, den es auf dem
Balkan ausüben könne, ein anderes die Expansionsbestrebungen nach allen Seiten. Als Mittel dagegen schlug er einen defensiv begründeten Präventivkrieg der Zentralmächte vor:

> »Ein Präventivkrieg gleicht, wie Bismarck treffend sagt, einem Selbstmord aus
> Furcht vor dem Tode. Fälle sind freilich denkbar, wo ein Staat von einem über-
> mächtigen bis an die Zähne gerüsteten Nachbar immer mehr in die Enge ge-
> drängt, ihm Licht und Luft abgeschnitten wird, und wo es Pflicht der Selbst-
> erhaltung sein kann, dem Feind nicht auch noch die Wahl des ihm am günstig-
> sten scheinenden Moments zum Gnadenstoß zu lassen ... Und doch dürfte we-
> der ein Monarch noch ein Staatsmann zu finden sein, der in ähnlicher Weise,
> wie einst und in kleineren Verhältnissen der große Bismarck auf den Krieg mit
> Österreich, auf den mit Rußland zielbewußt hinarbeitet. Wohl aber, so müssen
> wir hoffen, sollten die Regierungen und die Völker Zentraleuropas sich dar-
> über allmählich klar geworden sein, daß das Maß der möglichen Konzessionen
> jetzt erschöpft ist. Jedem weiteren Übergriff Rußlands muß man ein absolutes
> Veto entgegensetzen. Mit dem festen Willen, äußerstenfalls an das Schwert zu

appellieren. Vielleicht, ja gewiß ist eine solche Politik die einzige Gewähr für einen dauernden und ehrenvollen Frieden. Welchen Sinn hätten auch sonst die enormen Rüstungen, unter denen unsere Steuerkraft schier zu erliegen droht?«

Bei aller Vorsicht bei der Verwendung des Wortes »Präventivkrieg« spricht der Anonymus doch offen aus: »Es ist kein Grund vorhanden, daß wir weiter vor Anmaßungen zurückweichen«; denn Rußland sei militärisch zu schlagen und politisch angreifbar. Die intransigente Haltung Rußlands sei auch auf die französische Unterstützung zurückzuführen: auf den Revanchewunsch französischer Offiziere und auf die im russischen Solde stehende Boulevardpresse. Deshalb drohe es zum Zweifrontenkrieg zu kommen, in dem die Hauptkriegslast im Osten zuerst von der Donaumonarchie zu tragen sein werde. In den letzten Abschnitten seines Artikels wendet sich der Verfasser gegen die Behauptung, »daß das heilige Rußland *unbesieglich* und unverwundbar sei«. Ihm schien »das Dogma von der *Unfruchtbarkeit* eines Sieges über Rußland« als bloße »Fiktion«:

> »Noch heute gilt das Wort vom Koloß auf tönernen Füßen; und das Prestige Rußlands beruht zum großen Teil auf einer skrupellosen Diplomatie und auf dem Friedensbedürfnis der zivilisierten Bewohner Zentraleuropas.«

Im Falle von Niederlagen müsse es zu einer Katastrophe des jetzigen russischen Systems kommen. (Nach dem Kriege deckte Theodor Wolff in seinen Memoiren das Pseudonym auf: der Verfasser dieses Aufsatzes war der frühere deutsche Botschafter in Rom, Graf Monts, der auch im September 1914 an gleicher Stelle die dauernde Schwächung Rußlands forderte).

Dieser Artikel in seiner Vorwegnahme von später tatsächlich ausgeführten strategischen Plänen einschließlich der Revolutionierung der Fremdvölker Rußlands vom ersten Kriegstag an und von später angestrebten Kriegszielen soll nach den Angaben Theodor Wolffs in der Abendausgabe des ›Berliner Tageblattes‹ vom 9. März »von einem hervorragenden, in allen Geschäften der internationalen Politik erfahrenen Mann« nach einem Besuch in Österreich geschrieben worden sein; Theodor Wolff nennt den Verfasser »einen Beobachter von einer staatsmännischen Routine«, der zwar die in Österreich umlaufenden Nachrichten über die russischen Rüstungen und Probemobilisierungen mit besonderer Aufmerksamkeit verfolgt habe, ohne daß aber diese Stimmungen und Verstimmungen der Umgebung einen Einfluß auf sein Urteil entscheidend ausgeübt hätten. Theodor Wolff erörtert den Vorschlag des Anonymus, aus der Defensive heraus den Präventivkrieg zu wagen, spricht sich aber letzten Endes dagegen aus. Rußland ist für Wolff eine feste und keine politisch brüchige Großmacht. Deutschland müsse ihr gegenüber die Grundsätze seiner Politik durchsetzen, sich hinter die skandinavischen Länder, hinter Österreich und die Türkei, die den panslawistischen Tendenzen ausgesetzt seien, stellen und dürfe nicht zulassen, daß die Österreichfrage gestellt und Deutschland in der Konsolidierung der Türkei behindert werde. Doch selbst er wiederholte den entscheidenden Satz: »Jedem weiterem Übergriff Rußlands muß man ein absolutes Veto entgegensetzen mit dem festen Willen, äußerstenfalls an das Schwert zu appellieren.«

Diese beiden Artikel aus dem ›Berliner Tageblatt‹ waren in viel stärkerem und intensiverem Maße als die rabiaten Kommentare der alldeutschen Presse eine geistige Vorbereitung auf den Krieg [20a]. Denn, abgesehen davon, daß das Blatt eine Auflage von 230 Tausend und ein sehr großes internationales Prestige hatte, wirkten diese Artikel gerade durch die Differenziertheit ihrer Betrachtung und die überlegene Ruhe ihrer Aussagen. Hier wurde nicht im Stile der ›Post‹ laut und kräftig auf die Pauke geschlagen, sondern auf viel geschicktere Weise mit dem Säbel gerasselt; indem man sich selbst als Engel darstellte, den »bösen« Nachbarn zum Popanz machte, wurden – und darüber können alle Beteuerungen der Friedensliebe nicht hinwegtäuschen – feindselige Stimmungen und latente Bereitschaft zur kriegerischen Auseinandersetzung als Reaktion auf die vermeintliche Bedrohung aufgebaut.

Der Widerhall der Pressefehde auf diplomatischer Ebene

Der Krieg-in-Sicht-Artikel der ›Kölnischen Zeitung‹ vom 2. März und die durch ihn in der deutschen Presse ausgelöste Kampagne gegen Petersburg veranlaßte den russischen Botschafter in Berlin, S. N. Swerbejew, am 4. März zu einer energischen Anfrage bei Staatssekretär v. Jagow über die Gründe dieser Aktion, wobei er besonders über den erstgenannten Artikel sein Befremden ausdrückte, »da (wie er in seinem Bericht an Sasonow schrieb) dies das Blatt ist, dessen das Außenministerium sich für die halbamtlichen Mitteilungen der Außenpolitik beständig bedient« [21]. Aus London berichtete am 11. März der russische Botschafter Graf Benckendorff nach Petersburg, daß Grey ihn nach einer Erklärung für den »Pressefeldzug in Deutschland« gegen Rußland gefragt habe. Grey sei beunruhigt, denn dieser Vorgang erscheine ihm um so sonderbarer, da doch, »wenn Deutschland eine drohende Situation hätte schaffen wollen«, die

---

20a Die Behauptung W. Mommsens (Zeitalter des Imperialismus, S. 268), daß der sog. Alarmartikel der Kölnischen Zeitung nur eine Reaktion auf vorangegangene antideutsche Artikel in der russischen Presse mit ihrer Zunahme an »kriegerischen Tendenzen« gewesen sei, stellt die Wahrheit geradezu auf den Kopf. Wenn er ausführt: »In Deutschland wurde man hellhörig, und die deutsche Presse reagierte mit ähnlich scharfer Kritik an Rußland«, so verkennt er völlig das Kalkül der deutschen Regierung, Rußland für den erwarteten großen Krieg als Gegner und Angreifer aufzubauen, und zwar in Fortführung der Pressepolitik der Regierung seit dem Dezember 1912.

21 Internationale Beziehungen, Reihe I, Bd. 1, Nr. 387, Swerbejew an Sasonow, 5. 3. 14.

Affäre des Generals v. Liman ihm leicht die Gelegenheit dazu hätte liefern können[22]. Aus Paris berichtete der russische Botschafter Iswolski, daß die durch die ›Kölnische Zeitung‹ hervorgerufene Kampagne gegen Rußland in Frankreich allgemeines Befremden verursacht habe[23]. Der Ministerpräsident und der Außenminister Doumergue könnten sich »die wirklichen Gründe für diesen einmütigen Feldzug der deutschen Presse« nicht erklären, »aber er (Doumergue) zweifle nicht daran, daß dieser Feldzug mit Wissen und Einverständnis der Berliner Regierung unternommen worden sei«. Jules Cambon, der französische Botschafter in Berlin, der gerade auf Urlaub in Paris war, halte es für sehr wenig wahrscheinlich, daß es sich hierbei darum handle, »die öffentliche Meinung auf neue militärische Ausgaben vorzubereiten«. Außenminister Doumergue halte es auch für möglich, daß die deutsche Regierung das Ziel verfolge, »durch Einschüchterung das Band zwischen den Mächten des Dreiverbandes zu lockern«, weil mit den Angriffen gegen Rußland gleichzeitig die deutsch-freundlichen radikalsozialistischen Gruppen um Caillaux, die Gegner der dreijährigen Dienstzeit in Frankreich, gelobt würden. Aber dies sei ein »grober psychologischer Fehler«; denn der Eindruck, den das Vorgehen der deutschen Presse in breiten Bevölkerungsschichten in Frankreich gemacht habe, stärke gerade die Anhänger der längeren Dienstzeit. So habe jener Bericht der ›Kölnischen Zeitung‹, so resümierte Iswolski, »den russischen Interessen nicht nur keinen Schaden zugefügt, sondern im Gegenteil uns (den Franzosen) einen gewissen Dienst erwiesen«. Diese Interpretation wird bestätigt durch die Berichte der französischen Diplomaten aus Berlin nach Paris. Am 5. März 1914 resümierte der französische Geschäftsträger de Manneville[23a] die Gründe für die antirussische Stimmung in Deutschland: die Liman-Sanders-Affäre, die russische Eisenbahnanleihe in Frankreich, die Handelsvertragsfrage und die in Aussicht genommenen russischen Restriktionsmaßnahmen. Den unmittelbaren Anlaß für die Pressekampagne wollte er in dem Versuch sehen, auf die Neubesetzung der Ministerposten nach dem Sturz Kokowzows Einfluß zu nehmen. Der französische Militärattaché ging in seinem Bericht vom 15. März 1914[23b] weiter; er befürchtete, daß es sich um die psychologische Vorbereitung auf einen Präventivkrieg handeln könnte:

»Peu à peu l'idée de la nécessité d'une guerre préventive peut arriver à être admise, rendant l'opinion sans cesse plus nerveuse et plus inflammable.«

---

22 Ibid., Nr. 421, Benckendorff an Sasonow, 11. 3. 14.
23 Ibid., Nr. 246, Iswolski an Sasonow, 11. 3. 14; vgl. hier auch die Zitate für den folgenden Abschnitt.
23a DDF, 3e Sér., Tome IX, Nr. 402, Manneville an Doumergue.
23b Ibid., Nr. 461, Serret an Noulens (frz. Kriegsminister). Vgl. auch ibid., Nr. 460, de Fontarce (frz. Geschäftstr. in Brüssel) an Doumergue 15. 3. 14, mit dem Hinweis auf einen Berliner Brief des offiziösen ›Journal de Bruxelles‹ über die Kriegstreiberei einflußreicher Kreise in Deutschland.

Dementsprechend forderte Serret äußerste Wachsamkeit und Bereitschaft der französischen Nation zu jedem Opfer.

Auch als am 10. März ein von Jagow selbst veranlaßter Artikel im Berliner ›Lokalanzeiger‹ erschien, der abwiegeln sollte, und, wie der russische Botschafter berichtete, der rußlandfeindliche »Zeitungsfeldzug« auf einmal »wie durch den Wink eines Zauberstabs« beendet war – wie sich zeigen wird, durchaus nur vorübergehend – gab sich der Botschafter doch noch nicht mit den Erklärungen des Staatssekretärs über die Hintergründe der Vorgänge zufrieden. Auch die Entschuldigung Jagows, daß er nicht eher hätte einwirken können, bevor in der Presse die ganze angeblich (so sagt Swerbejew) angesammelte Bitterkeit gegen Rußland verraucht war, beruhigte nicht, zumal der Botschafter darauf hinweisen konnte, daß die Zeitungen, die jenen Artikel der ›Kölnischen Zeitung‹ nachdruckten, reißenden Absatz gefunden hätten und daß dabei die Zeitungsverkäufer ausgerufen hätten: »*Rußland rüstet gegen Deutschland – Krieg mit Deutschland.*« Jagow lehnte es nachdrücklich ab, angesichts »der Erbitterung der deutschen Presse« gegen Rußland, wie er sagte, eine Notiz in die amtliche NAZ zu bringen; auch an eine beruhigende Erklärung im Reichstag sei nicht zu denken, »da die Unzufriedenheit der politischen Parteien sowohl mit dem Kanzler selbst, als auch mit der ganzen Regierung sich noch lange nicht gelegt habe...«[24] – ein unmißverständliches Zeugnis entweder dafür, unter welcher Pression die deutsche Regierung stand oder dafür, wie geschickt die Regierung die Stimme des Volkes für die eigene Politik zu mobilisieren verstand.

Als »Hauptanlaß für den Ausbruch des Unwillens« bezeichnete Jagow den Ausgang der Liman-Sanders-Affäre. Swerbejew hielt jedoch diesen Beweggrund nicht für ausschlaggebend. Vielmehr sah er das Motiv der Kampagne – wie er seiner Regierung erläuterte – darin, die sofortige Bewilligung neuer Militärsteuern in Österreich-Ungarn zu beeinflussen und zugleich in Deutschland Stimmung dafür zu machen, daß die Regierung den Ertrag des für die große Heeresreform im Juli 1913 bewilligten Wehrbeitrages (der einen Betrag von 1 1/2 Milliarden Mark ergeben sollte) statt in drei Teilen auf einmal als Ganzes für militärische Zwecke verwenden solle[25]. Tatsächlich wurden innerhalb der militärischen Führung (Moltke) für das Jahr 1914 Forderungen vorbereitet für eine über das Ge-

24 Ibid. Nr. 434, Swerbejew an Sasonow, 12. 3. 14; die folgenden Ausführungen über das Gespräch mit Jagow stützen sich auf diesen Brief.
25 Man kann in diesem Zusammenhang davon absehen, daß Swerbejew diese komplizierte Materie nicht voll erfaßt hat. In einer Nachschrift zu seinem Bericht über das Gespräch mit Jagow kommt Swerbejew noch einmal darauf zurück, daß in Deutschland solche Steuerbewilligungen durch das Parlament gingen, während in Rußland die militärischen Maßnahmen insgeheim getroffen wurden – was in solcher Allgemeinheit gewiß nicht richtig war. Swerbejew bemerkte: »Jagow ließ unbeachtet, daß man eine gewaltige einmalige Steuer nicht ohne lärmende Vorbereitung durchsetzen kann und daß es schließlich noch ungewiß ist, wozu die eingegangene Milliarde verwendet wird.«

setz vom Juli 1913 hinausgehende Vergrößerung und verbesserte Ausrüstung der deutschen Armee. Doch ging es im Frühjahr 1914 nicht mehr wie im Jahr zuvor um die psychologische Vorbereitung auf Steuerbewilligungen für die Heeresverstärkung, sondern um die psychologische Vorbereitung der Nation auf einen künftigen Krieg. Diesen Gesichtspunkt stellte auch Swerbejew in den Vordergrund seiner Interpretation:

> »Nach vertraulichen Nachrichten (die ich aus verschiedenen Quellen habe), ruft die wachsende Macht Rußlands in Berlin die ernstesten Befürchtungen wach. Im Jahre 1916 wird nach Ansicht hiesiger Regierungskreise unsere Belagerungsartillerie fertig sein, und in diesem Augenblick wird Rußland der furchtbare Nebenbuhler werden, mit dem Deutschland angeblich schwerlich in der Lage sein würde, sich zu messen.
> Wenn das wirklich die Überzeugung ist, die sich hier gebildet hat, so ist es daher nicht verwunderlich, daß man in Deutschland alle Kräfte anspannt, um für den Fall eines kriegerischen Zusammenstoßes mit uns bereit zu sein. Nicht verwunderlich ist es auch, daß man versucht, uns einzuschüchtern, und gleichzeitig sich auch nicht den Anschein zu geben, daß Deutschland selbst Rußland fürchtet. Aber diese Furcht blickt meiner Ansicht nach nichtsdestoweniger aus jeder Zeile der in der letzten Zeit gedruckten Aufsätze, welche den russisch-deutschen Beziehungen gewidmet sind.«

Neben der Furcht vor Rußland, die Swerbejew zu erkennen glaubte, wies er jedoch gleichzeitig auf die gewaltigen militärischen Anstrengungen Deutschlands hin und sprach gegenüber Sasonow die Hoffnung aus, »daß man sich hier nicht irrt, und daß tatsächlich bei uns alle Maßregeln zur Verstärkung unserer Kriegsmacht ergriffen werden«. Diese Verstärkung sei um so notwendiger, »als Deutschland weder Mittel noch Tatkraft schont, um seine Kriegsbereitschaft auf das höchste Maß zu bringen«.

Nun hatten tatsächlich die deutschen Staatsmänner – Bethmann Hollweg seit Juli 1912 – und Militärs – der Kaiser und Moltke seit Dezember 1912 – längst begonnen, die wachsende Macht Rußlands zu fürchten, und hatten zu errechnen versucht, bis wann höchstens das Deutsche Reich stark genug sein würde, um dem russischen Koloß entgegentreten zu können. So bedurfte es eben nicht erst der Nachrichten über den Rahmenplan Suchomlinows oder der Erfahrungen mit der Liman-Sanders-Mission, um die deutsche Reichsleitung auf die »russische Gefahr« zu stoßen. Was nun aber die russische Heeresverstärkung betraf, die im November 1913 als Gesetzesvorlage an die Duma ging und im Juni 1914 als Gesetz angenommen wurde – bei Kriegsbeginn also noch auf dem Papier stand und erst in den Jahren 1916/17 realisiert sein würde –, so bezeichnete sie der deutsche Staatssekretär selbst im Gespräch mit dem russischen Botschafter als eine *Folge* der deutschen Aufrüstung [26].

---

26 Vgl. Anm. 24; dieser Absatz ist auch von B. v. Siebert, Diplomatische Aktenstücke, Nr. 1044, S. 266 f. veröffentlicht. Sieberts Übersetzung verschärft diesen Passus noch, verfälscht ihn allerdings zugleich.

Jagow selbst bestätigte also, daß es das Deutsche Reich war, das mit seiner großen Heeresvermehrung vom Sommer 1913 den Anstoß gegeben hatte zu einer Eskalation der Rüstungen in Rußland wie in Frankreich.

Am 6. März suchte Sasonow Pourtalès auf, um zu erfahren, was es mit dem Artikel der ›Kölnischen Zeitung‹ auf sich habe. Der Botschafter, der die darin enthaltenen Angaben für plump und ungeschickt, in seinen Tatsachenbehauptungen für höchst anfechtbar hielt, berichtete dann am 11. März dem Reichskanzler über die Wirkung *dieses Arikels* in Rußland und über seine eigene Stellungnahme zu dem Inhalt des Artikels. Die Unterstellung, Petersburg bereite planmäßig einen Krieg vor, hielt er für falsch:

> »Ich glaube nicht, daß in Rußland Regierung und Volk einen solchen Krieg wünschen und ihn für unvermeidlich halten, noch viel weniger glaube ich, daß hier irgendwelche maßgebende Faktoren ein politisches Programm verfolgen mit dem Ziel eines Konfliktes mit uns [27]«.

Die Marginalien des Kaisers zu diesem Bericht zeigen, daß Wilhelm II. nicht mit dem Botschafter übereinstimmte, sondern ganz auf der Seite des Kriegsministeriums und des Großen Generalstabs stand. Wie schon 1912 betrachtete er eine Auseinandersetzung mit Rußland als Rassenfrage und resümierte:

> »Der liebe Pourzel hätte diesen Bericht lieber ungeschrieben lassen sollen. Nichtkenner Rußlands und schwache bedenkliche Charaktere unter seinen Lesern macht er total konfus! Auch überzeugt er nicht im geringsten ... Ich als *Militär* hege nach allen Meinen Nachrichten nicht den allergeringsten Zweifel, daß Rußland den Krieg systematisch gegen uns vorbereitet, und danach führe Ich Meine Politik.«

Am gleichen Tag, an dem Swerbejew seinen Bericht aus Berlin absandte, berichtete der Geschäftsträger in Wien Fürst Kudaschew über die russenfeindliche Stimmung in der dortigen Presse, die sich besonders in den letzten drei bis vier Wochen kundgetan habe [28]. Diese Stimmung hielt auch er teils für aufrichtig, teils »wird sie künstlich aufrechterhalten«. Aufrichtig sei sie – in Verbindung mit der Veröffentlichung von Berichten über zwei politische Prozesse und eine Reihe von Spionageprozessen – insofern, als sie »den Unwillen über die Agitation wiedergibt, die von Rußland her in Galizien und Ungarn betrieben wird«, und deren rein kulturellen Charakter in Österreich »unter dem Einfluß der Furcht vor ihren möglichen politischen Folgen« niemand anerkenne. Mit diesem Hinweis warnte der konservative Diplomat seine Regierung. Künstlich aber sei diese Stimmung insofern, als sie von der Regierung unterstützt werde, die

---

27 GP 39, Nr. 15 844, Pourtalès an Bethmann Hollweg, 11. 3. 14, Marginalien des Kaisers, ibid., S. 554.
28 Internationale Beziehungen, Reihe I, Bd. 1; Nr. 435, Kudaschew an Sasonow, 12. 3. 14.

auf den Einfluß rechne, »den sie durch die öffentliche Meinung auf das Parlament ausüben kann zur schnelleren Durchbringung des Militärgesetzes und des Anleihegesetzes«. Es ist das gleiche Motiv, das Swerbejew in Berlin der dortigen Presseagitation zuschrieb.

Der Ton der österreichischen Presse und zuletzt das Erscheinen des Artikels in der ›Kölnischen Zeitung‹ – so fuhr Kudaschew fort – habe zunächst »den Eindruck irgendeines gemeinsam zwischen Deutschland und Österreich abgekarteten Pressefeldzuges gegen Rußland erzeugt«. Doch habe als erstes das halbamtliche Blatt der österreichischen Militärbehörden ›Militärische Rundschau‹ abwiegelnd geantwortet. Ausgerechnet dieses Organ wies darauf hin, daß Nachrichten über eine »angeblich sich vorbereitende allgemeine Probemobilmachung des russischen Heeres« keine Befürchtungen erzeugen dürften und keine feindlichen Absichten der russischen Regierung bezeugten. Zwar hätten diese Erklärungen in Berlin und zeitweise sogar am Ballhausplatz »wegen ihrer Mäßigung« Mißfallen erregt, aber das Außenministerium habe sich in der ›Montagsrevue‹ vom 9. März ebenfalls abwiegelnd geäußert, und tags darauf seien gleichlautende Aufsätze im ›Neuen Wiener Tageblatt‹ und im ›Pester Lloyd‹ erschienen. In seinem zusammenfassenden Urteil deutete Kudaschew einen wesentlichen, auch für die Julikrise grundlegenden Unterschied an in der Stimmung zwischen Berlin und Wien: Welcher Art auch die Gefühle seien, die die Wiener Regierung Rußland gegenüber beseelten, so zweifle er nicht daran,

»daß alles Unerwartete, wie der jüngste Ausbruch der Zeitungen in Deutschland, ihr unangenehm ist, da alle Verwicklungen, die mit einem Kriege endigen können (gemeint ist der Krieg gegen Rußland), für Österreich-Ungarn sehr gefährlich sind«.

Wenn auch dank der Arbeit des Generalstabschefs Conrad v. Hoetzendorf das Heer verbessert worden sei und wenn auch

»jetzt nicht mehr die gedrückte Stimmung besteht, die hier bemerkt wurde, als die ersten Meldungen über die unerwarteten, glänzenden Siege der Balkanslawen (im Oktober 1912) eintrafen, so sei doch noch zu viel zu tun, als daß Österreich-Ungarn sich leichten Herzens zu einem offenen Zerwürfnis mit Rußland entschlösse und besonders den Augenblick seines Eintrittes zu beschleunigen suchte«.

Am 13. März berichtete Graf Benckendorff noch einmal aus London an Sasonow über den »war scare« der deutschen Presse, den er »ein häßliches und unangenehmes, wo nicht gefährliches Symptom« nannte. In England gebe es keine Stimme einschließlich der Germanophilen, »die nicht Deutschland verantwortlich machte, und zwar Deutschland allein. Niemand denkt viel an Österreich«. Benckendorff interpretierte diesen Eindruck vom russischen Standpunkt aus und ganz besonders im Hinblick auf die englisch-russischen Beziehungen als »ersprießlich und nützlich«. Denn während Grey bisher gezögert habe (etwa in der Liman-Sanders-Krise), im Namen der Triple-Entente zu sprechen, »angesichts der Gefahr eines Bruchs des europäischen Konzerts«, so könnten ihn jetzt die Umstände dazu nötigen. Benckendorff merkte an, er habe noch niemals Lichnowsky, »einen Kollegen, Vetter und Freund«, bekümmerter gesehen, und Graf Mensdorff (der österreichische Botschafter) habe drei Kilo an Gewicht verloren [29].

Am gleichen 13. März hatte auch Swerbejew erneut eine Aussprache mit Jagow, in der dieser den Botschafter auf einen Aufsatz in der russischen Zeitung ›Birševyja Vedomosti‹ hinwies und »eine gewisse Beunruhigung wegen der Herkunft dieses Artikels« äußerte. Der Botschafter beeilte sich zu versichern, daß seiner Überzeugung nach amtliche Kreise an dem Aufsatz nicht beteiligt seien. Das war unwahr, denn der Verfasser dieses am 12. März erschienenen Aufsatzes war der russische Kriegsminister Suchomlinow, der als Antwort auf die Behauptung der deutschen Presse von einem Kriegswillen Rußlands seinen Artikel überschrieb: »Rußland wünscht den Frieden, ist aber zum Kriege bereit.[30]« Jagow sprach die Befürchtung aus, daß dieser Artikel erneut Erregung in Deutschland hervorrufen würde, sagte dann aber doch zu, sofort Maßregeln zu treffen, um den für die deutsch-russischen Beziehungen »so unerwünschten Zeitungskrieg« sich nicht wiederholen zu lassen. Tatsächlich erschien bereits wenige Stunden später ein beschwichtigender Artikel in der amtlichen ›Norddeutschen Allgemeinen Zeitung‹, worin es hieß, daß »die Erzählungen von der militärischen Überlegenheit der Russen« den guten Beziehungen zwischen dem Deutschen und Russischen Reich nicht schaden könnten und daß jener Korrespondentenbericht aus Petersburg in der ›Kölnischen Zeitung‹ vom 2. März »völlig unbegründetes Geschrei« gewesen sei. Die NAZ betonte noch einmal »die feste, ehrliche und friedliche Ziele verfolgende amtliche (deutsche) Politik«.

Im Auswärtigen Amt war man über das ungünstige Echo des Auslandes auf die antirussische Pressekampagne in Deutschland besorgt und deshalb bemüht, die deutsch-russische Auseinandersetzung nicht wiederaufleben zu lassen. Unterstaatssekretär Zimmermann gab anfragenden Journalisten den dringenden Rat, den Artikel der ›Birševyja Vedomosti‹ zu ignorieren:

> »Fortsetzung der Polemik unsererseits wäre geeignet, die uns wohlgesinnte Stimmung gewisser anderer Länder neuerdings ungünstig zu beeinflussen und uns als Ruhestörer erscheinen zu lassen.[31]«

---

29 Ibid., Nr. 441, Benckendorff an Sasonow, 12. 3. 14.
30 Ibid., Nr. 442, Swerbejew an Sasonow, 13. 2. 14, vgl. Anm. 1, S. 446.
31 AA-Bonn, Deutschland, 131, Bd. 35, Telegr. Zimmermann an Georg (Hann. Anzeiger), 13. 3. 14.

Einen Tag später äußerte sich die konservative ›Kreuzzeitung‹ (14. März 1914) in einem Leitartikel von Otto Hoetzsch zu Suchomlinows Artikel. Hoetzsch, dessen Versuch um ein objektives, emotionsloses Rußlandbild in den Jahren vor dem Kriege oben erwähnt worden ist, und der damit als Gegner seines Kollegen Theodor Schiemann aufgetreten war, konzedierte einerseits, daß es in der russischen Armee und Diplomatie deutschfeindliche Strömungen gebe, außerdem, daß ein tiefgehender Gegensatz in wirtschaftspolitischen Fragen zwischen beiden Mächten bestehe, und daß drittens vielleicht auch Frankreich einen Krieg zwischen Deutschland und Rußland herbeiwünsche, andererseits aber stellte er die Frage: »was es (Deutschland) in seinen Beziehungen zu Rußland will und was nicht«? Hoetzsch selbst gab provozierende Antworten:

»Soweit Zentraleuropa in Frage kommt, existieren Reibungsflächen und sachliche Gegensätze nicht ... Und trotz alles Neopanslawismus bleibt desgleichen die Interessengemeinschaft in der polnischen Frage ein Faktor, weil sie auf konstant bleibenden Existenzbedingungen beider Staaten ruht ...«

Was die orientalischen Fragen betrifft, so räumte Hoetzsch ein, daß hier »Reibungen und Trübungen stattgefunden haben«; jedoch wandte er sich diametral gegen die amtliche deutsche Politik, indem er anerkannte, daß es sich wohl für Rußland dort um »Lebensinteressen« handle, nicht aber für Deutschland:

»Was Rußland dort will, ist, seitdem die Träume Peters und Katharinas, so fest sie noch in der russischen öffentlichen Meinung wurzeln, von der Herrschaft über die Balkanhalbinsel erledigt sind, klar: Armenien und die Meerengendurchfahrt. Beide Probleme gehören zu den Lebensinteressen Rußlands. Beide Fragen sind nicht Lebensinteressen Deutschlands. ...«

Deshalb sei es in dieser Frage doppelt nötig, die Ziele Deutschlands in Nahost und speziell gegenüber Rußland zu überprüfen, »denn hier liegt allerdings die Möglichkeit vor, daß beide Seiten aneinander geraten könnten«. Und gerade davor wollte Hoetzsch mit seinem Artikel warnen, indem er indirekt die Bagdadbahnpolitik des Auswärtigen Amts und der Deutschen Bank, ja, die ganze Türkeipolitik des Reichs kritisierte. Das war freilich eine einsame Stimme in der Wüste, die den Fortgang der deutschen Orientpolitik wie der allgemeinen Politik nicht aufhalten konnte.

Die Auseinandersetzung mit Rußland geht weiter

Nach einer vorübergehenden Beruhigung setzte sich die deutsch-russische Pressefehde in den folgenden Wochen und Monaten fort. Dabei verbanden sich militärpolitische Betrachtungen mit den Auseinandersetzungen um die Erneuerung des deutsch-russischen Handelsvertrages.

Immerhin hielt zum Beispiel auch Hoetzsch die wirtschaftlichen Differenzen zwischen Deutschland und Rußland für gravierend, zumal die ›Kreuzzeitung‹ ja die Interessen der deutschen Agrarier vertrat. Wirtschaftsdifferenzen waren es auch, die eine der führenden liberalen Zeitungen, die ›Frankfurter Zeitung‹, zu einer stärker antirussischen Stellungnahme veranlaßten, wobei es sich in diesem Falle um die Interessen der deutschen Industrie handelte. Als in diesem Frühjahr das russische Marineministerium die deutschen Firmen aus dem Kreise der Auftragsempfänger auszuschließen drohte, ließ das Blatt die deutsch-russischen Beziehungen nicht mehr von seinen stark vom Auswärtigen Amt beeinflußten Korrespondenten Dr. Waibel (in Petersburg) und August Stein (in Berlin) interpretieren, sondern durch Leitartikel, die in der Zentralredaktion in antirussischem Sinne schrieben. So hieß es in einem Artikel der ›Frankfurter Zeitung‹ vom 9. April:

> »Was das Marineministerium getan hat, geht über Worte schon erheblich hinaus. Das ist kräftige russische Praxis. Man geht dazu über, den Erwerb deutscher Privatleute abzusperren und will Deutschland an seiner empfindlichsten Stelle, in seiner Industrie schädigen. Um zu einer solchen wirtschaftlichen Kriegserklärung zu gelangen, muß an der betreffenden Stelle ein ungewöhnlich hohes Maß von politischer Gehässigkeit gegen Deutschland angehäuft sein.«

Am 11. April kam die ›Frankfurter Zeitung‹ in einem Leitartikel auf die Erörterung des Anonymus im ›Berliner Tageblatt‹ vom 9. März zurück, der von der Feindschaft der nichtrussischen Nationalitäten in Rußland gegen den Zarismus gesprochen hatte. In einer allgemeinen Betrachtung über Nationalismus und Nationalitäten ging der Artikel der ›Frankfurter Zeitung‹ auch auf den russischen Nationalismus ein, den er als das »krasseste Beispiel einer Überspannung der nationalen Idee« bezeichnete. Wenn es in Rußland – so führte der Verfasser aus – zu einem »wirklichen Konstitutionalismus« käme, würde das russische Reich seine »bedrohliche Bedeutung für Europas Frieden... verlieren«. »Hat jedoch der bürokratische Absolutismus Zeit genug, die große Masse der slawischen und nichtslawischen Völker jener weiten Ländergebiete durch eine konsequente Vergewaltigungspolitik zu entnationalisieren, ...dann kommt auch eine konstitutionelle Umwälzung zu spät«.

Die Diskussionen über die deutschen Beziehungen zu Rußland zogen automatisch auch Diskussionen über die deutschen Beziehungen zu Frankreich und England mit sich. Dabei wurde vor allem in der Regierung nahestehenden oder von der Regierung informierten Blättern die Ansicht vertreten, daß England in einem möglichen Konflikt neutral bleiben werde, oder es wurde betont hervorgehoben, daß sich England in dieser Auseinandersetzung durchaus zurückhalte und sich von Rußland nicht aufstacheln lasse. Am 18. April schrieb die ›Frankfurter Zeitung‹, die über ihren

Berliner Vertreter, August Stein, ausgezeichnete Beziehungen zum Auswärtigen Amt unterhielt:

>Es hat daher auch gar keine Wahrscheinlichkeit für sich, wenn in russischen Blättern eine von der »Agence Havas« verbreitete Mitteilung über eine angeblich von Sir Edward Grey gewünschte engere Fühlungnahme zwischen den Mächten der Triple-Entente in dem Sinne ausgelegt wurde, daß damit der Ausbau der Entente zu einem Bündnis angebahnt werde. ... Deutschland kann mit der Entwicklung der europäischen Politik der letzten Jahre, wenn auch nicht restlos, zufrieden sein. England ist aus der Reihe seiner unbedingten Gegner ausgeschieden, und die Einkreisungspolitik ist zusammengebrochen.«

Ein Berater Bethmann Hollwegs, Professor Karl Lamprecht, sprach das gleiche Kalkül aus, wobei er, wie der Kaiser und Moltke, seine Argumentation mit der Rasseidee verband:

>An die Stelle der Nationen treten die Rassen. Es ist nicht anders denkbar, als daß auf dieser Grundlage in Europa die Gegensätze zwischen germanisch, slawisch und romanisch stärker hervortreten, und wiederum erscheinen hier Deutschland – den Begriff im weitesten Sinne gerechnet – und Rußland als Führer von Rassen. In diesem letzten Gegensatz sind dann die immerhin schon kleinen Fragen, die Rußland und Deutschland trennen können, eingeschrieben, darin vor allen Dingen die osteuropäische Frage, welche im ganzen glücklicherweise so gestaltet ist, daß in ihr das germanische Gesamtinteresse zum Ausdruck gelangt und mithin England im schlimmsten Ernstfalle auf unserer Seite zu finden ist.« [31a]

Das hieß, ein künftiger Krieg Deutschlands und Österreich-Ungarns gegen Rußland werde im Namen des Germanentums geführt, so daß sich die »Angelsachsen« diesem Kampf anschließen müßten.

Am 28. April machte Jagow in der Budgetkommission des Reichstags Mitteilungen über die auswärtige Politik und insbesondere über das Verhältnis zu Rußland. Nach seiner Meinung war die Aufregung [32] der russischen Öffentlichkeit, »die ja immer im Zusammenhang mit den Stimmungen amtlicher Kreise steht« (wie es der Korrespondent wiedergibt), über die deutsche Militärmission in Konstantinopel ein erstes Symptom eines Wandels in den deutsch-russischen Beziehungen gewesen. Die ›Frankfurter Zeitung‹ (29. April 1914) kommentierte: »Vielleicht hat der Staatssekretär recht, wenn er sagt, die sachliche Erledigung der Frage sei durch die giftige russische Pressekampagne, die ihr Echo in Frankreich und England fand, erschwert worden.« Jagow schilderte die deutsch-russischen Beziehungen aber im ganzen sehr optimistisch, so daß sich das Blatt u. a. zu folgender Betrachtung angeregt fühlte (wobei der Gedanke naheliegt, daß der Pressechef des Auswärtigen Amtes, Hammann, über August Stein hier das einfließen ließ, was Jagow selbst nicht sagen konnte). Es habe sich gezeigt,

---

31a Zit. nach HC, Nr. 194, 18. 4. 14.
32 Vgl. den Bericht der FZ, Nr. 118, 29. 4. 14.

»daß eine Quelle möglicher Gegensätze und Reibungen in der Regelung der Angelegenheiten des Nahen Orients, vor allem in der weiteren Entwicklung des Osmanenreiches liegt, an der Rußland als expansionslustiger Nachbar, Deutschland aber als Hüter friedlicher Erwerbsmöglichkeiten für seinen Handel und seine Industrie interessiert ist. Daß andere Mächte, beispielsweise England, ein etwa in der gleichen Richtung laufendes Interesse haben, ist für Deutschland eine Stärkung seiner Stellung, und wird wohl auf die Dauer auch dem ungestümen Temperament russischer Macht- und Ausbreitungspolitik einigermaßen Zügel anlegen.«

Dazu, daß das Thema Rußland auch in der Folgezeit im Mittelpunkt der Erörterungen blieb, trug nicht unwesentlich die große Reichstagsrede Jagows am 14. Mai über die auswärtigen Beziehungen bei, in der auch das Verhältnis zu Petersburg eingehend besprochen wurde. Jagow vertrat an diesem Tage Bethmann Hollweg (dessen Frau gestorben war). Diese Rede war im Auswärtigen Amt sorgfältig vorbereitet worden. Jagow hatte bereits am 25. April die wichtigsten Gesichtspunkte Pourtalès mitgeteilt, der unter Berücksichtigung der sehr versöhnlichen Stimmung Sasonows – dieser wollte in der Duma sehr entgegenkommend über die deutsch-russischen Beziehungen sprechen – dem Staatssekretär empfahl, eine etwas freundlichere Tonart anzuschlagen. Jagow bedauerte: »Schade, daß wir uns zuerst äußern müssen.[33]« Trotz dieser Empfehlungen des Botschafters war der Tenor der Rede recht scharf. Jagow äußerte die Ansicht, für die Pressekampagne der letzten Monate seien allein die russischen Zeitungen verantwortlich:

> »Zweifellos hat sich die schon seit langem in einem Teile der russischen Presse herrschende deutschfeindliche Bewegung in letzter Zeit noch verschärft und zu einer fast systematischen Kampagne auf den verschiedenen Gebieten gegen uns geführt. Diejenigen, die diese Kampagne unterhalten haben, können sich nicht wundern, wenn es schließlich ebenso aus dem Walde herausschallt, wie man hineingerufen hat.[34]«

Ohne jede Einschränkung interpretierte der Staatssekretär die deutschen Pressestimmen als eine Reaktion auf Provokationen eines Teils der russischen Presse. Dabei appellierte er im gleichen Atemzug in allgemeinen Wendungen an die russische Regierung, trotz »dieser Treibereien« an dem »freund-nachbarlichen Zusammenleben« festzuhalten; auch »handelspolitische Schwierigkeiten, welche in nächster Zeit entstehen könnten«, würden bei gutem Willen beigelegt werden können. Gegenüber der französischen Regierung schlug Jagow freundliche Töne an und wies dann auf die schwebenden Verhandlungen mit Großbritannien hin, die in »demjenigen freundschaftlichen Geiste geführt« würden, »der auch sonst unsere Beziehungen zu England beherrscht.«

---

33 AA-Bonn, Deutschland, 131, Bd. 36, Jagow an Pourtalès, 25. 4. 14.
34 Zit. Schultheß' Europ. Gesch. Kal. 1914, S. 282.

Die ›Kölnische Zeitung‹ kommentierte die Rede des Staatssekretärs wie folgt: »Es war wie eine Billigung des Verhaltens der deutschen Presse gegenüber ›der systematischen Pressekampagne gegen uns‹«, wenn Jagow auch diesen Ausspruch etwas abgeschwächt habe, indem er sich weiterhin gegen die künstliche Erregung von Volksleidenschaften gewandt habe. Demgegenüber mahnte die ›Kölnische Zeitung‹ allerdings:

> »Die Presse, die dem Wohl der Allgemeinheit dient, saugt sich ihre Mahnungen und Warnungen nicht aus den Fingern … Man hat Herrn von Jagow vorgeworfen, er habe zu den ›amtlichen Unfreundlichkeiten Rußlands‹ geschwiegen; wir wollen hoffen, daß er trotz seines Schweigens und trotz der Beteuerung, daß es zwischen Deutschland und Rußland reale Gegensätze nicht gäbe, nicht blind ist für die nun einmal nicht wegzuleugnenden Geschehnisse.[35]«

Die ›Frankfurter Zeitung‹ sah in Jagows Rede eine »sehr deutliche Mahnung an die russische Öffentlichkeit, ihren Angriffen gegen Deutschland eine Grenze zu setzen«. Noch stärker als in den beiden eben genannten Stimmen wurde in der gesamten Rechtspresse die Rede des Staatssekretärs als eine Unterstützung der eigenen Haltung und als ein Angriff auf Rußland interpretiert und begrüßt.

Die Rede Jagows vom 14. Mai stellt den Abschluß einer Entwicklung dar, deren Wurzeln schon im Januar und Februar des Jahres lagen, und die durch den Alarmruf der ›Kölnischen Zeitung‹ offen zu Tage getreten war. In dieser Zeitspanne vom 2. März bis zum 15. Mai schwenkte der größte Teil der politischen Tagespresse, auch wenn sie zunächst eine andere Haltung zeigte, auf einen Anti-Rußland-Kurs ein. Und das änderte sich bis zum Kriegsausbruch nicht mehr.

Durchaus zutreffend hatte schon am 23. März 1914 der russische Militärattaché in Berlin, Oberst Basarow, die Bedeutung der Hintergründe der deutsch-russischen Pressefehde charakterisiert. Er schrieb:

> »Die unerwartet in der deutschen Presse erschienenen scharfen Angriffe auf Rußland und auf die voranschreitende Verstärkung seiner militärischen Macht rufen in Deutschland große Beunruhigung hervor; sie wird vertieft dadurch, daß die deutsche und die österreichische Regierung künstlich einen solchen politischen Umstand schaffen können, der es ihnen ermöglicht, jetzt einen Präventivkrieg zu führen mit dem Ziel, Rußland nicht die Zeit zu geben, seinen groß angelegten Plan (d. h. den »Rahmen«, die Heeresreform Suchomlinows, die Juni 1914 Gesetz wurde), mit Hilfe des französischen Kapitals entfalten zu können.[36]«

Diese Interpretation von russischer Seite war keineswegs eine verzerrende Konstruktion der gegnerischen Militärpartei, sondern sie traf genau die Überlegungen, die zur gleichen Zeit innerhalb der deutschen militärischen

35 Zit. Wernecke, Deutschlands Weltstellung, Diss. (Masch.), S. 370.
36 Zit. Krasnyj archiv 64 (1934), S. 85–123; Bericht des Obersten Basarow, Nr. 155, 23. 3. 14.

Führung, aber auch innerhalb der zivilen Reichsleitung aufgestellt wurden: einen Krieg gegen Rußland zu führen, um der erwarteten militärischen und finanziellen Stärkung Rußlands zuvorzukommen, um so mehr als man der festen Überzeugung war, daß Rußland zu einem solchen Waffengang jetzt weder finanziell noch militärisch fähig oder bereit war.

XVIII. KAPITEL

Die militärischen Absprachen mit den Bundesgenossen
1913/14: Deutschlands Vorbereitung
für den »Präventivkrieg«

Der Schlieffenplan

Die Pressekampagne gegen Rußland im Frühjahr 1914 sollte aus innen-
wie außenpolitischen Gründen Rußland als den Hauptgegner in einem
kommenden Krieg erscheinen lassen. Dahinter stand die Berechnung, daß
die Sozialdemokratie, ihrer antizaristischen Tradition gemäß, sich nur an
einem Deutschland von Rußland aufgezwungenen Krieg beteiligen würde
und daß England in einem Krieg, in dem Rußland als Aggressor erschien,
neutral bleiben würde. Die militärische Entscheidung im Osten zu suchen,
war aber ausgeschlossen, da der deutsche Aufmarschplan die Eröffnung
des Krieges durch einen Angriff gegen Frankreich vorsah; ja, seit dem Frühjahr 1913 – nachdem die Entscheidung für einen notwendigen Präventivkrieg gegen Frankreich und Rußland gefallen war, hatte der Generalstab
den großen Ostaufmarschplan nicht mehr bearbeitet (was Adolf Gasser
als das wichtigste Indiz für den deutschen Willen zum Präventivkrieg betrachtet) [1]. Aufgrund von strategischen Planungen, die von dem dritten
Generalstabschef der preußisch-deutschen Armee, Graf Schlieffen, seit der
Übernahme seines Amtes im Jahre 1891 entwickelt worden waren und die
sein Nachfolger, der jüngere Moltke, übernommen hatte, sah die deutsche
Strategie zuerst die Niederwerfung des russischen Bündnispartners Frankreich vor. Während der ältere Moltke in seinen vielfachen Aufmarsch-
und Operationsplänen im Falle eines Zweifrontenkrieges die deutsche Armee teilen und im Zusammengehen mit der Armee Österreich-Ungarns das
Schwergewicht auf die Ostfront legen wollte, im übrigen mit einem längeren Krieg rechnete, und auch sein Nachfolger Waldersee (1887–91) an
eine doppelseitige Großoffensive Deutschlands und Österreich-Ungarns
gegen Rußland dachte und im Westen in der Defensive verharren wollte

---

[1] Vgl. Adolf Gasser, Deutschlands Entschluß zum Präventivkrieg 1913/14, Sonderdruck aus: Dis-
cordia concors, Festschrift für Edgar Bonjour, Basel, 1968, S. 175–184.

(mit einer allenfalls taktischen Offensive), wurde »die eigentliche, grundstürzende Änderung der deutschen Operationspläne« erst durch Schlieffen herbeigeführt [2]. Dies geschah in einem doppelten Sinne. Erstens: die Kriegsentscheidung sollte in der Anfangsphase im Westen gesucht werden, wobei schon in der ersten Denkschrift Schlieffens vom April 1891 der Gedanke auftaucht, daß die Offensive, um einen Frontalangriff gegen die französische Festungsfront zu vermeiden, durch Belgien geführt werden könnte; zweitens: nach dem Sieg über Frankreich sei sodann der zweite Gegner, Rußland, durch Konzentrierung aller Kräfte zu schlagen – womit sich die Vorstellung eines möglichen »Totalsieges« im Westen wie im Osten anbahnte.

Diese im Jahre 1891/92 gefaßten Vorsätze verdichteten sich in immer neuen Generalstabsreisen und Planspielen sowie in zahlreichen Denkschriften und Entwürfen schließlich zu dem sogenannten Schlieffenplan, der erstmals 1897, dann zur Zeit der ersten Marokkokrise 1905 und – nach Schlieffens Ausscheiden aus dem Amt (Januar 1906) – von diesem als militärisches Testament für seinen Nachfolger, den jüngeren Moltke, und noch einmal kurz vor seinem Tode am 28. Dezember 1912 als Ergebnis seiner Lebensarbeit niedergelegt wurde [3].

Im Gegensatz zur rückschauenden Kritik Gerhard Ritters (in seinem 1956 erschienenen Buch »Der Schlieffenplan, Kritik eines Mythos«) an der praktischen Durchführung des Schlieffenplans erscheint die Tatsache viel wichtiger, daß der deutsche Generalstab, ja das gesamte deutsche Offizierkorps (mit verschwindenden Ausnahmen) diesen Plan für das unfehlbare Siegesrezept gehalten hat. Das wiegt um so schwerer, als auch die politische Leitung des Reiches (vor, im und sogar nach dem Kriege) diesen Plan als unumstößlich hinnahm oder ihn wenigstens nicht in Frage stellte. Im Dezember 1912 teilte der Kaiser bei einem Gespräch mit Moltke und Bethmann Hollweg dem Generalstabschef mit, er sei um die belgische Neutralität bemüht. Moltke wies den Kaiser darauf hin, daß der deutsche Aufmarschplan den Durchmarsch durch Belgien unbedingt verlange. Daß Bethmann Hollweg dem widersprochen oder den kaiserlichen Plan unterstützt hätte, findet sich in seiner eigenhändigen Aufzeichnung nicht [4]. – Der Staatssekretär des Äußeren, v. Jagow, berichtet in seinen unveröffentlichten Aufzeichnungen, er sei bald nach seinem Amtsantritt als Staatssekretär (Januar 1913) von Moltke über den deutschen Aufmarschplan unterrichtet worden und habe sofort Bedenken wegen der Verletzung der belgischen Neutralität angemeldet und versucht, Moltke zur Modifizierung des Plans zu veranlassen, der doch automatisch England auf die Sei-

2 Gerhard Ritter, Der Schlieffenplan. Kritik eines Mythos, München 1956, S. 18.
3 Ibid., S. 182 ff.
4 Vgl. AA-Bonn, Belgien 60, geh. Bd. 7. Eigenhändige Aufz. Bethmann Hollwegs, 22. 12. 12.

te der Gegner führen müsse. Im Mai 1914 hätte ihn Moltke dann wissen lassen, daß sich am Konzept des deutschen Aufmarsches nichts ändern lasse. Wahrscheinlich ist diese Schilderung ein späterer Rechtfertigungsversuch gegen den Vorwurf, das Auswärtige Amt habe die Gefahr eines Kriegseintritts Englands als Konsequenz des deutschen Einmarsches in Belgien nicht richtig eingeschätzt; aber angenommen, dieser Vorgang hätte sich wirklich ereignet, so scheint doch der Widerstand Jagows nicht ernsthaft gewesen zu sein, denn er ließ mehr als ein Jahr verstreichen, ohne sich um weitere Informationen zu bemühen, und sich zuletzt mit einer beiläufigen Mitteilung abspeisen [5].

Die entscheidende Fassung des Schlieffenplans von 1905 sah die Ostfront fast von Truppen entblößt zugunsten der Konzentrierung der deutschen Streitkräfte im Westen, die dort die Entscheidung herbeiführen sollten. Das war zu diesem Zeitpunkt immerhin verständlich, weil Rußland durch die Niederlage im Krieg mit Japan und durch die Revolution außerordentlich geschwächt war. Dazu machte man sich in Berlin obendrein Hoffnungen auf eine russische Neutralität (Björkö). Bemerkenswert ist jedoch, daß Schlieffen an diesem Konzept sogar noch im Dezember 1912 festhielt, als sich Rußland unverkennbar wieder erholt und als Protektor des Balkanbundes sich wieder voll dem Westen zugewandt hatte. Der jüngere Moltke folgte ihm darin nicht völlig, sondern ließ in seinem Aufmarschplan schwache deutsche Kräfte an der deutschen Ostgrenze, ohne dabei aber das Gesamtkonzept aufzugeben. Das englische Expeditionskorps, dessen wachsende Stärke und Kampfkraft bekannt war, wurde als quantité négligeable behandelt: selbst wenn es in Antwerpen landen sollte, wäre es dort blockiert und ausgeschaltet. Moltke soll zu Jagow verächtlich gesagt haben: »Mit den 150 000 Engländern werden wir auch noch fertig.[6]« Dementsprechend machte das Eingreifen Englands, mit dem Schlieffen seit 1905 und erst recht seit 1911 rechnete, ihm wie auch Moltke wenig Kopfzerbrechen. Noch weniger beschäftigte ihn die Gefahr der englischen Flotte, etwa einer Blockade, da er, einseitig auf einen Festlandsieg eingeschworen, mit einem ganz kurzen Krieg rechnete. So hatte er auch für die deutsche Flotte in seinem Plan keine Verwendung – die Flotte, deren Aufbau so viele Milliarden gekostet und damit zweifellos dem Heere beträchtliche Aufrüstungsmittel entzogen hatte. Und doch war es vor allem ihr Wachstum gewesen, das zwischen Briten und Deutschen das Bewußtsein eines entscheidenden Konkurrenzkampfes entstehen ließ. Die mangelnde Koordination zwischen Heer und Marine wie auch die Enge der Schlieffenschen wie Moltkeschen Vorstellungswelt wird hier deutlich.

---

5 AA-Bonn, NL Jagow, Bd. 8, Blatt 48–56, unveröffentlichte Aufzeichnungen Jagows: Durchmarsch durch Belgien.
6 Ibid.

Aber noch gewichtiger als die militärischen und maritimen waren die politischen Probleme, die der Schlieffenplan aufwarf. Als Kerngedanken sah er den Marsch durch neutrale Kleinstaaten vor: durch Belgien und Luxemburg, ja sogar durch Holland (den Zipfel von Maastricht). Diese letztere Variante, Verletzung der holländischen Neutralität, ließ Moltke kurz vor dem Krieg fallen, mit Rücksicht auf die Offenhaltung einer Seeverbindung, falls der Krieg doch etwas länger dauern sollte. Dafür legte er sich freilich um so stärker auf die handstreichartige Besetzung von Lüttich, als dem Schlüssel zu Belgien, fest. Der Militärtechniker Schlieffen hatte die politischen Implikationen solcher Neutralitätsverletzungen nicht eingerechnet, was primär auch nicht seine Aufgabe war. Völlig korrekt hatte er dafür die Zustimmung der beiden Kanzler seiner Amtszeit, Hohenlohe und Bülow, eingeholt und erhalten; so wie sie später Moltke von Seiten Bethmann Hollwegs erhielt. Diese Verletzung der belgischen Neutralität, eine rein militärisch begründete Maßnahme, widersprach objektiv dem Bemühen Bethmann Hollwegs um eine zumindest anfängliche Neutralität Englands. Dennoch hat der Kanzler gar nicht den Versuch unternommen, sich hierin den Militärs zu widersetzen und die militärischen Gesichtspunkte den politischen unterzuordnen, wußte er doch, daß bei der Konstruktion des preußisch-deutschen Staates, welche die Armee dem Kaiser direkt unterstellte, die militärischen Instanzen nach ihrem Prestige und im Gewicht ihrer Forderungen vor der zivilen Reichsleitung rangierten. Ja, noch rückschauend, nach dem verlorenen Krieg, hat Bethmann Hollweg die Möglichkeit einer erfolgreichen Geltendmachung politischer Gesichtspunkte gegenüber den militärischen bestritten. Das System der deutschen Reichsverfassung, das Erbe Bismarcks, und noch mehr das Erbe des Geistes der preußischen Militärmonarchie, also die Institutionen und die sozialen Gegebenheiten, waren machtvollere Faktoren als die Einsicht oder der Wille eines einzelnen. Dabei ist noch ungewiß, ob Einsicht und Wille überhaupt vorhanden waren. Zumindest nach dem Zeugnis Max Warburgs [7] hat Bethmann Hollweg noch im Juli 1914 fest daran geglaubt, daß auch ein deutscher Durchmarsch durch Belgien England nicht automatisch zu einem kriegerischen Eingreifen auf seiten der Gegner Deutschlands bestimmen könne.

Das Entscheidende im Schlieffenplan war die Idee einer Vernichtungsschlacht, die eine feindliche Armee mit einem Schlag ausschalten sollte, und der damit verbundene Gedanke eines Totalsieges. Das Zeugnis des Grafen Waldersee [8] sollte nicht übergangen werden, daß nämlich die Idee einer gigantischen Vernichtungsschlacht und eines damit gegebenen Totalsieges

7 Max. M. Warburg, Aus meinem Leben, Privatdruck 1952, S. 29.
8 Vgl. Alfred Graf v. Waldersee, Denkwürdigkeiten, Bd. 2, S. 318.

über eine fremde Nation der auf Dramatik eingestellten Phantasie Wilhelms II. genau angepaßt war. Es ist die Idee einer zweiten Schlacht auf den Katalaunischen Feldern, erreicht durch einen gewaltigen Flankenmarsch der deutschen Armeen durch Belgien, Holland, Nordfrankreich über die untere Somme und Seine unter Einschließung von Paris, mit einer Schwenkung zur Schweizer Grenze, so daß (bei gleichzeitigem Angriff des deutschen linken Flügels von Belfort bis Verdun) die französischen Armeen in der Gegend von Troyes (halbwegs zwischen Paris und Belfort) eingekesselt und der Vernichtung preisgegeben würden. Aus der Vorstellung des einen großen abschließenden Entscheidungskampfes ist es zu erklären, daß Schlieffen sich nicht mit einem Aufmarschplan und generellen Anweisungen für die ersten Operationen begnügte, sondern einen Vormarschplan entwarf mit den genauesten Marschzielen für die deutschen Armeen, festgelegt für jeden einzelnen Tag – ohne die Gegenzüge der Belgier, Engländer und Franzosen und mögliche Friktionen einzukalkulieren –, und zwar so, daß an einem bestimmten Tag jene Umzingelung erreicht sein würde.

Eben diesen Kerngedanken hat Moltke übernommen; darum glaubte er den Österreichern auf das Datum genau eine Zusage machen zu können, wann spätestens die deutsche Armee im Osten erscheinen würde. Bis dahin sollten die Österreicher das Gros der russischen Armeen (5 von 7) fast allein aufhalten.

So akademisch und unrealistisch heute diese Konzeption erscheinen mag, historisch ist es, wie schon gesagt, allein entscheidend, daß die Führungsgremien des deutschen Heeres sich mit Schlieffens Idee identifizierten. So konnte der Generalstabschef in der Rede, mit der er sich am Jahresende 1905 von seinen Mitarbeitern verabschiedete, erklären:

>Im Auslande wagt sich keiner an den Generalstab heran, alle unsere Feinde sind überzeugt, daß der deutsche Generalstab das Vermächtnis des Mannes von Sedan geborgen hat und sich im sicheren Besitz des Geheimnisses des Sieges befindet.< [9]

Der Plan schloß die Bevorzugung jeder Offensive gegenüber der Defensive in sich. Als Vorbild für die Erziehung der Armee diente das Korps Alvensleben 1870, das keine Schonung von Leben und Blut kannte:

>Angreifen, immer wieder angreifen, rücksichtloses Angreifen hat ihnen beispiellose Verluste, aber auch den Sieg, und man kann wohl sagen, die Entscheidung dieses Feldzuges gebracht.<

Wenn schon diese Konzeption und diese Maximen dem Krieg gegen Frankreich den Charakter eines Blitzfeldzuges gaben, so wurde seine Aus-

---

9 Abschiedsworte an die Offiziere des Generalstabs, 30. 12. 1905, in: Schlieffen, Gesammelte Schriften, II. Bd., Berlin 1913, S. 456.

lösung um so zwingender und drängender, je mehr sich die Vorbereitungszeit der russischen Mobilmachung durch technische und organisatorische
Maßnahmen ständig zu verkürzen drohte.

Militärische Absprachen im Dreibund 1913/14

Seit dem Dezember 1912 waren die Besprechungen innerhalb des Dreibundes für eine Zusammenarbeit von Armeen und Flotten intensiviert
worden. So wurden seit Januar 1913 im Anschluß an die Erneuerung des
Dreibundes (5. Dezember 1912) auf italienische Initiative hin Gespräche
über eine neue Marinekonvention geführt, um auch auf diesem Gebiet ein
einheitliches Auftreten des Dreibundes zu gewährleisten. Gemäß den Vorstellungen des römischen Marineministeriums stellte der italienische Unterhändler Angelo Ugo Conz die Interessen seines Landes überzeugend
als mit denen des Dreibundes übereinstimmend dar: Die alte Konvention
von 1900 war durch die englisch-französischen Absprachen in der Tat überholt und wertlos geworden. Um der italienischen Flotte gegenüber der
stark überlegenen anglo-französischen (im Verhältnis 3 : 10) überhaupt
eine Chance zu geben, war ihre Vereinigung mit der ganzen österreichischen Hochseeflotte dringend geboten. Diese Flottengespräche waren am
23. Juni 1913 abgeschlossen; die neue Konvention trat am 1. November
1913 in Kraft. Sie sah im Kriegsfalle ein Zusammenziehen der italienischen und der österreichisch-ungarischen Flotte, möglichst bald und mit
geringstem Risiko für beide, bei Messina vor, wozu noch zwei deutsche
Kreuzer (Breslau und Goeben) treten sollten, und zwar zur gemeinsamen
Aktion gegen die französische Flotte, um deren Vereinigung mit der englischen unmöglich zu machen und insbesondere den Transport französischer Kolonialtruppen von Algier nach Frankreich zu unterbinden. Dieser
letzte Punkt wurde vor allem vom deutschen Vertreter als Hauptziel herausgestellt. Rasches Handeln sollte vor allem auch eine Entscheidung herbeiführen, bevor die russische Flotte aus dem Schwarzen ins Mittelmeer
gelangt sein konnte; sogar eine Landung italienischer Truppen an der
Rhonemündung wurde als Eventualität erwogen. In Berlin hatte man dem
Unterhändler Conz zu verstehen gegeben, daß man für eine zweite Phase
nach Erringung der lokalen Seeherrschaft »mit Freude einen intensiven
Kreuzerkrieg im östlichen Mittelmeer gegen den englischen Handel und
mit Obstruktion des Suezkanals geführt sehen würde« [10]. Dieser Wunsch
verriet, wie Deutschland sich – falls England in den Krieg eintreten wür-

10 Zit. Mariano Gabriele, Origini della convenzione navale italo-austro-germanica del 1913, in:
Rassegna storica del Risorgimento 52, 1965, S. 494, Anm. 1.

de – nach einer Niederwerfung Frankreichs die Fortführung des Seekrieges vorstellte. – In Italien selbst hegte man die Vorstellung, Österreich-Ungarn sei für die Entsendung seiner Flotte ins westliche Mittelmeer durch deutsche Truppenverstärkungen von ein oder mehreren Armeekorps an der russischen Grenze zu entschädigen; Deutschland wiederum sollte für diese Hilfeleistung durch Italien entlastet werden: außer durch die an den Oberrhein zu entsendende Streitmacht eben durch die Landung von ein oder mehr italienischen Armeekorps an der Rhonemündung. Trotz dieser weitgehenden Übereinstimmung scheinen, anders als in der italienischen Armee, bei einem Teil des italienischen Admiralstabs angesichts der gewaltigen englisch-französischen Überlegenheit »verschleierte dreibundfeindliche« Tendenzen existiert zu haben [11].

Für Deutschland war das Mittelmeer nur ein Nebenkriegsschauplatz; sein Hauptinteresse galt der Kriegführung zu Lande gerade auch in bezug auf die Absprachen mit Österreich und wenn irgend möglich mit Italien. Darum legte man in Berlin alles darauf an, während des eigenen Angriffsschlages gegen Frankreich im Rücken gegen Rußland gedeckt zu sein, und zwar durch das aktive Eingreifen der österreichisch-ungarischen Armee (und im günstigsten Falle sogar der Türkei an der Kaukasusfront) und wünschte darüber hinaus durch das Auftreten der italienischen Armee an der Alpenfront und detachierter Korps im Elsaß französische Truppen zu binden, damit die feindliche Abwehrkraft im Norden geschwächt würde.

Die vom 7.–9. September 1913 zum Abschluß gelangenden Kaisermanöver gaben Gelegenheit zu persönlichen Gesprächen zwischen den militärischen Spitzen der Armeen der Dreibundmächte. Conrad benutzte diesen Aufenthalt in Schlesien, um dem deutschen Kaiser persönlich die neue Situation der Donaumonarchie gegenüber Serbien jetzt nach dem Bukarester Frieden vor Augen zu stellen. Es gebe nur zwei Möglichkeiten: »Festes Bündnis Österreichs mit Serbien« – Conrad stellte sich den Anschluß Serbiens so vor wie den Bayerns an den Norddeutschen Bund – »oder absolute Unterwerfung«. Er wies darauf hin, das vergrößerte Serbien werde bald über 20 Divisionen verfügen und Österreich deshalb bei einem europäischen Kriege gezwungen sein, mit gleich starken Kräften gegen Serbien vorzugehen; dadurch würde die österreichische Hilfe für Deutschland zu schwach werden. Der Kaiser stimmte diesen militärischen Überlegungen voll zu und erklärte, es sei auch für Deutschland vorteilhafter, Österreich mit Serbien vereint zu wissen, »als wenn es einen südslawischen Staat als Nachbarn habe, der ihm stets in den Rücken fallen würde«. Als Conrad erneut bedauerte, daß es 1909 und in diesem Frühjahr 1913 nicht zum Krieg gegen Serbien gekommen sei, meinte der Kaiser, daß er

---

11 Ibid., S. 339.

1909 durchaus dafür gewesen wäre (hier trog ihn seine Erinnerung) und daß er auch in diesem Frühjahr Österreich nicht zurückgehalten habe. Tatsächlich haben sich Wilhelm II. wie Moltke im Dezember 1912 nur ungern zu einen Aufschub des großen Krieges bewegen lassen im Blick auf die noch notwendige diplomatische, militärische und psychologische Vorbereitung. Die Kriegsbereitschaft des Kaisers, die sich schon im Dezember 1912 gezeigt hatte, verfestigte sich jetzt unter dem Eindruck der Manöver und der Einwirkung seiner militärischen Berater noch weiter. Die Zeitspanne des »noch nicht« ging zu Ende, wie es während der Oktoberkrise 1913 und bei dem Besuch des Kaisers in Wien offen zutage trat.

Während des Kaisermanövers fand auch eine förmliche Besprechung der drei Generalstabschefs der Dreibundmächte unter zeitweiligem Vorsitz Wilhelms II. statt (am 8. September in Salzbrunn), an der auf deutscher Seite auch der Generalquartiermeister Graf Waldersee teilnahm [12]. Hier trug Conrad seine bei früheren Besprechungen mit Moltke seit 1909 wiederholt gestellte Forderung nach einer Verstärkung der für die Ostfront bestimmten deutschen Truppen wieder vor. Die sehr allgemein gehaltene Zusage Moltkes, man werde mehr und bessere Truppen schicken, schien Conrad nicht zu genügen. Mit dem Einwurf: »Sie haben ja 113 Divisionen« wies er auf die seiner Meinung nach untragbare Diskrepanz zwischen dem Kräfteverhältnis der für die West- bzw. Ostfront vorgesehenen deutschen Divisionen hin (für den Osten nur 13!). Moltke bog das Gespräch mit dem Hinweis auf England ab, England werde sicher auf französischer Seite stehen. Hauptthema der Besprechung war jedoch die Mitwirkung Italiens im Bündnisfalle. General Pollio versicherte seinen Kollegen, »daß der Dreibund in einem Kriege wie ein einziger Staat handeln müsse«. Er versprach, unter Vorbehalt der Zustimmung seiner Regierung, 2 Kavalleriedivisionen und 3–5 Infanteriekorps zur Unterstützung des deutschen Südflügels im Elsaß. Großen militärischen Wert maß Moltke dieser Zusage nicht bei, da die italienischen Truppen wahrscheinlich zu spät kommen würden (wie er schreibt); um so höher schätzte er ihren politischen Wert für den Zusammenhalt des Dreibundes ein [13].

Fünf Wochen später kam es anläßlich der Einweihung des Völkerschlachtdenkmals in Leipzig – am 18. Oktober 1913 – zu einer neuen Begegnung zwischen Wilhelm II. und Conrad [14]. Es war der gleiche Tag, an dem Österreich-Ungarn mit Zustimmung des deutschen Auswärtigen Amts ein

---

12 Vgl. Conrad, Aus meiner Dienstzeit, Bd. 3, S. 432 ff.
13 Wolfgang Förster, Der deutsche und der italienische Generalstab vor dem Weltkriege, in: Deutscher Offizierbund, Nr. 20, 1926, S. 876. Vgl. Adriano Alberti, L'opera di S. E. il generale Pollio e l'esercito, Rom 1923, S. 22, 25 ff.; Angelo Gatti, La parte dell' Italia. Rivendicazioni, Mailand 1926, S. 39 f.
14 Zu den Vorgängen und Gesprächen anläßlich der Einweihung des Völkerschlachtdenkmales 1913, vgl. Conrad, Aus meiner Dienstzeit, Bd. 3, S. 467 f.

Ultimatum an Serbien geschickt hatte, Albanien innerhalb von acht Tagen zu räumen. Conrad gewann jetzt den Eindruck, daß der Kaiser einem kriegerischen Vorgehen gegen Serbien zuneige, während der Kanzler Bethmann Hollweg vor einer Annexion des Königreiches warnte mit dem Hinweis, Österreich brauche nicht noch mehr Slawen. Der Kaiser billigte das energische Vorgehen Österreichs:

»Ich gehe mit Euch. Die anderen (Mächte) sind nicht bereit, sie werden nichts dagegen unternehmen, in ein paar Tagen müßt Ihr in Belgrad stehen. Ich war stets ein Anhänger des Friedens; aber das hat seine Grenzen. Ich habe viel über den Krieg gelesen, und weiß, was er bedeutet, aber endlich kommt die Lage, in der eine Großmacht nicht länger zusehen kann, sondern zum Schwert greifen muß.«

Conrad vermerkte, der Kaiser habe fast drohend geäußert, daß der Wert Österreich-Ungarns für Deutschland sinken würde, »wenn wir uns nicht zu einer mannhaften Tat aufraffen wollten«. Damit identifizierte Wilhelm II. sich mit dem Verhalten seines Generalstabschefs, der an dem gleichen Tag Conrad beschwor, im Amt zu bleiben, »jetzt wo wir einem Konflikt entgegengehen«.

Es hatte an diesem Tag zwischen dem Thronfolger Franz Ferdinand und Conrad wieder einen heftigen Auftritt über eine an sich nichtige Etikettenfrage gegeben, was den Generalstabschef an Rücktritt denken ließ. Immerhin stand hinter diesem Konflikt außer persönlichen und religiösen Differenzen die grundverschiedene Anschauung der beiden Männer über einen Krieg mit Serbien und Rußland[15]. Der durch das österreichische Ultimatum erzwungene Rückzug der Serben aus Albanien wurde von Conrad, wie bei allen vorausgegangenen diplomatisch beigelegten Krisen, mit Enttäuschung und Mißbehagen aufgenommen. An der Gesamtlage habe sich dadurch – wie er am 23. Oktober 1913 an Moltke schrieb – nichts geändert; es sei nur ein Augenblickserfolg gewesen, nach dem nichts als Weiterrüsten übrigbleibe[16]. Inzwischen hatte Wilhelm II. Franz Ferdinand in Konopischt besucht und dort ebenfalls über den kommenden Krieg gesprochen. Wie Franz Ferdinand an Conrad berichtete, hatte der Kaiser ihm zugesagt, die deutschen Festungen an der Ostgrenze auszubauen, und, wenn die Russen kämen, einen Vorstoß der deutschen Truppen in ihre Flanke durchzuführen. Conrad seinerseits konnte mitteilen, daß die bisher vorgesehenen 13 deutschen Divisionen an der Ostfront um eine auf 14 erhöht werden würden.

Auch im Dezember 1913 – der Monat November hatte ja mit dem Gespräch Wilhelms II. und Moltkes mit König Albert begonnen – krei-

---

15 Vgl. dazu Conrads Ausführungen, ibid., S. 435 f.
16 Conrad an Moltke, 23. 10. 13; ibid., S. 478; Zum Gespräch zwischen Wilhelm II. und Franz Ferdinand in Konopischt, vgl. ibid., S. 488.

sten die Gedanken der Militärs und Diplomaten in Berlin und Wien um den kommenden Krieg. Tschirschky und Conrad waren bei einem Gespräch am 13. Dezember der Meinung, daß die Situation sich sehr zuungunsten des Dreibundes verschoben habe, wobei der Generalstabschef von neuem wiederholte, daß man schon viel früher hätte losschlagen sollen. Beide Gesprächspartner waren sich einig in ihrem Mißtrauen gegenüber Italien. Wie Moltke sah der Botschafter den Wert der Dreibundabsprachen mit Italien weniger im militärischen Effekt als in ihrer politischen Auswirkung. Italien sollte dadurch gezwungen werden, in einem Kriege überhaupt mitzutun [17].

Zur Weiterführung eben der Militärgespräche mit Italien reiste Waldersee wie schon im Jahre zuvor im Dezember 1913 wiederum nach Rom. Wie bei seinen früheren Zusammentreffen gewann er von General Pollio den Eindruck absoluter Loyalität; dieser äußerte sogar, er würde am liebsten alle seine verfügbaren Kräfte sofort an den Oberrhein schicken, nur könne er leider mit rein militärischen Gesichtspunkten bei seiner Regierung nicht genügend durchdringen [18].

Auch General Conrad, dem Waldersee auf der Rückreise in Wien einen Besuch machte zusammen mit dem deutschen Militärattaché Graf Kageneck und einem italienischen Oberstleutnant Montanari, gewann von dem italienischen Offizier den besten Eindruck, ohne allerdings seine Sorgen wegen der Haltung der italienischen Regierung aufzugeben [19].

Nach wie vor freilich bestand eine Diskrepanz zwischen den Vorstellungen Conrads und Moltkes über den künftigen Krieg. Noch im Januar 1914 äußerte Conrad Kageneck gegenüber, er halte einen Krieg gegen Serbien allein – »bei einem ruhigen Verhalten Rußlands« – für das Erwünschteste, betrachte aber den (von Moltke angestrebten) großen Krieg als ein Vabanquespiel. Im gleichen Gespräch sagte Kageneck über die Lage in Berlin, daß Moltke zu einer kriegerischen Lösung neige, »die hohen Kreise jedoch entschieden für den Frieden seien« – womit er auf die angesichts letzter Entscheidungen immer zwischen kriegerischem Prahlen und Kleinmut schwankende Haltung Wilhelms II. hindeutete [20].

In seiner Denkschrift zur allgemeinen und militärischen Lage der Monarchie, die Conrad Anfang jeden Jahres dem Kaiser, dem Thronfolger und Berchtold routinemäßig erstattete, bezweifelte er erstmals, jetzt im Januar

17 Ibid., S. 495 f., Gespräch mit Tschirschky am 13. 12. 13.
18 Für die Militärabsprachen des Dreibundes vgl. Gatti, op. cit.; Adriano Alberti, L'opera di S. E. il generale Pollio e l'esercito, Roma 1923; ders., Il generale Falkenhayn – Le relazioni tra i capi di S. M. della Triplice, Rom 1924; Giorgio Rochat, L'esercito italiano nell'estate 1914, in: Nuova Rivista Storica, Mai–August 1961; für Pollio Luigi Susani, Nel 50° anniversario della morte del generale Alberto Pollio, in: Rivista militare, XX, 1964.
19 Conrad, Aus meiner Dienstzeit, Bd. 3, S. 501; vgl. auch das Gespräch mit Franz Joseph, 23. 12. 13, in dem Conrad wiederholt hervorhob, daß die Lage sich für den Dreibund wesentlich verschlechtert habe, nicht zuletzt wegen der Entente-freundlichen Haltung Rumäniens; ibid., S. 503.
20 Ibid., Bd. 3, S. 596.

1914, daß die Durchführung eines lokalen Krieges noch möglich sei [21]; denn man müsse mit einer Koalition Frankreich-Rußland-Serbien-Montenegro und Rumänien gegen den Dreibund rechnen. Um dieser Koalition gewachsen zu sein, sei es notwendig, die Bündnishilfe Italiens zu erhalten, und äußerst wünschenswert, die Neutralität Englands zu gewinnen. Wegen Englands Interessengegensätzen zu Rußland schien ihm das »nicht ganz unwahrscheinlich«. Aber auch dann hielt Conrad den Dreibund für nicht stark genug, die gegnerische Mächtegruppe zu überwinden. Deshalb müßten die Türkei, Bulgarien und Albanien für den Dreibund gewonnen werden, um »Serbien, Montenegro und Rumänien derart am Balkan zu verwickeln, daß die Streitkräfte dieser Staaten, insbesondere jene Rumäniens, nicht gegen die Monarchie freiwerden«. Darüber hinaus sollte – so forderte Conrad – der mächtigste Feind, Rußland, »soviel als möglich nach anderen Richtungen« gebunden werden, einmal durch die Gewinnung Schwedens für den Dreibund, dann durch die Verwicklung Rußlands in Kämpfe in Asien; zum dritten durch den Versuch, sich die Unterstützung »der Bevölkerung in den westlichen Grenzgebieten Rußlands« für den Kriegsfall zu sichern – hier taucht das Programm der sogenannten Revolutionierung der nichtrussischen Nationalitäten (Polen, Ukrainer, Finnen pp.) in Rußland auf, wie sie vom ersten Kriegstag an praktiziert wurde [22]. Die ganze Denkschrift mit ihrer eingehenden Analyse der verschiedenen Kriegseventualitäten beweist eindrücklich, daß Conrad die Chance einer Lokalisierung des Krieges gegen Serbien und zugleich die Möglichkeiten eines Sieges im großen Krieg immer geringer einschätzte. Diese im Winter 1913/14 bei Conrad sich festsetzende pessimistische Lagebeurteilung kommt ganz deutlich auch in seinen Gesprächen mit dem deutschen Militärattaché Graf Kageneck zum Ausdruck [23]. Conrad rechnete mit einer aktiven Politik Rußlands, die gegen den Westen gerichtet sei; auf die Frage Kagenecks, ob Rußland »wohl losschlagen« werde, antwortete er: »Ich glaube eher ›ja‹ als ›nein‹«, und fuhr fort:

> »Fast schiene es gut, wenn es bald losschlüge, denn besser wird unsere Lage nicht.« »Man muß sich klar sein, daß es sich um einen Kampf um ›Sein und Nichtsein‹ handelt. Wenn wir siegen, dann haben Deutschland und Österreich–Ungarn das Heft in der Hand; wenn nicht, dann geht es dem Deutschtum an den Hals. Es kommt die slawische Gefahr.«

Und indem er seine fixe Idee von den versäumten Gelegenheiten seit 1908 wiederholte, kritisierte er Wilhelm II. und seinen Kanzler:

---

21 Ibid., Bd. 3, S. 754 ff.
22 Neben den organisatorischen Verbesserungen und denen der Ausrüstung der Bahnen und einer Intensivierung der Ausbildung forderte Conrad zur »Pflege des Geistes« eine mit reichlichen Geldmitteln gestützte Agitation gegen Sozialisten, Anarchisten und vor allem auch gegen staatsfeindliche irredentistische Tendenzen innerhalb der Armee.
23 Moltke, Aus meiner Dienstzeit, Bd. 3, S. 596 f. (Gespräche 4. Jan. und 9. Febr.).

»Wäre ein deutscher Kaiser wie Wilhelm I. mit Bismarck an der Seite gewesen, der eingesehen hätte, daß von der Lösung dieser österreichisch–ungarischen Frage auch das Wohl Deutschlands abhängt, so wäre anders gehandelt worden.«

Inzwischen gingen die Verhandlungen zwischen den drei Generalstäben weiter, und am 11. Februar bestätigte die italienische Regierung die von Pollio gegenüber Waldersee gemachten Zusagen über die Entsendung von drei Armeekorps und zwei Kavalleriedivisionen an den Oberrhein im Kriegsfall. Die Diplomaten waren darüber genau orientiert und auch erfreut. Tschirschky schrieb an Jagow: »Die Italiener haben *alles* konzediert, was wir verlangt haben[24].« Moltke seinerseits gab in einem Brief an Pollio seiner Befriedigung Ausdruck und rechnete ihm die Abmachungen als persönliches Verdienst an:

»Wenn es Gottes Wille ist, daß Deutschland und Italien dermaleinst Schulter an Schulter zusammenkämpfend den Sieg erringen werden, so wird Ihr Name in ehrenvollster Weise damit verknüpft sein.«

General Pollio erwiderte am 28. Februar:

»Es ist ein Glück, daß militärisch (!) alles gut entschieden ist und daß, wie Euer Exzellenz sagen, wenn Gott den Krieg will, Euer Exzellenz und ich das Bewußtsein haben werden, ihn in bester Art für das Wohl und den Ruhm unserer Herrscher und Völker vorbereitet zu haben.[25]«

Von diesen Abmachungen wußte Conrad noch nichts – er erfuhr darüber erst durch einen am 16. Februar abgesandten Brief des österreichischen Militärattachés in Rom[26] –, als er am 14. Februar 1914 sich erneut an Moltke wandte[27]. Im Vergleich zu seiner Januar-Denkschrift für Kaiser Franz Joseph äußerte er jetzt noch weit stärkere Befürchtungen über die schwieriger werdende Lage des Dreibundes; denn er unterstellte Frankreich, daß es nicht nur den Ausbau des russischen Heeres mit enormen Mitteln vorantreibe, sondern sogar Rußland zu einem Offensivschlag ermuntere. Zudem gestalteten sich seiner Meinung nach die Verhältnisse auf dem Balkan eher zuungunsten der Mittelmächte. Dem Zusammenschluß der Gegner müsse eine Koordinierung der Maßnahmen der Dreibundmächte entsprechen. Conrad drängte Moltke, auf Italien einzuwirken, daß dieses »die sofortige Absendung der drei Korps auf den deutschen Kriegsschauplatz« im Kriegsfalle schon jetzt zusage und außerdem dazu bewogen werde, seine »übrigen immerhin noch beträchtlichen Land-

24 GP 39, 15 713, Tschirschky an Jagow, 18. 2. 14 (i. O. gesp.); zur Vorgeschichte vgl. Anm. 2, ibid. S. 329.
25 Briefwechsel Moltke–Pollio, zit. nach Wolfg. Förster, Der Deutsche und der Italienische Generalstab, in: Deutscher Offizierbund, Nr. 20, 1926, S. 877.
26 Vgl. die Anm. 2, zu GP 39, 15 713, Tschirschky an Jagow, 18. 2. 14.
27 Conrad, Aus meiner Dienstzeit, Bd. 3, S. 601 ff. Conrad an Moltke, 14. 2. 14; ibid., S. 609–612, Moltke an Conrad, 13. 3. 14.

streitkräfte der großen Sache zur Verfügung zu stellen«. In diesem Falle, auch schon bei einer Zusage der drei Korps, werde es für Deutschland möglich sein, »ausreichendere Kräfte von Haus aus gegen Rußland zu wenden, damit wir dort nicht ohne Chance an unserem Vorhaben einer ehesten Offensive festhalten können«. Moltke wartete mit seiner Antwort an Conrad bis zum 13. März, da er die Besprechungen mit dem als Befehlshaber der nach Deutschland zu entsendenden italienischen Armeeteile vorgesehenen General Zuccari am 10. und 11. März in Wien abwarten wollte. Zuccari gestand die Entsendung von zwei Kavalleriedivisionen und drei Armeekorps definitiv zu, aber mit der Klausel: »Wenn casus foederis gegeben ist.[28]« Moltke war auf diese Zusicherung hin nicht bereit, eine Änderung »der einmal getroffenen Dispositionen« vorzunehmen, da – wie er an Conrad schrieb – die italienischen Korps im laufenden Mobilmachungsjahr 1914 nicht vor dem 19. Mobilmachungstag im Elsaß eintreffen würden, also frühestens am 22. Mobilmachungstag verwendungsbereit wären, während die beiden Kavalleriedivisionen bereits am 10. Mobilmachungstag einsatzbereit sein könnten.

Bis zu dem genannten Zeitpunkt, eben dem 22. Mobilmachungstag, könnte Deutschland »natürlich nicht« »mit dem Beginn der Operationen gegen Frankreich« warten. »Ich hoffe sogar«, sagte Moltke, der fristgerechten Erfüllung des Schlieffenplans vertrauend, »daß bis zum 22. Mobilmachungstag schon die wichtigsten Entscheidungen gefallen sein werden«. Sodann stellte er zur Beruhigung Conrads in Aussicht, sobald die Kriegslage im Westen nach dem Eintreffen der Italiener zu überschauen sei, einige Korps aus dem Heeresverbande herauszuziehen und gegen Rußland einzusetzen, wofür die Rücktransporte schon vorbereitet seien. Moltke appellierte an Conrads »Einsicht in das Wesen des Krieges«, daß man zuerst »den nächsten und gefährlichsten Gegner« schlagen müsse, um erst dann die freiwerdenden Kräfte gegen den zweiten einzusetzen [29]. Das Dilemma, das hier zutage tritt, lag in Wirklichkeit darin, daß für Österreich-Ungarn naturgemäß Rußland »der nächste und gefährlichste Gegner« war, dessen Ansturm es zunächst fast allein auszuhalten haben würde.

Die Entente nicht kriegsbereit und nicht kriegswillig – und deshalb »Präventivkrieg«

Zur Betrachtung der gegenwärtigen militärisch-politischen Lage übergehend, skizzierte Moltke mit einigen Sätzen die Situation der als Gegner

---

28 Vgl. Adriano Alberti, Il gen. Falkenhayn, Roma 1924, S. 79 f.
29 Vgl. Anm. 30; Moltke an Conrad, 13. 3. 14, S. 609–612.

betrachteten großen und kleinen europäischen Mächte. Als erstes behandelte er *Rußland:*

> »Alle Nachrichten, die wir aus Rußland haben, weisen nicht auf eine zur Zeit beabsichtigte aggressive Haltung hin. Ich glaube nicht, daß Rußland in nächster Zeit eine Gelegenheit zum Krieg gegen Österreich, oder was dasselbe sagen will, gegen uns suchen oder herbeiführen wird.«

Es sei ziemlich sicher, daß die in beträchtlicher Höhe geforderten Mittel nicht zum Neubau von Kasernen und deshalb für die Neuaufstellung von Truppenverbänden bestimmt seien, sondern zur Verbesserung »der trostlosen Unterbringungsverhältnisse der bereits vorhandenen Truppen«. Rechnen müsse man allerdings mit einer erheblichen Verstärkung des Präsenzstandes durch Erhöhung der jährlichen Rekrutenquote. – Diese Feststellungen des deutschen Generalstabschefs in einem persönlichen, nicht für die Öffentlichkeit gedachten Privatschreiben an den Generalstabschef der österreichisch-ungarischen Armee stehen in diametralem Gegensatz zu den Behauptungen, die in der breit angelegten Pressekampagne gegen Rußland vorgebracht wurden. Das Zarenreich, so wurde dort behauptet, sei nicht nur bedrohlich durch seine wachsende Größe und Stärke, sondern bereite einen Angriff auf Deutschland und seinen Hauptverbündeten vor. Diese Kampagne der deutschen Presse entsprach den Forderungen Moltkes, die er schon am 8. Dezember 1912 und am 10. Februar 1913 für den von ihm erstrebten Krieg aufgestellt hatte: »Der Angriff müsse von den Slawen ausgehen«, oder wie der Kanzler Bethmann Hollweg im Blick auf England gesagt hatte: »Rußland müsse als der Angreifer *erscheinen*«, da sonst Verständnis und Enthusiasmus des Volkes für den großen Krieg nicht geweckt werden könnten. Ebenso wenig Kriegsbereitschaft meinte Moltke in *Frankreich* zu finden:

> »Noch viel weniger als von Rußland ist jetzt von seiten Frankreichs eine aggressive Haltung zu erwarten. Frankreich ist augenblicklich in einer militärisch sehr ungünstigen Lage.«

Die Einführung der dreijährigen Dienstzeit und damit die Ausbildung von zwei kurz hintereinander einberufenen Rekrutenjahrgängen hätten große Schwierigkeiten gebracht.

> »So tut zwar Frankreich alles, um seinen Bundesgenossen Rußland militärisch nach Möglichkeit zu stärken, es wird denselben aber schwerlich in absehbarer Zeit zum Kriege gegen den Dreibund treiben.«

Auch *England,* so urteilte Moltke, werde »einen europäischen Krieg nicht entfachen, aber es wird denselben auch nicht verhindern«. Zur Begründung dieser Ansicht folgte das Klischeebild von der »Krämernation«: England werde aus dem Kriege handelspolitische Vorteile ziehen und,

»während sich der Kontinent die Hälse abschneidet, (die Gelegenheit) zur weiteren Ausbreitung seiner Weltmacht benützen«.

Es helfe nichts, so versuchte Moltke seinen skeptischen Kameraden aufzurichten, immer wieder der verpaßten Gelegenheit von 1908/09 nachzutrauern; man müsse von der gegebenen Situation ausgehen und den Verhältnissen ruhig ins Auge sehen, um der Gefahr der Lage zu begegnen.

»Es ist keine Frage, daß in der europäischen Atmosphäre eine ungeheure elektrische Spannung vorhanden ist, die zur Entladung drängt.«

Diese Aussage steht in einem gewissen Gegensatz zu dem eben von ihm betonten Fehlen einer Kriegsbereitschaft und Kriegswilligkeit der Ententemächte. Der Widerspruch löst sich nur dann, wenn der Herd der »ungeheuren elektrischen Spannung« eben anderswo lag als im Ententelager. Nur darum rechnete denn auch Moltke selbst trotz allem mit dem Ausbruch des großen Krieges in kürzester Frist: »Möge der Ausbruch des Gewitters einen fest geschlossenen Dreibund vorfinden.«

Wenige Tage, bevor Conrad diesen Brief erhielt, hatte er selbst im Gespräch mit seinem nächsten Mitarbeiter, Oberst Metzger, die Konsequenzen der Lagebeurteilung, die bei Moltke nur zwischen den Zeilen standen, offen ausgesprochen: Er fragte, »ob man warten solle, bis Frankreich und Rußland bereit wären, uns gemeinsam anzufallen, oder ob es nicht wünschenswerter wäre, daß der ›unvermeidliche‹ Konflikt früher beglichen würde; auch die slawische Frage gestalte sich immer schwieriger und gefährlicher« für Österreich. Conrad befürchtete, wie er es in dieser Zeit mehrfach ausgesprochen hatte, daß der Zusammenhalt der k. u. k. Armee in Zukunft immer schwächer werden könnte. Die große innere Gefahr für Österreich-Ungarn sei, daß die Armee in einem Lande, dessen Bevölkerung zu zwei Dritteln Slawen seien, bald nicht mehr für Deutsche und Magyaren kämpfen würde [30].

»Das Programm Frankreichs und Rußlands sei klar, sie seien noch nicht fertig und warten ihre volle Bereitschaft ab. Auch die Balkanstaaten verstärken sich, vor allem Serbien. Warum warten wir?«

Diese Frage nach dem Präventivkrieg stellte Conrad wenige Tage später, am 16. März 1914, auch dem deutschen Botschafter v. Tschirschky [31]. Anders als Moltke, der Gerüchte über eine russische Kriegsbereitschaft für falsch hielt, bezog Conrad sich (Moltkes Brief erhielt Conrad erst am 17. März) auf die sich häufenden Nachrichten über militärische Maßnahmen Rußlands und stellte erneut die Frage, »ob nicht ein früherer Austrag vorteilhafter wäre«. Der Botschafter stimmte dem offenbar völlig zu, wies

---

30 Ibid., S. 604 f.
31 Vgl. den Bericht von Conrad, ibid., S. 597.

aber auf die Kriegsunwilligkeit der entscheidenden Personen in Wien und Berlin hin: »Zwei Große sind dabei hindernd, Ihr Erzherzog Franz Ferdinand und mein Kaiser.« Beide würden sich seiner Ansicht nach nur einem fait accompli gegenüber zum Kriege entschließen; »es müßte eine Situation sein, in der man nicht anders kann, als ›losgehen‹«. In dieser Hinsicht konnte Conrad den Botschafter freilich beruhigen. Er meinte, »daß am Balkan stets Verwicklungen drohen, die eine solche Lage schaffen könnten.«

Conrad begrüßte deshalb den Besuch Kaiser Wilhelms am 23. März in Wien und sein Treffen mit Franz Ferdinand am 27. März in Miramar an der Adria.

Was den Widerstand an höchster Stelle in Österreich-Ungarn betraf, so beklagte sich Conrad in einem Gespräch mit Professor Redlich am 24. April 1914: Franz Ferdinand »mischte sich in alles und in furchtbarster Weise ein (Haubitzenfrage)«. Er schob die Schuld für die sehr ungünstige Lage der Monarchie dem Zögern »der beiden obersten Herren«, gemeint sind Kaiser und Thronfolger, zu; Berchtold meine es gut, sei aber weich und schwach[32].

In Berlin versuchte Moltke, Wilhelm II. unter Druck zu setzen. Er drängte auf eine sofortige erneute Verstärkung der deutschen Armee durch die volle Ausschöpfung der allgemeinen Wehrpflicht, und zwar in mündlichem Vortrag beim Kaiser unter Umgehung des Kanzlers. Er hatte die Begründung dieser Forderung in einer Denkschrift[33] für Bethmann Hollweg niedergelegt, diese jedoch nicht abgesandt, sondern nur dem mündlichen Vortrag beim Kaiser zugrunde gelegt. Wie schon oft, so wies er jetzt aber ganz besonders eindringlich auf das Erstarken der französischen und russischen Armeen hin: die Einführung der dreijährigen Dienstzeit in Frankreich – die der Kaiser schon Anfang November 1913 gegenüber König Albert – als eine für ihn unerträgliche Provokation bezeichnet hatte – ermögliche es diesem Lande, ein neues Armeekorps aufzustellen; Rußland sei durch die Einführung der dreieinhalb- und viereinhalbjährigen Dienstzeit im Begriff, vier bis fünf neue Armeekorps zusätzlich aufzustellen, und außerdem innerhalb weniger Jahre sein gesamtes Heerwesen von Grund auf in ungeahnter Weise zu verbessern. Etwa im Jahre 1917 werde die russische Armee in *allem* neuzeitlich ausgerüstet und dann schon im Frieden fähig sein, in kürzester Zeit unter Umständen ohne vorausgegangene Kriegserklärung die Grenzen zu überschreiten. Dagegen habe sich die Lage des Dreibundes in jüngster Zeit erheblich verschlechtert: da Rumänien nunmehr zum Lager der Triple-Entente zu zählen sei, werde Österreich in einem künftigen

---

32 Das politische Tagebuch Josef Redlichs, 1908–1914, Eintragung vom 25. 4. 1914, Bd. 1, S. 226.
33 Denkschriftenentwurf vom Mai 1914, abgedr. von Th. v. Schäfer, BMH 5, 1927, S. 549 f.

Krieg auf dem Balkan derart gebunden, daß es nicht mehr in der Lage sein werde, gegen Rußland offensiv vorzugehen. Deutschland müsse also gewärtig sein, daß sich der Angriff des in wenigen Jahren erheblich verstärkten russischen Heeres allein gegen seine im Osten verbleibenden schwachen Kräfte (nur 13 Divisionen) richten werde. Aus dieser Lagebeurteilung zog Moltke die Konsequenz, »daß wir *jeden* wehrfähigen deutschen Mann zum Waffendienst ausbilden (müssen), soll uns nicht dereinst der vernichtende Vorwurf treffen, nicht alles für die Erhaltung des Deutschen Reiches und der deutschen Rasse getan zu haben«. Denn, und hierin war Moltke völlig einig mit seinem österreichischen Kollegen Conrad, »daß es sich bei einem Zukunftskrieg um Sein oder Nichtsein des deutschen Volkes handeln wird, darüber kann wohl ernstlich ein Zweifel nicht bestehen«. Mit der ausnahmslosen Durchführung der allgemeinen Dienstpflicht dürfe nicht bis zum nächsten Quinquennat gewartet werden, das erst 1917 beginne, weil zu diesem Zeitpunkt Rußland schon seine in jeder Hinsicht modernisierte und zugleich verstärkte Armee ins Feld führen könnte. Deshalb müsse mit der Maßnahme bereits im Oktober 1914, spätestens jedoch im Oktober 1915 begonnen werden. – Der Herausgeber dieser Denkschrift, der Oberst a. D. Th. v. Schäfer, Sohn des alldeutschen Historikers Dietrich Schäfer in Berlin, sieht die Präventivkriegs-Gedanken Moltkes durch dieses Dokument als widerlegt an, weil es sich nur auf eine Rüstung »auf lange Sicht« beziehe, »um nicht hinter den anderen zurückzubleiben«. Zieht man jedoch die vielen Äußerungen Moltkes über die Unvermeidlichkeit des großen Krieges heran, so ergibt sich aus den Überlegungen und Forderungen der Denkschrift der zwingende Schluß, daß ihm daran gelegen sein mußte, diesen Krieg *vor* 1917 zu führen, d. h. bevor die anderen Mächte so erstarkt sein würden, daß ein Krieg keine Aussicht auf einen Sieg für Deutschland mehr biete. Was Moltke schon am 8. Dezember 1912 auf die Formel gebracht hatte: »Krieg je eher, desto besser«, galt um so mehr für 1914. Der Vortrag Moltkes beim Kaiser diente offenbar der psychologischen Vorbereitung Wilhelms II. auf den Krieg. Der Kaiser würde an dem Umfang der Maßnahmen, die Moltke als erforderlich für die deutsche Aufrüstung darstellte, ermessen, wie groß die Sorge vor einer übermächtigen Stärke Rußlands war. Dies sollte seine grundsätzliche Kriegsbereitschaft zum Kriegsentschluß festigen.

Daß es sich nicht um Aufrüstung »auf lange Sicht« handelte, sondern um ganz konkrete und nahe bevorstehende Aktionen, das geht aus den Besprechungen hervor, die Moltke und Conrad im Mai in Karlsbad hatten[34]. Moltke weilte hier zur Kur und Conrad besuchte ihn. Moltke wie-

---

34 Zum Gespräch zwischen Moltke und Conrad in Karlsbad, 12. 5. 14; vgl. die Aufzeichnung von Conrad, Bd. 3, S. 669 f.

derholte seine Ansicht, »daß jedes Zuwarten eine Verminderung unserer Chancen bedeute; mit Rußland könne man eine Konkurrenz in bezug auf Massen nicht eingehen«. Und er führte auch gleich einen Grund dafür an, warum noch nicht gehandelt worden war, bzw. jetzt nicht sofort gehandelt werden konnte:

> »Bei uns erwartet man unglückseligerweise von England immer eine Deklaration, daß es nicht mittun werde. Diese Deklaration wird England nie geben.«

»Bei uns« – damit meinte er Bethmann Hollweg und die Englandpartei im Auswärtigen Amt wie in den Botschaften in London und Lissabon.

Diesem nach dem Urteil der beiden Generalstabschefs allein in den Jahren 1914 oder 1915 noch Erfolg versprechenden Krieg galten die Besprechungen in Karlsbad. Conrad forderte wie schon so oft eine Verstärkung der deutschen Truppen an der Ostfront, nicht nur, weil er Bedenken hatte, ob Österreich durch seine militärische Bindung auf dem Balkan (Rumänien, Serbien) Rußland allein lange genug werde aufhalten können, sondern auch, weil er an dem »absolut sicheren Siegesrezept« Moltkes, dem Schlieffenplan, zweifelte: »Was fangen Sie an, wenn Sie im Westen keinen Erfolg haben und im Osten Ihnen die Russen derart in den Rücken kommen?« Moltkes Antwort war ausweichend, er wolle tun, was er könne; jedoch stellte er keine weiteren Truppen für den Osten in Aussicht, ja, er sprach im Gegenteil nur noch von 12 Divisionen, »und vielleicht etwas mehr« (bei früheren Besprechungen war von 13 und 14 die Rede gewesen); denn Deutschland sei den Franzosen nicht überlegen. Er sicherte lediglich den Ausbau der Weichselfestungen zu (Thorn, Graudenz, Marienwerder). Im übrigen hielt er unverrückt am Schlieffenplan fest und hoffte, daß innerhalb von sechs Wochen die Operation gegen Frankreich abgeschlossen oder wenigstens soweit gediehen sei, daß die deutschen Hauptkräfte nach Osten verschoben werden könnten. Darauf machte Conrad die resignierende Feststellung: »Also mindestens 6 Wochen müssen wir unseren Rücken herhalten gegen Rußland.«

Um den österreichischen Heerführer zu beruhigen, wies Moltke darauf hin, daß der italienische Generalstabschef Pollio »geneigt sei«, außer den drei Korps für den Oberrhein weitere Truppen speziell für die Unterstützung Österreich-Ungarns zur Verfügung zu stellen. Conrad war von dieser Lösung aber wenig begeistert. Er würde es lieber gesehen haben, wenn diese zusätzlichen italienischen Kräfte im Westen verwendet würden und dafür Deutschland zwei weitere Korps gegen Rußland einsetzte. Moltke lehnte ab. Dazu notierte Conrad: »Ich dachte im stillen, daß General v. Moltke seine preußischen Korps lieber seien als fremde Kräfte«. Noch einmal warnte er davor, zu große Hoffnungen auf Italien zu setzen. Pollio sei zwar absolut loyal, aber er werde vielleicht morgen nicht mehr da sein. Die Volksströmungen in Italien könnten noch im letzten Moment zu einem Umschlag führen. Mit dieser Interpretation hatte Conrad recht; denn Pollios Zusagen waren nur unbestimmt und mehr akademischer Art, und, soweit es die italienische Regierung anging, nur für einen Defensivkrieg erteilt.

Pollio selbst hatte sich noch im Mai 1914, ganz im Sinne seiner beiden Kollegen, gegenüber dem deutschen Militärattaché in Rom für einen Präventivkrieg ausgesprochen [35]:

»Der Ring, der sich um den Dreibund bildet, verstärkt sich von Jahr zu Jahr, und wir sehen uns das ruhig mit an! Ich glaube wirklich, daß die Jahre 1917 oder 1918, die allgemein (partout, mais partout) von den Gegnern des Dreibundes als Termin für ein allgemeines Losschlagen genannt werden, nicht nur der Phantasie entsprungen sind. Sie können sehr wohl einen realen Hintergrund haben. Sollen wir nun wirklich abwarten, bis die Gegner fertig und bereit sind? Ist es nicht für den Dreibund logischer, alle falsche Humanität über Bord zu werfen und einen Krieg, der uns einmal aufgezwungen werden wird, selbst beizeiten zu beginnen, und deshalb frage ich, wie ich glaube, ganz im Geiste Ihres großen Königs Friedrich, als er 1756 den eisernen Ring seiner Gegner durchbrach: Warum beginnen wir nicht jetzt diesen unvermeidlichen Krieg?«

Diesen Vergleich mit 1756 benutzte auch Gerhard Ritter 1936 in seiner Biographie Friedrichs des Großen zur Rechtfertigung des Bruchs der belgischen Neutralität im Jahre 1914.

Bei voller Anerkennung der persönlichen Loyalität Pollios war man in hohen deutschen Militärkreisen dennoch skeptisch, ob er sich gegenüber der italienischen Regierung werde durchsetzen können, und ob Italien, das *jetzt noch* zum Dreibund halte, nicht in absehbarer Zeit abspringen und sich der Entente zuwenden werde. »Wie lange wird sein (Pollios) Einfluß dauern?« fragte Waldersee [36]. Wie Waldersee in einer Denkschrift vom 18. Mai 1914 ausführte, habe Frankreich viele einflußreiche Freunde in Italien; außerdem sei der König von seiner parlamentarischen Regierung abhängig; und schließlich beständen latente Gegensätze zu Österreich: »Das neue Italien hat bisher immer seine Geschäfte durch die Siege anderer gemacht.« »Im Augenblick halte Italien *noch* zum Dreibund und *noch* halte Kaiser Franz Josephs Persönlichkeit die bunte Donaumonarchie zusammen... Aber wie lange? Werden diese Dinge sich nicht vielleicht recht bald zu ihren (der Ententemächte) Gunsten verschieben?«. In dieser Warnung konnte nur wiederum die Forderung liegen, so bald wie möglich den »unvermeidlichen« Krieg zu wagen, eben solange diese Gefahren sich noch nicht realisiert hätten.

Am 20. Mai, dem Geburtstag des Zaren, fand zu dessen Ehren ein Dé-

---

35 Zit. Wolfgang Förster, in: Deutscher Offizier-Bund, Nr. 20, 1926, S. 877 f.
36 Ibid., 878.

jeuner im Neuen Palais statt. Die Rückfahrt von Potsdam nach Berlin unternahmen Moltke und Jagow auf den Wunsch des Generalstabschefs hin gemeinsam. Bei dieser Gelegenheit erläuterte Moltke dem Staatssekretär seine Überzeugung von der Notwendigkeit eines Präventivkriegs [37]:

> »Die Aussichten in die Zukunft bedrückten ihn schwer. In 2 bis 3 Jahren werde Rußland seine Rüstungen beendet haben. Die militärische Übermacht unserer Feinde wäre dann so groß, daß er nicht wüßte, wie wir ihrer Herr werden könnten. Jetzt wären wir ihnen noch einigermaßen gewachsen. Es blieb seiner Ansicht nach nichts übrig, als einen Präventivkrieg zu führen, um den Gegner zu schlagen, solange wir den Kampf noch einigermaßen bestehen könnten. Der Generalstabschef stellte mir demgemäß anheim, unsere Politik auf die baldige Herbeiführung eines Krieges einzustellen.«

Jagow fährt in seiner Aufzeichnung zwar fort, daß er selbst sich nicht dazu bereit erklärt habe, »einen Präventivkrieg heraufzubeschwören«, aber gleichzeitig bekennt er, nie ein prinzipieller Gegner eines Präventivkrieges gewesen zu sein:

> »Erscheint ein Krieg unvermeidlich, so soll man sich den Moment nicht von dem Feind diktieren lassen, sondern ihn selbst bestimmen. Auch der fanatischste Friedensfreund wird, wenn er nicht ein ganz hirnverbrannter Doktrinär ist, diese Regel anerkennen.«

Jagow hielt die Herbeiführung eines Präventivkrieges auch des Kaisers wegen für schwierig:

> »Der Kaiser, der die Erhaltung des Friedens wollte, würde dem Krieg immer auszuweichen suchen und ihn nur führen, wenn er ihm von unseren Feinden aufgezwungen würde.«

Der Staatssekretär kommt hier wieder einmal auf den Unsicherheitsfaktor zu sprechen, der die Durchführung einer politischen, besonders einer außenpolitischen Konzeption in Berlin so oft erschwerte. In diesem Moment liegt auch ein wesentlicher Grund dafür, daß Bethmann Hollweg den Kaiser drängte, im Juli 1914 seine traditionelle Nordlandreise nicht aufzugeben. Die Rückkehr des Kaisers am 27. Juli war dem Kanzler noch zu früh.

Jagow schließt seine Aufzeichnung und stimmt damit dem Generalstabschef noch nachträglich, noch nach dem verlorenen Weltkrieg, zu mit der Bemerkung:

> »Die Ereignisse haben Moltke gewissermaßen Recht gegeben. Nur durfte er nicht die Fehler machen, die zu der Niederlage an der Marne führten!«

---

37 AA-Bonn, NL Jagow, Bd. 8, Bl. 69 f.; Gespräch mit Moltke im Frühjahr 1914; vgl. auch Egmont Zechlin, Motive und Taktik der Reichsleitung 1914, in: Der Monat, H. 209, Febr. 1966, S. 91–95; erstmals mitgeteilt durch Imanuel Geiss auf dem internationalen Historikertag im Sept. 1965 in Wien.

Daß Moltke die militärische Situation des Deutschen Reiches im Sommer 1914 für besonders günstig hielt, vor allem für weitaus günstiger als zu jedem späteren Termin, bestätigt ein Brief des bayrischen Gesandten in Berlin, Graf Lerchenfeld, an den bayrischen Ministerpräsidenten Graf Hertling vom 31. Juli 1914:

>»In hiesigen militärischen Kreisen ist man des besten Mutes. Schon vor Monaten hat der Generalstabschef Herr v. Moltke sich dahin ausgesprochen, daß der Zeitpunkt militärisch so günstig sei, wie er in absehbarer Zeit nicht wiederkehren kann. Die Gründe, die er anführt, sind:
>1. Überlegenheit der deutschen Artillerie. Frankreich und Rußland besitzen keine Haubitzen und können daher keine Truppe in gedeckter Stellung mit Steilfeuer bekämpfen.
>2. Überlegenheit des deutschen Infanterie-Gewehrs.
>3. Ganz ungenügende Ausbildung der französischen Truppe infolge zweijähriger Dienstzeit bei der Kavallerie und der gleichzeitigen Einberufung zweier Jahrgänge bei allen Waffengattungen infolge der Wiedereinführung der dreijährigen Dienstzeit, darunter muß die Ausbildung gelitten haben.[38]«

38 Zit. I. Geiss, Julikrise und Kriegsausbruch, Dokumente, Bd. I, Nr. 918, S. 438.

XIX. KAPITEL

Die politische Situation im Dreibund – Die Gewinnung von Bundesgenossen für den »Präventivkrieg«

Im Oktober 1913 erschien die Lage des Dreibundes von Deutschland aus gesehen so gesichert wie nie zuvor. Der Abschluß des österreichisch-italienischen Mittelmeerabkommens, das am 1. November 1913 in Kraft trat, und die, wie man sich gegenseitig versicherte, gute Zusammenarbeit der beiden Mächte in Albanien schienen ihr lange von Mißtrauen belastetes Verhältnis vertrauensvoller gestaltet zu haben. Auch das österreichisch-deutsche Verhältnis, das während der Balkankriege und auch noch nach dem Abschluß des Bukarester Friedens äußerst gespannt gewesen war, schien durch die Zusicherung tatkräftiger Unterstützung der Politik der Monarchie gegen Serbien wieder entspannt und gesichert zu sein. Dies neue Verhältnis der beiden Kaiserstaaten manifestierte sich für die Öffentlichkeit in dem Besuch Kaiser Wilhelms in Wien Mitte Oktober 1913, und der deutsche Kaiser pries es als die Grundlage für ein zukünftiges einheitliches Vorgehen der beiden Reiche. Auch Unterstaatssekretär Zimmermann betonte kurz nach dem Kaiserbesuch, daß der Dreibund »gerade jetzt wie nie zuvor geeinigt dastehe und so erfolgreich zusammenarbeite« [1].

Italienisch-österreichische Nationalitätenkonflikte und Italiens Stellung im Dreibund

Diese äußeren Eindrücke und diese gegenseitigen Versicherungen entsprachen freilich nicht der vollen Wirklichkeit. Es gab zwischen den Bündnispartnern schwerwiegende Differenzen und vielerlei Reibungspunkte.

---

1 ÖU 7, Nr. 8938, Telegramm Szögyény an Berchtold, 29. 10. 13. Bericht über eine Unterredung mit Zimmermann.

Zwischen Wien und Rom blieb die große Frage der italienischen Irredenta, die gerade im August 1913 durch die sogenannten Triester Erlasse des Prinzen Hohenlohe wieder akut geworden war und zu einem offenen Konflikt geführt hatte. Es handelte sich um die Bestimmung, wonach italienische Staatsangehörige in der Stadt Triest keine Magistratsämter mehr innehaben dürften. Dieser Erlaß hatte nicht nur bei den betroffenen italienischen Staatsangehörigen in der österreichischen Monarchie, sondern auch in der italienischen Öffentlichkeit eine tiefe Erregung und eine starke anti-österreichische Stimmung hervorgerufen. San Giuliano hatte die deutsche Regierung um Vermittlung ersucht; diese hatte aber mit der Begründung abgelehnt, sie wolle sich nicht in die inneren Angelegenheiten Österreich-Ungarns und Italiens einmischen[2]. Der deutsche Kaiser hielt die Erlasse, besonders in diesem Moment, für äußerst unklug und sprach sich für die Entlassung Hohenlohes aus; er unterstützte den Gedanken der Errichtung einer italienischen Universität in Triest[3]. Entscheidend war dabei für ihn das Motiv, den Dreibund zusammenzuhalten.

Die mit diesem Konflikt erneut aufflammende Nationalitätenfrage bedeutete eine ernsthafte Krise für den Dreibund. Wie der deutsche Botschafter in Rom, v. Flotow, unterstrich, habe San Giuliano den Ausbau der italienisch-österreichischen Beziehungen als eine Art Lebenswerk seiner Amtsführung angesehen, das nun durch die Wiener Politik in Frage gestellt werde[4].

Die Hohenloheschen Erlasse wurden zwar nicht zurückgenommen[5], jedoch bemühte sich Berchtold um eine Entspannung des österreichisch-italienischen Verhältnisses, unter anderem durch eine Rede vor dem Ausschuß für das Auswärtige bei den ungarischen Delegationen, in der er besonders die gute Zusammenarbeit mit der römischen Regierung in Albanien hervorhob. Italien erkannte dieses Bemühen Berchtolds an, eine Abkühlung zwischen den Verbündeten zu verhüten[6]. Trotz dieser zeitweiligen Beruhigung blieb die Nationalitätenfrage eine Belastung des italienisch-österreichischen Verhältnisses und des Dreibundes.

Der italienische Botschafter in Wien, Herzog Avarna, warnte vor einer Fortsetzung der die Italiener benachteiligenden Politik und sprach gegenüber Tschirschky die Hoffnung aus, »daß sich die ›Fälle‹ nicht allzu sehr häufen oder noch einmal einen noch ernsteren Charakter annehmen; denn

2 Vgl. GP 39, Nr. 15 748, Jagow an Tschirschky, 22. 10. 13. Zur Nationalitätenfrage vgl. die augenblicklich wohl beste Darstellung von Leo Valiani, La dissoluzione dell' Austria-Ungheria, Mailand 1966.
3 Vgl. Marginalien Wilhelms II. zum Bericht Hindenburg an Bethmann Hollweg, 8. 10. 13; ibid., Nr. 15 750.
4 GP 39, Nr. 15 714, Flotow an Bethmann Hollweg, 26. 2. 14.
5 Vgl. William C. Askew, The Austro-Italian Antagonism, 1896–1914, in: Power, Public Opinion, and Diplomacy. Essays in Honor of E. M. Carrol, Durham 1959, S. 217.
6 Brunello Vigezzi, La neutralità italiana del luglio-agosto 1914 e il problema dell'Austria-Ungheria, in: Clio, Januar 1965, S. 13.

dann könne es soweit kommen, daß keine italienische Regierung das Bundesverhältnis mit Österreich-Ungarn werde aufrechterhalten können«[7]. Eine solche Äußerung wog um so schwerer, als sie von einem Manne kam, der seit vielen Jahren in Wien sich um eine stärkere Heranführung Italiens an den Dreibund bemüht hatte. Auch von deutscher Seite wurden die gleichen Warnungen und Besorgnisse laut, daß, wenn Österreich das italienische Nationalgefühl weiterhin verletze, es keiner italienischen Regierung gelingen würde, die Volksstimmung für den Dreibund zu mobilisieren.

Nach der Meinung des italienischen Außenministers di San Giuliano zerstörten die Hohenloheschen Dekrete in der italienischen öffentlichen Meinung die unerläßliche Basis für ein gutes Verhältnis zu Österreich; denn, so betonte er,

> »in einem parlamentarisch-liberalen und demokratischen Land ist es unmöglich, eine außenpolitische Richtung wie diejenige der Königlichen Regierung Österreich gegenüber zu verfolgen, wenn man in dieser Weise die Gefühle der Öffentlichkeit aufstachelt oder verletzt«[8],

und ein offiziöser Artikel der ›Tribuna‹ vom 1. Oktober 1913 sprach davon,

> »daß diese Situation um so schwerwiegender ist, als in Italien – im Gegensatz zu dem, was in Österreich geschieht – keine Regierung außerhalb der und über die Bewegungen der öffentlichen Meinung und des öffentlichen Empfindens hinweg regieren und irgendeine Politik verfolgen kann«.

Zwar blieb der Dreibund weiterhin die Basis der italienischen Außenpolitik, vor allem für die beiden entscheidenden Staatsmänner Giolitti und San Giuliano[9]. Nur freilich störten Fragen wie das Gleichgewicht im Mittelmeer, auf dem Balkan und in Albanien die gemeinsame Politik. Die Abhängigkeit der außenpolitischen Orientierung von der Innenpolitik wirkte sich zu dieser Zeit zugunsten des Dreibundes aus, insofern als die Liberalen, die Nationalisten und die Klerikalen, die sogenannten Ordnungsparteien, für dessen Beibehaltung waren und profranzösische Gruppen daneben in der Minderheit blieben[10].

7 GP 39, Nr. 15 763, Tschirschky an Bethmann Hollweg, 8. 5. 14; vgl. Nr. 15 731, Flotow an Bethmann Hollweg, 27. 4. 14.
8 Gianluca Andrè, L'Italia e il mediterraneo alla vigilia della prima guerra mondiale. I tentativi di intesa mediterranea (1911–1914), Milano 1967, S. 175, 178.
9 Vgl. San Giuliano an Giolitti, 28. 10. 13, in: Quarant'anni, vol. III, Dok. 112, p. 94 f. p. 94 f.
10 Vgl. Vigezzi, La neutralità ital., p. 76 f.

Eine weitere Belastung der österreichisch-italienischen Beziehungen und damit für die Festigkeit des Dreibundes brachte die Errichtung eines selbständigen Staates Albanien mit sich, die auf der Londoner Botschafterkonferenz (Dezember 1912) beschlossen worden war. Österreich-Ungarn und Italien übten eine Art Kondominat über das Land aus. Im Lande selbst gab es zwar eine provisorische Regierung unter Kemal Bey; der eigentliche Machthaber war jedoch Essad Pascha, der Führer der Albanesen während der Balkanwirren. Die beiden Schutz-Großmächte waren bestrebt, möglichst bald dem Übergangsstadium ein Ende zu bereiten, und drängten auf die Thronübernahme des auf deutschen Vorschlag von den Mächten zum Regenten designierten Prinzen Wilhelm v. Wied, eines nahen Verwandten der rumänischen Königin. Dieser hatte freilich seine endgültige Zusage an die Gewährung einer Anleihe von 75 Mill. Francs gebunden, die von allen Mächten garantiert werden sollte. Die Westmächte waren zurückhaltend, und auch Deutschland lehnte eine Beteiligung ab. Jagow äußerte gegenüber Szögyény, eine solche Garantie werde der Reichstag, dessen Zustimmung nötig sei, nie abgeben. Offensichtlich verschanzte sich der Staatssekretär hinter verfassungsrechtlichen Bedenken, da man in Deutschland, allen voran der Kaiser, nicht von der Lebensfähigkeit Albaniens überzeugt war. Der Kaiser hätte wohl eine Zuteilung größerer Gebiete an Griechenland vorgezogen und hielt im übrigen wenig von der Tatkraft des Prinzen. Schließlich gaben Österreich und Italien allein eine Anleihe von 10 Mill. Francs, worauf der Prinz v. Wied am 21. Februar 1914 sich endgültig zur Thronbesteigung entschloß.

Das Kondominat Italien–Österreich entwickelte sich in den Monaten vor dem Kriege in Durazzo zu einer erbitterten Rivalität zwischen den Vertretern beider Länder. Beide versuchten, durch Intrigen den maßgeblichen Teil der Bevölkerung auf ihre Seite zu ziehen, um den Einfluß der anderen Schutzmacht möglichst zurückzudrängen. Essad Pascha, der sich zum Gegenspieler des Prinzen Wied aufwarf, wurde zum Schützling Aliottis, des italienischen Vertreters, während der österreichische Vertreter den Fürsten stützte.

Essad Pascha, der in einem neuen albanischen Kabinett Kriegsminister geworden war, wurde in der Nacht vom 19. zum 20. Mai 1914 wieder gestürzt. Im einzelnen blieben diese Vorgänge undurchsichtig. (Wieweit standen die Kämpfe im Epirus, der sich am 1. März für unabhängig erklärt hatte, mit griechischen Truppen um die Südgrenze Albaniens und der Aufstand mohammedanischer Bauern, der gerade kurz vorher im Lande ausgebrochen war, mit dem Sturz Essad Paschas im Zusammenhang?) Es steht jedoch fest, daß Österreich-Ungarn seine Hand im Spiele hatte, um diesen Gegner seiner Interessen zu beseitigen. Nach den Berichten, die der k. u. k. Hauptmann Heinrich v. Clanner an Conrad sandte, war zumindest der Hauptmann Baron Klingspor an der Aktion gegen Essad Pascha beteiligt. Klingspor hatte am 13. Mai Geschütze, die der Fürst v. Wied bei Skoda bestellt hatte, nach Durazzo bringen und darauf, angeblich auf Befehl des Fürsten, das Haus Essad Paschas beschießen lassen. Diese Maßnahme wurde von Conrad ausdrücklich gebilligt[11]. Essad Pascha floh an Bord eines italienischen Kriegsschiffes und wurde in Rom unter anderem von San Giuliano empfangen. Dieser war der Ansicht, auch wenn der österreichisch-ungarische Außenminister Graf Berchtold persönlich nicht an dem Handstreich beteiligt sei, so habe doch die österreichische Vertretung in Durazzo, vielleicht sogar in Zusammenarbeit mit dem Fürsten oder der Fürstin, die Aktion gesteuert[12]. Dieser Zwischenfall belastete das italienisch-österreichische Verhältnis erneut aufs stärkste. San Giuliano forderte nunmehr eine stärkere Internationalisierung Albaniens, was Österreich als eine Beeinträchtigung seiner Interessen ansah. Es verlangte die Entsendung eines Detachements von Kriegsschiffen der Mächte und drängte besonders auf deutsche Beteiligung daran. Wilhelm II., der übrigens in Essad Pascha einen italienischen Agenten gegen Österreich-Ungarn und den Fürsten v. Wied sah, sprach sich mehrfach gegen ein gemeinsames militärisches Eingreifen der europäischen Mächte aus. San Giuliano versuchte der italienischen Forderung Nachdruck zu verleihen, indem er Berlin gegenüber mit einer Umorientierung der italienischen Politik drohte: »Wenn Italien in einem so entscheidenden Moment nicht auf deutschen Beistand rechnen könne, während Frankreich sogar seine Hilfe zusage, so bedeute das Gefahr für die Alliance.[13]« »Er sei dann gezwungen, sich mehr an die Triple-Entente anzulehnen.« Erst jetzt, aufgrund dieser massiven Drohung, entschloß sich Deutschland, den Kreuzer »Breslau« nach Durazzo zu beordern, zumal Flotow dringend vor einer weiteren Entfremdung Italiens warnte:

> »Der Marquis San Giuliano spielt nicht nur mir gegenüber mit dem Gedanken einer Entfremdung zwischen Italien und Österreich; bei weiterer Entwicklung in der bisherigen Bahn droht diese Entfremdung tatsächlich, und alle offiziösen Erklärungen können nicht darüber hinwegtäuschen. Denn in Italien zwingen Kammer, Presse und öffentliche Meinung nun einmal die jeweilige Regierung auf ihre Bahn. Der Minister macht auch gar keinen Hehl daraus, daß er unter diesen Umständen ›einen coup d'épaule‹ nach der Seite der Triple-Entente geben müsse.[14]«

---

11 Conrad, Aus meiner Dienstzeit, Bd. 3, S. 683.
12 GP 36 II, Nr. 14 446, Nadolny an AA, 20. 5. 14; Nr. 14 449 f., Flotow an Bethmann Hollweg, 21./22. 5. 14; Nr. 14 463, Flotow an AA, 30. 5. 14.
13 Ibid., Nr. 14 470, Flotow an AA, 2. 6. 14; Nr. 14 451, Flotow an Bethmann Hollweg, 23. 4. 14.
14 Ibid., Nr. 14 477, Flotow an Bethmann Hollweg, 4. 6. 14.

Einen »kritischen Tag erster Ordnung« in den österreichisch-ungarisch-italienischen Beziehungen nannte Tschirschky den 27. Juni, als in Wien ein offenes Werbebüro zur Anwerbung von Freiwilligen für Albanien eröffnet wurde. Es meldeten sich am ersten Tag ungefähr 2000 Mann [15]. Wie die ›Neue Freie Presse‹ erklärte, wollten diese Freiwilligen nicht in erster Linie für den Fürsten v. Wied in Durazzo, sondern für den Kaiser von Österreich fechten. »Die Popularität, welche der vorgeschlagene Marsch nach Albanien erreicht hat, ist ein Beweis dafür, wie groß das Verlangen ist, vor der Welt zu zeigen, daß Österreich viel mehr Lebenskraft hat, als unsere Gegner zugeben wollten.« Auch in Deutschland versuchte ein Konsul a. D. v. Wackerow ein Freikorps für Albanien zu organisieren. Als der deutsche und italienische Botschafter im österreichischen Außenministerium auf die Konsequenzen für den Dreibund aufmerksam machten, wurde ihnen erwidert, daß die Regierung keine Mittel habe, gegen die »private« Werbung vorzugehen; lediglich die Anwerbung von Stellungspflichtigen wurde verboten [16]. Die Spannungen zwischen Österreich-Ungarn und Italien in der Albanienfrage hielten auch in den nächsten Wochen unvermindert an, und da die österreichische Aktion indirekt auch gegen Serbien und Montenegro gerichtet war, konnte sie leicht zu einem offenen Konflikt mit diesen Nachbarstaaten der Monarchie hochgespielt werden, mit allen Konsequenzen für eine daraus entstehende, auch die Großmächte einschließende allgemeine Konflagration.

Die Kontroverse zwischen Deutschland und Österreich-Ungarn: Rumänien oder Bulgarien?

Die Bevorzugung verschiedener Bündniskonstellationen bildete einen beständigen Konfliktstoff zwischen Deutschland und Österreich-Ungarn. Berlin begrüßte den Bukarester Frieden als eine glückliche Regelung der territorialen Verhältnisse auf dem Balkan, wie schon das offene Glückwunschtelegramm Wilhelms II. an König Carol dokumentieren sollte. Mit diesem Telegramm setzte ein erneutes Werben um Rumänien ein, das bis zum Kriegsbeginn andauerte und dem auch die Gewährung einer Anleihe diente. In Wien dagegen forderten Berchtold und die Militärkreise eine Revision des Bukarester Friedens zugunsten Bulgariens und bemühten sich, dieses Land an den Dreibund heranzuziehen. Infolgedessen versuchten sie, Wilhelm II. und die deutsche Regierung von ihrem tief verwurzelten Mißtrauen gegen Sofia und besonders gegen König Ferdinand abzubringen.

---

15 Vgl. Schultheß' Europ. Gesch.kal. 1914, S. 947.
16 GP 36 II, Nr. 14 520. Ganz vertrauliches Schreiben Tschirschkys an Bethmann Hollweg, 28. 6. 14.

Das Hauptmotiv dieser Politik war die Sorge, die Sieger des zweiten Balkankrieges, Serbien, Rumänien, Griechenland, könnten sich zu einem neuen Balkanbund gegen Bulgarien zusammenschließen, der sich gleichzeitig gegen Österreich-Ungarn richten würde. Demgegenüber identifizierte sich der österreichisch-ungarische Thronfolger Franz Ferdinand völlig mit der rumänienfreundlichen Politik Wilhelms II.[17]; wie der deutsche Kaiser hatte auch Franz Ferdinand Ende August 1913 König Carol von Rumänien in einem Brief zu seinen großen Erfolgen beglückwünscht und betont, daß in Bukarest die »Grundlagen des Friedens« auf dem Balkan gelegt seien[18]. Franz Ferdinand lehnte Berchtolds bulgarienfreundliche Politik bis zu seinem Tode ab. Er war der Ansicht, daß man über Bukarest mit Sofia verhandeln solle, und bemühte sich dringend, die Ungarn zu einer entgegenkommenderen Behandlung der Rumänen in Siebenbürgen zu bewegen. Franz Ferdinand war es auch, der die Entsendung des Grafen Ottokar Czernin, eines seinem engeren Freundeskreis zugehörigen Diplomaten, nach Bukarest durchsetzte. Czernin war als Gegner der Ungarn und ihrer Nationalitätenpolitik bekannt und sollte die österreichisch-rumänischen Beziehungen durch die Ausräumung von Mißverständnissen, wie man in Wien sagte, verbessern helfen (November 1913). Tatsächlich hatten sich die Beziehungen zwischen der Monarchie und Bukarest in den letzten Monaten derart verschlechtert, daß Rumänien, das nur mit Österreich-Ungarn offiziell verbündet war, jetzt nur noch Berlin als Brücke zum Dreibund ansah. König Carol äußerte im September 1913, daß ohne Eingreifen Deutschlands und besonders des Kaisers seine Beziehungen zu Österreich-Ungarn »völlig in die Brüche gegangen wären«[19].

Czernin erkannte in Bukarest sofort, daß Rumänien im Kriegsfalle nie auf seiten Österreich-Ungarns kämpfen würde, es sei denn, die Ungarn änderten augenblicklich und radikal ihre Siebenbürgenpolitik. Die ungarische Innenpolitik hatte dahin geführt, daß sich eine starke antiösterreichische Protest- und Demonstrationsbewegung in Rumänien breitmachte, getragen von einer rumänischen »Kulturliga«, die besonders aus Studenten und Professoren der Universitäten bestand. Diese protestierten gegen die Unterdrückung der Rumänen in Ungarn und forderten für Siebenbürgen Autonomie. Sie sympathisierten stark mit Frankreich und Rußland und erhielten von dort wohl auch Geldzuschüsse. Die russischen und französischen Vertreter in Bukarest waren außerordentlich aktiv in der Einwirkung auf die Regierung wie auf die öffentliche Meinung. Die Ablösung

17 Vgl. AA-Bonn, Öst. 86, Nr. 1b, secr. Bd. 1, Franz Ferdinand an Wilhelm II. (Wiedergabe durch Treutler).
18 GP 39, Nr. 15 792, Waldburg an Bethmann Hollweg, 27. 8. 13; Nr. 15 720, Bericht Treutlers über die Gespräche Wilhelms II. mit Franz Ferdinand, 27. 3. 14.
19 Ibid., Nr. 15 794, Beldiman an Jagow, 17. 3. 13.

des dreibundfreundlichen Majorescu durch den liberalen französisch gebildeten Dreibundgegner Bratianu konnten sie als Erfolg verbuchen.

Da sich die Wendung Rumäniens zu Frankreich immer klarer abzeichnete, wollte Czernin das Land zu einer eindeutigen Parteinahme für Entente oder Dreibund zwingen. Er drängte Berchtold deshalb, König Carol zu veranlassen, den Vertrag mit Österreich-Ungarn (kurz Dreibundvertrag) zu veröffentlichen. Berchtold zögerte jedoch, da Franz Ferdinand und auch Berlin einen solchen Schritt solange für gefährlich hielten, als das Verhältnis beider Länder sich durch Änderung der ungarischen Politik nicht entspannt habe [20]. Im übrigen vertraute Wilhelm II. immer noch auf die Loyalität seines Verwandten aus dem Hause Hohenzollern-Sigmaringen. Um Wien endlich zum Handeln zu bewegen, wies Czernin darauf hin, Rumänien werde in einem Krieg sich zuerst wohl abwartend verhalten, um sich dann dem Sieger anzuschließen; sollte Berchtold der Meinung sein, ein Krieg mit Rußland sei Utopie, dann könne er weiterhin abwarten; wenn er jedoch, wie »wir alle«, mit dieser Zukunftsmöglichkeit rechne, dann müsse man endlich die Veröffentlichung erzwingen [21].

Das Zusammentreffen zwischen Nikolaus II. und Carol in Constanza am 14. Juni 1914 deutete Czernin als endgültiges Abschwenken Rumäniens zur Triple-Entente. Dennoch hielt er daran fest, daß man Rumänien ein kategorisches »Entweder-Oder« abzwingen müsse. Auch »die Deutschen« müßten doch verstehen, »welch ernste Gefahr für sie herannahe, wenn unsere gesamte Armee gegen Rumänien und Serbien gebunden wäre und sie selbst allein den Kampf gegen Rußland und Frankreich aufnehmen müssen« [22]. Czernin sah die Ideallösung des Balkanproblems in einem Bündnis der Monarchie mit Rumänien und Serbien gegen Bulgarien, das über Berlin in Bukarest vermittelt werden sollte, und wies darauf hin, daß der deutsche Kaiser ihm im Herbst 1913 in Leipzig diese Kombination als die richtige Politik empfohlen habe.

Berchtolds Politik strebte aber gerade eine Unterstützung und Heranziehung Bulgariens an den Dreibund an, weil er in dem besiegten und geschwächten Opfer des dritten Balkankrieges einen unversöhnlichen Feind Serbiens und somit einen natürlichen Bundesgenossen sah. Allerdings lehnte er mit Rücksicht auf Franz Ferdinand und Rumänien ein förmliches Bündnis, das König Ferdinand bei seinem Besuch in Wien im November 1913 anbot, ab. Auch Bethmann Hollweg und das Auswärtige Amt fürchteten, daß Rumänien bei einer bulgarischen Annäherung an den Dreibund erst recht in die Arme Rußlands und Frankreichs getrieben würde [23].

---

20 Vgl. H. Hantsch, Leopold Graf Berchtold, Bd. 2, S. 550.
21 Vgl. ÖU 7, Nr. 9544, Czernin an Berchtold, 2. 4. 14.
22 ÖU 8, Nr. 9902, Czernin an Berchtold, 22. 6. 14.
23 ÖU 7, Nr. 8965, Telegr. Szögyény an Berchtold, 7. 11. 13.

Die deutsche Haltung gegenüber Bulgarien blieb bis zum Juli 1914 unverändert. Erst als während der Julikrise auch in Berlin starke Zweifel an der Möglichkeit aufkamen, Rumänien als aktiven Bundesgenossen festzuhalten, gelang es Österreich, seine oft und drängend vorgebrachte Forderung, Deutschland möge Bulgarien eine Anleihe gewähren, durchzusetzen [24].

Griechenland

Auch Griechenland gegenüber gingen die Ansichten und Ziele der drei Dreibundmächte auseinander, wobei hier Italien mit Österreich-Ungarn zusammen gegen Deutschland stand, und zwar wegen der Albanienfrage. Die Bevölkerung der südalbanischen Bezirke war zum großen Teil griechisch; auch nach dem Bukarester Frieden fanden dort ständig blutige Unruhen statt, nicht zuletzt, weil Gruppen aus dem benachbarten Griechenland, ja sogar griechische Truppen den Aufständischen zu Hilfe kamen. Österreich-Ungarn und Italien, die Schutzmächte Albaniens, unternahmen in Athen mehrere gemeinsame Demarchen, um den Rückzug der Griechen aus Südalbanien zu erwirken, und versuchten, in dieser Frage Deutschland als Vermittler einzuschalten. In Berlin riet das Auswärtige Amt zwar der griechischen Regierung nachzugeben, jedoch weigerte es sich, dringender zu werden, weil man hoffte, Griechenland zum Anschluß an den Dreibund zu gewinnen. Es war insbesondere der Kaiser, der als Schwager König Konstantins diese Politik förderte, ja sogar auf ein Bündnis zwischen der Türkei und Griechenland unter Anlehnung an den Dreibund hinarbeitete [25], während Wangenheim, der deutsche Botschafter in Konstantinopel, ein Bündnis zwischen der Türkei und Bulgarien unter Anlehnung an den Dreibund für viel wichtiger hielt, weil dadurch auch Rumänien für einen Anschluß gewonnen werden könne. »Eine solche Konstellation Rumänien–Bulgarien–Türkei unter Anlehnung an den Dreibund wäre ein neues, brauchbares Pivot unserer Orientpolitik.« Diesen Vorstellungen folgte auch Bethmann Hollweg, obwohl es ihm während des gemeinsamen Aufenthalts in Korfu im März 1914 nicht gelang, den Kaiser von der Unmöglichkeit seines Programms zu überzeugen. Dagegen war Österreich-Ungarn gegen jede Heranziehung Griechenlands, weil die Griechen im Bukarester Frieden Kavalla beansprucht und – dank der Unterstützung Kaiser Wilhelms – auch erhalten hatten, während Österreich diese Hafenstadt an der Ägäis Bulgarien zugesprochen wissen wollte.

---

24 Vgl. oben Kap. 14.
25 Vgl. zu diesem Abschnitt Tirpitz, Aufbau der dt. Weltmacht, S. 389 f. Besonders den Bericht von Humann, Marineattaché in Konstantinopel.

Diese mehr lokalen Probleme wurden zu Fragen der europäischen Politik, als im Dezember 1913 Grey vorschlug, die Räumung Südalbaniens mit der »Inselfrage« zu koppeln. Dieses Junktim besagte: wenn Griechenland Südalbanien räumte, sollte es die von ihm im Balkankrieg besetzten, früher türkischen, von griechischer Bevölkerung bewohnten Inseln Mytilene, Chios, Lemnos und andere endgültig behalten dürfen. Athen erklärte sich mit einer solchen Regelung einverstanden, schob jedoch den Räumungstermin immer wieder hinaus. In diesem Streit wurde Griechenland von England und Frankreich unterstützt, während Italien für ein Verbleiben der Inseln in türkischem Besitz eintrat, in der Hoffnung, die Türkei für einen Tauschplan zu gewinnen, wonach sie Rom gegen Rückerstattung des Dodekanes (Rhodos u. a.) »Arbeitszonen« in Kleinasien (Cilicien) zugestehen sollte. – Deutschland geriet dadurch in eine äußerst schwierige Lage: einerseits konnte es die Türkei wegen seiner weitreichenden politischen, wirtschaftlichen und militärischen Interessen dort nicht im Stiche lassen, andererseits mußte es Griechenland unterstützen, um es nicht in die offenen Arme der Triple-Entente zu treiben. Deutschland arbeitete deswegen auf eine griechisch-türkische Verständigung hin. So war der Dreibund auch durch diese Frage belastet. Noch im Juni 1914 äußerte Kaiser Franz Joseph gegenüber Conrad: »Der deutsche Kaiser flirtet mit Griechenland, und das Ende wird sein, daß sich das Ganze gegen uns richtet.[26]«

Serbien

Auch in der serbischen Frage bestanden erhebliche Differenzen in den Anschauungen und Zielsetzungen zwischen dem Deutschen Reich und der Doppelmonarchie. Serbien war für Österreich-Ungarn der gefährlichste Gegner, zumal nach seiner Vergrößerung und Stärkung in den Balkankriegen.

Wie hoch man die akute Bedrohung Österreich-Ungarns durch Serbien und die südslawischen Bestrebungen der serbisch-nationalistischen Geheimorganisationen einschätzen mag, zweifellos wurde die Politik der Monarchie durch diese Frage besonders schwer belastet. Deutschland hingegen betrachtete Serbien in erster Linie unter dem Aspekt des kommenden großen Krieges; deshalb rieten das Auswärtige Amt wie der Kaiser den Wiener Stellen immer wieder zu einer Verständigung mit Serbien, die am besten über wirtschaftliches Entgegenkommen zu erreichen sein würde. Die österreichischen Politiker konnten solche Ratschläge nur als absolutes Un-

26 Conrad, Aus meiner Dienstzeit, Bd. 3, S. 702.

verständnis für ihre Probleme ansehen. Das Tagebuch des österreichischen Politikers und Parlamentariers Baernreither berichtet über Unterredungen mit Zimmermann, Solf und Lerchenfeld im März 1914: »Der Gegensatz zwischen der Wilhelmstraße und dem Ballhausplatz wird sofort offen. Bei uns ist man antiserbisch, hier antibulgarisch, außerdem sehr besorgt wegen unseres Verhältnisses zu Rumänien.« Lerchenfeld begreife nicht, warum Österreich sich nicht mit den Serben vertrage: »Entweder Gewalt oder gute Nachbarschaft, aber die Halbheit ist nicht zu verstehen«, habe er geäußert. Auch Zimmermann besitze keine klare Vorstellung von den österreichisch-ungarischen Verhältnissen[27].

Noch im Mai 1914 beklagte sich Berchtold, man halte in Berlin weiterhin an der Idee einer politischen Annäherung zwischen Österreich-Ungarn und Serbien fest, und Äußerungen des deutschen Kaisers zeigten ihm, daß eine »radikale Aufklärung« über die wirkliche Lage, »wenigstens an höchster Stelle, nicht stattgefunden habe«: daß nämlich in Serbien unverfroren Ansprüche auf integrierende Bestandteile der Monarchie gestellt würden, die eine Verständigung aussichtslos machten[28]. Tatsächlich hatte Kaiser Wilhelm noch im Dezember 1913 den, wie er sagte, »in schädlicher Weise sich vordrängenden Pessimismus« in Österreich-Ungarn gegenüber Serbien verurteilt: »Schwarzseherei« sei nicht am Platze. Da die Monarchie gegenüber den Balkanländern eine aktive Politik treiben könnte, indem sie ihre Macht, aber auch ihre Freundschaft in den richtigen Momenten beweise, habe sie die Balkanstaaten in der Hand. Berchtold könnte sich zum Beispiel Serbien gefügig machen, wenn er »etliche Millionen flott opfert«; er müsse aber auch bei den ersten feindseligen Provokationen Belgrads seine Truppen marschieren lassen. »Die endgültige Entscheidung im Südosten Europas mag ja, früher oder später, einen ernsten Waffengang erheischen, und wir Deutsche stehen dann mit Ihnen und hinter Ihnen, aber es kann uns keineswegs gleichgültig sein, ob zwanzig Divisionen Ihrer Wehrmacht für den Aufmarsch gegen das Südslawentum festgelegt sind oder nicht.[29]«

Die südslawische Frage war also in Berlin nur insoweit von Interesse, als zu befürchten war, daß bei einem Kontinentalkrieg erhebliche österreichische militärische Kräfte durch Serbien gebunden werden könnten. Dem galt es vorzubeugen, sei es, was vorgezogen wurde, durch wirtschaftliche und finanzielle Unterstützung und Heranziehung Serbiens, sei es durch einen Krieg. Dieser hätte innerhalb des deutschen Kalküls allerdings nur Sinn gehabt, wenn er blitzartig durchgeführt würde, damit das ganze

---

27 Joseph M. Baernreither, Dem Weltbrand entgegen, S. 294.
28 Vgl. ÖU 8, Nr. 9674, Erlaß Berchtolds nach Berlin, 19. 5. 14.
29 Vgl. ÖU 7, Nr. 9096, Vertraul. Schreiben des ö.-u. Gesandten in München, Velics, über einen Empfang bei Wilhelm II., 16. 12. 13.

österreichische Heer danach frei sei und für den aus einer solchen antiserbischen Aktion zwangsläufig entstehenden Krieg gegen Rußland zur Verfügung stände. In Wien jedoch fühlte man die Existenz der Monarchie durch Serbien derart bedroht, daß man einen friedlichen Ausgleich für unmöglich hielt, so daß der Gedanke an die Gewaltlösung sich immer mehr durchsetzte. So hat Czernin, der, wie berichtet, im November 1913 als Gesandter nach Bukarest geschickt worden war, in einer Denkschrift vom 11. März 1914 an Berchtold geäußert:

>»Der großserbische Gedanke ist bereits zu stark Wirklichkeit geworden, als daß man hoffen könnte, es werde gelingen, ein dauernd freundnachbarliches Verhältnis anzubahnen, bei dem wir nichts von ihnen und sie nichts von uns wollen. Ich habe, und nicht erst seit gestern, das sehr lebhafte Gefühl, daß wir mit dem heutigen Serbien aufräumen müssen, wenn wir endlich einmal Ruhe auf dem Balkan bekommen wollen.«

Dem vielfach geäußerten Argument, man könne Serbien nicht annektieren, da die Monarchie schon zu viele Südslawen regiere, könne auch er sich nicht verschließen; sein Plan sei vielmehr, nach einem siegreichen Feldzug Bulgarien und Griechenland – und damit auch indirekt Rumänien – mit serbischem Territorium zu befrieden, Albanien abzurunden und zu einem Grenzstaat der Monarchie zu machen, Serbien dagegen auf ein Minimum zu reduzieren. Eine »kriegerische Präventivmaßregel« dürfe nicht ausschließlich vom Standpunkt des territorialen Gewinns betrachtet werden. Viel wichtiger sei es, auf dem Balkan endlich Ruhe zu bekommen[30]. Auffällig ist, wie selten in Österreich – ganz anders als in Deutschland – die Möglichkeit erwogen und diskutiert wurde, daß als Folge eines österreichisch-serbischen Krieges Rußland eingreifen könnte. Man schien in Wien diese Gefahr zu unterschätzen oder man vertraute uneingeschränkt auf die deutsche »schimmernde Wehr«.

Die serbische Gefahr wurde in Wien für um so bedrohlicher angesehen, als sich Anfang 1914 die Gerüchte über eine bevorstehende Vereinigung Serbiens und Montenegros mehrten. Österreich-Ungarn war entschlossen, diese nicht ohne weiteres hinzunehmen. Wenn die Entwicklung nicht aufzuhalten wäre, wie es die Meinung Tiszas war, so müßte zumindest der montenegrinische Küstenstreifen an Albanien fallen, damit nicht Serbien auf diesem Umweg doch noch (was im Dezember 1912 auf Betreiben Österreichs verhindert worden war) an die Adria gelänge. Einige Politiker wünschten auch den Lovčen, den beherrschenden Bergstock über dem österreichisch-ungarischen Kriegshafen Cattaro, zu Albanien zu schlagen[31]. (Nach Ausbruch des Krieges wurde die Verbindung Dalmatiens mit Alba-

---

30 Conrad, Aus meiner Dienstzeit, Bd. 3, S. 782.
31 Vgl. GP 39, Nr. 15 715, Tschirschky an Bethmann Hollweg, 23. 3. 14.

nien samt dem Besitz des Lovćen eines der am entschiedensten festgehaltenen Kriegsziele der Monarchie.) – Wieder trat eine Verschiedenheit der Auffassungen in Berlin und Wien zutage: Der deutsche Kaiser, der sich dabei ausdrücklich auf Tisza berief, schrieb am 11. März 1914 – und er schien die Versprechungen, die er im Herbst 1913 in Wien gemacht hatte, vergessen zu haben –, daß die Vereinigung nicht zu verhindern sei; »und wenn Wien das versuchen sollte, so macht es eine große Dummheit und beschwört die Idee eines Krieges mit den Slawen herauf, der uns ganz kalt lassen würde« [32].

Diplomatische Bemühungen um die Festigung des Dreibundes

Wie bei den Militärs der Mittelmächte, so drang auch bei ihren Diplomaten und Politikern die Meinung immer mehr durch, daß es bald zum großen Krieg kommen würde. Der auch in der Julikrise recht selbständig agierende Dietrich v. Bethmann Hollweg, ein Vetter des Reichskanzlers, Legationssekretär in der Deutschen Botschaft in Wien, erklärte in einem Gespräch mit Prof. Redlich in Wien am 9. März 1914:

> »Deutschland müsse sich bald entscheiden, ob es seine Position im Orient räumen oder das Schwert ziehen solle zur Abwehr Rußlands und Frankreichs.«

Das Gespräch war durch die einige Tage vorher (am 2. März) erschienenen »Alarmartikel« der ›Kölnischen Zeitung‹ ausgelöst worden. Redlich war noch skeptisch, ob diese Nachrichten aus Rußland den Tatsachen wirklich entsprächen oder nicht eher auf die Agitation von Krupp und Schneider-Creusot zurückzuführen seien. Er ergänzte dennoch: »Daß es aber bald zum Zusammenstoß kommen wird, ist mir sehr wahrscheinlich. Doch wird man hier und in Berlin den Mut finden zu selbständiger Politik? Erzherzog Franz Ferdinand soll noch immer an die Freundschaft mit Rußland glauben! [33]« Tatsächlich bedeutete diese Haltung des österreichisch-ungarischen Thronfolgers den größten Unsicherheitsfaktor auch für die deutsche Politik, seitdem sie von Dezember 1912 an und verstärkt seit Oktober 1913 sich auf den »unvermeidlichen« Krieg mit Rußland vorbereitete, wofür sie den österreichisch-ungarischen Bundesgenossen unbedingt brauchte. Schon Ende Dezember 1912 hatte sich Moltke, wie erwähnt, über die »unbestimmte Persönlichkeit« des österreichischen Thronfolgers kritisch ausgesprochen.

In einer Rede zur Begründung des Rekrutenkontingentgesetzes nahm

---

32 GP 38, Nr. 15 539, Marginalien Wilhelms II., S. 335, Schreiben Griesinger an Bethmann Hollweg, 11. 3. 14.
33 Politisches Tagebuch Josef Redlichs, Bd. 1 (1908–1914), S. 221, Eintragung vom 10. 3. 14.

der Verteidigungsminister der österreichischen Reichshälfte, Baron Georgi, im März 1914 ganz die Stichworte der gleichzeitig stattfindenden Pressekampagne in Deutschland und Österreich-Ungarn auf und stellte einen nahenden Krieg in Rechnung. Die Monarchie habe während der Balkankrise ihre Friedensliebe sowie ihre Abneigung, einen anderen Staat anzugreifen, deutlich bewiesen; aber die Verhältnisse im Nahen Osten seien noch nicht befriedigend genug geregelt, um die Möglichkeit auszuschließen, daß die Monarchie sich plötzlich, selbst gegen ihren Willen, in einen Krieg verwickelt finden könnte. Friedensliebe solle nicht als Schwäche mißverstanden werden, und die Monarchie dürfe keine Zweifel darüber bestehen lassen, daß sie absolut bereit und entschlossen sei, wenn notwendig, jeden Angriff mit einem Gegenangriff zu beantworten.

Diese ganze Unruhe und Nervosität wurde entscheidend durch die Überzeugung gesteigert, die Lage habe sich für den Dreibund außerordentlich verschlechtert, und ein weiteres Hinauszögern des Krieges müsse sich für die Mittelmächte immer unvorteilhafter auswirken. So brachte Berchtold bei einem Besuch am Münchener Hof Anfang März 1914 seine große Besorgnis zum Ausdruck über Ausmaß und Tempo der russischen Rüstungen und bekannte zugleich, welchen Alptraum die Gefahr eines neuen Balkanbundes unter dem Protektorat Rußlands und Frankreichs für ihn bedeute [34]. Das deutliche Abrücken Rumäniens, der Türkei und Italiens vom Dreibund mußte all diese Besorgnisse weiterhin steigern.

Als Konsequenz dieser Lagebeurteilung – der Krieg ist unvermeidlich und jedes Hinauszögern wirkt sich zum Nachteil des Dreibundes aus – blieb die deutsche Politik seit dem Spätherbst 1913 von dem Bestreben bestimmt, den Dreibund zusammenzuhalten und zu festigen [35]. Wenn auch diese Versuche schon durchsetzt waren von einem Zweifel, ob Österreich-Ungarn wohl innerlich noch so stabil sei, daß es die Belastung eines Krieges aushalten könne, sah man jedoch keine andere Konstellation als diese für den Kriegsfall. So fragte sich Tschirschky, der deutsche Botschafter in Wien (in einer groß angelegten Analyse der Situation der Doppelmonarchie am 22. Mai 1914) [36], »ob es wirklich noch lohnt, uns so fest an dieses in allen Fugen krachende Staatengebilde anzuschließen und die mühsame Arbeit weiterzuleisten, es mit fortzuschleppen«. Nach einer Aufkündigung der Allianz allerdings müßte das Ziel der deutschen Politik die Aufteilung Österreich-Ungarns sein; »ob wir dafür carte blanche von England erhalten würden, selbst wenn dieses mit uns in ein wirklich festes Verhältnis hätte gebracht werden können, ist zu bezweifeln«. Tschirschky

---

34 GP 39, Nr. 15 842, Treutler an Bethmann Hollweg, 4. 3. 14; vgl. auch ÖU 7, Nr. 9592, Unterredungen zwischen Berchtold und San Giuliano, 14.–18. 4. 14.
35 ÖU 7, Nr. 9009, Szögyény an Berchtold, 9. 11. 13.
36 GP 39, Nr. 15 734, Privatbrief Tschirschky an Jagow, 22. 5. 14.

stellte in Frage, ob sich eine künftige Angliederung der deutschen Länder der Monarchie an Deutschland für den inneren Zusammenhang des preußisch-deutschen Reiches günstig auswirken würde.

In den Zusammenhang dieser nicht sehr hohen Einschätzung des Bundesgenossen gehörte auch die Weigerung der deutschen Regierung, in jeder kleinen Frage der internationalen Politik die Dreibundmächte gemeinsam auftreten zu lassen. Der österreichisch-ungarische Botschafter Szögyény sah darin die deutsche Befürchtung, England könne durch ein solches Verhalten noch stärker auf die Seite Frankreichs und Rußlands gedrängt werden:

> »Die Politik Deutschlands geht aber dahin, den deutsch-englischen Gegensatz zu überbrücken, wodurch dann in weiterer Folge das Verhältnis Englands zu dem Zweiverband gelockert würde. Diesem nicht unberechtigten und vielleicht auch durchführbarem Plan glaubt die deutsche Regierung zu schaden, wenn durch ein en-bloc-Vorgehen des Dreibundes die Ententemächte gezwungen werden, auch als ein Ganzes aufzutreten.[37]«

Die Folge dieser Politik war allerdings der immer wieder vorgebrachte österreichische Vorwurf, das Deutsche Reich unterstütze seinen Bündnispartner allzu lau.

Parallel zu den immer häufiger werdenden persönlichen Kontakten der führenden Militärs, bei denen immer konkretere Absprachen für den nahenden Krieg getroffen wurden, fanden im Dreibund in immer kürzeren Abständen auch Besprechungen zwischen Monarchen und führenden Politikern statt. Von deutscher Seite wollte man mit solchen Kontakten, auch wenn es äußerlich nur Höflichkeitsbesuche anläßlich von Erholungsreisen waren, die sich vernachlässigt fühlenden Wiener Amtsstellen beschwichtigen und, was vielleicht noch wichtiger war, sich selbst für jede Krise die letzte Entscheidung und Führung sichern.

Aber auch österreichische Sendboten kamen Anfang März 1914 – acht Tage nach dem Alarmartikel der ›Kölnischen Zeitung‹ – nach Berlin; so zum Beispiel der frühere österreichische Handelsminister Baernreither, der mit allen wichtigen deutschen Politikern, so mit Jagow, Zimmermann, Solf und Koerner, dem Direktor der Handelspolitischen Abteilung des Auswärtigen Amts, aber auch mit dem Kaiser zusammentraf. Auf einem Diner am 10. März 1914 forderte der deutsche Staatssekretär des Äußern, Rumänien müsse unbedingt beim Dreibund festgehalten werden, ja er schlug sogar einen Zusammenschluß Rumäniens, Griechenlands und Serbiens in einem neuen Balkanbund vor, dem sich Österreich-Ungarn anschließen sollte. Jagow wiederholte seinen Vorschlag vom April 1913, daß eine Teilung der Interessensphären auf dem Balkan stattfinden müsse: der Westen bliebe Österreich vorbehalten, während sich Deutschland den östlichen Balkan

---

37 ÖU 7, Nr. 9591, Szögyény an Berchtold, 18. 4. 14.

und die östlichen Verkehrswege Anatoliens wegen sichergestellt habe. Über Albanien äußerte sich Jagow skeptisch; die Rivalität zwischen Österreich-Ungarn und Italien betrachtete er vor allem in ihrer Rückwirkung auf die Festigkeit des Dreibundes, der dadurch geschwächt werden könne. Wie Zimmermann und Koerner (und wie bereits gezeigt auch Moltke) hielt auch Jagow »die momentane Lage Frankreichs für ungünstig... sowohl finanziell als militärisch«[38].

Am folgenden Tage, am 11. März, sprach Baernreither auch mit dem Kaiser; »alles, was ich von Jagow, Zimmermann und anderen gehört habe, fand in den Worten des Kaisers den intensivsten Ausdruck«[39], resümierte der österreichische Politiker das Gespräch. Der Kaiser ging sogar so weit, daß er den Österreichern riet, »ein Zollbündnis mit Serbien (zu) schließen und endlich eine Militärkonvention«. Ebenso »lebhaft« wie »seine Minister« plädierte er für einen Zusammenschluß Rumänien–Griechenland–Serbien, zu dem auch noch die Türkei hinzutreten müsse. Auch der Kaiser sprach von »Frankreichs finanziellen Kräften... mit Geringschätzung«. Baernreither hörte in seiner Audienz bei Bethmann Hollweg die gleichen Ansichten; vor allem in der rumänischen Frage. Der Kanzler forderte eine Neuorientierung der österreichischen Außenpolitik. Griechenlands Zukunft beurteilte er nicht so optimistisch wie der Kaiser, weil er die Einwirkungen Frankreichs auf dieses Land nicht unterschätzte.

Diesen Intentionen der deutschen Politik lag nach Baernreithers Meinung folgende Grundeinstellung und damit der folgende »Gegensatz« zwischen Wien und Berlin zugrunde: »Hier (in Berlin) will man Bulgarien einkreisen, bei uns Serbien.« Von Bulgarien nämlich sprachen Jagow wie der Kaiser sehr ungünstig. Am 22. März, nach seiner Rückkehr nach Wien, suchte Baernreither sofort den Kabinettschef Berchtolds auf, um ihm über seine Berliner Gespräche zu berichten, und auch mit Berchtold selbst kam es zu einer Unterredung, wobei dieser seine unterschiedliche Beurteilung der Rumänienfrage wieder betonte.

Diese Differenzen beizulegen, mußte das nächste Ziel der deutschen Politik sein. Die Weisung Bethmann Hollwegs an Jagow vom 8. Mai 1914 ließ dies Bemühen Berlins sehr deutlich erkennen:

> »Ich halte eine klare Aussprache in Wien für dringend erforderlich. Wien beginnt sich in seiner gesamten Politik etwas stark von uns zu emanzipieren und muß meo voto rechtzeitig am Zügel gehalten werden.[40]«

Diesem Zweck diente schon der Aufenthalt des Kaisers in Wien und Miramare im März (auf seiner Reise nach Korfu): Seine Gespräche standen

---

38 Vgl. J. M. Baernreither, Dem Weltbrand entgegen, S. 302 f.
39 Vgl. zu diesen Gesprächen ibid., S. 305 f.
40 GP 38, Nr. 15 549, Aufzeichnung Bethmann Hollweg für Jagow, 8. 5. 14.

ganz unter dem Zeichen der deutsch-russischen Pressekampagne. In Wien erhofften sich viele von dem Besuch des deutschen Kaisers, daß Wilhelm II. Kaiser Franz Joseph, der vielleicht unter dem Einfluß seines Neffen Franz Ferdinand noch an einen Ausgleich mit Rußland in einem neuen Dreikaiserbündnis glaubte, davon abbringen würde. Ein kritischer Beobachter, Josef Redlich, notierte zu diesem Treffen, Professor Samassa, ein österreichischer Alldeutscher mit engem Kontakt zu Tschirschky[41], habe beobachtet, »daß Kaiser Wilhelm hier dem alten Kaiser doch etwas die Augen über die Gefahren des Slawismus geöffnet habe«. Redlich fügte für sich hinzu: »Ich glaube, die Augen sind hier nicht mehr zu öffnen.[42]« Der deutsche Kaiser sprach damals auch ausführlich mit Berchtold und versuchte, ihn wegen der russischen Rüstungen zu beruhigen (Berchtolds Besorgnis ist nicht unverständlich, schließlich sollte doch Österreich-Ungarn im Falle eines Krieges sechs Wochen lang den Ansturm Rußlands fast allein aushalten!). Rußland sei zu seiner Aufrüstung durch Frankreich gezwungen, da es sonst kein Geld erhalte. Diese richte sich im übrigen eher gegen die Türkei als gegen Österreich oder Deutschland[43]. Die Tagebuchaufzeichnungen Berchtolds bestätigen diesen Bericht Tschirschkys, betonen aber außerdem, Wilhelm II. sei nicht gut auf Rußland zu sprechen gewesen, wie man angesichts der Haltung Sasanows in der Liman-Sanders-Krise, der »Hetzkampagne der russischen Presse« und der »fieberhaften Anstrengungen Rußlands und Frankreichs, Rumänien endgültig auf ihre Seite zu bringen«, leicht verstehen könne[43a]. Auch mit dem österreichischen Ministerpräsidenten Graf Stürgkh und mit dem ungarischen Ministerpräsidenten Graf Tisza hatte der Kaiser Unterredungen. Tisza machte einen besonders günstigen Eindruck auf Wilhelm II.

Der ungarische Ministerpräsident war am Tage zuvor in Wien eingetroffen, wo er mit Berchtold seine Denkschrift über die Lage auf dem Balkan vom 15. März besprach. Tisza hatte darin noch einmal betont, eine Revision des Bukarester Friedens sei unumgänglich. Nur dürfe Österreich-Ungarn nichts überstürzen, sondern müsse sich sorgfältig vorbereiten, »bis endlich die Stunde der entscheidenden Action schlagen wird«. Die notwendigen Vorbereitungen sah Tisza in der Herstellung einer der Monarchie genehmen Kräftegruppierung auf dem Balkan, was er jedoch nur im Zusammengehen mit dem Deutschen Reich für möglich hielt:

»Es ist eine gründliche Aussprache mit dieser Macht unbedingt notwendig. Unsere Aufgabe ist an und für sich schwierig: von einem Erfolg kann keine Rede sein, wenn wir nicht die volle Gewähr haben, von Deutschland verstanden,

---

41 Vgl. J. M. Baernreither, Dem Weltbrand entgegen, S. 303.
42 Politisches Tagebuch Josef Redlichs, Bd. 1, S. 224, Notiz vom 3. 4. 14.
43 GP 39, Nr. 15 715, Tschirschky an Bethmann Hollweg, 23. 3. 14.
43a H. Hantsch, Leopold Graf Berchtobl, Bd. 2, S. 529 f.

gewürdigt und unterstützt zu werden. Deutschland muß einsehen, daß der Balkan nicht nur für uns, sondern auch für das Deutsche Reich von entscheidender Wichtigkeit ist, und daß auch Deutschland die Gefährdung der eigenen Machtstellung und Sicherheit nur dann abwehren kann, wenn wir beide mit vereinten Kräften an einer uns genehmen Constellation am Balkan consequent und harmonisch arbeiten.«

Dies sei um so dringender, als Rußland unermüdlich auf einen gegen die Donaumonarchie gerichteten Balkanbund hinarbeite. Davon zeuge auch das »jetzige Säbelrasseln«, das dazu dienen solle, die Balkanvölker zum Anschluß an die Entente zu bewegen. Sollte gar Bulgarien sich mit den anderen Balkanstaaten unter russischer Patronanz wieder versöhnen, dann sei der »eiserne Ring« um Österreich-Ungarn fertig geschmiedet und die militärische Überlegenheit der Entente auf dem Kontinent verwirklicht:

»Damit wäre der lang ersehnte Moment gekommen, wo Rußland und Frankreich den Weltkrieg mit Aussicht auf Erfolg anfachen und Deutschland mit überlegenen Kräften angreifen können. Es ist meine feste Überzeugung, daß Deutschlands zwei Nachbarn die militärischen Vorbereitungen sorgfältig fortsetzen, den Krieg jedoch solange nicht anfangen werden, bis sie nicht eine gegen uns gerichtete Gruppierung der Balkanvölker erreicht haben, welche die Monarchie einem Angriff von drei Seiten aussetzt und den größten Teil unserer Streitkräfte an unserer Ost- und Südgrenze bindet. Der Schwerpunkt der europäischen Politik liegt also – auch vom deutschen Standpunkt – am Balkan.«

Deutschland sollte deshalb in seinem eigenen Interesse Österreich-Ungarns wohldurchdachte bulgarophile Politik unterstützen. Nachdem Tisza noch mehrmals mit beschwörenden Worten eine enge deutsch-österreichisch-ungarische Zusammenarbeit gefordert hatte, wandte er sich gegen alle Resignation, gegen »apathisches Zusehen oder planloses Herumtasten« und forderte zielbewußte Vorbereitung einer Aktion: Österreich-Ungarn werde alle Gefahren der Zukunft bestehen, so schrieb er,

»wenn wir die Kräfte sammeln und die Entwicklung der Dinge vereint mit Deutschland *rechtzeitig* vorbereiten . . . *Es ist keine Zeit zu verlieren.* Wir alle, die für die Orientierung der österreichisch-ungarischen oder der deutschen Politik mitzutragen haben, laden die schwerste Verantwortlichkeit auf uns, wenn wir ein planmäßiges, zielbewußtes, einmütiges Vorgehen nicht *rechtzeitig* in Angriff nehmen« [44].

Die Argumentation dieser Denkschrift Tiszas entsprach in ihren wichtigsten Gesichtspunkten genau den Vorstellungen der deutschen Reichsleitung. Wenn sich Tisza trotzdem Anfang Juli gegen einen österreichischen Krieg gegen Serbien ausspricht, einen Krieg mit Rußland, den er ablehnt, als Konsequenz prophezeit und Deutschland Einmischung in die österreichische Politik vorwirft, so liegt darin die Überzeugung, daß Österreich und Deutschland gerade noch keine gemeinsamen Vorbereitungen zu »plan-

44 ÖU 7, Nr. 9482, Denkschrift des Grafen Tisza vom 15. 3. 14 (von mir gesp. F.F.).

mäßigem, zielbewußtem und einmütigem Vorgehen« getroffen haben. Tisza fürchtete Anfang Juli 1914, Österreich-Ungarn sollte vor den Wagen der deutschen Politik gespannt werden.

Berchtold war für die Zukunft keineswegs wie Tisza von einer fruchtbaren Zusammenarbeit mit dem Bündnispartner Deutschland überzeugt. In einer Notiz zur Denkschrift verwies er auf die häufigen Unstimmigkeiten zwischen Wien und Berlin in den letzten Monaten, die die »gemeinsamen großen Interessen« außerordentlich geschädigt hätten. Dies sei darauf zurückzuführen, daß dem Berliner Kabinett die Bedeutung der Balkankrise nicht klar sei oder es sie nicht erkennen wolle, »und augenfällig im Banne des doppelten Gedankens stand, eine Ausbreitung des Konfliktes zu verhindern und England nicht zu verstimmen. Das war ein Wiederaufleben der Bismarckschen Theorie von dem ›Knochen des pommerschen Grenadiers‹, verbunden mit der Sorge um die neugeschaffene und noch nicht vollwertig ausgestaltete deutsche Flotte.«[45] Mit dieser Bemerkung traf Berchtold zwar die eine Komponente der deutschen Politik – die möglichste Neutralisierung Englands – aber unterschätzte weit das Interesse Berlins am Balkan. Nur sahen die deutschen Politiker und Militärs die Balkanfragen stets vor dem Hintergrund einer Auseinandersetzung nicht nur mit Rußland, sondern auch mit Frankreich und England um die deutsche Weltstellung.

Wilhelm II. kam während seines Aufenthaltes in Wien mehrere Male mit Tisza zusammen. Der Kaiser zeigte sich tief beeindruckt von dessen starker Persönlichkeit. Tisza sei der erste, den er unter den führenden Politikern der Monarchie getroffen habe, der statt Klagen und Resignation ein positives Programm besitze; er sei ein echter Staatsmann mit festem Willen und klaren Ideen. Tisza hatte dem Kaiser seine in der Denkschrift niedergelegten Gedanken vorgetragen und dazu dessen uneingeschränkte Zustimmung gefunden. Vor allem verstand er es, seine in Wien von vielen Politikern und Diplomaten als äußerst uneinsichtig und für den Dreibund als gefährlich charakterisierte Nationalitätenpolitik gegenüber den Rumänen in Ungarn in ein gutes Licht zu rücken. Während Tisza dabei das nationalungarische Interesse mit Nachdruck vertrat, gewann er den Kaiser für die Ansicht, daß gerade die Aufrechterhaltung der Herrschaftstellung von Ungarn und Deutschen in der Doppelmonarchie die Garantie für ihre Stärke gegenüber dem Slawentum sei. Der Kaiser ging voll darauf ein: Der slawischen Gefahr gegenüber würde es die beste Gewähr sein, »wenn ein *germanisches* Österreich und *ungarisches* Ungarn die beiden festen Säulen der Doppelmonarchie wären«[46].

---

45 Ibid., S. 979, Anm. 20, Notiz Berchtolds zur Denkschrift Tiszas.
46 GP 39, Nr. 15 715, Treutler an AA, 24. 3. 14, Bericht über das Gespräch Wilhelms II. mit Graf Tisza.

Tisza hatte dem deutschen Kaiser imponiert, vor allem als Gegensatz zu Berchtold, von dem Wilhelm II. den Eindruck gewonnen hatte, daß er »eigentlich ohne Programm« sei und sich außerdem Rußland gegenüber »übertrieben nervös« zeige. Besonders enttäuscht war Wilhelm II. offenbar auch von dem greisen Kaiser Franz Joseph, der ganz von dem Wunsch beherrscht sei, »daß nur alles tunlichst friedlich bleiben möge«.

Daß die politischen und militärischen Vorstellungen Tiszas mit denen Berlins so gut nun doch nicht übereinstimmten, ging aus einem Artikel hervor, den Tisza am Tage seines Gespräches mit Wilhelm II. in der ihm nahestenden Wochenzeitung ›Igazmondó‹ veröffentlichte, und in dem er die Stärke der deutschen militärischen Kraftentfaltung auch gegenüber dem Osten betonte:

> »Heutzutage sehen sich 65 Millionen Deutsche gegenüber nur 38 Millionen Franzosen, und nach menschlicher Voraussicht wird Deutschland in Zukunft seinen alten Feind immer mehr überholen im Hinblick auf Bevölkerungszahl und militärische Stärke.«

»Was folgt daraus?« fragte Tisza und antwortete:

> »Heutzutage genügen $^3/_5$ der deutschen Bevölkerung, um die Balance gegenüber Frankreich zu halten. Ungefähr $^2/_5$ der deutschen militärischen Stärke ist also verfügbar, um im Falle eines Krieges in Osteuropa in die Wagschale geworfen zu werden ... In diesem Kriege können wir auf beinahe die Hälfte der deutschen Armee rechnen.[47]«

Ob sich hier ein Wunschdenken Tiszas ausdrückte oder ob er damit eine Aufforderung an das Deutsche Reich richtete, auf jeden Fall tritt die Diskrepanz zwischen Tiszas Vorstellungen und denen des deutschen Bundesgenossen klar zutage.

Tiszas Artikel vom 28. März wurde im ungarischen Delegationsausschuß für Äußeres scharf angegriffen. Graf Károlyi machte dem Ministerpräsidenten zum Vorwurf, der Artikel habe in der Doppelmonarchie und auch in ganz Europa einen sehr schlechten Eindruck gemacht[48]. Es sei doch »eine Beleidigung« für einen Staat (gemeint ist Rußland), »wenn der Premierminister eines anderen Staates in einem Artikel kalkuliert, wieviel Soldaten ausreichend sein würden, den in Rede stehenden Staat, in diesem Falle Rußland, niederzuwerfen und Frankreich in Schach zu halten«. Tisza mobilisiere gewissermaßen eigenmächtig die deutschen Truppen an der russischen und französischen Front. Diese Opposition Károlyis richtete sich zwar formal und wohl auch sachlich in erster Linie gegen Tisza, dahinter stand jedoch auch eine Kritik an der deutschen Politik.

---

47 Igazmondó, Jg. 1, Nr. 15, S. 2 v. 28. 3. 14, dt. Übersetzung in: ›Pester Lloyd‹ Nr. 76 v. 29. 3. 14. Diesen Hinweis, wie auch den nächsten, verdanke ich Herrn Dr. Josef Galántai, Budapest.
48 Rede Károlyis v. 12. Mai 1914, mitgeteilt in: ›Pester Lloyd‹ Nr. 107 v. 12. Mai 1914.

Wilhelm II. war von Wien aus nach Venedig weitergereist, wo er am 25. März auf seiner Yacht »Hohenzollern« den italienischen König Victor Emanuel empfing. Wilhelm wertete die Begegnung als vollen Erfolg: Victor Emanuel zeigte sich über das Marineabkommen der Dreibundmächte sehr befriedigt, wie auch darüber, daß es ihm jetzt möglich war, die Entsendung italienischer Truppen an den Oberrhein wieder fest zuzusagen. Außerdem gewann Wilhelm den Eindruck, der König sei Frankreich gegenüber durchaus nicht freundlich gesonnen; hatte er sich doch offen über dessen für Italien unbequeme Haltung beklagt [49].

Die unsichere Karte im deutschen Spiel: der österreichische Thronfolger Franz Ferdinand

Von Venedig fuhr Wilhelm II. nach Miramar, um den Erzherzog Franz Ferdinand zu treffen. Der Thronfolger nahm hier »in der schärfsten Weise« gegen Berchtolds (und Tiszas) bulgarophile Balkanpolitik Stellung, weil dadurch versäumt worden sei, eine Annäherung an Bulgarien über Bukarest zu erreichen. Franz Ferdinand hoffte, mit dieser Argumentation, die doch dem deutschen Konzept entsprach, bei seinem deutschen Gesprächspartner auf Entgegenkommen zu stoßen. Wilhelm II. jedoch beruhigte Franz Ferdinand, solche Fehler gegenüber Rumänien könnten wiedergutgemacht werden; man müsse nur die Politik, wie sie Tisza eingeleitet habe, systematisch weiterverfolgen. Der Kaiser ging so weit, dem Thronfolger nahezulegen, diesem »wirklichen Staatsmanne« sein Vertrauen zu schenken. Nach diesem Lob seines wichtigsten innenpolitischen Gegenspielers, den der Habsburger regelrecht haßte [50], lenkte Franz Ferdinand das Gespräch ab auf Fragen der inneren Politik in der österreichischen Reichshälfte. »Mit einiger Erregung« sprach er davon, daß die Slawen »zu herausfordernd und frech« würden; er sehe das als eine große Gefahr an. Das war Anlaß für den Kaiser, zu betonen, seiner Meinung nach müsse die österreichische innere Politik »germanisch« orientiert bleiben; die Opposition und Obstruktion der Tschechen solle dazu benutzt werden, ihnen »einmal wirklich den Kopf zu waschen« [51].

Der deutsche Kaiser buchte diese Begegnung als einen großen Erfolg für sich. Er glaubte, Franz Ferdinand nun »ganz in der Tasche zu haben« [52]. In Wirklichkeit war der Thronfolger außerordentlich verstimmt und sah

---

49 GP 39, Nr. 15 718, Bericht Treutlers an AA, 25. 3. 14.
50 Vgl. L. Singer, Ottokar Graf Czernin, Staatsmann einer Zeitwende, Graz u. a. 1965, S. 25 ff.
51 GP 39, Nr. 15 720, Treutler an AA, 28. 3. 14.
52 AA-Bonn, Gesandtschaft Wien, Geh. III, Ganz geh. Sachen (1891–1914), Tschirschky an Jagow, 28. 3. 14.

in den Äußerungen Wilhelms nur einen neuen Beweis für die deutsche Verständnislosigkeit gegenüber den inneren Verhältnissen der Donaumonarchie. Tiszas national-magyarische Politik, sein striktes Festhalten am »Dualismus« widersprach diametral Franz Ferdinands Plänen für eine Konsolidierung der gesamten Monarchie in einem föderalistischen Sinne, gestützt auf Deutsche, Ungarn und Slawen [53].

Die Tatsache, daß Franz Ferdinand Wilhelm II. über seine politischen Pläne und seine Differenzen mit Tisza keinen klaren Wein einschenkte, erklärte Tschirschky mit seiner Befangenheit gegenüber dem Kaiser, durch dessen »überragende Persönlichkeit« er eingeschüchtert worden sei [54]. Tschirschky ließ deshalb durch Bardolff dem Erzherzog suggerieren, er möge Wilhelm II. die Grundzüge seiner Politik schriftlich darlegen. In einem Brief an Jagow machte er auch schon Vorschläge für ein mögliches deutsches Antwortschreiben. »Es kommt zunächst vor allem darauf an, daß das Mißtrauen des Erzherzogs, als beabsichtige unser Allergnädigster Herr, ihm die Tiszasche Politik aufzuoktroyieren, beseitigt wird.« Tschirschky hielt es zwar für durchaus zweifelhaft, ob die geplante Reorganisation den habsburgischen Staat wirklich wieder festigen könne. Wenn Berlin jedoch Vertrauen zeige, erfahre es die Pläne wenigstens zur rechten Zeit und könne gegebenenfalls etwas dagegen unternehmen. Vor allem riet Tschirschky dem Staatssekretär, dem Kaiser nahezulegen, bei seinem bevorstehenden Besuch in Konopischt nicht wieder auf Tisza zu sprechen zu kommen [55]. Der private Briefwechsel zwischen Jagow und Tschirschky in dieser Angelegenheit zeigt, wie wenig glücklich sich das Auswärtige Amt in dem Bündnis mit der Doppelmonarchie fühlte:

>»Manchmal bangt mir doch sehr vor unserer politischen Konstellation mit dem Wiener Bundesgenossen. Innerlich zerklüftet er sich nach allen Richtungen und wird für die äußere Politik dadurch immer unsicherer. Und sein Verhältnis zu Italien zeigt auch bedenkliche Risse.[56]«

Der Festigung des österreichisch-italienischen Bündnisses diente das Treffen der beiden Außenminister Berchtold und San Giuliano in Abbazia vom 14. bis 19. April 1914. Die Begegnung war eigentlich schon für den Oktober 1913 geplant gewesen, dann aber wegen der Hohenlohe-Erlasse für Triest verschoben worden [57]. Beide Gesprächspartner versicherten sich gegenseitig ihrer Loyalität. Während aber San Giuliano die Schwierigkeiten, eine dreibundfreundliche Politik in der öffentlichen Meinung Italiens

53 Vgl. die Anm. in GP 39, S. 360 (zu Nr. 15 732) betr. den Bericht Fürstenbergs vom 4. 3. 14.
54 GP 39, Nr. 15 732, Tschirschky an Jagow, 10. 5. 14.
55 Vgl. ibid.
56 Vgl. Anm. 52, Jagow an Tschirschky, 15. 5. 14; sowie das ähnliche Dokument: GP 39, Nr. 15 734, Tschirschky an Jagow, 22. 5. 14.
57 GP 39, S. 383, Anm. zu Nr. 15 747, Hindenburg an Bethmann Hollweg, 10. 9. 13.

durchzusetzen, besonders hervorhob, verzeichnete Berchtold in seinem Tagebuch voller Optimismus: »Sehr befriedigend. Hält fest zur Stange.[58]«

Konopischt II und die österreichische Aktion gegen Serbien

Am Zustandekommen eines erneuten und zugleich letzten Treffens zwischen dem österreichischen Thronfolger und dem Deutschen Kaiser waren als Initiatoren in erster Linie der deutsche Botschafter in Wien, v. Tschirschky, und der Kanzleichef Franz Ferdinands, Oberst v. Bardolff, beteiligt. Beiden lag daran, das Mißverständnis in bezug auf Tisza auszuräumen. Bardolff wußte, daß Franz Ferdinand bei seiner Thronbesteigung Tisza »verjagen« wollte [59]. Bereits im Mai 1914 hatte Tschirschky an Jagow geschrieben [60], daß an eine Aussöhnung des österreichischen Thronfolgers mit dem Grafen Tisza nicht zu denken sei. Franz Ferdinand habe sich Bardolff gegenüber dahin ausgesprochen, »daß er den Grafen nicht 24 Stunden an der Spitze des Ministeriums lassen werde, weil er riskiere, daß dieser sonst in 48 Stunden eine Revolution gegen ihn organisieren würde«. Bardolff vermutete aber auch, daß der Bundesgenosse in Berlin eine derartige Entwicklung »nicht begrüßen würde, wenn ihm nicht rechtzeitig Aufklärung geboten« würde; und diese Aufklärung sollte das neue Gespräch zwischen Wilhelm II. und Franz Ferdinand gewährleisten. Gleichzeitig wollte Bardolff – Repräsentant einer Reformergruppe – den Thronfolger jetzt schon festlegen, damit er sich nicht etwa, falls Kaiser Wilhelm beim Thronwechsel für Tisza, für den österreichisch-ungarischen Dualismus und damit für die magyarische Suprematie in Ungarn Stellung nähme, doch noch von seinen Plänen durch den deutschen Kaiser abbringen lassen würde.

Tschirschky und das Auswärtige Amt dagegen wünschten die leidige Tisza-Angelegenheit bereinigt zu sehen, damit die politischen Gespräche zwischen Wilhelm II. und Franz Ferdinand fortgesetzt werden könnten. Es ging Deutschland vor allem darum, die Doppelmonarchie zu einer entschiedenen, tatkräftigen Balkanpolitik zu ermuntern.

Wilhelm II. beherzigte die Empfehlungen seiner politischen Berater und hörte sich die Klagen Franz Ferdinands über die Magyaren im allgemeinen und Tisza im besonderen ohne heftigen Widerspruch an [61]. Ungarn – so führte der Erzherzog aus – sei der Tummelplatz für den Kampf ein-

58 H. Hantsch, Leopold Graf Berchtold, Bd. 2, S. 535.
59 Politisches Tagebuch Josef Redlichs, Bd. 1, S. 232, Notiz vom 13. 6. 14.
60 GP 39, Nr. 15 732, Tschirschky an Jagow, 10. 5. 14.
61 Zu dem Treffen in Konopischt vgl. die Aufzeichnung Treutlers, GP 39, Nr. 15 736, Anlage zu: Treutler an Zimmermann, 15. 6. 14; sowie ibid., Nr. 15 737, Tschirschky an Bethmann Hollweg, 17. 6. 14.

zelner Familien, und die dortige oligarchische Regierungsform bedeute eine »Vergewaltigung« aller nichtungarischen Bewohner des Königreiches. Jeder Magyare strebe nur danach, Vorteile zuungunsten der Gesamtmonarchie zu erlangen. Besonders ausgeprägt gelte das für den Ministerpräsidenten Tisza, der schon jetzt »Diktator in Ungarn« sei und danach strebe, auch in Wien als solcher aufzutreten; Tisza habe dem deutschen Kaiser gegenüber zwar schöne Worte gemacht, seine Taten sähen jedoch ganz anders aus. Er »drangsaliere« die ungarischen Rumänen und gefährde dadurch den Bestand des Dreibunds. Wilhelm II. versicherte dem Erzherzog, selbstverständlich mißbillige er Tiszas Unbotmäßigkeit; betonte aber dennoch, daß er ihn für einen »tatkräftigen, seltenen Mann« halte, den man mit eiserner Faust lenken solle, um seine schätzenswerten Gaben auszunutzen.

Der Dreibund schien dem österreichischen Thronfolger aber nicht nur der ungarischen Rumänenpolitik wegen gefährdet, sondern auch durch den Bündnispartner Italien. Franz Ferdinand kritisierte das italienische Verhalten in Albanien und die italienische Reaktion auf die Triester Erlasse sehr scharf. Der südwestliche Nachbar – so sagte er – mache es dem Bundesgenossen sehr schwer, in Frieden zu leben. »Auf die Dauer sei ein solches Verhältnis unmöglich.« Wilhelm II. bemühte sich, auch dieses Mißtrauen zu zerstreuen. Gerade in der letzten Zeit habe doch Italien Frankreich als seinen wahren Gegner erkannt und endlich angefangen, den Dreibund richtig zu beurteilen.

Bessere Übereinstimmung erzielten beide Gesprächspartner bei ihrer Einschätzung der österreichischen Situation auf dem Balkan. Der Hauptgegner der Doppelmonarchie dort war Serbien. Am Ballhausplatz arbeitete man seit Anfang des Jahres konzentriert an einer Lösung dieses Problems. Franz Ferdinand hatte von Kaiser Franz Joseph den Auftrag bekommen, Wilhelm II. in Konopischt zu fragen, ob Österreich-Ungarn auch in Zukunft unbedingt auf Deutschland rechnen könne. Dieser allgemeinen, gleichsam einen Blankoscheck fordernden Anfrage soll Wilhelm II. ausgewichen sein; doch soll er außerdem den Erzherzog gedrängt haben: »Wenn wir (Österreicher) nicht losgingen, würde sich die Lage verschlimmern.[62]« Diese zwei von Conrad überlieferten Äußerungen – deren Widersprüchlichkeit dieser selbst vermerkt – schließen sich nicht gegenseitig aus. Wie schon Kantorowicz feststellte, bedeutet die eine, daß Deutschland sich die Initiative nicht aus der Hand nehmen lassen wollte; und die andere, daß der Kaiser auf eine bestimmte Aktion drängte mit dem warnenden Hinweis, es könnte zu spät werden. Einen Präventivkrieg gegen Serbien hatte Franz Ferdinand allerdings noch im Frühjahr 1913 abgelehnt

---

62 Conrad, Aus meiner Dienstzeit, Bd. 4, S. 36 u. 39.

in der Sorge, dieser könne, ja würde ein Eingreifen Rußlands nach sich ziehen. Der hochkonservative Erzherzog fürchtete, daß ein so zwischen Rußland und Österreich entstehender Krieg revolutionäre Konsequenzen für beide Mächte haben, wie auch seine heimlichen Pläne für eine Wiederherstellung des alten Dreikaiserbündnisses zerstören würde.

Jetzt, im Juni 1914, schien Franz Ferdinand davon überzeugt zu sein, daß Rußland »nicht zu fürchten (sei), die inneren Schwierigkeiten seien zu groß, um diesem Lande eine aggressive äußere Politik zu gestatten« [63]. In diesen Gedanken hat Wilhelm II. den Thronfolger zu bestärken versucht, indem er einerseits darauf hinwies, wie lebenswichtig für Österreich ein energisches Vorgehen gegen Serbien sei, und andererseits den Erzherzog zu überzeugen suchte, daß Rußland keineswegs kriegsbereit sei und sich einer österreichischen Aktion wahrscheinlich nicht entgegensetzen werde. Für ein solches energisches Vorgehen hat Wilhelm II. volle deutsche Unterstützung zugesichert. – In der Literatur ist das Konopischter Treffen häufig als ein »Kriegsrat« interpretiert worden [64]; diese These ist falsch, wenn man darunter die Vorbereitung eines großen europäischen Krieges verstehen will; sie ist aber zutreffend, soweit es sich um die Vorbereitung zu einem österreichisch-serbischen Krieg handelt.

Die Zusicherung der deutschen Bündnishilfe bot in der Vorstellung Franz Ferdinands die Möglichkeit, den österreichisch-serbischen Krieg zu »lokalisieren«, während Wilhelm II. es nicht ausschloß – seine Berater in der Wilhelmstraße ganz sicher nicht –, daß daraus ein deutsch-russischer und damit ein kontinentaler Krieg entstehen würde – für den Deutschland den gegenwärtigen Zeitpunkt als relativ günstig betrachtete.

Die Anwesenheit des deutschen Staatssekretärs der Marine, Admiral v. Tirpitz, der auf besonderen Wunsch von Franz Ferdinand mitgekommen war, weil dieser seine Ansichten über den Bau gewisser Schlachtschifftypen kennenlernen wollte, und des österreichischen Admiralstabschefs deutete darauf hin, daß auch Rüstungsfragen und Marineabsprachen im Mittelmeer in diesen wichtigen Gesprächen eine Rolle gespielt haben [65].

An Anlässen für ein kriegerisches Eingreifen Österreich-Ungarns in die Balkanpolitik fehlte es nicht. Wilhelm II. und Franz Ferdinand hatten bereits am ersten Tag ihrer Zusammenkunft alle politischen Brennpunkte des Balkans erörtert: Türkei, Griechenland, Rumänien, Bulgarien, Albanien ...

Die Gefahr eines allgemeinen Krieges schien plötzlich durch die Zuspitzung des griechisch-türkischen Konflikts um die Inselfrage sehr nahe zu sein. Franz Ferdinand und Wilhelm II. beschlossen, König Carol von Ru-

63 GP 39, Nr. 15 736, Anlage zum Schreiben Treutlers an Zimmermann, 15. 6. 14.
64 Vgl. L. Albertini, The Origins of the War of 1914, der als erster diese These widerlegt hat.
65 Vgl. H. Hantsch, Leopold Graf Berchtold, Bd. 2, S. 545; sowie Kantorowicz, Gutachten zur Kriegsschuldfrage, S. 220–229.

mänien zu sondieren, ob er geneigt sein würde, vermittelnd in den Konflikt einzugreifen.

Als am 16. Juni diese Anweisung zusammen mit dem Bericht Treutlers, des Vertreters des Auswärtigen Amts beim Kaiser, in Berlin eintraf, war man dort durch die akute Wendung des Konflikts bereits alarmiert. Jagow hatte schon am Tage vorher, am 15. Juni, mit dem englischen Botschafter Goschen über eine Zusammenarbeit der Großmächte gesprochen, falls eine Vermittlung Rumäniens erfolglos sein würde. Wenn dennoch Feindseligkeiten ausbrechen würden, vertrat Jagow die Ansicht, daß die Großen Mächte gemeinsam bemüht sein sollten, den Krieg zu »lokalisieren« und auf die Ägäis zu beschränken [66]. Und einen Tag später, eben nach Eintreffen des Treutlerschen Berichts, wandte sich der Reichskanzler Bethmann Hollweg in einem Brief an Lichnowsky und forderte eine deutsch-englische Zusammenarbeit zur Lokalisierung eines neuen Balkankrieges als einzige Möglichkeit, um eine europäische Konflagration zu verhindern. Bethmann Hollweg entwickelte hier denselben Gedankengang, den das deutsche Auswärtige Amt einen Monat später während der Julikrise aufgenommen hat. Die beiden wichtigsten Punkte in diesem Schreiben waren einmal das Bemühen, London durch eine deutsch-englische Zusammenarbeit aus der Entente zu lösen, und zum andern der Hinweis auf Rußland als potentiellen Unruhestifter auf dem Balkan. Gerade Petersburg war aber bemüht, den griechisch-türkischen Konflikt sich nicht zum Krieg entwickeln zu lassen, in der Überzeugung, ein solcher Krieg werde infolge des türkisch-bulgarischen Militärbündnisses vom Januar 1914 mit größter Wahrscheinlichkeit den ganzen Balkan erneut in Brand setzen. Serbien wie auch Rumänien würden einer gewaltsamen Revision des Bukarester Friedens nicht tatenlos zusehen, weil dies auch ihren eigenen Besitzstand gefährden müßte (Mazedonien war zum größten Teil serbisch geworden, aber Bulgarien beanspruchte es weiterhin). Diese Gelegenheit könnte wiederum Österreich-Ungarn, dem seinerseits an einer Revision des Bukarester Friedens im Sinne einer Schwächung Serbiens gelegen war, nicht vorbeigehen lassen [67], zumal es ja Bulgarien als seinen zukünftigen Verbündeten betrachtete und das Deutsche Reich für diese Verbindung zu gewinnen suchte. – Eine Niederwerfung Serbiens durch die Großmacht Österreich-Ungarn aber würde Rußland nicht zulassen, weil dadurch die russischen Lebensinteressen im Meerengengebiet wie auch sein Prestige als Schützer der slawischen Balkanvölker bedroht gewesen wäre.

Das Wort von der »Lokalisierung«, das Jagow Goschen gegenüber ge-

---

66 Vgl. BD 10 I, Nr. 280, Goschen an Grey, 15. 6. 14; GP 36 II, Nr. 14 620, Aide-mémoire der englischen Regierung vom 17. 6. 14.
67 GP 39, Nr. 15 883, Bethmann an Lichnowsky, 16. 6. 14.

brauchte, war als eine Formulierung gedacht, um der englischen Regierung die deutsche Friedensliebe und die russische Angriffslust vor Augen zu führen. Auch der deutsche Kaiser interpretierte die wahrscheinliche Entwicklung eines griechisch-türkischen Krieges auf die ihm eigene entschiedene Weise. Er sagte: »Es kommt bald das dritte Kapitel des Balkankrieges, an dem wir alle beteiligt sein werden. Daher die kolossalen russisch-französischen Rüstungen...«, und daher der Auftrag an das Auswärtige Amt: »Klarheit im Verhältnis zu England schaffen.[68]«

---

68 AA-Bonn, Türkei 168, Bd. 10, Bemerkung Wilhelms II. zum Schreiben Wangenheims an AA, 8. 6. 14; Abschrift dieser Marginalie, ibid., England 78, Bd. 96; vgl. auch E. Zechlin, Probleme des Kriegskalküls, in: GWU 16, 1965, S. 70 f.

XX. KAPITEL

Die militärischen Absprachen der Entente –
Vollendung der Einkreisung?

Englisch-französische Heeres- und Marineabsprachen

Nachdem die deutsch-englischen Bündnissondierungen um die Jahrhundertwende gescheitert waren und zugleich der Bau einer deutschen Schlachtflotte immer größere Ausmaße annahm, kam es zwischen England und Frankreich 1904 zu einer Bereinigung der kolonialen Streitfragen und damit zur Bildung der Entente cordiale. Der deutsche Versuch, diese Entente in der sogenannten ersten Marokkokrise zu sprengen, führte zu einer englisch-französischen Annäherung auch auf militärischem Gebiet, wenngleich noch in einer mehr indirekten Form: zwischen Lansdowne und Delcassé wurde im Mai 1905 eine vertrauensvolle diplomatische Zusammenarbeit der beiden Regierungen für den Fall verabredet, daß Frankreich den unprovozierten Angriff einer dritten Macht, das heißt Deutschlands, befürchten müßte. Unter der neuen liberalen Regierung in England [1] gestalteten sich die Kontakte noch enger: Grey gab seine Zustimmung zu militärischen Absprachen der beiden Generalstäbe, eine Erlaubnis, von der nur der Ministerpräsident und der Kriegsminister (Campbell-Bannerman und Haldane) wußten. Diese Absprachen sollten allerdings die Freiheit der Entscheidung der Regierung, ob sie überhaupt in den Krieg eintreten wollte, nicht einschränken. Wie die von beiden Generalstäben ausgearbeiteten Pläne vorsahen, sollte bei einem deutschen Angriff auf Frankreich, wenn er über belgisches Gebiet erfolgte, sofort ein britisches Expeditionskorps nach Belgien verschifft werden, mit dem Ziel, den deutschen Vormarsch nach Antwerpen und den Durchmarsch durch die Ardennen zu verhindern – um diese Zeit war der eben endgültig konzipierte Schlieffenplan den Westmächten bereits bekannt [2]. Der belgische Generalstabschef wurde in die Pla-

---

1 Sir Henry Campbell-Bannerman wurde am 10. 12. 1905 zum Premierminister ernannt.
2 Vgl. Maurice Paléologue, Un prélude à l'invasion de Belgique, in: Revue des Deux Mondes, Okt. 1932, S. 486 ff.

nung eingeweiht und stellte für diesen Notfall alle gewünschten Informationen zur Verfügung[3]. – Nach der Algecirakonferenz ließ das Interesse an diesen detaillierten Planungen nach, zumal in England besonders von seiten des Vorsitzenden des ›Committee of Imperial Defence‹, Lord Esher, gegen eine solche Verwendung der englischen Truppen als Trabanten der französischen Armee Bedenken erhoben wurden.

Auch in der durch die Bosnische Krise im Februar und März 1909 entstandenen Kriegsgefahr war Deutschland nachweisbar entschlossen, sich mit aller Macht zuerst gegen Frankreich zu wenden, obwohl es seine ultimative Forderung gegen Rußland gerichtet hatte.

Erst die zweite Marokkokrise, im Sommer 1911, und die damit verbundene erneute Kriegsgefahr führte zu einer Wiederaufnahme der Gespräche und schließlich zu einer schriftlichen Fixierung der Abmachungen zwischen den beiden Generalstäben, unterzeichnet vom Chef des Generalstabs der französischen Armee, General Dubail, und dem Chef der Operationsabteilung im britischen Kriegsministerium, General Henry Wilson. Dieser ließ sich als persönlicher Freund von Foch auf Zugeständnisse ein, die weitergingen als der Wortlaut der militärischen Abmachungen, wie überhaupt die Militärs an dem tatsächlichen Eingreifen Englands im Falle eines deutschen Angriffs auf Frankreich nicht zweifelten[4]. Vorgesehen war eine gleichzeitige Mobilmachung des britischen Expeditionskorps mit der französischen Armee; Belgien wurde aber jetzt nicht mehr einbezogen, vielmehr sollten die sechs englischen Divisionen in Le Havre landen und auf dem Bahnweg an den äußersten linken Flügel der französischen Armee in eine Linie Busigny–Hirson–Maubeuge gebracht werden. Das entsprach der neuen französischen Konzeption, die darauf abzielte, den schwachen deutschen linken Flügel offensiv zu durchbrechen, bei Mainz den Rhein zu überqueren und dadurch den deutschen rechten Flügel, der in Belgien eindringen würde, zu isolieren. Der Vertreter dieses neuen Gedankens war Foch, der im Juli 1911 – das heißt auf der Höhe der zweiten Marokkokrise – Michel (den Vertreter eines defensiven Konzepts) als Oberbefehlshaber der Armee abgelöst hatte. Der von Joffre geplante Durchmarsch durch Südbelgien war in diesem Memorandum nicht erwähnt. Er wurde vom Ministerpräsidenten Poincaré ohnehin nur unter der Bedingung gebilligt, daß drohende deutsche Maßnahmen ihn rechtfertigten. Auf die Erklärung Greys vom Oktober 1912, England würde die belgische Neutralität auf keinen Fall verletzen, gab man in Paris diesen Plan endgültig auf.

An den innerenglischen Besprechungen des Sommers 1911 ist von Inter-

---

3 Vgl. Gerhard Ritter, Staatskunst und Kriegshandwerk, Bd. 2, S. 87.
4 Georges Michon, The Franco-Russian-Alliance 1891–1917, S. 36.

esse, daß die Vertreter der Admiralität die genannten Vereinbarungen mit Frankreich mißbilligten, da sie dessen militärische Leistungsfähigkeit äußerst gering einschätzten. Sie hielten deshalb eine so enge Verbindung der Landoperationen nicht für gut, sondern vertraten die Ansicht, England solle sich auf seine Machtstellung zur See verlassen. Fishers Nachfolger, Admiral Sir Arthur Wilson, schlug vor, das englische Expeditionskorps nicht nach Frankreich zu verschiffen, sondern für eine Landung in Pommern vorzusehen. Er setzte sich aber nicht durch, darum wurde der Erste Lord der Admiralität, McKenna, im Oktober 1911 durch den bisherigen Innenminister Winston Churchill ersetzt.

Die Verschiebung des Gleichgewichts im Mittelmeer durch die italienischen Eroberungen in Nordafrika (Tripoliskrieg) und das Scheitern der Haldane-Mission boten den Anstoß zu einer erneuten Fühlungnahme der englischen und französischen Admiralstäbe, zwischen denen schon seit 1905/06 parallel mit den Absprachen der Armeen Verhandlungen stattgefunden hatten. Sie führten zum Abschluß eines Marineabkommens, demzufolge die Franzosen ihre Flotte im Mittelmeer, die Engländer im Mutterland konzentrierten, wobei sie für den Fall eines deutschen Angriffs den Schutz der französischen Küste übernahmen. Auf französisches Drängen hin wurden dieses Abkommen [5] sowie die vorherigen Militärabsprachen durch einen Briefwechsel zwischen Grey und Cambon vom 22. und 23. November 1912 sanktioniert. Das geschah, nachdem der Ausbruch des Balkankrieges und die dadurch gegebene Möglichkeit eines allgemeinen Konfliktes, ausgelöst durch ein österreichisches Vorgehen gegen Serbien, die Situation von 1909, das heißt einen deutschen Überfall auf Frankreich, wiederum in nächste Nähe gerückt hatte [6]. Paris war damals – im Gegensatz zu Rußland – aufgrund der Machtverschiebungen auf dem Balkan und der englischen Hilfszusagen bereit, im Notfall die große Auseinandersetzung anzunehmen.

In den fast gleichlautenden Briefen von Grey und Cambon wurde festgestellt, daß die Beratungen zwischen den Marine- und Militärsachverständigen unter der Voraussetzung geführt worden seien, die Regierungen hätten volle Entscheidung darüber, ob sie dem Partner Waffenhilfe leisten sollten oder nicht. Die Verteilung der britischen und französischen Seestreitkräfte sollte keine Verpflichtung zum Zusammenwirken im Kriegsfalle in sich schließen. Sobald jedoch eine der beiden Regierungen triftige Gründe habe, anzunehmen, daß ein unprovozierter Angriff einer dritten Macht bevorstehe, sollte sie sich sogleich mit dem anderen Partner

5 Vgl. BD 10 II, Nr. 416, Grey an Cambon, 22. 11. 12; Nr. 417, Cambon an Grey, 23. 11. 12; Die beiden Briefe sind auch publiziert von B. v. Siebert, Diplomatische Aktenstücke zur Geschichte der Ententepolitik, S. 816 f.
6 Vgl. oben, Kap. 4, sowie Kap. 8 und 9.

besprechen; wenn dann die Maßnahmen ein bewaffnetes Eingreifen erforderten, hätten die beiden Kabinette zu entscheiden, in welchem Ausmaß die Pläne der Generalstäbe durchzuführen seien[7]. Dieser Briefwechsel wurde im Frühjahr 1914 der russischen Regierung mitgeteilt und sollte die Grundlage für ein englisch-russisches Marineabkommen bilden, das jedoch vor Kriegsausbruch nicht mehr zustande kam.

Als Sasonow im September 1912 England besuchte, gab ihm Grey bekannt, unter welchen Bedingungen Rußland angesichts der drohenden Verwicklungen auf dem Balkan auf eine militärische Unterstützung von seiten Londons rechnen könne. Wie Grey betonte, würde alles von den Umständen des Kriegsausbruchs und dessen Beurteilung durch die öffentliche Meinung in England abhängen: niemals werde diese einen Angriffskrieg gegen Deutschland mit dem Ziel der Revanche oder der Eroberung deutschen Territoriums zulassen. Aber wenn Deutschland seinerseits im Vertrauen auf seine Stärke den Krieg auslösen sollte, um Frankreich zu zerschlagen, so könne Großbritannien nicht beiseite stehen. In diesem Sinne beruhigte Grey Sasanow und versicherte ihm, es sei Deutschland nicht gelungen und werde ihm nicht gelingen, von England die Verpflichtung zur Neutralität zu erreichen[7a].

Russisch-französische Rüstungspolitik und strategische Zusammenarbeit vor dem Kriege

Grundlage der militärisch-strategischen Vorbereitungen Rußlands waren die französisch-russische Militärkonvention von 1892 und die anfangs unregelmäßig stattfindenden gemeinsamen Generalstabsbesprechungen, die vor allem seit der Schwächung Rußlands im Krieg mit Japan die ursprünglichen Abmachungen änderten und ergänzten. Nachdem Frankreich seinen Verbündeten durch eine Milliardenanleihe vor dem Chaos gerettet hatte, nutzte es diese als Druckmittel aus, um die russischen Pläne für den Kriegsfall im Sinne des französischen strategischen Sicherheitsbedürfnisses zu modifizieren: auf der gemeinsamen Generalstabsbesprechung vom 8.–21. April 1906 setzte der französische Vertreter durch, daß bei einer Mobilmachung Österreichs oder Italiens allein, ohne Beteiligung Deutschlands, der Bündnisfall für Frankreich und Rußland nicht automatisch gegeben wäre.[8]

In der bosnischen Krise zeigte sich dann die gefährliche Auswirkung dieser Änderung des Artikels 2 der französisch-russischen Militärkonvention.

7 Edward Grey, 25 Jahre Politik 1892–1916, München 1926, Bd. 1, S. 99.
7a BD IX, 1, Nr. 805; vgl. A. V. Ignat'ev, Russko-anglijskie otnošenija nakanune pervoj mirovoj vojny, Moskva 1962 (Die russisch-englischen Beziehungen am Vorabend des Ersten Weltkrieges), S. 134.
8 DDF, 2. Série, vol. X, No. 119, annex p. 184.

Für Rußland tauchte zum ersten Mal die Gefahr auf, über einen Balkan-konflikt in einen europäischen Krieg hineingezogen zu werden, auf den es in keiner Weise vorbereitet und eingestellt war. Das war der wichtigste Grund für das russische Zurückweichen vor der deutschen ultimativen Forderung im März 1909. Daher wurde seit 1909 eine großangelegte Heeres-reform in Angriff genommen: Suchomlinow wurde neuer Kriegsminister, der 1905 gegründete Verteidigungsrat mit dem Großfürsten Nikolai Ni-kolajewitsch an der Spitze aufgelöst und der Chef des Generalstabes dem Kriegsminister unterstellt. Dessen große Machtfülle bot ausreichend Ansatzpunkte für Kritik, besonders aus dem Lager des Großfürsten; sie richtete sich in erster Linie gegen die Person Suchomlinows, der als unfähig, rückständig und von deutschen und österreichischen Spionen um-geben verdächtigt wurde. In den 20er Jahren war man in der Sowjet-union geneigt, dieses Bild zu unterstreichen, und noch Barbara Tuchman hat es kürzlich nachgezeichnet; in der neueren sowjetischen Forschung scheint man jedoch davon abgehen zu wollen [9].

Anfangs handelte es sich bei den Neuerungen vor allem um organisa-torische Maßnahmen; Heeresvermehrung und Verbesserung der technischen Ausrüstung blieben aus finanziellen Gründen weitgehend unberücksichtigt. Die Vermehrung des Personalbestandes der Armee und der verstärkte Aus-bau der Eisenbahnen an der russischen Westgrenze wurde erst im Herbst 1913 auf französisches Drängen und mit französischen Geldern beschlos-sen. Auf dem Gebiet der technischen Ausrüstung konnten die erforderli-chen Maßnahmen zur Führung eines modernen Krieges bis zum August 1914 überhaupt nicht mehr getroffen werden.

Suchomlinow gab den Verteidigungsplan Miljutins vom Jahre 1873 auf, indem er die im Westen bis an den Weichselbogen vorgerückte Verteidi-gungslinie auf die Linie Njemen–westlicher Bug–Wilna–Kowno–Bjelo-stock–Brest zurücknahm und die Masse der Truppen in den zentralen Militärbezirken konzentrierte. Auf der nächsten gemeinsamen Konferenz mit den französischen Generalstäblern 1910 in Paris verlangten diese eine Rückkehr zur früheren Truppenverteilung. Doch die Verschiebung war schon so gründlich erfolgt, daß der frühere Zustand im Weichselgebiet 1914 noch nicht wiederhergestellt war.

Besonders wichtig sollte die Generalstabskonferenz werden, die im Au-gust 1911 in Krasnoje Selo, auf dem Höhepunkt der Agadir-Krise, zusam-mentrat. Hier einigte man sich darüber, daß der Begriff »Verteidigungs-krieg« nicht unbedingt dahingehend ausgelegt werden müsse, daß der Krieg auch aus der Verteidigung heraus geführt werde. Im Gegenteil, die französische und die russische Armee müßten unbedingt einen energischen

---

9 Barbara W. Tuchman, August 1914, London 1964, S. 70 ff.

und möglichst gleichzeitigen Angriff mit allen ihren Kräften unternehmen. Österreich als Hauptfeind Rußlands wurde von französischer Seite völlig ignoriert: die zaristischen Truppen hätten nur das eine Ziel zu verfolgen, nämlich Deutschland zu zwingen, bedeutende Kräfte an seiner Ostgrenze belassen zu müssen. Bei der nächsten Besprechung im Juli 1912 wurden die Absprachen des Vorjahres zugrunde gelegt und bekräftigt; wiederum waren die Franzosen der drängende Teil: sie forderten von neuem, der russische Bündnispartner müsse im Kriegsfalle möglichst viele deutsche Truppen im Osten binden, und zwar sobald als möglich, und deshalb seine Mobilmachungsfristen durch Verstärkung seiner Bahnbauten verkürzen [10]. – Im Anschluß an diese Besprechungen wurde zwei Tage später ein russisch-französisches Marineabkommen abgeschlossen, dessen wesentlichste Punkte eine Zusammenarbeit der Flotten immer dann vorsahen, wenn die Landstreitkräfte zusammenarbeiten würden. Zur Gewährleistung einer gemeinsamen Ausrichtung der Flotten bereits im Frieden war ein jährliches Treffen der Admiralstabschefs vorgesehen. Über diese »Zusammenarbeit« kam es zwischen beiden Marinen allerdings zu vielerlei Friktionen. Am 22. Juni 1914 wurde eine neue Konvention abgeschlossen, die endlich ein wirklich gleichberechtigtes Kooperieren ermöglichte [11].

Noch vor Ausbruch der Balkankriege, allerdings zu einer Zeit, als man in Paris den genauen Text des serbisch-bulgarischen Bündnisvertrages bereits kannte (Mitteilung Sasanows an Poincaré während dessen Aufenthalt in Petersburg, 9.–16. August 1912), erklärte man dort dem russischen Bündnispartner: wenn ein Konflikt zwischen Rußland und Österreich-Ungarn entstehen würde, ausgelöst durch einen österreichischen Vorstoß auf dem Balkan, und Deutschland an seine Seite trete, so würde Frankreich seine Verpflichtungen Rußland gegenüber erfüllen [12]. Am 17. November, also nach Ausbruch des Balkankrieges, wiederholte Poincaré diese Zusicherung Iswolski gegenüber in noch pointierterer Form: »Wenn Rußland kämpft, dann wird auch Frankreich kämpfen, da wir wissen, daß in dieser Frage hinter Österreich Deutschland steht.[13]« In den Krisenmonaten 1912/13 war Frankreich, obwohl nicht unmittelbar beteiligt, innerhalb des Zweibundes Petersburg–Paris der treibende Teil: Rußland brauche einen allgemeinen Konflikt nicht zu fürchten, da

»der französische Generalstab nach aufmerksamer Prüfung der gegenwärtigen militärischen und politischen Konjunktur zu dem Schluß gekommen sei, daß, wenn die jetzigen Ereignisse zu einem Krieg führen würden, die Mächte der

10 Schriftwechsel Iswolskis, Bd. 2, Nr. 368, Konferenz der Generalstabschefs von Frankreich und Rußland, Protokoll 14. 7. 12; W. A. Suchomlinow, Erinnerungen (Dt. Ausgabe), S. 242 ff.
11 Michon, Franco-Russian-Alliance, S. 203 f.
12 Vgl. Materialy po istorii franko-russkich otnošenij 1910–1914 (Materialien zur Geschichte der französisch-russischen Beziehungen 1910–1914), Moskau 1922, S. 275.
13 Schriftwechsel Iswolskis, Bd. 2, Nr. 567; Iswolski an Sasonow, 4. 11. 12.

Entente unter günstigen Bedingungen dastünden und alle Chancen hätten, siegreich aus ihm hervorzugehen« [14].

Die französische Erwartung ging dahin, daß ein russisch-österreichischer
Zusammenstoß über den Balkanfragen sofort zu einem deutschen Angriff
auf Frankreich führen müßte; und in Paris hatte man Sorge, ob Rußland
ihm dann genug Entlastung bieten würde: So fragte das ›Echo de Paris‹
am 12. Dezember 1912 »Wozu haben wir ein Bündnis mit Rußland, wenn
die Armee unseres Verbündeten nicht im rechten Augenblick in den Krieg
eintritt, das heißt dann, wenn sich die entscheidende Partie an unseren
Grenzen abspielt?« [15]. Am 23. Februar 1913 beklagte die ›Dépêche de
Toulouse‹, es habe während der kritischen Zeit im Winter 1912/13 keine
Einheitlichkeit der Ansichten über die eventuellen Konsequenzen zwischen
Rußland und Frankreich bestanden, die aus den Balkanverwicklungen fol-
gen könnten. Rußland scheine im Augenblick sich mehr für kleinasiatische
Angelegenheiten zu interessieren (Armenien, Konstantinopel):

> »Die europäischen Fragen fallen für Rußland in der Tat wenig ins Gewicht...
> Die Folge davon ist gewesen, daß Frankreich trotz des Bündnisses in Europa in
> gewisser Weise vereinzelt dasteht und dem deutschen Drucke ausgeliefert ist.
> Damit dieser beklagenswerte und gefährliche Zustand aufhöre, ist es notwen-
> dig, daß Rußland, zum wenigsten für gewisse Zeit, auf seine asiatischen Aben-
> teuer verzichtet, die Gefahr einsehen lernt, die Europa bedroht, und dabei mit-
> wirkt, sie zu beschwören. Es ist unerläßlich, daß es eine Reihe militärischer
> Maßnahmen trifft, die mit denen im Einklang stehen, die es schon beschlossen
> hat und die Frankreich noch vorbereitet, ... Für das europäische Gleichgewicht
> selbst muß Rußland durchaus klar und entschlossen zu seiner Aufgabe als euro-
> päische Macht zurückkehren. Alles deutet darauf hin, daß darin das Ziel und
> die Bedeutung der Aufgabe Delcassés liegt.[16]«

Die Wahl des Lothringers Poincaré zum Präsidenten der Republik im Januar 1913 wurde allgemein als Ausdruck eines verstärkten Nationalismus
in Frankreich bewertet und als Zeichen für dessen Willen, die eigene Großmachtstellung gegenüber dem Deutschen Reich zu behaupten. Der russische Bündnispartner sah darin eine Bekräftigung des engen französisch-
russischen Verhältnisses:

> »Die französische Regierung ist fest entschlossen, ihre Bündnisverpflichtungen
> uns gegenüber in vollem Umfange zu erfüllen und gibt vollkommen bewußt
> und kaltblütig die Möglichkeit zu, daß sich für sie als Endergebnis der gegen-
> wärtigen Verwicklungen die Notwendigkeit ergeben könnte, an einem allge-

14 Zit. A. V. Ignat'ev, Russko-anglijskie otnošenija nakanune pervoj mirovoj vojny (1908–1914).
(Die russ-engl. Beziehungen am Vorabend des Ersten Weltkrieges), Moskau 1962, S. 147. Von
französischer Seite wurde die eigene Kriegsbereitschaft betont und sogar manchmal die Sorge
laut, daß Rußland nicht bereit sei, zu kämpfen.
15 Vgl. V. I. Bovykin, Iz istorii vozniknovenija pervoj mirovoj vojny. Otnošenija Rossii i Francii
1912–1914 (Aus der Geschichte der Entstehung des Ersten Weltkrieges. Die Beziehungen zwischen
Rußland und Frankreich 1912–1914), Moskau 1961, S. 98.
16 Dépêche de Toulouse, 23. 2. 13; zit. Gunther Frantz, Rußland auf dem Wege zur Katastrophe,
Berlin 1926, S. 21, Anm. 4.

meinen Kriege teilzunehmen. Der Zeitpunkt, zu dem Frankreich genötigt sein wird, das Schwert zu ziehen, ist durch das französisch-russische Militärabkommen genau festgesetzt, und in dieser Beziehung sind auf seiten der französischen Minister keinerlei Zweifel oder Schwankungen vorhanden.[17]«

Gleichzeitig mit der Veröffentlichung der ersten Rede des neuen Präsidenten wurde die Ernennung Delcassés zum Botschafter in Petersburg bekannt. Diese Nachricht schlug in Deutschland »wie eine Bombe« ein [18], denn der frühere Außenminister galt hier als der Initiator der sogenannten »Einkreisungspolitik« [19].

Delcassé hatte den ausdrücklichen Auftrag, die Russen davon zu überzeugen, daß zur beschleunigten Zusammenziehung der russischen Streitkräfte im Westen der Bahnbau forciert werden müsse; er sei sogar autorisiert, Rußland Eisenbahnanleihen anzubieten [20]. Der damalige französische Außenminister Jonnart erklärte gegenüber Iswolski, Delcassé werde allgemein als eine Art Personifikation des Bündnisses angesehen; Iswolski verzeichnete dies bei der derzeitigen internationalen Lage, aus der sich leicht der casus foederis entwickeln könne, mit besonderer Genugtuung.

Wenige Monate später begannen die Franzosen, ihre Absichten zu verwirklichen. Am 27. Juni erklärte der Vorsitzende der Kammer der Pariser Börsenmakler, De Verneuil in Petersburg, die französische Regierung wolle Rußland jährliche Staatsanleihen in Höhe von 400 bis 500 Mill. frs. zur Verwirklichung des russischen Eisenbahnprogramms gewähren (wie es in den Generalstabsbesprechungen 1911/12 festgelegt worden war). An die Anleihen seien zwei Bedingungen geknüpft: Der Bau der strategischen Linien müsse sofort in Angriff genommen werden; die Friedensstärke des russischen Heeres müsse vergrößert werden [21].

Beide Forderungen wurden auch bei dem Treffen der Generalstabschefs im August 1913 von Joffre mit Nachdruck erhoben: Die Hauptfolge der jüngsten deutschen Heeresvorlage sei eine Verkürzung der Mobilmachungsfristen. Daraus ergebe sich für Frankreich und Rußland die unumgängliche Notwendigkeit, entsprechende Maßnahmen zu ergreifen [22]. Der deutsche Staatssekretär des Äußeren v. Jagow gestand (in einem Gespräch mit dem russischen Botschafter Swerbejew am 12. März 1914) seinerseits zu, die vorgesehenen militärischen Maßnahmen in Rußland seien eine Folge der deutschen großen Heeresvorlage oder, wie er wörtlich sagte, der »einmaligen Steuer für militärische Bedürfnisse« in Deutschland.

Es ist anzunehmen, daß das »große Programm« zur Reorganisation

17 Schriftwechsel Iswolskis, Bd. 3, Nr. 711, Iswolski an Sasonow, 17. 1. 13.
18 Belgische Aktenstück. 1905–1914, hrsg. vom AA, Nr. 99, Guillaume an Davignon, 21. 2. 13.
19 Schriftwechsel Iswolskis, Bd. 3, Nr. 746, Swerbejew an Sasonow, 14. 2. 13.
20 Ibid., Nr. 762; Iswolski an Sasonow, 28. 3. 13.
21 Ibid., Nr. 936; Kokowzow an Sasonow, 14. 6. 13.
22 Ibid., Nr. 1040; Amtl. Protokoll der Konferenz der Generalstabschefs von Frankreich und Rußland, Aug. 1913.

des Heeres, das im Oktober 1913 ausgearbeitet wurde, von den französischen Forderungen nicht unbeeinflußt war. Das Programm enthielt als wichtigsten Punkt eine Erhöhung der Friedenspräsenzstärke durch Steigerung des Rekrutenkontingents um 39 %, das heißt 480 000 Mann [23]. Seine Durchführung sollte 1917 abgeschlossen sein. Der Plan einer Heeresvermehrung lag zwar schon vor, als die Franzosen ihre große Anleihe anboten (Suchomlinow hatte den Plan schon am 24. Juni 1913 in der Duma angekündigt [24]), ist jedoch daraufhin beträchtlich erweitert worden.

Der russische Ministerpräsident und Finanzminister Kokowzow fuhr im Oktober selbst nach Paris, um über den Anleihe-Vertrag zu verhandeln. Er nahm die genannten Bedingungen an, setzte aber gleichzeitig seine eigene Konzeption für den Eisenbahnbau durch, nämlich die allgemeine Entwicklung, Verstärkung und Ergänzung des gesamten russischen Eisenbahnnetzes, während dem französischen Verhandlungspartner an einem möglichst schnellen Bau strategischer Bahnen an der russischen Westgrenze gelegen war [25]. Am 30. Dezember 1913 wurde der Vertrag endgültig beschlossen, und am 9. Februar 1914 erhielt Rußland eine erste Anleihe in Höhe von 665 Mill. Francs [26].

In einem Bericht an den Zaren über diese Reise hob Kokowzow als wichtigste Beobachtung heraus, daß Frankreich zur Zeit viel friedliebender sei als vor zwei Jahren (Marokkokrise):

»Es wird nie von uns gehen in den großen Fragen der allgemeinen Politik, die seine Lebensinteressen besonders tief berühren, aber dort, wo diese Interessen nicht berührt werden, wo andere Interessen, russische oder gemein-europäische überwiegen, da wird sich Frankreich zurückhalten, und aller Wahrscheinlichkeit nach auch auf uns in dem Sinne wirken, die auftretenden Fragen mehr mit Weichheit zu entscheiden.[27]«

Das entsprach genau den Beobachtungen und Überzeugungen, die Conrad und Moltke wie auch die deutschen Diplomaten im Frühjahr 1914 in ihren Berichten aussprachen.

Die hohe französische Anleihe verstärkte die außen- bzw. militärpolitische Abhängigkeit Rußlands von seinem Bündnispartner weiterhin. Im Oktober 1913 zum Beispiel hatten hohe russische Militärs betont, das Zarenreich müsse im Kriegsfall zuerst entscheidende Erfolge gegen Österreich-Ungarn erzielen, um dann die notwendigen Kräfte gegen Deutschland zu sammeln. Auf französischen Druck hin legte man die Manöver vom 3. bis

23 Vgl. Bowykin, Iz istorii vozniknovenija pervoj mirovoj vojny. (Aus der Geschichte der Entstehung des Ersten Weltkriegs.) S. 98.
24 Vgl. Gunther Frantz, Rußlands Eintritt in den Weltkrieg, S. 25, Anm. 2.
25 Dipl. Schriftwechsel Iswolskis, Bd. 3, Nr. 1177, Sasonow an Iswolski, 3./16. 12. 13.
26 Vgl. Materialy po istorii franko-russkich otnošenij 1910–1914 (Materialien zur Geschichte der französisch-russischen Beziehungen 1910–1914), Moskau 1922, S. 603 f.
27 Schriftwechsel Iswolskis, Bd. 2, Nr. 1169, Kokowzow an Sasonow, 19. 11. 13.

7. Mai 1914 jedoch schon ganz auf einen schnellen Schlag gegen Ostpreußen an [28].

Die Geldmittel für die Bewilligung der großen Heeresvorlage wurden von der Duma erst im Juni 1914 bewilligt, und erst kurz vor dem Weltkrieg im Juli 1914 erhielt die Vorlage Gesetzeskraft.

Während der Antagonismus zwischen Deutschland und Rußland nicht zuletzt durch die gegenseitigen Rüstungsmaßnahmen sich verschärfte, gab es doch in der russischen Gesellschaft immer noch vereinzelte Stimmen, die vor der einseitigen Abhängigkeit Rußlands von der Entente warnten und im Anklang an das Dreikaiserbündnis (an das auf österreichischer Seite auch Franz Ferdinand dachte) eine Entspannung und eine Annäherung an Deutschland befürworteten. So äußerte im Februar der ehemalige Innenminister Durnowo in einer Denkschrift an den Zaren, die Interessen Deutschlands und Rußlands stießen nirgends zusammen, das einzige russische Ziel sei die Öffnung der Meerengen, dieses sei mit Hilfe Deutschlands eher zu erreichen als mit Hilfe Englands. Ein Krieg würde die finanziellen Möglichkeiten Rußlands weit überschreiten und eine Zerschlagung Deutschlands in einem solchen Krieg wäre unerwünscht, da dann England an seine Stelle treten würde, das den russischen Weltinteressen überall entgegenarbeite. – Auf der anderen Seite ist gerade im Frühjahr 1914 ein Umschwenken der deutschfreundlichen Oktobristen ins antideutsche Lager zu verzeichnen; dieses ist ganz eindeutig als Reaktion auf die diplomatische Niederlage in der Liman-Sanders-Krise zu werten.

Die Einführung der dreijährigen Dienstzeit in Frankreich

Die Belastung des deutsch-französischen Verhältnisses durch die zweite Marokkokrise und besonders ihr Nachspiel, die Reichstagsdebatten vom November 1911 und die Äußerungen der deutschen Presse, welche Enttäuschung über den unbefriedigenden Ausgang in weiten deutschen Kreisen und allgemeine Erbitterung über die westlichen Großmächte erkennen ließen, hatten in Frankreich Furcht ausgelöst und das Nationalgefühl, besonders in der Jugend, neu belebt. Diese Stimmungen erhielten neuen Auftrieb durch die deutsche Heeresvermehrung vom Sommer 1912 sowie durch die steigende weltpolitische Spannung nach dem Ausbruch des Balkankrieges vom Oktober und November 1912. Auf diesem Hintergrund ist das Bemühen des französischen Kriegsministers Millerand im Kabinett Poincarés zu sehen, die Effektivität der französischen Armee zu stärken, u. a.

---

28 Bowykin, Iz istorii vozniknovenija pervoj mirovoj vojny (Aus der Geschichte der Entstehung des Ersten Weltkrieges), S. 97.

durch Maßnahmen zur Hebung der Disziplin, wie die Wiedereinführung des Zapfenstreichs und durch den Versuch, das Heer durch häufige Paraden populärer zu machen. (Das Heer hatte seit der höchst einseitigen Stellungnahme seines Offizierkorps im Dreyfus-Prozeß an Volkstümlichkeit sichtbar verloren; als Millerand Anfang 1913 einen Dreyfus-Gegner wieder in die Armee einstellen wollte – Oberstleutnant Marquis du Paty de Clam – mußte er demissionieren[29].) Als weitere Maßnahmen suchte die Regierung vermehrte Anreize zu schaffen für größere Freiwilligenmeldungen zur Armee, für die Rekrutierung von algerischen Eingeborenen, für die Übernahme von Posten in der Militärverwaltung und im Sanitätsdienst durch zivile Mitarbeiter[30].

Als aber am 8. Januar 1913 die ›Post‹ Ausmaß und Einzelheiten der geplanten deutschen Heeresvorlage bekanntgab, mußte man in Paris einsehen, daß alle jene Maßnahmen nicht mehr ausreichen könnten. Auch ein Dementi der ›Norddeutschen Allgemeinen Zeitung‹ (Bethmann Hollweg!) zwei Tage später, wonach eine Aufrüstung solch gewaltigen Umfanges allein schon wegen der Deckungsschwierigkeiten unmöglich sei, konnte die in Frankreich entstandene Aufregung nicht beruhigen, zumal die Tatsache einer massiven Heeresvermehrung selbst nicht bestritten wurde[31].

Auch eine an die Adresse Englands gerichtete beruhigende Äußerung von Tirpitz, wonach die neue deutsche Flottenvorlage sich mit der Relation 10 : 16 begnüge, konnte das Mißtrauen der Franzosen nicht beheben; sie zogen daraus vielmehr den Schluß, daß die deutsche Reichsleitung ihre Anstrengungen jetzt nur um so einseitiger auf die Aufrüstung des Landheeres konzentrieren werde. So schrieb das ›Echo de Paris‹ am 9. Februar 1913:

»Wie 1905 die russische Niederlage Deutschland ermutigte, England herauszufordern, so veranlassen die slawischen Balkansiege es heute umgekehrt, die britische Beunruhigung zu beschwichtigen. Es sucht einstweilen den Hader zur See zu beenden, um seine Hauptanstrengung auf die festländischen Aufgaben zu konzentrieren, um einen blitz-ähnlichen Angriff vorzubereiten, den es früher oder später gegen Frankreich zu richten beabsichtigt. Wir müssen deshalb unser Heer in den Stand setzen, den furchtbaren Stoß auszuhalten, der vielleicht nicht mehr lange auf sich warten lassen wird.[32]«

Der Angriffsstoß, der Frankreich treffen sollte, wurde hier erkannt.

Die Antrittsrede, mit der der neugewählte Präsident, Raymond Poincaré, sich der Nation am 20. Februar vorstellte, enthielt eine nachdrückliche Mahnung, daß Frankreich »inmitten so vieler Völker, die ohne Un-

---

29 Vgl. Schultheß' Europ. Gesch.kal. 1913, S. 527.
30 Georges Bonnefous, Histoire Politique de la Troisième République, Bd. 1, Paris 1956, S. 336 f.
31 Vgl. oben Kap. 9, 1.
32 Zit. Schultheß' Europ. Gesch.kal. 1913, S. 351.

terlaß ihre militärische Kraft entwickeln« (gemeint ist Deutschland), vor keinem Opfer zurückschrecken dürfe, um nicht Herausforderungen und Demütigungen ausgesetzt zu sein[33]. In diesen Tagen (die eine Äußerung ist vom 19. Februar, die andere vom 3. März 1913) versicherte der französische Außenminister Jonnart zwar dem belgischen Gesandten, die französischen Rüstungsmaßnahmen seien nicht als Antwort auf die deutschen zu verstehen, einige von ihnen seien schon länger geplant gewesen; derselbe Gesandte, Baron Guillaume, berichtet aber kurze Zeit später, man begegne in Frankreich nur noch Leuten, die darin übereinstimmten, daß ein baldiger Krieg mit Deutschland gewiß, ja unvermeidlich scheine.

Seit dem genannten Artikel in der ›Post‹ erwog die französische Regierung über die bisherigen Heeresreformen hinausgehende Maßnahmen und schloß sich zuletzt – unter Verwerfung des Vorschlags einer 2 1/2jährigen Dienstzeit – dem Vorschlag des Generalstabs an, der die Einführung einer dreijährigen Dienstzeit für alle Waffengattungen vorsah. Am 6. März wurde die Vorlage in der Kammer eingebracht. Es bedurfte freilich noch vier Monate langer Debatten und Agitation, bis sie zur Annahme gelangte. Dabei wurde auf die parallelen Heeresvermehrungsverhandlungen im Deutschen Reichstag mehrfach Bezug genommen, und noch kurz vor Annahme des Gesetzes (am 7. Juli) konnte der Vorsitzende des Heeresausschusses, Le Heriset, ausrufen:

»Man sagte in diesen Tagen in einem anderen Parlament: ›Wir verlangen von Ihnen die Bewilligung von Streitkräften, weil wir siegen wollen.‹ Ich sage Ihnen: Wir verlangen von Ihnen die Bewilligung von Streitkräften, weil wir nicht besiegt werden wollen.[34]«

Die französischen Sozialisten, die sich bereits auf ihrem Parteitag im März entschieden gegen die Vorlage ausgesprochen hatten, stimmten auch im Parlament dagegen. Die französischen Gewerkschaften gingen so weit, sogar in den Kasernen dagegen zu agitieren, was etwa in Toul und Belfort zu kleinen Meutereien führte. Rechtsgerichtete Kreise hielten ihnen das Wohlverhalten der deutschen Sozialisten vor (tatsächlich haben die deutschen Sozialdemokraten zwar die große Heeresvorlage per se abgelehnt, aber die Deckungsvorlage dafür angenommen). Immerhin wurde das in Öffentlichkeit und Parlament bisher vorherrschende Thema der Wahlrechtsreform (über das Briand am 18. März gestürzt worden war) jetzt durch das Thema der dreijährigen Dienstzeit völlig verdrängt; dieses habe – wie Iswolski berichtete – sich aus einer parlamentarischen in eine patriotische Angelegenheit verwandelt[35], im Sinne einer allgemeinen

---

33 Vgl. Belgische Aktenstücke 1905–1914, Nr. 98, Guillaume an Davignon, 19. 2. 13; 3. 3. 13.
34 G. Bonnefous, Troisième République, Bd. 1, S. 344 (Übers. von mir, F. F.).
35 Schriftwechsel Iswolskis, Bd. 3, Nr. 760, Iswolski an Sasonow, 28. 2. 13; Nr. 747, ders., 14. 2. 13.

Überzeugung, Frankreich müsse die deutschen Rüstungspläne mit der höchsten Anspannung seiner eigenen militärischen Kräfte beantworten. Das Briand ablösende Kabinett Barthou bekannte sich denn auch förmlich zur dreijährigen Dienstzeit und erklärte, die Sicherstellung der nationalen Wehrkraft sei seine wichtigste Aufgabe [36].

Die deutsche Regierung bemühte sich – wie der französische Botschafter Cambon am 17. März an Jonnart berichtete – ihre eigene Heeresvorlage als die Antwort auf die dreijährige Dienstzeit in Frankreich hinzustellen; in Wirklichkeit sei es aber nachweisbar umgekehrt [37]. Der französische Militärattaché Serret ergänzt seinerseits, die französischen militärischen Pläne würden in Deutschland als ungerechtfertigt betrachtet, und zwar sei er sehr häufig dem Argument begegnet, Frankreich mit seinen 40 Mill. Einwohnern habe kein Recht, mit Deutschland so zu wetteifern. Ein Reichstagsabgeordneter, der durchaus kein Radikaler gewesen sei, habe ihm wörtlich erklärt: »Das ist eine Herausforderung, das werden wir nicht zugeben.[38]« Genau das war die Ansicht, die Wilhelm II., wie oben berichtet, Anfang November 1913 König Albert von Belgien entgegenhielt.

Nach Annahme des Gesetzes über die dreijährige Dienstzeit rückten in der französischen Kammer wieder die Fragen der Wahlrechts- und der Steuerreform in den Vordergrund. Anfang Dezember wurde das Kabinett Barthou gestürzt, weil es für die Steuerfreiheit der Staatsanleihen eingetreten war; das folgende Kabinett Doumergue setzte sich aus Radikalen, Linksdemokraten, sowie Sozialisten verschiedener Färbung zusammen. Auch dieses Ministerium sprach sich in der Regierungserklärung für die Aufrechterhaltung der dreijährigen Dienstzeit aus; immerhin hatten fünf von zehn Ministern seinerzeit gegen das Gesetz gestimmt.

Die im April und Mai stattfindenden Kammerwahlen veränderten dieses Verhältnis noch weiter zugunsten der Gegner des Gesetzes aufgrund des starken Ansteigens der sozialistischen Stimmen und Mandate. (Ihren Erfolg verdankten die Sozialisten den Wahlabsprachen mit den Radikalen; beide Gruppen, von Caillaux und Jaurès geführt, waren zwar über der Wahlrechtsreform gespalten gewesen, hatten sich jedoch dann als Gegner der dreijährigen Dienstzeit zusammengeschlossen.) Der Wahlkampf stand im Zeichen der Erregung über die Ermordung des Herausgebers des ›Figaro‹, Calmette, durch Madame Caillaux, die Frau des Finanzministers im Kabinett Doumergue (weil jener Journalist den Minister kompromittierende Briefe veröffentlicht hatte). Der Prozeß der Madame Caillaux,

---

36 Vgl. Schultheß' Europ. Gesch.kal. 1913, S. 540 ff.
37 Vgl. Die Französischen Dokumente zur Vorgeschichte des Weltkrieges, Das französische Gelbbuch von 1914, hrsg. von der Zentralstelle zur Erforschung der Kriegsursachen, Berlin 1928, Nr. 1, S. 1 f. Cambon an Jonnart, 17. 3. 13.
38 Ibid., Beilage 1, S. 3 f.

der am 20. Juli 1914 begann, fesselte die französische Öffentlichkeit noch in den Tagen der beginnenden Julikrise mehr (es war zwei Tage vor Übergabe des österreichischen Ultimatums an Serbien) als alle internationalen Verwicklungen. (Der Prozeß endete am 28. Juli mit einem Freispruch; drei Tage später wurde Jaurès ermordet.) – Auch die aus verschiedenen Kabinettskrisen am 12. Juni hervorgehende Regierung unter dem Ministerpräsidenten Viviani, einem ehemaligen Sozialisten, hielt an der dreijährigen Dienstzeit fest, obwohl die Frage im Wahlkampf im Vordergrund stand und gerade die Sozialisten die Aufhebung des Gesetzes gefordert hatten.

Diese Entscheidung war nicht zuletzt durch das entschiedene Eintreten Paléologues bewirkt, des neuen französischen Botschafters in Petersburg, der Delcassé dort abgelöst hatte. Nachdrücklich wies Paléologue Viviani darauf hin, mit welcher Unruhe in russischen Regierungs- und Hofkreisen die Auseinandersetzungen in Frankreich beobachtet würden; falls auch nur die kleinste Änderung an dem Gesetz vorgenommen würde, so sähe er sich veranlaßt, von seinem Posten zurückzutreten. Tatsächlich war die Sorge in Rußland über die andauernden Regierungskrisen in Paris so groß, daß die russische Regierung versuchte, mit Hilfe der eigenen Presse moralischen Druck auf den Bündnispartner auszuüben. So erschien am 13. Juni 1914 ein aufsehenerregender Artikel in der ›Birschewyja Wjedomostji‹, der von Suchomlinow angeregt war, unter dem Titel »Rußland ist bereit, Frankreich muß auch bereit sein«. Der Artikel wandte sich scharf gegen eine mögliche Aufhebung der dreijährigen Dienstzeit in Frankreich. Bei einer Aussprache zwischen Viviani und Paléologue wenige Tage später, am 18. Juni in Paris, versuchte der Botschafter seiner, bzw. der russischen Forderung nach Aufrechterhaltung des Gesetzes Nachdruck zu verleihen, indem er sich darauf berief, daß jeden Moment ein Krieg auszubrechen drohe. Auf die Frage Vivianis: »Wann? [39]« antwortete Paléologue, es sei ihm unmöglich, ein genaues Datum anzugeben, aber er würde sich wundern, wenn sich der ungeheure Spannungszustand, der Europa beherrsche, nicht bald in einer Katastrophe entladen würde. Worauf Viviani antwortete, Frankreich werde seine Pflicht tun, und – wie er sagte – die großen Tage von 1792 würden wiederkommen. Auf des Botschafters abschließende Frage, ob Viviani also entschlossen sei, jede Modifikation des Gesetzes zu verhindern und ob er dies dem Zaren Nikolaus mitteilen könne, antwortete der Ministerpräsident mit Ja.

Während die Franzosen an dem Gesetz der dreijährigen Dienstzeit, das ihrer Bevölkerung so große Opfer auferlegte, festhielten, um dem erwarteten deutschen Ansturm begegnen zu können und um den russischen Ver-

39 Zit. Michon, The Franco-Russian Alliance 1891–1917, S. 274 f.

bündeten festzuhalten, hielten die Deutschen (die schon die Einführung der dreijährigen Dienstzeit in Frankreich im Sommer 1913 als Provokation betrachtet hatten, schon weil sie einen Teil ihrer eigenen Heeresvermehrung ausglich) einen baldigen Präventivkrieg nur für um so notwendiger, denn im Jahre 1916, spätestens 1917, würden die französische und russische Armee zusammen so stark sein, daß ein Sieg in einem Zweifrontenkrieg nicht mehr möglich erschien, während sich im jetzigen Zeitpunkt beide gegnerischen Armeen noch im Stadium der Reorganisation, das heißt einer vorübergehenden Schwächung befänden.

Die englisch-russische Marinekonvention

Mit der Bildung der englisch-russischen Entente von 1907 erweiterten sich die jeweilig zweiseitigen Verbindungen, die russisch-französische Allianz von 1892 und die englisch-französische Entente von 1904, zur sogenannten Triple-Entente, die man in Deutschland als »Einkreisung« betrachtete. Dabei waren allerdings die beiden letztgenannten Verbindungen von 1904 und 1907 keine formellen Bündnisse im Gegensatz zum Dreibund, wie zur russisch-französischen Allianz, sondern ursprünglich nur für die Bereinigung von strittigen Fragen in bestimmten Zonen der Weltpolitik bestimmt, in denen sich die Interessen der beteiligten Mächte überschnitten. Doch waren Paris wie Petersburg in den folgenden Jahren daran interessiert, die Ententeabsprachen mit London schrittweise einem Bündnis anzunähern. Frankreich hatte dies England gegenüber teilweise erreicht, und zwar mit den in ihrer politischen Relevanz begrenzten Militärabsprachen seit 1905 und mit den Flottengesprächen, die durch den Briefwechsel Grey–Cambon vom November 1912 eine weitergehende vertragliche Bindung fanden. Als dann Poincaré im August 1912 Petersburg besuchte und dort auch die jüngst abgeschlossene russisch-französische Marinekonvention erörterte, schlug er vor, Sasonow solle sich auch um eine maritime Zusammenarbeit mit England bemühen, besonders im Raume der Ostsee. Im folgenden Monat sprach Sasonow bei seinem Besuch in England Grey daraufhin an, erhielt jedoch die ausweichende Antwort, die für diese Frage zuständigen Marinesachverständigen seien noch nicht konsultiert worden. Grey versicherte jedoch, daß bei einer Beteiligung Englands am Kriege die englische Flotte jedem helfen würde, der gegen Deutschland kämpfe [40].

Der Wunsch der Russen nach einem formellen Bündnis steigerte sich, als sie von den französisch-englischen Marineabsprachen Kenntnis erhiel-

40 Grey, 25 Jahre Politik, Bd. 1, S. 283.

ten (allerdings wurde ihnen der genaue Wortlaut des Briefwechsels Grey–Cambon erst im Mai 1914 mitgeteilt), als die fortschreitenden Verwicklungen auf dem Balkan die Gefahr eines großen Krieges näher rücken ließen, und ganz besonders, als sie in der Liman-Sanders-Krise eine neue diplomatische Niederlage einstecken mußten – so jedenfalls empfanden im Zarenreich Staatsführung und Öffentlichkeit den Ausgang dieses Konflikts. Am 26. Dezember 1913 forderte der Generalquartiermeister des russischen Heeres Danilow in einer Denkschrift an die Adresse der Diplomaten die Umwandlung der Entente in ein Dreierbündnis:

>»Die Entente zu festigen, mit deren Hilfe die Landstreitkräfte Deutschlands und die Flotten der Dreibundmächte in der Ostsee und im Mittelmeer zu fesseln.[40a]«

Zur selben Zeit sondierte Sasonow beim englischen Botschafter in Petersburg, Sir George Buchanan, die Möglichkeit für ein russisch-englisches Bündnis, das die Zusammenarbeit der beiderseitigen Flotten zum Ziel haben sollte. Der Botschafter verband in seinem Bericht den ihm bekannten Vorbehalt seiner Regierung mit dem russischen Anliegen:

>»So unausführbar die Idee eines Bündnisses im gegenwärtigen Moment von unserem Standpunkt aus auch wäre, so ist zweifellos ein guter Teil Wahrheit in Sasonows Behauptung, Deutschland würde niemals das mit einem solchen Kriege verbundene Risiko auf sich nehmen, wenn es vorher wüßte, daß Frankreich und Rußland auf Englands Unterstützung rechnen könnten.«

Die Ungewißheit der beiden Ententepartner wie des Dreibundes über die englische Haltung befähige London zwar, beide Seiten zur Erhaltung des Friedens zu ermahnen, wirke sich jedoch für die Triple-Entente bei Verhandlungen mit dem Dreibund nachteilig aus, und er warnte seine Regierung:

>»Sollte unglücklicherweise jemals Krieg ausbrechen, so würde es für uns fast unmöglich sein, nicht daran teilzunehmen [40b]

Sasonow seinerseits drückte seine Sorgen über die Zukunft der Triple-Entente und die damit zusammenhängende Frage von Krieg und Frieden in einem Brief an seinen Botschafter in London vom 19. Februar 1914 aus. Er beklagte sich über »die schwankende und unklare Politik« des englischen Kabinetts, weil er der Meinung war,

>»daß der Weltfriede erst an dem Tage gesichert sein wird, an dem der Dreierverband, dessen reale Existenz nicht besser bewiesen ist, als die Existenz der

40a Zit. A. V. Ignat'ev, Russko-anglijskie otnošenija nakanune pervoj mirovoj vojny (Die russ.-engl. Beziehungen am Vorabend des Ersten Weltkrieges), Moskau 1962, p. 194.
40b George Buchanan, Meine Mission in Rußland, Berlin 1926, S. 75.

Seeschlange, sich in ein in allen Zeitungen der Welt offen angekündigtes Defensivbündnis ohne Geheimklauseln verwandelt hat. An dem Tage wird die Gefahr einer deutschen Hegemonie endgültig beseitigt sein, und jeder von uns wird sich ruhig seinen eigenen Angelegenheiten widmen können: Die Engländer können eine Lösung der sie in Anspruch nehmenden sozialen Probleme suchen, die Franzosen können sich bereichern, gedeckt vor jeder Bedrohung von außen, und wir können uns konsolidieren und an unserer wirtschaftlichen Reorganisation arbeiten.«

Mangel an Zusammenarbeit in der Triple-Entente könnte schon in nächster Zeit die gefährlichste Konsequenz haben, wenn die Entente sich wieder nicht entschließen könnte, gemeinsam gegen die Türkei aufzutreten; falls diese die Ionischen Inseln besetzen sollte, werde ein neuer Balkankrieg ausbrechen, in den Serbien und hinterher höchstwahrscheinlich auch Österreich hineingezogen würden:

»Sie wissen sehr wohl, was das für Europa und für uns (Rußland) im besonderen bedeuten würde. Ob England will oder nicht, es wird auch marschieren müssen, und vielleicht gerade in einem Augenblick, wo es nicht die geringste Lust dazu verspüren wird und der ihm nicht günstig sein wird.«

Das dauernde Zurückweichen vor Deutschland sei eine gefährliche Sache, weil dadurch der moralische Zusammenhalt der Ententemächte Schaden leide und in die Brüche zu gehen drohe[41].

Innerhalb des Foreign Office fand das Drängen Sasonows Unterstützung bei dem Unterstaatssekretär Nicolson: An Sir Louis Mallet schrieb er am 21. März 1914: »Ich bin überzeugt, daß der Friede Europas für ein bis zwei Generationen gesichert wäre, könnte man die Tripple-Entente in einen zweiten Dreibund verwandeln.« Für Nicolson spielte außer dem »Abschreckungsgedanken« noch ein zweites Moment eine bestimmende Rolle, nämlich die Sorge, Rußland könnte, wenn es Englands nicht sicher wäre, sich veranlaßt sehen, auf die Seite Deutschlands zu treten[42].

Trotz allem Drängen der Russen und seiner eigenen Berater war aber Grey nicht gewillt, und wohl auch gar nicht in der Lage, der englischen Öffentlichkeit, dem Parlament und seinen Ministerkollegen eine so weitgehende Bindung mit so entschieden antideutschem Akzent vorzuschlagen, zumal es weiterhin erhebliche englisch-russische Spannungen in Persien gab, wo der Einfluß Rußlands im Steigen begriffen war.

Die Russen beharrten aber auf ihrer Forderung und versuchten, sie mit Hilfe von Frankreich durchzusetzen. Bei dem Antrittsbesuch des neuen französischen Botschafters Paléologue äußerte der Zar, wie wünschenswert es wäre, daß England bindende Verpflichtungen gegenüber Rußland

---

41 Internationale Beziehungen, Reihe I, Bd. 1; Nr. 289; Sasonow an Benckendorff, 19./6. 2. 14.
42 Zit. Harold Nicolson, Die Verschwörung der Diplomaten, Frankfurt 1930, S. 426 ff., Nicolson an Buchanan, 21. 4. 14.

übernähme. Auch in Paris setzte sich Iswolski bei Poincaré und Doumergue, dem Ministerpräsidenten, für eine französische Vermittlung in dieser Frage ein: er empfahl den bevorstehenden Besuch des englischen Königs als günstige Gelegenheit für eine solche Vermittlungsaktion [43]. Beide Gesprächspartner sagten das zu und trugen am 23. April 1914 beim Besuch König Georgs in Paris den russischen Wunsch vor; dabei erreichten sie die englische Zusage, Flottenbesprechungen zwischen den englischen und russischen Marinestäben zuzulassen. Grundlage für diese Gespräche sollte nach Greys Vorschlag der Briefwechsel Grey–Cambon sein [44]. Zugunsten eines russisch-englischen Abkommens führte Doumergue zwei Argumente an: einmal die Bemühungen Deutschlands, Rußland von der Entente abzulösen, indem er darauf verwies, diese sei für Petersburg doch nur eine sehr unzuverlässige und schwache politische Kombination; zum anderen könne eine solche Marinekonvention die englische Flotte fühlbar entlasten und einen Teil ihrer Kräfte für ein tatkräftiges Vorgehen nicht nur in der Nord- und Ostsee, sondern auch im Mittelmeer freisetzen. Grey betonte dabei seinerseits, daß es sich nur um ein Marineabkommen handeln könne, keinesfalls um eine Konvention für den Landkrieg. – Dies entsprach auch den russischen Vorstellungen. Am 3. April 1914 äußerte der Zar gegenüber Buchanan: »Menschen habe ich mehr als genug; eine derartige Hilfe wäre unnötig. Um so wirkungsvoller wäre es, die Zusammenarbeit der britischen und russischen Flotte beizeiten zu organisieren.[45]«

Dementsprechend beschloß die englische Regierung, »den englischen Admiralstab zu bevollmächtigen, in Verhandlungen mit dem französischen und russischen Marineattaché zu treten, um die technischen Bedingungen eines möglichen Zusammenwirkens der drei Mächte zur See auszuarbeiten« [46].

Im Mai 1914 wurden die Kopien des Briefwechsels Grey–Cambon vom November 1912 dem russischen Botschafter in London, Graf Benckendorff, übergeben. Sasonow war über die damit eröffneten Verhandlungen überaus befriedigt und äußerte sich zuversichtlich über die Wirkung des zu schließenden Abkommens: Es werde das Gleichgewicht und den Frieden sichern, »die Ruhe in Europa wird nicht mehr von den Capricen Deutschlands abhängen« [47].

Sasonow würdigte das Marineabkommen im Sinne eines Bundesverhält-

43 Vgl. Schriftwechsel Iswolskis, Bd. 4, Nr. 1297, Iswolski an Sasonow, 5. 3. 14.
44 Ibid., Nr. 1326, Iswolski an Sasonow, 16./29. 4. 14; vgl. auch Grey, 25 Jahre Politik, Bd. 1, S. 269 ff.
45 Zit. nach A. Lovjagin, Anglo-russkaja morskaja konvencija. K materialam po istorii podgotovki Rossii k mirovoj vojne na more (Die engl.-russ. Marinekonvention. Zu den Materialien über die Geschichte der Vorbereitung Rußlands auf den Weltkrieg zur See), in: Morskoj sbornik, Nr. 2, Leningrad 1929, S. 62 f.
46 Schriftwechsel Iswolskis, Bd. 4, Nr. 1343, Iswolski an den Zaren, 6. 5. 14.
47 Ibid., Nr. 1338, Sasonow zu Paléologue, 16. 5. 14.

nisses, das den Russen ermöglichte, in Konfliktsfällen wie etwa der gerade zurückliegenden Liman-Sanders-Krise fester aufzutreten und nicht noch einmal vor Deutschland zurückweichen zu müssen. So sah es auch Benckendorff, obwohl er bedauerte, daß nicht ein förmliches Bündnis in Aussicht stand; aber, so bemerkte er, selbst diejenigen Engländer, die fest davon überzeugt seien, daß ein Konflikt mit Deutschland früher oder später unvermeidlich wäre, wollten von einem solchen förmlichen Bündnis nichts wissen [48].

Am 26. Mai 1914 fand eine Konferenz im russischen Admiralstab statt, die die Weisungen für den russischen Marineattaché Kapitän Wolkow (der nach Petersburg beordert worden war) für seine Verhandlungen in London festlegte: Die russischen Wünsche waren auf eine Benutzung der englischen Basen im östlichen Mittelmeer gerichtet, wohin die Hauptmacht der russischen Ostseeflotte verlegt werden sollte, damit man die Meerengen von zwei Seiten her gewaltsam öffnen könne. (Im Frühjahr 1914 war eine russische Schwarzmeerflotte praktisch kaum mehr vorhanden, sie sollte erst in den nächsten Jahren aufgebaut werden.) Zugleich gedachte man damit den Entente-Seestreitkräften die Überlegenheit über die italienisch-österreichische Flotte im Mittelmeer zu sichern. Zur Auffüllung des dadurch entstehenden Vakuums in der Ostsee sollten englische Handelsschiffe in die baltischen Ostseehäfen Rußlands entsandt werden, um den zaristischen Streitkräften eine Landung in Pommern möglich zu machen. (Wie man in Petersburg weiterhin fürchtete, könnte die englische Flotte zu Beginn eines Krieges eine abwartende Haltung einnehmen, was deutsche Marine-Aktionen gegen Kronstadt oder gar eine Landung an der Küste des Finnischen Meerbusens ermöglichen würde.) Im einzelnen einigte man sich auf folgende Forderungen:

1. England hält einen möglichst großen Teil der deutschen Flotte in der Nordsee fest. Dadurch wird die erdrückende Übermacht der deutschen Flotte über die russische ausgeglichen, und es wird vielleicht für Rußland möglich sein, im günstigen Falle eine Landung in Pommern vorzunehmen.
2. Zu dem Erfolg einer solchen Operation kann England durch Überlassung einer gewissen Anzahl von Handelsschiffen vor Beginn der kriegerischen Operationen wesentlich beitragen.
3. Vom russischen Standpunkt aus ist es sehr wichtig, daß ein sicheres Übergewicht der Entente-Streitkräfte über die österreichisch-italienische Flotte im Mittelmeer hergestellt wird. Erwünscht ist die Zustimmung Englands dazu, daß die russischen Schiffe die englischen Häfen im Mittelmeer als Basis benutzen können.
4. Es ist wünschenswert, daß in dem geplanten englisch-russischen Marineabkommen die Beziehungen zwischen den englisch-russischen Flotten in allen Einzelheiten festgesetzt und die Informationen über die Flotten anderer Mächte zwischen den Marineressorts ausgetauscht werden [49].

---

48 Ibid., Nr. 1342; Benckendorff an Sasonow, 5./18. 5. 14.
49 B. v. Siebert, Diplomatische Aktenstücke; S. 817–820, Sasonow an Benckendorff, 15. 5. 14.

Als Wolkow am 28. Mai 1914 mit diesen Forderungen nach London zurückkam, waren die maßgebenden englischen Persönlichkeiten dort nicht anwesend, weder Grey noch Nicolson, weder Churchill noch Prinz v. Battenberg, und trotz französischen Drängens wurde der Fortgang der Verhandlungen verzögert. Der russische Botschafter Graf Benckendorff erkannte sofort, daß die Forderung Nr. 2, nämlich die Entsendung englischer Handelsschiffe in russische Häfen bereits in Friedenszeiten, für England ganz unannehmbar sei, und riet deshalb Wolkow, wie er am 2. Juni 1914 an Sasonow schrieb, diesen Punkt erst an letzter Stelle zu berühren. Am 7. Juni nahm man in London Besprechungen auf; wie Marder, der Biograph Lord Fishers, berichtet, sind aber Teilnehmer und Inhalt unbekannt geblieben [50]. Im Juli wurde der russische Marineattaché dahin benachrichtigt, der Erste Seelord Prinz v. Battenberg beabsichtige im August zu einem privaten Besuch nach Petersburg zu reisen und gedenke bei dieser Gelegenheit die Verhandlungen mit dem russischen Marineminister und dem Chef des Admiralstabes fortzuführen und möglichst abzuschließen.

Von dem Beginn dieser Verhandlungen war die Reichsleitung durch ihren Spion in der russischen Botschaft in London, den Baltendeutschen Bernt v. Siebert, genau informiert, da dieser den gesamten Schriftwechsel Benckendorffs kopierte und an das Deutsche Auswärtige Amt weiterleitete. Um der sich anbahnenden engeren Verbindung England–Rußland entgegenzuwirken, verständigte das Auswärtige Amt den Chefredakteur des ›Berliner Tageblatts‹, Theodor Wolff, und dieser veröffentlichte darüber, Ende Mai und noch einmal Ende Juni, zwei Artikel, die durch ihre genauen Informationen die Auswärtigen Ämter und die Weltöffentlichkeit alarmierten. Insbesondere in London, Petersburg und Paris stellte man Erwägungen und Nachforschungen an, wo die durchlässige Stelle für solche Informationen sei, ohne aber den Agenten in der russischen Botschaft in London zu verdächtigen [51]. Die Artikel von Theodor Wolff lösten nicht nur in Deutschland, sondern vor allem auch in England Beunruhigung aus und führten – was zweifellos vom Deutschen Auswärtigen Amt beabsichtigt war – zu einer Interpellation im Unterhaus, die Grey zu einer Stellungnahme zwang. Die Antwort, die Grey am 11. Juni 1914 auf die Anfrage eines liberalen Abgeordneten gab, ob ein maritimes Abkommen zwischen England und Rußland getroffen sei oder ob Verhandlungen über ein solches Abkommen stattgefunden hätten, war ein Meisterstück in der Taktik des Ausweichens und der Verschleierung der Tatsachen. Zunächst wiederholte er die Erklärung, die der Premierminister vor einem

---

50 Arthur J. Marder, From the Dreadnought to Scapa Flow, S. 311; vgl. zu dieser Frage Aug. Bach, S. 187.
51 Vgl. zu dieser Frage die ausführliche Fußnote in GP 39, S. 626 f.

Jahr auf eine ähnliche Anfrage betreffs englisch-französischer Absprachen abgegeben hatte: »es beständen keine unveröffentlichten Vereinbarungen mit anderen Staaten, die, wenn ein Krieg zwischen den europäischen Mächten ausbrechen würde, die Entscheidungsfreiheit der englischen Regierung oder des Parlaments, ob man an dem Kriege teilnehmen würde oder nicht, beeinträchtigen würden«. Diese Erklärung, so betonte Grey, gälte heute noch ebenso wie vor einem Jahr; es seien auch keine *derartigen* Verhandlungen im Gange, und es sei auch nicht wahrscheinlich, daß man in irgendwelche eintreten würde... (zugleich versicherte er, daß, wenn irgendein Abkommen zu schließen wäre, es dem Parlament vorgelegt werden müsse.) Indem Grey den Begriff der »Vereinbarungen« und der »Verhandlungen« auf solche auf höchster politischer Ebene – von bindendem Charakter in bezug auf einen englischen Kriegseintritt – beschränkte, konnte er sowohl (implicite) das Vorhandensein englisch-französischer Militär- und Marineabsprachen wie auch die im Gange befindlichen englisch-russischen Marinebesprechungen verschweigen. Grey selbst hat in seinen Memoiren später zugegeben, daß er der Beantwortung der ihm gestellten Frage ausgewichen sei, da man – »solange Regierungen genötigt seien, die Möglichkeit von Kriegen ins Auge zu fassen« – solche rein militärischen und maritimen Abmachungen nicht der Öffentlichkeit preisgeben könne, ohne Gefahr zu laufen, sie um ihre Wirkung zu bringen. (Praktisch hieß das: Das Parlament habe unbedingt das Recht, von jeder Verabredung zu erfahren, welche die Handlungsfreiheit des Landes beschränkte, das gelte jedoch nicht für militärische und maritime Absprachen [52].)

Die Erklärung Greys vor dem Unterhaus benutzten Bethmann Hollweg und Jagow in Berlin, um England auf einem neutralen Kurs zu halten. Am 14. Juni erschien im Berliner ›Lokalanzeiger‹ der in anderem Zusammenhang schon genannte Artikel aus der ›Birschewyja Wjedomosti‹, in dem Rußland die Franzosen ermahnte, unbedingt bei der dreijährigen Dienstzeit zu bleiben, und zwar unter Hinweis auf die ungeheuren Anstrengungen, die das Zarenreich zur Reorganisation und Vermehrung seines Heeres in letzter Zeit unternommen habe. Wilhelm II. hat diesen Artikel wie folgt kommentiert:

»Na! Endlich haben die Russen die Karten aufgedeckt! Wer in Deutschland jetzt noch nicht glaubt, daß von Russo-Gallien mit Hochdruck auf einen baldigen Krieg gegen uns hingearbeitet wird, und wir dementsprechende Gegenmaßnahmen ergreifen müssen, der verdient, umgehend ins Irrenhaus nach Dalldorf geschickt zu werden. – Stramme neue Steuern und Monopole und die 38 000 Nichteingestellten sofort in die Armee und Marine hinein! [53]«

---

52 Grey, 25 Jahre Politik, Bd. 1, S. 275.
53 Vgl. GP 39, S. 587, Anm. zur Anlage des Schreibens Nr. 15 861, Pourtalès an Bethmann Hollweg, 13. 6. 14.

Am Tag danach, am 15. Juni 1914, besuchte Jagow, unmittelbar vor Antritt seiner Hochzeitsreise, den englischen Botschafter Goschen, um seine Befriedigung über Greys Antwort auszudrücken. Er verband dies mit einer Drohung neuer deutscher Flottenvermehrung; denn wäre, wie er sagte, an dem Gerücht etwas wahr gewesen – Jagow wußte ganz genau, daß erste Verhandlungen stattgefunden hatten –, dann würde Deutschland nicht nur den vereinigten russisch-französischen Heeren standzuhalten haben, sondern müßte auch noch die britische Flotte als Gegner in Rechnung stellen. Die deutschen Marinefachleute wären deshalb berechtigt, von dem Lande jedes Opfer für weitere Rüstungen zu verlangen, um einer solchen schwierigen Lage zu begegnen. Goschen hielt ihm entgegen, daß niemand Deutschland angreifen wolle. Demgegenüber bezweifelte Jagow nicht, daß die Entente-Ministerien augenblicklich friedlich gestimmt seien, aber in Rußland könne der Panslawismus jeden Augenblick Macht über die schwache Regierung gewinnen, und in Frankreich bleibe aufgrund der häufig wechselnden Kabinette und der Neigung der Politiker, das »Kriegsgeschrei« gegen Deutschland als Stimmenfang zu benutzen, die auswärtige Politik ein unsicherer Faktor. All dies sollte die englische Regierung davon überzeugen, in welch bedrohter Lage sich Deutschland befände, und ihr nahelegen zu bedenken, wie sehr sie durch ein Marinebündnis mit Rußland in die Rolle des Kriegstreibers geriete; einmal, das bleibt hier unausgesprochen, indem es Rußland durch den ihm gewährten Rückhalt zu einer aggressiveren Politik ermutige, zum anderen, indem es in Deutschland neue Rüstungen erzwinge, die wiederum England belasten müßten [54].

Am folgenden Tage, am 16. Juni 1914, gab Bethmann Hollweg dem Botschafter Lichnowsky Anweisungen, wie er sich zu jener Erklärung Greys zu äußern habe. In diesem Schreiben ging der Kanzler auf den russischen Artikel ein, den der ›Lokalanzeiger‹ abgedruckt hatte: noch keine offiziöse Stimme aus dem Zarenreich, so klagte er, habe die kriegerischen Tendenzen der russischen Militaristenpartei so rücksichtslos enthüllt wie diese Äußerung. Ihre Wirkungen auf die deutsche öffentliche Meinung seien unverkennbar. Bisher wären es nur die extremsten Kreise unter den Alldeutschen und Militaristen gewesen, die Rußland eine planvolle Vorbereitung eines baldigen Angriffskrieges auf Deutschland zuschoben, jetzt breite sich diese Ansicht schon in den Reihen gemäßigterer Politiker aus, und das alles werde einen Ruf nach abermaliger Verstärkung des deutschen Heeres auslösen, hinter dem die Marine natürlich nicht zurückstehen würde. Vertraulich, so fügte er hinzu, möchte er ihm mitteilen, daß der Kaiser – der Buhmann! – sich schon ganz in diese Gedankengänge eingelebt hätte... Wenn Bethmann dergestalt die Gefahr eines Erstarkens der »deutschen

---

54 Vgl. Grey, 25 Jahre Politik, Bd. 1, S. 278 ff.; Goschen an Grey, 16. 6. 14.

Chauvinisten und Rüstungsfanatiker« an die Wand malte und die unbedingte Notwendigkeit eines deutsch-englischen Zusammenspiels für die Erhaltung des europäischen Friedens betonte, so entsprach das völlig seinem jahrelangen Bemühen, England aus der Entente zu lösen. Denn allein ein deutsch-englisches Zusammengehen würde verhindern, daß eine beliebige russisch-österreichische Krise (wie sie bereits durch den griechisch-türkischen Konflikt drohte und am 28. Juni in Serajewo eintrat) zur großen europäischen Konflagration führen könnte – dies war ein für Lichnowsky–Grey bestimmter Gedankengang, mit welchem Bethmann Hollweg, der ja genau informiert war über die tatsächlichen englisch-französischen Abmachungen bzw. die englisch-russischen Verhandlungen, versuchte, sich der englischen Neutralität für diesen großen Konflikt doch noch zu versichern [55].

---

55 Vgl. GP 39, Nr. 15 883; Bethmann Hollweg an Lichnowsky, 16. 6. 14

Das Zusammenspiel von Staat und Wirtschaft: Die Vision eines größeren Deutschlands in Mitteleuropa und erste Kriegszielprogramme

Ministerialbürokratie und Wirtschaftlicher Ausschuß

In den gleichen Monaten, in denen die antirussische Pressekampagne anlief und Moltke gegenüber Conrad und Jagow seine alten Präventivkriegspläne aussprach, kam es auch zwischen Bürokratie, Generalstab und den Wirtschaftskreisen in Landwirtschaft, Finanz und Industrie zu einer engeren Zusammenarbeit auf dem Sektor der wirtschaftlichen und finanziellen Kriegsvorbereitung. Das Reichsamt des Innern hatte sich gegenüber den Vorstößen aus den interessierten Kreisen in Industrie, Banken, Handel und Gewerbe 1913 zunächst weiterhin passiv verhalten: die seit November 1912 bestehende ständige Kommission für wirtschaftliche Mobilmachungsangelegenheiten wurde lediglich in »Ständiger Ausschuß für die Fragen der wirtschaftlichen Mobilmachung« umbenannt, und Anfang 1914 wurde diesem noch ein Gutachterausschuß zugeordnet. Im Januar 1914 begrüßte der Staatssekretär des Innern in einer an die Staatssekretäre der Reichsämter, die preußischen Staatsminister, den Admiralstab der Marine und den Generalstab der Armee gerichteten Denkschrift [1] noch einmal die im Januar 1914 vornehmlich von Moltke geforderte »Heranziehung vertrauenswürdiger Sachverständiger für einzelne Spezialfragen«. Delbrück, der in dieser Denkschrift über die bisherigen Ergebnisse der wirtschaftlichen und finanziellen Mobilmachung in den Erörterungen der Ständigen Kommission referierte – Vorratsermittlung, Zurückhaltung und Schonung von Vorräten im Mobilmachungsfalle (industrielle Rohstoffe, besonders Getreideversorgung und -vorratshaltung), Lage der Landwirtschaft im Kriegsfalle, Einfuhr von Getreide und Futtermitteln nach der Mobilmachung, Aufrechterhaltung des Verkehrs –, teilte mit, daß einzelne Industrielle, und zwar Mitglieder des Wirtschaftlichen Aus-

---

1 RA, Kriegsrüstung und Kriegswirtschaft, 1. Anl. Bd., S. 253–270.

schusses beim Reichsamt des Innern [2], im Sommer 1913 über die Folgen eines Krieges für die Industrie befragt worden seien. Die Umfragen hätten zu dem Ergebnis geführt, daß die Arbeiterfrage im Kriegsfalle keine Besorgnisse auslösen werde, daß aber in »viel erheblicherem Maße« folgende Punkte beachtet werden müßten:

1. Die Frage der Versorgung mit den nötigen Rohstoffen.
2. Die Versorgung mit Kohle.
3. Die Frage der Aufrechterhaltung des Absatzes.
4. Die Frage des Kredits und die Aufrechterhaltung des kaufmännischen Vertrauens.

In den ersten beiden Fragen wären die industriellen Berichte nicht ungünstig ausgefallen; ob »in kritischen Zeiten« eine Vorratspolitik empfohlen werden solle, müsse jedoch noch geprüft werden. Staatliche finanzwirtschaftliche Maßnahmen seien vorbereitet. Delbrück skizzierte als Marschroute der Ämter, daß die »Heranziehung vertrauenswürdiger Sachverständiger für einzelne Spezialfragen« im Auge behalten werden müsse; auch in Zukunft wurden also ausgewählte Mitglieder des Wirtschaftlichen Ausschusses von der Regierung berufen und informiert. Auch mit dem Großen Generalstab bestand engste Zusammenarbeit; wie Delbrück lehnte auch Moltke die Vorschläge, etwa zentral detaillierte wirtschaftliche Maßnahmen für den Fall eines Krieges unter Hinzuziehung von Fachleuten auszuarbeiten, weiterhin ab. Statt dessen schlug er die »Bildung kleinerer volkswirtschaftlicher Mobilmachungsausschüsse bei den Linienkommandanturen« [3] vor, die sich aus »Vertretern der am Sitze der Linienkommandanten oder in nächster Nähe befindlichen Handels-, Landwirtschafts- und Handwerkskammern« zusammensetzen sollten. Diese Gremien sollten vor allem auch die Transportprobleme beratend mit den militärischen Stellen regeln.

Über den zukünftigen Krieg wurde im März 1914 auch im Auswärtigen Amt gesprochen. Baernreither zeichnete am 10. März 1914, acht Tage nach dem Alarmartikel der ›Kölnischen Zeitung‹, über die politischen Ansichten des Direktors der Handelspolitischen Abteilung, v. Koerner, folgendes auf:

»Frankreich sei jetzt in einer schlechten Verfassung, auch mit seinem Militär. Jetzt wäre der Moment für einen Krieg, aber niemand denke daran.[4]«

Koerner hätte richtiger getan, wenn er gesagt hätte: alle denken daran; aber das konnte er seinem österreichischen Gesprächspartner, der als Ver-

2 Ibid., S. 262 f.
3 Denkschrift vom 19. 2. 14 an das Preuß. Kriegsministerium, zit. Alfred Schroeter, Krieg-Staat-Monopol, 1914–1918, Berlin 1965, S. 38 f.
4 Joseph M. Baernreither, Dem Weltbrand entgegen, S. 298.

ständigungspolitiker galt, wohl kaum anvertrauen. Was die wirtschaftliche Kriegsvorbereitung anbetraf, so schrieb der Direktor im Reichsamt des Innern, Lewald, zur gleichen Zeit an den alldeutschen Lübecker Großkaufmann Possehl:

> »Wir sind hier in voller Arbeit auf diesem von Ihnen mit Recht in den Vordergrund gestellten Gebiete und ich hoffe, daß Sie selbst in die Lage kommen werden, uns mit Ihrem Rat demnächst zu unterstützen.[5]«

Und Moltke bestätigte die Zusammenarbeit von Reichsamt des Innern, Generalstab und Wirtschaft, als er am 15. Mai in einer an Delbrück gerichteten Denkschrift resümierte [6]:

> »Die wirtschaftliche Kriegsbereitschaft des Reiches, die in wachsendem Maße die Sorge der obersten Behörden bildet, steht in vielfachen Beziehungen zu den Vorbereitungen der Heeresleitung und zu der Kriegführung.«

Moltke drängte Delbrück, daß, nachdem die theoretischen Probleme geklärt seien, mit »Taten« nicht länger gezögert werden dürfe, denn »niemand« könne sagen, »wie lange die Zeit währen wird, die uns zur Ausführung zur Verfügung steht«. Er verteidigte noch einmal den unbedingten Primat des Generalstabes in allen diesen Fragen (besonders Aufmarsch des Heeres, Reklamierung der Bahnen) und stellte fest:

> »Gerade die neueste Geschichte zeigt immer wieder eine überfallartige Einleitung der Kriege. Besonders die europäischen Großmächte werden angesichts der Kriegsbereitschaft ihrer Gegner gegebenenfalls bestrebt sein, durch politische und militärische Initiative einen Vorsprung in der Versammlung des eigenen Heeres zu gewinnen, den Krieg in das Land des Feindes zu tragen, diesen sofort vor unerwartete strategische Lagen zu stellen und der Entschlußfreiheit zu berauben.«

Besser konnte Moltke die Modalitäten des von ihm befürworteten Angriffskrieges nicht interpretieren. Es überrascht nicht, daß der Generalstabschef die »Friedenslagerung eines mehrwöchigen Bestandes an Rohstoffen und Kohlen« ebenso begrüßte wie die Tatsache, daß »manche Firmen ... schon in planmäßige Mobilmachungsvorarbeiten eingetreten« seien. Gerade auch die »eingeleitete Gewinnung führender Männer der Industrie« lasse »erhoffen, daß die letztere einem Kriege aus eigener Kraft wird begegnen können«. Jetzt, nachdem Moltke zur Eile gemahnt hatte, führten die Erörterungen über die wirtschaftliche und finanzielle Mobilmachung auch zu einem ersten Ergebnis. Der Wirtschaftliche Ausschuß wurde endgültig das Gremium, dem die zentralen Fragen der wirtschaftlichen Mobilmachung zur Beratung vorgelegt wurden. Mit einem detaillierten Programm:

---

5 DZA I, NL Lewald, Nr. 220, Bl. 60; Lewald an Possehl, 4. 3. 14.
6 RA, Kriegsrüstung und Kriegswirtschaft, 1. Anl. Bd., S. 287 ff. Moltke an Delbrück, 14. 5. 14.

1. Folgen der Mobilmachung für die Arbeiterschaft in Industrie und Landwirtschaft (Arbeitslosigkeit, Unterstützung der Nichtbeschäftigten).
2. Fragen der Absatzstockung (Kohle und Rohstoffe, Schließung von Betrieben).
3. Probleme des Transports.
4. Absatzmöglichkeiten des Handels bei Blockade deutscher Häfen.

hielt der Wirtschaftliche Ausschuß am 25. und 26. Mai 1914 seine erste und einzige Doppelsitzung über Mobilmachungsfragen vor Kriegsbeginn ab. Das Protokoll dieser Sitzung hat sich nicht mehr bei den Akten auffinden lassen [7].

Daß es sich hier keineswegs um rein akademische Erörterungen handelte, hatte Moltke schon am 14. Mai 1914 in der genannten Denkschrift an Delbrück zum Ausdruck gebracht. Er wollte neben den praktischen Maßnahmen volkswirtschaftlicher Kriegsvorbereitung nicht zuletzt die »ideelle Seite« betont sehen, die »allmählich die führenden Kreise des Handels, der Landwirtschaft und der Industrie erfassen werde(n)«. Diese läge in der »*Neubelebung großer nationaler Ziele und des kriegerischen Geistes der Nation*« (Herv. v. Verf.). In dieser Sitzung, über die wir nur durch einen rückblickenden Bericht eines Teilnehmers der Sitzung, des Führers des Bundes der Landwirte, Frhrn. v. Wangenheim, unterrichtet sind [8], schlug dieser vor,

»daß wir sofort unsere Grenzen gegen jede Getreideeinfuhr sperrten und im Inlande große Vorräte von menschlichen und tierischen Nahrungsmitteln ansammelten«.

Wangenheim, der hier an die Grundsätze des Antrags Kanitz und die alte »friederizianische Vorratspolitik« erinnerte, wies auch darauf hin, daß

»wir bei etwaigem Mangel an Brotgetreide uns längst darauf eingestellt hätten, das Brot mit Kartoffelflocken zu strecken, und daß wir bei dem Fortfall der russischen Futtergerste für unseren Viehstand ... sehr gut mit deutschen Kartoffeln ... auch unsere 22 Mill. Schweine füttern könnten, wenn uns nur einigermaßen ausreichende Vorräte von Fischmehl und Fleischmehl zur Verfügung gestellt würden«.

Wangenheim fand »begeisterte Einstimmigkeit darüber, daß diese Vorschläge den einzig richtigen Weg gehen« – »die Herren von der Industrie und vom Handel waren glücklich über meine Vorschläge, und es wurde einstimmig beschlossen und von Delbrück zugesichert, daß sofort mit den notwendigen Vorbereitungen vorgegangen werden sollte. Geschehen ist nichts«. Daß Delbrück nichts unternahm – womit er den ganzen Zorn

---

7 Vgl. A. Schroeter, Krieg-Staat-Monopol, S. 51, Anm. 80.
8 C. Frhr. v. Wangenheim-Klein-Spiegel, I. Lebensbild, II. Briefe und Reden, Berlin 1934, S. 167 ff., Wangenheim an Prof. Curschmann, 10. 3. 24; vgl. auch DZA Potsdam, Nachlaß Wangenheim Nr. 9, Wangenheim an Roesicke, 27. 5. 14.

Wangenheims hervorrief, der von einem Versagen des Staatssekretärs sprach –, war nicht verwunderlich: lebte Delbrück doch, wie Wangenheim im Kriege erfuhr,

> »stets in dem Glauben..., der Krieg würde nur wenige Wochen oder Monate dauern. Er hat denn auch stets seinen landwirtschaftlichen Referenten damit beruhigt, es hätte gar keinen Zweck, noch Einrichtungen zu treffen, da der Krieg bald zu Ende sei« [9].

Wenn Wangenheim also 1924 meinte, aus diesem »Versagen« Delbrücks den Schluß ziehen zu können, daß seine Angaben »den klarsten Beweis, daß Deutschland niemals einen Krieg gewollt hat«, ergäben, so war das eine Feststellung, die durch nichts belegt ist.

Von den eingeladenen Großindustriellen referierte Wilhelm Beukenberg, der Vorsitzende der Nordwestlichen Gruppe des ›Vereins Deutscher Eisen- und Stahlindustrieller‹ und des ›Langnamvereins‹, über das Thema: Maßnahmen, um bei einer Mobilmachung einen Zusammenbruch des Transportwesens für Handel, Industrie und Landwirtschaft zu verhindern [10].

In der folgenden Sitzung des Wirtschaftlichen Ausschusses, noch vor Kriegsbeginn, hielt der preußische Generallandschaftsdirektor Kapp einen

> »glänzenden weltpolitischen Vortrag über den Zusammenschluß des alten Europas gegenüber den großen Kolonialmächten« [11]

und gab damit eine Vorstellung von der »Neubelebung großer nationaler Ziele«, wie sie Moltke den führenden Kreisen von Handel, Landwirtschaft und Industrie empfohlen hatte.

Bethmann Hollweg und die deutsche Expansion

Allen Stellungnahmen zugunsten einer tatkräftigen deutschen Politik gemeinsam war das Bewußtsein, daß das Deutsche Reich im Konzert der Mächte nicht die Rolle spielte, die seinem Anspruch auf Weltmachtstellung genüge tat. Riezler sprach zu dieser Zeit in seinem Buch »Grundzüge der Weltpolitik in der Gegenwart« von der Begrenztheit der deutschen »Expansionsmöglichkeiten«. Jeder Versuch aber, so warnte er die Großmächte, Deutschland die offenen weltpolitischen »Betätigungsgebiete« zu verbauen, müßte an dem »gewaltigen Lebensdrang« der Nation scheitern. Die Schwierigkeiten des Deutschen Reiches, auf dem Balkan und insbe-

---

9 Ibid., S. 177, Wangenheim an Dr. Kindler, 9. 2. 26.
10 Vgl. Notiz bei Wilh. Treue, Wirtschaft und Außenpolitik, in: Tradition 1964, H. 5, S. 216.
11 Vgl. Anm. 8, Wangenheim an Curschmann, 10. 3. 24, S. 170.

sondere in der Türkei seine Stellung zu halten, waren zu diesem Zeitpunkt ganz offensichtlich geworden. Damit aber schien das Programm Berlin–Bagdad, die deutsche Südostexpansion, eines der zentralen Ziele des deutschen Imperialismus, bedroht. Die handelspolitische Auseinandersetzung mit dem erstarkten Rußland, die auf einen wirtschaftlichen Konflikt hinsteuerte, die finanzielle Konkurrenz Frankreichs überall in der Welt, seine handelspolitischen Restriktionen und sein Widerstand gegen die deutsche »pénétration pacifique« waren weitere Faktoren, die die deutsche politische Führung beunruhigten. Auch in Übersee sahen sich deutsches Kapital, Handel und Industrie in die Defensive gedrängt; England blieb hier die führende Handelsnation, Frankreich der Bankier der Welt, und die Vereinigten Staaten meldeten immer deutlicher ihren Anspruch als Weltmacht an, in Südamerika, in Afrika (Kongo), in Südostasien, aber auch in der Türkei (Erdöl).

Die engen Kontakte zwischen Wirtschaft und Politik, zwischen industriell-kommerzieller Führungsschicht und Regierungsspitze ließen die Befürchtung, Deutschland würde in seiner Expansion gehemmt, zum Allgemeingut werden. Die Regierung sah sich jetzt dem immer stärkeren Druck der Interessenverbände ausgesetzt, nicht nur der mit den Alldeutschen verbündeten Schwerindustrie und eines Teils der Konservativen, sondern nun auch der im Hansabund vereinigten Bankiers und Exportindustriellen. Bemühungen der Regierung, durch vertrauliche Unterredungen mit den Alldeutschen die Agitation der lautstärksten Gruppe innerhalb der »nationalen Opposition« zu entschärfen, mißlangen. Als zum Beispiel Staatssekretär Solf im April 1914 die alldeutschen Führer Claß und Admiral Breusing ins Reichskolonialamt bat, um ihnen die Vorteile einer deutsch-englischen Verständigung über die portugiesischen Kolonien anzupreisen, konnte er sie von dem Erfolg dieser Verhandlungen nicht überzeugen [11a].

Für die Alldeutschen war dies projektierte Abkommen vielmehr eine neuerliche Niederlage der deutschen Regierung und nur ein weiterer Grund, den Kurs »nationaler Opposition« fortzusetzen.

Den Druck dieser Fronde hat der Straßburger Professor Kapp, der zu dem Kreis um Friedrich Meinecke gehörte, 1916 rückblickend zutreffend beschrieben [11b]: Er konstatierte die Diskrepanz zwischen dem nationalen Machtstaatsgedanken, der »Raum und territorialen Besitz in der Welt« auf seine Fahnen geschrieben habe, ohne den »aller Handelsfortschritt, alle Überlegenheit unserer deutschen Produktion auf unsicherer Grundlage« beruhe, und den Ergebnissen der deutschen Expansionspolitik. Die

---

11a H. Claß, Wider den Strom, S. 284 f.
11b W. Kapp, Das innerpolitische Deutschland und der Krieg, Stuttgart–Berlin 1917 (Der Deutsche Krieg, 90. Heft), S. 28 ff.

Sorge hätte bestanden, die »Welt (könne) schließlich durch die rücksichtslos zugreifenden Hände der Franzosen, Engländer, Russen zugeschlossen und dem so mächtig sich dehnenden jungen deutschen Stahlriesen die nötige Lebensluft genommen werden«. Diese Empfindung habe gerade in den letzten Vorkriegsjahren die »Bewegung immer mehr anschwellen lassen, die auf ihre Fahnen schrieb: ›Raum in der Welt in allen Ecken für unseren nationalen Machtstaat‹.« Kapp ging so weit, die Oppositionsstellung dieser Gruppen zum »bureaukratisch-liberal-humanistischem Beamtenstaat« als derart massiv zu beschreiben, daß er davon sprach, es hätte sich »die Revolution von oben« vorbereitet.

Bethmann Hollweg selbst hat seine prekäre Stellung deutlich empfunden. Den Kern der machtpolitischen Forderungen, die an die Regierung herangetragen wurden, akzeptierte er durchaus, teilte jedoch nicht den »naiven Glauben an die Gewalt« (Riezler), den die Alldeutschen propagierten. Auch er war von der Vorstellung durchdrungen, daß Deutschland Raum zur Expansion brauche. Diese Überzeugung brachte er Ende Januar 1914 in unmißverständlicher Deutlichkeit gegenüber dem französischen Botschafter Jules Cambon bei einem Empfang anläßlich des Kaisergeburtstages zum Ausdruck [11c]. Bei Erörterung des deutsch-französischen Verhältnisses in Europa und der Welt beklagte sich Cambon darüber, daß deutsche Regierungs- und Finanzkreise, vor allem die Deutsche Bank, sich über die Anwesenheit des türkischen Finanzministers David Bey in Paris beunruhigt gezeigt und Pressionen auf ihn ausgeübt hätten. Der Botschafter wies unverhüllt darauf hin, daß der deutsche Kapitalmarkt für die Bedürfnisse des Osmanischen Reiches eben nicht ausreiche und daß David Bey das Kapital dort suche, wo er es bekommen könne. Bei Besprechung der beiderseitigen Interessensphären in Kleinasien und in Syrien ergriff Bethmann Hollweg die Gelegenheit zu einer grundsätzlichen Betrachtung über die Erfordernisse und Bedingtheiten der deutschen Außenpolitik. Nicht nur die »demokratische« französische Regierung, so betonte er, sondern auch die Regierung des »monarchisch-konstitutionellen« Deutschland sei in ihrer Politik vom Druck der öffentlichen Meinung überhaupt und der interessierten Kreise im besonderen abhängig. Es wäre verfehlt, wolle man etwa Regierung und öffentliche Meinung trennen; er selbst, Bethmann Hollweg, bemühe sich zwar, über den Gruppeninteressen zu stehen, aber er sei großem Druck ausgesetzt, und seine Stellung sei bedroht:

> »Je suis attaqué et critiqué de tous les côtés et il est possible que je ne reste pas longtemps à la tête des affaires, mais cela m'est indifférent.«

11c DDF, 3e Série, Tome IX, Nr. 177, Cambon an Doumergue 28. 1. 14. Vgl. Nr. 129, Doumergue an Cambon 22. 1. 14.

Bethmann Hollweg verglich die Entwicklung und Expansion Frankreichs mit der des Deutschen Reiches: Während Frankreich in vierzig Jahren ein riesiges Kolonialreich erworben habe, sei Deutschland beinahe leer ausgegangen und habe nicht den ihm gebührenden »Platz an der Sonne« gefunden – womit er das Schlagwort, mit dem Bülow die deutsche »Weltpolitik« eingeleitet hatte, wieder aufnahm:

> »Depuis quarante ans, la France a poursuivi une politique grandiose. Elle s'est assuré un immense empire dans le monde. Elle est partout. Pendant ce temps, l'Allemagne inactive ne suivait pas cet exemple et aujourd'hui elle a besoin de place au soleil.«

Cambon wies den darin liegenden Vorwurf zurück, als habe Frankreich Deutschland an seiner Expansion gehindert – immerhin habe Deutschland in diesem Zeitraum seine politische Einheit begründen können und eine wirtschaftliche Machtstellung in einer Zeitspanne erreicht, für die Frankreich Jahrhunderte gebraucht habe. Bethmann Hollweg leugnete diese Tatsache zwar nicht, beharrte aber auf seinem Standpunkt, daß das Deutsche Reich jetzt Expansion brauche, wobei er die gleichen sozialdarwinistischen Formeln benutzte wie sein Sekretär Kurt Riezler. Deutschland habe 1911 zugelassen, daß Frankreich ein Kolonialreich in Nordafrika begründen konnte und habe dafür Kompensationen erhalten, deren wahrer Wert sehr schwer zu beschreiben sei. Heute verfolge Deutschland in Kleinasien seit langen Jahren schon »un grand dessein et une grand œuvre«, und wenn Frankreich hier die deutsche Aktivität einschränken wolle, wäre es fraglich, wohin sich die naturnotwendige deutsche Expansion richten solle. Deutschland brauche für seine unaufhörlich wachsende Wirtschaft ein Betätigungsfeld:

> »L'Allemagne, son unité constituée, voit sa population augmenter démesurément chaque jour, sa marine, son industrie, son commerce prendre un développement sans égal et ... elle est condamnée en quelque sorte à se répandre au dehors.«

Bethmann Hollweg ging so weit, Frankreich für den Fall eines Widerstandes gegen die notwendige deutsche Expansion zu drohen. Mit England sei eine Verständigung auch über koloniale Fragen möglich. Im englischen Machtbereich finde Deutschland offene Türen, während überall dort, wo Frankreich stehe, die Türen verschlossen seien. Auch Cambons Einwand, daß Deutschland den größten Teil Kleinasiens als seine Interessenzone beanspruche, während Frankreich auf Syrien beschränkt sei, ließ Bethmann Hollweg nicht gelten. Abgesehen davon, daß Frankreich durch seine Festsetzung in Syrien eine bevorzugte Stellung im Mittelmeer habe, dürfe das Kernproblem, der berechtigte Anspruch Deutschlands auf Expansion, nicht beiseite geschoben werden – »pour en revenir au fond des choses, je vous ai dit pourquoi le peuple allemand a besoin d'expansion«. Sollte Frankreich den Versuch machen, dem Deutschen Reich die Expansionsmöglichkeiten zu sperren, so werde Deutschland dadurch nicht aufgehalten; wohl aber könne daraus eine gefährliche Situation entstehen:

>Si vous lui refusez ce qui est la part légitime de tout être qui grandit, vous n'arrêterez pas sa croissance, mais ce n'est pas seulement en Asie Mineure que vous pourriez vous heurter à sa concurrence, vous vous exposez à le retrouver partout. Croyez-moi, rendons-nous compte des faits et écartons ce qui nous divise. Sinon, ce serait dangereux.«

Cambon legte seinem Außenminister nahe, Frankreich müsse diese Gedanken ernst nehmen, denn der Kanzler habe sie mit großem Nachdruck geäußert, auch der Kaiser stimme mit diesen Ansichten überein.

Welches Ziel Bethmann Hollweg den Franzosen gegenüber mit dieser Sprache verfolgte, ist nicht einfach zu ergründen. (Deutlich ist, daß die Mißstimmung des Kanzlers gegenüber Frankreich die Beobachtungen bestätigt, die der belgische Gesandte Baron Beyens im November des Vorjahres bei einem Besuch König Alberts in Potsdam gemacht und seinem Außenminister gegenüber ausgesprochen hat.) Womöglich wollte er mit seinen Drohungen die französische Regierung zu einem irgendwie gearteten Entgegenkommen in kolonialpolitischer Hinsicht zwingen, um durch einen eklatanten außenpolitischen Erfolg den Spielraum seiner Politik zu vergrößern, der sich seit Dezember 1912 immer stärker auf die Anwendung des letzten Mittels zur Durchsetzung politischer Ziele, des Krieges, verengt hatte. Vielleicht war es auch der Versuch, unter Hinweis auf die guten Beziehungen des Deutschen Reiches zu England, Frankreich an Deutschland heranzuziehen und einer Neuordnung der Mächtekonstellation geneigt zu machen; denn nicht die Entente-Partner England und Frankreich waren für Bethmann Hollweg primär die Gegner, sondern Rußland. Aber das Gespräch – wenn man es so weit interpretieren darf – mit der Absicht, Frankreich womöglich aus seiner Allianz mit Rußland zu lösen und langfristig in eine gemeinsame Front der westeuropäischen Nationen hineinzustellen, wie sie Bethmann Hollweg offenbar vorschwebte, blieb ohne Folgen. Der Alarmartikel der ›Kölnischen Zeitung‹ vom 2. März 1914 schreckte Frankreich auf und verfestigte nur noch die französisch-russische Allianz.

Parteien und Verbände: Berlin–Bagdad das »neudeutsche Ziel«

Die imperialistischen Vorstellungen und Forderungen hatten sich 1914 noch verschärft. Gerade die Mitteleuropa-Ideologie wurde jetzt wieder verstärkt herausgestellt; so schrieb Carl Anton Schaefer eine Broschüre mit dem Titel »Das neudeutsche Ziel. Von der Nordsee bis zum Persischen Golf.« In dieser Schrift war die Zurückwendung zu einer kontinental-europäischen Expansion auf der Linie Berlin–Bagdad ganz deutlich: sie korrespondierte mit der Kritik an einer einseitigen Mittelafrika-Expansion. Schaefer stellte fest [11d]:

> »Eine Umbiegung der Interessen Deutschlands nach Zentralafrika auf Kosten einer ›unentwegten‹ Orientpolitik lehnen wir entschieden ab, weil wir die Aufgaben im Orient als unendlich wichtiger betrachten«.

Als Alternativprogramm präsentierte Schaefer das gleiche machtpolitische Konzept, das auch Arthur Dix und vor allem Winterstetten/Ritter, deren Buch ›Berlin–Bagdad‹ immerhin bis zum Kriegsausbruch in sieben Auflagen vorlag, propagierten:

> »Beharren wir bei ›Helgoland–Bagdad‹, lassen wir schon von vornherein uns eine Einschränkung gefallen, dann werden wir nicht einmal dieses Ziel erreichen. Deshalb muß es beim alten bleiben, und das neudeutsche Ziel muß heißen: Von der Nordsee bis zum Persischen Golf! ... Von diesem erhabensten Ziel Deutschlands im 20. Jahrhundert aus müssen wir künftig unsere auswärtige Politik bewußt *einseitig* betrachten und *alles,* unsere innere wie äußere Politik, ihm unterordnen.«

Noch pointierter argumentierte Albert Ritter in einer neu verfaßten Schrift ›Die Kaisermächte und der Balkan. Ein Alarmruf und ein Programm‹[11e], in der er an seine Forderung eines mitteleuropäischen Staatenbundes von Mitte 1913 anknüpfte:

> »Das Gebiet des Staatenbundes wird von etwa 150 Millionen Menschen bewohnt, 78 Millionen Deutschen, 40 Millionen Slawen (in 6 Hauptstämmen), 32 Millionen Andersrassigen. Das Deutsche Reich hätte die politische Führung – das wäre der deutsche Imperialismus.«

Ordnet man diese Konzeptionen in den Gesamtzusammenhang der deutschen Politik 1913/14 ein, so wird ganz deutlich, daß sie eine Reaktion darstellen auf die sich abzeichnende Niederlage der deutschen Diplomatie bei der Erwerbung der portugiesischen Kolonien und zumindest Teilen der belgischen Kongokolonie. Jetzt rückte Mitteleuropa endgültig in den Mittelpunkt der Überlegungen.

Auch das Handbuch des Alldeutschen Verbandes stellte im Jahr 1914 unter der Marke ›Zwecke und Ziele des Alldeutschen Verbandes‹ folgendes Programm auf:

11d C. A. Schaefer, Das neudeutsche Ziel, Stuttgart 1914 (vor Kriegsausbruch erschienen), S. 24 ff., S. 10.
11e Albert Ritter, Die Kaisermächte und der Balkan. Ein Alarmruf und ein Programm, Stuttgart 1914, S. 24; vgl. auch die Schrift von Ottomar Schuchardt, Der mitteleuropäische Bund, Stuttgart 1913; vgl. für diesen Zusammenhang: Lothar Rathmann, Stoßrichtung Nahost 1914–1918, Berlin 1963, S. 48 ff.; Rathmann datiert das Erscheinen dieser Schriften allerdings fälschlicherweise nach Kriegsausbruch.

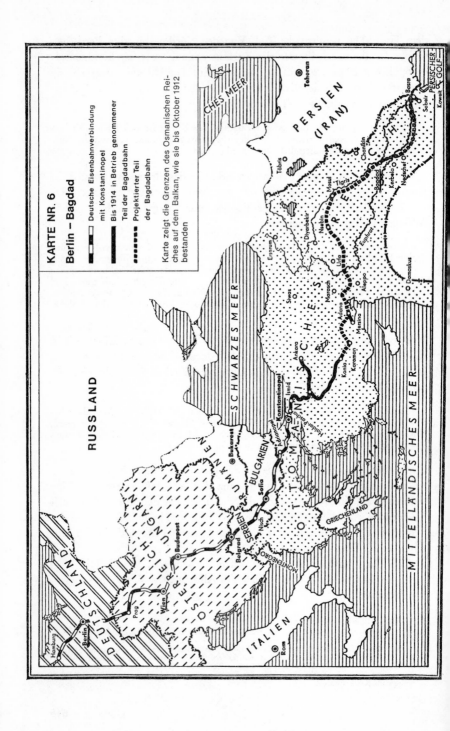

KARTE NR. 6

Berlin – Bagdad

▬ Deutsche Eisenbahnverbindung
mit Konstantinopel

━━ Bis 1914 in Betrieb genommener
Teil der Bagdadbahn

••• Projektierter Teil
der Bagdadbahn

Karte zeigt die Grenzen des Osmanischen Reiches auf dem Balkan, wie sie bis Oktober 1912 bestanden

»Unser Wirtschaftsleben braucht gegenüber den sich bildenden ungeheuren fremden Wirtschaftsgebieten eine räumliche Ausbreitung, die die Möglichkeit gewährt, sich selbständig neben jenen zu erhalten; deshalb erstreben wir die Schaffung eines mitteleuropäischen Zollbundes.[12]«

Den Weltreichen »Großeuropäisches/Asiatisches Rußland, Großbritannien und Britische Kolonien, USA und abhängige Staaten« – wurde der mitteleuropäische Zollverein gegenübergestellt, und zwar in einem Programm, das auf verschiedenen Stufen nach diesem Ziel hinführen sollte. Der engeren Gruppe, deutsches Zollgebiet (das heißt das Reich und Luxemburg) sowie Österreich-Ungarn, wurden die Niederlande mit ihren Kolonien, Belgien (Belgisch-Kongo) und endlich die Schweiz zugeordnet; als letzte Stufe wurde der Beitritt Rumäniens in Aussicht genommen. Mitteleuropa unter deutscher Führung in Form eines »germanischen« Staatenbundes war *das* Ziel der Alldeutschen und der mit ihnen liierten Gruppen und Propagandisten. Albrecht Wirth, Münchener Privatdozent für neuere Geschichte, umschrieb dieses Ziel Ende Mai 1914 in zwei Aufsätzen [13] mit aller Deutlichkeit, wobei er die rassisch-völkische Komponente einer solchen Koalition herausstellte:

»In Europa stehen insgesamt 80 Millionen Deutsche gegen rund 150 Millionen Slawen und 115 Millionen Romanen. Es hätte keinen Zweck, den anderen Rassen gegenüber alle Germanen aufzuführen; denn wir haben den Kampf in der Hauptsache allein auszufechten, und das insulare England kommt weder für die völkliche noch die kulturelle und wirtschaftliche Widerstandskraft des mitteleuropäischen Germanentums in Betracht.«

Zu diesem stärker völkisch bestimmten Mitteleuropa-Programm der Alldeutschen traten die mehr wirtschaftlich orientierten Mitteleuropapläne der Jungliberalen (Kauffmann, Mehrmann), und zwar in Kontinuität zu den Erörterungen der Vorjahre. Im Januar 1914 forderte der Jungliberale Mehrmann, der der sächsischen Textilindustrie nahestand, in einem programmatischen Aufsatz [14], es müsse die Aufgabe der Regierung sein, England zu überzeugen, daß seine Interessen »ganz überwiegend außerhalb des europäischen Festlandes liegen«. Dann bestände die Möglichkeit, »auf dem Landwege eine enge Verbindung über Österreich-Ungarn und Italien sowie über diesen oder jenen Balkanstaat und durch die Türkei mit dem östlichen Becken des Mittelmeeres und durch Vorderasien mit dem Indischen Ozean zu erreichen«. Auf diesem Wege könnte man den Gedanken eines *Schiedsgerichts- und Wirtschaftsbundes* (i. O. gesp.) für den Zweck einer deutschen Weltmachtstellung nutzbar machen«. Bei einer solchen »Groß-

---

12 Handbuch des ADV, 17. Aufl., München 1914, S. 5; vgl. auch S. 93 f.
13 Albrecht Wirth, Ein Vorteil der deutschen Stellung in Europa, Tl. 1 und 2, in: Tag (rot), Nr. 122/123, 27.–28. 5. 14.
14 K. Mehrmann, Das Mächtekonzert als Über-Macht, in: JlBl, Nr. 1, 1. 1. 14, S. 6 ff.; vgl. auch K. E. Sanitz, Jungliberalismus und Imperialismus, JlBl, Nr. 6, 15. 3. 14, S. 59 ff.

machtstellung des Mächtekonzerts unter deutscher Führung«, zu der die Verhältnisse hinstrebten, könne wenigstens theoretisch auch Frankreich nicht ausgeklammert werden: seine »Anlehnung« an diesen »mitteleuropäischen Bund« wäre durchaus denkbar. Und im März 1914 referierte ein Leitartikel der ›Jungliberalen Blätter‹ noch einmal ausdrücklich die Ideen Kauffmanns von einem Zollbund von Borkum bis Bagdad als das »einzige, berechtigte und – erreichbare Ziel des deutschen Imperialismus«.

Die Berlin–Bagdad-Ideologie war dabei keineswegs auf die tragenden gesellschaftlichen Schichten in Handel, Banken und Schwerindustrie beschränkt. Walter Lambach sprach in der ›Deutschen Handelswacht‹, dem Organ des Deutsch-Nationalen Handlungsgehilfenverbandes (mit mehr als 100 000 Mitgliedern 1914 einer der mitgliederstärksten Angestelltenverbände) im März 1914 davon, daß sich an »der Linie Berlin–Bagdad... unser Schicksal als wirtschaftliche Weltmacht und damit als Volk« entscheide:

> »Gelingt es uns nicht, dort das zu erreichen, was andere Weltmächte in anderen Weltgegenden längst haben: den Platz an der Sonne, dann haben wir den Traum, als deutsche Weltmacht die Jahrhunderte zu überdauern, ausgeträumt.«

Lambach forderte hier die Herstellung einer »wirtschaftlichen Einheit von der Nordsee bis an die Grenzen Ägyptens«, eines Bundes, der als »starkes Bollwerk die von ihm umfaßten Staaten vor dem Zermalmtwerden durch die beiden anderen wirklichen Weltreiche der Gegenwart, das russische und das britische, bewahrt« [15].

Im gleichen Frühjahr 1914 gründete der liberale Imperialist Paul Rohrbach zusammen mit dem früheren Kiderlen-Intimus Jaeckh eine Zeitschrift mit dem programmatischen Titel ›Das Größere Deutschland‹, und zwar mit der ausgesprochenen »Absicht, unsere öffentliche Meinung direkt auf den Krieg vorzubereiten« [16]. Rohrbach wurde ab Frühjahr 1914 nicht müde, die russische Gefahr zu beschwören und zu unterstellen, daß die Militärpartei in Rußland, in Zusammenarbeit mit Frankreich, auf einen Krieg gegen Deutschland dränge.

Während Politiker und Publizisten, die eine aktive deutsche Nahostexpansion vertraten, trotz mancher Sorgen doch von Zuversicht erfüllt waren, gab es im Lager der Exportindustriellen Stimmen, die eine allgemeine Bedrohung der deutschen wirtschaftlichen Entfaltungsmöglichkeiten stärker vor Augen hatten. In Fortführung seiner Warnungen seit 1912 betonte Stresemann im Juli 1914, Deutschland dürfe nicht »in einen Zustand... geraten, der uns noch mehr die Möglichkeiten der Ausfuhr ver-

15 DHW, Nr. 6, 20. 3. 14, S. 112.
16 Vgl. Paul Rohrbach, Zum Weltvolk hindurch!, Stuttgart 1914, S. 4.

schließt, als es bisher der Fall gewesen ist«[17]. 1917 brachte er rückblikkend das Unbehagen eines Teils der deutschen Industrie, vor allem der Export- und Fertigindustrien, auf die Formel:

>»Wir haben gesehen, wie die *anderen* (i. O. gesp.) Welten eroberten, während *wir*, deren ganze wirtschaftliche und Volkslage darauf hindrängte, größer zu werden, wir, die wir ein wachsendes Volk mit wachsender Weltwirtschaft, wachsendem Welthandel waren, die Welt immer mehr in Interessensphären geteilt sahen, die Welt unter dem Szepter anderer sahen, so daß für uns der Wettbewerb, den wir zum wirtschaftlichen Ausatmen brauchten, sich verengte.[18]«

Auch der Hansabund wandte sich im Februar 1914[19] pointiert gegen eine Weiterverfolgung der »Politik der offenen Tür«: Deutschland müsse »Rohstoffländer und Absatzmärkte in eigenem Besitz haben« und Kolonien erwerben, die »unserer eigenen politischen Verfügung unterstehen«. Die alte Methode, wirtschaftliche »Einflußgebiete« zu schaffen, habe abgewirtschaftet, sie stelle lediglich eine »Art von diplomatischem Sport« dar, mit dem die deutsche Diplomatie ihre Untätigkeit bemäntele. Stresemann feierte im Mai 1914 List als den »ersten bewußten deutschen Imperialisten« und solidarisierte sich mit dessen Ausspruch: »Jede Nation, die in unsern Tagen nicht wächst, muß untergehen.[20]« Gewisse objektive Erschwerungen der deutschen wirtschaftlichen Expansion konstatierte im April 1914 auch Albert Ballin. Wie die Wirtschaftskreise, die sich im Hansabund zusammengefunden hatten, verband er seine Bestandsaufnahme mit einem Tadel an die Adresse der Regierung, die nicht in genügendem Maße die Expansionsbestrebungen von Deutschlands Handel und Industrie vertreten hätte. Das war um so erstaunlicher, als gerade Ballin bisher durchaus dem gouvernementalen Lager zuzurechnen war und bisher zu keinem Zeitpunkt öffentlich die Haltung der Regierung kritisiert hatte. Ballin[21] führte am Beispiel Frankreichs und Englands aus, daß auch Deutschland mit seiner Finanzkraft »politische und sehr praktische Geldgeschäfte« machen müsse:

>». . . sie (= England und Frankreich) unterwerfen mit ihrem Geld fremde Staaten, sie erweitern ihre politischen Machtsphären, sie erschließen sich neue Geschäftsgebiete, und sie sorgen dabei in erster Linie dafür, daß das Geld, welches sie hergeben, zum großen Teil in Form von Aufträgen für Rüstungszwecke, für Hafen- und Eisenbahnbauten sowie in Gestalt anderer Aufträge in das Ursprungsland zurückfließt.«

---

17 Sächs. Ind., Nr. 20, 20. 7. 14, S. 324.
18 Rede Stresemanns vom 19. 1. 17, zit. Durch Deutschen Sieg zum Deutschen Frieden, Berlin 1917, S. 33 f.
19 Hansabund, Nr. 11, Febr. 1914, S. 147 ff., Gewerbestand und auswärtige Politik.
20 DI, Nr. 9, Mai 1914, S. 128 ff., »Friedrich List und die Gegenwart«.
21 Berliner Lokalanzeiger, 14. 4. 14, zit. Schulthess' Europ. Gesch.kal. 1914, S. 196 f.

Ballins Ärger über das schlechte Türkeigeschäft läßt sich in diesen Formulierungen unschwer erkennen; er ging jedoch weiter und kam zu einer grundsätzlichen Beurteilung der deutschen wirtschaftlichen Expansion und ihren Hemmungen durch eine »falsche« Regierungspolitik, wenn er fortfuhr:

> »*Wir* übersehen offenbar den Zustand, daß unsere ewig sich erweiternde Industrie auch einen ewig sich erweiternden Absatzmarkt braucht, und daß diese Erweiterung unserer Auslandsmärkte immer ernstlicher gefährdet wird. Ich will gar nicht von den Dingen sprechen, die heute im Nahen Osten sich vollziehen, aber daß wir aus den wichtigsten Gebieten dort schon hinausgeworfen sind, darüber können kaum noch zweierlei Meinungen bestehen, selbst, wenn es uns gelingen sollte, noch einen Bruchteil zu retten.«

Ja, im Frühjahr 1914 mehrten sich die Stimmen von Export- und Fertigindustriellen, die von einer Erschwerung des deutschen Exports sprachen; auch Walther Rathenau, der den politischen Überzeugungen Ballins nahestand, beklagte kurz vor Kriegsausbruch das deutsche Dilemma:

> »Die Grenzen zu lang und ohne natürlichen Schutz, von rivalisierenden Völkern umgeben und eingebuchtet, ein kurzer Strand, die Bodenschätze im Norden mäßig, im Süden null, die Scholle von mittlerer Fruchtbarkeit, die wirtschaftliche Entwicklung alle hundert Jahre durch Kriege und Invasionen zertreten; so bildet Deutschland den rechten Gegensatz zu Amerikas glücklichem Physikum. Nicht diesen Qualitäten verdanken wir es, daß Deutschland heute um den zweiten Preis der Weltwirtschaft ringen darf, sondern dem Geist: ethischen Werten.[22]«

Die Notwendigkeit einer Neuorientierung, um in Zukunft gegen die Übermacht der etablierten Weltreiche bestehen zu können, betonte im Frühjahr 1914 auch Hermann Oncken, der dem Kreis der Professoren um Bethmann Hollweg nahestand, mit Blick auf den Bündnispartner Österreich-Ungarn. Seiner Meinung nach hatten die politischen Bündnisse eine deutliche Tendenz, »allmählich zu wirtschaftspolitischen Betriebsgemeinschaften weiterzuwachsen«; die »Niederlegung der wirtschaftlichen Hemmungen, die Herbeiführung gleicher wirtschaftlicher Verkehrsformen, bis zu einer einheitlichen handelspolitischen Betätigung nach innen und außen hin« wären die unausbleiblichen Konsequenzen dieser Entwicklung[23]. Ähnliche Anschauungen vertrat der deutsche Staatssekretär des Äußeren Mitte April 1914 direkt gegenüber dem Botschafter Frankreichs. Cambon teilte Doumergue mit, daß Jagow am 13. April 1914 in einem persönlich gehaltenen Gespräch die Ansicht ausgesprochen hatte: »...tout indique que les grandes nations seront seules capables de supporter la concurrence

---

22 Der Volkserzieher, Nr. 15, 19. 7. 14, S. 114 ff., ›Deutschland‹; vgl. ibid., A. Ritter, Deutschlands Kampfziel im nächsten Kriege.
23 Zit. Karl Diehl, Zur Frage eines Zollbündnisses zwischen Deutschland und Österreich-Ungarn, Jena 1915, S. 6.

mondiale et, dans l'avenir, les petites doivent ou disparaître ou devenir leurs satellites.[24]«

Einzelne schwerindustrielle Stimmen von Rang gaben dieser pessimistischen Lagebeurteilung Ballins, Stresemanns oder Rathenaus ein aktives, drängendes Moment. Sie hielten einen Krieg früher oder später für notwendig, aus außenpolitischen Gründen, um damit die wirtschaftlichen Expansionsmöglichkeiten zu erkämpfen, aber auch aus Gründen der Innenpolitik, weil sie durch ihn eine Stärkung der konservativen Kräfte erhofften. Die ›Deutsche Volkswirtschaftliche Correspondenz‹, ein Organ der rheinisch-westfälischen und der oberschlesischen Schwerindustrie, resümierte in ihrem Jahresrückblick 1913, daß man zwar einen Abbau der Kriegssorgen konstatieren dürfe, daß aber dennoch die Überzeugung in den nationalen Kreisen gewachsen sei, es werde »dem Deutschen Reich schwerlich auf die Dauer vergönnt sein . . ., seine Entwicklung als Weltmacht im Lichte der Friedenssonne erfolgreich fortzuführen«[25]. Hugenberg, Vorsitzender des Krupp-Direktoriums, Mitglied des Direktoriums des Centralverbandes Deutscher Industrieller und seit Ende 1912 auch Vorsitzender des Bergbaulichen Vereins, brachte in einer Kaiserrede vor Arbeitern in Essen am 25. April 1914 sein imperialistisches Glaubensbekenntnis auf die Formel, eine möglicherweise bevorstehende internationale Auseinandersetzung sei anzusehen als

> »eine befreiende Kraftprobe, hinter der uns ein klarer und weiterer Himmel und die Möglichkeit winkt, an unsere ganze wirtschaftliche und politische Zukunft sehr viel größere Maßstäbe anzulegen, als wir es bisher in unserer Bescheidenheit getan haben«[26].

Hugenbergs Freund, der Führer des Alldeutschen Verbandes Heinrich Claß, bedauerte im Februar 1914, daß das »ängstliche Hinausschieben des Entscheidungskampfes«[27] dem Gegner nur die Möglichkeit gegeben habe, sich besser zu rüsten:

> »Der gordische Knoten der internationalen Lage muß durchhauen werden, er ist im Guten nicht zu lösen – aber zuerst muß der Mann an der Spitze der Reichspolitik stehen, der den bitteren Notwendigkeiten der Zeit ruhig ins Angesicht schaut und die Kraft und den Mut besitzt, ihnen gemäß zu handeln.«

Die Forderung nach einem Angriffskrieg verband sich hier wie 1912 mit der Gegnerschaft gegen den Kanzler Bethmann Hollweg. In der Öffentlichkeit schlug der Alldeutsche Verband eine flexiblere Taktik ein; am 19. April 1914, auf der Tagung des Alldeutschen Verbandes in Stuttgart,

---

24 DDF, 3. Série, vol. X, Nr. 102, Cambon an Doumergue, 13. 4. 14.
25 DVC, Nr. 102, 30. 12. 13, »Am Jahresende«.
26 Alfred Hugenberg, Streiflichter aus Vergangenheit und Gegenwart, Berlin 1927, S. 205.
27 Daniel Frymann (d. i. Heinrich Claß), Wenn ich der Kaiser wär', 5. Aufl. 1914, S. 241 f.

an der erstmals auch der Vorsitzende des Bundes der Landwirte, Frhr. v. Wangenheim, teilnahm [28], und auf der als Referenten für die Fragen der Außenpolitik Admiral z. D. Breusing und Generalmajor Keim über die wehrpolitische Situation referierten, wurden in einer Resolution Frankreich und Rußland als Kriegstreiber hingestellt:

> »Frankreich und Rußland (bereiten) den entscheidenden Kampf gegen das Deutsche Reich und Österreich-Ungarn (vor) und ... beide (beabsichtigen) loszuschlagen, sobald sie die Gelegenheit für günstig halten. Der Vorstand ist weiterhin überzeugt, daß dieser Kampf für eine weite Zukunft, vielleicht für immer über das Schicksal des deutschen Volkes entscheiden wird.«

Diese Resolution liest sich in manchem wie eine Wiedergabe des Artikels der ›Kölnischen Zeitung‹ vom 2. März 1914: genau wie dort wurden hier Frankreich und Rußland als Gegner aufgebaut und – als »Reaktion« – die psychologische Vorbereitung der eigenen Nation auf den großen Krieg gefordert. Die alldeutsche Verbandsleitung mahnte, durch »Unterdrückung alles inneren Haders« alle Kräfte für die »Entscheidung« anzuspannen, und vergaß nicht, dabei an die befreundeten »germanischen« Länder zu appellieren:

> »... der Alldeutsche Verband (weist) die blutsverwandten germanischen Völker auf den Ernst der Lage für sie alle hin und erinnert sie an die Aufgaben, die aus dem Willen der Selbsterhaltung, aus dem Gefühle rassischer Gemeinschaft unter den Germanen sich ergeben müssen.«

Wenig später machten die alldeutschen Kreise einen erneuten Vorstoß gegen den »schwachen« Kanzler Bethmann Hollweg und auch gegen den Kaiser, indem sie ihren Appell an eine starke Politik erneuerten. Wen die Alldeutschen an der Spitze des Reiches erhofften, illustriert das Buch des alldeutschen Publizisten Paul Liman, das im Mai 1914 unter dem Titel »Der Kronprinz. Gedanken über Deutschlands Zukunft« [29] im Köhlerschen Flottenverlag erschien. Liman führte hier noch einmal breit das außenpolitische Programm der nationalistischen Fronde vor: Das Deutsche Reich sei nicht saturiert, vielmehr müsse es neuen Raum für seine wachsende Bevölkerung beanspruchen. Freilich sei ein solcher Anspruch auf Ausdehnung nur zu behaupten, wenn das Deutsche Reich bereit sei, für diese Ziele nötigenfalls auch das Schwert in die Waagschale zu werfen, was die schwachen Nachfolger Bismarcks (herausgegriffen werden vor allem Caprivi und Bülow) in falsch verstandener Sentimentalität nicht gewagt hätten. Vielmehr wäre ein gesunder staatlicher Egoismus als einzige Leitschnur staatsmännischen Handelns notwendig: dann allein bestände auch Aussicht dar-

---

28 Zit. Schultheß' Europ. Gesch.kal. 1914, S. 200; vgl. ABl, Nr. 17, 25. 4. 14, S. 147 ff.
29 Paul Liman, Der Kronprinz. Gedanken über Deutschlands Zukunft, S. 235; vgl. die folgenden Zitate S. 247 f.; S. 232, 239.

auf, daß der ländlichen Bevölkerung neue Siedlungsflächen und der Industrie die Erweiterung ihrer notwendigen Rohstoffbasen und Absatzmärkte garantiert würden. Von diesen sozialdarwinistisch verbrämten »Lebensnotwendigkeiten« des Volkes her bejahte Liman wie Bernhardi und Claß den Präventivkrieg als »gerechten« Krieg, und zwar unter Berufung auf Bismarcks Rede im Reichstag am 4. November 1871, in der er ausgeführt hatte:

> »Der Herr Abgeordnete (Hoverbeck) hat die Theorie eines Angriffskrieges zum Behuf der Verteidigung in Zweifel gezogen. Ich glaube, daß eine solche Verteidigung durch den Vorstoß doch eine sehr häufige und in den meisten Fällen die wirksamste ist, und daß es für ein Land von solcher zentralen Lage in Europa, das drei bis vier Grenzen hat, wo es angegriffen werden kann, sehr nützlich ist, dem Beispiel Friedrichs des Großen vor dem Siebenjährigen Kriege zu folgen, der nicht wartete, bis das Netz, das ihn umspinnen sollte, ihm über den Kopf wuchs, sondern der es mit raschem Vorstoß zerriß ... In solchen Lagen ist es die Pflicht der Regierung, und die Nation hat das Recht, von der Regierung zu fordern, daß, wenn wirklich ein Krieg nicht vermieden werden kann, dann die Regierung den Zeitpunkt, ihn zu führen, wählt, wo er für das Land, für die Nation mit den geringsten Opfern, mit der geringsten Gefahr geführt werden kann.«

Das gleiche hätte auch Moltke schreiben können. Gerhard Ritter benutzte noch 1936 in seiner Biographie Friedrichs des Großen dieses Bild, um die deutsche Politik in der Julikrise zu »erklären«[30]. Liman – wie Bernhardi, Rathenau, Stresemann oder Riezler – sah nur die Möglichkeit eines Durchbruchs nach vorn: »Auch für uns gibt es einen Zwang zum Vorwärtsgehen, zum weiteren Steigen.« Von daher war es nicht überraschend, daß Liman gerade die Imperialismus-Ideen zitierte, die, sozialdarwinistisch verbrämt, der Vertraute Bethmann Hollwegs, Kurz Riezler, in seinem Buch von 1912 »Prolegomena zu einer Theorie der Politik« mit, wie Liman sagt, »prachtvollem Pathos« vorgetragen hatte:

> »Der Idee nach will jedes Volk wachsen, sich ausdehnen, herrschen und unterwerfen ohne Ende, will immer fester sich zusammenfügen und immer weiter sich einordnen, immer höhere Ganzheit werden, bis das All unter seiner Herrschaft ein organisches geworden.«

An anderer Stelle wandte sich Liman jedoch scharf gegen den »Kulturimperialismus« Bethmann Hollwegs und Riezlers in dessen Buche ›Grundzüge der Weltpolitik in der Gegenwart‹, der als Verwässerung der in den

---

30 G. Ritter, Friedrich der Große, Berlin 1936, S. 138 f.: »Die Ähnlichkeit der Vorgänge von 1756 und 1914 ist ja nicht zufällig. Die bedrängte Lage eines Staates, der sich inmitten Europas von feindlichen Koalitionen umringt sieht, gestattet kein langes Zaudern, sondern fordert den schnellen und tatkräftigen Entschluß. Selbst wenn es klüger wäre, den Angriff des anderen abzuwarten: Wer im Angesicht solcher Gefahren verantwortlich handeln soll, wird eher geneigt sein, die Rettung in der schnellen Tat zu suchen, als tatlos still zu sitzen, immer von der Sorge bedrängt: was werden die anderen tun? Wird es morgen nicht zu spät sein?«

›Prolegomena‹ niedergelegten Anschauungen erschien. Über diese grundsätzlichen Bemerkungen zu den Triebkräften der Politik hinaus zeigt Limans Studie, wie man im Lager des deutschen Nationalismus die Gruppierung der Mächte um das Deutsche Reich im Frühsommer 1914 beurteilte. Ganz wie für den Kanzler Bethmann Hollweg trat Rußland als stärkste feindliche Potenz ins Blickfeld: »Rußlands Volkszahl... wächst ungeheuer. In zwei oder drei Jahrzehnten wird der Zar mehr als 200 Millionen Menschen beherrschen.« Zu dieser künftigen militärischen Bedrohung trat nach Limans Meinung aktuell die Gefahr, die Deutschland durch
Rußlands Zollpolitik drohe:

> »Schon regt sich Rußland, uns die Einfuhr industrieller Erzeugnisse und auch
> landwirtschaftlicher Produkte zu schmälern, allmählich eine Art von chinesi-
> scher Mauer gegen uns zu errichten, seinen Arbeitern den Weg nach Deutsch-
> land zu sperren –.«

England erschien als die große etablierte Weltmacht, deren Kraft in der
Verfügung über Kanada, Australien, Südafrika bestehe. Es ist bedeutsam, daß auch »die wirtschaftliche Zukunft der Vereinigten Staaten«, die
zwar »niemand sicher ermessen könne«, von der aber angenommen wurde,
daß sie bald »riesengroß« wachsen werde, ins Blickfeld trat. Vierter Konkurrent sei Frankreich: in den Raum, den das Deutsche Reich beanspruchen
müsse, dränge sich Frankreich, »dessen sinkende Bevölkerungszahl der
Expansion nicht bedarf«. Unmittelbar ergeben sich für Liman aus dieser
Konstellation der Mächte folgende Forderungen: Da Deutschland durch
das Wachstum seiner Konkurrenten immer mehr von den Märkten, besonders auch des südöstlichen Europas und Rußlands, verdrängt werde, müsse
der gordische Knoten mit dem Schwerte gelöst werden, und zwar solange
noch die zur Abwendung vom Dreibund geneigten Bündnispartner Österreich-Ungarn und Italien auf deutscher Seite gehalten werden könnten.
Parallel zu dem Bemühen des deutschen Generalstabes im Frühjahr 1914
wurde Rußland als Gegner aufgebaut, und zwar als aggressiver: »Im russischen Volke wird die Stimmung immer schärfer... Würde nicht die russische Sturmflut alsbald gegen die deutschen Deiche drängen?...« Frankreich könne seine großen Rüstungsanstrengungen nur begrenzte Zeit tragen und wäre auch nur begrenzte Zeit in der Lage, die russischen Rüstungen zu finanzieren. Und England? »Selbst wenn es nach uralter Gewohn-
heit Gewehr bei Fuß verharren will, so wird es doch stets in bedrohlicher
Neutralität uns gegenüberstehen, und wenn es zu den Waffen greift...
dann wird es... unseren Wohlstand zerstören.« Liman wandte sich, wie
Claß und Moltke, gegen die Hoffnung, durch ein »Liebeswerben um England« werde sich die englische Neutralität im Falle eines Krieges erkaufen
lassen (womit er sich direkt gegen die Konzeption der Bethmannschen

Politik stellte). – Die einzige Alternative, der steigenden Bedrohung und Erstickungsgefahr zu begegnen, war für Liman der deutsche Angriffskrieg in einem Augenblick, wo ein solches Vorgehen noch unter relativ günstigen Umständen, d. h. mit der Aussicht auf Erfolg, geführt werden könne: »Ist der Preis eines Krieges wert, so muß er geführt werden; ist der Preis zu gering, so darf auch das deutsche Prestige nicht in die Waagschale gelegt werden.«

Dieser Beurteilung der Lage Deutschlands inmitten der Mächte durch Liman und die Alldeutschen entsprach – was das Grundsätzliche angeht – auch diejenige Bassermanns und des Fürsten Bülow, mit dem einzigen Unterschied, daß Bassermann und Bülow stärker auf eine neutrale Haltung Englands hofften. Bassermann schrieb Bülow am 19. März 1914 über seine Einschätzung der außenpolitischen Lage: »In der auswärtigen Politik wirkt französische Hetzarbeit auf der ganzen Linie. Bethmanns russische Versöhnungspolitik ist total gescheitert. Die schönen Tage von Potsdam und Baltischport sind vorüber, und rauher Ostwind weht über die Grenze. Auf England steht unsere Hoffnung! Ob sie nicht auch zuschanden wird? [31]« Bülow stimmte dieser Beurteilung Bassermanns zu, als er knapp einen Monat später in seiner Antwort vom 14. April 1914 darauf hinwies, daß die Verschlechterung des deutsch-russischen Verhältnisses ganz deutlich sei. Dabei machte Bülow jedoch geltend:

»Für die nächste Zeit ist wohl deshalb nichts zu befürchten, weil Rußland mit seinen Rüstungen noch nicht fertig ist. Es hieße aber Politik treiben, welche vom Vogel Strauß ihren Namen hat, wenn wir die Augen vor den Gefahren schließen wollten, mit denen uns diese kolossalen russischen Rüstungen in der Zukunft bedrohen. Auch gibt es doch eine Grenze, wo wir auf wiederholte Fußtritte reagieren müssen. Haben uns die Russen etwa die Mission Liman Sanders übelgenommen? Diese mit etwas viel Tamtam inszenierte Mission scheint aber für uns ein Fiasko zu werden.«

Die Konzessionen Deutschlands in der Marokkofrage gegenüber Frankreich hätten nach Bülows Meinung nur noch die antideutsche Stimmung in Frankreich verstärkt und nicht verbessert; das französisch-türkische Abkommen endlich mit seinen weitreichenden Konzessionen im Norden und Osten von Kleinasien, wie auch die Befestigung der Position Frankreichs in Syrien legten den Anschein nahe, als sei die ganze deutsche Türkei- und vollends Bagdadbahnpolitik endgültig gescheitert, »namentlich wenn England diesem (dem Bagdadbahnunternehmen) auch noch den Kopf abbeißt (durch den Dockvertrag, F. F.). Es hieß freilich schon seit einiger Zeit, daß unsere frühere große Stellung in Konstantinopel auf die

---

31 Bassermann an Bülow, 19. 3. 14, zit. W. Spikernagel, Fürst Bülow, Hamburg 1921, S. 180 f.; Bülow an Bassermann. 14. 4. 14, ibid., S. 183 f.

Franzosen übergehe.« Es ist bezeichnend, daß Bülow wie Bassermann, Bethmann und zeitweise der Kaiser (sogar Moltke, im November 1913 im Gespräch mit dem belgischen Militärattaché Melotte) alle seine Hoffnungen auf England setzte und dabei wichtige neue Varianten ins Spiel brachte, nämlich die Erwartung, daß England auch durch seine inneren Probleme und die Schwierigkeiten mit Amerika möglicherweise aus dem Ententelager zu lösen sei:

> »Mögen wir wenigstens mit England gut abschneiden. Hier liegt die Situation für uns so leicht, daß wir diese Hoffnung nicht aufgeben wollen. Die in das Stadium höchsten Ernstes getretene Irenfrage, die wachsende Unbotmäßigkeit in Indien, Schwierigkeiten in und mit Amerika, die in England aufdämmernde Erkenntnis, daß sich dieses mit seiner Feindschaft gegen Deutschland in das eigene Fleisch schneidet, und die Tatsache, daß wir zur See verteidigungsfähig geworden sind, machen unsere Lage gegenüber Albion jetzt so günstig, wie sie kaum je war, es erscheint schwer denkbar, daß wir daraus nicht Nutzen ziehen sollten.«

Im Juni 1914 war Bassermann in dieser Beziehung bereits wesentlich pessimistischer: »Wir treiben dem Weltkrieg zu ... Es wäre ja ein Segen, wenn Tirpitz Kanzler würde, ein Mann, der weiß, was er will: der einzige, der die Einigung mit England zustande bringt oder falls dies, wie ich fürchte, ausgeschlossen, dem Ernst der Lage mit festem Entschluß entgegentritt.[32]«

Daß die genannten Forderungen Limans keineswegs für die Alldeutschen allein repräsentativ waren, zeigt die Aufnahme des Buches in der Presse[33]. Die ›Hamburger Nachrichten‹ besprachen das Buch durchaus positiv, und die nationalliberale ›Bismarckwarte‹, das Organ der Hamburger Nationalliberalen, veröffentlichte eine Besprechung aus der Feder von Pastor H. Reuß, Mitglied des nationalliberalen Reichstags-Wahlvereins, Vorsitzender der Ortsgruppe Hamburg des Alldeutschen Verbandes, der seine Zustimmung wie folgt zusammenfaßte: »Man hört den politischen Beobachter, der mit treffendem und unbestochenem Urteil in der Art wie Daniel Frymann ›Wenn ich der Kaiser wär‹ oder wie Reventlow in seiner Darstellung der auswärtigen Politik ... nach Trägern der Zukunft und nach Staatsmännern ausschaut, die der Sonne Bismarcks in Deutschland wieder einen hellen Schein geben.« Die liberale Presse kritisierte an dem Buch Limans vor allem den von ihm herausgestellten Gegensatz zwischen Kaiser und Kronprinz, erschien doch für Liman Wilhelm II. mit Blick auf seine Haltung 1911 als der Zauderer und Schwächling, abgesetzt von dem »frischen« Kronprinzen. Der ›Vorwärts‹ (11. Mai 1914) interpretierte diese Taktik folgendermaßen:

---

32 HA Dahlem, NL Schiffer, Bassermann an Schiffer, 5. 6. 14.
33 HN, Nr. 247, 29. 5. 14, 1. Beil.; Bismarckwarte Nr. 13, 1. 7. 14, S. 158; FZ, Nr. 129, 10. 5. 14 (Der Kronprinz); Vorwärts, Nr. 127, 11. 5. 14 (Der Kaiser der Zukunft).

»Noch nie haben die kleinen, aber stimmkräftigen Kreise der Alldeutschen, der echt preußischen Leute und Staatsstreichler von Beruf, in deren Namen Liman spricht und als deren Bannerträger er den Kronprinzen in Anspruch nimmt, so wenig ein Hehl daraus gemacht, daß ihre Neigung für den Sohn in erster Reihe Abneigung gegen den Vater ist.«

Scharf wandte sich die Zeitung gegen alle die Kräfte, die den Kronprinzen als »Kaiser des Imperialismus«, als »Kaiser des Weltkrieges« und schließlich als »Kaiser des Staatsstreiches« aufbauten. Das war richtig gesehen; denn in der 5. Auflage des Kaiserbuches war die Kritik von Claß an der Person Wilhelms II. merklich verschärft und im Gegensatz dazu die Persönlichkeit des Kronprinzen deutlich aufgewertet worden.

In der Julikrise verdichtete sich das Programm der Alldeutschen zu der Formulierung erster Kriegsziele: General v. Gebsattel sprach bereits am 23. Juli 1914 von seiner Hoffnung, daß, »wenn der kommende Krieg günstig« endet[34], man dann »einen Streifen Landes im Osten und im Westen, geräumt von den Bewohnern«, erwerben müsse. Dieser Grenzstreifen müsse dann vor allem durch Ansiedlung von Unteroffizieren germanisiert werden, so daß die »Hälfte« (des deutschen Volkes) auf diese Weise »wieder zu einem Bauernvolk« gemacht werden könnte; erst dann würde die »Weltherrschaft der Germanen auf Jahrhunderte gegründet sein«. Und das freikonservative Mitglied der Hauptleitung des Alldeutschen Verbandes, Frhr. v. Stössel, schrieb zur gleichen Zeit an Claß, der Krieg sei »unvermeidlich«; dabei müsse die Schwächung Rußlands vordringliches Ziel sein im »Interesse unseres besseren Grenzschutzes« und einer »großzügigen Kolonisation«. Stössel schlug Claß bereits ein genaues Kriegszielprogramm vor: das von ihm anvisierte Gebiet »von Lyck in der Linie des Narew bis zur Weichsel, diese entlang zur österreichischen Grenze bei Niepolomic und dann bis Myslowitz« müsse »rücksichtslos mittels Enteignung von seinen Bewohnern gereinigt werden«, und Frankreich müsse »30 Milliarden Kriegsentschädigung« auferlegt werden[35]. Daß diese Ideen – Siedlungsland »frei von Menschen« – dabei keineswegs auf die spezifisch alldeutschen Kreise beschränkt waren, zeigt ihre Unterstützung in der ›Politisch-Anthropologischen Revue‹[36], die in den Kreisen der Akademikerschaft und des Bildungsbürgertums gelesen wurde.

Aggressive Befürworter einer »aktiven« deutschen Außenpolitik waren sicherlich die Alldeutschen und Teile der Schwerindustrie (Hugenberg); nicht sehr weit entfernt von dieser Linie – was das Grundsätzliche der Forderung nach einer deutschen Expansion anbetraf – standen auch Bassermann, Stresemann und das Gros der Nationalliberalen Partei, und

34 DZA I, NL Gebsattel Nr. 1, Bl. 160 f. Gebsattel an Claß, 23. 7. 14.
35 Ibid., ADV Nr. 241, Bl. 139, Stössel an Claß, 26. 7. 14.
36 Vgl. PAR, Nr. 3, April 1912, S. 161 ff.; Paul Samassa, Volkskraft und Weltmachtspolitik.

zwar, wie bereits erwähnt, nicht nur der Rechtsnationalliberalismus, sondern auch der linke Flügel der Partei, der sogenannte Jungliberalismus. Die Bankiers, vor allem Gwinner und Max Warburg, und einzelne Chemieindustrielle wie Carl Duisberg waren – bei aller nachdrücklichen Unterstützung tatkräftiger Politik – überzeugt, daß – entgegen dem Pessimismus eines Stresemann und Ballin – die Situation durch eine »Verständigung« mit England nur besser werden könne. Warburg betonte am 21. Juni 1914 gegenüber dem Kaiser, der sich sehr pessimistisch über die wachsende russische Gefahr aussprach und Warburgs Einstellung gegenüber einem »Präventivkrieg« sondieren wollte, daß die wirtschaftliche Entwicklung für Deutschland nur besser werden könne: »Deutschland werde mit jedem Jahr des Friedens stärker. Abwarten könne uns nur Gewinn bringen.[37]«

Helfferich neigte zu einer etwas schärferen Linie. Im Vorwort zu der 4. Auflage seines Buches ›Deutschlands Volkswohlstand 1888–1913‹, die im Juni 1914 erschien, sprach er von der »Zeit der stärksten Anspannungen aller Kräfte in dem Kampfe um die nationale Selbsterhaltung und Weltgeltung«, bei dem zwar auch die »Finanzmacht in das große Spiel« eingesetzt werden müsse, ihre Möglichkeiten aber nicht überschätzt werden dürften:

>»Es ist geradezu ein Weltinteresse, daß die Illusion verschwindet, durch Mittel der finanziellen Politik könne erreicht werden, was bisher weder durch militärische, noch durch Allianzen und Ententen zu erreichen war: die Niederkämpfung Deutschlands. Ein anständiger Friede und ein ehrliches Zusammenarbeiten ist nur möglich aufgrund der gegenseitigen Achtung vor der Stärke des anderen.[38]«

Auch Ballin war seit Frühjahr 1914 geneigt, eine »härtere« Linie zu empfehlen. Im September 1914 ging er rückblickend so weit, von einem »berechtigten Präventivkrieg« Deutschlands zu sprechen [39]. Auch Max Weber bekannte sich 1916 rückblickend zu der Auffassung, Deutschland hätte diesen Krieg führen müssen:

>»Ein Volk von 70 Millionen zwischen solchen Welteroberungsmächten (wie Rußland und Nordamerika) hatte die *Pflicht* (i. O. gesp.), Machtstaat zu sein. Wir mußten ein Machtstaat sein und mußten, um mitzusprechen bei der Entscheidung über die Zukunft der Erde, es auf diesen Krieg ankommen lassen. Wir hätten es selbst dann tun müssen, wenn wir fürchten müssen, zu unterliegen.[40]«

Die Konservativen endlich waren – bei aller Zurückhaltung der Partei in der imperialistischen Agitation – in der Julikrise vor allem aus innenpo-

37 M. M. Warburg, Aus meinen Aufzeichnungen (Privatdruck), 1952, S. 29.
38 Karl Helfferich, Deutschlands Volkswohlstand 1888–1913, 4. Aufl., Berlin (Juni) 1914, S. VIII.
39 Tirpitz, Deutsche Ohnmachtspolitik, Hamburg/Berlin 1926, S. 129.
40 Max Weber, Gesammelte Politische Schriften, S. 171, Vortrag am 22. 10. 16 in München.

litischen Gründen bereit, eine kriegerische Auseinandersetzung zu unterstützen. Bethmanns konservative Umwelt erwartete – nach seinen eigenen Äußerungen – vom Krieg eine »Stärkung der patriarchalischen Ordnung und Gesinnung«[41]. Bereits Anfang Juni 1914 berichtete der bayrische Gesandte Graf Lerchenfeld nach einem Gespräch mit dem Kanzler nach München:

> »Die Unterredung kam dann auf den von vielen Militärs geforderten Präventivkrieg. Ich sprach die Ansicht aus, daß für diesen der rechte Augenblick schon versäumt sei. Der Reichskanzler bestätigte dies, indem er die militärische Lage im Jahre 1905 als diejenige bezeichnete, die für uns die größten Chancen geboten hätte. Es gäbe aber Kreise im Reich, die von einem Krieg eine Gesundung der inneren Verhältnisse erwarteten, und zwar im konservativen Sinne.[42]«

Diese Hoffnungen – die ja bereits in der Diskussion während der Marokkokrise 1911 und dann vor allem 1913 eine wichtige Rolle gespielt hatten – wurden in diesen Monaten in der deutschen liberalen Presse aufgegriffen und angegriffen. So schrieb der liberale ›Badische Landesbote‹ – und das ›Berliner Tageblatt‹ nahm diese Äußerung auf – Ende Juni 1914, daß die Konservativen vor allem aus innerpolitischen Gründen einen »frischen fröhlichen Krieg« unterstützten:

> »In einen solchen Krieg möchten unsere Konservativen dann die Arbeiter, Kleinbürger und Bauern schicken... Das ist das Ideal von Kraft, wie es den Konservativen vorschwebt, und ihr Sehnen geht nach einer Regierung, die dieses Ideal in die Wirklichkeit umsetzt.[43]«

---

41 Tagebuch von K. Riezler (7. 7. 14); zit. Erdmann, Bethmann Hollweg, in: GWU 15 (1964), S. 526, vgl. S. 536.
42 Bayr. Dok. zum Kriegsausbruch, hrsg. Pius Dirr, 3. erw. Aufl. 1925, S. 113.
43 BT, Nr. 320, 27. 6. 14.

August–November 1914: Das Scheitern des Blitzkrieges

>»Wir müssen begreifen, daß die Einigung Deutschlands nur ein Jugendstreich war, den die Nation auf ihre alten Tage beging und seiner Kostspieligkeit halber besser unterlassen hätte, wenn sie der Abschluß und nicht der Ausgangspunkt einer deutschen Weltmachtpolitik sein sollte.«
>
> *Max Weber, 1895*

>»Wollten wir diesen Krieg nicht riskieren, nun, dann hätten wir die Reichsgründung ja unterlassen und als ein Volk von Kleinstaaten weiterexistieren können.«
>
> *Max Weber, 1916*

XXII. KAPITEL

Deutschland und der Kriegsausbruch: »Jetzt oder nie«

I. Das Problem des Präventivkriegs

Die Überfallthese als Motor der Kriegsbegeisterung und Legitimierung der Kriegsziele

Es ist herrschende Meinung der Geschichtsschreibung des Jahres 1969, daß das Deutsche Reich im Sommer 1914 einen Präventivkrieg riskiert hat. Wenn diese Einigung auf die Formel »Präventivkrieg« auch ein Fortschritt ist gegenüber älteren Interpretationen des Kriegsausbruchs, so verleugnet sie doch ihre apologetische Tendenz nicht. Denn dahinter steht die Abwehr gegen alle weitergehenden Thesen, die von einer offensiven deutschen Kriegspolitik sprechen. So trägt eine große Sammelbesprechung über den Ausbruch des Ersten Weltkrieges in der Wochenzeitung ›Die Zeit‹ den Titel ›Aus Furcht und Verzweiflung‹ [1]. Einzig die Sorge um die Zukunft der Großmacht Deutschland, verbunden mit der Furcht vor einem gegnerischen Angriff, sei das treibende Motiv der deutschen Politik im Juli 1914 gewesen. Mit dieser These hat sich die Geschichtsschreibung der 60er Jahre stillschweigend von der traditionellen Lehrmeinung distanziert, wonach Deutschland wie die anderen europäischen Großmächte diesen Krieg »nicht gewollt« habe. Denn wenn das Deutsche Reich im Jahre 1914 einen Präventivkrieg auf sich genommen hat, so heißt das, daß Deutschland im Juli 1914 den Entschluß zu einem Kriege gegen Rußland und Frankreich gefaßt hat, also einen Krieg »gewollt« hat.

Ein Präventivkrieg liegt vor, wenn ein Staat einem als sicher angesehenen und in unmittelbarer Zukunft drohenden Friedensbruch eines anderen Staates durch einen Angriff zuvorkommt. Es wird zu prüfen sein, ob Deutschland im Jahre 1914 durch einen unmittelbar oder doch in absehba-

---

1 Die Zeit, Nr. 12, 21. 3. 69; Karl-Heinz Janßen, Aus Furcht und Verzweiflung.

rer Zeit bevorstehenden Angriff bedroht war. Die deutschen Staatsmänner, Diplomaten und Militärs vor 1914 führten die Bismarcksche Definition des Präventivkrieges häufig im Munde[2]:

> »Keine Regierung würde so töricht sein, für den Krieg, sobald sie gegen ihren Wunsch ihn als unvermeidlich betrachten muß, dem Gegner nach Belieben die Wahl von Zeit und Gelegenheit zu überlassen und den Augenblick abzuwarten, der dem Feinde der genehmste ist.[3]«

Die Behauptung, daß Deutschland von rücksichtslosen Feinden von Ost und West überfallen worden sei, war das Herzstück der Reden des Kaisers vom 31. Juli und 1. August, sowie der Reichstagsrede des Kanzlers vom 4. August –, und diese Überfallthese war der Hebel, um den nationalen Enthusiasmus für den gerechten Krieg, für die Verteidigung des Vaterlandes zu wecken. Gleichzeitig war sie Voraussetzung zur Begründung der deutschen Kriegsziele. Deutschland forderte »Garantien und Sicherheiten«, damit es nicht noch ein zweites Mal Opfer eines ruchlosen Überfalls würde[4]. Die Überfallthese blieb den ganzen Krieg hindurch und auch später von 1919 bis 1945 im Kampf gegen die »Kriegsschuldlüge« herrschend. Die heutige Anschauung, daß Deutschland einen Präventivkrieg geführt hat, widerlegt diese Behauptung.

Die Interpretation des Kontinentalkrieges als eines von Deutschland ausgelösten Präventivkriegs schließt ebenso die These aus, daß alle europäischen Mächte in den Krieg hineingeschlittert seien. Mit dieser versöhnlichen Formel hatte in den 20er Jahren Lloyd George Öl auf die Wogen zu gießen versucht, um in Abwehr französischer Machtpolitik das besiegte Deutschland moralisch aufzuwerten[5]. Ähnlich bemühte sich – wiederum aus politischen Gründen – im Jahre 1951 eine Konferenz deutscher und französischer Historiker um eine Verständigung über dieses historische Problem, das die deutsch-französischen Beziehungen drei Jahrzehnte so schwer belastet hatte. Ihre Generalklausel über den Kriegsausbruch lautete:

> »Die Dokumente erlauben es nicht, im Jahre 1914 irgendeiner Regierung oder einem Volk den bewußten Willen zu einem europäischen Kriege zuzuschreiben. Das gegenseitige Mißtrauen war auf den höchsten Grad gestiegen, und in den leitenden Kreisen herrschte der Glaube, der Krieg sei unvermeidbar; jeder schrieb dem anderen Angriffsabsichten zu, jeder nahm die Gefahr eines Krieges hin, und eine Gewähr für die Sicherheit wurde nur in einem Bündnissystem und ständiger Aufrüstung gesehen.[6]«

---

2 So kurz vor Ausbruch des Krieges noch Jagow im Gespräch mit Moltke, vgl. oben Kap. 18, S. 584.
3 GP 1, Nr. 137, Bismarck an Arnim, 30. 10. 1873.
4 Damit begründet z. B. K. D. Erdmann das sog. »Septemberprogramm« des Reichskanzlers Bethmann Hollweg, vgl. unten S. 765 ff.
5 Vgl. Adolf Gasser, Deutschlands Entschluß zum Präventivkrieg 1913/14, in: Festschrift für Edgar Bonjour, S. 173.
6 Die Vereinbarung der deutsch-französischen Historikerkommission vom Oktober 1951 ist abgedruckt in: GWU 3, 1952, S. 288 ff. Zitat ibid., Art. XVIII, S. 293.

Diese »deutsch-französische Vereinbarung über strittige Fragen europäischer Geschichte« hat zweifellos dazu beigetragen, in der Hoffnung auf eine Integration Europas die politische Atmosphäre zu entgiften und die Schulbücher von haßerfülltem Nationalismus zu befreien. Allerdings können solche gemeinsam erarbeiteten Thesen, die aus politisch-pädagogischen Motiven einen Kompromiß suchen, dazu verleiten, sie als endgültiges und unumstößliches Ergebnis der Geschichtsforschung aufzufassen und auszunutzen, jedes spätere, abweichende historische Urteil als Fehlinterpretation und bedauerliche Entgleisung oder gar als politische Verantwortungslosigkeit zu bekämpfen [7]. Der Standpunkt von 1951 kann seit der Anerkennung der Präventivkriegsthese als überwunden gelten. Bis dahin allerdings gehörte dieses Thema zu den Tabus der deutschen Geschichte.

Schon während der ersten Kriegsmonate, als offenbar wurde, daß der Krieg, den die Regierung sich als »kurzes, reinigendes Gewitter [8]« vorstellte, mißglückt war, als nämlich England in den Krieg eintrat und die Marneschlacht verlorenging, wagten Eingeweihte kaum noch, das Wort Präventivkrieg auszusprechen; damit hätte man ja dem Ausland gegenüber die Verantwortung der deutschen Regierung für die Auslösung des Krieges zugegeben und der deutschen Bevölkerung, die die Last und die Opfer des immer länger dauernden Krieges zu tragen hatte, den moralischen Halt genommen, einen Krieg aus Notwehr zu führen. Vor der Marneschlacht, am 15. August, hatte der sozialdemokratische Reichstagsabgeordnete Philipp Scheidemann im Gespräch mit Parteifreunden die Auffassung vertreten, »daß die deutsche Regierung den Krieg gewollt habe als Präventivkrieg«. Eduard David notierte in seinem Tagebuch: »Scheidemann ist davon überzeugt und scheint besondere Anhalte dafür zu haben. [9]« Noch am 20. September 1914 hatte Ballin in einem Brief an Admiral v. Müller von einem »berechtigten Präventivkrieg« gesprochen. Staatssekretär v. Tirpitz, der diesen Brief gelesen hatte, stimmte dieser Formulierung zwar zu, versuchte aber, sie etwas unbestimmter zu interpretieren: »Ich will mich an diesen Ausdruck halten, oder noch mehr daran, daß die beständige politische Einkreisung einmal zum Kriege führen mußte. [10]« Darin liegt bereits eine Abschwächung, um die sich die deutsche Kriegspropaganda, je länger der Weltkrieg dauerte, desto intensiver bemühte.

Schon im August hatte Dr. Wilhelm Muehlon, ein Mitglied des Krupp-

7 Obgleich sich die Überzeugung durchzusetzen scheint, daß die Frage nach der Entstehung des Krieges noch gründlicher historischer Untersuchungen bedarf, hält z. B. noch Klaus Mehnert, Der deutsche Standort, S. 50, an der Sprachregelung von 1951 als unübertrefflich fest.
8 So Bethmann Hollweg im Gespräch mit Bülow, zit. Bernhard v. Bülow, Denkwürdigkeiten, Bd. 3, S. 148.
9 Das Kriegstagebuch des Reichstagsabgeordneten Eduard David 1914–1918. Hrsg. Erich Matthias, bearb. von Susanne Miller, Düsseldorf 1966, S. 17.
10 Tirpitz an Ballin, 27. 9. 14; zit. nach Tirpitz, Deutsche Ohnmachtspolitik im Weltkriege, Hamburg/Berlin 1926, S. 129.

Direktoriums, die Überzeugung vertreten, daß Deutschland nicht der Überfallene, sondern der Angreifer sei. Muehlon zog daraus für sich die Konsequenz; er gab seine Stellung bei Krupp auf und emigrierte in die Schweiz. In einem Gespräch mit dem deutschen Pazifisten Friedrich Wilhelm Foerster schilderte Muehlon seine Unterhaltung mit Helfferich unmittelbar nach Kriegsausbruch. Darin hatte dieser die »geniale Schlauheit« gerühmt, »mit der man die Nachbarn in den Schlaf gewiegt und den Kaiser auf eine Nordlandsreise geschickt hatte, während alles bis aufs Letzte zum Losschlagen vorbereitet war«[11].

Es lassen sich zahlreiche Zeugnisse dafür finden, daß bereits im Krieg und in den Jahren unmittelbar nach Kriegsende manche Zeitgenossen die Überfallthese als Propaganda durchschaut und die Verantwortlichkeit der deutschen Regierung für den Kriegsausbruch erkannt hatten. Die Mehrzahl dieser Stimmen gehörte zu den kleinen Gruppen, die sich von ihrem politischen oder ideologischen Standort her von der Kriegspsychose freigehalten oder doch später freigemacht hatten. Es waren Arbeiterführer, die den nationalen Kurs der Sozialdemokratie ablehnten und später zu den Unabhängigen Sozialdemokraten zählten; und es waren bürgerliche Pazifisten, die sich zur internationalen Friedensbewegung bekannten.

Einer der ersten war Karl Liebknecht, Sozialist und Pazifist in einem. Bereits in der Fraktionssitzung der Sozialdemokraten am 3. August 1914 hatte er die Gruppe der 14 Abgeordneten angeführt, die ein Nein der sozialdemokratischen Fraktion zu den Kriegskrediten forderten. In der Reichstagssitzung am 2. Dezember stimmte Liebknecht dann als einziger offen gegen die Bewilligung weiterer Kriegskredite. Im ersten »Spartakusbrief« vom Dezember 1914 begründete er seine Entscheidung:

> »Dieser Krieg, den keines der beteiligten Völker selbst gewollt hat, ist nicht für die Wohlfahrt des deutschen oder eines anderen Volks entbrannt. Es handelt sich um einen imperialistischen Krieg, einen Krieg um die kapitalistische Beherrschung des Weltmarkts, um die politische Beherrschung wichtiger Siedlungsgebiete für das Industrie- und Bankkapital. Es handelt sich vom Gesichtspunkt des Wettrüstens um einen von der deutschen und österreichischen Kriegspartei gemeinsam im Dunkel des Halbabsolutismus und der Geheimdiplomatie hervorgerufenen *Präventivkrieg*.[12]«

Die Popularität Liebknechts als eines interessanten und gefährlichen Außenseiters führte häufig informierte Besucher zu ihm, die seine Überzeugung bestätigten. Als Armierungssoldat eingezogen, berichtete er in einem Brief vom 23. September 1915:

> »In den ersten Tagen gleich tauchten allerhand Offiziere bei mir auf, darunter 2 Prinzen, um mit mir beim Kanonendonner zu diskutieren; das geschah von

11 F. W. Foerster, Erlebte Weltgeschichte, Nürnberg 1953, S. 323.
12 Zit. Spartakusbriefe, hrsg. vom Institut für Marxismus-Leninismus beim ZK der SED, Berlin 1958, Hervorhebung vom Verfasser.

mir mit aller Deutlichkeit und war ganz amüsant. Ich sagte ihnen die ganze Wahrheit ins Gesicht und erhielt das Zugeständnis des deutsch-österreichischen Angriffs . . .[13]«

Sozialdemokrat war auch der Berliner Rechtsanwalt Dr. Richard Grelling, der Anfang des Krieges Deutschland verließ und – wie Muehlon – in die Schweiz emigrierte. Aufgrund des Studiums der Farbbücher wurde er der schärfste Verfechter der deutschen Verantwortlichkeit am Kriege. In seinem Buch »J'accuse . . .«, das in Deutschland nicht verbreitet werden durfte, wies er nach, daß die deutsche Regierung mehr als Österreich-Ungarn zum Kriege gedrängt hat. Ein zustimmendes Urteil von großem Gewicht erhielt Grelling im Sommer 1918, als General Graf Max v. Montgelas, der 1914 Mitglied des Großen Generalstabs war, sich in der Schweiz aufhielt und in einem Gutachten zu Grellings Buch Stellung nahm:

> »*Der am 5. Juli beschlossene Präventivkrieg war schon im September 1914 zum Eroberungskrieg geworden.*
> *Die dreifache Schuld Deutschlands* zum Schluß würde ich anders formulieren,
> 1. weil es vor dem Kriege die Sicherung des Friedens mit dem veralteten und untauglichen Mittel ständig gesteigerter Rüstungen angestrebt hat,
> 2. weil es den Krieg als *Präventivkrieg* bewußt herbeigeführt hat,
> 3. weil es Kriegsziele angestrebt hat, die ein einigermaßen ehrliebender Gegner nicht annehmen *konnte.*[14]«

Es war derselbe Graf Montgelas, der ein halbes Jahr später, im Mai 1919, als Mitglied des Sachverständigenausschusses und Mitverfasser des von diesem Ausschuß erstellten Gutachtens das genaue Gegenteil behauptete. (Grelling hat deshalb den handschriftlichen Brief Montgelas' von 1918 im Faksimile veröffentlicht, um diesen Widerspruch aufzudecken.)

Zu der Überzeugung, daß ein deutscher Kriegswille zumindest bei einer Gruppe innerhalb der deutschen Regierung vorlag, war auch der nach Kriegsausbruch nach Deutschland zurückgekehrte deutsche Botschafter in London, Fürst Lichnowsky, gekommen aufgrund von Gesprächen, die er in Berlin mit Diplomaten und Politikern geführt hatte. Lichnowsky war im Frühsommer 1914 vom Auswärtigen Amt nicht voll informiert worden, weil er zu den entschiedenen Gegnern eines europäischen Krieges gehörte. Er verfaßte eine Denkschrift, die er zunächst in wenigen maschinenschriftlichen Exemplaren in »amtlichen und maßgebenden Kreisen« verbreiten ließ und die später, allerdings von ihm nicht autorisiert, als Broschüre unter dem Titel ›Die Schuld der deutschen Regierung am Kriege‹ veröffentlicht wurde. Lichnowsky verlor wegen dieser Denkschrift, zu-

---

13 Karl Liebknecht, Gesammelte Reden und Schriften, Bd. 8, Berlin 1966, S. 318 f., Karl Liebknecht an Sophie Liebknecht, 23. 9. 15.
14 Richard Grelling, La campagne innocentiste et le traité de Versailles, Paris 1925, S. 272 (Faksimile Montgelas an Grelling, Sommer 1918).

mal da diese Anschauung des ehemaligen kaiserlichen Botschafters im Ausland bekannt wurde, seinen Sitz im Preußischen Herrenhaus[15].

Albert Ballin, der ja schon im September 1914 in einem Brief an Admiral v. Müller von dem »berechtigten Präventivkrieg« Deutschlands gesprochen hatte, schrieb angesichts der deutschen Niederlage Anfang November 1918 an Arndt von Holtzendorff:

> »Ich habe erst vor einigen Tagen wieder den Brief eines Herren aus dem Auswärtigen Amt gelesen, der die fabelhafte Enttäuschung schildert, welche ausgebrochen war, als eine telegrafische Meldung aus Wien die Nachricht brachte, die Serben hätten sämtliche Punkte des österreichischen Ultimatums angenommen; er schildert aber auch die ungeheure Freude, als eine einige Stunden später einlaufende Nachricht das Gegenteil meldete. Er schildert weiter, daß man auf seine Frage, ob unter diesen Umständen, wo doch schon alles drunter und drüber geht, es nicht wichtig wäre, den Kaiser aus Norwegen zurückrufen zu lassen, ihm geantwortet habe: Im Gegenteil, man müsse alles aufbieten, damit er mit seinen pazifistischen Gedanken nicht störend eingriffe . . .
> Den Krieg haben wir gemacht und der Kaiser, der als Sitzredakteur verantwortlich dafür zeichnet, wird nicht umhinkönnen, abzudanken.[15a]«

Die Unschuldspropaganda als Mittel der »nationalen Wiederaufrichtung«

Nach Kriegsende gab es Stimmen, die es in der Hoffnung auf ein günstigeres Verhandlungsklima gegenüber den Alliierten, vor allem gegenüber Frankreich, für lebenswichtig hielten, daß die deutsche Nation sich zur Verantwortung ihrer Regierung am Kriegsausbruch und damit auch an dem viereinhalb Jahre dauernden Weltkrieg bekannte. Dieses Motiv lag der Veröffentlichung eines Berichts der bayrischen Gesandtschaft vom 18. Juli 1914 durch Eisner, den Führer der Revolution in München, zugrunde. Noch wichtiger war die systematische Durchforschung der deutschen Akten zur Julikrise durch Karl Kautsky in seiner Eigenschaft als Beigeordneter des Vollzugsrats im Auswärtigen Amt seit Mitte November 1918. Seine Ergebnisse faßte Kautsky in der Schrift »Wie der Weltkrieg entstand« zusammen, in der er die deutsche Regierung als hauptverantwortlich für den Ausbruch des Weltkriegs bezeichnete. Die von ihm begonnene Aktensammlung wurde nicht veröffentlicht, sondern erschien erst im Herbst 1919 als amtliche Publikation, nachdem neben Kautsky weitere Herausgeber bestellt worden waren: Graf Montgelas und der Völkerrechtler Walther Schücking. Montgelas gehörte gleichzeitig neben Mendelssohn-Bartholdy, Hans Delbrück und Max Weber zu den Verfassern der sogenannten Professorendenkschrift, die sich als Sachverständige der deutschen Delegation in Versailles gegen den Artikel 231 wandten und damit die amtliche Propaganda gegen die »Kriegsschuldlüge« einleiteten.

---

15 Vgl. zu den Vorgängen um Lichnowsky die Dokumente: AA-Bonn, NL Jagow, Bd. 5.
15a P. Stubmann, Albert Ballin, Hamburg 1960, S. 259 f.

Das Studium der deutschen Akten hatte diese Sachverständigen zu der Anschauung geführt, daß das Deutsche Reich im Sommer 1914 keineswegs überfallen worden war, sondern entscheidenden Anteil an der Auslösung des Krieges gehabt hat. Vor allem von Professor Schücking befürchtete der ehemalige Reichskanzler v. Bethmann Hollweg ein ungünstiges Urteil über das Verhalten der deutschen Regierung im Juli 1914. Im September 1919 schrieb er an den Staatssekretär des Äußeren vom Juli 1914, Gottlieb v. Jagow:

»Ende Oktober werden die Veröffentlichungen aus unseren Archiven beginnen. Wahrscheinlich zuerst die Vorgänge von Sarajevo (von Schücking bearbeitet), gleichzeitig die Periode der Mobilmachungen durch Montgelas. Namentlich die erstere Publikation wird wohl sehr unfreundlich gefärbt sein. Schücking soll die Ansicht vertreten, wir hätten einen Präventivkrieg gewollt.[16]«

Die wahre Meinung Montgelas', daß Deutschland einen Präventivkrieg geführt habe, ist schon erwähnt worden. Mendelssohn-Bartholdy hat in einem Aufsatz von 1925 »die Macht der militärischen Einflüsse auf die Reichspolitik« als unbestreitbar anerkannt und die These eines aus militärischen Gründen entfachten »Präventivkrieges« als durchaus diskutierbar bezeichnet[17].

Einer der Sachverständigen des Parlamentarischen Untersuchungsausschusses zur Klärung des Kriegsausbruchs, Hermann Lutz, vertrat in seinem Buch »Lord Grey und der Weltkrieg« die Ansicht, daß für den Generalstabschef v. Moltke aufgrund seines Verhaltens in der Julikrise der »Wille zum Präventivkrieg einwandfrei erwiesen« sei[18].

Ein anderer Sachverständiger dieses Ausschusses, der Rechtshistoriker Hermann Kantorowicz, kam in seinem »Gutachten zur Kriegsschuldfrage« mit Hilfe seiner juristisch-kritischen Methode zu dem Urteil, daß Österreich-Ungarn mit Wissen und Zustimmung Deutschlands einen Anriffskrieg gegen Serbien angestrebt und das Deutsche Reich einen Präventivkrieg gegen Rußland und Frankreich geführt und dadurch den Weltkrieg, das heißt den Krieg mit Einschluß Englands, fahrlässig herbeigeführt habe. Diese aus einer zwingenden Beweisführung folgende Aussage durfte aber im Jahre 1924 nicht veröffentlicht werden; und auch nach zweimaliger Umarbeitung und Erweiterung aufgrund neu erschienener Quellenpublikationen und Untersuchungen aus den Jahren 1925 und 1927 wurde das Gutachten unterdrückt. Erst 40 Jahre später hat ein deutscher Historiker dieses Dokument wieder aufgefunden und veröffentlicht[19].

---

16 Ibid. NL Jagow, Bd. 7, Bethmann Hollweg an Jagow, 25. 9. 19; vgl. auch das Schreiben von Stumm an Jagow, 21. 3. 19, ibid., Bd. 4.
17 Zit. Die Kriegsschuldfrage, Febr. 1923, S. 89 ff.
18 Hermann Lutz, Lord Grey und der Weltkrieg, Berlin 1927, S. 230.
19 Hermann Kantorowicz, Gutachten zur Kriegsschuldfrage, hrsg. von Imanuel Geiss, Frankfurt 1967.

Die Ergebnisse von Kantorowicz standen in diametralem Gegensatz zu der von amtlichen Stellen und von dem durch die deutsche Industrie bezahlten »Arbeitsausschuß deutscher Verbände« propagierten und mit großem Aufwand verbreiteten These von der »Unschuld« Deutschlands und der entscheidenden Verantwortung Rußlands und Frankreichs. Statt des Gutachtens von Kantorowicz wurden in Deutschland übersetzt und verbreitet: die entlastenden Bücher der amerikanischen revisionistischen Historiker Harry E. Barnes und Sidney B. Fay [20] und kurz vor Ausbruch des Zweiten Weltkrieges das ausgesprochen apologetische Werk des Majors Alfred v. Wegerers, des Herausgebers der offiziösen Zeitschrift ›Kriegsschuldfrage‹ (später ›Berliner Monatshefte‹) sowie die zahlreichen Schriften des Historikers Friedrich Stieve, der im Auswärtigen Amt das sogenannte Schuldreferat leitete.

Die Regierenden von 1914, die fast alle Memoiren veröffentlichten, haben zur Frage des Kriegsausbruchs wenig gesagt, statt dessen waren sie alle bemüht, die wirklichen Vorgänge im Generalstab wie in den Reichsämtern zu verschleiern. Im Jahre 1919 hing über einigen von ihnen zudem das Damoklesschwert der Auslieferung als Kriegsverbrecher nach den Artikeln 227 f. des Versailler Friedensvertrages, und das mag ein Motiv mehr für ihre Schweigsamkeit gewesen sein. Vor allem aber waren sie überzeugt, daß die »moralische Wiedergeburt« des deutschen Volkes aus dem Zusammenbruch der Novemberrevolution nur durch eine kompromißlose Kampagne gegen die »Verleumdung« der deutschen Staatsmänner von 1914 erreicht werden könne. So schrieb zum Beispiel ein Freund an Jagow:

> »Die Mittel für einen Kampf, der einigermaßen Aussicht auf Erfolg bietet, sehe ich gleich Dir im wesentlichen in einer gut geleiteten Presse. In den Parlamenten ist nichts mehr zu machen.« Die breite Öffentlichkeit bedürfe in dieser schweren Zeit »stärkerer Reizmittel«, »um aus dem lethargischen Schlaf in außerpolitischen Dingen zu erwachen, der andernfalls die Wiedergeburt unmöglich machen würde. Heute scheint mir unbedingt notwendig zu sein, das deutsche Volk in immer erneuten Publikationen in scharfer und anreizender Form darauf aufmerksam zu machen, daß England, Rußland und Frankreich den Krieg unbedingt gewollt und bewußt vorbereitet haben. Klares, und auch für die Menge faßliches Material dafür zusammenzutragen und dieses überall und bei jeder Gelegenheit zu verbreiten, ist das Gebot der Stunde, um so mehr als die Regierung aus innerpolitischen Gründen nach wie vor an dem unglückseligen Standpunkt festhält, daß Deutschland wenigstens einen Teil der Schuld am Weltkriege trage.[21]«

Bethmann Hollweg, Jagow und Stumm trafen Absprachen untereinan-

---

20 Harry Elmer Barnes, The Genesis of the World War. An introduction to the Problem of War Guilt, New York 1927 (Dt. Ausg. 1928); Sidney B. Fay, The Origins of the World War, 2 Bde., New York 1928 (Dt. Ausg. 1930). Nicht übersetzt hingegen wurde das Werk von Bernadotte E. Schmitt, der den Thesen von S. B. Fay entgegentrat. B. E. Schmitt, The Coming of the War 1914. 2 Bde., New York/London 1930.
21 AA-Bonn, NL Jagow, Bd. 4, Osten an Jagow, 8. 7. 19.

der, wie sie bei einem gerichtlichen oder parlamentarischen Verfahren die inzwischen bekannt gewordenen, sie am meisten belastenden Taten oder Unterlassungen aus der Julikrise entkräften könnten. Als heikle Punkte bezeichnete Stumm zum Beispiel die »Lokalisierungsinstruktion« an die deutschen Botschafter und Gesandten vom 21. Juli, weil Berlin doch offiziell von dem österreichischen Ultimatum vom 23. Juli nichts gewußt haben wollte. »Anstoß erregen wird ferner die Nachricht von Heinrich [v. Tschirschky], daß man U[ltimatum] so fassen wolle, daß S[erbien] es nicht annehmen könne, ferner daß Tsch[irschky] erzählte, er habe zu Krieg geraten, natürlich gegen S[erbien].« Als sinnvolle Entgegnung schlug Stumm vor, man habe Wien nur ermuntern wollen, den großen Worten auch große Taten folgen zu lassen. Außerdem hätte Serbien auch maßvolle Forderungen nicht angenommen (sic!). Und gegenüber dem Vorwurf, man hätte mit dem Eingreifen Rußlands rechnen müssen, riet Stumm zu der Entgegnung: ja, aber in dieser Frage habe das »Weltgewissen« gegen Serbien gestanden [22].

In diesem Briefwechsel der Hauptbeteiligten fiel von Jagows Seite einmal der Satz, eine Klarlegung der Ereignisse sei wertvoll:

>»Namentlich wenn man, wie ich, das Unglück gehabt hat, im Moment der Entfesselung des Sturmes, der uns jetzt zu vernichten droht, mit in verantwortlicher Stellung gewesen zu sein.[23]«

Und Bethmann Hollweg hatte 1917 wenige Wochen nach seiner Entlassung als Reichskanzler dem Reichstagsabgeordneten Conrad Haußmann gegenüber eine Äußerung gemacht, die erst 50 Jahre später bekannt wurde:

>»Ja, Gott, in gewissem Sinne war es ein Präventivkrieg. Aber wenn der Krieg doch über uns hing, wenn er in zwei Jahren noch viel gefährlicher und unentrinnbarer gekommen wäre und wenn die Militärs sagen, jetzt ist es noch möglich, ohne zu unterliegen, in zwei Jahren nicht mehr! Ja, die Militärs! Er war nur zu vermeiden durch die Verständigung mit England, das ist noch heute meine Meinung.[24]«

In den vier Jahrzehnten von 1919 bis 1969 nahm niemand – das war der durchschlagende Erfolg der amtlichen und offiziösen Agitation gegen die »Kriegsschuldlüge« – das Wort »Präventivkrieg« in den Mund, um damit die Politik der Reichsleitung in der Julikrise zu kennzeichnen. Eine Dissertation von Walter Kloster suchte sogar den deutschen Generalstab vom Verdacht zu reinigen, je an ein Prävenire gedacht zu haben [24a].

22 Ibid., Bd. 4, Stumm an Jagow, 21. 3. 19.
23 Ibid., Bd. 6, Jagow an Waldersee, undat. (16. oder 20. 6. 19), vgl. Ballin an Jagow, 3. 7. 15.
24 Zit. nach Wolfgang Steglich, Die Friedenspolitik der Mittelmächte 1917/18, Bd. 1, Wiesbaden 1964, S. 418, Anm. 3.
24a Walter Kloster, Der deutsche Generalstab und der Präventivkriegsgedanke, Stuttgart 1932.

Erst nach dem Erscheinen des Buches »Griff nach der Weltmacht« wurde die Diskussion wieder eröffnet. Die knappe Skizze der Julikrise in diesem Buch lehnte sich weitgehend an die Darstellung des Italieners Luigi Albertini an, dessen dreibändiges Werk bereits 1942/43 erschien und 1953 zwar ins Englische, bis heute aber nicht ins Deutsche übersetzt worden ist [25]. Vor allem durch die Betonung der Ereignisse in Berlin, Anfang Juli bei der sogenannten Hoyos-Mission, wurde im »Griff nach der Weltmacht« die Verantwortlichkeit der deutschen Regierung am Kriegsausbruch stark unterstrichen, ganz anders als es die üblich gewordene Sprachregelung von 1951 will. Die entschiedene Ablehnung, auf die das Kapitel über die Julikrise in Deutschland stieß, erfolgte nicht zuletzt deswegen, weil es die Einleitung bildete zur Darstellung der Kriegszielpolitik des Deutschen Reiches. So wurde die Frage nach dem Zusammenhang von Kriegsausbruch und Kriegszielen zum Angelpunkt der Auseinandersetzung. Dennoch ist es bedauerlich, daß viele Besprechungen und Entgegnungen zunächst den Eindruck erweckten, als hinge die Bedeutung der Ausführungen über die Kriegsziele einzig und allein von der Richtigkeit oder Fehlerhaftigkeit der Interpretation der Julikrise ab.

Hat auch die erbitterte und bisweilen verletzende Polemik um den Kriegsausbruch die Forschung vorangetrieben und die Bemühungen um die treffenden Argumente und Gegenargumente intensiviert, so hinderte sie vielleicht zu erkennen, wieweit sich die Standpunkte in Wirklichkeit bereits angenähert haben.

Wolfgang Schieder spricht in diesem Zusammenhang sogar von einem »Gesamteindruck der Stagnation« [26].

Sehr vorsichtig formulierte Wolfgang Mommsen in seinem Überblick über den Stand der Diskussion das augenblickliche, keineswegs endgültige Ergebnis. Wegen dieser Zurückhaltung sind vielleicht gerade seine Formulierungen geeignet anzudeuten, bis zu welchem Punkt sich die Geschichtswissenschaft inzwischen in der Frage des Kriegsausbruchs grundsätzlich fortbewegt hat:

> Es »wird sich heute nicht mehr bestreiten lassen, daß die deutsche Reichsleitung im Juli 1914 nicht nur aus ›Nibelungentreue‹ gehandelt hat. Politische und militärische Besorgnisse, vor allem die starke Beunruhigung militärischer Kreise über die russischen Rüstungen, welche auf längere Sicht die Voraussetzungen des Schlieffenplans, nämlich eine langsame russische Mobilmachung und einen umständlichen Aufmarsch, illusorisch werden zu lassen drohten, bestimmten die

---

25 Luigi Albertini, Le origini della guerra del 1914, 3 Bde. Mailand 1942/43; engl. Ausg.: The Origins of the War of 1914, 3 Bde., London u. a. 1952/57.
26 Erster Weltkrieg, Ursachen, Entstehung und Kriegsziele, hrsg. von Wolfgang Schieder, Köln/Berlin 1969, S. 12.

deutsche Reichsleitung dazu, in einem Moment, welcher als noch verhältnismäßig günstig angesehen wurde, eine politische Offensive hart am Rande des großen Krieges zu wagen, welche freilich angesichts der österreichisch-ungarischen Ungeschicklichkeiten und der unnachgiebigen Haltung Rußlands vollständig scheiterte und den Männern um Bethmann Hollweg sehr gegen ihre Neigungen schließlich keine andere Alternative mehr ließ, als die Kriegsfurie ihren Lauf nehmen zu lassen.[27]«

Diese wohlüberlegten Sätze lesen sich wie ein schrittweises Abrücken von überholten Meinungen, wobei der Autor von den alten Positionen so viel wie möglich zu retten bestrebt ist. Es ist übrigens erstaunlich, daß Mommsen in dem Band »Imperialismus«, aus der Reihe der Weltgeschichte der Fischer Bücherei, den Kriegsausbruch wiederum weit traditioneller darstellt, wenn er zum Beispiel den Mobilmachungsmechanismus stark hervorhebt[28]. Während Mommsen aber die Initiative der deutschen Politik betont, sieht Karl Dietrich Erdmann die Sicherung Österreich-Ungarns als wichtigstes Motiv der deutschen Politik während der Julikrise an. Immerhin vertritt auch Erdmann die Ansicht, daß Bethmann Hollweg »von Anfang an« wußte, »daß im Blankoscheck möglicherweise der Weltkrieg steckte, und zwar unter Einbeziehung Englands«. Und – so sagt Erdmann – »es schien ihm (Bethmann Hollweg) unsinnig, sich auf das Risiko des großen Krieges, . . ., einzulassen, damit hinterher alles so blieb, wie es vorher gewesen war«[29]. Die »große Bedeutung« des Septemberprogramms sieht Erdmann darin, daß es Auskunft geben könne über das, »was . . . Bethmann Hollweg von diesem Krieg erwartet (hat), den er in nicht günstiger Stunde mit so vollem Bewußtsein als Risiko auf sich nahm«[30]. Dementsprechend interpretiert Erdmann auch die deutschen Kriegsziele als »defensiv«. Allerdings argumentiert er eher apologetisch als historisch, denn nach dem Adjektiv »defensiv« werden Ziele aufgezählt, die die bestehenden Machtverhältnisse in Europa völlig umwälzen mußten. Erdmann schreibt:

»Der defensive Akzent ist der ursprüngliche: als Garantie dagegen, daß sich in Zukunft nicht noch einmal Ost und West mit Aussicht auf Erfolg verbünden, ist es wünschenswert, daß das Reich mit seinen politischen, wirtschaftlichen und

---

27 Wolfgang Mommsen, Die deutsche Kriegspolitik 1914–18, Bemerkungen zum Stand der Diskussion, in: Kriegsausbruch 1914; Dt. Ausg. des Journal of Contemporary History, München 1967, S. 80.
28 W. Mommsen, Das Zeitalter des Imperialismus, Fischer-Weltgeschichte, Bd. 28, Frankfurt 1968. Der Inhalt des Buches wird übrigens dem Titel nicht gerecht. Es handelt sich um eine Geschichte Europas im Zeitalter des Imperialismus. Weder die USA noch Japan als imperialistische Mächte werden behandelt.
29 K. D. Erdmann, Bethmann Hollweg, Augstein und die Historikerzunft, in: Die Zeit, Nr. 39, 25. 9. 64.
30 Ders., Der Kanzler und der Krieg, ibid., Nr. 35, 28. 8. 64. Erdmann vertritt die Auffassung, der Kanzler habe den Zeitpunkt des Kriegsausbruches als »nicht günstig« angesehen. Bei dieser Interpretation stützt er sich auf eine Tagebuchnotiz von Riezler vom 13. 9. 14. Demzufolge hat Bethmann Hollweg »auf dem Höhepunkt der Marneschlacht« (Erdmann) den Zeitpunkt des Krieges als »den am wenigsten ungünstigen« bezeichnet. Diese pessimistisch gestimmte Äußerung sollte jedoch besser nicht in die Diskussion um die Julikrise hineingetragen werden, da sie in die Zeit des sich abzeichnenden Scheiterns des Schlieffenplans fällt.

militärischen Sicherungen über die eigenen Grenzen hinausgreift. Ein solcher Ausbau der deutschen Machtstellung in Europa – sei es auch weniger durch die Eingliederung fremder Gebiete als durch die Angliederung von Nachbarstaaten – kam – gebrauchen wir ruhig das Wort – auf das Ziel einer deutschen Hegemoniestellung in Mitteleuropa hinaus.[31]«

Es ist zumindest ein durchaus unüblicher Sprachgebrauch, von dem »defensiven Akzent« einer politischen Aktion zu sprechen, wenn deren Ergebnis faktisch die »deutsche Hegemoniestellung in Mitteleuropa« bedeutet. Zweifellos war im Deutschen Reich die Überzeugung weitverbreitet, daß es völlige Sicherheit nicht genießen könne, solange es militärisch, wirtschaftlich und politisch ebenbürtige oder überlegene Mächte neben sich wußte und sich dadurch »bedroht« fühlte. Eine Politik jedoch, die sich, um eine solche unangreifbare Position zu erringen, die Hegemonie in Mitteleuropa zum Ziel setzt, kann nicht defensiv genannt werden.

Auch bei Zechlin spielt die »Risikoübernahme« eine große Rolle. Seine differenzierten Thesen bieten jedoch einen guten Ansatz für eine fruchtbare Auseinandersetzung. Die zuletzt von Zechlin vorgetragenen Ergebnisse[32] lauten:

1. Die deutsche Reichsleitung hat den lokalen Krieg zwischen Österreich-Ungarn und Serbien gewollt und hat den Bundesgenossen dazu gedrängt.

2. Die deutsche Reichsleitung hat auf dieser Politik bestanden, selbst um den Preis eines europäischen Krieges[33]. Die These von der bewußten Übernahme des Kriegsrisikos verstärkt Zechlin sogar noch entscheidend, wenn er Bethmann Hollwegs politisch-diplomatische Maßnahmen seit dem 26. Juli – seitdem gab es ja auch erst eine akute europäische Krise – ausdrücklich nicht als Versuch, den europäischen Frieden zu retten, interpretiert, sondern als taktisches Manöver, um die innenpolitische Situation in Deutschland für den wahrscheinlichen Kriegsausbruch günstig zu gestalten[34]. Nicht darauf, den Frieden zu retten, sondern darauf, die traditionell als antiimperialistisch angesehene Sozialdemokratie, die nur einen Verteidigungskrieg bejahte, zu gewinnen, zielten die diplomatischen Aktionen Bethmann Hollwegs und des Auswärtigen Amtes: »Bethmann Hollweg erfaßte das Problem (nämlich die Ablehnung des Krieges als legitimes Mittel der Politik durch die sozialdemokratischen Arbeitermassen)

31 Ibid., Der Kanzler und der Krieg; es ist ein schwerwiegender Nachteil der Formulierungskunst Erdmanns, daß er nicht deutlich zwischen einer Paraphrase der Quellen und seiner eigenen Interpretation unterscheidet. Stellt sich Erdmann auf den Boden der »Einkreisungsthese« oder referiert er die Anschauung Bethmann Hollwegs, wenn er im obigen Zitat behauptet, »Ost und West« hätten sich im Juli 1914 »mit Aussicht auf Erfolg« gegen Deutschland verbündet? Identifiziert sich der Historiker am Ende gar noch mit der Hoffnung der deutschen Reichsleitung des Sommers 1914?
32 Egmont Zechlin, Bethmann Hollweg, Kriegsrisiko und SPD 1914, in: Der Monat, H. 208, Jan. 1966, S. 17–32; ders., Motive und Taktik der Reichsleitung 1914. Ein Nachtrag, ibid., H. 209, Febr. 1966, S. 91–95.
33 Vgl. hierzu außerdem den Leserbrief von Zechlin, in: Der Spiegel, Nr. 23, 30. 5. 66.
34 Der Monat, H. 208, S. 22 ff. (s. Anm. 32).

mit der Konsequenz, Deutschlands Position bei Kriegsausbruch so zu gestalten, daß der Krieg vor der eigenen Nation als Überfall legitimiert werden konnte.« Deswegen galt es, Rußland als Kriegsschuldigen erscheinen zu lassen.

Zu diesem Ergebnis kommt Zechlin nach gründlicher Quellenanalyse. Dieses Ergebnis findet sich aber auch schon in der ersten Auflage vom »Griff nach der Weltmacht«[35].

In der Erörterung um die Motive der deutschen Politik in der Julikrise untersucht Zechlin die Einstellung der führenden Staatsmänner und Militärs zum Präventivkrieg. Seine Zusammenstellung zahlreicher Quellen belegt, wie selbstverständlich der Gedanke an einen Präventivkrieg in Deutschland damals war. Zechlin selbst jedoch vermeidet den Ausdruck »Präventivkrieg«, wenn er die politische Taktik der Reichsleitung beschreibt. In ausgewählt vorsichtiger Formulierung spricht er statt dessen von einer »Politik, die den Krieg als präventive Machtbehauptung riskierte«[36]. Handelt es sich hier nicht nur um eine verbale Differenzierung der These vom Präventivkrieg?

Dennoch hält Zechlin wesentliche Vorbehalte gegenüber meiner Interpretation der deutschen Politik im Juli 1914 aufrecht. Die Meinungsverschiedenheiten verdichten sich auf die »Frage nach den Motiven, die der kaiserlichen Politik zugrunde lagen«[37].

Vielleicht gelingt es, die unterschiedlichen Auffassungen durch eine Konzentrierung der Diskussion auf einige wesentliche Punkte zu klären. Zur Interpretation von Zechlin stellen sich folgende Fragen:

1. Warum hat Deutschland den lokalen österreichisch-serbischen Krieg gewollt?

2. Warum hat Deutschland im Sommer 1914 das Risiko eines Weltkrieges bewußt auf sich genommen, oder anders ausgedrückt, was erhoffte sich Deutschland von einer Politik, die mit so hoher Wahrscheinlichkeit zum Weltkrieg führen mußte?

Dies ist die Frage nach den *Zielen* oder – wie Zechlin sagt – den *Motiven* der deutschen Politik. Die Terminologie beleuchtet hier hell die unterschiedlichen Betrachtungsweisen. Für Zechlin bleibt die deutsche Politik im Juli 1914 grundsätzlich *Reaktion;* er interpretiert sie nicht zugleich als *Aktion;* bei ihm ist die Frage nach den Motiven nicht verknüpft mit der Frage nach der Kontinuität der deutschen Politik vor und im Kriege.

3. Wodurch entstand aus dem lokalen Krieg zwischen Österreich-Ungarn und Serbien ein europäischer Krieg?

35 F. Fischer, Griff nach der Weltmacht, 1. Aufl., Düsseldorf 1961, S. 79–81; ders., Weltmacht oder Niedergang, S. 58 f.: »Dabei bestimmte ihn [den Reichskanzler] neben dem Blick auf England vor allem die Absicht, den Führern der deutschen Sozialdemokratie das Ja zu den Kriegskrediten zu erleichtern . . .«
36 Der Monat, H. 208, S. 24.
37 Leserbrief im Spiegel, 30. 5. 66 (s. Anm. 33).

Hierzu ist die Untersuchung der Ereignisse während der Julikrise in ihrer chronologischen und kausalen Folge erforderlich. Die These von der »Übernahme des Kriegsrisikos«, die Frage, ob die Reichsleitung im Juli 1914 »kriegs*bereit*« oder »kriegs*willig*« war – auf diese Nuance legt Zechlin sehr viel Wert – mag sich dann beantworten.

Diese drei Fragen, welche die Interpretation Zechlins aufwirft –, die Frage nach dem lokalen österreichisch-serbischen Krieg, die Frage nach dem Motiv für den Weltkrieg oder für das Risiko des Weltkrieges, und die Frage nach dem Verlauf der Julikrise – werden vielleicht die »Stagnation«, die Wolfgang Schieder bei der Diskussion über den Kriegsausbruch konstatierte, überwinden helfen.

Den Entschluß der Wiener Regierung, gegen Serbien Krieg zu führen, hat die deutsche Reichsregierung – nach der Meinung Zechlins – begünstigt und kräftig unterstützt, um das Ansehen Österreich-Ungarns als Großmacht entscheidend zu festigen und aufzuwerten [38]. Das heißt: Österreich-Ungarn wurde von Berlin unterstützt, einen »Machtkrieg« gegen Serbien zu führen. »Prestigeaufbesserung« ist ein Terminus der Diplomatensprache; uninterpretiert kann er deshalb noch kein befriedigendes Argument zur Erklärung des Entschlusses in Berlin abgeben, Österreich-Ungarn zum Krieg gegen Serbien zu drängen. Für eine bloße Prestigeaufwertung wäre objektiv die Vernichtung des Staates Serbien weder notwendig noch angemessen gewesen. Wohl aber hätte ein entscheidender österreichischer Sieg über Serbien und die Verteilung serbischen Territoriums an die österreichischen Balkanfreunde den russischen Einfluß auf dem Balkan weit zurückgedrängt und die Stellung der Mittelmächte dort wesentlich gestärkt. Hätte dieser Gewinn für das Deutsche Reich, dem es angeblich um eine österreichische »Prestigeaufwertung« ging, nichts als ein zufälliger, gar nicht vorbedachter Nebenerfolg sein sollen? Es ist ein altes Ziel der deutschen Politik der Vorkriegszeit, die Entente auf dem Balkan zu überrunden und auszuschalten. Sollte die deutsche Reichsleitung im Sommer 1914 dieses »wirtschafts- und machtpolitische« Ziel aus den Augen verloren haben? Ganz selbstverständlich – und das ist der subjektive Aspekt – stand bei den Entscheidungen in Berlin in den Juliwochen dieses Ziel im Vordergrund, und die geäußerte Sorge um das österreichische Prestige ist dessen diplomatische Einkleidung [39]. Zechlin scheint das Motiv der Prestigeaufwertung auch nicht mehr für besonders aussagekräftig zu halten; denn es tritt in seiner Argumentation immer weiter zurück.

---

38 Der Monat, H. 208. S. 20; vgl. auch Erdmann, Der Kanzler und der Krieg (s. Anm. 30).
39 Gerhard Ritter, Der Erste Weltkrieg, versucht, die Handlungen aller hauptbeteiligten Mächte im Juli 1914 aus Prestigerücksichten zu erklären. Das ist wohl zutreffend, bleibt aber für sich allein betrachtet eine politische Binsenwahrheit. Falsch aber wird diese Aussage, wenn man nicht auch die realen Machteinbußen oder -gewinne beleuchtet, die hinter diesem »Prestige« standen.

Statt dessen arbeitet er die deutsche und durch deutsche Interessen bestimmte Initiative im Juli 1914 jetzt viel stärker heraus und beschreibt die deutschen Absichten und Überlegungen ausführlich. In seinen Analysen wiegen Ausdrücke vor wie »Bewegungsfreiheit«, »Gleichgewicht« (wie es Deutschland verstand!), »potentielle Beschränkung« der Bewegungsfreiheit und »potentielle Existenzbedrohung« durch das anwachsende »Machtpotential der Entente«. Grundsätzlich ist Zechlins Ergebnissen durchaus zuzustimmen; nur ist seine Terminologie wenig präzise. Der Historiker müßte die Sprache der von ihm behandelten Zeit, die diplomatische Sprache der Quellen, wenn er sie nicht innerhalb der Darstellung analysiert, doch mindestens erläutern. Was hieß für die führenden Kreise des Deutschen Reiches oder die publizistische Öffentlichkeit der Ausdruck »uneingeschränkte Bewegungsfreiheit«? Mit welchen Mitteln und Forderungen gedachte man das europäische »Gleichgewicht« aufrechtzuerhalten oder wiederherzustellen? Nur eine Beantwortung dieser Fragen kann zur Klärung der Standpunkte entscheidend beitragen.

Auch Zechlin kommt zu dem Schluß, daß Deutschland mit dem Status quo in Europa nicht zufrieden war. Der Status quo erlaubte Deutschland nicht die »Bewegungsfreiheit«, das heißt, den Spielraum für politische und wirtschaftspolitische Aspirationen, den die deutsche Nation und ihre Reichsleitung als einer Großmacht angemessen erachteten. Im Gegenteil fürchteten die politisch führenden Kreise, daß die deutsche Politik immer stärker durch die Interessen und den Kräftezuwachs der übrigen Mächte behindert werden würde. Eine Politik aber, nach deren Grundhaltung bereits eine »potentielle Beschränkung« des politischen Spielraums als unerträglich empfunden wird, trägt eindeutig aggressive Züge. Die Abneigung gegen internationale Konferenzen, auf denen es immer um Kompromisse zwischen verschiedenen Ansprüchen und »Machtpotentialen« geht, ist nur ein, allerdings sehr typisches Kennzeichen einer solchen Politik. Wenn aus dieser politischen Einstellung heraus das selbstverständliche Recht (gemäß den »politischen Wertvorstellungen der Reichsleitung«) abgeleitet wird, jeder Behinderung der politischen Aspirationen, und zwar nicht nur jeder akuten, sondern jeder potentiellen Behinderung, durch einen Krieg entgegenzutreten, dann ist eine solche Kriegspolitik nach üblichem Sprachgebrauch nicht defensiv, sondern offensiv. Wie müßte die Welt aussehen, damit eine Macht nicht potentiell in ihrer »Bewegungsfreiheit« eingeschränkt ist?

Wendet man den Begriff »Präventivkrieg« auf eine militärische Aktion an, die nicht zum Zweck hat, einer gegnerischen, unmittelbar bevorstehenden Offensive zuvorzukommen, sondern gewagt wird, um das »Machtpotential« anderer Mächte nicht größer werden zu lassen – wegen der darin erblickten »potentiellen Existenzbedrohung« –, so bedarf das einer besonderen Erläuterung. Es ist kein Präventivkrieg aus der politischen Defensive, sondern aus der politischen Dynamik eines aggressiven Selbstbewußtseins heraus. Gewiß, es »war das traditionelle, damals allgemein durchaus übliche Kalkül mit Machtpotentialen« – wie Zechlin sagt –. Wie weit verbreitet diese traditionellen Vorstellungen im kaiserlichen Deutschland waren, ist in den vorausgegangenen Kapiteln aufgezeigt worden; Tradition aber macht eine solche Kriegswilligkeit noch nicht »defensiv«.

»Der Wille, gegenüber den modernen Weltmächten eine Macht ersten Ranges zu bleiben und die politische Bewegungsfreiheit zu behaupten, war der Hauptantrieb der deutschen Politik in der Julikrise«, einer Politik, die die entschlossene Bereitschaft zu einem Weltkrieg (Risikoübernahme) enthielt, schreibt Zechlin, »nicht aber ein Programm, das konkrete, bisher nicht erfüllte, wirtschafts- und machtpolitische Ziele durchsetzen wollte«. Daß Kataloge der Forderungen, wie sie nach Kriegsbeginn entworfen wurden, nicht schon vor dem Kriege zusammengestellt worden waren, ist kein Beweis gegen die Kontinuität der deutschen politischen Zielsetzungen vor und im Kriege.

Der Anspruch, eine »Macht ersten Ranges zu bleiben«, war im Deutschen Reich unbefriedigt geblieben. Die wirtschafts- und machtpolitischen Aktionen hatten den entscheidenden Durchbruch nicht gebracht, der Handlungsspielraum der deutschen Politik war währenddessen vielmehr immer enger geworden. Die Chance, diesen »Ring« zu sprengen, sah die Reichsleitung im Juli 1914. Daß ein Krieg das sicherste Mittel zur Durchsetzung politischer Ansprüche, zur Wiedergewinnung oder Bewahrung politischer Beweglichkeit sei, war in Deutschland eine weitverbreitete Ansicht. Erst nach dem Kriegsausbruch wurde es dann erforderlich, einzelne Ziele zu formulieren und zu spezifizieren. Um das als bedrohlich empfundene Anwachsen des »Machtpotentials der Entente« zu verhindern, riskierte das Deutsche Reich im Juli 1914 sogar den Weltkrieg, sagt Zechlin. Aber er läßt die Frage unerörtert, wie die Welt nach diesem »Weltkrieg« aussehen sollte. Dachte die Reichsleitung 1914 daran, nach einem siegreichen Krieg zum »wirtschafts- und machtpolitischen« Status quo ante zurückzukehren? Unbestritten ist, daß ein siegreicher Krieg die Machtverhältnisse in Europa und der Welt grundlegend zugunsten Deutschlands verändert hätte. Im Bewußtsein der deutschen Zeitgenossen schien das Deutsche Reich von der Furcht vor einer »potentiellen Existenzbedrohung« erst dann befreit, wenn es die Hegemonie in Mitteleuropa errungen haben würde. Das ist der Tenor der politischen Überlegungen im Vorkriegsdeutschland und darauf liefen die Kriegsziele hinaus.

Einen wesentlichen Beitrag zur Klärung des Problems bietet ein 1968 erschienener Aufsatz des Basler Historikers Adolf Gasser, in dem dieser

»Deutschlands Entschluß zum Präventivkrieg 1913/14« analysiert [40]. Unter starker Betonung der Verantwortung der deutschen militärischen Führung, die seit 1913 endgültig auf die Fortführung der Arbeiten an dem großen Ostaufmarschplan, der Alternative zum Schlieffenplan, verzichtet hatte, arbeitet Gasser als wesentliches Element der deutschen Politik vor 1914 den Willen, das bestehende Machtgleichgewicht in Europa zu ändern, heraus. In der deutschen Politik der Julikrise sieht er eine »provokative Erpresserpolitik«, die fast zwangsläufig zum Krieg führen mußte, wenngleich er es für möglich hält, daß Bethmann Hollweg eine Lokalisierung des Konflikts auf Serbien der Entfesselung eines europäischen Krieges vorgezogen hätte. Um so entschiedener betont Gasser, daß die Aufrechterhaltung des Balkangleichgewichts eine unbedingte Voraussetzung für die des europäischen Gleichgewichts war und also auch die Niederwerfung und Ausschaltung Serbiens dem Deutschen Reich den direkten Weg »Berlin–Konstantinopel« geöffnet und ihm damit die Hegemonie auf dem Kontinent gewonnen hätte.

Auf dem Hintergrund der Äußerungen Bethmann Hollwegs gegenüber Riezler über seine politischen Ziele in der Julikrise muß es aber für wahrscheinlicher gehalten werden, daß Bethmann Hollweg die Lokalisierung des Krieges, das heißt die von Rußland widerspruchslos hingenommene Vernichtung Serbiens, nur als zweitbeste Lösung angesehen hat. Der Sieg Deutschlands über die Zweibundmächte hätte dagegen alle Möglichkeiten für eine dauernde Schwächung Rußlands und Frankreichs und damit für eine auf unabsehbare Zeit gesicherte deutsche Hegemonie über Europa geöffnet. Im Titel seines Aufsatzes spricht Gasser davon, daß Deutschland einen Präventivkrieg vorbereitet habe. Doch gibt der Titel die wirkliche Auffassung des Autors nicht ganz richtig wieder; denn er hat als Definitionsmerkmale für einen Präventivkrieg herausgestellt, daß eine

> »feindliche Aggression wirklich kurzfristig und nachweisbar bevorsteht; innerhalb von Tagen oder höchstens Wochen. Handelt es sich lediglich um Vermutungen und zwar im Rahmen von Monaten oder gar Jahren, so sind sogenannte ›Präventivkriege‹ in Wirklichkeit nichts anderes als (vor sich selbst oder vor der Welt) verschleierte Angriffskriege.«

War es ein Präventivkrieg?

Es bleibt noch die Frage zu beantworten, ob die jetzt fast zum Gemeingut der historischen Forschung auch Deutschlands gewordene Behauptung, Deutschland habe im Juli 1914 einen Präventivkrieg gewagt, einer Über-

---

40 Adolf Gasser, Deutschlands Entschluß zum Präventivkrieg, in: Festschrift für E. Bonjour, Basel 1968, S. 173 ff.

prüfung standhält. Die Richtigkeit dieser These setzte voraus, daß die Ententemächte Frankreich und Rußland – wie in Deutschland von den Staatsmännern und Historikern nach Kriegsausbruch 1914 behauptet worden ist – ihrerseits spätestens 1916/17 zu einer gewaltsamen Verschiebung des Machtgleichgewichts auf dem europäischen Kontinent durch einen Angriff auf Deutschland schreiten wollten. Ob ein im Jahre 1916/17 etwa drohender Angriff der Entente einem deutschen Angriff im Juli 1914 den Charakter eines Präventivkrieges geben konnte, das heißt eines Krieges zur Abwehr einer unmittelbar drohenden Gefahr, muß bezweifelt werden; denn eine derartig extensive Auslegung würde den Begriff des »Präventivkrieges« aushöhlen. Außerdem würde eine solche Interpretation des Präventivkriegsbegriffes die Möglichkeit leugnen, daß die drei Jahre zwischen 1914 und 1917 auch zu einem politischen Ausgleich hätten genutzt werden können. Zur Beantwortung der weiteren Frage, ob die Ententemächte eine gewaltsame Verschiebung des Machtgleichgewichts auf dem europäischen Kontinent anstrebten, wären zwei Untersuchungsgänge notwendig. Einmal müßte festgestellt werden, ob es in Frankreich und Rußland objektiv feststellbare Planungen für einen Angriffskrieg gegen den Dreibund gab, und zum anderen wäre zu überprüfen, ob die zeitgenössischen Informationen, die den deutschen Politikern und Militärs zur Verfügung standen, subjektiv bei ihnen den Eindruck erwecken konnten, daß solch ein Angriff drohte, sobald die Aufrüstung Rußlands und Frankreichs abgeschlossen sei und diesen Staaten ein militärisches Übergewicht verleihe.

Zur ersten Frage hat sich in der deutschen und ausländischen Forschung heute allgemein die Überzeugung durchgesetzt, daß die Ententemächte weder im Jahre 1914 noch für 1916/17 einen Angriff auf den Dreibund geplant haben. Selbst Gerhard Ritter betont, daß die französische Regierung allen Ideen des eigenen Generalstabs für einen Offensivkrieg gegen Deutschland ablehnend gegenüberstand. Auch konnte kein verantwortlicher Politiker in Frankreich einem Angriff auf Deutschland das Wort reden, da die unerläßliche Voraussetzung für das Gelingen einer solchen Strategie, eine aktive Unterstützung durch Rußland, fraglich war. Wäre aber Rußland vielleicht noch zum Mitgehen zu gewinnen gewesen, so würde doch England sich versagt haben. Wohl war England, dessen Beziehungen zu Frankreich sich mit der Zeit immer freundschaftlicher gestaltet hatten, entschlossen, im Falle eines deutschen Angriffs Frankreich Hilfe zu leisten, damit es nicht zu einer deutschen Hegemonialstellung auf dem europäischen Kontinent käme; keineswegs aber war es bereit, Frankreich einen Freibrief auszustellen, damit dieses durch eine aktive oder gar kriegerische Politik das europäische Machtgleichgewicht zu seinen Gunsten verschieben könnte.

Im Gegensatz zu Frankreich, das den Verlust Elsaß-Lothringens immer noch nicht verwunden hatte, waren Rußlands politische Interessen primär nicht auf Deutschland gerichtet. Die Gegnerschaft zu Deutschland war für Rußland der unangenehme Teil seines Bündnisses mit Frankreich, das es aus wirtschaftlichen und politischen Gründen geschlossen hatte, und die Folge der eigenen Balkanpolitik, die es mit dem deutschen Bundesgenossen Österreich-Ungarn in Konflikt brachte. Die Hauptstoßrichtung der russischen Expansionsbestrebungen zielte auf die Meerengen von Konstantinopel, deren freie Durchfahrt für seine Handelsschiffahrt es als *vitales* Interesse betrachtete und die es keinesfalls in die Hand einer dritten Macht fallen lassen wollte. Ein für 1917 an sich möglicher russischer Angriff auf die Türkei [41] hätte die deutschen Interessen zwar in bedeutendem Umfang berührt, jedoch kaum in einer lebensbedrohenden Form, die als Antwort auf solche russischen Bestrebungen einen Präventivschlag gegen Frankreich und Rußland im Sommer 1914 zur Wahrung der eigenen Machtstellung gerechtfertigt hätte. Außerdem berührten diese russischen Expansionswünsche in so entscheidendem Maße auch die Interessen der übrigen Großmächte, daß ihre Eindämmung dem Deutschen Reich bei ernsthaftem Friedenswillen mit Unterstützung der anderen Großmächte, insbesondere Englands und Frankreichs, jederzeit auf friedliche Weise gelungen wäre. Jedenfalls enthielten auch diese russischen Aspirationen keine Begründung für ein »Verzweiflungsmittel« wie einen Präventivkrieg.

Schwieriger ist die Frage nach den subjektiven Vorstellungen der deutschen Politiker über die mögliche Gefahr eines Überfalls der Entente auf Deutschland zu beantworten. Allgemein war in der politischen Führungsschicht Deutschlands – wie oben in aller Breite dargelegt – die sozialdarwinistische Überzeugung verbreitet, daß Deutschland Gefahr laufe, bevölkerungsmäßig, wirtschaftlich und militärisch überflügelt zu werden. Auf dem europäischen Kontinent galten die deutschen Befürchtungen vor allen Dingen Rußland, nicht so sehr aber dessen Verbündetem Frankreich, das man zwar im Moment noch für militärisch stärker als Rußland hielt, auf das man aber doch wegen seines geringen Bevölkerungswachstums und seines wirtschaftlichen Zurückbleibens gegenüber Deutschland mit Verachtung herabblickte. Rußland mit seinem unerschöpflichen, ständig wachsenden Bevölkerungspotential und dem stetigen Aufbau seiner Wirtschaft wurde in Deutschland gefürchtet. Ebenso betrachtete man die Ausbreitung der – in Deutschland als rückständig empfundenen – Kultur und Zivilisation Rußlands im Kriegsfall als eine Gefahr für die »Kulturnation« Deutschland. Allerdings hatte gerade die Rußlandfeindschaft Bethmann Hollwegs eine gar nicht hoch genug einzuschätzende innenpolitische Komponente; denn Rußlandfeindschaft ließ sich auch der deutschen Sozialde-

---

41 Vgl. dazu Kap. 15.

mokratie gegenüber als ein außenpolitisches Konzept vertreten, mit dem zugleich ganz andere, z. B. auch gegen Frankreich gerichtete Ziele, durchgesetzt werden konnten. Doch fällt bei den sorgenvollen Äußerungen Bethmann Hollwegs über das Wachstum der russischen Macht auf, daß auch er kein einziges Mal behauptete, Rußland werde seine wachsende Macht zu einem Überfall auf Deutschland ausnutzen, wenn sich eine günstige Gelegenheit dazu ergeben sollte. Vielmehr argumentierte Bethmann Hollweg immer damit, Rußland würde in Zukunft so stark sein, daß die Siegeschancen Deutschlands bei einer kriegerischen Auseinandersetzung, die bei einer Verfolgung seiner politischen Ziele entstehen konnte, stark vermindert würden, und schließlich die deutsche Macht so beeinträchtigen, daß sie nicht mehr ausreiche, um die Entente zu sprengen und zu besiegen. Diese Überlegungen Bethmann Hollwegs wurden von der politischen und militärischen Führungsschicht Deutschlands weitgehend geteilt.

Im Bereich der Wirtschaft, in den Kreisen von Handel und Industrie, stieg außerdem im Frühjahr 1914 nachweisbar die Befürchtung, der russische Markt könne in Zukunft für die deutsche Exportwirtschaft immer stärker verschlossen werden. Aber die deutsche Industrie brauchte gerade Rußland als Absatzmarkt, vollends, weil auch in Frankreich Tendenzen bestanden, die deutsche wirtschaftliche Expansion zu hemmen.

Wenn in der subjektiven Überzeugung der deutschen Politiker die Bedrohung durch Rußland sich darauf reduzierte, daß das Reich in einigen Jahren einfach nicht mehr die notwendige militärische Überlegenheit besitze, um der Entente und insbesondere Rußland seine politischen und wirtschaftlichen Bedingungen aufzwingen zu können, d. h. ihre Durchsetzung durch die Androhung und notfalls Anwendung von militärischer Macht zu erreichen, so läßt sich daraus keine einen Präventivkrieg rechtfertigende Bedrohung Deutschlands konstruieren, wie es von deutschen Historikern immer wieder getan worden ist. Es handelt sich bei dem im Juli 1914 von den deutschen Politikern ausgelösten Krieg zweifelsohne nicht um einen Präventivkrieg aus »Furcht und Verzweiflung«, sondern um den Versuch, bevor die gegnerischen Mächte zu sehr erstarkt waren, diese zu unterwerfen und die deutschen politischen Ziele, die sich unter den Begriff der Hegemonie Deutschlands über Europa subsumieren lassen, durchzusetzen.

II. Die Julikrise 1914

Um die englische Neutralität

Ende Mai 1914 hatte Moltke Staatssekretär Jagow aufgefordert, die politisch-diplomatischen Voraussetzungen für einen Präventivkrieg gegen Rußland und Frankreich zu schaffen. Da sich die militärische Situation nach Ansicht des Generalstabschefs in den folgenden Jahren für den Dreibund nur verschlechtern konnte, hielt er nun den Zeitpunkt für gekommen, den unvermeidlichen Krieg unter den für Deutschland noch relativ günstigsten Bedingungen zu führen [1]. Drei Wochen später versuchte Kaiser Wilhelm auch den österreichischen Thronfolger bei ihrem Treffen in Konopischt davon zu überzeugen, daß eine »Abrechnung« Österreichs mit Serbien notwendig und der jetzige Moment dafür günstig sei. Drei Tage danach, am 16. Juni, wandte sich Bethmann Hollweg in einem ausführlichen Schreiben an den deutschen Botschafter in England, Lichnowsky, in dem er noch einmal eine Demarche bei der britischen Regierung anordnete, um für einen etwa entstehenden Kontinentalkrieg die Neutralität Englands sicherzustellen. Bethmann Hollweg verwies auf die umfangreichen militärischen Rüstungen Rußlands, die bei einem »Wiederausbruch der Balkankrise« wohl zu einem energischeren Auftreten des Zarenreiches führen und damit die Gefahr eines gesamteuropäischen Konflikts heraufbeschwören würden. Diese Gefahr könne nur gebannt werden, wenn sich Deutschland und England schon jetzt darauf einigten, gemeinsam vorzugehen; andernfalls würde – wie Bethmann Hollweg im eigenhändigen Konzept des Schreibens formulierte –

»eine gemeinschaftliche, den Frieden verbürgende Mission Englands und Deutschlands bei bevorstehenden Komplikationen... jedenfalls von vornherein aufs äußerste gefährdet werden«.

In dem abgesandten Schreiben strich Bethmann Hollweg allerdings die Worte »bei bevorstehenden Komplikationen« und ersetzte sie durch die vorsichtigere Formulierung bei »etwa ausbrechenden Komplikationen« [2]. Möglichkeiten für den Ausbruch von »Komplikationen« gab es zu dieser Zeit auf dem Balkan in genügender Anzahl. Einmal schwelte noch immer der Streit um die endgültige Aufteilung des ehemaligen türkischen Besitzes auf dem Balkan unter die einzelnen Balkanstaaten. Zur Vorbereitung einer Revision des Bukarester Friedens hatten Bulgarien und die Türkei bereits im Frühjahr 1914 ein Militärbündnis geschlossen. Außerdem drohte im Juni 1914 der griechisch-türkische Streit um die Inseln in der Ägäis sich zu einem Krieg auszuweiten, in den vermutlich Bulgarien und die anderen Balkanstaaten ihrerseits eingreifen würden. Und schließlich erreichte Ende Juni 1914 die permanente albanische Krise einen neuen Höhepunkt, als der Fürst von Wied gezwungen wurde, außer Landes zu gehen, und in Wien bereits Freiwillige zu seiner Unterstützung geworben wurden. Die

1 Vgl. oben, Kap. 18, S. 584.
2 AA Bonn, England 83 secr. Bd. 3, Bethmann Hollweg an Lichnowsky, 16. 6. 14; veröffentlicht in GP 39, Nr. 15 883.

für Ende Juni in der Nähe der österreichisch-serbischen Grenze angesetzten österreichischen Manöver hatten in Belgrad große Erregung und Besorgnis hervorgerufen, da man dort befürchtete, die Manöver könnten ein getarnter Aufmarsch gegen Serbien sein.

In einem Gespräch mit dem ihm persönlich befreundeten Max Warburg bei einem Diner in Hamburg am 21. Juni zeigte sich der Kaiser, der am 18. Juni seine übliche Sommerreise nach Hamburg und Kiel angetreten hatte, besorgt über die allgemeine europäische Lage.

> »Die Rüstungen Rußlands, die großen russischen Bahnbauten waren seiner Ansicht nach Vorbereitungen für einen großen Krieg, der im Jahre 1916 ausbrechen könnte ... Er klagte, daß wir zu wenig Bahnen an der Westfront gegen Frankreich hätten; bedrängt von seinen Sorgen, erwog er sogar, ob es nicht besser wäre, loszuschlagen, anstatt zu warten.[3]«

Zwar versuchte Warburg, in seinen Aufzeichnungen die Bedeutung der Bemerkungen des Kaisers wieder abzuschwächen, doch wird aus ihnen deutlich, wie stark den Kaiser im Juni 1914 wieder die Idee eines Präventivkrieges gegen Frankreich und Rußland bewegte.

Inzwischen hatte Lichnowsky die ihm anbefohlene Demarche bei Grey ausgeführt, sein Bericht lag am 27. Juni im Auswärtigen Amt vor[4]. Bethmann Hollweg und Unterstaatssekretär Zimmermann waren über das Ergebnis der doch wortgetreu ausgeführten Instruktion enttäuscht, und deswegen wurde der Botschafter, der vom Kaiser anläßlich der Anwesenheit eines englischen Geschwaders zur Kieler Woche geladen war, vom Reichskanzler zum 29. Juni nach Berlin zitiert. Bethmann Hollweg, der am 27. Juni Zimmermann zu sich gebeten hatte, damit er »vorher die Situation noch einmal mit ihm besprechen könne«[5], hatte gehofft, daß Lichnowsky aus der Karte der englisch-russischen Marinekonvention und der russischen Rüstungen mehr herausholen würde.

Welche Instruktionen Lichnowsky von Bethmann Hollweg an diesem 29. Juni bekommen hat, läßt sich aus dem Vollzugsbericht Lichnowskys vom 6. Juli – nach seiner Rückkehr nach London – und der parallelen Aufzeichnung Greys über die Unterredung vom 6. Juli schließen[6]. Lichnowsky unterrichtete den englischen Außenminister über seine Eindrücke in Berlin. Ausgehend von der Tatsache, daß die Balkanangelegenheiten durch die Ermordung des österreichischen Thronfolgers eine nicht unbe-

---

3 Max M. Warburg, Aus meinen Aufzeichnungen, (Privatdruck) S. 29.
4 GP 39, Nr. 15 884, Lichnowsky an Bethmann Hollweg, 24. 6. 14.
5 DD 1, Nr. 6, Randbemerkung des RK zu einer Aufzeichnung Zimmermanns v. 27. 6. 14.
6 Geiss I, Nr. 36, Lichnowsky an Bethmann Hollweg, 6. 7. 1914. Soweit die Dokumente zur Julikrise 1914 in der von Imanuel Geiss edierten zweibändigen Sammlung »Julikrise und Kriegsausbruch 1914«, Hannover 1963/1964 abgedruckt sind, werden sie grundsätzlich nach dieser Sammlung zitiert, die mit den Einleitungen des Herausgebers zu den einzelnen Phasen der Julikrise zugleich auch eine ausgezeichnete Darstellung der Julikrise bietet.

denkliche Zuspitzung erhalten hätten, wies er darauf hin – zweifellos im Sinne der Instruktion Bethmann Hollwegs vom 29. Juni –,

> »man könnte es der k. u. k. Regierung nicht verübeln, wenn sie diese neue Her-ausforderung angesichts der Unterstützung, die die Verschwörer erwiesener-maßen (!) aus Belgrad erhalten hätten, nicht ungesühnt lassen und von der ser-bischen Regierung Genugtuung verlangen würde«.

Wenn er auch über das Ob und Wie nichts Näheres wisse, müsse er doch Grey empfehlen, wegen der Möglichkeit einer Verschärfung der Beziehungen zwischen Wien und Belgrad den englischen Einfluß in Petersburg einzusetzen, um Rußland zu veranlassen, seinerseits Serbien zur Nachgiebigkeit zu raten. Grey zeigte sich über diese Nachricht beunruhigt, verhielt sich aber im ganzen rezeptiv. Daraufhin wiederholte Lichnowsky instruktionsgemäß die Schilderung der russischen Gefahr: die gewaltigen russischen Rüstungen, den Bau strategischer Bahnen, die Stärkung des Chauvinismus in Rußland durch eine etwaige englisch-russische Marinekonvention...

> »Diese Tatsachen, verbunden mit dem bosnischen Frevel, hätten bei uns eine etwas pessimistische Auffassung der auswärtigen Lage gezeitigt.«

Lichnowsky entwarf also das Bild einer unter dem Druck russischer Drohungen pessimistisch-fatalistischen Reichsleitung. Wie in dem an ihn gegebenen Auftrag vom 16. Juni und wie im Gespräch mit Grey am 24. Juni wiederholte er, entsprechend dem ihm mündlich erteilten Auftrag vom 29. Juni, auch jetzt die Notwendigkeit deutsch-englischer Zusammenarbeit als einziges Mittel, den Frieden zu erhalten.

Wie die Aufzeichnung Greys [7] zeigt, äußerte sich Lichnowsky noch konkreter und weit besorgter über die Stimmungen und Absichten in Berlin. Demnach hat Lichnowsky nicht nur angedeutet, daß die Österreicher etwas beabsichtigten, sondern gewarnt, es sei nicht unmöglich, »daß sie militärisch gegen Serbien vorgehen würden«. Berlin fühle sich Österreich-Ungarn gegenüber in einer schwierigen Lage:

> »Sage es den Österreichern, daß nichts geschehen dürfe, dann würde ihm vor-geworfen, daß es sie stets zurückhalte und nicht unterstütze; lasse es anderer-seits aber den Dingen ihren Lauf, dann bestünde die Möglichkeit sehr ernster *Verwicklungen.*«

»Der Botschafter ging so weit zu bemerken«, notierte Grey, daß man in Deutschland angesichts der russischen Rüstungen und der nicht verstummten Gerüchte über eine englisch-russische Marinekonvention

---

7 Geiss I, Nr. 38, Grey an Rumbold, 6. 7. 1914.

»einigermaßen das Gefühl (habe), daß ganz sicher *Verwicklungen* eintreten würden und daß es darum besser wäre, Österreich nicht zurückzuhalten und das Übel lieber jetzt als später herankommen zu lassen«.

Zu den Verhandlungen über eine Marinekonvention habe Lichnowsky bemerkt, falls es tatsächlich eine solche Verständigung gebe, würde sie die chauvinistische Strömung in Rußland stärken,

> »die Stimmung der Alldeutschen ganz unwiderstehlich machen, sie würde zu einer Erweiterung des deutschen Flottengesetzes führen, was sonst nicht beabsichtigt sei ... Das sei ihm in Berlin ganz nachdrücklich eingeprägt worden.«

Grey schloß seine Aufzeichnung über Lichnowskys Ausführungen mit dem Satz: »Er bezeichnete Herrn von Bethmann Hollweg als pessimistisch.«

Aus den Informationen und Beobachtungen Lichnowskys geht hervor, daß die Reichsregierung unmittelbar nach dem Attentat auf den österreichischen Thronfolger und vor der Hoyos-Mission den Fürstenmord bereits als Anlaß erkannt hatte, ernste europäische »Verwicklungen« entstehen zu lassen.

Der Anlaß ist günstig – Die erste Juliwoche

Am 26. Juni reiste der deutsche Publizist Viktor Naumann nach Wien. Er war unmittelbar vor seiner Abreise im Auswärtigen Amt gewesen und hatte sich dort von Wilhelm v. Stumm ausführlich über die allgemeine politische Lage, über die Krisensituation auf dem Balkan und über die entschlußlose Außenpolitik Österreich-Ungarns informieren lassen.

Wenn Naumann dem österreichischen Außenminister und anderen leitenden Beamten am Ballhausplatz nach dem Attentat auf den Erzherzog am Sonntag, dem 28. Juni in Sarajevo, wiederholt den Rat gab, die Gelegenheit zu einer »Abrechnung« mit Serbien zu nutzen, wußte er sich zweifellos in Übereinstimmung mit der allgemeinen Lagebeurteilung im deutschen Auswärtigen Amt[8]. In Gesprächen mit Berchtold und Hoyos versuchte Naumann die österreichisch-ungarischen Politiker davon zu überzeugen, daß es sich um eine Existenzfrage für Österreich-Ungarn handle, Serbien zu vernichten. Wien müsse die Absicht in Berlin in geeigneter Form vortragen. Er sei sicher, daß, anders als im vorigen Jahr, neben den Militärs jetzt auch das Auswärtige Amt und der Kaiser dem Präventivkrieg gegen Rußland nicht mehr ablehnend gegenüberstünden und daß außerdem die öffentliche Meinung die Regierung zum Krieg zwingen würde. Ebenfalls anders als im letzten Jahr sei jetzt die Neutralität Englands in einem europäischen Krieg gesichert, sowie die Rumäniens und Griechen-

---

8 Geiss I, Nr. 6, Aufzeichnung Graf Hoyos über eine Unterredung mit Victor Naumann, 1. 7. 1914; vgl. auch V. Naumann, Dokumente und Argumente, Berlin 1928, S. 7.

lands; mit der Kooperation Bulgariens und der Türkei könne gerechnet werden. Im Auswärtigen Amte halte »man den Augenblick für günstig, um die große Entscheidung herbeizuführen«. Falls Österreich-Ungarn diese Chance nicht nutze – so warnte Naumann – würde Deutschland Österreich als Bundesgenossen fallenlassen. Diese Argumentation Naumanns entsprach derjenigen des Auswärtigen Amtes in den folgenden Tagen und Wochen.

Wie Naumann hat auch der deutsche Botschafter v. Tschirschky von Anfang an in Gesprächen mit Berchtold und in einer Audienz bei Kaiser Franz Joseph die deutsche Zustimmung für ein tatkräftiges Vorgehen Österreich-Ungarns gegen Serbien zugesichert und Rückendeckung gegen Rußland versprochen, vorausgesetzt, daß Österreich-Ungarn einen fest umschriebenen Aktionsplan formulierte und in Berlin vorlegte. Gegenüber Berchtold äußerte Tschirschky am 2. Juli[9]: »Wie der Minister wisse, habe Deutschland mehrmals während der Krise erklärt, daß es hinsichtlich der Balkanpolitik stets hinter uns (Österreich-Ungarn) stehen werde.« Er wies darauf hin, »daß seiner Ansicht nach nur ein tatkräftiges Vorgehen gegen Serbien zum Ziel führen könne«. Am gleichen Tag versicherte er dem Kaiser Franz Joseph, daß er »sicher darauf bauen könne, Deutschland geschlossen hinter der Monarchie zu finden, sobald es sich um die Verteidigung eines ihrer Lebensinteressen handele«. Wenn auch die Entscheidung über die zu ergreifenden Schritte der Monarchie überlassen bleiben müsse, wie Tschirschky respektvoll sagte, so könne er doch »nur wiederholen, daß (Kaiser Wilhelm) hinter jedem festen Entschluß Österreich-Ungarns stehen werde«[10]. Diese Erklärung nahm bereits die Zusage, die Kaiser Wilhelm am 5. Juli den Österreichern machte, in den entscheidenden Punkten vorweg.

Am gleichen 2. Juli abends unterzeichnete Franz Joseph das Handschreiben an Wilhelm II., das der Sondergesandte Graf Hoyos zwei Tage später nach Berlin überbrachte, und in dem die Absicht ausgesprochen wurde, Serbien als politischen Machtfaktor am Balkan auszuschalten, es zu isolieren und zu verkleinern[11].

Während in Berlin tatsächlich schwerwiegende Entscheidungen erwogen wurden und hinter den Kulissen eine fieberhafte Aktivität herrschte, erweckte das offizielle Berlin zur Täuschung der eigenen Bevölkerung und der ausländischen Diplomaten das Bild sommerlicher Ferienruhe. Im Aus-

---

9 Geiss I, Nr. 14, Aufzeichnung Berchtolds, 3. 7. 14. Die Formulierung »mehrmals während der Krise« deutet darauf hin, daß Tschirschky nicht erst seit dem 2. Juli eine entschiedene Sprache geführt hat. Tschirschky selbst hat seine – vom Kaiser gerügten – angeblich abwiegelnden Worte vom 30. Juni (Geiss I, Nr. 3) nur als dringende Aufforderung an Wien verstanden, eine Aktion besser vorzubereiten; vgl. AA Bonn, Gesandtschaft Wien geh. III, ganz geh. Sachen, Jagow an Tschirschky 11. 11. 14, Randnotiz Tschirschkys.
10 Geiss I, Nr. 11, Tschirschky an Bethmann Hollweg, 2. 7. 14.
11 Geiss I, Nr. 9, Franz Joseph an Wilhelm II., 2. 7. 14.

wärtigen Amt war nur der Unterstaatssekretär Zimmermann anwesend, der laufend beruhigende Gespräche mit den ausländischen Diplomaten führte; auch der Staatssekretär des Reichsmarineamts, Tirpitz, und Generalstabschef Moltke befanden sich im Urlaub. Selbst dem österreichischen Verbündeten gegenüber spielten die deutschen Behörden die gleiche Komödie. Als Botschafter Szögyény nämlich das von Graf Hoyos dem Kabinettschef überbrachte Handschreiben Kaiser Franz Josephs am 5. Juli vormittags Kaiser Wilhelm überreichte, tat die deutsche Seite Szögyény gegenüber so, als müsse sich der Kaiser über die Antwort an Österreich erst mit Bethmann Hollweg, der auf seinem Landsitz Hohenfinow weilte, beraten und ihn dazu zum erstenmal seit dem 29. Juni aus dem Urlaub nach Potsdam rufen. Tatsächlich aber hat sich Bethmann Hollweg während der Zeit vom 29. Juni bis zum 5. Juli täglich mit Ausnahme des 1. und 3. Juli in Potsdam aufgehalten und dort mit dem Kaiser Besprechungen über die politische Lage geführt [12].

Aus der Woche zwischen dem Attentat von Sarajevo (Sonntag, 28. Juni) und der Audienz des österreichischen Botschafters bei Wilhelm II. (Sonntag, 5. Juli) gibt es verschiedene Zeugnisse dafür, daß in Berliner Regierungskreisen die Ansicht verbreitet war, für einen europäischen Krieg sei die Gelegenheit jetzt günstig. Am Donnerstag, dem 2. Juli, hörte der sächsische Gesandte in Berlin, Salza v. Lichtenau, auf dem Auswärtigen Amt, man sei zwar nicht der Meinung, daß aus dem serbisch-österreichischen Konflikt ein serbisch-österreichischer Krieg entstehe [13]; falls ein solcher Krieg jedoch nicht vermieden werden könnte, würde Rußland mobilisieren »und der Weltkrieg ... nicht mehr aufzuhalten sein«.

> »Von militärischer Seite werde jetzt wieder gedrängt, daß wir es zum Kriege jetzt, wo Rußland noch nicht fertig, kommen lassen sollten.«

Salza konnte sich allerdings nicht vorstellen, daß sich Wilhelm II. zu einem Kriege »verleiten lassen« würde. Im Auswärtigen Amt sei man, was die Kriegsbereitschaft der Nachbarn des Deutschen Reiches anbelange, optimistisch:

> »Frankreich ist mit seinen inneren Verhältnissen und der Geldkalamität zu sehr beschäftigt. Rußland rasselt zwar mit dem Säbel, aber der Grund hierin ist anscheinend nur, um möglichst in diesem Jahre die für nächstes Jahr von Frankreich versprochenen 500 Millionen zu erhalten, da es auch an Geldmangel leidet.«

Auch England wolle keinen Krieg, da es für seinen Handel fürchte, Schwie-

---

12 DZA I, Rkz Nr. 1724, Reisekostenabrechnungen Bethmann Hollwegs über seine »Dienstreisen« v. 29. 6. Berlin-Wildpark (Bahnstation in Potsdam zum »Neuen Palais«), 30. 6. Berlin – Neues Palais, 2. und 4. 7. Berlin-Wildpark.
13 Geiss I, Nr. 12, Salza und Lichtenau an Vitzthum von Ekstädt, 2. 7. 14.

rigkeiten mit seinen Kolonien habe und die deutsche Flotte als einen »Faktor, mit dem England jetzt rechnen müsse«, respektiere.

Am Freitag, dem 3. Juli, sprach der sächsische Militärbevollmächtigte in Berlin, Leuckart, den Oberquartiermeister im Großen Generalstab, Graf Waldersee. Dieser deutete an, »daß wir von heute zu morgen in einen Krieg verwickelt werden könnten. Alles hänge davon ab, wie Rußland sich zu der österreichisch-serbischen Angelegenheit stelle« [14]. Leuckart kam zu dem Schluß, daß man es im Generalstab »als ganz günstig ansieht, wenn es jetzt zu einem Kriege käme. Besser würden die Verhältnisse und Aussichten für uns nicht werden«. Nach Leuckarts Informationen sollte sich der Kaiser allerdings »für die Erhaltung des Friedens ausgesprochen haben«. – Die Randbemerkungen Wilhelms II. vom gleichen Tage zu einem Bericht Tschirschkys zeigen, daß dieses Gerücht nicht richtig war. »Jetzt oder nie . . . Mit den Serben muß aufgeräumt werden, und zwar bald«, forderte der Kaiser. Salzas Gewährsmann im Auswärtigen Amt hatte die Chance für den Frieden daran geknüpft, daß es *nicht* zum Kriege zwischen Serbien und Österreich-Ungarn käme. Gerade dazu jedoch wurde Österreich-Ungarn zwei Tage später, am 4. Juli, erneut gedrängt. An diesem Tage erklärte der Wiener Korrespondent der ›Frankfurter Zeitung‹, Ganz, im Auftrag des deutschen Botschafters Tschirschky im Wiener Außenministerium,

»Deutschland würde die Monarchie durch Dick und Dünn unterstützen, was immer dieselbe auch gegen Serbien beschließen sollte . . . je früher Österreich-Ungarn losgehe, desto besser. Besser wäre gestern gewesen als heute, besser aber heute als morgen.«

Und um an der Entschlossenheit der deutschen Regierung keinen Zweifel zu lassen, bekräftigte der Abgesandte Tschirschkys diese Zusage noch:

»Selbst wenn die deutsche Presse, die heute ganz antiserbisch sei, wieder zum Frieden blasen würde, sollte man sich in Wien nicht irremachen lassen, Kaiser und Reich würden unbedingt zu Österreich-Ungarn halten. Offener könne eine Großmacht zu einer anderen nicht mehr sprechen.[15]«

Graf Hoyos konnte also in der ruhigen Gewißheit nach Berlin fahren, daß auf die den Österreichern von Berlin nahegelegte Anfrage Kaiser Franz Josephs eine günstige Antwort erteilt werden würde. Diese Anfrage, vorgebracht in dem kaiserlichen Handschreiben und in einem Memorandum über eine neue Balkanpolitik des Dreibundes [16], enthielt keine ausgesprochene militärische Proposition für einen Krieg Österreich-Ungarns gegen

---

14 Geiss I, Nr. 15, Leuckart an Carlowitz, 3. 7. 14.
15 Geiss I, Nr. 19, Aufzeichnung des Sektionschefs im österreichisch-ungarischen gemeinsamen Außenministerium Graf Forgách, 4. 7. 14.
16 Geiss I, Nr. 9, Franz Joseph an Wilhelm II., 2. 7. 14; ÖU. Bd. 8, Nr. 9984, Denkschrift v. 1. 7. 14.

Serbien – diesen Eindruck hatte zum Beispiel der Kriegsminister Falkenhayn, als ihm beide Schriftstücke vorgelesen wurden –, vielmehr enthielten die Dokumente Vorschläge für eine langfristige Balkanpolitik des Dreibundes, mit dem Ziel, den russischen Einfluß auf dem Balkan dadurch zurückzudrängen, daß man Bulgarien an den Dreibund heranzog, Rumänien von seiner wachsenden Rußland- und Serbienfreundschaft wieder abbrachte, ferner dadurch, daß man Griechenland mit Bulgarien und der Türkei versöhnte und es ebenfalls an den Dreibund heranzog, so daß Serbien, der Hort der antiösterreichischen Agitation, isoliert würde. Diese Umgruppierung sei nur zu erreichen, wenn »Serbien... als politischer Machtfaktor am Balkan ausgeschaltet wird« [17]. Die geringe Konkretheit der Denkschrift liegt darin begründet, daß sie bereits vor dem Attentat fertiggestellt worden war. Die Entstehungsgeschichte dieses Dokuments reicht bis in das Frühjahr 1914, den Höhepunkt der deutsch-österreichischen Kontroverse über die Balkanpolitik [18], zurück. Sie war konzipiert worden, um dem deutschen Bündnispartner die österreichisch-ungarische Sicht der Balkanverhältnisse zu erläutern. Nach dem Attentat wurde die Denkschrift ein letztes Mal überarbeitet [19]. Jetzt wurden vor allem die Gesichtspunkte schärfer hervorgehoben, die das Bedrohtsein nicht allein Österreich-Ungarns, sondern vor allem Deutschlands hervorhoben. Das Bild des unaufhörlich wachsenden, schwer gerüsteten russischen Kolosses und des revanchelüsternen Frankreichs wurde beschworen:

> »Denn wenn Rußland, von Frankreich unterstützt, die Balkanstaaten gegen Österreich-Ungarn zu vereinigen trachtet, wenn es die bereits erreichte Trübung des Verhältnisses zu Rumänien zu vertiefen bestrebt ist, so richtet sich diese Feindseligkeit nicht allein gegen die Monarchie als solche, sondern nicht zuletzt gegen den Bundesgenossen des Deutschen Reiches, gegen den durch seine geographische Lage und innere Struktur exponiertesten Angriffen am meisten zugänglichen Teil des zentraleuropäischen Blocks, der Rußland den Weg zur Verwirklichung seiner weltpolitischen Pläne sperrt.[20]«

Diese Argumentation war genau auf das Denken Wilhelms II. zugeschnitten. Ging es doch um seine Befürchtung, daß die deutsche Weltstellung durch den Zangengriff der französisch-russischen Allianz blockiert werden würde.

So interpretierte Wilhelm II., der seit Tagen von seinem Kanzler und den Militärs dahin bearbeitet worden war, daß Österreich-Ungarn die Situation zur Abrechnung mit Serbien nützen müsse – selbst auf die Gefahr eines europäischen Krieges hin, weil auch für diesen der Zeitpunkt *jetzt*

17 Geiss I, Nr. 9, Franz Joseph an Wilhelm II., 2. 7. 14.
18 Vgl. oben Kap. 19, S. 591 ff.
19 ÖU, Bd. 8, Nr. 9918, Denkschrift des Sektionschefs im österreichisch-ungarischen gemeinsamen Außenministerium Frhr. v. Matscheko, o. D. (24. 6. 14); vgl. auch ibid., Nr. 9984, Denkschrift v. 1. 7. 14.
20 ÖU, Bd. 8, Nr. 9984, Denkschrift vom 1. 7. 14.

günstig sei –, die Mitteilungen der Denkschrift sogleich als Entschluß Österreichs zum kriegerischen Vorgehen. Er bekannte dem österreichischen Botschafter [21], »daß er eine ernste Aktion unsererseits (i. e. österreichischerseits) gegenüber Serbien erwartet habe«, sich dabei aber im klaren sei, daß diese Aktion »eine ernste europäische Komplikation« zur Folge haben könnte, daß aber auch für diesen Fall »Deutschland in gewohnter Bundestreue an unserer (i. e. Österreichs) Seite stehen werde«. Gleichzeitig versuchte er, den Bundesgenossen zu beruhigen, Rußland sei noch keineswegs kriegsbereit und werde es sich überlegen, »an die Waffen zu appellieren«. Deshalb würde er, sosehr er auch die bekannte Friedensliebe Kaiser Franz-Josephs achte, es sehr bedauern, »wenn wir (i. e. Österreich) den jetzigen, für uns so günstigen Moment unbenutzt ließen«. Über die Haltung Rumäniens beruhigte der Kaiser den Bundesgenossen: »König Carol und seine Ratgeber (werden) sich korrekt verhalten.«

Wilhelm II. verfolgte, wie in den Vortagen sein Botschafter in Wien, die Taktik, auf die Österreicher einen moralischen Zwang zum Krieg gegen Serbien auszuüben. Und so wurde es in Wien auch verstanden, wie die Äußerungen des österreichischen Ministerpräsidenten Stürgkh im Gemeinsamen Ministerrat am 7. Juli in Wien zeigen, gegen die sich der ungarische Ministerpräsident Tisza vergeblich mit dem Argument auflehnte, »es sei nicht Sache Deutschlands zu beurteilen, ob wir jetzt gegen Serbien losschlagen sollten oder nicht« [22].

Am Nachmittag des 5. Juli hielt Bethmann Hollweg, der das Memorandum im Auswärtigen Amt mittags studiert hatte, dem Kaiser in Potsdam einen Vortrag. Er stimmte der kaiserlichen Zusage offiziell zu und gab ihr dadurch die verfassungsrechtliche Sanktion, die dem österreichischen Botschafter notwendig erschien.

Der Überbringer der Dokumente, Graf Hoyos, hatte inzwischen eingehend mit Unterstaatssekretär Zimmermann über das zukünftige Schicksal Serbiens beraten. Serbien sollte auf jeden Fall erheblich verkleinert werden, wenn nicht durch direkte Annexionen – gegen die sich der ungarische Ministerpräsident Tisza wehrte –, so doch durch Zuteilung von Gebieten an Rumänien, Bulgarien, Griechenland und Albanien, womit eine Neuordnung des Balkans, das heißt das wichtigste Kriegsziel Österreich-Ungarns erreicht worden wäre [23].

Bevor Wilhelm II. seine Nordlandreise antrat, empfing er im Anschluß an die Audienz Bethmann Hollwegs und des Unterstaatssekretärs Zimmermann am gleichen Nachmittag und am nächsten Morgen die Vertreter

---

21 Geiss I, Nr. 21, Szögyény an Berchtold, 5. 7. 14.
22 Geiss I, Nr. 39, Protokoll des gemeinsamen österreichisch-ungarischen Ministerrats, 7. 7. 1914.
23 Vgl. Hugo Hantsch, Leopold Graf Berchtold, Bd. 2, S. 569–573; am 6. Juli sprach Hoyos auch Jagow, der gerade von seiner Hochzeitsreise nach Berlin zurückgekehrt war. Hugo Hantsch, Leopold Graf Berchtold, Bd. 2, S. 573; AA Bonn, NL Jagow, Bd. 7, Jagow an Blücher, 6. 7. 14 »Heute von der Hochzeitsreise hierher [Berlin] zurückgekehrt . . .«

der militärischen Instanzen, den preußischen Kriegsminister Falkenhayn, vom Admiralstab Kapitän zur See Zenker, den Chef des Militärkabinetts Lyncker, den Generaladjutanten Plessen, den Unterstaatssekretär im Reichsmarineamt, Capelle, als Vertreter von Tirpitz, den rangältesten Offizier im Generalstab, Bertrab, als Vertreter Moltkes, und befahl ihnen für alle Eventualitäten bereit zu sein. Auf die Frage des Kaisers, ob das Heer für alle Fälle bereit sei, bejahte Falkenhayn dies, wie er im November 1919 vor dem Parlamentarischen Untersuchungsausschuß aussagte, »ganz kurz« [24].

Nachdem am 5. und 6. Juli Österreich-Ungarn durch die offizielle Anfrage und der deutsche Kaiser durch seine Antwort an Wien auf eine kriegerische Aktion Österreich-Ungarns gegen Serbien festgelegt worden waren, schickte der Reichskanzler, um die Weltöffentlichkeit zu beruhigen, die Militärs auf Urlaub [25] und den Kaiser auf die Nordlandfahrt. Mit der Abreise des Kaisers aus Berlin hatte Bethmann Hollweg außerdem einen Unsicherheitsfaktor der deutschen Politik ausgeschaltet [26]. Wie sehr der Kaiser sich selbst als einen solchen einschätzte, bestätigte er durch ein Gespräch, das er am Abend dieses 6. Juli in Kiel mit dem ihm befreundeten Krupp von Bohlen und Halbach führte, als er ihn von der bevorstehenden österreichischen Aktion und der deutschen Zusage in Kenntnis setzte. Dabei hat er, was Krupp schon als peinlich empfand, dreimal im Laufe der Unterhaltung versichert: »Diesmal falle ich nicht um.« »Die wiederholte kaiserliche Betonung, in diesem Falle werde ihm kein Mensch wieder Unschlüssigkeit vorwerfen können, habe sogar fast komisch gewirkt.[27]« Eine russische Mobilmachung (wie sie als Folge des österreichischen Vorgehens gegen Serbien zu erwarten sei) werde er mit Krieg beantworten, beteuerte Wilhelm II.

Auch Bethmann Hollweg selbst begab sich am 6. Juli abends wieder nach Hohenfinow zurück, um dort – mit Berlin durch eine Telegraphenstation verbunden, die jetzt eingerichtet wurde und über vier Wochen in Betrieb war [28] – die Aktion Österreich-Ungarns, die nach seinen Vorstellungen möglichst schnell erfolgen sollte, abzuwarten.

Seine Gedanken in abendlichen Gesprächen, wie sein persönlicher Se-

24 Geiss I, Nr. 23a, Falkenhayn an Moltke, 5. 7. 14; Nr. 23b, Schriftliche Mitteilung Falkenhayns an den Parlamentarischen Untersuchungsausschuß; Nr. 32a, Schriftliche Auskunft Capelles, 8. 10. 19; Nr. 32b, Schriftliche Auskunft Bertrabs, 20. 10. 19; Nr. 32c, Schriftliche Auskunft Waldersees, 25. 10. 19.
25 Moltke war zu dieser Zeit ohnehin auf Urlaub in Karlsbad und wurde aufgefordert, dort zu bleiben. Waldersee hat berichtet: »Ich war auf ausdrücklichen Wunsch des damaligen Herrn Reichskanzlers, durch die Herren v. Jagow und Zimmermann aufgefordert worden, meinen mir bereits bewilligten Erholungsurlaub anzutreten.« Geiss I, Nr. 32c, Anm. 2.
26 Vgl. dazu den Brief des ehemaligen Mitglieds des Direktoriums der Fa. Krupp, Dr. Mühlon, DZA II, Rep. 90a, A VIII, 1c Nr. 4 (undat.).
27 Ibid.
28 DZA I, Rkz, Nr. 1724, Aufzeichnung Wahnschaffe über die Aufwandsentschädigung für den Telegraphenassistenten Thiel, der im Juli 1914 während Bethmann Hollwegs Anwesenheit auf Gut Hohenfinow die dort installierte Telegraphenstation bedient hat, v. 5. 8. 14.

kretär Riezler sie notierte, kreisten um die gerade getroffenen schwerwiegenden Entscheidungen [29]. Einerseits fürchtete er die Unzuverlässigkeit der österreichischen Politik (6. Juli) und bezweifelte die Hoffnungen der Konservativen, der nahende Krieg werde »zu einer Stärkung der patriarchalischen Ordnung und Gesinnung führen« (7. Juli). Immerhin hoffte er, der Krieg werde die deutsche Nation einig finden:

> »Wenn der Krieg kommt und die Schleier fallen, wird die ganze Nation folgen, getrieben durch Notwendigkeit und Gefahr (necessity and peril).[29a]«

Andererseits stand ihm aber die bedrohliche Macht Rußlands vor Augen – die militärische Macht Rußlands wachse schnell (6. Juli) und »die Zukunft gehört Rußland, das wächst und wächst und sich als immer schwererer Alp auf uns legt« (7. Juli). Kantorowicz hat eine treffende Charakteristik des Bethmannschen Zauderns gegeben. Er hat der »üblichen Auffassung«, wonach Bethmann Hollweg ein »Idealist« gewesen sei, widersprochen: »Richtig ist, daß er an moralischen Hemmungen gelitten hat, aber er hat diese in allen Fällen erfolgreich niederzukämpfen gewußt. Es sind die einzigen Kämpfe, in denen er Erfolg gehabt hat.[30]« Trotz seiner persönlichen Skrupel steht fest, daß der Reichskanzler im Sommer 1914 den europäischen Krieg in sein politisches Kalkül gestellt hat und die Konstellation als besonders günstig ansah, insofern als diesmal Österreich-Ungarn der Erstbetroffene war und nicht (wie in der Marokkokrise) das Deutsche Reich. Auch im Riezler-Tagebuch gibt es dafür einen wichtigen Beleg. Am 8. Juli notierte Riezler als Bemerkung Bethmann Hollwegs:

> »Wenn der Krieg vom Osten ausgeht, so daß wir für Österreich-Ungarn fechten müssen, und nicht Österreich-Ungarn für uns, so haben wir eine Chance zu gewinnen.[30a]«
> »Kommt der Krieg nicht, will der Zar nicht oder rät das bestürzte Frankreich zum Frieden, so haben wir doch noch Aussicht, die Entente über dieser Aktion auseinanderzumanövrieren.«

Mit dieser Äußerung kalkuliert Bethmann Hollweg eindeutig den europäischen Krieg als erste Alternative in seine Politik ein, und erst in zweiter, weniger gewünschter Linie, einen bloß diplomatischen Erfolg. Für wie ernst er die Provokation Rußlands durch einen österreichischen Krieg

---

29 Vgl. dazu K. D. Erdmann, Zur Beurteilung Bethmann Hollwegs, in: GWU 15, 1964, S. 535 f. Bethmann Hollwegs Besorgnis vor der wachsenden militärischen Stärke Rußlands war offensichtlich noch verstärkt worden durch zwei Denkschriften, die das Auswärtige Amt am 4. Juli vom Generalstab erhalten hatte. Sie tragen die Titel »Die Vervollständigung des russischen Eisenbahnnetzes« und »Die wachsende Macht Rußlands«. Vgl. dazu Konrad H. Jarausch, The Illusion of Limited War: Chancellor Bethmann Hollweg's Calculated Risk, July 1914. In: Central European History, II, Nr. 1, März 1969, S. 57, Anm. 30.
29a Rückübersetzung aus dem Englischen; zitiert nach Jarausch, Bethmann Hollweg's Calculated Risk, S. 59.
30 H. Kantorowicz, Kriegsschuldfrage, S. 383. Selbst wenn man dem letzten Satz nicht zustimmen kann, so bleibt der Kern der Aussage dadurch unbeeinträchtigt.
30a Rückübersetzung aus dem Englischen; zitiert nach Jarausch, Bethmann Hollweg's Calculated Risk, S. 58. – Der folgende Satz nach Erdmann, vgl. A. 29.

gegen Serbien einschätzte, läßt sich daran ablesen, daß er auch für den Fall eines russischen oder französischen Zurückweichens vor dieser Provokation glaubte, Rußland, Frankreich und England würden sich gegenseitig so anklagen, daß die Entente eine solche Zerreißprobe nicht überstehen werde[31].

»Landgraf bleibe fest« – 8.–23. Juli

Während die deutsche Regierung seit Anfang Juli 1914 entschlossen war, die günstige Situation auszunutzen, um einen Krieg gegen Frankreich und Rußland zu führen, hatte sich die Regierung in Wien zwar zu energischen Schritten gegen Serbien entschieden, suchte aber nach Wegen, eine kriegerische Intervention Rußlands zu vermeiden, obwohl alle Minister davon überzeugt waren, daß sie sich kaum vermeiden lasse. Auf dem Gemeinsamen Ministerrat in Wien, der am 7. Juli nach der Rückkehr des Grafen Hoyos aus Berlin stattfand, sprachen sich alle Minister für eine Abrechnung mit Serbien aus[32]. Alle Anwesenden mit Ausnahme des ungarischen Ministerpräsidenten Tisza hielten einen Krieg gegen Serbien, selbst auf die Gefahr russischen Eingreifens, für die beste Lösung. Tisza jedoch war der Überzeugung, daß für die Dreibundmächte der Zeitpunkt für einen großen Krieg keineswegs günstig sei. Auch forderte er, Serbien nach einem Krieg wohl zu verkleinern, es aber mit Rücksicht auf Rußland nicht vollständig zu vernichten und Petersburg durch Garantien in dieser Richtung zu beruhigen.

Der Generalstabschef Conrad, der zur Beantwortung militärischer Fragen der Sitzung zeitweise beiwohnte, trat für einen sofortigen Krieg gegen Serbien und notfalls auch gegen Rußland ein. Berchtold, der sich ebenfalls für einen Krieg gegen Serbien ausgesprochen hatte, war unsicher wegen der voraussichtlichen Haltung Rumäniens und wegen der Stellung Italiens und wahrscheinlicher italienischer Kompensationsforderungen. Doch stand er gleichzeitig unter schwerstem deutschem Druck. Am 8. Juli suchte Tschirschky ihn wieder auf, um ihm »sehr nachdrücklich« zu erklären, »daß man in Berlin eine Aktion gegen Serbien erwarte«[33]. Berchtold entnahm den Äußerungen Tschirschkys (das teilte er Tisza mit):

»daß man in Deutschland ein Transigieren unsererseits mit Serbien als Schwä-

31 Es ist unverständlich, wie Wolfgang Mommsen die Aussage des Riezler-Tagebuchs folgendermaßen umkehren konnte: »In diesem Falle bestand *gute Aussicht*, daß es gelingen werde, ... die ›Entente über diese Aktion auseinanderzumanövrieren‹ ... Kam es gleichwohl *doch noch zum großen Kriege*, so besser jetzt als später«, Wolfgang Mommsen, Imperialismus, Fischer-Weltgeschichte, S. 277 f.
32 Geiss I, Nr. 39, Protokoll des gemeinsamen österreichisch-ungarischen Ministerrats, 7. 7. 14.
33 Tagebuchnotiz Berchtolds, 4. 7. 14, zit. nach H. Hantsch, Leopold Graf Berchtold, Bd. 2, S. 570.

chebekenntnis auslegen würde, was nicht ohne Rückwirkung auf unsere Stellung im Dreibunde und die künftige Politik Deutschlands bleiben könnte« [34].

Eine ähnliche Befürchtung hatte der österreichische Ministerpräsident Stürgkh am Tag zuvor im Gemeinsamen Ministerrat ausgesprochen:

Österreich liefe »durch eine Politik des Zauderns und der Schwäche Gefahr..., dieser rückhaltlosen Unterstützung des Deutschen Reiches zu einem späteren Zeitpunkte nicht mehr so sicher zu sein« [35].

Am 9. Juli stellte Berchtold fest, auch Franz Joseph billige eine energische Aktion gegen Serbien. Er sei »besorgt, daß eine schwächliche Haltung unsere Stellung Deutschland gegenüber diskreditieren würde« [36].

Der ungarische Ministerpräsident Tisza, nach wie vor einer kriegerischen Lösung abgeneigt, formulierte seine Bedenken noch einmal schriftlich für einen Vortrag bei Kaiser Franz Joseph:

»Ein derartiger Angriff auf Serbien würde nach jeder menschlichen Voraussicht die Intervention Rußlands und somit den Weltkrieg heraufbeschwören, wobei ich – trotz allem Optimismus in Berlin – die Neutralität Rumäniens für wenigstens sehr fraglich halten müßte.[37]«

Tisza sprach sich nicht grundsätzlich gegen einen Krieg des Dreibundes mit Rußland aus; aber er wünschte doch eine bessere innen- und außenpolitische Vorbereitung Österreich-Ungarns auf einen solchen Entscheidungskampf. Daher forderte er, daß zuvor eine freundschaftliche, die Beteiligung am Krieg oder doch zumindest die wohlwollende Neutralität verbürgende Haltung Bulgariens, Griechenlands und Rumäniens sichergestellt werden müßte. Tiszas Überzeugung nach müßte in der augenblicklichen Situation ein von Österreich

»provozierter Krieg wahrscheinlich unter sehr ungünstigen Bedingungen durchgefochten werden..., während eine Verschiebung der Abrechnung auf spätere Zeit, wenn wir diese Zeit diplomatisch gut ausnützen, eine Besserung der Kräfteverhältnisse hervorrufen würde«.

Um diese Widerstände und dies Zögern in Wien zu überwinden, sprachen der deutsche Botschafter v. Tschirschky oder der Botschaftsrat Stolberg fast täglich am Ballhausplatz vor und drängten – nachdem die Regierung in Wien sich nun einmal entschlossen hatte, Serbien zunächst ein Ultimatum zu stellen – darauf, daß das Ultimatum schnell übergeben würde und unannehmbare Forderungen enthielte, so daß eine kriegerische Aktion die sichere Folge wäre. Während Tschirschky immer wieder drohend

---

34 Geiss I, Nr. 50, Berchtold an Tisza, 8. 7. 14.
35 Vgl. Anm. 32.
36 Tagebuchnotiz Berchtolds, 9. 7. 14, H. Hantsch, Leopold Graf Berchtold, Bd. 2, S. 570.
37 Geiss I, Nr. 51, Tisza an Franz Joseph, 8. 7. 14.

darauf hinwies, daß Berlin ein österreichisches Zögern als Zeichen für die Resignation der Großmacht Österreich-Ungarn auffassen würde, versuchte das Auswärtige Amt den österreichischen Botschafter in Berlin, Szögyény, zu beruhigen und zu ermuntern, da die Situation auch für den Krieg gegen Rußland und Frankreich einmalig günstig sei: Am 12. Juli begründete Szögyény in einem ausführlichen Bericht, weshalb der Kaiser und die »maßgebenden deutschen Kreise« ihren Bundesgenossen Österreich-Ungarn »man möchte fast sagen, geradezu drängen, eine eventuell sogar kriegerische Aktion gegen Serbien zu unternehmen«. Die deutsche Regierung halte den gegenwärtigen Moment auch vom deutschen Standpunkt aus »politisch für den richtigsten«.

> »Für die Wahl des jetzigen Zeitpunktes sprechen nach der deutschen ... Auffassung allgemein politische Gesichtspunkte und spezielle durch die Mordtat in Sarajevo sich ergebende Momente.[38]«

Denn man sei überzeugt, daß Rußland zum Kriege rüste und ihn »direkt in sein politisches Zukunftskalkül eingestellt« habe, »ihn aber für jetzt nicht vorhat, oder besser gesagt, für den gegenwärtigen Augenblick noch nicht genügend darauf vorbereitet ist«. Sollte Rußland sich jedoch trotzdem zu einer militärischen Intervention zugunsten Serbiens entschließen,

> »so ist es zur Zeit noch lange nicht militärisch fertig und lange nicht so stark, wie es voraussichtlich in einigen Jahren sein wird«.

Außerdem glaube die deutsche Regierung, Anzeichen zu haben,

> »daß England sich derzeit nicht an einem wegen eines Balkanlandes ausbrechenden Kriege, selbst dann nicht, wenn er zu einem Waffengang mit Rußland, eventuell auch Frankreich, führen sollte, beteiligen würde.«

Die deutsche Regierung war also zu dem entgegengesetzten Urteil über die Lage Deutschlands und Österreich-Ungarns gekommen wie der ungarische Ministerpräsident. Sie hielt »die politische Konstellation gegenwärtig für uns so günstig wie irgend möglich«. Die durch das Attentat ausgelösten psychologischen Momente schätzte Szögyény demgegenüber nur für sekundär ein.

Tisza, der seit dem Abend des 8. Juli wieder in Budapest weilte, wurde schrittweise zur Zustimmung zu einem unannehmbaren Ultimatum an Serbien bekehrt. Das entschiedene Votum des deutschen Bundesgenossen und die Agitation in der Budapester Presse führten ihn dazu, seine ablehnende Stellung vom 7. Juli zu revidieren, wobei er nur seine Gegnerschaft gegen die Einverleibung serbischer Gebiete in die Doppelmonarchie auf-

---

38 Geiss I, Nr. 75, Szögyény an Berchtold, 12. 7. 14.

rechterhielt [38a]. Am 14. Juli wurde dann in einer gemeinsamen Besprechung zwischen Tisza, Stürgkh und Berchtold schließlich Einstimmigkeit über die an Serbien zu stellenden Forderungen erzielt [39]. Sofort nach dieser Besprechung suchte Tisza den deutschen Botschafter auf, um ihn über seinen Meinungsumschwung zu unterrichten; auch er sei jetzt von der Notwendigkeit eines Krieges gegen Serbien überzeugt [40]. Tisza wie auch Berchtold, der Tschirschky anschließend offiziell über die Einigung mit dem ungarischen Ministerpräsidenten informierte [41], teilten Tschirschky allerdings gleichzeitig mit, daß die Übergabe des Ultimatums bis zum 25. Juli aufgeschoben werde. Dieser späte Termin sei deshalb beschlossen worden, damit die Übergabe des Ultimatums nicht gerade während der Anwesenheit des französischen Staatspräsidenten Poincaré in Petersburg vonstatten ginge. Der Staatsbesuch Poincarés und Vivianis in Rußland wurde für die Zeit nach dem 20. Juli erwartet [42]. Man wollte in Wien eine unnötige Provokation Rußlands vermeiden und verhindern, daß sich die russischen und französischen Staatsmänner sofort absprechen könnten. Beide aber, Tisza wie Berchtold, beteuerten Tschirschky gegenüber ausdrücklich, daß lediglich der Aufenthalt Poincarés in Petersburg Grund für die Verschiebung sei; »man könne in Berlin vollkommen sicher sein..., daß von einem Zögern oder einer Unschlüssigkeit hier keine Rede sei« [43]. Diese fast ängstlichen Versuche, den Aufschub zu begründen, zeigen, wie sehr sich die österreichisch-ungarischen Politiker von der deutschen Regierung zu einem Krieg gegen Serbien gedrängt fühlten. Deswegen sicherte Berchtold auch zu, den endgültigen Text der Note sofort – noch vor Unterbreitung an Kaiser Franz Joseph – der deutschen Regierung zur Kenntnisnahme zuzustellen.

Auf dem Gemeinsamen Ministerrat in Wien am 19. Juli wurde der definitive Wortlaut des Ultimatums festgestellt und angenommen. Außerdem wurde beschlossen, die auf 48 Stunden befristete Note am Donnerstag, dem 23. Juli, um 17 Uhr in Belgrad zu überreichen. Wahrscheinlich werde dadurch, so begründete Berchtold im Ministerrat diesen Termin, der österreichisch-ungarische Schritt in Petersburg nicht vor der Abreise Poincarés bekanntwerden. Er sprach sich

»entschieden gegen eine weitere Verschiebung aus..., da man schon jetzt beginne, in Berlin nervös zu werden und Nachrichten über unsere Intentionen schon nach Rom durchgesickert seien, so daß er nicht für unerwünschte Zwischenfälle gutstehen könnte, wenn man die Sache noch hinausschieben würde« [44].

38a Vgl. Norman Stone, Ungarn und die Julikrise 1914, in: Kriegsausbruch 1914, S. 202–233.
39 Geiss I, Nr. 86, Berchtold an Franz Joseph, 14. 7. 14.
40 Geiss I, Nr. 91, Tschirschky an Bethmann Hollweg, 14. 7. 14.
41 Geiss I, Nr. 92, Tschirschky an Bethmann Hollweg, 14. 7. 14.
42 Poincaré weilte vom 21. bis 23. Juli in Petersburg.
43 Geiss I, Nr. 92, Tschirschky an Bethmann Hollweg, 14. 7. 14.
44 Geiss I, Nr. 144, Protokoll des gemeinsamen österreichisch-ungarischen Ministerrats, 19. 7. 14.

In Berlin war man jedoch trotz aller gegenteiligen Versicherungen nicht völlig sicher, ob Wien den harten Kurs durchhalten würde. Am Nachmittag des 21. Juli übersandte Forgách dem deutschen Botschafter auf dessen Bitte hin den vollständigen Text der Note. Noch am Vormittag dieses Tages war Tschirschky am Ballhausplatz gewesen und hatte geglaubt, den Wiener Politikern den Rücken stärken zu müssen. Diese Ermahnung nahm Forgách in seinem Begleitschreiben zum Text des Ultimatums auf:

> »Die Note paßt zu Ihrem heutigen Ausspruche, ›Landgraf bleibe fest‹ ... Das caudinische Joch ist *sehr* hart, bei der gegenwärtigen serbischen Verblendung für Serbien kaum akzeptabel und jedenfalls ein scharfes, aber notwendiges Medikament.[45]«

In der Nacht vom 21. zum 22. Juli wurde das Ultimatum nach Berlin übermittelt, so daß man sich im Auswärtigen Amt zwei Tage lang davon überzeugen konnte, daß die darin enthaltenen Forderungen tatsächlich, wie Österreich-Ungarn seit dem 7. Juli wiederholt versichert hatte, für Serbien unannehmbar waren.

Am 18. Juli waren in Berlin in allen Ressorts bereits wichtige Vorbereitungen für den Mobilmachungsfall eingeleitet worden. Die Vorarbeiten im Großen Generalstab waren zu diesem Zeitpunkt bereits abgeschlossen[46]. Der Reichskanzler lud an diesem Tage die zuständigen preußischen Minister und Staatssekretäre der Reichsämter zu kommissarischen Besprechungen unter dem Vorsitz des Staatssekretärs im Reichsamt des Innern ein[47]. Es gelte schleunigst »Richtlinien für die Behandlung der Sozialdemokraten, Polen und Dänen ... vorzubereiten«. Außerdem sprach Bethmann Hollweg den dringenden Wunsch aus, ob es sich nicht umgehen ließe, bei Verkündung der Mobilmachung sogleich das gesamte Reichsgebiet in Kriegszustand zu versetzen. Der Kanzler befürchtete nämlich:

> »daß diese Maßregel verhängnisvolle Folgen für die Einheitlichkeit, Tiefe und Stärke des patriotischen Empfindens zeitigen könnte, und daß ihr auf dem militärischen Gebiete vielleicht liegender Nutzen nicht den Schaden ausgleicht, den sie auf politischem und ideellem Gebiete zeitigen würde«.

Vor allem wies Bethmann Hollweg auf die Schwierigkeit hin, »als Leiter der inneren und äußeren Politik« vor dem Reichstag weitgehende Gesetzesvorlagen vertreten zu müssen, während die Exekutive bereits an die Kommandierenden Generale übergegangen sei:

---

45 AA Bonn, Gesandtschaft Wien, Geh. III, Ganz geh. Sachen, Forgách an Tschirschky, 21. 7. 14, (i. O. gesp.).
46 Geiss I, Nr. 124, Waldersee an Jagow, 17. 7. 14.
47 DZA I, RdI, Nr. 12 215/1, Bethmann Hollweg an den Kriegsminister, den Minister des Innern, die Staatssekretäre des Auswärtigen, des Innern, des Reichsmarineamts, des Reichsjustizamts, Reichspostamts, 18. 7. 1914.

»Es stände zu befürchten, daß der Reichstag über diese Maßregeln verhandelte, statt rasch und in patriotischer Begeisterung den ihm vorgelegten Gesetzesentwürfen zuzustimmen.«

Am 20. Juli setzte Delbrück, der Staatssekretär des Innern, dementsprechend die erste Sitzung »über die Einschränkung der Erklärung des Kriegszustandes und andere Mobilmachungsvorarbeiten« auf den 24. Juli fest[48].

Zur innenpolitischen Vorbereitung des Krieges dienten auch die Gespräche, die am 26. Juli im Kriegsministerium mit einigen sozialdemokratischen Reichstagsabgeordneten geführt wurden und die Bethmann Hollweg selbst am 29. Juli mit Südekum hatte. Seinem Vertrauten Riezler gegenüber hatte der Kanzler schon am 23. Juli die Richtlinien für die Kontakte zu den Sozialdemokraten genannt: Man werde sie gewinnen können,

»indem man sich ihrer Ansichten versichert, mit ihnen persönlich verhandelt und von den Militärs Garantien verlangt gegen die Dummheiten der ›Sozialistenfresser‹ in Uniform«.

Man sollte »den Verteidigungscharakter des Krieges betonen«. Um die innere Einheitsfront herzustellen, müsse Rußland um jeden Preis für den kommenden Konflikt die Schuld treffen. Schon jetzt, am 23. Juli, das heißt am Tag der Übergabe des österreichischen Ultimatums in Belgrad, stellte der Kanzler die russische Generalmobilmachung als Antwort auf die österreichische Maßnahme in Rechnung:

»Wenn der Krieg ausbricht, ist er das Ergebnis einer russischen Mobilisierung ab irato, vor möglichen Verhandlungen. In dem Falle können wir nicht ruhig bleiben und weiter verhandeln, weil wir, um überhaupt eine Siegeschance zu haben, sofort losschlagen müssen.[48a]«

Die Vermittlungsversuche des europäischen Konzerts

Am Freitagmorgen wurde das am Donnerstagnachmittag (23. Juli) in Belgrad übergebene Ultimatum in der Wiener Presse veröffentlicht und am gleichen Tag von den österreichisch-ungarischen Botschaftern den Regierungen in den europäischen Hauptstädten übergeben. Die Nachricht schlug wie eine Bombe ein, waren doch fast vier Wochen seit dem Attentat vergangen, so daß die Härte der Forderungen um so krasser und unverständlicher wirkte. In London befand sich in diesem kritischen Augenblick der Generaldirektor der Hapag, Albert Ballin, der auf eine Bitte

---

48 Ebd., Delbrück an die Staatssekretäre des Reichs und die Minister Preußens, 20. 7. 14.
48a Die letzten Zitate sind Rückübersetzungen aus dem Englischen; zitiert nach Jarausch, Bethmann Hollweg's Calculated Risk, S. 63.

Jagows vom 15. Juli dorthin gereist war. Ohne über die Aktionen der Reichsregierung voll aufgeklärt zu sein, war er mit der Aufgabe betraut, die prodeutsche Stimmung in der City, in Regierungs- und Parlamentskreisen zu retten [49]. Der englische Außenminister Grey bemühte sich sofort um Vermittlung, damit über dem österreichisch-serbischen Konflikt nicht ein österreichisch-russischer Krieg und damit ein europäischer Krieg entbrenne. Als erstes schlug er im Gespräch mit Lichnowsky vor, ob nicht Deutschland zusammen mit England in Wien um eine Fristverlängerung für Serbien nachsuchen sollten, damit für einen Ausweg Zeit gefunden werden könnte.

> »Ferner regte er an, daß für den Fall einer gefährlichen Spannung zwischen Rußland und Österreich, die vier nicht unmittelbar beteiligten Staaten, England, Deutschland, Frankreich und Italien zwischen Rußland und Österreich-Ungarn die Vermittlung übernehmen sollen.[50]«

Dieser Vorschlag Greys hätte sich ohne weiteres mit der Sprachregelung des Auswärtigen Amts vereinbaren lassen. Vorbereitet durch eine offiziöse Notiz in der NAZ vom 19. Juli [51] vertrat die deutsche Regierung in einem Runderlaß an die Missionen in Petersburg, Paris und London vom 21. Juli – zu einem Zeitpunkt also, an dem sie offiziell noch gar keine Kenntnis von dem geplanten Ultimatum haben wollte – den Standpunkt, Deutschland wünsche dringend die »Lokalisierung« des Konflikts, »weil jedes Eingreifen einer anderen Macht infolge der verschiedenen Bündnisverpflichtungen unabsehbare Konsequenzen nach sich ziehen würde« [52]. Obwohl aber Grey eine Vermittlung der übrigen Großmächte nicht für den österreichisch-serbischen, sondern erst für einen österreichisch-russischen Konflikt angeregt hatte, sich also ebenfalls um »Lokalisierung« bemühte, reagierte das Auswärtige Amt auf seinen Vorschlag nicht, wie es auch die Bitte um Fristverlängerung für Serbien ablehnte [53].

Am 25. Juli nachmittags nahm der österreichische Gesandte in Belgrad die serbische Antwortnote entgegen und reiste sofort ab. Dabei hatte die serbische Regierung mit wenigen Vorbehalten die Forderungen des Ultimatums grundsätzlich akzeptiert. In Wien liefen abends Mobilmachungsvorbereitungen gegen Serbien an.

Der englische Außenminister setzte seine Bemühungen um einen Ausgleich für den Fall des drohenden österreichisch-russischen Zusammenstoßes fort. Nachdem er von der serbischen Antwort Kenntnis erhalten hatte, versuchte er zunächst, Österreich-Ungarn dazu zu bewegen, sich mit ihr

---

49 Bernhard Huldermann, Albert Ballin, S. 299–302.
50 Geiss I, Nr. 281, Lichnowsky an Jagow, 24. 7. 14.
51 Geiss I, Nr. 146, NAZ, 19. 7. 14.
52 Geiss I, Nr. 188, Bethmann Hollweg an die Botschafter in Petersburg, Paris und London, 21. 7. 14.
53 Geiss I, Nr. 341, Jagow an Lichnowsky, 25. 7. 14; Nr. 348, Jagow an Tschirschky, 25. 7. 14.

als einem großen diplomatischen Erfolg zu begnügen. Das Auswärtige Amt gab den Vorschlag nach Wien mit der lakonischen Bemerkung weiter, er sei wohl durch die Ereignisse überholt. Am Sonntag, dem 26. Juli, schlug Grey eine Botschafterkonferenz der vier nichtbeteiligten Mächte vor, um Österreich-Ungarn Genugtuung zu verschaffen, einen Weltkrieg aber so zu vermeiden [54]. Auch diesen Vorschlag lehnte Deutschland mit der Begründung ab, es könne Österreich nicht vor einen europäischen Gerichtshof zitieren [55]. Das Auswärtige Amt verwies statt dessen auf den angebahnten Weg einer direkten Verständigung zwischen Petersburg und Wien [56]. Am 27. Juli gab Grey in einer erneuten Unterredung mit Lichnowsky zum erstenmal seinem Verdacht Ausdruck, daß Deutschland gar nicht ernsthaft auf Vermittlung bedacht sei. Während er, Grey, in Petersburg ständig auf Nachgiebigkeit gedrängt habe und das große Entgegenkommen Serbiens auf den Druck Petersburgs zurückzuführen sei, habe Deutschland offensichtlich keineswegs alles Mögliche versucht, um Wien zu veranlassen, sich entweder mit der serbischen Antwort zu begnügen oder doch wenigstens darüber in Verhandlungen einzutreten [57].

Lichnowsky schloß seinen Bericht mit der Bemerkung, in London sei »alle Welt« davon überzeugt,

> »daß der Schlüssel der Lage in Berlin liegt und, falls man dort den Frieden ernstlich will, Österreich davon abzuhalten sein wird, eine, wie Sir Grey sich ausdrückt, tollkühne Politik zu treiben«.

Durch das zögernde und wenig zielstrebige Vorgehen seines Bundesgenossen sah sich Deutschland jetzt mit Vermittlungsangeboten konfrontiert, die es nicht annehmen wollte, aber auch nicht strikt ablehnen konnte, ohne die Weltöffentlichkeit gegen sich aufzubringen. An Wilhelm II. schrieb Bethmann Hollweg, wenn Deutschland jede Vermittlerrolle a limine ablehne,

> »so würden wir vor England und der ganzen Welt als verantwortlich für die Konflagration und als eigentliche Kriegstreiber dastehen. Das würde uns einerseits unmöglich machen, die jetzige gute Stimmung aufrechtzuerhalten, andererseits aber auch England von seiner Neutralität abbringen.[58]«

Um diesem Dilemma auszuweichen, ließ Bethmann Hollweg in London mitteilen, er habe die gewünschte Vermittlungsaktion in Wien bereits eingeleitet [59]. In Wirklichkeit jedoch reichte Bethmann Hollweg nur Lichnowskys Telegramm nach Wien weiter – übrigens ohne die Schlußbemer-

---

54 Geiss II, Nr. 432, Lichnowsky an Jagow, 26. 7. 14.
55 Geiss II, Nr. 552, Goschen an Grey, 27. 7. 14.
56 Geiss II, Nr. 492, Bethmann Hollweg an Lichnowsky, 27. 7. 14.
57 Geiss II, Nr. 495, Lichnowsky an Jagow, 27. 7. 14.
58 Geiss II, Nr. 508, Bethmann Hollweg an Wilhelm II., 27. 7. 14.
59 Geiss II, Nr. 504, Bethmann Hollweg an Lichnowsky, 27. 7. 14; Nr. 511, ders. an dens., 28. 7. 14.

kung – und appellierte an die Wiener Regierung, Deutschlands schwierige Lage zu berücksichtigen. Die Instruktion an Tschirschky entsprach in-
haltlich dem Brief des Kanzlers an den Kaiser. Es wurde ausdrücklich betont, daß »wir (Deutschland) als die zum Kriege Gezwungenen dastehen
müssen« [59a]. Damit die Regierung in Wien nicht über die Entschlossenheit
des deutschen Bundesgenossen in Verwirrung geriete, hatte Jagow den
österreichischen Botschafter kommen lassen und ihn auf eventuelle englische Vermittlungsvorschläge vorbereitet.

> »Die deutsche Regierung versichere auf das Bündigste, daß sie sich in keiner
> Weise mit den Vorschlägen identifiziere, sogar entschieden gegen deren Be-
> rücksichtigung sei und dieselben, nur um der englischen Bitte Rechnung zu tra-
> gen, weitergebe. Sie gehe dabei von dem Gesichtspunkte aus, daß es von der
> größten Bedeutung sei, daß England im jetzigen Momente nicht gemeinsame
> Sache mit Rußland und Frankreich mache. Daher müsse alles vermieden wer-
> den, daß der bisher gut funktionierende Draht zwischen Deutschland und Eng-
> land abgebrochen werde.[60]«

Nachdem am nächsten Vormittag – am 28. Juli – Österreich-Ungarn auf
deutsches Drängen hin an Serbien den Krieg erklärt hatte, erteilte Berchtold mit diplomatischer Höflichkeit eine offizielle Absage auf den englischen Vorschlag mit der Begründung, daß

> »im Zeitpunkte des hier gemachten deutschen Schrittes der Kriegszustand zwi-
> schen der Monarchie und Serbien bereits eingetreten war und die serbische Ant-
> wortnote demnach durch die Ereignisse bereits überholt ist« [61].

Die Kriegserklärung an Serbien war am 27. für den 28. oder 29. Juli beschlossen worden, »hauptsächlich, um jedem Interventionsversuch den Boden zu entziehen« [62].

Schon bevor durch diesen Schritt der österreichischen Aktion gegen Serbien der Ausbruch eines europäischen Krieges noch nähergerückt war, hatte
in den verschiedenen Ressorts in Berlin eine fieberhafte Tätigkeit begonnen. Moltke, Waldersee und Tirpitz waren am 26., der Kaiser am 27. Juli
nach Berlin zurückgekommen. Sofort am 26. Juli hatte Moltke den Entwurf der Sommation an Belgien zur Überprüfung und Kenntnisnahme an
das Auswärtige Amt übersandt. Die Mobilmachungsordres auch für die
Zivilbehörden wurden zur Unterzeichnung für den Kaiser vorbereitet [63].
Admiral v. Müller faßte nach seiner Rückkehr von der Nordlandreise seine Eindrücke über die Situation in Berlin in dem Urteil zusammen:

59a Geiss II, Nr. 503, Bethmann Hollweg an Tschirschky, 27. 7. 14.
60 Geiss II, Nr. 479, Szögyény an Berchtold, 27. 7. 14.
61 Geiss II, Nr. 650, Memoire an Tschirschky, 29. 7. 14; vgl. a. Nr. 570, Berchtold an Szögyény,
   28. 7. 14.
62 Geiss II, Nr. 496, Tschirschky an Jagow, 27. 7. 14.
63 Vgl. DZA I, RdI Nr. 18 527, Vorbereitung der Mobilmachung.

»Tendenz unserer Politik: ruhige Haltung, Rußland sich ins Unrecht setzen lassen – dann aber den Krieg nicht scheuen.[64]«

Den gleichen Eindruck erhielt an diesem selben 27. Juli der österreichisch-ungarische Marineattaché in Berlin. Er schrieb,

»daß man hier allen eventuellen Komplikationen mit vollkommenster Ruhe entgegensieht und den Moment für eine große Abrechnung als sehr günstig erachtet« [64a].

Im Auswärtigen Amt wie im Generalstab war man über die frühzeitige Rückkehr des Kaisers nicht sehr glücklich, weil man befürchtete, daß Wilhelm II. mit eigenen Vorschlägen die genau vorbedachte Konzeption der Reichsleitung verwirren könnte. Tatsächlich realisierten sich diese Sorgen; denn als dem Kaiser, allerdings erst am Morgen des 28. Juli, der Text der serbischen Antwortnote vorgelegt wurde, hielt er diese Note für eine serbische »Kapitulation demütigster Art« und entschied: »Durch sie entfällt *jeder Grund zum Kriege.* [65]« Um der schon zum drittenmal vergeblich gegen Serbien mobilisierten österreichisch-ungarischen Armee eine satisfaction d'honneur zu ermöglichen, schlug der Kaiser vor, Österreich solle in Serbien einige Gebiete als Faustpfand so lange besetzen, bis bestimmte Garantien für künftiges Wohlverhalten gegeben seien. Dieser Vorschlag, der sich mit einem in die gleiche Richtung zielenden »Faustpfandvorschlag« des englischen Außenministers vom 29. Juli berührte, wurde von Bethmann Hollweg verspätet und geändert weitergegeben. Er teilte den Vorschlag nicht als eine Anregung des Kaisers nach Wien mit, erwähnte auch nicht dessen Bereitschaft, zwischen Österreich und Serbien zu vermitteln, sondern riet, den Faustpfandvorschlag als Grundlage für Besprechungen mit Petersburg zu benutzen, da Österreich-Ungarn ohnehin erst am 12. August aktiv militärisch gegen Serbien vorgehen könne und in der Zwischenzeit den Vermittlungsversuchen der anderen Kabinette ausgesetzt bliebe [66]. Daß diese Vorschläge Bethmann Hollwegs an den Bundesgenossen stärker auf die Herbeiführung einer günstigen Konstellation für den europäischen Krieg abzielten als auf die Verhinderung dieses Krieges, wird deutlich aus seiner Forderung, es sei

»eine gebieterische Notwendigkeit, daß die Verantwortung für das eventuelle Übergreifen des Konflikts auf die nicht unmittelbar Beteiligten unter allen Umständen Rußland trifft«.

---

64 John C. G. Röhl, Admiral v. Müller und die dt. Politik (Mscr.), Anm. 89; vgl. a. Walter Görlitz, Der Kaiser, S. 36, bei ihm lautet der Satz, »Den Krieg, wenn es sein muß, nicht scheuen«. Der zwischengeschobene Satz »wenn es sein muß« ist eine im Original des Tagebuchs des Admiral von Müller nicht auffindbare Zutat des Herausgebers.
64a Geiss II, Nr. 486, Der k. u. k. Marine-Attaché an das k. u. k. Kriegsministerium, 27. 7. 14.
65 Geiss II, Nr. 575, Wilhelm II. an Jagow, 28. 7. 14 (i. O. gesp.).
66 Geiss II, Nr. 592, Bethmann Hollweg an Tschirschky, 28. 7. 14.

In den europäischen Hauptstädten war man über die österreichische Kriegserklärung an Serbien bestürzt, und die Befürchtungen verstärkten sich, daß die deutsche Regierung als treibende Kraft hinter der provokativen österreichischen Politik stehe:

> »Von allen Verdachtsmomenten, die Österreichs plötzlicher und gewaltsamer Entschluß erweckt hat, ist das beunruhigendste, daß Deutschland zum Angriff auf Serbien gedrängt habe, um selbst unter Umständen, die nach seiner Ansicht für es am günstigsten sind, mit Rußland und Frankreich in den Kampf eintreten zu können.[67]«

Seit dem 27. war auch die englische Regierung sehr mißtrauisch gegenüber den deutschen Absichten geworden. Nicolson, der Ständige Unterstaatssekretär im Foreign Office, notierte:

> »Wir sind Zeugen eines höchst zynischen und verwegenen Vorgehens, und Deutschland sollte um seines eigenen Ansehens willen durch Taten beweisen, daß es nicht gewillt ist, sich daran zu beteiligen, oder daß es auf jeden Fall helfen will, seine Folgen abzuschwächen und seine Auswirkungen zu begrenzen.[68]«

Und einen Tag später stellte Sir Eyre Crowe fest:

> »Soweit uns bekannt ist, hat die deutsche Regierung bislang in Wien kein einziges Wort im Sinne der Zurückhaltung oder Mäßigung geäußert. Falls dem so gewesen wäre, dürfen wir sicher sein, daß sie das Verdienst dafür in Anspruch genommen hätte. Daraus kann man keinen beruhigenden Schluß auf den guten Willen Deutschlands ziehen.[69]«

Die russische Generalmobilmachung – vom 24. bis 30. Juli

Auch der russische Außenminister Sasonow hatte in den Tagen nach dem Abbruch der Beziehungen zwischen Österreich und Serbien mehrere Vorschläge gemacht, um unter Wahrung des russischen Ansehens einen Ausgleich zu finden, der Österreich Genugtuung gab, ohne daß Serbien seine Unabhängigkeit völlig verlor. Seine Vorschläge waren so vielfältig, daß sie fast verwirrend schienen, weil immer einer den anderen ablöste; am 25. Juli erklärte er, falls Serbien seinerseits die Mächte anriefe, würde sich Rußland draußen halten und die Regelung der Angelegenheit England, Frankreich und Deutschland überlassen; am 26. Juli schlug er dem österreichischen Botschafter in Petersburg vor, England und Italien sollten mit Wien zusammenwirken, um die österreichisch-serbische Spannung zu beenden. Am 27. Juli regte er sogar direkte Gespräche zwischen Wien und

67 Geiss II, Nr. 618, Dumaine an Bienvenu-Martin, 28. 7. 14.
68 Geiss II, Nr. 556, Aufz. Clerks, 27. 7. 14.
69 Geiss II, Nr. 552, Vermerk Crowes, 28. 7. 14, zu Goschen an Grey, 27. 7. 14.

Petersburg an [70]. In London befürchtete man schon, daß »die rasche Folge neuer Vorschläge und Anregungen aus St. Petersburg es Deutschland erleichtert, immer neue Ausreden für seine Untätigkeit vorzubringen« [71]. Zugleich bemühte sich Sasonow, den deutschen Botschafter Pourtalès davon zu überzeugen, daß Deutschland seinen Einfluß auf Wien geltend machen müsse [72], und er forderte ihn auf, Vorschläge zu machen, die er dann aufgreifen wolle [73].

Gleichzeitig traf Rußland militärische Vorbereitungen. Die Petersburger Regierung war von Beginn der Krise an, das heißt mit Übergabe des österreichischen Ultimatums in Belgrad, entschlossen, bei einer drohenden völligen Vernichtung Serbiens gegen Österreich-Ungarn Krieg zu führen. Durch Druck auf Belgrad, den Wiener Forderungen möglichst weit entgegenzukommen [74], durch die Annahme der verschiedenen Vermittlungsangebote bzw. durch eigene Vorschläge und durch die unmißverständliche Drohung an die Adresse Wiens und Berlins, Rußland werde nicht zulassen, daß Österreich Serbien verschlinge [75], hoffte der russische Außenminister, einen Kompromiß durchzusetzen, der den europäischen Frieden rettete. Bereits am 24. Juli tagte der russische Ministerrat [76]. Auf dieser Sitzung wurden Sasonows Vorschläge genehmigt, man wolle von Österreich eine Fristverlängerung für Serbien erbitten, und man wolle Serbien raten, bei einem militärischen Einmarsch Österreichs in serbisches Territorium zunächst keinen Widerstand zu leisten, sondern seine Truppen zurückzuziehen. Außerdem faßte man den grundsätzlichen Beschluß, »je nach dem weiteren Verlauf der Ereignisse« die Genehmigung des Zaren für die Erklärung der Teilmobilmachung der vier Militärbezirke Kiew, Odessa, Moskau und Kasan sowie die der Ostsee- und Schwarzmeerflotte einzuholen. Auf einem Kronrat am 25. Juli wurden diese Beschlüsse bestätigt und konkretisiert [77]. Für das gesamte Reichsgebiet sollte vom 26. Juli an die »Verordnung über die Kriegsvorbereitungsperiode« in Kraft treten, um die langwierige und umständliche Mobilmachung in Rußland, falls sie notwendig würde, beschleunigt durchführen zu können. In einem Vortrag beim Zaren am 25. Juli begründete Sasonow diese Beschlüsse als defensive Maßregeln gegenüber einer offensiven Balkanaktion Österreich-Ungarns. Sasonow befürchtete:

---

70 Geiss II, Nr. 547, Vermerk Nicolsons, 27. 7. 1914, zu Buchanan an Grey, 27. 7. 14.
71 Vgl. Anm. 69.
72 Geiss II, Nr. 415, Pourtalès an Jagow, 26. 7. 14.
73 Geiss II, Nr. 431, Pourtalès an Jagow, 26. 7. 14.
74 Geiss I, Nr. 286, Protokoll über den russischen Ministerrat, 24. 7. 14; Nr. 287, Sasonow an Strandtmann, 24. 7. 14; Nr. 365, Sasonow an Strandtmann und Benckendorff, 25. 7. 14.
75 Geiss I, Nr. 283, Pourtalès an Jagow, 25. 7. 14; Nr. 362, Mitteilung der russischen Regierung, 25. 7. 14; weder der deutsche noch der österreichisch-ungarische Botschafter gaben diese Nachricht an ihre Außenministerien weiter.
76 Geiss I, Nr. 286, Protokoll über den russischen Ministerrat, 24. 7. 14.
77 Geiss I, Nr. 361, Protokoll über den russischen Ministerrat, 25. 7. 14.

»Der deutliche Zweck dieses österreichischen Vorgehens – das anscheinend von Deutschland unterstützt wird – besteht darin, Serbien vollständig zu vernichten und das politische Gleichgewicht auf dem Balkan zu stören.[78]«

Es sei demgegenüber Rußlands einziges Ziel, »die Schaffung einer Hegemonie Österreichs auf dem Balkan zu verhindern«. Für diese Politik hoffte Sasonow die Unterstützung Englands zu gewinnen, weil die englische Regierung sich traditionell für »die Erhaltung des Gleichgewichts in Europa« eingesetzt habe.

Von Pourtalès befragt, gab Sasonow die vorbereitenden militärischen Maßnahmen zu. Er betonte jedoch, daß keinerlei Mobilmachungsorder ergangen, »vielmehr im Ministerrat beschlossen worden sei, mit einer solchen zu warten, bis Österreich-Ungarn (eine) feindliche Haltung gegen Rußland einnähme«[79]. Am nächsten Tag, dem 27. Juli, sprach der deutsche Militärattaché Eggeling den Kriegsminister Suchomlinow. Auch Suchomlinow versicherte, daß noch keine Mobilmachung befohlen sei:

»Wenn (allerdings) Österreich die serbische Grenze überschreitet, werden die auf Österreich gerichteten Militärbezirke Kiew, Odessa, Moskau, Kasan mobilisiert.[80]«

Eggeling hielt das »nachdrücklichst und wiederholt« vorgebrachte Bedürfnis nach Frieden für aufrichtig:

»Man ist sichtlich bestrebt, Zeit zu gewinnen zu neuen Verhandlungen und Fortsetzung der Rüstungen. Auch verursacht die innere Lage unverkennbar schwere Besorgnis. Grundzug der Stimmung: Hoffnung auf Deutschland und Vermittlung Sr. M. (d. h. Wilhelms II.).[81]«

Die »Hoffnung auf Deutschland« aber wurde von Tag zu Tag geringer. In den Berichten des russischen Geschäftsträgers in Berlin über seine Unterredungen im Auswärtigen Amt und in den Gesprächen, die Sasonow mit dem deutschen Botschafter in Petersburg führte, trat die strikte Ablehnung aller Kompromißvorschläge und aller Vermittlungsangebote durch die deutsche Regierung immer unmißverständlicher zutage[82]. Die bereits am Anfang der Krise geäußerte Vermutung, daß Deutschland die Unversöhnlichkeit Österreich-Ungarns begünstige, wurde dadurch ständig bestärkt. »Der Schlüssel zur Lage liegt unzweifelhaft in Berlin«[83], schrieb Sasonow nach einem ihn entmutigenden Gespräch mit dem deutschen Botschafter[84] am 28. Juli nach London.

78 Geiss I, Nr. 363, Vortrags-Aufzeichnung Sasonows für Nikolaus II., 25. 7. 14.
79 Geiss II, Nr. 429, Pourtalès an Jagow, 26. 7. 14.
80 Geiss II, Nr. 442, Pourtalès an Jagow, 27. 7. 14.
81 Ibid.
82 Vgl. z. B. Geiss II, Nr. 523, Bronewski an Sasonow, 27. 7. 14; Nr. 591, Pourtalès an Jagow, 28. 7. 14.
83 Geiss II, Nr. 599, Sasonow an Benckendorff, 28. 7. 14.
84 Geiss II, Nr. 591, Pourtalès an Jagow, 28. 7. 14.

An diesem Tage verdichteten sich in Petersburg die Gerüchte, daß Österreich es unbedingt auf einen Krieg gegen Serbien anlege. Als dann am frühen Nachmittag die Nachricht von der Kriegserklärung Wiens an Belgrad eintraf, wurde für den 29. Juli die Mobilmachung in den Militärbezirken Kiew, Odessa, Moskau und Kasan beschlossen [85].

Durch die österreichische Kriegserklärung an Serbien hatte sich in Petersburg das Gewicht der militärischen Faktoren gegenüber den politischen erheblich verschoben. Österreich-Ungarn hatte endgültig bewiesen, daß es zu einem Krieg gegen Serbien fest entschlossen war. Der deutsche Bundesgenosse schien als treibende Kraft hinter diesem Entschluß zu stehen. Jedes weitere Aufschieben der ohnehin schwerfälligen Mobilisierung bedeutete für Rußland eine gefährliche Zeiteinbuße gegenüber einem blitzschnell mobilisierten Deutschland.

Nicht nur die Militärs, sondern auch der Außenminister versuchten seit dem 28. Juli abends den Zaren von der Notwendigkeit der Gesamtmobilmachung zu überzeugen [86]. Als Sasonow am 29. Juli den deutschen Botschafter offiziell von der russischen Teilmobilmachung unterrichtete, war Pourtalès gerade von Bethmann Hollweg beauftragt worden, die russische Regierung »sehr ernst darauf hin(zu)weisen, daß weiteres Fortschreiten russischer Mobilisierungsmaßnahmen uns zur Mobilisierung zwingen würde, und daß dann (ein) europäischer Krieg kaum noch aufzuhalten sein werde« [87]. Eine solche Mitteilung in diesem Augenblick wirkte auf Sasonow wie eine ultimative Drohung [88]. Sie hob die Wirkung des in versöhnlichem Tone gehaltenen gleichzeitigen Telegramms Wilhelms II. an den Zaren wieder auf [89].

Zu dieser Zeit traf in Petersburg die Nachricht von der Beschießung Belgrads durch Österreich ein und bewies erneut Wiens Entschlossenheit, auf keinen Kompromißvorschlag einzugehen. Kriegsminister, Generalstabschef und Außenminister kamen nach einer langen Debatte überein, dem Zaren die Verkündung der Generalmobilmachung vorzuschlagen [90]. Nikolaus II. erteilte seine Genehmigung, widerrief sie jedoch wenig später, als er durch ein weiteres Telegramm Wilhelms II. Hoffnung schöpfte, daß Deutschland schließlich doch noch in Wien auf Nachgiebigkeit drängen könnte [91]. Das endgültige Ja des Zaren zur Generalmobilmachung folgte dann am nächsten Tag gegen 15 Uhr [92].

---

85 Geiss II, Nr. 602, Sasonow an Bronewski, 28. 7. 14.
86 Internationale Beziehungen, Reihe I, Bd. 5, Nr. 209, Nr. 210.
87 Geiss II, Nr. 662, Bethmann Hollweg an Pourtalès, 29. 7. 14.
88 Geiss II, Nr. 672, Pourtalès an Jagow, 29. 7. 14; Nr. 709, Sasonow an Iswolski, 29. 7. 14; Nr. 710, Tagesaufzeichnung des russischen Außenministeriums, 29. 7. 14.
89 Geiss II, Nr. 596, Wilhelm II. an Nikolaus II., 28. 7. 14; zur Wirkung auf den Zaren vgl. Nr. 673, Nikolaus II. an Wilhelm II., 29. 7. 14.
90 Geiss II, Nr. 710, Tagesaufzeichnung des russischen Außenministeriums, 29. 7. 14.
91 Geiss II, Nr. 697, Wilhelm II. an Nikolaus II., 29. 7. 14.
92 Geiss II, Nr. 810, Tagesaufzeichnung des russischen Außenministeriums, 30. 7. 14.

Das Ringen des Kriegsministers, des Generalstabschefs und Sasonows um die Zustimmung des Zaren ist oft dramatisch dargestellt worden. Sasonow wird dabei der Vorwurf gemacht, er habe sich nicht gegen die Militärs behaupten können. In Wirklichkeit war er selbst bereits von der Notwendigkeit der Gesamtmobilmachung überzeugt. Die partielle Mobilmachung bedeutete für Rußland faktisch dasselbe Risiko wie die allgemeine. Wenn Rußland teilweise mobilisierte und es zum Kriege mit Österreich-Ungarn käme, wäre es für den dann unbedingt ausbrechenden Krieg mit Deutschland überhaupt nicht vorbereitet. Die Sorge, daß die deutsche Regierung gerade auf diesen Krieg zustrebte, wuchs in der Zeit vom 24. bis zum 30. Juli tagtäglich. Unaufhörlich erhielt Sasonow Beweise für die Unzugänglichkeit Berlins und Wiens.

Die Verantwortlichkeit Rußlands kann also nicht darin gesehen werden, daß die russische Regierung sich am 30. Juli entschlossen hat, die Teilmobilmachung in eine allgemeine zu verwandeln, sie muß vielmehr danach abgewogen werden, daß Rußland sich entschieden geweigert hat, der Vernichtung Serbiens und der völligen Ausschaltung Rußlands auf dem Balkan untätig zuzuschauen, das heißt die Hoffnung auf die Meerengen zu begraben. In diesem Grundsatz der russischen Politik liegt der Anteil Rußlands am Kriegsausbruch im Sommer 1914, nicht in der Entscheidung vom 30. Juli, die allgemeine Mobilmachung zu verkünden. Durch weitgehende Konzessionsbereitschaft gegenüber Österreich-Ungarn, durch Annahme sämtlicher Vermittlungsvorschläge aus London versuchte Sasonow der Wiener Regierung »goldene Brücken« zu bauen [93], gleichzeitig aber die äußerste Grenze seines Entgegenkommens deutlich zu machen.

Auch nach der Proklamation der allgemeinen Mobilmachung hoffte die russische Regierung auf eine friedliche Regelung, zumal am 31. Juli die direkten Gespräche mit Wien wieder in Gang zu kommen schienen [94].

Die Untersuchung der russischen Haltung in der Julikrise und ihrer Motive zeigt also eindeutig, daß Rußland bis zuletzt bemüht gewesen ist, den Kriegsausbruch zu verhindern. Die beste Beweiskraft dafür besitzen die Zeugnisse der deutschen Vertreter in Petersburg. Der Militärbevollmächtigte am Zarenhof, General v. Chelius, zum Beispiel schrieb:

»Ich habe den Eindruck, daß man hier aus Angst vor kommenden Ereignissen mobilisiert hat ohne aggressive Absichten und nun erschreckt ist darüber, was man angerichtet hat.[95]«

Und Bethmann Hollweg selbst erklärte im Preußischen Staatsministerium:

---

93 Geiss II, Nr. 499, Pourtalès an Jagow, 27. 7. 14.
94 Vgl. z. B. Geiss II, Nr. 782, Chelius an Jagow, 30. 7. 14; Nr. 875, Pourtalès an Jagow, 31. 7. 14; Nr. 906, Pourtalès an Jagow, 31. 7. 14.
95 Geiss II, Nr. 782, Chelius an Jagow, 30. 7. 14; dieser Bericht des Militärbevollmächtigten wirft die Frage auf, ob nicht »Furcht und Verzweiflung« auf Rußlands Seite anzutreffen sind.

»Die Mobilisierung Rußlands sei zwar erklärt, seine Mobilisierungsmaßnahmen seien mit den westeuropäischen nicht zu vergleichen ... Rußland beabsichtige auch keinen Krieg, sondern sei zu seinen Maßnahmen nur durch Österreich gezwungen.[96]«

Ist also das Argument, durch die Generalmobilmachung habe die russische Regierung beabsichtigt, einen europäischen Krieg auszulösen [97], als nicht stichhaltig erwiesen, so bleibt zu prüfen, ob jene Maßnahme wenigstens faktisch die letzte Friedensmöglichkeit zerschnitten hat [98]. Bis heute wird die These ständig wiederholt, die russische Mobilmachung sei conditio sine qua non für den Kriegsausbruch gewesen [98a]. Um dieses Problem zu klären, ist es notwendig, die deutschen Entscheidungen im Juli 1914 zu untersuchen. Wäre wirklich der europäische Krieg im August 1914 nicht ausgebrochen, falls der erste Mobilmachungstag in Rußland nicht auf den 31. Juli festgesetzt worden wäre?

Krise in Berlin – 29. und 30. Juli

Als am späten Nachmittag des 29. Juli, nach der österreichischen Kriegserklärung an Serbien und nach der Beschießung Belgrads, trotz aller Drohungen aus Petersburg, Rußland könne den österreichischen Provokationen nicht tatenlos zusehen, nichts als die Nachricht über die Teilmobilmachung von vier südlichen Militärbezirken eintraf, erreichte die Spannung in Berlin einen Höhepunkt. Der Generalstab und das Kriegsministerium drängten, den wichtigen Zeitvorsprung nicht zu vergeuden und sofort den Zustand drohender Kriegsgefahr zu verkünden. Außerdem stand zu erwarten, daß die österreichischen Armeekorps, wenn nicht in Petersburg bald eine Entscheidung fiel, allein gegen Serbien aufmarschieren und an der galizisch-russischen Grenze in der Defensive bleiben würden – eine Möglichkeit, die den Schlieffenplan, der auf dem österreichischen Vormarsch gegen Rußland aufbaute, empfindlich gefährdete [99].

Der Reichskanzler und das Auswärtige Amt verschlossen sich diesen Gedanken zwar durchaus nicht. Dennoch war es nach wie vor ihr Hauptziel, Rußland die Rolle des Angreifers zuzuschieben, um die innen- und außen-

---

96 Geiss II, Nr. 784, Sitzungsprotokoll des Preußischen Staatsministeriums, 30. 7. 14.
97 In Gebhardts ›Handbuch der deutschen Geschichte‹, 8. Aufl., 5. Nachdruck 1967, Bd. 4, S. 19 schreibt Erdmann noch: »Zwischen der Furcht vor Krieg und Revolution stehend, wählte dieser (der Zar), dem Drängen seiner Ratgeber folgend, den Krieg«, was durch die Unterzeichnung der Mobilmachungsorder geschehen sein soll.
98 So Hans Herzfeld in dem Artikel ›Sasonow‹ in ›Geschichte in Gestalten‹, Bd. 4, S, 78; »Damit (durch die Mobilmachungsorder) schnitt er (Sasonow), vielleicht ohne es subjektiv zu wollen, die letzten Verhandlungsmöglichkeiten ab . . .«
98a So zuletzt noch L. F. C. Turner, The Russian Mobilization in 1914. In: Journal of Contemporary History III, Nr. 1, 1968, S. 65–88.
99 Geiss II, Nr. 703, Tucher an Hertling, 29. 7. 14.

politische Konstellation des Deutschen Reiches nicht überflüssig zu belasten. Der bayrische Gesandte in Wien, Frhr. v. Tucher, berichtete z. B. von Gerüchten, wonach sich der Reichskanzler gegen ein drohendes Ultimatum an Petersburg ausgesprochen habe, »da Rußland und auch England in solchem Vorgehen eine Herausforderung erblicken und letztere Macht, auf deren Neutralität der allergrößte Wert zu legen ist, dadurch auf die Seite Rußlands gebracht werden könnte« [100].

Der bayrische und der sächsische Militärbevollmächtigte in Berlin berichteten über diese Auseinandersetzung an ihre Regierungen. Wenninger schrieb:

»Nach meinen heutigen Eindrücken ringen hier Kriegsministerium und Generalstab einerseits, Reichskanzler und Auswärtiges Amt andererseits miteinander. Einmütigkeit herrscht nur in der Mißstimmung, daß Österreich seine vorbereitenden Maßnahmen so wenig durchgreifend gefördert hat, daß bis zur Eröffnung der Operationen noch etwa 14 Tage vergehen werden.
Der Kriegsminister, unterstützt vom Generalstabschef, wünscht dringend militärische Maßnahmen, die der ›gespannten politischen Lage‹ und der immerhin ›drohenden Kriegsgefahr‹ entsprechen würden. Der Chef des Generalstabs will noch weitergehen; er setzt seinen ganzen Einfluß darein, daß die selten günstige Lage zum Losschlagen ausgenützt werden solle; er weist darauf hin, daß Frankreich geradezu in militärischer Verlegenheit sich befinde, daß Rußland militärisch sich nichts weniger als sicher fühle; dazu die günstige Jahreszeit, die Ernte großenteils geborgen, die Jahresausbildung vollendet ... Diesen treibenden Elementen gegenüber bremst der Reichskanzler mit allen Kräften und wünscht alles zu vermeiden, was ähnliche Maßnahmen in Frankreich oder England auslösen und den Stein ins Rollen bringen könnte.[101]«

Leuckart berichtete am selben Tage an seine Regierung: Vom Kriegsminister habe er gehört, daß auf dem Kronrat noch »nichts Wesentliches beschlossen sei«.

»Zweifellos steht fest, daß der Chef des Generalstabes für den Krieg ist, während der Herr Reichskanzler zurückhält. Generaloberst v. Moltke soll gesagt haben, daß wir es nie wieder so günstig treffen würden wie jetzt, wo weder Frankreich noch Rußland mit dem Ausbau ihrer Heeresorganisation fertig sind.«

Leuckart kam zu dem Schluß:

»Nach alledem glaube ich, daß – wenn man auch die Lage friedlicher und als weniger gespannt bezeichnet – es doch noch zu einem allgemeinen Kriege kommen wird.[102]«

Die Militärs, in erster Linie der Generalstabschef, dachten in diesem Stadium der Krise ausschließlich an den minutiösen Ablauf des militärisch-strategischen Fahrplans; Bethmann Hollweg hielt jedoch die russische Ge-

100 Ibid.
101 Geiss II, Nr. 704, Wenninger an Kress, 29. 7. 14.
102 Geiss II, Nr. 705, Leuckart an Carlowitz, 29. 7. 14.

neralmobilmachung für die unumgängliche Bedingung für die Publizierung entsprechender deutscher Maßnahmen. Rußland sollte offiziell militärisch die Initiative ergreifen, bevor Deutschland den Krieg gegen Frankreich und Rußland eröffnen könnte. Ob die russische Teilmobilmachung gegen Österreich ausreichte, um vor der europäischen Öffentlichkeit den Casus foederis für Deutschland zu begründen oder nicht – das war der Kern der Auseinandersetzungen am Nachmittag und Abend des 29. Juli; nicht etwa ein grundsätzlicher Vorbehalt des Reichskanzlers gegenüber dem Anfang Juli gefaßten Entschluß, den Krieg zu diesem Zeitpunkt auszulösen.

Bethmann Hollweg vertrat die Ansicht, daß mit der russischen Teilmobilmachung der Bündnisfall für Deutschland noch nicht gegeben sei.

>Wir müßten aber das Eintreten dieses Falles (d. h. des Bündnisfalles) abwarten, weil wir sonst die öffentliche Meinung weder bei uns noch in England für uns haben würden. Letzteres sei erwünscht, denn nach Ansicht des Reichskanzlers würde *England* nicht auf Seiten Rußlands stehen können, wenn dieses durch einen Angriff auf Österreich die allgemeine Kriegsfurie entfessele und damit die Schuld für den großen Kladderadatsch auf sich nehmen würde.[103]«

Entgegen dem dringenden Wunsch Moltkes, den Zustand drohender Kriegsgefahr zu verkünden, setzte sich Bethmann Hollweg an diesem Abend des 29. Juli mit seiner Forderung nach weiterem Aufschub durch.

Er konnte sich dabei auch auf seine erfolgreichen Verhandlungen mit führenden sozialdemokratischen Parlamentariern stützen. Am 29. vormittags hatte er von dem Reichstagsabgeordneten Südekum ermutigende Zusagen über die voraussichtliche Haltung der Sozialdemokraten bei einem deutschen »Verteidigungskrieg« gegen das zaristische Rußland erhalten, die dieser am gleichen Tag noch schriftlich bestätigte[104]. Die russische Generalmobilmachung wurde dadurch eine um so notwendigere Voraussetzung für die deutsche Generalmobilmachung.

Bei dem Kronrat am Nachmittag des 29. Juli in Potsdam, auf dem es um die Proklamation der drohenden Kriegsgefahr ging, wurde auch die Frage der englischen Neutralität in diesem Kriege ausführlich diskutiert. Wilhelm II. war davon überzeugt, daß England neutral bleiben werde. Diese Zusicherung habe der englische König seinem Bruder, dem Prinzen Heinrich, der gerade aus England zurückgekommen war, gegeben. Die Zweifel des auch anwesenden Staatssekretärs Tirpitz wehrte der Kaiser mit der Bemerkung ab: »Ich habe das Wort eines Königs, das genügt mir.« Als Bethmann Hollweg aus den Besprechungen in Potsdam zurückkehrte, hat er wohl unter dem Eindruck der auf Einhaltung des militärischen Zeit-

103 Geiss II, Nr. 676, Besprechung bei Bethmann Hollweg, 29. 7. 14.
104 Dokumente und Materialien zur Geschichte der Deutschen Arbeiterbewegung, Bd. 1, S. 17 f., Südekum an Bethmann Hollweg, 29. 7. 14.

plans drängenden Militärs gewagt, die Früchte seiner jahrelangen Bemühungen um England zu ernten. Er unterbreitete dem englischen Botschafter, den er in die Reichskanzlei gebeten hatte, das Angebot eines deutschenglischen Neutralitätsabkommens für den bevorstehenden Krieg Deutschlands und Österreichs gegen Rußland und Frankreich; als Gegenleistung bot er der englischen Regierung die Zusicherung, Deutschland werde die territoriale Integrität Frankreichs nicht antasten. Auf eine Rückfrage des Botschafters bezüglich der französischen Kolonien gab Bethmann Hollweg keine bestimmte Antwort [105].

Hätte Bethmann Hollweg gewußt, daß gerade in diesem Augenblick im Auswärtigen Amt ein Bericht Lichnowskys dechiffriert wurde, der eine eindeutige Warnung Greys enthielt, England könne bei einem Angriff Deutschlands auf Frankreich unter keinen Umständen neutral bleiben [106], dann hätte er diesen die Absichten der deutschen Regierung dekouvrierenden Schritt zweifellos unterlassen.

Die Nachricht Lichnowskys wirkte im Auswärtigen Amt, zumal der Reichskanzler sich bei seiner Unterredung mit Goschen so weit vorgewagt hatte, alarmierend. Den Kriegsentschluß der deutschen Regierung hat Lichnowskys Telegramm allerdings nicht umgestürzt. Kanzler und Auswärtiges Amt hätten bei den gegebenen Machtverhältnissen in Berlin, selbst wenn sie jetzt gegen den Krieg gestimmt hätten, die Entscheidung nicht rückgängig machen können. Wohl aber versuchte Bethmann Hollweg sofort, noch in der Nacht vom 29. zum 30. Juli, den österreichischen Bundesgenossen zu bestimmen, nicht so schroff alle Vermittlungsangebote abzuweisen. Tschirschky wurde angewiesen, bei Berchtold darauf zu drängen, daß Wien den letzten Vorschlag Greys, einer Vermittlung der vier nicht unmittelbar beteiligten Mächte, nicht a limine ablehne [107]. In einem weiteren Telegramm wurde Tschirschky aufgefordert, Berchtold auf eine zweite Vermittlungsmöglichkeit hinzuweisen, nämlich auf den direkten Meinungsaustausch zwischen Wien und Petersburg [108], über dessen Ablehnung durch Wien Grey sich sehr bestürzt gezeigt hatte [109]. In seiner Begründung dieser für den Bundesgenossen überraschenden Warnung betonte Bethmann Hollweg, bei aller Bereitschaft, ihre Bündnispflicht zu erfüllen, müsse die deutsche Regierung es ablehnen, sich »von Wien und ohne Beachtung unserer Ratschläge in einen Weltbrand hineinziehen zu lassen« [110]. Schlage Wien jedes Vermittlungsangebot aus, stünden Deutschland und Österreich-Ungarn gegen vier Großmächte (England, Rußland,

105 Geiss II, Nr. 684, Bethmann Hollweg an Goschen, 29. 7. 14; Nr. 745, Goschen an Grey, 29. 7. 14; vgl. a. Nr. 971, Goschen an Nicolson, 31. 7. 14.
106 Geiss II, Nr. 678, Lichnowsky an Jagow, 29. 7. 14.
107 Geiss II, Nr. 695, Bethmann Hollweg an Tschirschky, 30. 7. 14.
108 Geiss II, Nr. 696, Bethmann Hollweg an Tschirschky, 30. 7. 14.
109 Geiss II, Nr. 668, Lichnowsky an Jagow, 29. 7. 14.
110 Vgl. Anm. 108.

Frankreich, Italien), wobei Deutschland durch die Gegnerschaft Englands die Hauptlast des Krieges zu tragen hätte.

Diese berühmten »Weltbrandtelegramme« waren die Reaktion Bethmann Hollwegs und des Auswärtigen Amtes auf die Nachricht, daß der von Deutschland ins Auge gefaßte Kontinentalkrieg ohne Beteiligung Englands nicht durchführbar sein würde.

In der gleichen Nacht telegraphierte auch Moltke nach Wien. Er unterrichtete seinen österreichischen Kollegen Conrad v. Hötzendorf davon, daß die russische *Teil*mobilmachung noch keinen Anlaß für eine deutsche Mobilisierung biete, sondern der Eintritt des Kriegszustandes zwischen Rußland und Österreich-Ungarn abgewartet werden müsse. Moltke erteilte die Weisung: »Nicht Rußland Krieg erklären, sondern Angriff Rußlands abwarten.[111]« Die militärische wie die zivile Reichsleitung forderten also übereinstimmend, Österreich-Ungarn dürfe auf keinen Fall als Provozierender erscheinen, sondern müsse Rußland den entscheidenden zum Kriege führenden Schritt überlassen.

Die Aufregung im Auswärtigen Amt über Lichnowskys Alarmtelegramm war am nächsten Vormittag wieder besonnener Ruhe gewichen. Zwar war die Hoffnung auf die englische Neutralität erheblich erschüttert; dennoch stand jetzt wieder der Gedanke im Vordergrund, England womöglich doch noch, wenigstens für die Anfangszeit des Krieges, neutral zu halten. Wenn Rußland eindeutig als der Angreifer in dem bevorstehenden Krieg erschiene, dann würde es der englischen Regierung unmöglich sein, die Mehrheit des Parlaments für einen Kriegseintritt auf seiten Rußlands zu gewinnen. Dieser Überlegung entsprechend verfolgten die Instruktionen an Tschirschky jetzt die Absicht, Berchtold zu einer nach außen zur Schau getragenen Verhandlungsbereitschaft zu veranlassen, um Rußland, mit dessen Generalmobilmachung man in Berlin stündlich rechnete, die Verantwortung für den dann ausbrechenden Krieg zuzuschieben.

Am Vormittag des 30. Juli entwarf Bethmann Hollweg ein Telegramm, das Wilhelm II. an den Zaren senden sollte. Der Kanzler verfolgte dabei die Absicht, die wahrscheinlichen Konsequenzen der russischen Mobilisierungsmaßnahmen zu beschreiben, um dem Zaren die Verantwortung für alle kommenden Ereignisse anzulasten, Deutschland aber als bis zuletzt vermittlungsbereit hinzustellen. Der Kaiser jedoch, über die russische Teilmobilmachung, von der er erst am 30. Juli morgens unterrichtet worden war[112], und über den »Verrat« Englands, des »elenden Krämergesindels«, aufs äußerste erbittert, hatte sich bereits entschieden dagegen ver-

111 Geiss II, Nr. 759, Aufz. Conrads über ein Schreiben des Hptm. im k. u. k. Generalstab Fleischmann über seine Unterredung mit Moltke, 30. 7. 14.
112 Geiss II, Nr. 699, Bethmann Hollweg an Wilhelm II., 29. 7. 14.

wahrt, seine Vermittlerrolle fortzusetzen [113]. Deshalb appellierte Bethmann Hollweg an die staatsmännische Einsicht Wilhelms II., indem er ihm prophezeite, daß »dieses Telegramm ein besonders wichtiges Dokument für die Geschichte werden wird« [114].

Nach London telegraphierte der Kanzler, die österreichisch-ungarische Verhandlungsbereitschaft werde durch die fortschreitenden russischen und französischen militärischen Vorbereitungen erheblich gefährdet [115]. Damit versuchte der Kanzler, in England die Stimmung dafür vorzubereiten, daß Rußland als der Kriegsschuldige hingestellt werden könnte, selbst für den Fall, daß Rußland die Proklamation der Gesamtmobilmachung noch länger hinauszögern würde.

Gegen Mittag dieses Tages wurde in Berlin der volle Umfang der russischen Teilmobilmachungsmaßnahmen bekannt [116]; die Erwartung einer bald nachfolgenden russischen Gesamtmobilmachung wurde dadurch gestärkt. Gegen 14 Uhr wurde in einem Extrablatt des ›Lokalanzeigers‹ die Gesamtmobilmachung des Deutschen Reiches verkündet – und eine Viertelstunde später dementiert. Die in Berlin akkreditierten Botschafter interpretierten diese Panne einhellig als ein Zeichen für die unmittelbar bevorstehende Mobilisierung Deutschlands [117]. Die Entscheidung zur Generalmobilmachung war in Petersburg gefallen, bevor diese Lokalanzeigernachricht dort eintraf. Faktisch ist der russische Entschluß dadurch also nicht beeinflußt worden. Dennoch ist nicht auszuschließen, daß Generalstab und Kriegsministerium – der ›Lokalanzeiger‹ war das bevorzugte Blatt des Kriegsministeriums – durch diese »irrtümlich« verbreitete Nachricht die russische Mobilisierung doch noch provozieren wollten.

Die Nervosität im Auswärtigen Amt steigerte sich nach diesem Zwischenfall wieder sehr, zumal von Österreich-Ungarn noch immer keine Nachricht kam, ob es auf die deutschen Vorschläge einzugehen bereit wäre. Der englische Außenminister verlieh bereits seiner Empörung über die Unnachgiebigkeit der österreichischen Regierung Ausdruck, und die russische Regierung stellte ihre fast verzweifelte Verhandlungsbereitschaft mit der Vermittlungsformel Sasonows, die Pourtalès nach Berlin telegraphierte, erneut unter Beweis.

Diese gespannte Erwartung, ob sich das deutsche Konzept, dem gemäß Rußland die Rolle des Angreifers übernehmen sollte, doch noch verwirklichen ließe, schlug sich in der Rede nieder, die Bethmann Hollweg als preußischer Ministerpräsident in einer Sitzung des Staatsministeriums um

113 Geiss II, Nr. 678, Randbemerkungen Wilhelms II. zu Lichnowsky an Jagow, 29. 7. 14.
114 Geiss II, Nr. 772, Bethmann Hollweg an Wilhelm II., 30. 7. 14.
115 Geiss II, Nr. 773, Bethmann Hollweg an Lichnowsky, 30. 7. 14.
116 Geiss II, Nr. 766, Pourtalès an Jagow, 30. 7. 14.
117 Geiss II, Nr. 819, Swerbejew an Sasonow, 30. 7. 14; Nr. 832, J. Cambon an Viviani, 30. 7. 14; Nr. 841, J. Cambon an Viviani, 31. 7. 14.

17 Uhr hielt. Optimismus und Pessimismus drückten sich gleichermaßen darin aus. In einem kurzen Überblick über die augenblickliche politische Lage betonte er die Bemühungen Deutschlands um eine Verständigung zwischen der Wiener und der Petersburger Regierung; er hob die Zusammenarbeit zwischen Deutschland und England zur Vermeidung eines europäischen Krieges und die Gefährdung des Friedens durch die militärischen Maßnahmen Rußlands und Frankreichs hervor. Deutschland dagegen habe auf sein, des Kanzlers, Betreiben hin noch nicht den »Zustand drohender Kriegsgefahr« erklärt, weil dadurch der Krieg unvermeidlich würde. Seine Enttäuschung über die Haltung Englands wird noch einmal deutlich, als er skeptisch meinte, »die Hoffnung auf England (sei) gleich Null. England werde wohl Partei für den Zweibund nehmen«. Auch sei die Haltung Italiens undurchsichtig. Auf Rumänien und Bulgarien sei nicht zu rechnen.

Andererseits beruhigte Bethmann Hollweg die preußischen Ministerkollegen über die Geschlossenheit der Nation:

> Die allgemeine Stimmung sei in Deutschland gut (was allseitig bestätigt wurde). Auch von der Sozialdemokratie und dem sozialdemokratischen Parteivorstande sei nichts besonderes zu fürchten, wie er aus Verhandlungen mit dem Reichstagsabgeordneten Südekum glaube schließen zu können. Von einem Generalstreik . . . oder Sabotage werde keine Rede sein [118].

Nachdem Tschirschky in einem Telefongespräch mit Stumm [119] mitgeteilt hatte, daß Berchtold immer noch zögere, auf die deutschen Vorschläge einzugehen, sandte Bethmann Hollweg ein von ihm eigenhändig entworfenes Telegramm mit einer weiteren dringenden Warnung nach Wien. Darin sprach er das Kalkül der deutschen Regierung für diese letzte Phase der Krise offen aus:

> »Wenn Wien, wie nach dem telephonischen Gespräch Ew. Exz. mit Herrn von Stumm anzunehmen, jedes Einlenken, insonderheit den letzten Greyschen Vorschlag ablehnt, ist es kaum mehr möglich, Rußland die Schuld an der ausbrechenden europäischen Konflagration zuzuschieben. S. M. hat auf Bitten des Zaren die Intervention in Wien übernommen, weil er sie nicht ablehnen konnte, ohne den unwiderleglichen Verdacht zu erzeugen, daß wir den Krieg wollten. Das Gelingen dieser Intervention ist allerdings erschwert, dadurch daß Rußland gegen Österreich mobilisiert hat. Dies haben wir heute England mit dem Hinzufügen mitgeteilt, daß wir eine Aufhaltung der russischen und französischen Kriegsmaßnahmen in Petersburg und Paris bereits in freundlicher Form angeregt hätten, einen neuen Schritt in dieser Richtung also nur durch ein Ultimatum tun könnten, das den Krieg bedeuten würde. Wir haben deshalb Sir Edward Grey nahegelegt, seinerseits nachdrücklich in diesem Sinne in Paris und Petersburg zu wirken, und erhalten soeben seine entsprechende Zusicherung durch Lichnowsky. Glücken England diese Bestrebungen, während Wien alles ablehnt, so dokumentiert Wien, daß es unbedingt einen Krieg will, in den wir hineingezogen sind, während Rußland schuldfrei bleibt. Das ergibt für uns

---

118 Geiss II, Nr. 784, Sitzungsprotokoll des Preußischen Staatsministeriums, 30. 7. 14.
119 Vgl. auch Geiss II, Nr. 783, Tschirschky an Jagow, 30. 7. 14.

der eigenen Nation gegenüber eine ganz unhaltbare Situation. Wir können deshalb nur dringend empfehlen, daß Österreich den Greyschen Vorschlag annimmt, der seine Position in jeder Beziehung wahrt.[120]«

Der deutschen Regierung ging es auch zu dieser Zeit nicht um die Rettung des Friedens in letzter Minute, sondern um die Schaffung einer erfolgversprechenden innen- und außenpolitischen Konstellation für den europäischen Krieg.

Im Anschluß an die Abfertigung dieses Telegramms, das die Taktik des Kanzlers klar erkennen läßt, kurz nach 21 Uhr, wurde in einer Besprechung zwischen Bethmann Hollweg, Moltke und Falkenhayn von den Militärs durchgesetzt, spätestens am nächsten Mittag, den 31. Juli, den Zustand »drohender Kriegsgefahr« zu verkünden – eine Maßnahme, die in Deutschland die Mobilmachung unausweichlich nach sich zog. Durch diese Entscheidung, die gefällt wurde, bevor die Nachricht von der russisen Generalmobilmachung eintraf, war in Berlin der Kriegsbeginn auf die ersten Tage des August festgelegt, und zwar auch ohne daß die Reichsleitung durch die russische Gesamtmobilmachung dazu genötigt worden wäre. Immerhin hatte der Kanzler durch die Verschiebung der die Mobilmachung einleitenden Maßnahmen um 15 Stunden eine Frist gewonnen, innerhalb derer die russische Regierung womöglich doch noch einen Schritt tun würde, der sie vor der Welt ins Unrecht setzte und ihm die Realisierung seines ursprünglichen Konzepts erlaubte.

Gegen 23 Uhr trafen tatsächlich erste Gerüchte über die Anordnung der russischen Generalmobilmachung in Berlin ein. Daraufhin ließ Bethmann Hollweg sofort telefonisch und telegraphisch die Ausführung seiner Instruktion an Tschirschky stoppen [121]. Nachdem Rußland mit dieser Anordnung den Schwarzen Peter an sich genommen hatte, brauchte er nicht länger den Schein der Friedensvermittlungtätigkeit zu wahren. Als später zwischen Österreich-Ungarn und Deutschland der Streit über die Kriegsschuld entbrannt war, notierte Tschirschky zu einem Privatbrief Jagows, worin die Intransigenz Österreich-Ungarns als entscheidend für den Kriegsausbruch bezeichnet wurde: nein, es sei die russische Mobilmachung gewesen:

»Ich bin persönlich telefonisch aus Berlin (von Herrn v. Stumm) ersucht worden, sofort jede Vermittlungtätigkeit in Wien einzustellen, *weil* soeben die Nachricht von der russ. Mobilmachung eingetroffen sei.[122]«

---

120 Geiss II, Nr. 793, Bethmann Hollweg an Tschirschky, 30. 7. 14.
121 Geiss II, Nr. 797, Bethmann Hollweg an Tschirschky, 30. 7. 14; der tatsächliche Grund für eine Sistierung der Instruktion, die Nachricht über die Mobilmachung Rußlands, wurde durch den unverfänglicheren des Telegramms Georgs V. an Prinz Heinrich ersetzt. Allerdings ist diese Begründung völlig unlogisch, da die Instruktion an Tschirschky die Wiener Bereitschaft, auf das englische Angebot einzugehen, nur hätte verstärken können.
122 AA Bonn, Gesandtschaft Wien, geh. III, ganz geh. Sachen, Jagow an Tschirschky, 11. 11. 14, Randvermerk Tschirschkys, Sperrung im Original.

Außerdem wurde Tschirschky noch in dieser Nacht von dem Beschluß der Konferenz zwischen der militärischen und der zivilen Reichsleitung in Berlin in Kenntnis gesetzt, daß Deutschland an Rußland ein Ultimatum wegen der Mobilmachungsmaßnahmen stellen würde. Gleich am frühen Morgen des 31. Juli überbrachte der Botschafter diese wichtige Neuigkeit dem österreichisch-ungarischen Außenminister [123].

Auf dieser Besprechung in Berlin nach Erhalt der ersten Nachrichten über die russische Gesamtmobilmachung kurz vor Mitternacht ging es um die Frage der deutschen Mobilmachung. Die Militärs drängten auf eine sofortige Entscheidung; Bethmann Hollweg dagegen verlangte, mit der Verkündung der Mobilmachung zu warten, bis eine negative Antwort Rußlands auf ein von Deutschland gestelltes Ultimatum ergangen sein würde. Der Generalquartiermeister Waldersee schrieb in einem Brief an Jagow vom Juli 1926 über Moltke:

>Mit uns, seinen Mitarbeitern bis zum Kriegsausbruch, hatte er festgelegt, daß er nur die Mobilmachung durchsetzen wolle, dann beginne der Krieg von selbst, eine Erklärung unsererseits könne nur schaden.[124]«

Wie Bethmann Hollweg in einem Brief an Jagow vom August 1919 bezeugt hat, war Moltke nicht nur für die sofortige Mobilmachung eingetreten, sondern für gleichzeitigen Beginn der kriegerischen Operationen. Der Kanzler aber setzte sich mit seiner Meinung durch, daß bei einem unangekündigten Beginn der Kriegshandlungen keine Basis für die Sommation an Belgien gegeben wäre – »darum ist unsere Ultimatumsdepesche an Pourtalès beschlossen worden« – und daß er sonst – wie er sich Ballin gegenüber ausdrückte – »die Sozialisten nicht mit sich fortreißen könne« [125].

Auch in dieser Nacht noch vermochte sich also der Reichskanzler gegen die Militärs durchzusetzen und seinen Argumenten für eine perfekte Vorbereitung der Kriegseröffnung Gehör zu verschaffen. Aufrechterhalten blieb der Entschluß, am 31. Juli mittags den »Zustand drohender Kriegsgefahr« zu verkünden. Die Erklärung der deutschen Mobilmachung dagegen wurde noch für einen weiteren Tag zurückgehalten. Zuvor sollte an Rußland ein Ultimatum zwecks Einstellung der Rüstungen geschickt werden [126]. Bethmann Hollweg konnte diesen letzten Aufschub nicht zuletzt deshalb durchsetzen, als sich seine Prophezeiung, Rußland werde sich die Rolle des Angreifers zuschieben lassen, jetzt schließlich doch noch zu bewahrheiten schien.

---

123 Geiss II, Nr. 858, Unterredung Berchtolds mit Conrad 31. 7. 14; Nr. 862, Berchtold an Franz Joseph, 31. 7. 14.
124 AA Bonn, NL Jagow, Bd. 6, Waldersee an Jagow, 22. 6. 26.
125 So Ballin, nach dem Zeugnis Waldersees, ibid.
126 Geiss II, Nr. 801, Unterredung Falkenhayn–Moltke–Bethmann Hollweg, 30. 7. 14.
127 Geiss II, Nr. 858, Telegramm Moltkes an Conrad, eingetroffen am 21. 7. 14, um 7 Uhr 45.

Im Anschluß an diese zweite Besprechung des 30. Juli telegraphierte Moltke dem österreichischen Generalstabschef das Startzeichen:

>»Russische Mobilisierung durchhalten; Österreich muß erhalten bleiben, gleich gegen Rußland mobilisieren, Deutschland wird mobilisieren. Italien durch Kompensationen zur Bundespflicht zwingen.«

Ein ähnlich lautendes Telegramm schickte gleichzeitig der österreichisch-ungarische Militärattaché in Berlin nach einer Unterredung mit Moltke. Darin wird zusätzlich noch gefordert:

>»Von England erneut eingebrachten Schritt zu Erhaltung des Friedens ablehnen. Für Österreich-Ungarn zur Erhaltung Durchhalten des europäischen Krieges letztes Mittel. Deutschland geht unbedingt mit.[128]«

Wie Tschirschky zur Verwertung am Ballhausplatz erhielt also auch Conrad die Weisung, Vermittlungsschritte nicht weiter zu verfolgen. Darin bestand also Einigkeit zwischen ziviler und militärischer Reichsleitung. Mit aller Deutlichkeit wurde in diesen Telegrammen ausgesprochen, daß Deutschland eine österreichisch-ungarische Mobilmachung gegen Rußland unter Hintansetzung des österreichischen Krieges gegen Serbien verlange, so wie Bethmann Hollweg am folgenden Nachmittag von Wien verlangte: »Wir erwarten von Österreich sofortige *tätige* Teilnahme am Krieg gegen Rußland.[129]«

In der Nacht des 30. auf den 31. Juli war der Stundenplan für die nächsten beiden Tage festgelegt worden.

Die Entspannung, die sich am 28. Juli durch den Vermittlungsversuch des Kaisers abzuzeichnen schien, wurde in den Zeitungen und Korrespondenzen, die – wie der Generalstab – auf eine kriegerische Aktion drängten, mit Unbehagen registriert. Der ›Vorwärts‹ resümierte am 31. Juli [129a] diese Stimmen und bezichtigte die Blätter vom Schlage der ›Deutschen Tageszeitung‹, der ›Post‹, der ›Berliner Neuesten Nachrichten‹ und der ›Täglichen Rundschau‹, daß sie offen zum Kriege trieben, und zwar mit dem Argument, man dürfe nicht warten, bis Rußland seine Mobilmachung beendigt habe, sondern auch Deutschland müsse zur Mobilisierung schreiten. Auch der oft offiziös bediente ›Berliner Lokalanzeiger‹ appellierte an den Kaiser, nicht zu warten, und ermahnte ihn, das »deutsche Schwert aus der Scheide zu ziehen, den rechten Augenblick dafür zu bestimmen«. In diesen Aufruf, fest zu bleiben und die Initiative nicht Rußland zu überlassen, mischte sich kaum verhüllte Kritik an der Haltung des Kaisers. In den verflossenen diplomatischen Krisen habe er doch den Frieden bis jetzt im-

---

128 Ibid., Telegramm des k. u. k. Militärattachés in Berlin an Conrad.
129 Geiss II, Nr. 886, Bethmann Hollweg an Tschirschky, 31. 7. 14.
129a Vorwärts, Nr. 206, 31. 7. 14, »Blutrausch«, hier auch die folgenden Zitate.

mer erhalten, wenn auch »manchmal unter Opfern und Entsagungen, zu denen andere Monarchen vielleicht nicht fähig gewesen wären«.

Der ›Vorwärts‹ sprach seinen Verdacht offen aus, daß die »Militärpartei« zum Krieg dränge, an dem nicht nur das Proletariat, sondern auch das Bürgertum kein Interesse habe. Dabei analysierte das Blatt die Gründe, weshalb man in Berlin zum Krieg dränge, wie folgt:

> »Und *warum* will die Militärpartei den Krieg? Er soll ihr die Macht geben. Die Macht, alle Demokratie zu unterdrücken. Die Macht, alle freiheitlichen Regungen am Boden zu halten. Die Macht über das Proletariat und das Bürgertum. Zabern hat gelehrt, was das Ziel jener Clique ist. Zabern soll verewigt werden. Durch Blut wollen sie waten, um sich für immer zu Herren des Volkes zu machen.«

Der ›Vorwärts‹ warnte vor dem »Rausch«, der auch »ernste Männer« in seinen Bann gezogen habe, und prophezeite, daß nach diesem Krieg, wie er auch immer auslaufen möge, das Bürgertum am stärksten verlieren werde.

Die Auslassung des Hauptorgans der Sozialdemokraten war so unberechtigt nicht, so demagogisch sie auch auf den ersten Blick erscheinen mochte. So hatte die Korrespondenz des Bundes der Landwirte am 29. Juli [129b] den »starken völkischen Willen« im Lande beschworen, von dem sich nur die Sozialdemokratie absetze. Diese Stellungnahme sei indes nicht verwunderlich:

> »*Sein oder Nichtsein,* das ist auch hier die Frage. Die Sozialdemokratie fühlt es eben nur zu genau, daß es im Kriegsfall mit ihrer Herrlichkeit auf lange Zeit hinaus vorbei ist.«

Pointierter, wenn auch ohne den direkten Hinweis auf die innenpolitische Funktion des Krieges, drängte die schwerindustrielle ›Deutsche Volkswirtschaftliche Correspondenz‹ am 31. Juli zum Kriege, wobei sie noch einmal Rußland als Gegner und Provokateur aufbaute [129c]:

> »Keine diplomatischen Künste werden auf die Dauer die Gegensätze überbrücken, die durch die Eigenart der Rasse geschaffen sind. Je mächtiger das *Slawentum* in Rußland erstarkt ist, desto selbstbewußter und herausfordernder hat es sich gegenüber dem Germanentum gebärdet ... Eine dauernde Verbrüderung der uns feindlich gesinnten Rassen erscheint undenkbar. Es liegt die Frage nahe: *Wann haben wir uns in das Unvermeidliche zu fügen?«*

Ohne gouvernementale Rücksicht, wie sie für die konservativen Blätter bestand, ging die DVC so weit, die Regierung zu energischen Taten zu drängen:

129b Korr. des BdL, Nr. 43, 29. 7. 14, S. 177, »Geschlossen und entschlossen«.
129c DVC, Nr. 60, 31. 7. 14, »Wie lange noch?«

»Das Volk sollte mit elementarer Gewalt auf eine Entscheidung dringen und der Regierung seinen Willen aufzwingen.«

31. Juli/1. August: »Stimmung glänzend« in Berlin

Am Freitagvormittag, dem 31. Juli, überbrachte der englische Botschafter Goschen die Absage der englischen Regierung zu dem deutschen Neutralitätsverlangen. Keinen Augenblick habe – teilte Goschen dem Reichskanzler mit – die englische Regierung den deutschen Vorschlag in Betracht gezogen. England werde sich nicht verpflichten, untätig zuzuschauen, »während französische Kolonien weggenommen werden und Frankreich geschlagen wird«.

> »Vom materiellen Standpunkt aus ist solch ein Vorschlag unannehmbar, denn Frankreich könnte, ohne daß ihm weiteres Gebiet in Europa weggenommen würde, so erdrückt werden, daß es seine Stellung als Großmacht verlöre und in die Abhängigkeit der deutschen Politik geriete.[130]«

Ebensowenig könne die englische Regierung darauf eingehen, sich ihre Verpflichtungen und Interessen hinsichtlich der Neutralität Belgiens abhandeln zu lassen.

Bethmann Hollweg nahm diese Eröffnung stumm entgegen. Dem Botschafter schien es, als sei der Kanzler so ausschließlich mit den Nachrichten, die er über russische militärische Maßnahmen an der deutschen Grenze erhalten hatte, beschäftigt, daß er die englische Antwort gar nicht gleich habe voll begreifen können. Statt darauf zu entgegnen, versuchte er dem englischen Botschafter die gefährdete militärische und politische Lage des Deutschen Reiches zu erklären. Während Deutschland Mäßigung und Versöhnlichkeit gepredigt habe, habe Rußland gegen Österreich mobilgemacht.

> »Wenn die jetzt eingegangenen Nachrichten sich als wahr erweisen sollten, und militärische Maßnahmen auch gegen Deutschland ergriffen würden, könne er nicht untätig bleiben, da er sein Land nicht unverteidigt lassen dürfe, während andere Mächte die Zeit nutzten.«

Bethmann Hollweg deutete dem Botschafter an,

> daß sich (die) deutsche Regierung in ganz kurzer Zeit, vielleicht noch heute, zu einem sehr ernsten Schritt entschließen müsse[131].

Es ging dem Kanzler darum, der englischen Regierung klarzumachen, daß Rußland der Kriegsschuldige sei und Deutschland nur auf dessen Provokation reagiere. Dem französischen Botschafter Cambon fiel auf, daß

---

130 Geiss II, Nr. 846, Grey an Goschen, 30. 7. 14.
131 Geiss II, Nr. 948, Goschen an Grey, 31. 7. 14; Nr. 949, Goschen an Grey, 31. 7. 14.

der Reichskanzler ihm gegenüber wegen der russischen Mobilmachungs-maßnahmen keine Klage geführt habe. Cambon schloß daraus, »daß man allein in London einwirken will in der Hoffnung, das Eingreifen Englands zu verhindern« [132].

Als um 12 Uhr die russische Generalmobilmachung offiziell gemeldet [133] und gleichzeitig die österreichische Gesamtmobilmachung angekündigt wurde [134], liefen in Berlin alle vorbereiteten militärisch-diplomatischen Aktionen fahrplanmäßig ab. Die Appelle in Wien, Verhandlungsbereitschaft zur Schau zu stellen, waren ja schon in der vorausgehenden Nacht schlagartig abgebrochen worden. Auch am Vormittag des 31. Juli wurde die Vermittlungsfrage in Berlin nicht weiter erwogen, während in London, Petersburg, Paris und sogar in Wien größte Aktivität entfaltet wurde, um den Ausbruch des großen europäischen Krieges doch noch zu verhindern.

Um 13 Uhr wurde in Berlin der »Zustand drohender Kriegsgefahr« erklärt. Wilhelm II. und Bethmann Hollweg begründeten diese Maßnahme in feierlich-pathetischen Reden an das Volk mit dem Leitgedanken, Rußland zwinge der deutschen Nation den Krieg auf.

Im Auswärtigen Amt wurden Instruktionen an die deutschen Missionen abgesandt, in denen die Erklärung des »Zustandes drohender Kriegsgefahr« als unerläßliche Reaktion auf die russische Generalmobilmachung hingestellt wurde [135].

Um 15 Uhr billigte Wilhelm II. den Text des Ultimatums an Rußland und der »Anfrage« an Frankreich [136].

Einen Bericht in lakonischer Kürze über die Situation in Berlin an diesem Nachmittag des 31. Juli gab der bayrische Gesandte Lerchenfeld in einem Telegramm an seine Regierung:

»Es laufen zur Zeit zwei Ultimata:
Petersburg 12 Stunden, Paris 18 Stunden. Petersburg Anfrage nach Grund der Mobilisierung, Paris Anfrage, ob neutral bleibt. Beide werden selbstverständlich ablehnend beantwortet werden. Mobilisierung spätestens Samstag, den 1. August um Mitternacht. Preußischer Generalstab sieht Krieg mit Frankreich mit großer Zuversicht entgegen, rechnet damit, Frankreich in 4 Wochen niederwerfen zu können; im französischen Heere kein guter Geist, wenig Steilfeuerge-schütze und schlechteres Gewehr.[137]«

Im Anschluß an die Absendung der Ultimaten begann die deutsche Regierung, an die erhofften Bundesgenossen zu appellieren. Bereits um 13.45

132 Geiss II, Nr. 936, Cambon an Viviani, 31. 7. 14.
133 Geiss II, Nr. 875, Pourtalès an Jagow, 31. 7. 14.
134 Geiss II, Nr. 876, Aufzeichnung Stumm vom 31. 7. 14 über ein Telefongespräch mit Tschirschky.
135 Geiss II, Nr. 928, Iswolski an Sasonow, 31. 7. 14; Nr. 938, Cambon an Viviani; Nr. 931, Swerbejew an Sasonow; Nr. 932, Swerbejew an Sasonow; Nr. 953, Goschen an Grey; Nr. 890, Bethmann Hollweg an Lichnowsky; Nr 894, Bethmann Hollweg an Flotow.
136 Geiss II, Nr. 892, Bethmann Hollweg an Pourtalès, 31. 7. 14; Nr. 889, Tagebucheintragung Lynckers vom 31. 7. 14; Nr. 893, Bethmann Hollweg an Schoen, 31. 7. 14.
137 Geiss II, Nr. 916, Lerchenfeld an Hertling, 31. 7. 14.

Uhr hatte Bethmann Hollweg von *Österreich-Ungarn* Beteiligung an dem deutsch-russischen Kriege gefordert [138]. Um 16.40 Uhr telegraphierte Wilhelm II. an Franz Joseph im gleichen Sinne: Serbien sei jetzt ganz nebensächlich; außerdem solle Österreich-Ungarn Italien durch Kompensationszusagen gewinnen [139]. Gegen 19.00 Uhr fragte Moltke bei Conrad telegraphisch an: »Will Österreich Deutschland im Stiche lassen? [140]« An die Stelle der Nibelungentreue Deutschlands gegenüber Österreich trat jetzt die Forderung nach österreichischer Waffenhilfe bei einem Kriege des Deutschen Reiches.

Um 17 Uhr ging ein Telegramm des Kaisers an König Konstantin heraus, worin *Griechenland* zur Teilnahme am Krieg auf der Seite des Dreibundes aufgefordert wurde [141].

Um 18 Uhr telegraphierte Jagow nach Bukarest: Deutschland werde sich bei günstigem Kriegsausgang dafür einsetzen, »daß *Rumänien* als Entgelt für Erfüllung (seiner) Bundespflichten und aktive Beteiligung am Kriege auf unserer Seite Bessarabien erhält« [142]. Diesem Angebot war schon am Vormittag ein Telegramm Wilhelms II. an Carol von Rumänien vorausgegangen, in dem der Kaiser den rumänischen König an seine Bündnispflicht als Mitglied des Hauses Hohenzollern mahnte [143].

Um 18.45 Uhr wurde Wangenheim zum sofortigen Abschluß des deutschtürkischen Bündnisvertrages instruiert, allerdings mit der Bedingung, daß die *Türkei* »im jetzigen Kriege auch nennenswerte Aktionen gegen Rußland unternehmen kann und wird. Im verneinenden Falle würde Bündnis selbstverständlich wertlos sein und wäre nicht zu zeichnen.[144]«

Um 19.20 Uhr kündigte Jagow in Rom telegraphisch die Ankunft des Flügeladjutanten v. Kleist in *Italien* an, »behufs militärischer Besprechungen mit Generalstabschef« [145]. Daß Berlin mit Sicherheit auf die italienische Bündnishilfe rechne, hatte Bethmann Hollweg schon um 15.30 Uhr an den deutschen Botschafter in Rom, v. Flotow, telegraphiert [146].

Um 23.35 Uhr traf aus Stockholm eine Anfrage des dortigen Gesandten im Auswärtigen Amt ein, »ob und in welcher Richtung militärische Leitung Kooperation *Schwedens* sich denkt, falls sie zu erreichen« [147]. Am 1. August antworteten Generalstab und Admiralstab auf diesbezügliche Fragen des Auswärtigen Amts. Der Generalstab empfahl »sofortige Mobilisierung von Heer und Flotte und Vormarsch der 6. Division gegen Finn-

138 Geiss II, Nr. 886, Bethmann Hollweg an Tschirschky, 31. 7. 14.
139 Geiss II, Nr. 896, Wilhelm II. an Franz Joseph. 31. 7. 14.
140 Geiss II, Nr. 869, Moltke an Conrad, 31. 7. 14, 7 Uhr 15 nachmittags (Telegramm).
141 Geiss II. Nr. 897, Jagow an Bassewitz, 31. 7. 14; Nr. 805, Bethmann an Wilhelm II., 30. 7. 14.
142 Geiss II, Nr. 900, Jagow an Geschäftsträger Waldburg, 31. 7. 14.
143 Geiss II, Nr. 877, Wilhelm II. an Carol von Rumänien, 31. 7. 14.
144 Geiss II, Nr. 903, Bethmann Hollweg an Wangenheim, 31. 7. 14.
145 Geiss II, Nr. 904, Jagow an Flotow, 31. 7. 14.
146 Geiss II, Nr. 894, Bethmann Hollweg an Flotow, 31. 7. 14.
147 Geiss II, Nr. 898, Reichenau an Jagow, 31. 7. 14.

land«; der Admiralstab wünschte sich für die Seekriegführung in der Ostsee ein Zusammenarbeiten mit Schweden [148].

Am Sonnabend, dem 1. August, tagte mittags um 12 Uhr der Bundesrat [149]. Der Vorsitzende Bethmann Hollweg erbat die Zustimmung der Hohen Verbündeten zu einem Krieg mit Rußland und Frankreich. Er legte dar, daß dieser Krieg unmittelbar bevorstehe, wenn auch die Antworten Rußlands und Frankreichs auf die von Deutschland gestellten Ultimaten noch nicht eingetroffen seien. Die Verbündeten erteilten ihre Zustimmung. Es blieb ihnen auch nichts anderes übrig, nachdem sie bereits vor vollendete Tatsachen gestellt waren. In Bethmann Hollwegs Überblick über die Ereignisse der vergangenen Tage ist die Tendenz klar erkennbar, Rußland als den Kriegsschuldigen hinzustellen. Die russische Mobilmachung sei in die noch laufenden Vermittlungsaktionen hineingeplatzt, und dadurch sei dem Deutschen Reich der Krieg aufgezwungen worden. England erwähnte der Kanzler in dieser Rede überhaupt nicht, wohl um die Bundesratsmitglieder nicht in Unruhe zu versetzen oder auch, weil er zu diesem Zeitpunkt ein sofortiges Eingreifen Englands wegen der vermeintlich offensichtlichen Kriegsschuld Rußlands nicht für wahrscheinlich hielt.

Diese Sprachregelung, die Rußlands Generalmobilmachung als den kriegsauslösenden Faktor hinstellt, gab der Pressechef des Auswärtigen Amtes, Hammann, am 1. August auch für die Presse aus. Albert Ballin hatte das Auswärtige Amt davon unterrichtet, vielerorts, vor allem auch in Frankreich, sei man davon überzeugt, daß Deutschland einen Präventivkrieg wolle und deshalb die jetzige Situation herbeigeführt habe. Wilhelm II. sehe jetzt den Moment gekommen, mit seinen Feinden abzurechnen. »Was ist das für eine Verwirrung!« schrieb Hammann an Ballin; der Kaiser und die deutsche Nation seien entschiedene Gegner von Präventivkriegen. Deutschland sei vielmehr unermüdlich mit England zusammen bemüht gewesen, eine friedliche Lösung zu finden.

»Rußland allein zwingt Europa den Krieg auf, den niemand außer ihm gewollt hat, Rußland allein trifft die volle Wucht der Verantwortung.[150]«

Dieser Sprachregelung folgte konsequent das deutsche Weißbuch zum Kriegsausbruch vom 2. August sowie die Reichstagsrede Bethmann Hollwegs vom 4. August.

Ganz im Gegensatz zu der von Hammann der ausländischen Presse suggerierten Vorstellung eines über den Kriegsausbruch verzweifelten deutschen Kaisers und einer über die gescheiterten Friedensvermittlungen

---

148 Geiss II, Nr. 1015a, Generalstab, Sektion IIIb, an Jagow, 1. 8. 14; Nr. 1015b, Pohl an Jagow, 1. 8. 14.
149 Geiss II, Nr. 984, Protokoll über die Sitzung des Bundesrates am 1. 8. 14, um 12.00 Uhr.
150 Geiss II, Nr. 1001, Hammann an Ballin, 1. 8. 14.

unglücklichen deutschen Regierung stand die wahre innere Situation in Berlin. Der Generalstabschef Moltke hatte angenehme Erinnerungen an den 1. August: »Es herrschte, wie gesagt, eine freudige Stimmung.[151]« Und Admiral v. Müller schrieb unter dem 1. August in sein Tagebuch:

> »Die Morgenblätter bringen die Ansprachen des Kaisers und des Reichskanzlers an das vor dem Schloß bzw. dem Kanzlerpalais versammelte begeisterte Volk. *Stimmung glänzend. Die Regierung hat eine glückliche Hand gehabt, uns als die Angegriffenen hinzustellen.*[152]«

Am 1. August mittags um 12.52 Uhr wurde die Kriegserklärung an Rußland abgesandt, die Pourtalès bei ablehnender oder ausbleibender Antwort auf das deutsche Ultimatum übergeben sollte. Um 17 Uhr wurde offiziell der deutsche Mobilmachungsbefehl herausgegeben[153].

Die beiden Telegramme Lichnowskys aus London, von denen das eine die englische Garantie für eine französische Neutralität bei einem deutschrussischen Kriege ankündigte, das andere sogar die englische Neutralität für einen Krieg Deutschlands auch gegen Frankreich in Aussicht stellte, beruhten auf einem Mißverständnis des Botschafters und wurden von ihm noch am gleichen Abend richtiggestellt. So wenig wahrscheinlich, gemessen an den bisherigen Nachrichten und den Eröffnungen Goschens vom Tage zuvor, diese Wendung war, hat sie dennoch in der zivilen wie militärischen Reichsleitung, die sofort wieder beim Kaiser versammelt wurde, vorübergehend große Aufregung verursacht.

30. Juli/1. August: Unsicherheit in Wien

Während in Berlin jetzt die erste Phase der Kriegseröffnung beendet war, trafen in Wien der österreichisch-ungarische Außenminister Berchtold und der russische Botschafter Schebeko gerade zu einer freundschaftlichen Unterredung zusammen. Berchtold gewann dabei den Eindruck, daß Rußland sehr friedliebend und darum bemüht sei, das große Mißverständnis zwischen Österreich und Rußland aufzuklären[154]. Schebeko vermutete,

> daß Österreich nicht abgeneigt wäre, einen Vorschlag anzunehmen, der ihm die Möglichkeit gäbe, aus der gegenwärtigen Situation ohne Schaden für seine Eigenliebe und sein Prestige auf dem Balkan und im Innern des Landes herauszukommen[155].

---

151 Geiss II, Nr. 1000c, Aufzeichnung Moltkes über seine Gespräche am 1. 8. 14.
152 Zit. nach J. C. G. Röhl, Manuskript, Anm. 92; bei Görlitz, Regierte der Kaiser, S. 38, steht statt des gesperrt gedruckten Satzes (vom Verfasser): »In beiden Ansprachen wird durchaus und mit Recht der Anspruch vertreten, daß wir die Angegriffenen sind«. Doch läßt sich dieser Satz im Original des Tagebuches nach Röhl nicht auffinden.
153 Geiss II, Nr. 985, Jagow an Pourtalès, 1. 8. 14.
154 Geiss II, Nr, 979, Unterredung Berchtold-Schebeko, 1. 8. 14.
155 Geiss II, Nr. 1033, Schebeko an Sasonow, 1. 8. 14.

Nachdem Wien an den Tagen zuvor jede Einmischung in den österreichisch-serbischen Konflikt und sogar einen Meinungsaustausch mit Petersburg schroff abgelehnt hatte, war es seit dem 30. Juli plötzlich bereit, die Gespräche mit Petersburg wieder aufzunehmen, was wohl auch durch die deutschen Warnungen vor einem »Weltbrand« veranlaßt war. Am 30. Juli sah man sich aber außerdem am Ballhausplatz zum erstenmal klar mit der Gefahr konfrontiert, daß England entgegen den deutschen Versicherungen in einen europäischen Krieg auf der Seite Frankreichs und Rußlands eintreten würde [156]. War Grey auch unermüdlich bemüht gewesen, den lokalen Streitfall sich nicht zu einem europäischen Krieg auswachsen zu lassen, hatte er doch niemals Österreichs Berechtigung bestritten, von Serbien Genugtuung und Garantien für künftiges Wohlverhalten zu verlangen [157]. Grey hielt zwar am 27. Juli nach dem Abbruch der Beziehungen zwischen Österreich und Serbien die Gefahr eines europäischen Krieges für sehr groß. Er warnte eindringlich vor dem Risiko, das Wien mit einem Krieg gegen Serbien eingehe, gab aber immer wieder zu verstehen, daß England sich in den österreichisch-serbischen Konflikt nicht einmischen werde: »Wenn sie (die österr. Regierung) Serbien bekriegen und zugleich Rußland zufriedenstellen könne, dann schön und gut; andernfalls aber wären die Folgen unabsehbar.[158]« Am 29. Juli zeigte sich Grey entsetzt darüber, daß Wien direkte Gespräche mit Petersburg abgelehnt habe. Er warnte den österreichischen Botschafter Mensdorff nachdrücklich vor der immer näherrückenden Gefahr einer großen »europäischen Komplikation«. Grey lehnte den österreichischen Standpunkt ab, daß die Mächte nur Rußland zur Passivität raten und Wien gleichsam freie Hand gewähren sollten: »Irgend etwas müßten Sie uns zumindest geben, das wir in Petersburg verwerten könnten.« Aus dieser sehr ernsten Unterredung schloß Mensdorff:

»Russische Interessen lassen England kühl, wenn es sich aber um ein vitales Interesse Frankreichs oder gar Machtstellung Frankreichs handelt, so ist keine englische Regierung in der Lage, eine Beteiligung Englands an der Seite Frankreichs zu verhindern.[159]«

Zusammen mit den Warnungen aus Berlin in der Nacht vom 29. zum 30. Juli machte diese englische Stellungnahme Österreich-Ungarn zum erstenmal seit dem Ultimatum Vermittlungsvorschlägen zugänglicher – sei es auch nur, um den englischen Wünschen formell entgegenzukommen.

---

156 Geiss II, Nr. 645, Mensdorff an Berchtold, 29. 7. 14.
157 Geiss I, Nr. 105, Mensdorff an Berchtold, 16. 7. 14; I, 261, Mensdorff an Berchtold, 24. 7. 14; I, Nr. 267, Mensdorff an Berchtold, 24, 7. 14; Nr. 310, Grey an Bunsen, 24. 7. 14; II, Nr. 563, Berchtold an Mensdorff, 28. 7. 14; Nr. 627, Bunsen an Grey, 28. 7. 14; Nr. 733, Grey an Goschen, 29. 7. 14
158 Geiss II, Nr. 558, Grey an Bunsen, 27. 7. 14; vgl. auch Geiss II, Nr. 477, Mensdorff an Berchtold, 27. 7. 14.
159 Geiss II, Nr. 645, Mensdorff an Berchtold, 29. 7. 14.

Das wachsende Mißtrauen gegenüber der Politik der deutschen Regierung ließ Grey als letztes Mittel zur Rettung des Friedens auf einen direkten Ausgleich Österreichs mit Rußland hoffen. Mensdorff gewann im Gespräch mit Grey am 30. Juli den Eindruck, daß die Wiederaufnahme dieser Gespräche und eine österreichische Erklärung, sich mit der Besetzung Belgrads und eines Teiles des Landes als Pfand begnügen zu wollen, in London aufatmend begrüßt werden würde. Der Bericht Mensdorffs zeigt noch einmal, wie wenig Grey von Österreich verlangte [160]. Auf diese englische Reaktion hin veranlaßte Berchtold seinen Botschafter in Petersburg, den Meinungsaustausch mit Sasonow wieder aufzunehmen [161]; er bat Schebeko zu einer Unterredung. Berchtold nahm zunächst die amtliche Erklärung des Botschafters zur Kenntnis, daß die russische Teilmobilmachung nur die Absicht und das Recht des Zaren kundtun wolle, »bei der Regelung der serbischen Frage mitzusprechen« [162]. Berchtold erwiderte, Österreich müsse die russische Mobilisierung als eine Bedrohung der Monarchie ansehen und deshalb ebenfalls an der russischen Grenze mobilmachen. Aber auch er betonte, daß die österreichische Maßnahme »keine Drohung«, »keine aggressive Absicht gegen Rußland« bedeute [163]. Das Gespräch, das nach Schebekos Zeugnis den »allerfreundschaftlichsten Charakter« trug, drehte sich dann um verschiedene Möglichkeiten, den serbischen Konflikt zu lösen, ohne vitale Interessen Rußlands oder Österreichs zu verletzen. Schebeko kam zu dem Schluß,

> »daß Berchtold wirklich mit uns zu einem Einvernehmen gelangen möchte, jedoch der Meinung ist, daß es für Österreich unmöglich sei, seine Operationen gegen Serbien einzustellen, ohne volle Genugtuung und ernsthafte Garantien für die Zukunft erhalten zu haben [164].

Auch Dumaine glaubte, nachdem er von Schebeko über den Verlauf der Unterredung informiert worden war, selbst wenn man keine feste Hoffnung haben könne, sei doch »nicht alle Aussicht für eine Lokalisierung des Konflikts geschwunden«. »In dieser Situation (fuhr Dumaine fort) kam die Nachricht von der deutschen Mobilmachung« – das heißt die ›Lokalanzeiger‹-Falschmeldung [165].

Am 31. Juli vormittags tagte in Wien der Gemeinsame Ministerrat, um über den englischen Vermittlungsvorschlag vom 29. (Vermittlung der nicht unmittelbar beteiligten Großmächte) und über Kompensationen für Italien zu beraten [166]. Auf dieser Sitzung herrschte Übereinstimmung dar-

---

160 Geiss II, Nr. 752, Mensdorff an Berchtold, 30. 7. 14.
161 Geiss II, Nr. 748, Berchtold an Szápáry, 30. 7. 14.
162 Geiss II, Nr. 840, Dumaine an Viviani, 30. 7. 14.
163 Vgl. dazu die übereinstimmenden Zeugnisse der Dokumente, Geiss II, Nr. 763, Berchtold an Szápáry, 30. 7. 14; Nr. 821, Schebeko an Sasonow, 30. 7. 14; Nr. 840, Dumaine an Viviani, 30. 7. 14.
164 Geiss II, Nr. 821, Schebeko an Sasonow, 30. 7. 14.
165 Geiss II, Nr. 840, Dumaine an Viviani, 30. 7. 14.
166 Geiss II, Nr. 861, Protokoll der Sitzung des Ministerrats, 31. 7. 14.

über, daß eine Einstellung der österreichischen Feindseligkeiten gegen Serbien unmöglich sei. Eine einfache Besetzung Belgrads, ohne die serbische Armee zu besiegen, reiche für Österreich-Ungarn nicht aus, »selbst wenn Rußland hierzu seine Einwilligung geben würde«. Doch auf den Vorschlag des ungarischen Ministerpräsidenten Tisza hin entschloß man sich, den englischen Vorschlag nicht rundweg abzulehnen, sondern ihm unter den zwei Bedingungen zuzustimmen, nämlich, daß die Operationen gegen Serbien fortgesetzt würden und die russische Mobilisierung eingestellt würde. Die Diskussion um etwaige Kompensationen an Italien drehte sich in erster Linie um eine mögliche Gegenleistung im Falle einer österreichischen Besetzung Serbiens (für den hier erwähnten Fall wurde sie abgelehnt, aber statt dessen der italienischen Regierung bei einer dauernden »Besitzergreifung« serbischen Gebiets in Aussicht gestellt). Erst in zweiter Linie ging es um die von Berlin ständig geforderten Kompensationen, die ein aktives Eingreifen Italiens in einen großen Krieg gewährleisten sollten (für diesen Fall war man bereit, über die Abtretung Valonas an Italien zu sprechen).

Die Sitzung des Ministerrats ist ein Beweis dafür, daß Österreich-Ungarn entschlossen war, die einmal ergriffene Gelegenheit zu einer gründlichen Abrechnung mit Serbien nicht wieder fallenzulassen, auch auf die Gefahr hin, daß daraus ein europäischer Krieg entstehen könnte. Nicht auf Vermittlungsangebote einzugehen, sondern das begonnene Unternehmen durchzustehen, war ja auch seit dem frühen Morgen dieses Tages wieder der dringende Rat des deutschen Bundesgenossen[167]. Dennoch war man in Wien noch nicht fest von der Unvermeidlichkeit eines Krieges mit Rußland überzeugt und suchte dementsprechend nach einer geeigneten Möglichkeit, Rußland von einer militärischen Intervention in den österreichisch-serbischen Krieg zurückzuhalten. Noch in einem Telegramm Conrads vom Abend des 31. Juli an Moltke heißt es: »... bei uns steht noch heute nicht fest, ob Rußland nur droht, daher durften wir uns vom Vorgehen gegen Serbien nicht abdrängen lassen«. Conrad fügte dann hinzu: »Eine ganz andere Situation tritt ein, wenn uns Deutschland erklärt, daß es den Krieg *gleich* durchführen will. Bitte um diesfällige Eröffnung.[168]« Noch nach Ende des Weltkrieges klagte Generalquartiermeister Waldersee in einem Brief an Jagow: man habe in Österreich-Ungarn viel zu lange unentschlossen hin- und hergeschwankt; »man hatte (in Wien) immer noch den Wunsch, um den Waffengang mit Rußland herumzukommen. Das hat uns für die Kriegseröffnung furchtbar geschadet«[169].

167 Vgl. oben S. 716 f., 718.
168 Geiss II, Nr. 869, Conrad an Moltke (31. 7. 14), abgedruckt bei Conrad, Aus meiner Dienstzeit, Bd. 4, S. 155.
169 AA Bonn, NL Jagow, Bd. 6, Waldersee an Jagow, 22. 6. 26.

Trotz der am 31. Juli für den 4. August angekündigten österreichischen Gesamtmobilmachung wiederholten die Diplomaten im österreichisch-ungarischen Außenministerium Schebeko gegenüber, daß Österreich keinerlei aggressive Absichten gegen Rußland habe, aber »unbedingt das begonnene Unternehmen zu Ende führen und Serbien eine ernstliche Lektion erteilen müsse«, um gewisse Garantien für die Zukunft zu erhalten. Schebeko griff den Terminus »Lektion« auf und schlug in seinem Bericht an Sasonow vor, die Erörterung darüber »als Basis für ein Abkommen... und für die Vermeidung heranziehenden europäischen Feuerbrandes« zu benutzen [170]. – Vielleicht war dieser Vorschlag tatsächlich nicht aussichtslos, zumal sich Berchtold hier einer Wendung bediente, die Sasonow selbst zuerst benutzt hatte. Am 27. Juli hatte Sasonow dem deutschen Botschafter gegenüber anerkannt, Serbien müsse die »verdiente Lektion« erteilt werden [171], und am 29. Juli hatte Tschirschky dem österreichischen Außenminister darüber berichtet [172].

In der Sprachregelung an die österreichisch-ungarischen Missionen vom 1. August früh um 7 Uhr begründete Berchtold die österreichische Mobilmachung als notwendige Reaktion auf die russischen Maßnahmen. Er betonte den »rein defensiven« Charakter der österreichischen Mobilisierung und gab dem Wunsch Ausdruck, daß die bisherigen gutnachbarlichen Beziehungen mit Rußland fortdauerten.

»Die der Situation entsprechenden Besprechungen zwischen dem Wiener und dem Petersburger Kabinett, von denen wir uns eine allseitige Beruhigung erhoffen, gehen inzwischen in freundschaftlicher Weise weiter.[173]«

Diese in sehr verbindlichem Tone gehaltene Sprachregelung wurde zu einer Zeit ausgegeben, als das Deutsche Reich der russischen und der französischen Regierung bereits unannehmbare Ultimaten gestellt, England von dem Ultimatum an Rußland mit dem Hinweis auf die drohenden Konsequenzen informiert [174], Italien von dem bevorstehenden Krieg mit Rußland und Frankreich unterrichtet und von Österreich-Ungarn sofortige tätige Teilnahme am Krieg gegen Rußland gefordert hatte.

Die hier zutage tretende Gegensätzlichkeit der Konzeptionen wird auch in dem Urteil des russischen Botschafters Schebeko vom 3. August 1914 ausgesprochen:

»Es bestätigt sich also die vor unserem Bruch mit Deutschland von mir ausgesprochene Mutmaßung, daß Österreich nicht abgeneigt wäre, mit uns über einen möglichen Ausweg aus der durch sein Ultimatum an Serbien entstandenen gefährlichen Situation zu verhandeln. Nach Forgáchs Worten wurde die Lage

170 Geiss II. Nr. 933, Schebeko an Sasonow, 31. 7. 14.
171 Geiss II, Nr. 499, Pourtalès an Jagow, 27. 7. 14.
172 Geiss II, Nr. 592, Bethmann Hollweg an Tschirschky, 28. 7. 14, vgl. ÖU 10, Nr. 939.
173 Geiss II, Nr. 972. Berchtold an die Missionen in Berlin, Paris, London, Rom u. a. 31. 7. 14.
174 Geiss II, Nr. 890, Bethmann Hollweg an Lichnowsky, 31. 7. 14.

kritisch von dem Moment an, wo der Ukas über unsere allgemeine Mobilmachung erschien. Aus alledem ist ersichtlich, daß man hier den Krieg mit uns nicht wollte; man fürchtet ihn sehr und ist ungehalten über die uns von Deutschland hingeworfene grobe Herausforderung, die einen allgemeinen Krieg unvermeidlich gemacht hat. Die Stimmung ist zweifellos sehr gedrückt.[175]«

»Bomben auf Nürnberg« – Deutsche Kriegserklärung an Frankreich Einmarsch in Belgien – Englische Kriegserklärung an Deutschland

Die Ungewißheit darüber, ob Pourtalès in Petersburg die deutsche Kriegserklärung übergeben hatte und Deutschland sich offiziell im Kriegszustand befände, führte am Sonntag, dem 2. August, in Berlin zu einer aufgeregten Beratung über die mögliche Kriegserklärung an Frankreich, die wiederum als Voraussetzung für die Sommation an Belgien und den Einmarsch in dieses Land betrachtet wurde. Der Kriegszustand mit Rußland hätte es der deutschen Regierung ermöglicht, die Kriegserklärung an Frankreich mit dem russisch-französischen Militärbündnis zu begründen. – Durch das Ultimatum hatte sich die französische Regierung nicht zu einer kriegerischen Reaktion provozieren lassen. Als der deutsche Botschafter Schoen sich am 1. August um 13 Uhr die Antwort auf das Ultimatum holte, erklärte Ministerpräsident Viviani geschickt ausweichend: Frankreich werde tun, was seine Interessen ihm geböten [176]. Am Nachmittag um 17 Uhr erklärte Frankreich seine Mobilmachung, hielt aber seine Truppen 10 Kilometer von der Grenze entfernt zurück. Diese Antwort betrachtete die deutsche Regierung als »zweideutig und unbefriedigend« [177], konnte jedoch trotzdem darauf keine Kriegserklärung aufbauen, weil ja Gewißheit über den formellen Beginn eines deutsch-russischen Krieges noch nicht bestand. Deshalb behauptete man bereits am nächsten Tag, am Sonntag, dem 2. August, Kriegshandlungen Frankreichs auf deutschem Boden. Noch in der Nacht zum 3. August wurde England darüber informiert, um Deutschland als angegriffen erscheinen zu lassen und so der englischen Regierung einen Kriegseintritt auf seiten Frankreichs zu erschweren. »Nach absolut zuverlässigen Meldungen«, hieß es, »hat sich Frankreich gegen uns folgende Übergriffe erlaubt:

1. Französische Kavalleriepatrouillen haben heute am frühen Nachmittag die Grenze bei Altmünsterol im Elsaß überschritten.
2. Ein französischer Fliegeroffizier ist bei Wesel aus der Luft geschossen worden.
3. Zwei Franzosen haben versucht, Kochemer Tunnel an der Moselbahn zu sprengen und sind dabei erschossen worden.
4. Französische Infanterie hat im Elsaß Grenze überschritten und dabei geschossen.«

175 Geiss II, Nr. 1124, Schebeko an Sasonow, 3. 8. 14.
176 Geiss II, Nr. 993, Schoen an Jagow, 1. 8. 14.
177 Geiss II, Nr. 910a, Jagow an Schoen (Konzept vom 31. 7./1. 8. 14).

Diese »Grenzverletzungen« wurden vom Auswärtigen Amt als Beweis dafür hingestellt,

> »daß Deutschland, nachdem es den Friedensgedanken bis an die äußerste Grenze des Möglichen vertreten hat, durch seine Gegner in die Rolle eines Provozierten gedrängt wird, der um seine Existenz zu wahren, zu den Waffen greifen *muß*« [178].

Schon am Abend des 2. August hatte der Sekretär an der deutschen Botschaft in London, v. Schubert, weisungsgemäß eine Mitteilung im englischen Außenministerium vorgebracht, die eine Verletzung der belgischen und holländischen Neutralität durch Frankreich nachweisen sollte, um den Bruch der Neutralität durch Deutschland gegenüber England zu rechtfertigen. Crowe bezeichnete diese Information als einen Witz. Schubert aber »behauptete entrüstet, daß die Sache äußerst ernst sei, da die Mitteilung von seiner Regierung stammt« [179].

Am 3. August erhielt der deutsche Botschafter in Paris Anweisung, der französischen Regierung um 18 Uhr mitzuteilen, daß Deutschland sich aufgrund der französischen Grenzverletzungen als im Kriegszustand mit Frankreich befindlich betrachte [180]. Zu den oben aufgezählten französischen Feindseligkeiten trat noch eine weitere Behauptung hinzu: »Gestern warfen französische Flieger Bomben auf Bahnen bei Karlsruhe und Nürnberg« – Nachrichten, die der preußische Gesandte in München, Treutler, bereits in einem Telegramm vom 2. August (angekommen in Berlin am 3. August »nachmittags«) als unbestätigt bezeichnete [181]. Sie waren aber trotzdem schon vorher ungeprüft auch an Italien und England weitergegeben worden [182].

Nachdem bereits am 2. August das neutrale Luxemburg besetzt worden war, marschierten deutsche Truppen am Morgen des 4. August in Belgien ein. Die Verletzung der belgischen Neutralität war besonders sorgfältig vorbereitet. Bereits am 29. Juli, jenem Tag, an dem die Nachricht von der russischen Teilmobilmachung in Berlin eintraf, wurde die Sommation an Belgien, die Moltke gleich nach seiner Rückkehr aus dem Urlaub am 26. Juli dem Auswärtigen Amt zugestellt hatte, in versiegeltem Umschlag dem deutschen Gesandten in Brüssel übersandt, mit der Aufforderung, den Brief erst nach telegraphischer Anweisung zu öffnen [183]. Diese Anweisung erfolgte dann am 2. August für den gleichen Tag um 20 Uhr deutscher Zeit [184].

---

178 Geiss II, Nr. 1084, Bethmann Hollweg an Lichnowsky, 2. 8. 14 (i. O. gesp.).
179 Geiss II, Nr. 1100, Aufzeichnung von Crowe, 2. 8. 14.
180 Geiss II, Nr. 1110, Bethmann Hollweg an Schoen, 3. 8. 14.
181 Geiss II, Nr. 1088, Treutler an Bethmann Hollweg, 2. 8. 14.
182 Geiss II, Nr. 1076, Jagow an Flotow, 2. 8. 14.
183 Geiss II, Nr. 439, Jagow an Below, 29. 7. 14; Nr. 686, ders. an Below, 29. 7. 14.
184 Geiss II, Nr. 1073, Jagow an Below, 2. 8. 14.

Die Sommation ging von einem unmittelbar bevorstehenden Krieg zwischen Frankreich und Deutschland aus. Dabei wurde unterstellt, daß Frankreich beabsichtige, durch belgisches Gebiet zu marschieren, so daß es »ein Gebot der Selbsterhaltung für Deutschland« sei, dem französischen Angriff zuvorzukommen. Da Belgien ohne Hilfe einen französischen Vormarsch nicht werde aufhalten können, werde die belgische Regierung es zweifellos nicht als feindseligen Akt gegen sich ansehen, wenn Deutschland in Abwehr seiner Gegner »auch seinerseits belgisches Gebiet... betreten« müsse. Für den Fall, daß Belgien den deutschen Einmarsch ohne Gegenwehr duldete, machte Deutschland alle möglichen Zusagen, die Integrität und Unabhängigkeit sowie Entschädigungszahlungen betreffend. Sollte Belgien aber bewaffneten Widerstand leisten oder dem deutschen Vormarsch auch nur durch Zerstörung von Eisenbahnen, Tunnels usw. Schwierigkeiten in den Weg legen, so würde Belgien als Feind betrachtet und »die spätere Regelung des Verhältnisses beider Staaten zueinander der Entscheidung der Waffen überlassen« werden. Moltke diente die Sommation an Belgien, im Unterschied zu Bethmann Hollweg, zur Provokation Frankreichs. Er rechnete nämlich damit, daß die Nachricht von dieser Sommation an Belgien die Volksstimmung in Frankreich so erregen würde, daß die Regierung gezwungen sei, sofort in Belgien einmarschieren zu lassen [185]. Damit hätte sich tatsächlich, wie es die Sommation konstruierte, Frankreich vor Deutschland der Neutralitätsverletzung schuldig gemacht.

Wegen des drängenden deutschen Zeitplans wurde die ursprünglich vorgesehene Frist von 24 Stunden für die Beantwortung der Sommation auf 12 Stunden verkürzt. Die belgische Regierung lehnte am Morgen des 3. August nach Ablauf der Frist die deutsche Forderung ab und kündigte an, »jeder Verletzung der belgischen Neutralität mit Gewalt entgegenzutreten« [186].

In London war am 2. August abends eine Kabinettssitzung einberufen worden – eine unerhörte Abweichung von der Tradition, das Wochenende zu heiligen. Am nächsten Tag sollte Grey im Unterhaus sprechen. Im Kabinett wurde deshalb über die Erklärungen beraten, die der Außenminister im Parlament abgeben sollte. Als erstes ging es um die Frage einer Intervention der englischen Flotte, um die französische Küste vor einem Angriff der deutschen Flotte zu schützen. Es wurde eine Erklärung beschlossen, die Grey noch am Abend dem französischen Botschafter Cambon überreichte [187].

Zweitens ging es um die Formulierung einer britischen Stellungnahme

185 Geiss II, Nr. 1070, Moltke an Jagow, 2. 8. 14.
186 Geiss II, Nr. 1109, Below an Jagow, 3. 8. 14.
187 Geiss II, Nr. 1096, Cambon an Viviani, 2. 8. 14.

für den Fall einer Verletzung der belgischen Neutralität durch Deutschland, die allerdings endgültig erst am nächsten Tag beschlossen werden sollte. Es wurde erörtert, ob ein deutscher Einmarsch in Belgien ohne weiteres für England den Casus belli bedeuten müsse. Die überwiegende Mehrheit des Kabinetts war für eine sofortige Kriegserklärung in diesem Falle. – Übereinstimmung herrschte im Kabinett darüber, daß unabhängig von einer Kriegserklärung keine englischen Truppen nach dem Kontinent geschickt werden könnten wegen eventueller Unruhen in Indien und Ägypten.

Als Grey dies Resultat, daß es England um seiner »Sicherheit willen unmöglich sei, (seine) militärischen Streitkräfte außer Landes zu schicken«, dem französischen und dem russischen Botschafter mitteilte, fragte Cambon entsetzt, ob diese Entscheidung für die ganze Dauer des Krieges gelten solle. Grey entgegnete, er befasse sich »nur mit dem gegenwärtigen Augenblick«. Cambon wies auf die moralische Wirkung hin, die auch nur zwei Divisionen bedeuten würden, und Grey erwiderte:

»wenn wir bei Beginn eines Krieges eine solch kleine Truppenmacht von zwei oder selbst vier Divisionen auf den Kontinent schickten, würden wir in die höchste Gefahr gebracht und die kleinste Wirkung ausüben« [188].

Bevor Grey am Nachmittag des 3. August seine Rede im Unterhaus hielt, hatte Lichnowsky ihm schon Mitteilung davon gemacht, daß Deutschland in Belgien einmarschieren werde und hatte gleichzeitig versichert, Deutschland wolle die Integrität Belgiens »nach Beendigung des Feldzuges... in vollem Umfange respektieren... und vollen Ersatz für die Requisitionen und durch uns verübten Schaden gewähren« [189]. Im Unterhaus bezeichnete Grey die Verletzung der belgischen Neutralität wie die Gefahr einer Niederschlagung Frankreichs offen als unvereinbar mit dem britischen Staatsinteresse. Er überzeugte und einte mit dieser Argumentation das Parlament einschließlich der irländischen Parteien [190].

Am Abend dieses wichtigen Tages wurde in einer englischen Kabinettssitzung eine ultimative Anfrage an Deutschland beschlossen, ob die deutsche Regierung bereit sei, wie die französische es bereits getan habe, eine verbindliche Zusicherung über die Respektierung der belgischen Neutralität zu geben. Das Ultimatum wurde am 4. August um 14 Uhr abgeschickt und eine Antwort bis Mitternacht gefordert. Als Bethmann Hollweg vor den Reichstag trat, war das Ultimatum also bereits unterwegs [191].

In seiner Reichstagsrede prangerte der Kanzler, abgesichert durch die

---

188 Geiss II, Nr. 1102, Grey an Bertie, 2. 8. 14; vgl. auch die Dokumente Nr. 1094, 1096 und 1103.
189 Geiss II, Nr. 1079, Jagow an Lichnowsky, 2. 8. 14.
190 Die wichtigsten Auszüge der Rede: vgl. L. Albertini, The Origins of the War of 1914, Bd. 3, S. 484 ff.
191 Geiss II, Nr. 1156, Grey an Goschen, 4. 8. 14.

monatelang geschürte Antirußland-Stimmung in der deutschen Öffentlichkeit, Rußland als Kriegsschuldigen an:

>Rußland hat die Brandfackel an das Haus gelegt. Wir stehen in einem erzwungenen Kriege mit Rußland und Frankreich.[192]«

Den Parlamentariern wurde das Deutsche Weißbuch über den Kriegsausbruch vorgelegt (abgeschlossen am 2. August). Darin war die deutschenglische Zusammenarbeit zur Erhaltung des Friedens noch besonders hervorgehoben worden. Darin hieß es u. a.:

>Schulter an Schulter mit England haben wir unausgesetzt an der Vermittlungsaktion fortgearbeitet...« [193]

In der Reichstagsrede selbst, zu einer Zeit, als die entschlossene englische Haltung durch Greys Rede vom Vortage bereits unverkennbar war, wurde England in weitaus kühlerem Ton erwähnt. Immerhin verwies Bethmann Hollweg auch jetzt auf die englischen Vermittlungsversuche, die von der deutschen Regierung warm unterstützt worden seien.

Nachdem der Kanzler mit der Aufzählung der angeblichen französischen Grenzverletzungen durch bombenwerfende Flieger, Kavalleriepatrouillen usw. dargelegt hatte, daß Frankreich Deutschland angegriffen habe, begründete er den Einmarsch der deutschen Truppen in Luxemburg und Belgien mit der Notwehrsituation, in der sich das Deutsche Reich befinde und schloß seine Rede mit dem Ausruf:

>Unsere Armee steht im Felde, unsere Flotte ist kampfbereit – hinter ihr das *ganze* deutsche Volk! – das *ganze* deutsche Volk (zu den Sozialdemokraten) einig bis auf den letzten Mann!«

Von den beiden zentralen Zielen der Bethmannschen Konzeption für einen Krieg gegen Rußland und Frankreich war eins am 4. August erreicht: die Zustimmung der Sozialdemokraten zu den Kriegskrediten. Die antirussische Pressekampagne und nicht zuletzt das nervenstarke Durchhalten im Juli 1914 bis zur Veröffentlichung der russischen Generalmobilmachung hatten gerade auf sie ihre Wirkung nicht verfehlt [194]. Viele Sozialdemokraten verstanden den deutsch-russischen Krieg als einen Kreuzzug gegen den Zarismus. In der Reichstagssitzung verlas der Fraktionsvorsitzende Haase eine Erklärung, worin der Entschluß der sozialdemokratischen Fraktion, die geforderten Kriegskredite zu bewilligen, begründet wurde. Darin hieß es über Rußland:

---

192 Geiss II, Nr. 1146, Bethmann Hollwegs Erklärung vor dem Reichstag, 4. 8. 14, 15.30 Uhr.
193 Geiss II, Nr. 1089, Deutsches Weißbuch.
194 Vgl. dazu: Susanne Miller, Zum dritten August 1914, in: AfSG 4, 1964, S. 515–523.

»Für unser Volk und seine freiheitliche Zukunft steht bei einem Siege des russischen Despotismus, der sich mit dem Blute der Besten des eigenen Volkes befleckt hat, viel, wenn nicht alles auf dem Spiel (Stürmischer Beifall). Es gilt, diese Gefahr abzuwehren, die Kultur und die Unabhängigkeit unseres eigenen Landes sicherzustellen (Lebhafter Beifall).[195]«

Das andere Ziel Bethmann Hollwegs, die Neutralität Englands in diesem Krieg, stellte sich am gleichen Tage als illusorisch heraus.

Kurz nach der Rede des Kanzlers erschien der englische Botschafter in der Reichskanzlei, um ein Ultimatum in bezug auf die Neutralität Belgiens zu überreichen. Als Bethmann Hollweg und Jagow keine andere Erklärung als die bisher abgegebene machen konnten, verlangte Goschen weisungsgemäß seine Pässe und erklärte, daß ab 24 Uhr MEZ. England sich als im Kriegszustand mit Deutschland befindlich betrachte[196].

Illusionen über die Konstellation der Bundesgenossen

Die sichere Hoffnung auf die Neutralität Englands war also am 4. August um Mitternacht völlig enttäuscht worden. Zwar hatte man seit der Ablehnung des Neutralitätsantrages, den Deutschland spätabends am 29. Juli offeriert hatte, stärker als bis zu diesem Zeitpunkt mit dieser englischen Kriegserklärung gerechnet – den deutschen Botschafter in Wien Tschirschky wies man bereits am 31. Juli an, die deutschen Handelsschiffe im Mittelmeer wegen des voraussichtlichen Krieges mit Rußland, Frankreich und England zu warnen[196a]; – aber gleichzeitig versuchte man immer noch, der englischen Regierung den Kriegseintritt dadurch unmöglich zu machen, daß Deutschland als der Überfallene hingestellt werden sollte. Moltke forderte zum Beispiel das Auswärtige Amt am 2. August auf, noch einen neuen Versuch zur Gewinnung der englischen Neutralität zu unternehmen[197], der in der Substanz an die Zusicherung Bethmann Hollwegs gegenüber Goschen (am 29. Juli) anknüpfte, allerdings weit unbestimmter in den Zusagen war:

»Sollte England seine Neutralität in dem deutsch-österreichisch-russisch-französischen Kriege von der Zusicherung Deutschlands, ›daß es bei einem Siege über Frankreich maßvoll vorgehe‹, abhängig machen, so kann ihm diese Zusicherung unbedingt in bündigster Form gegeben werden.[198]«

In Moltkes Begründung dafür, daß England eine solche Zusicherung gegeben werden könne, tritt das deutsche Kriegsziel, die Schwächung Frank-

---

195 Zit. Der Völkerkrieg. Eine Chronik der Ereignisse seit dem 1. Juli, hrsg. von C. H. Baer, Stuttgart 1914, S. 48.
196 Geiss II, Nr. 1158, Goschen an Grey, 4. 8. 14.
196a AA Bonn, Gesandtschaft Wien, Geh. III, Ganz geh. Sachen (1890–1914), Tschirschky an Konsulat Triest, Fiume, 31. 7. 14.
197 Geiss II, Nr. 1068, Lichnowsky an Jagow, 2. 8. 14.
198 Geiss II, Nr. 1070, Moltke an Jagow, 2. 8. 14.

reichs, und gleichzeitig die große Fehleinschätzung der Grundlagen der englischen Politik klar zutage:

>Für uns kommt es nicht darauf an, Frankreich zu zertrümmern, sondern nur (sic!) darauf, es zu besiegen.«

Noch am Morgen des 4. August machte Moltke einen letzten Vorschlag, durch ein Telegramm, das offen nach London geschickt werden sollte, die englische Regierung unter Druck ihrer Öffentlichkeit zu setzen, indem er einmal die schon abgegebenen Erklärungen bezüglich Belgiens und der Einmarschabsichten Frankreichs in Belgien wiederholte, zum anderen an die Verwandtschaft zwischen England und Deutschland appellierte; denn in diesem Kriege handele es sich nicht nur um die staatliche Existenz des Deutschen Reiches, »sondern auch um die Wahrung und Erhaltung germanischer Kultur und Sitte der slawischen Unkultur gegenüber« [199].

Trotz der tiefen Enttäuschung über die britische Kriegserklärung hielt man in Berlin doch an der Erwartung fest, daß *England* nicht sofort aktiv in den Krieg eintreten würde, das heißt keine Truppen nach Frankreich entsenden werde [200], weil es sein Berufsheer für koloniale Sicherungsaufgaben zurückhalten müßte, und nicht zuletzt auch wegen der Bürgerkriegssituation in Irland.

Moltke hatte in seinen für das Auswärtige Amt bestimmten militärischpolitischen Gesichtspunkten [200a], die er am 2. August weitergab, bereits Weisungen erteilt, daß im Falle eines englischen Kriegseintritts Deutschland den Versuch unternehmen müsse, Aufstände in Indien, in Ägypten und in den südafrikanischen Dominions zu entfachen.

In dieser Denkschrift hatte Moltke die Wünsche und Absichten des Generalstabs ausgesprochen, wie eine Kriegsbeteiligung von anderen Staaten auf seiten Deutschlands zu erreichen sei. Solche Erwartungen bestanden hinsichtlich der Schweiz, mit deren Generalstabschef Moltke bereits gewisse Abmachungen getroffen hatte; ebenso im Hinblick auf die Türkei, die möglichst schnell Rußland den Krieg erklären sollte; auf Schweden und Norwegen; auf die Balkanstaaten, Griechenland, Bulgarien und Rumänien, wobei von dem letzteren zumindest die feste Zusage erwartet wurde, daß es nicht auf die Seite Rußlands treten werde. Was Italien betraf, sollte eine gleichsam symbolische Teilnahme genügen, um das geschlossene Auftreten des Dreibundes zu dokumentieren. Persien sollte bei dieser Gelegenheit »das russische Joch abschütteln«; Japan die Fesselung Rußlands im europäischen Kriege ausnutzen, um seine Aspirationen im Fernen Osten zu befriedigen – ein wahrhaft umfassendes Programm, das, wäre es rea-

---

199 Geiss II, Nr. 1140, Moltke an Jagow, 4. 8. 14.
200 Vgl. die Besprechungen im englischen Kabinett, oben S. 732.
200a Geiss II, Nr. 1070, Moltke an Jagow, 2. 8. 14.

lisiert worden, Europa und schließlich die ganze Welt in Brand stecken mußte! Statt dessen traf schon am 3. August nachmittags die Absage *Italiens* und die italienische Neutralitätserklärung ein. Nach Ansicht des deutschen wie des österreichisch-ungarischen Botschafters in Rom waren die innere Lage, die Haltung Englands und die Kompensationsfrage Motive für diese Entschließung. Im Gespräch mit San Giuliano hatte Flotow erfahren, daß die italienische Regierung sich von dem Verhalten Österreichs und Deutschlands »überrumpelt« fühle, da sie weder vorher konsultiert noch eingeweiht worden sei [201].

Am 1. August abends war bereits eine sehr kühle Absage aus *Rumänien* eingetroffen, wo Bratianu, ebenso wie die italienische Regierung, die Ansicht vertrat, daß in dem bevorstehenden Krieg eine österreichische Provokation vorliege und daher der Bündnisfall nicht gegeben sei. Auch durch den Köder Bessarabien hatte sich Rumänien nicht fangen lassen. Bratianu erklärte, dieser Gewinn könne für sein Land nur dauernd gehalten werden, wenn Rußland gleichzeitig durch Abtretung von Gebieten an Österreich und Deutschland geschwächt, das heißt entscheidend besiegt sein würde [202].

Am 3. August früh traf das Antworttelegramm König Konstantins von *Griechenland* an Wilhelm II. ein, worin er eine strikte Neutralität Griechenlands und den Status quo auf dem Balkan, wie ihn der Vertrag von Bukarest geschaffen habe, als für die griechischen Interessen notwendig bezeichnete. Ja, er kündigte an, daß dieses Ziel ihn dazu veranlassen würde, »alles aufzubieten, im Verein mit Rumänien, um Bulgarien von einer Einmischung abzuhalten«; denn eine Vergrößerung dieses slawischen Nachbarn würde das Gleichgewicht auf dem Balkan völlig zerstören. Die Enttäuschung des Kaisers über diese Absage schlug sich in einer Randbemerkung nieder, er wolle ein neutrales Griechenland als Feind behandeln:

> »Es handelt sich nicht um das Gleichgewicht auf dem Balkan, sondern um die gemeinsame Operation der Balkanstaaten, um den Balkan von Rußland auf ewig zu befreien.[203]«

Am Tag danach folgte ein Telegramm der griechischen Regierung, worin sogar militärische Maßnahmen gegen Bulgarien angekündigt wurden, falls es nicht neutral bleiben sollte [204]. Auch das Werben um *Bulgarien* hatte zunächst nicht mehr Erfolg als die Erklärung der bulgarischen Neutralität.

Am 6. August gab *Schweden* eine Neutralitätserklärung ab, nachdem noch am 3. August ein sehr optimistisches Telegramm des deutschen Gesandten in Stockholm, Reichenau, im Auswärtigen Amt eingetroffen war,

201 Geiss II, Nr. 1111, Flotow an Jagow, 3. 8. 14.
202 D. D. 3, Nr. 582, Geschäftsträger in Bukarest an A. A., 1. 8. 14.
203 D. D. 3, Nr. 702, Konstantin an Wilhelm II., 2. 8. 14.
204 D. D. 4, Nr. 803, Geschäftsträger in Athen an A. A., 3. 8. 14.

wonach Schweden für den Fall eines Kriegseintritts Englands gezwungen sein würde, »seine Neutralität aufzugeben und sich auf die Gegenseite zu stellen« [205].

Am 2. August wurde das seit einigen Wochen auf Wunsch der *Türkei* vorbereitete deutsch-türkische Bündnis abgeschlossen. Auf seiten Konstantinopels spielte dabei die Besorgnis mit, ohne ein solches Bündnis von einem siegreichen Dreibund aufgeteilt zu werden. Aufgabe der Türkei sollte es sein, Rußland sofort anzugreifen, außerdem sollte sie als Basis für die Entfachung von Aufstandsbewegungen in Indien und Ägypten dienen. Da gegen das Bündnis aber eine starke ententefreundliche Partei opponierte, vermochten die Anhänger des Deutschen Reiches, der Kriegsminister Enver Pascha und der Marineminister Ahmed Pascha, den tatsächlichen Kriegseintritt erst im November 1914 zu verwirklichen, zu einem Zeitpunkt, als das ursprüngliche deutsche Siegeskonzept bereits gescheitert war.

Der einzige Bundesgenosse, der sofort gewonnen werden konnte, war Österreich-Ungarn, aber sogar dieses erklärte erst sechs Tage nach dem Deutschen Reich, am 6. August, an Rußland den Krieg. Während Wien noch am 30. und 31. Juli bemüht war, Rußland von einem Eingreifen in den österreichisch-serbischen Krieg zurückzuhalten, und während unter starkem Druck Englands die Gespräche zwischen Petersburg und Wien wieder in Gang gekommen waren, hatte Wilhelm II. am 31. Juli den »Zustand drohender Kriegsgefahr« verkündet und sandte an Rußland und Frankreich die bereits erwähnten Ultimaten ab. Am selben Nachmittag, den 31. Juli, bestellte der Kaiser um 17 Uhr den österreichisch-ungarischen Militärattaché zu sich, um ihn ausführlich über seine Bemühungen um die Gewinnung von Bundesgenossen zu orientieren: er zählte Bulgarien, Rumänien, Griechenland, die Türkei und Italien auf.

> »Durch diese Darlegung hoffe er, Kaiser Wilhelm, dazu beizutragen, der österreichisch-ungarischen Monarchie zum Schlage gegen Rußland möglichste Verstärkung zuzuführen.«

Auf diese Weise versuchte der Kaiser, den Österreichern Mut zu machen, da Deutschland sich mit seiner Hauptmacht zuerst gegen Frankreich wenden müsse und erst nach dessen Niederringung gegen Rußland offensiv vorgehen könne [206]. Und am nächsten Abend, am 1. August, nach der deutschen Mobilmachung und der Kriegserklärung an Rußland, wiederholte der Kaiser diese Gedanken dem österreichisch-ungarischen Botschafter gegenüber und wies nochmals auf die scheinbar so eindrucksvolle Reihe der Bundesgenossen hin. Als wichtigstes Ziel stand Wilhelm II. die Ab-

205 Geiss II, Nr. 1113, Reichenau an Jagow, 3. 8. 14, vgl. a. Nr. 1127, Marine-Attaché Staschewski an den russ. Admiralstab, 3. 8. 1914.
206 Geiss II, Nr. 868, Szögyény an Berchtold, 31. 7. 14.

rechnung mit Frankreich vor Augen: »Vor allem sei er entschlossen, mit Frankreich abzurechnen, was ihm hoffentlich vollkommen gelingen werde.[207]« – Dementsprechend drängte die deutsche Regierung in Wien in den folgenden Tagen wiederholt auf »Erfüllung der Bundespflichten« und auf »sofortiges tatkräftiges Eingreifen gegen Rußland[208]«.

Die Wiener Regierung war zwar bestrebt, der deutschen Regierung zu versichern, die österreichische Kriegserklärung an Rußland werde nur aufgeschoben, um den eigenen Aufmarsch in Galizien ungestört durchführen zu können. Sie machte aber kein Hehl daraus, daß es sich ihrer Ansicht nach jetzt um einen deutsch-russischen Krieg und um die österreichische Bündnishilfe für Deutschland in diesem handle[209]. Bethmann Hollweg sah sich schließlich am 4. August veranlaßt, Wien darauf aufmerksam zu machen, daß Deutschland als Bundesgenosse Österreich-Ungarns handele:

»Wir sind durch Österreichs Vorgehen gezwungen, den Krieg zu führen, und können erwarten, daß Österreich diese Tatsache nicht zu verdunkeln sucht, sondern offen bekundet, daß drohender Eingriff (Mobilmachung gegen Österreich) in serbischen Konflikt Österreich zum Kriege (gegen Rußland) zwingt.[210]«

Bereits am Anfang des Krieges wurde also zwischen den Bundesgenossen die Erörterung der Kriegsschuldfrage eröffnet, und wenn Bethmann Hollweg am gleichen Nachmittag im Reichstag den Satz sprach: »Wir stehen Schulter an Schulter mit Österreich-Ungarn«, so war das weniger eine Feststellung, als vielmehr ein Appell an den säumigen Bundesgenossen. Die hier eröffnete Kontroverse zwischen Deutschland und Österreich bestand den ganzen Krieg hindurch und flackerte bei jeder Krise der militärischen Lage wieder auf[211].

Trotz Englands Kriegseintritt war doch Anfang August das einen Monat zuvor beschlossene Konzept, die günstige Gelegenheit des Attentats von Sarajevo zu benutzen, um den von Deutschland als notwendig erachteten kontinentalen Krieg auszulösen, erfolgreich durchgeführt. Die Bündniskonstellation, unter der das Deutsche Reich in diesen Krieg eintrat, entsprach allerdings nicht den Erwartungen. Anders als die führenden Kreise des Deutschen Reiches jahrzehntelang gehofft hatten, scharten sich im Augenblick des »Entscheidungskampfes« die kleineren Mächte nicht um Deutschland als das Herz Mitteleuropas, sondern versuchten ihre Selbständigkeit in einer abwartend neutralen Haltung zu wahren. Was sich in diesem Moment gewaltiger Emotionen nicht erfüllte, das wurde in den folgenden Wochen zu einem wichtigen Kriegsziel der deutschen Regierung – das unter deutscher Führung geeinte Mitteleuropa.

207 Geiss II, Nr. 1063, Szögyény an Berchtold, 2. 8. 14.
208 Geiss II, Nr. 1065, Bethmann Hollweg an Tschirschky, 2. 8. 14.
209 Geiss II, Nr. 1114, Tschirschky an Jagow, 3. 8. 14.
210 Geiss II, Nr. 1143, Bethmann Hollweg an Tschirschky, 4. 8. 14.
211 Vgl. F. Fischer, Griff, 3. Aufl., S. 105 ff.

XXIII. KAPITEL

Die Neuordnung Europas unter deutscher Führung: das deutsche Kriegsziel

I. Interessenverbände, Parteien, öffentliche Meinung

Die Kriegserklärungen Deutschlands an Rußland und Frankreich und die von England erfolgte Kriegserklärung an das Deutsche Reich wurden in weiten Kreisen der deutschen Öffentlichkeit und wohl auch von Bethmann Hollweg, von dem Riezler berichtet, er trage es »wortlos«, »daß er das deutsche Volk in den Krieg führen mußte« [1], als Erlösung aus einem schließlich als unerträglich empfundenen Spannungszustand betrachtet. Nun war endlich jener Moment gekommen, in dem die Waffen entscheiden mußten. Am 31. Juli verlieh Walther Rathenau in dem liberalen ›Berliner Tageblatt‹ dieser Stimmung Ausdruck:

> »Verlangt ... Rußland das Arbitrium über die Entschlüsse einer Dreibundmacht, sich bei benachbarten Nationen ihr Recht zu holen, so ist ein politisch unerträglicher Weltzustand geschaffen, der uns das Recht und die Pflicht gibt, an Österreichs Seite für ein *würdiges Ziel* zu fechten. [2]«

Welche Form und welchen Inhalt das »würdige Ziel« enthalten sollte, für das es nach Rathenaus Ansicht nun zu fechten galt, war in den folgenden Wochen, in denen die deutsche Armee plangerecht dem alles entscheidenden Sieg in Belgien und Frankreich entgegenzugehen schien, Gegenstand erbitterter Auseinandersetzungen zwischen Interessenverbänden, einzelnen Industriellen und Bankiers, politischen Parteien und nationalen Agitationsvereinen und nicht zuletzt zwischen diesen Gruppen und der Reichsleitung selbst. Bei diesen Erörterungen ist eine Kontinuität zu den in der Vorkriegszeit entwickelten Vorstellungen deutlich erkennbar, und zwar in einer ganzen Reihe von Programmpunkten. Das gilt sowohl von der Re-

---

1 Riezler-Tagebuch, 15. 8. 1914, zit. bei K. D. Erdmann, Zur Beurteilung Bethmann Hollwegs, im GWU 15, 1964, S. 538.
2 B. T., Nr. 384, 31. 7. 14, »Ein Wort zur Lage« (von mir hervorgeh., F. F.).

gierung wie von den an der politischen Meinungsbildung beteiligten Gruppen. Die Welle nationaler Begeisterung und der Wunsch, die durch den Krieg geschaffene einmalige Situation zu einer entscheidenden Verstärkung der deutschen Machtstellung zu nutzen, veranlaßte jetzt auch die Gruppen, die sich bis dahin zurückhaltender gezeigt hatten, in den Ruf nach »Sicherung« und »Garantien« einzustimmen.

Alldeutsche, Konservative und die rheinisch-westfälische Schwerindustrie

Die erste Interessengruppe, die ein Gesamtprogramm für die deutschen Kriegsziele in Europa und Übersee entwarf, war der Alldeutsche Verband, der sich hierbei auf eine Interessengemeinschaft mit einem großen Teil der Schwerindustrie stützen konnte. Am 28. August beriet der Geschäftsführende Ausschuß des Alldeutschen Verbandes in Berlin über die Ziele, die Deutschland bei einem künftigen Friedensschluß anstreben sollte. Im Westen wurden eine Annexion Belgiens, die Angliederung Frankreichs bis zur Sommemündung einschließlich des Erzgebietes von Longwy-Briey und Grenzverbesserungen im Elsaß, im Osten wurde vor allem der Erwerb von Siedlungsland gefordert. Die Abtrennung Kongreß-Polens und der Ukraine von Rußland rundete das europäische Expansionsprogramm ab. Diese Erwerbungen in Europa sollten »frei von Menschen« erfolgen, das heißt nach der Annexion durch Deutschland sollten die Einwohner ausgesiedelt werden. In Übersee sollte ein großes deutsches Kolonialreich in Mittelafrika durch die Arrondierung des deutschen Kolonialbesitzes auf Kosten Frankreichs und Belgiens entstehen [2a].

Aufgrund der Beschlüsse des Geschäftsführenden Ausschusses arbeitete Claß, der bereits seit Kriegsausbruch mit dem Kruppdirektor Alfred Hugenberg über diese Frage in engem Meinungsaustausch stand, eine Denkschrift aus, für die er auch die Zustimmung von Stinnes und Krupp v. Bohlen und Halbach eingeholt hatte. Stinnes ging in seinen Forderungen allerdings noch weiter. Er wollte die gesamte Nordküste Frankreichs annektieren, da er in der Normandie bedeutende Erzvorkommen besaß und nur durch die Abtrennung der französischen Erzgebiete eine nachhaltige Schwächung Frankreichs garantiert sah [3]. Mitte September (18. September 1914) lag Claß' Denkschrift vor [4]. Sie enthielt nun auch die Forderung nach einem mitteleuropäischen Staatenbund unter deutscher Führung, dem ne-

---

2a DZA I, ADV, Nr. 96, Prot. der Sitzung des Geschäftsführenden Ausschusses v. 28. 8. 14; vgl. auch H. Claß, Wider den Strom, S. 318 ff.
3 F. Fischer, Griff, 3. Aufl. S. 121 f.
4 Denkschrift betr. die national-wirtschafts- und sozialpolitischen Ziele des deutschen Volkes im gegenwärtigen Kriege, als Handschrift gedruckt (o. O. o. J.), Datierung nach Stegmann, Parteien und Verbände (Masch.), S. 443 f.

ben Österreich-Ungarn die Niederlande, die Schweiz, Dänemark, Schweden, Norwegen, Finnland, Italien, Bulgarien und Rumänien sowie die eroberten Gebiete angehören sollten. Ein solches einheitliches Wirtschaftsgebiet in Europa, zu dem auch noch der koloniale Besitz hinzukommen sollte, war nach seiner Überzeugung allein imstande, gegenüber den übrigen Weltmächten eine unabhängige, gleichberechtigte Stellung zu erwerben und dann zu behaupten. Neben der Schwächung Frankreichs lag der Schwerpunkt dieses Programms im Osten:

> »Rußlands Gesicht muß... gewaltsam wieder nach Osten umgewandt, und dazu muß es im wesentlichen in die Grenzen vor Peters des Großen Zeit zurückgeworfen werden.«

Unschwer sind in diesem politischen Programm die alten Vorstellungen für die deutsche Hegemoniestellung auf dem Kontinent unter dem Schlagwort Berlin–Bagdad zu erkennen. Die deutsche Schwerindustrie stimmte den Forderungen des Alldeutschen Verbandes grundsätzlich zu, obwohl sie ihrer Interessenlage gemäß primär an den französischen Erzgebieten, der Kontrolle über Belgien und am Erwerb des belgischen Kongos interessiert war. Auch Krupp unterstützte Claß' Kriegszielprogramm. Nach der Niederlage an der Marne zog er sich allerdings auf einen gemäßigteren Standpunkt zurück und distanzierte sich unter gleichzeitiger Annäherung an die Vorstellungen des Reichskanzlers von den extremen Kriegszielforderungen[5]. Auch die Konservativen – und hier vor allem der Bund der Landwirte – sprachen sich für dieses Expansionsprogramm aus, legten aber wiederum gemäß ihrer Interessenlage das Schwergewicht ihrer Forderungen auf den Erwerb von Siedlungsland im Osten. Nur hiermit – so argumentierten Wangenheim und Roesicke[6] – könnte eine tatkräftige innere Kolonisation durch Schaffung von kleinem Grundbesitz für Landarbeiter und Kleinbauern ins Auge gefaßt werden, ohne daß es zu einer Aufteilung von Gütern und dadurch zu einer Besitzschmälerung für die Großagrarier kommen mußte. Mit diesen Argumenten gewannen die Agrarier auch die Schwerindustriellen, so daß sich auch in der Kriegszielfrage das alte Bündnis von Schwerindustrie und Junkertum bewährte. Die hier beschriebenen Erörterungen hatten zunächst vertraulich stattgefunden, doch wurde die Claßsche Denkschrift bald planmäßig an ausgesuchte Persönlichkeiten versandt. Die Industriellen beschränkten sich jedoch nicht auf vertrauliche Absprachen und die Diskussion innerhalb der ihnen nahestehenden Verbände, sondern sie versuchten ständig auf die hohe Bürokratie und die Reichsleitung direkt einzuwirken. So forderte der Saar-

---

5 Vgl. Krupps Denkschrift vom November 1914, zit. nach der Abschrift v. 31. 7. 15, bei W. Boelcke (Hrsg.), Krupp und die Hohenzollern, Berlin 1956, S. 149 f.
6 DZA I, NL Wangenheim, Schriftwechsel Roesicke–Wangenheim, Nr. 10.

industrielle Röchling am 31. August in einer Denkschrift an den Statthalter von Elsaß-Lothringen, v. Dallwitz, die Annexion der französischen Erzgebiete von Longwy und Briey[7]. Am 3. September übersandte Dallwitz die Eingabe Röchlings an den Reichskanzler. Die Zielvorstellungen der engeren schwerindustriellen Gruppe um Stinnes, Hugenberg, Kirdorf, korrespondierten mit den Anschauungen der Banken, die mit der Saar- und Ruhrindustrie ohnehin aufs engste verbunden waren, wie zum Beispiel die Disconto-Gesellschaft unter Salomonsohn, der seit Kriegsbeginn aufs engste mit Kirdorf bei der Formulierung der Kriegsziele zusammenarbeitete[8].

Die Denkschrift Erzbergers und die Forderungen August Thyssens

Aber nicht nur die Alldeutschen und die schon in der Vorkriegszeit verbündete schwerindustriell-agrarische Gruppe, sondern auch führende Parlamentarier formulierten ähnliche Expansionsziele. Diese Tatsache illustriert den Konsensus innerhalb des deutschen Bildungs- und Besitzbürgertums. So stellte der Zentrumsabgeordnete Erzberger[9] in seiner Denkschrift vom 2. September an den Reichskanzler folgendes Drei-Punkte-Programm auf:

> »Das blutige Ringen ... erheischt die dringende Pflicht, die Folgen des Sieges so auszunutzen, daß Deutschlands militärische Oberhoheit auf dem Kontinent für alle Zeiten gesichert ist, daß das deutsche Volk sich mindestens 100 Jahre ungestörter friedlicher Entwicklung erfreuen kann ... Das zweite Ziel ist die Beseitigung der für Deutschland unerträglichen Bevormundung Englands in allen Fragen der Weltpolitik, das dritte die Zersplitterung des russischen Kolosses. Um diesen Preis ist das deutsche Volk in den beispiellosen Kampf gezogen.«

Belgien sollte ebenso wie der französische Küstengürtel von Dünkirchen/ Calais bis Boulogne unter deutsche militärische Oberhoheit gestellt werden. Frankreich sollte seine Erzgebiete verlieren, seine Festungen sollten geschleift und Belfort in deutschen Besitz genommen werden. Für die Neuordnung des osteuropäischen Raumes machte Erzberger Vorschläge, die im Prinzip mit den Vorstellungen von Claß übereinstimmten: Rußland müsse sowohl von der Ostsee wie vom Schwarzen Meer abgedrängt werden. Die Bildung eines neuen polnischen Staates unter deutscher Oberhoheit sowie die Abtrennung der Ukraine und Bessarabiens müßten dieses Programm ergänzen. Mit der Propagierung eines europäischen Staatenbundes unter deutscher Führung verfolgte Erzberger zwar ein ähnliches Ziel wie Claß, aber durch seinen Plan, ein einheitliches Wirtschaftsgebiet in Form der

---

7 AA Bonn, Wk, Nr. 15, Bd. 1, Roechling an Dallwitz, 31. 8. 14.
8 Vgl. H. Böhme, Emil Kirdorf, 2. Tl. in: Tradition, Nr. 1, 1969, S. 42 f.
9 Abgedr. bei A. Tirpitz, Deutsche Ohnmachtspolitik, S. 69–72.

Zollunion einzurichten, hielt sich sein Programm von den primär machtpolitisch und völkisch orientierten Zielen der Alldeutschen fern. Bei seiner Forderung nach einem großen Kolonialreich in Mittelafrika berief sich
Erzberger auf die Pläne des verstorbenen Staatssekretärs des Äußeren,
v. Kiderlen-Wächter. Erzberger – und damit folgte er einer alten politischen Taktik des Zentrums – versuchte dieses Expansionsprogramm, das
in erster Linie den Interessen der Industrie und Großlandwirtschaft gedient hätte, durch sozialpolitische Zutaten (Reichsinvalidenfonds, Reichs-
wohnungsfonds) auch für die Arbeiterschaft annehmbar zu machen.

August Thyssen hatte schon am 21. August in einer Eingabe an den
Reichskanzler die Annexion des Erzgebietes von Longwy/Briey und die
Enteignung der französischen Grubenbesitzer in diesem Gebiet gefordert [10].
Acht Tage später, unter dem Eindruck des siegreichen Vormarsches der
deutschen Armee in Belgien und Frankreich, entwickelte Thyssen einen
Plan für die »zukünftige Gestaltung Europas« [11]. Nach dem Sieg im Osten
und Westen würde Deutschland »die Bedingungen zu Lande diktieren
können« und müsse dann folgende Forderungen erheben: Im Westen sollte sich Deutschland Belgien und die französischen Departements Du Nord,
Pas-de-Calais (mit Dünkirchen und Boulogne), Meurthe-et-Moselle mit
dem Festungsgürtel und im Süden die Departements Vosges und Haute-
Saône mit Belfort als Reichsland einverleiben; im Osten sollte Rußland
die baltischen Provinzen, eventuell Teile von Polen, das Dongebiet mit
Odessa, die Krim und asowsches Gebiet mit dem Kaukasus abtreten, damit dadurch eine Landbrücke nach Kleinasien und Persien hergestellt würde. Nur bei der Durchführung dieses Programms sah Thyssen für Deutschland die Chance, zu einer »Weltmachtstellung« neben dem britischen Weltreich aufzurücken und dieses, falls es erforderlich werden sollte, erfolgreich in Ägypten und Indien bedrohen zu können. Die Motivation für dieses außerordentliche Expansionsprogramm bildeten wirtschaftliche Argumente. Die Manganerze des Kaukasus, die französischen Minette-Ge-
biete sollten dabei die Grundlage für die Rohstoffversorgung für die deutsche Schwerindustrie legen. Darüber hinaus mußte sich Deutschland, wie
Thyssen darlegte, aufnahmefähige Absatzgebiete schaffen:

»Diese gewaltige Aufgabe kann meines Erachtens aber mit Aussicht auf Erfolg
nur durch die Bildung eines großen mitteleuropäischen Zollvereins gelöst werden, der Deutschland mit seinen neuen Gebieten sowie Holland, Frankreich,
Dänemark, die Schweiz, Österreich-Ungarn und die Balkanstaaten umfaßt.
Dieses Ziel wird sich zwar nicht ohne Anwendung von Zwang erreichen lassen,

---

10 Vgl. dazu Willibald Gutsche, Die Beziehungen zwischen der Regierung Bethmann Hollweg und
   dem Monopolkapital in den ersten Monaten des Weltkriegs, Habil. Schrift, Berlin 1967 (Masch.),
   S. 61 ff.
11 Abgedruckt bei W. Basler, Deutschlands Annexionspolitik in Polen und dem Baltikum 1914–
   1918, Berlin 1963, S. 359–362; vgl. auch F. Fischer, Griff, S. 122 f.

jedoch wird die politische Situation, wie sie sich bei einem siegreichen Kriege für Deutschland ergeben dürfte, die denkbar günstigste sein, die, wenn einmal erfaßt, in Jahrhunderten vielleicht nicht wiederkehren wird.«

Diese Konzeption setzte sich von den Vorstellungen, die sonst in schwerindustriellen Kreisen vertreten wurde, bedeutend ab. Obwohl das machtpolitische Programm in Europa und Übersee – auch Thyssen forderte die Bildung eines deutschen Mittelafrikas und die Angliederung Marokkos – grundsätzlich mit den alldeutsch-schwerindustriellen Überlegungen übereinstimmte, so wies es doch hinsichtlich der geplanten Herrschaftsmethoden Unterschiede auf. Für Thyssen war nur eine »in sich geschlossene mitteleuropäische Erzeugungsgruppe« unter Einschluß Frankreichs in der Lage, das britische Weltreich zu bekämpfen. Die gleichen Gedankengänge trug Thyssen in einer Denkschrift vom 5. September vor.

Die Eingabe Thyssens vom 28. August und die Denkschrift Erzbergers vom 2. September zeigen gerade in der Forderung nach einem wie auch immer gearteten Zusammenschluß Mitteleuropas unter deutscher Führung deutliche Gemeinsamkeiten, nur daß die kontinentale Zollunion bei Erzberger am 2. September mehr am Rande, bei Thyssen jedoch am 28. August im Zentrum der Forderungen stand. Daher machte sich Erzberger sofort zu einem Fürsprecher der Thyssenschen Vorstellungen, als sie ihm bekanntgeworden waren, und übersandte dessen Denkschrift am 9. September noch einmal an den Reichskanzler.

Bankiers und Exportindustrielle

Zurückhaltender – das entsprach der von diesen Gruppen verfolgten taktischen Linie vor dem Kriege – argumentierten die Vertreter der Deutschen Bank, Gwinner und Helfferich, und Unternehmer wie Walther Rathenau und Albert Ballin, d. h. der primär exportinteressierten Gruppen der Schiffahrt- und der Elektroindustrie. Arthur v. Gwinner zeigte sich in einem Gespräch mit dem amerikanischen Botschafter Gerard um den 20. August nach den erwarteten »großen Siegen« mit 3 Milliarden Dollar Kriegsentschädigung unter Abtretung der französischen Kolonien an Deutschland zufrieden, zumindest wollte er dieses Programm als Minimalforderung stellen [12].

In einem Vortrag vor der »Mittwochs-Gesellschaft«, in der sich führende Vertreter dieser Interessengruppen zusammengefunden hatten, plädierte Gwinner am 2. September dafür, »Deutschlands wirtschaftliche Vorherr-

---

12 A. Tirpitz, Deutsche Ohnmachtspolitik, S. 67 (Aufzeichnung Capelles über eine Unterredung mit v. Gwinner für Tirpitz).

schaft in Europa zu etablieren«, anstatt »blindlings eine Politik der Annexion zu beginnen«[13]. Anwesend waren auch Karl Helfferich und Paul v. Schwabach (Mitinhaber des Bankhauses Gerson Bleichröder) sowie Unterstaatssekretär Zimmermann, der Gwinners Diskussionsbeitrag für so wichtig hielt, daß er ihn dem Kanzler ins Große Hauptquartier nachsandte. Zu dieser Diskussionsrunde, deren Vorsitzender Hans Delbrück war, gehörten auch der nationalliberale Reichstagsabgeordnete Schiffer, die nationalliberalen Landtagsabgeordneten Paul v. Krause und Robert Friedberg, der oberschlesische Magnat Fürst Hermann Hatzfeld, die Professoren Adolf v. Harnack, Wilhelm Kahl, Max Sering und Georg Strutz, der Korrespondent der ›Frankfurter Zeitung‹ in Berlin, August Stein, der Berliner Oberbürgermeister Adolf Wermuth und die preußischen Ministerialbeamten Otto Just und Franz Lusensky[14].

Ähnlich zurückhaltend wie Gwinner äußerte sich auch Ballin Ende August in einem Brief an Admiral v. Müller. Auch er sprach bei allem Siegeswillen nicht von Annexionen in Europa und auch nicht – anders als Gwinner – von »Mitteleuropa«, sondern beschränkte sich darauf, festzustellen:

> »Also es ist und bleibt die Losung ›Wir müssen siegen!‹, siegen bis zum bitteren Ende! Große Geldentschädigungen und große Kolonien müßten wir erreichen.[15]«

Für die Formulierung der Kriegsziele der Regierung gewannen die Überlegungen Walther Rathenaus die größte Bedeutung, zumal er schon in der Vorkriegszeit zu dem engeren – nicht der Bürokratie angehörenden – Beraterkreis des Reichskanzlers gehört hatte. Anfang August übersandte er Bethmann Hollweg eine Denkschrift, in der er seine Vorstellungen für die Neuordnung Europas nach einem deutschen Sieg entwickelte. Diese Denkschrift hat sich bis heute nicht auffinden lassen. Aus der Stellungnahme des Staatssekretärs Delbrück am 3. September läßt sich jedoch rekonstruieren, daß Rathenau zunächst eine Zollunion mit Österreich-Ungarn ohne jegliche Zwischenzölle vorgeschlagen hatte. Neu an der Denkschrift Rathenaus von Anfang August sei, so resümierte Delbrück wohl mit Blick auf die Mitteleuropapläne Rathenaus von 1912 und 1913, allein die Idee, daß die Zollunion, diese »gewaltige Umwälzung«, während des Krieges durch einen »Handstreich« zu bewerkstelligen sei.

Am 28. August sandte Rathenau eine zweite Denkschrift an den Reichskanzler. Sie enthielt, wie er in seinem Tagebuch summarisch notierte, das »Projekt einer Zollunion für Deutschland-Österreich-Ungarn-Belgien-

13 F. Fischer, Griff, S. 115.
14 W. Gutsche, Die Beziehungen (Masch.), S. 96 ff.
15 A. Tirpitz, Deutsche Ohnmachtspolitik, S. 67 (30. 8. 14).

Frankreich« [16]. In dieser zweiten Denkschrift sprach Rathenau jetzt von dem mitteleuropäischen Zollverein als der »größten zivilisatorischen Errungenschaft« des Krieges. Als weiteres Element der »Befestigung« der Stellung Deutschlands in Mitteleuropa sah Rathenau eine Ordnung der »finanziellen Weltwirtschaft« an, die das Zollunionsprojekt ergänzen müsse. In Europa wollte er dabei folgendes Programm aufstellen: Frankreich und Belgien sollten ipso iure ihre Märkte abgabenfrei für deutsche Anleihen öffnen, und neue russische Werte sollten nur nach vorheriger Zustimmung Deutschlands und Frankreichs in beiden Ländern kotiert werden dürfen. Auch die finanzielle Kontrolle des Rüstungswesens müsse Deutschland zufallen; die Kriegskontribution, die Rathenau auf 40 Milliarden Francs ansetzte, würde neue Probleme für den internationalen Geldmarkt aufwerfen, die er durch eine Deutschland begünstigende Regelung gelöst sehen wollte.

Am 7. September legte Rathenau einen detaillierten Plan vor, zu dem ihn der Kanzler über Gerhard v. Mutius am 4. September aufgefordert hatte [17]. In dieser dritten Denkschrift [18] ging Rathenau davon aus, daß eine vernichtende Niederlage Englands nicht erreicht werden könnte. Sollte er sich jedoch in dieser Annahme täuschen, dann wäre es möglich

»und notwendig, die politische und wirtschaftliche Deklassierung Frankreichs und Englands und somit bedeutende Veränderungen der Landkarte und gewaltige Kontributionen anzustreben«.

Wenn England nicht besiegt werden könnte, sei es realistischer, sich darauf zu beschränken, Frankreich aus der Entente zu lösen. Deutschland müsse dann darauf verzichten, durch Okkupation und Gebietsabtretungen Frankreich zu schwächen, und statt dessen versuchen, diesen Gegner durch einen »freiwilligen Frieden« zu gewinnen:

»Das Endziel wäre der Zustand, der allein ein künftiges Gleichgewicht Europas bringen kann: Mitteleuropa geeinigt unter deutscher Führung, gegen England und Amerika einerseits, gegen Rußland anderseits politisch und wirtschaftlich gefestigt. Das Opfer, das wir zu bringen hätten, bestände im Verzicht auf französischen Landerwerb und in Ermäßigung der Kontribution.«

Diese Programmpunkte ließen sich nach Rathenaus Vorstellungen verwirklichen. Die Erwerbung großer Kolonialgebiete, die Aufteilung Frankreichs oder die Liquidation des britischen Weltreiches, wie sie von vielen Seiten gefordert wurden, seien demgegenüber nur Auswüchse einer »erregten Phantasie«. Das war eine deutliche Kritik an den Annexionsforderungen

16 W. Rathenau, Tagebuch 1907–1922, S. 185.
17 F. Klein (Hrsg.), Deutschland im Ersten Weltkrieg, Bd. 1, Berlin 1968, S. 360.
18 Abgedruckt bei W. Rathenau, Politische Briefe, Dresden 1929, S. 9 ff. Diese Denkschrift hat Bethmann Hollweg allerdings erst am 11. 9., also nach Abfassung des Septemberprogramms, gelesen; vgl. F. Klein, S. 361.

der deutschen Schwerindustriellen unter Führung von Hugo Stinnes, Heinrich Claß und Alfred Hugenberg. Rathenau war der Überzeugung, daß erst die von ihm konzipierte Idee eines durch Deutschland beherrschten Mitteleuropas diesem Machtgebilde neben den Weltreichen USA, Großbritannien und Rußland eine adäquate Stellung verschaffen konnte:

>Die Zukunft zeigt uns den Aufstieg des angelsächsischen und den des östlichen Wirtschaftkörpers; es ist die deutsche Aufgabe, den alteuropäischen Körper zu verwalten und zu stärken.«

Die Durchführung dieses »kontinentalen Zollbundes« sah Rathenau durch einen deutschen Siegfrieden garantiert; dadurch würden die Schwierigkeiten überwunden werden können, »die in Friedenszeiten abermals unübersteiglich werden«. Seiner Meinung nach war es durchaus denkbar, »für eine bestimmte Zeit eine deutsche Zolldiktatur unter Maßgabe unseres eigenen Zolltarifs« durchzuführen. Klarer konnte nicht ausgesprochen werden, daß das Ziel eines wirtschaftlich geeinten Mitteleuropa ein reines Zwangsprogramm war.

Die bürgerlichen Parteien und die Sozialdemokratie

Die deutschen Parteien haben nach Kriegsausbruch nicht sofort Stellungnahmen zur Kriegszielfrage veröffentlicht, sie hielten sich von offiziellen Programmen zunächst noch zurück, sieht man von der bereits zitierten Denkschrift von Matthias Erzberger und von dem aus der unmittelbaren Vorkriegszeit stammenden Memorandum des Mitgliedes des Elfer-Ausschusses der Konservativen Partei, Graf Mirbach-Sorquitten,[18a] ab. Mirbach hatte im Anschluß an Beratungen des 50er Ausschusses der konservativen Partei vorgeschlagen, Deutschland müßte in einem zukünftigen Krieg mit Rußland, Frankreich und England dafür Sorge tragen, daß Rußland nach Osten abgedrängt und in der Folgezeit in Kriege mit England verwickelt werde.

Das Fehlen ausgearbeiteter Kriegszielprogramme bedeutete indessen nicht, daß bei den Parteien keine Vorstellungen über die deutschen Kriegsziele vorhanden waren. Die Konservativen beschränkten sich zunächst darauf, alle Kräfte gegen einen »schlappen« Frieden zu mobilisieren, als dessen Exponenten sie schon damals Bethmann Hollweg und die Bankiers um Gwinner ansahen[19]. Einzelne Parlamentarier wie der Freikonservative v. Liebert, der als Vorsitzender des Reichsverbandes gegen die Sozialdemokratie über beste Beziehungen zur Schwerindustrie verfügte, forder-

18a DZA I, NL Westarp, Nr. 2, Mirbach an Westarp, 26. 6. 14.
19 Vgl. W. Gutsche, Die Beziehungen, S. 84, Kreth an Westarp, 3. 9. 14.

ten Anfang September öffentlich einen »Deutschen Frieden« [19a]. Freiherr
v. Zedlitz und Neukirch wandte sich in einem Artikel im ›Tag‹ (rot) [19b]
gegen eine rasche Verständigung mit England unter Verzicht auf Landerwerb und forderte für Deutschland den ihm gebührenden »Platz an der
Sonne« in Weltwirtschaft und Weltkultur.

Der radikale Flügel der Rechtsparteien, in dem sich die dem Alldeutschen Verband angehörigen Parlamentarier und Publizisten sammelten,
verband die öffentliche Propagierung weitgehender Kriegsziele mit dem
Versuch, den Kanzler zu stürzen. So hatte Claß bereits am 28. August in
der Sitzung des geschäftsführenden Ausschusses des ADV, unterstützt durch
Pohl (›Post‹) und v. Liebert, die Parole ausgegeben, durch einen »Sturm«
in der Öffentlichkeit die »Flaumacher« mitsamt dem Kanzler »hinweg-
zufegen« [20].

Der Schwarm der alldeutschen Ideologen (v. Strantz) und Professoren
(der Theologe Lezius, die Historiker Dietrich Schäfer und Georg v. Below)
folgten ihnen darin. Aber auch Professoren wie Marcks, Lenz, Haller,
Gierdke, Scheler und Lamprecht erklärten schon zu diesem Zeitpunkt eine
deutsche Hegemoniestellung auf dem Kontinent zum Kriegsziel und forderten die endgültige Erringung einer deutschen Weltmachtstellung, ja
die deutsche »Weltführung« [21]. Karl Lamprecht erklärte am 28. August
in einem Artikel in der ›Rheinisch-Westfälischen Zeitung‹:

> »Es ist subjektiv anerkannt und objektiv erwiesen, daß wir des Höchsten in
> dieser Welt fähig, daß wir zur Weltherrschaft mindestens mitberufen erachtet
> werden. Dies gab den letzten Zeiten für uns recht eigentlich den Stempel welt-
> geschichtlicher Größe ... Die Germanen unter deutscher Führung werden nicht
> bloß geographisch zum zentralen Volke der alteuropäischen Welt.[21a]«

Der berühmte Leipziger Philosoph Wilhelm Wundt ging in einem Vortrag über den »wahrhaften Krieg« am 10. September 1914 in Leipzig detaillierter auf die deutschen Kriegsziele ein. Wundt, dessen »Worte unter
den lebenden deutschen Gelehrten wohl das stärkste Gewicht beanspruchen können«, wie das ›Berliner Tageblatt‹ [21b] feststellte, forderte eine
großzügige Vermehrung des deutschen Kolonialbesitzes auf Kosten Englands als Kampfziel in Übersee; auf dem Kontinent wollte Wundt eine
schonende Behandlung Frankreichs gewahrt wissen. Am eindeutigsten waren seine Vorstellungen zur Schwächung Rußlands: Russisch-Polen sollte
ebenso wie Finnland von der russischen »Zwangsherrschaft« befreit wer-

19a V. Liebert, Deutschlands größte Schwäche, in: Der Volkserzieher, September 1914, S. 149 ff.
19b v. Zedlitz-Neukirch, Unser Friedensziel, in: Der Tag, Nr. 227, 27. 9. 14.
20 DZA I, ADV, Nr. 96, 28. 8. 14.
21 Vgl. hierzu Klaus Schwabe, Wissenschaft und Kriegsmoral. Die deutschen Hochschullehrer und
die politischen Grundfragen des Ersten Weltkriegs, Göttingen–Zürich–Frankfurt 1969, S. 53 ff.
21a Karl Lamprecht, Geistige Mobilmachung, in: RWZ, Nr. 984, 28. 8. 14.
21b B. T., Nr. 471, 16. 9. 14, »Das Kampfesziel«.

den und eigene Staatlichkeit in Anlehnung an Deutschland und Österreich-Ungarn verliehen bekommen, die deutschen Balten endlich sollten in das »deutsche Mutterland« zurückkehren. Um einen dauernden Frieden zu gewährleisten, sah Wundt die engere Verbindung zwischen Deutschland und Österreich-Ungarn als notwendig an: eine »mitteleuropäische Föderation« werde für das Festland genau dasselbe bedeuten wie die nordamerikanische Union für Amerika. Die Vereinigten Staaten und der unter deutscher Führung geeinte Kontinent würden der gesamten Welt den Frieden garantieren können. In seinem Kern lief dieses machtpolitische Programm auf eine Art Teilung der Weltherrschaft zwischen ›Mitteleuropa‹ und der ›jungen‹ Weltmacht USA hinaus. Der Gedanke der Sicherung hatte auch hier eindeutig einen dezidiert machtpolitisch-expansionistischen Akzent.

Die sich im November endgültig formierende Kriegszielbewegung zeigte dann deutlich die Fronten: auf der einen Seite Alldeutsche und Schwerindustrie zusammen mit dem Bund der Landwirte, der Nationalliberalen Partei unter Führung von Bassermann und Stresemann, die ganz in das annexionistisch-alldeutsche Lager abgeschwenkt war, ein Teil der Freikonservativen, der Deutschkonservativen und des Zentrums, der Bund der Industriellen mit seinen wichtigsten Unterverbänden; und auf der anderen Seite die Fortschrittliche Volkspartei, der Hansabund, einige Linksnationalliberale (v. Richthofen, Schönaich-Carolath) und der rechte Flügel der Sozialdemokratie. Das Gros der Konservativen, unter Führung von Heydebrand und Westarp, stand zwischen diesen beiden Lagern; zu gouvernemental, um von vornherein gegen die Regierung Front zu machen, aber auch zu machtpolitisch-expansionistisch orientiert, um sich den »Flaumachern« auf der linken Seite zurechnen zu lassen. In manchem repräsentativ für die Stimmung in den Kreisen des bürgerlichen, nationalistischen Deutschlands war die Stellungnahme Matthias Erzbergers vom 12. September, in der es hieß:

»Eine Verständigung mit England würde im deutschen Volk als eine grausame Enttäuschung aufgefaßt werden ... Deutschland wird den Krieg zu Ende führen bis zum vollen Erfolge, und die kriegerische Auseinandersetzung mit England wird sich gründlich und rücksichtslos vollziehen müssen, auch frei von allen Vorschriften des sogenannten Völkerrechts ... Die Stunde der großen Abrechnung hat geschlagen und Deutschland kann das ersehnte Ziel, nach diesem schrecklichen Blutkrieg dauernd Frieden in Europa zu erhalten, nur dann erreichen, wenn es sich mit England nicht verständigt, sondern es niederzwingt.[22]«

Im linksliberalen ›Berliner Tageblatt‹ wurde Anfang September durch Professoren wie Jastrow, den Chefredakteur Theodor Wolff und ehemalige

---

22 Der Tag (rot), Nr. 214, 12. 9. 14, »Durchhalten«.

Diplomaten wie Graf Monts ein umfangreiches Programm zur Schwächung Rußlands diskutiert. Gemeinsamer Tenor aller dieser Vorschläge war das Ziel, Osteuropa in eine Reihe selbständig nebeneinander stehender Staaten zu teilen [22a]. In der »Niederzwingung Rußlands« und in dessen Abdrängung nach Osten sah Theodor Wolff das Ziel des Krieges:

> »Wir sehen dort in einer Verkleinerung und Schwächung des Kolosses und in der Schaffung von Schutzgarantien die moralische Idee dieses großen Kampfes und das politische Ziel...«

Jastrow unterstützte deshalb die Insurgierungspolitik von Finnland bis zum Kaukasus; überall müsse das Deutsche Reich als Befreier vom »Joch der Fremdherrschaft« auftreten:

> »Nur wenn unseren Waffen Proklamationen in allen Sprachen der unterdrückten Völker Rußlands voraneilen, können unsere Truppen darauf rechnen, überall verständnisvoll als Befreier begrüßt zu werden.«

Diese Zielsetzungen der Publizisten im ›Berliner Tageblatt‹ berührten sich mit den Anschauungen Hellmut v. Gerlachs in der demokratischen ›Welt am Montag‹ und mit denen einflußreicher Kreise innerhalb der sozialdemokratischen Partei [22b].

Die ebenfalls linksliberale ›Frankfurter Zeitung‹, in der sich zu diesem Zeitpunkt noch keine detaillierten Erörterungen über die spätere Behandlung der Kriegsgegner finden, schrieb in einem Kommentar zur Kriegserklärung Englands (5. August 1914, ›Abendblatt‹): »Und haben wir gesiegt, so wollen wir, die friedlichste der Nationen (!), die Uhr Europas für ein Jahrhundert richtig stellen und ein Reich des Friedens aufrichten.« Grey habe England als Bürgen des Friedens bezeichnet, diese Last wolle man dem »alternden Inselstaat« für die Zukunft abnehmen. Mit dem Begriff Friedensbürgschaft hatte sich Grey an die Vorstellung der englischen Imperialisten, nach dem antiken Vorbild der Pax Romana eine Pax Britannica zu errichten, angelehnt; schon in Vorkriegszeiten war Großbritannien das Recht auf eine solche Stellung bestritten und statt dessen eine Pax Germanica gefordert worden. Das Deutsche Reich sollte also, das folgert aus den Vorstellungen des freisinnigen Blattes, das Erbe Englands als Weltmacht antreten.

Auch eine Gruppe in der Sozialdemokratie schloß sich dem Ruf nach »Sicherung« der deutschen Machtstellung in Europa an. In der sozialdemokratischen Presse wurde jedoch im allgemeinen die annexionistische Politik der Alldeutschen und schwerindustriellen Interessenvertreter aufs

---

22a B. T., Nr. 455, 8. 9. 14, »Die Zukunft Rußlands« v. J. Jastrow; Nr. 466, 14. 9. 14, »Zwanzig Jahre lang« v. Th. Wolff; Nr. 471, 16. 9. 14, »Der russische Feind« v. A. Graf Monts.
22b Vgl. Welt am Montag, 17. 8. 14, »Not kennt kein Gebot«.

schärfste verurteilt. Ebenso einhellig wurde in der sozialdemokratischen Presse aber Rußland als Kriegstreiber und als Kriegsanstifter hingestellt und die Arbeiterschaft zum Kampf gegen den Zarismus mobilisiert [22c]. Daraus ergab sich, daß die deutsche Sozialdemokratie zumindest gegenüber Rußland ein gemeinsames Kriegsziel besaß: die Zerschlagung des zaristischen Regimes und damit verbunden die Befreiung der nichtrussischen Völker des Zarenreichs. Einzelne rechte Parteiführer wie David und Südekum, die engen Kontakt zu der Führung der Freien Gewerkschaften um Legien und Gustav Bauer hatten, glaubten von vornherein, sich solchen machtpolitischen Zielen Deutschlands nicht entgegenstellen zu sollen. Diese Gruppe sah in der Bereitschaft, auch die Unterstützung deutscher Kriegsziele zu erwägen, ein Mittel, die Regierung auf innenpolitischem Gebiet stärker kooperationsbereit zu machen. Diesen Gedankengang verfolgte vor allem Eduard David. Am 11. August notierte er in seinem Tagebuch:

>Im Falle des Sieges« (David hielt diesen für wahrscheinlich) »ist gegenüber dem an der Seite seines siegreichen Heeres zurückgekehrten Hohenzollernkaiser jeder Gedanke auf Revolution und Republik für unsere Lebenszeiten abgetan. Also modus vivendi mit der neuen Monarchie notwendig. Neben der militärisch-nationalistischen Welle eine starke Welle demokratischer Gefühle. Anspruch der heimkehrenden Krieger auf staatliche Gleichberechtigung. Die preußische Wahlreform muß als Frucht gepflückt werden; um diesen Preis auch Konzession unsererseits an die monarchische Form.[23]«

Aus diesen Erwägungen empfahl David auch in der Kriegszielfrage Konzessionen von seiten der Sozialdemokratie:

>Auch in der Frage der eventuellen territorialen Veränderungen dürfen wir uns nicht durch doktrinäre Negation in Gegensatz zu der ganz allgemeinen Stimmung – Kompensation für die gebrachten Opfer – stellen. Scheidemann scheint diese Gedankengänge im wesentlichen zu teilen, ist aber der vorsichtige Mann, der nicht Gefahr laufen will, in die Minderheit zu kommen.«

David – darin berührte er sich mit den Überlegungen von Robert Schmidt und Cohen-Reuß, der dem äußersten rechten Flügel der Partei angehörte – wollte zur Durchsetzung dieser Politik sogar die Parteispaltung in Kauf nehmen. Der äußerste linke Flügel könne dann eine eigene Partei bilden:

>Die Leute mögen dann mit den Anarcho-Sozialisten zusammen eine doktrinäre internationale Ideologensekte bilden. Politische Bedeutung in den Massen können sie mit ihrem Standpunkt nicht mehr erlangen.[24]«

22c Vorwärts, Nr. 232–234, 26.–28. 8. 14, Artikelfolge von E. Bernstein, »Abrechnungen mit Rußland«. Am 3. 8. 14 hatte sich der Vorwärts (Nr. 209) in einem redaktionellen Artikel »Der Kampf gegen den Zarismus« noch dagegen verwahrt, daß die bürgerliche Presse unterstelle, als ob die deutsche Sozialdemokratie jetzt an der »Spitze der Kriegshetzer gegen Rußland« stehe.
23 Eduard David, Kriegstagebuch, Eintragung v. 11. 8. 14, S. 15.
24 Eduard David, Kriegstagebuch, Eintragung vom 15. 8. 14, S. 17.

Sicherlich dachten nicht alle Vertreter des rechten Flügels so extrem, doch läßt sich als einheitliche Linie feststellen, daß diese Rechtssozialdemokraten über die Bewilligung der Kriegskredite hinaus eine Politik verfolgten, die deutschen Kriegszielen gegenüber Rußland und im begrenzten Umfang auch gegenüber Frankreich nicht abgeneigt war. Dieser Flügel wollte die innenpolitische »Neuorientierung« der deutschen Sozialdemokratie mit der Bewilligung der Kriegskredite nicht beendet sein lassen, sondern dadurch erst die »Basis für die Wandlung unserer Partei (i. e. der Sozialdemokratie) zu einer nationalen Demokratie« schaffen. Allerdings hielten selbst Eduard David, Max Cohen-Reuß und Albert Südekum die Abänderung des preußischen Wahlrechts in »demokratischem Sinne« für unbedingt notwendig, da sich die Arbeiterschaft sonst verraten fühlte und alle Ergebnisse der nationalen Aufwallung des 4. August verlorengehen würden [25].

Die hier angebahnte Annäherung zwischen Regierung und Sozialdemokratie setzte sich im September und Oktober fort, als sich die Kriegslage verschlechterte und die Regierung interessiert war, die Kriegsbegeisterung bei den Massen aufrechtzuerhalten. Der Kanzler selbst versprach sich außerdem von dem Umbildungsprozeß innerhalb der Partei, den der rechte Flügel in Richtung auf eine ›nationale Volkspartei‹ betrieb, eine Verbreiterung seiner eigenen innenpolitischen Basis. Cohen-Reuß hatte am 2. Oktober gegenüber Wahnschaffe sogar von einer »Fortentwicklung der sozialdemokratischen Partei in monarchischer Richtung« gesprochen, »wie sie schließlich auch die Fortschrittspartei durchgemacht habe« [26].

II. Die Regierung im Kräftefeld der Gruppeninteressen: Die Entstehung des Septemberprogramms

Adressat aller dieser nach Kriegsbeginn erhobenen Forderungen war die deutsche Reichsregierung, ganz gleich, ob diese Ansprüche in der Öffentlichkeit, in Eingaben oder persönlichen Gesprächen mit Mitgliedern der Regierung vorgebracht wurden. Die Regierung selbst hatte durch die Erklärungen des Reichskanzlers vom 4. August vor dem Reichstag psychologisch den Weg freigemacht für eine neue Welle des Nationalismus, die das

---

25 E. David, Kriegstagebuch, Eintragung v. 24. 8. 14, S. 22–25. Die Aufzeichnung von David über seine Unterredung mit Delbrück und Lewald vom RdI widerspricht in der Frage des geforderten preußischen Wahlrechts in einigen Punkten der Aufzeichnung, die Delbrück über dieses Gespräch – allerdings nur über Davids Äußerungen – gemacht hat (abgedruckt bei Jürgen Kuczynski, Der Ausbruch des Ersten Weltkrieges und die deutsche Sozialdemokratie, Berlin 1957, S. 207 ff.). Da Davids Aufzeichnung nur für den eigenen Gebrauch im Tagebuch niedergelegt ist, und da Delbrücks Aufzeichnung für den Dienstgebrauch bestimmt war, folgt der Verfasser der Davidschen Aufzeichnung, die den Inhalt des Gesprächs mit hoher Wahrscheinlichkeit genauer wiedergibt. Nach Delbrücks Aufzeichnung hatte David eine Präzisierung seiner Wünsche vermieden und lediglich »eine große Geste« von »berufener Stelle« als unerläßlich bezeichnet.
26 F. Fischer, Griff, S. 430 ff.

deutsche Volk bis weit in die Kreise der Arbeiterschaft hinein erfaßte. Denn wenn, wie Bethmann Hollweg behauptete, tatsächlich die neidischen Nachbarn den Krieg gegen Deutschland entfesselt und es überfallen hatten, so ergab sich daraus das Verlangen der Nation und die Berechtigung für die Regierung, das Deutsche Reich für alle Zukunft gegen die Möglichkeit eines künftigen Überfalls zu sichern. Dies sollte durch eine anhaltende Schwächung der Feinde und eine bleibende Stärkung der deutschen Machtposition erreicht werden. Ähnlich wie die Parteien konnte dabei die Regierung bei ihren Überlegungen über die künftige Stellung Deutschlands in Europa und der Welt nach einem siegreichen Krieg an Zielsetzungen der Vorkriegspolitik anknüpfen: Zurückdrängung des russischen Kolosses, Sprengung der Entente und Einbeziehung Frankreichs in Mitteleuropa und zumindest Anerkennung der neuen Machtkonstellation durch England.

Die Zurückdrängung Rußlands: Revolutionierung als Kriegsmittel und Kriegsziel

Während die deutschen Armeen in Frankreich die Entscheidung herbeizuzwingen suchten und sich die deutsche Ostarmee entsprechend dem Generalstabsplan defensiv verhielt, wurde in der Reichsregierung ein umfassendes Programm zur Schwächung Rußlands während dieses Krieges und für den Friedensschluß eingeleitet. Die Vorstellungen der Regierung waren geprägt von jenen sozialdarwinistischen Überlegungen, wie sie in unterschiedlicher Form bereits vor Kriegsausbruch von Bethmann Hollweg und Riezler vertreten worden waren. Von vornherein war es dabei erklärtes Ziel der deutschen Führung, den russischen Koloß nach Osten abzudrängen und seine verhältnismäßig hoch entwickelten westlichen Provinzen »abzugliedern«[27]. Das deutsche Vorgehen konnte sich dabei auf Autonomiebestrebungen der Nationalitäten innerhalb dieser russischen Provinzen stützen, dadurch erhielt es den Anschein, als handle es sich um »nationale« Befreiungstaten. Bereits am 11. August 1914 hatte Bethmann Hollweg in einem von Jagow entworfenen Erlaß an den deutschen Botschafter in Wien, Tschirschky, das Kriegsmittel der Insurgierungspolitik mit dem Kriegsziel verbunden: Im Falle eines siegreichen Friedensschlusses würde die »Bildung mehrerer Pufferstaaten zwischen Rußland und Deutschland bzw. Österreich-Ungarn zweckmäßig..., um den Druck des russischen Kolosses auf Westeuropa zu erleichtern und Rußland möglichst nach Osten zurückzudrängen«[28].

---

27 Bernhard Mann, Die baltischen Länder in der deutschen Kriegszielpublizistik 1914–18, Tübingen 1965, glaubt mit dem Terminus »Abgliederungspolitik« die deutschen Expansionsziele im Osten verharmlosen zu können.
28 F. Fischer, Griff, S. 157.

Nachdem schon am 3. August Zimmermann den deutschen Botschafter in Konstantinopel instruiert hatte, daß die »Revolutionierung des Kaukasus« erwünscht wäre[29], teilte Jagow zwei Tage später Tschirschky mit, daß der deutsche und österreichisch-ungarische Generalstab sich darauf geeinigt hätten, an die polnische Bevölkerung einen gemeinsamen Aufruf zu richten, in dem die Befreiung der Polen vom zaristischen Joch zugesichert würde[30]. Der Gewinnung der polnischen Bevölkerung für Deutschland und Österreich-Ungarn sollte auch die Einschaltung des Vatikans dienen. Der Anregung Zimmermanns folgend[31], beauftragte Bethmann Hollweg am 12. August den deutschen Gesandten beim Vatikan, Mühlberg, auf den Vatikan einzuwirken, damit dieser den Einfluß der katholischen Geistlichkeit auf die polnische Bevölkerung im Sinne der deutschen Politik einsetze. Allerdings war die deutsche Politik (ebenso wie die österreichische) zu diesem Zeitpunkt nicht bereit, gegenüber der Öffentlichkeit irgendeine konkrete Angabe darüber zu machen, was die »Befreiung« Polens vom Zarismus praktisch bedeuten sollte. Auch die Zusage des Kaisers an den deutsch-polnischen Magnaten Bogdan Graf von Hutten-Czapski, man werde nach einem deutschen Sieg ein selbständiges Polen wiederherstellen[32], blieb unverbindlich. Im Gegenteil, seit Mitte August wurden in den Ressorts Überlegungen angestellt, in welcher Form das aus Rußland herausgelöste Polen in den deutschen bzw. österreichisch-ungarischen Machtbereich integriert werden könnte. Am 15. August 1914 bezog Rechenberg, der ehemalige deutsche Generalkonsul in Warschau, sich in einem Brief an Wahnschaffe auf ein vorangegangenes Gespräch, in welchem praktikable Möglichkeiten zur Insurgierung Polens erörtert wurden. Rechenberg empfahl zugleich dem Unterstaatssekretär, gegenüber der Öffentlichkeit eine Erklärung abzugeben, »was wir im Falle eines glücklichen Krieges mit Russisch-Polen beabsichtigen«. Er selbst plädierte für eine austro-polnische Lösung, die zu einem trialistischen Staat Österreich-Ungarn-Polen führen sollte[33].

In einer Denkschrift vom 27. August legte Rechenberg[33a] auf Wunsch Wahnschaffes, des Unterstaatssekretärs in der Reichskanzlei und nächsten Mitarbeiters Bethmann Hollwegs in diesen Fragen, seine Pläne detaillierter dar. Er wiederholte darin seinen Vorschlag der austro-polnischen Lösung, bei der Kongreßpolen mit Galizien und eventuell auch der Bukowina zu einem dritten Teilstaat der Doppelmonarchie vereinigt werden sollte. Dieser Pufferstaat würde seiner Meinung nach das deutsche Sicherheits-

---

29 AA Bonn, Wk, Nr. 11, Bd. 1.
30 AA Bonn, Wk, Nr. 11b, Bd. 1, Jagow an Tschirschky, 5. 8. 14, Tschirschky an Jagow, 6. 8. 14.
31 Ibid., 5. 8. 14, Aufz. Zimmermann; Bethmann Hollweg an Mühlberg, 12. 8. 14.
32 Hutten-Czapski, 60 Jahre Politik, Bd. 2, S. 145 f., Aufzeichnung über ein Gespräch mit Wilhelm II. am 31. 7. 14.
33 DZA I, Rkz, Nr. 2476, Rechenberg an Wahnschaffe, 15. 8. 14.
33a Ibid., Rechenberg an Wahnschaffe, 27. 8. 14.

bedürfnis befriedigen. Rechenberg täuschte sich allerdings über die Absichten der Reichsregierung, die keineswegs gewillt war, das künftige Polen zugunsten Wiens aus der Hand zu geben. Nachdem das Land 1915 besetzt worden war, haben Bethmann Hollweg und Jagow, unter Berufung auf »das Gebot der öffentlichen Meinung« Deutschlands und gedrängt von den agrarischen und industriellen Interessenten, einen »selbständigen Pufferstaat unter deutscher Oberherrschaft« gefordert, konnten sich aber gegen den erbitterten Widerstand Österreichs nicht durchsetzen, so daß Berlin und Wien sich bei der Proklamation eines Königreichs Polen am 5. November 1916 auf die Formel eines »selbständigen Staates im Anschluß an die beiden Mittelmächte« beschränkten.

Um das Ziel der Abdrängung Rußlands von den eigenen Grenzen und seine dauernde Schwächung durch die Bildung von Randstaaten zu erreichen, bediente sich die deutsche Reichsleitung zugleich des Mittels der Insurgierung der mit der zaristischen Administration vielfach unzufriedenen nationalen Minderheiten innerhalb des russischen Reiches. Das waren neben den Polen die Finnen, die Ukrainer und die verschiedenen Völkerschaften des Kaukasusgebietes, übrigens auch die Juden, die sich sozial und rechtlich in einer besonders ungünstigen Lage befanden, unter ihnen vor allem die Zionisten, die über Verbindungen zu gleichgerichteten jüdischen Kreisen in Deutschland und Österreich-Ungarn verfügten.

Bereits am 6. August 1914 beauftragte Bethmann Hollweg den deutschen Gesandten in Stockholm, die Entfesselung eines Aufstandes in Finnland vorzubereiten. Dazu sollte die Fühlungnahme mit der schwedischen Partei in Finnland und die Ausnutzung der mannigfachen Querverbindungen zu finnischen Emigranten dienen, zumal der deutsche Generalstab, wie oben dargestellt, mit dem sofortigen Kriegseintritt Schwedens gerechnet hatte. Den Finnen sollte in Aufrufen als Lohn für die Erhebung gegen Rußland die Errichtung eines autonomen Staates in Aussicht gestellt werden, ohne daß die deutsche Regierung sich zu diesem Zeitpunkt auf völkerrechtlich bindende Erklärungen festlegen wollte[34]. Mit dem Kriegsmittel der Insurgierung sollten russische Truppen gebunden werden und durch ein selbständiges Finnland die Reihe von Pufferstaaten von Norden nach Süden inauguriert werden.

In gleicher Weise verbanden sich Kriegsmittel und Kriegsziel in der deutschen Ukrainepolitik. Ein von Jagow entworfener Erlaß des Kanzlers vom 11. August bezeichnete folgende Ziele gegenüber Rußland[35]:

»Insurgierung nicht nur Polens, sondern auch der Ukraine erscheint uns sehr wichtig;

---

34 F. Fischer, Griff, S. 170 ff.
35 Ibid., S. 156 ff, auch für das Folgende.

1. als Kampfmittel gegen Rußland
2. weil im Falle glücklichen Kriegsausgangs die Bildung mehrerer Pufferstaaten zwischen Rußland und Deutschland bzw. Österreich-Ungarn zweckmäßig würde, um den Druck des russischen Kolosses auf Westeuropa zu erleichtern und Rußland möglichst nach Osten zurückzudrängen ...«

Auch der österreich-ungarische Außenminister Graf Berchtold bestätigte dieses Ziel. Am 17. Oktober 1914 schrieb er, um Bulgarien werbend,

»daß sowohl unser wie Deutschlands Hauptziel die möglichste Schwächung Rußlands ist. Wir hoffen daher, die Befreiung der Ukraine und der anderen durch Rußland unterdrückten Völker an unseren Grenzen zu erwirken«.

und Anfang November wiederholte er die gleiche Versicherung, um den Kriegswillen der Türkei zu stärken:

»Unser Hauptziel sei in diesem Krieg die nachhaltige Schwächung Rußlands, weshalb wir auch im Falle unseres Sieges die Gründung eines unabhängigen ukrainischen Staates begrüßen würden.«

Auch hier versuchte die deutsche Diplomatie künftige militärische Aktionen zu erleichtern und zugleich die Loslösung Südrußlands vom Zarenreiche vorzubereiten, indem sie einmal mit dem ruthenischen Nationalkomitee in Galizien Fühlung nahm; seinen Führer, v. Levicky, holte man noch im August 1914 nach Berlin. Dieses Vorgehen wurde auch von der unierten Kirche (Erzbischof Steptycki in Lemberg) gefördert. Zum andern arbeitete bereits seit Mitte August 1914 das Auswärtige Amt mit dem »Bund zur Befreiung der Ukraine«, einer sozialrevolutionär orientierten Gruppe ukrainischer Emigranten zusammen. Hier spielte bald auch der russische Sozialist Parvus-Helphand eine Rolle, der sowohl auf die Bedeutung der Nationalitätenfrage wie der sozialen Frage für die Unterminierung des Zarenreiches hinwies (erste Denkschrift März 1915) [35].
Im Blick auf Gesamtrußland gab es von früh an Überlegungen und Aktionen, die darauf zielten, durch Einschleusung von in der Emigration lebenden russischen Sozialisten die durch die Kriegssituation verstärkten latenten sozialen Spannungen zum revolutionären Ausbruch zu steigern und die militärische Widerstandskraft und den Zusammenhalt des Zarenreiches zu schwächen.
Wie konstant Bethmann Hollweg diese Ziele verfolgte, zeigt sein Bericht an den Kaiser vom 11. August 1915, als sich nach den Rückschlägen des Winters 1914/15 und dementsprechenden Ideen eines Sonderfriedens die militärische Lage durch den deutschen Vormarsch im Osten wieder gebessert hatte:

---

35 Zur deutschen Ukrainepolitik im Ersten Weltkrieg siehe jetzt die Arbeit meines Schülers P. Borowsky, Deutsche Ukrainepolitik 1918 unter besonderer Berücksichtigung der wirtschaftlichen Ziele, Diss. Hamburg 1968, die demnächst im Druck erscheinen wird.

»Wenn die Entwicklung der militärischen Ereignisse und der Vorgänge in Rußland selbst eine Zurückdrängung des Moskowiterreiches nach Osten unter Absplitterung seiner westlichen Landesteile ermöglichen sollte, so wäre uns mit der Befreiung von diesem Alp im Osten gewiß ein erstrebenswertes Ziel geboten, welches die großen Opfer und außerordentlichen Anstrengungen dieses Krieges wert wäre.[36]«

Und noch deutlicher wird die Kontinuität der Ideen Bethmann Hollwegs in seiner Reichstagsrede vom 5. April 1916, in der er an die Adresse der englischen und amerikanischen Regierung gerichtet die »Befreiungs«-These vertritt und es ablehnt, daß

»Deutschland freiwillig die von ihm und seinen Bundesgenossen befreiten Völker zwischen der Baltischen See und den Wolhynischen Sümpfen wieder dem Regiment des reaktionären Rußlands ausliefern wird, mögen sie Polen, Litauer oder Letten sein.[37]«

Nach der russischen Februar-Revolution 1917 hat Bethmann Hollweg auf einer Sondersitzung des Preußischen Staatsministeriums am 21. April 1917 die Randstaatenpolitik im Zeichen des Autonomiegedankens programmatisch erneuert, indem er jetzt formulierte:

»Annexionen nur das militärisch Notwendige, dazu autonomer Gürtel ohne Militär.[38]«

Nach dem militärischen Zusammenbruch Rußlands konnte diese Politik in den Friedensschlüssen von Brest-Litowsk im März 1918 verwirklicht werden, wobei so verschiedenartige Persönlichkeiten wie Ludendorff und Kühlmann die engere »Grenzstreifen-« wie auch die weitere Randstaatenpolitik nach ihrem eigenen Zeugnis als Fortsetzung der durch den Kanzler Bethmann Hollweg eingeleiteten Ostpolitik verstanden[39].

Das »Kriegsziel« Österreich-Ungarn

Von Anfang an – und damit setzte sich eine Linie der deutschen Politik von vor Kriegsausbruch fort – war auch der Bündnispartner Österreich-Ungarn Objekt der deutschen »Kriegszielpolitik«, zumindest in dem Sinne, daß die Reichsleitung in Übereinstimmung mit den Großbanken und der Schwerindustrie nicht daran dachte, die deutsche Südostexpansion (»Berlin–Bagdad«) zugunsten der österreichischen Balkaninteressen einzuschränken. Die deutsche Industrie sah in Österreich-Ungarn weiterhin einen wichtigen Absatzmarkt, und die deutschen Agrarier waren nicht be-

---

36 Ibid., S. 244.
37 Ibid., S. 297.
38 Ibid., S. 492.
39 Ibid., S. 656, Kühlmann vor den Fraktionsführern im Reichskanzlerpalais am 23. 1. 18.

reit, die Importe ungarischer Agrarprodukte durch Zollabbau zu erleichtern. Ja, die deutsche Industrie sah gerade durch den Krieg die Chance gegeben, ihre Vorherrschaft in der Doppelmonarchie für alle Zukunft fest zu sichern. In einem rückschauenden Bericht vom November 1914 wurde erklärt, daß die

> »deutschen Syndikate, insbesondere diejenigen der Schwereisenindustrie, der chemischen und elektrotechnischen Industrie, auch solche auf dem Gebiete der Baumwollindustrie wohl in der Lage, und auch bereit ... sein würden, die entsprechenden österreichischen Firmen in sich aufzunehmen. Dadurch würden die voraussichtlichen Bedenken Österreich-Ungarns für das Schicksal seiner Industrie im Falle der Zollgemeinschaft wohl wesentlich zurücktreten.[40]«

Trotz der hier angesprochenen divergierenden wirtschaftlichen Interessen – Widerstand der deutschen Agrarier und Befürchtungen der österreichischen Industrie – hat die deutsche Reichsleitung den ganzen Krieg hindurch mit Zähigkeit auf den drei Ebenen militärischer, wirtschaftlicher und mehr staats- als völkerrechtlich-politischer Vertragswerke diese enge Verbindung der beiden Kaiserreiche zu realisieren gesucht. Das hätte eine Art Revision von 1866 bedeutet, allerdings so, daß jetzt das Hohenzollernreich die Führung im erweiterten Deutschen Bund eingenommen hätte. Zweifellos war in dieser deutschen Politik gegenüber dem Verbündeten auch ein stabilisierendes Moment wirksam, nämlich alles zu tun, um die schwache Donaumonarchie zu stärken und damit als Bündnispartner auch in der Zukunft zu erhalten.

Das besiegte Frankreich als Bundesgenosse: Ein westeuropäischer »Kulturblock« gegen Rußland?

In einem Gespräch mit Bülow am 8. August 1914, vier Tage nach der englischen Kriegserklärung, skizzierte Bethmann Hollweg erstmals langfristig die Ziele der deutschen Politik im Westen:

> »Eine deutsch-englisch-französische Gruppierung wäre ja die beste Garantie gegen die von dem barbarischen russischen Koloß der europäischen Zivilisation drohenden Gefahren ... Ein außenpolitischer Kulturblock zwischen England, Deutschland und Frankreich[41].«

Daß es sich hierbei nicht um eine Phantasie des wortreichen Bülow handelt, wird durch einen zeitgenössischen Brief Bülows über diese Unterredung an Bassermann bestätigt. Dieser Brief wurde zu einer Zeit geschrieben, als sich Bethmann Hollweg nach der Niederlage im Westen mit dem Gedan-

---

40 DZA I, Rkz, Nr. 404, Bericht der Ministerialkonferenz über den Mitteleuropäischen Wirtschaftsbund v. 14. 11. 14.
41 B. Bülow, Denkwürdigkeiten, Bd. 3, S. 148.

ken eines Sonderfriedens mit Rußland beschäftigte. Bethmann Hollweg hat damals, nach Aussage Bülows, davon gesprochen,

> »daß aus diesem Kriege ein besseres Verhältnis zu England und Frankreich hervorgehen werde und ein Bund der Kulturvölker gegen das barbarische Rußland, dem seine westlichen Provinzen entrissen und zu einem Polenreich ›von Libau bis Odessa‹ gemacht werden sollten . . .[41a]«

Nach einem kurzen Krieg sollte eine Neugruppierung der Mächte in Mitteleuropa unter Führung Deutschlands mit Einschluß Frankreichs geschaffen werden. In der Nacht vor der Abreise ins Hauptquartier nach Koblenz äußerte Bethmann im Gespräch mit dem Rußlandexperten, Professor Theodor Schiemann, den Gedanken, es gelte nach dem Sieg im Westen alle Kraft gegen den Osten zu werfen. Drei Tage später zeichnete Tirpitz nach einem Gespräch mit dem Kanzler am 19. August auf, Deutschland müsse sich nach Bethmanns Meinung »selbst im Falle eines im Westen glücklichen Kriegs« dort »einschränken« und seine »Kraft nach Osten wenden«[42].

Das Hauptkriegsziel für Bethmann Hollweg lag im Osten, in der dauernden Zurückdrängung und Schwächung Rußlands; das Hauptkriegsziel seines innenpolitisch stärksten Gegners, Tirpitz, im Westen, in der Niederringung Englands. Dafür ist Tirpitz selbst der beste Zeuge, wenn er tadelnd sagt, das Bethmannsche »System hat unsere Politik nach der falschen Richtung, nämlich auf die Zerschlagung Rußlands und Schonung Englands orientiert«.[42a]

Während Tirpitz die deutsche Zukunft in »Deutschlands Welt-, Industrie- und Handelsstellung« begründet sah und darum verlangte, daß die politische Leitung mit »Hartnäckigkeit« das Ziel einer Niederringung Englands verfolge und deshalb den Krieg mit Rußland so schnell und so glimpflich wie möglich beenden möchte, war für Bethmann Hollweg gerade die Sicherung der kontinentalen Stellung Deutschlands Voraussetzung für die Erhaltung und den Ausbau der deutschen Weltstellung. Aus diesem Grund war er an der Erhaltung Österreich-Ungarns gegen den russischen Druck, an der Bildung von Pufferstaaten zwischen den Mittelmächten und Rußland und an der Niederwerfung oder zumindest Zurückdrängung Rußlands besonders interessiert. Frankreich mußte glimpflich behandelt und wenn möglich in ein Bündnis gezogen werden. Eine Auseinandersetzung mit England sollte möglichst nicht in diesem Kriege, sondern später erst von der neu gewonnenen Kontinentalstellung aus mit vergrößerter Flotte, sei es durch Druck, sei es durch offene Auseinandersetzung durchgeführt werden.

41a W. Spickernagel, Fürst Bülow, Hamburg 1921, S. 185, Bülow an Bassermann, 10. 12. 1914.
42 A. Tirpitz, Erinnerungen, Berlin 1920, S. 254.
42a Ibid., S. 296.

Diese verschiedenen Konzeptionen, die aber beide als Ziel die Weltmachtstellung Deutschlands im Auge hatten, waren bereits bei der ersten
Begegnung im Hauptquartier noch in Koblenz am 19. August 11 Uhr vormittags aufeinandergestoßen [42b]. Tirpitz hatte hier die Meinung verfochten, daß England den deutschen Krieg gegen Rußland begrüße, weil
er dieses schwäche, und behauptete, es liege deshalb »an und für sich« im
Interesse Deutschlands, Rußland an das warme Meer gelangen zu lassen,
um es mit England in Konflikt zu bringen. Darum wünschte er, jeden nur
denkbaren Druck auf England auszuüben, am besten durch Besetzung von
Calais und Boulogne, um von dort aus einen Kleinkrieg mit Torpedoboo-
ten und U-Booten zu führen (am 17. August gab er von Koblenz aus den
Befehl an Capelle, dies durch Neubauten vorzubereiten). Er wandte sich
also deshalb schroff gegen jeden Gedanken eines »understanding« mit
England, der dort nur als Schwäche ausgelegt würde. Auch das Vorgehen
der Türken gegen den Kaukasus wollte er nur im Interesse der Abwendung der momentanen russischen Gefahr gelten lassen; statt dessen sollten
sie alle ihre Kraft gegen den Suezkanal, das heißt gegen England einsetzen.
Bethmann Hollweg dagegen bestand darauf, nach siegreicher Beendigung
des Frankreichfeldzugs den Großteil der Armee nach Osten zu werfen,
um den Österreichern zu Hilfe zu kommen und damit sein eigenes Hauptziel zu erreichen. Wie er hier schon andeutete, sollte deshalb die Okkupation in Frankreich eingeschränkt werden.

Unmittelbar nach dieser Unterredung [42c] konnte Tirpitz auf einem
zweistündigen Spaziergang den Kaiser darin bestärken, »daß wir um jeden Preis durchhalten müßten«, da es sich darum handele, Deutschland
»als Weltmacht weiterzuentwickeln. Der Schwerpunkt dieser Frage liege
im Westen«. Der Kaiser war, nach Tirpitz Wiedergabe, »von der gleichen Auffassung durchdrungen«. Er sagte zu dem Admiral,

»er sei aufs festeste davon überzeugt, daß *Frankreich* erst gänzlich niederge-
schlagen werden müßte. Dann werde er Frankreich anbieten, ihm kein Gebiet
zu nehmen, wenn es zu einem Schutz- und Trutzbündnis mit Deutschland bereit sei. Das wäre auch das natürliche Interesse Frankreichs.«

Tags darauf, am 20. August, in einem Gespräch des Reichskanzlers mit Tirpitz, Jagow und Admiral Pohl, kam Bethmann Hollweg auf diese Idee
des Kaisers zu sprechen, »mit Frankreich nach dessen Niederwerfung ein
Schutz- und Trutzbündnis zu schließen«, während Jagow unterstrich, »wir
dürften beim Friedensschluß die Polenfrage nicht aus den Augen verlieren
und nicht dulden, daß *Österreich* einen polnischen Staat errichte. Ein Pufferstaat sei notwendig, um uns von dem russischen Druck zu befreien.«

42b A. Tirpitz, Deutsche Ohnmachtspolitik, S. 58 ff.
42c Ibid., S. 61 f.

Für Bethmann Hollweg und Jagow verbanden sich also Westen und Osten, Frankreich, Belgien und Polen zu einer militärisch-wirtschaftlich-politischen Raumeinheit, die Deutschlands Machtverbreiterung sichern könne. – Eine andersartige Konzeption von Welt- und Seegeltung vertrat Tirpitz, der demgegenüber klarzumachen versuchte,

>»daß dies alles gegen die Notwendigkeit der Erhaltung unserer Weltstellung zurücktrete. Wir könnten ein noch so großer Kontinentalstaat sein, ohne diese Weltstellung würden wir doch als Weltmacht abtreten, und die wesentlichste Quelle unserer wirtschaftlichen Macht, Handel und Industrie, würde sich nicht erholen können. England führe seinen Kampf nicht nur gegen unsere Flotte, sondern gegen unsere geschäftliche Konkurrenz.[42d]«

Deshalb müsse er immer wieder betonen: »England gegenüber durchhalten«. Bethmann Hollweg konnte sich jedoch mit seiner Anschauung durchsetzen. Tirpitz' Verlangen, die deutsche Hochseeflotte gegen England einzusetzen, wurde nicht stattgegeben. Bethmann Hollweg wollte gerade die Flotte als Druckmittel für Friedensverhandlungen nach der Niederwerfung Frankreichs aufsparen.

Am 21. August präzisierte der Reichskanzler zum erstenmal in einer für den Historiker nachweisbaren Form seine Vorstellungen über die Neuordnung Europas. Nach einer Aufzeichnung von Kurt Riezler unterhielt sich Bethmann Hollweg mit seinem Vertrauten über die deutschen Kriegsziele im Westen und im Osten:

>»Abends langes Gespräch über Polen und die Möglichkeit einer losen Angliederung von anderen Staaten an das Reich – mitteleuropäisches System von Differentialzöllen, Groß-Deutschland mit Belgien, Holland, Polen als engere, Österreich als weitere Schutzstaaten.[42e]«

Dieses Programm zeigte, wie auch Riezler zutreffend bemerkte, das »Gesicht der Weltherrschaft«. Die Vision des »Septemberprogramms«, die in diesen ausgreifenden Zielen auftaucht, bedeutete indes nicht, daß sich Bethmann Hollweg nun in Übereinstimmung mit den Kriegszielvorstellungen der Alldeutschen, der wirtschaftlichen Verbände und der Militärs befand. Vielmehr lassen sich darin viel stärker die Elemente der Kriegszielvorstellungen von Bankiers wie Gwinner, Helfferich und vor allem Walther Rathenau und den Vertretern der Export- und Fertigwarenindustrie, der Petrochemie und der Maschinenbauindustrie wiedererkennen. Sehr früh berichtete Riezler aus dem Großen Hauptquartier von ernsten Auseinandersetzungen zwischen den im Siegesrausch lebenden Militärs und dem Kanzler:

42d Ibid., S. 63.
42e F. Stern, Bethmann Hollweg und der Krieg: Die Grenzen der Verantwortung, Tübingen 1968, S. 27 (Riezler-Tagebuch, 21. 8. 1914).

»Ich glaube, daß sich diese Gegensätze gegen Schluß bis zur Weißglut erhitzen werden. Gleichzeitig wird im Falle von Siegen nach allen zwei Seiten ein sehr begehrlicher Nationalismus, der die halbe Welt annektieren will, einsetzen.[42f]«

Unüberhörbar ist in diesem Brief die Abneigung des Kanzlers, im Falle des erwarteten Sieges weitreichende Annexionen als Kriegsziel ins Spiel zu bringen. Die von der ihren abweichende Konzeption Bethmann Hollwegs wurde sehr schnell von seiten der Alldeutschen registriert. – Schon am 28. August 1914 sah Claß den Kanzler mit Bankiers wie Gwinner und der bürgerlichen Linken bis hin zur Sozialdemokratie verbündet; aber auch die Militärs und Marinekreise warfen Bethmann vor, er sei ohne »konkrete« Zielsetzungen vor allem im Westen. Doch das war eine grobe Verzeichnung der Tatsachen. Nach einem Gespräch mit Tirpitz am 27. und 28. August des gleichen Jahres stimmte Bethmann den Überlegungen des Staatssekretärs des Reichsmarineamtes zu, daß Antwerpen unter allen Umständen genommen werden müsse, und betonte darüber hinaus, »er beabsichtige die Annexion des Streifens nördlich von Antwerpen, Namur, Lüttich und wolle das südliche Belgien dann als Pufferstaat bestehen lassen«[42g]. Für Tirpitz waren das indes nur »Halbheiten«.

In einem bisher unbekannten Brief Riezlers, des Vertrauten Bethmanns, enthüllen sich noch einmal schlagartig die unterschiedlichen Konzeptionen der verschiedenen Gruppen, im besonderen aber auch die Taktik der Regierung und ihre eigenen Vorstellungen von dem, was das Deutsche Reich nach dem siegreichen Krieg in Europa und in der Welt erreichen müßte, sollte es als Weltmacht die Jahrhunderte überdauern. Riezler teilte am 29. August 1914 dem Pressechef Hammann mit[43], daß der Kanzler direkte Annexionen im großen Stil ablehne:

»Ich habe heute dem Reichskanzler dargestellt, wie schwer es sei, der telegrafisch aus Berlin avisierten Hydra alldeutscher Annektierungswut ohne positive Ziele oder ohne deren Kenntnis entgegenzuwirken und daraufhin den Auftrag erhalten, Ihnen ganz vertraulich darzustellen, was folgt:
Sowohl wegen Belgien als wegen Polen, zwei gleichschwierige Probleme, sind irgendwelche Beschlüsse noch nicht gefaßt, lassen sich auch nach Reichskanzler gar nicht fassen, da wir erst am Anfang stehen, ein baldiger Friede mit Frankreich unwahrscheinlich und es völlig unklar ist, ob wir England gegenüber wirklich Bedingungen diktieren können. Sie können sich denken, daß hier, bei der einreißenden Rabies der Soldateska, stärkste Strömungen für die ganz unmögliche glatte Annexion sind.«

Nach dieser Situationsschilderung, die ziemlich genau die herrschenden Strömungen und deren Grundimpulse charakterisiert, folgen Überlegungen des Kanzlers, in denen entscheidende Kernsätze des Septemberprogramms vorformuliert wurden:

42f DZA I, Nl Hammann, Nr. 34, Riezler an Hammann, 22. 8. 1914.
42g A. Tirpitz, Deutsche Ohnmachtspolitik, S. 65, für das Folgende S. 68 f.
43 DZA I, Nl Hammann, Nr. 34, Riezler an Hammann, 29. 8. 14.

»Andererseits kann man das ganz niedergebrannte Land in der alten Form nicht wieder erstehen lassen, muß vielleicht auch die Hand auf Antwerpen legen – kurz und gut, es ist noch alles im Schwanken. Das gleiche gilt von Polen. An eine Annexion der Champagne, Burgunds, Franche Comté etc. ist auch nicht zu denken. *Zweck des Krieges ist es, uns nach Osten und Westen durch Schwächung unserer Gegner für erdenkliche Zeit zu sichern.* Diese Schwächung muß aber nicht unbedingt durch Annexion erfolgen. Annexionen können Quelle unserer eigenen Schwäche werden. Die Schwächung unserer Gegner kann wirtschaftlich und finanziell sein – durch Handelsverträge etc.«

Riezler empfahl deshalb Hammann, durch »nachdenkliche Leute, eventuell auch Professoren«, der »Annexionshydra« entgegenwirken zu lassen. In einem Brief vom 5. September aus dem Großen Hauptquartier empfahl er, die Presse und die Sozialdemokraten auf ein »langes Aushalten vorzubereiten«, bestände doch augenblicklich keine Aussicht auf einen entscheidenden Sieg und sei es noch völlig offen, ob es gelänge, England »niederzuringen«. Für Hammann ganz persönlich teilte er die Modalitäten mit, unter denen Belgien behandelt werden solle [44]:

»Die belgische Frage zwar offiziell noch unerörtert, Reichskanzler scheint sich aber der auch von mir unterstützten Lösung zuzuneigen, daß Belgien nur Lüttich verlieren, aber nicht annektiert werden, sondern unter Anschluß von Französisch-Flandern uns wirtschaftlich angegliedert und militärisch als Schutzstaat (Besatzungsrecht der Häfen) in der Macht behalten werden soll (gegen England), äußerlich aber bestehen bleiben muß!«

Ebenso wie in der Belgienfrage gab es für den Kanzler in der Frage der Annexion der französischen Erzgebiete sehr früh prinzipielle Vorstellungen darüber, was als Minimalziel für das Deutsche Reich erreicht werden müsse. Schon am 26. August beauftragte der Kanzler Clemens Delbrück damit, die Ausdehnung der Erzlager von Französisch-Lothringen und den Umfang der deutschen Kapitalbeteiligung dort feststellen zu lassen. In einem von Riezler entworfenen Antwortschreiben auf die Thyssendenkschrift entsprach der Kanzler zwar nicht dessen Wunsch, schon jetzt die französischen Gruben in Betrieb zu nehmen, gestand aber zu, daß »bei einem endlichen Friedensschluß« die Annexion »zu erwägen« sei. In dem von Riezler entworfenen Text hatte es vorher – den wirklichen Sachverhalt widerspiegelnd – geheißen, daß die Einverleibung »bereits den Gegenstand von Erwägungen« bilde; diesen Passus strich Bethmann jedoch [45]. Die Einwirkung der deutschen Schwerindustriellen brachte ihn indes wenige Tage später dazu, die Annexion dieses Gebietes für notwendig zu erachten. Am 9. September beantwortete er die Vorschläge Röchlings, die ihm Dallwitz zugeleitet hatte, mit den Worten: »Sie er-

44 Ibid., Riezler an Hammann, 5. 9. 1914.
45 W. Gutsche, Die Beziehungen, S. 61, Anm. 130–132.

scheinen mir sehr bemerkenswert und decken sich mit meinen eigenen Gedanken.«

Dem deutschen Ziel, Frankreich für einen Frieden geneigt zu machen, sollten die Aufrufe an die französische Bevölkerung dienen, die Bethmann Hollweg ausarbeiten ließ [46]. Durch Zusicherung der Schonung des Privateigentums wollte die deutsche Regierung die französische Bourgeoisie für sich gewinnen und sie dahin bringen, auf die eigene Regierung zugunsten eines Sonderfriedens mit Deutschland einzuwirken. Die Reichsregierung hoffte, auf diesem Wege einen Keil zwischen Frankreich und die Entente zu treiben, mit dem Ziel, die französische Bevölkerung geneigt zu machen, statt der Weiterführung des Krieges ein Bündnis mit dem Deutschen Reich zu akzeptieren, um dadurch der Gefahr einer Schwächung für lange Zeit – durch Wegnahme der Erz- und Industriegebiete – zu entgehen. Ein solcher Appell an Frankreich zum Ausscheren aus der Entente bei gleichzeitiger Annexion Longwy-Brieys macht es verständlich, daß der Kanzler später nach Wegen suchte, diese Annexion durch die Einbeziehung ganz Frankreichs in »Mitteleuropa« zu vermeiden bzw. überflüssig zu machen. Der Gedanke freilich, die französische Flotte der deutschen zuzuschlagen, und zugleich die Auflegung einer hohen Kriegsentschädigung, mit deren Hilfe die deutsche Flotte weiter auszubauen sei, stand wiederum im krassen Widerspruch zu den Bundesgedanken und mutete Frankreich eindeutig die Rolle eines Vasallen, statt die eines gleichberechtigten Partners zu.

Koloniale Ziele: ein deutsches Mittelafrika

Eine Kontinuität vom Frieden zum Krieg läßt sich ebenso deutlich bei den kolonialen Kriegszielen aufweisen. Arthur v. Gwinner hatte bereits am 22. August gegenüber dem amerikanischen Botschafter Gerard die französischen Kolonien verlangt. Einen Tag vorher hatte der Staatssekretär des Äußeren, v. Jagow, gegenüber Zimmermann – zwei Jahre vor Kriegseintritt Portugals auf seiten der Entente – Maßnahmen gefordert, um einen Krieg um die portugiesischen Kolonien in Afrika vorzubereiten. In Zusammenhang mit diesem Auftrag stand auch der Auftrag Jagows an Solf vom 25. August 1914, Vorschläge für die deutsche Expansion in Afrika auszuarbeiten. Solf legte sein Programm am 28. August 1914 in einer Denkschrift vor, worin er davon ausging, große Gebietserwerbungen in Europa seien nicht geplant. Die Annexion Belgiens und großer Teile Frankreichs hielt er für falsch. Wichtiger sei die Erweiterung des deutschen Ko-

---

46 Egmont Zechlin, Deutschland zwischen Kabinettskrieg und Wirtschaftskrieg, in HZ 199, 1964, S. 405.

lonialbesitzes. Infrage komme vorrangig der Erwerb solcher Kolonien, die zur Sicherung keiner großen Schutztruppen bedürften und zum anderen nicht in englischem Besitz wären. Wie die Bankiers hielt Solf nämlich eine Niederwerfung Englands für unmöglich und wollte deshalb – und das entsprach seiner Politik vor Kriegsausbruch – nur im Einvernehmen mit England Kolonialgeschäfte machen. Im einzelnen sah er die Erwerbung Angolas und des nördlichen Teils von Mozambique, des belgischen und des französischen Kongo, Französisch-Äquatorialafrikas bis zum Tschadsee und der um die nördlichen Teile von Senegambien erweiterten französischen Kolonie Dahomé vor. Das waren im Kern jene Gebiete, die deutscherseits bereits vor Kriegsausbruch in Aussicht genommen worden waren [47].

Bethmann Hollwegs Septemberprogramm: Kriegszielkonzeption der
»mittleren Linie«

Mitteleuropa und Mittelafrika waren im August und Anfang September die Kriegsziele, die mit unterschiedlicher Motivation und in unterschiedlichen Formen der Machtausübung die zentralen Komplexe der Kriegszielpolitik der deutschen Regierung, der bürgerlichen Parteien und der wirtschaftlichen Verbände bildeten. Zwischen und innerhalb der verschiedenen Gruppen gab es zwar mannigfache Divergenzen; allen Strömungen gemeinsam jedoch war das große Ziel, nach einem siegreichen Krieg die Lage des Deutschen Reiches so zu gestalten, daß es für absehbare Zeit jeder feindlichen Koalition gegenüber unangreifbar dastehe. Der Weg zu dieser Lösung – und dieses Ziel war den einflußreichsten Gruppen und auch dem Reichskanzler gemeinsam – war die Erweiterung der deutschen Machtstellung auf dem Kontinent. Mitteleuropa unter deutscher Führung schien die beste Gewähr dafür zu bieten, Deutschland zur vierten Weltmacht, wenn nicht zur führenden Macht der Erde aufsteigen zu lassen. Ja, Riezler ging soweit, von deutscher »Weltherrschaft« zu sprechen.

Dieses Kriegsziel »Mitteleuropa« bejahten gerade die Gruppen, die der Politik des Kanzlers sonst feindlich gegenüberstanden, so auch die Marine. Widenmann, einer der politischen Vertrauten von Tirpitz, schrieb bereits am 29. August 1914 an diesen, daß der Verlust der überseeischen Gebiete nur wettgemacht werden könne durch »den weiteren Ausbau unserer Flotte« und die »Konstituierung des mitteleuropäischen Zollverbandes unter Einschluß Frankreichs« [48]. Widenmann sah jedoch Mitteleuro-

47 W. Gutsche, Die Beziehungen, S. 47 ff.
48 BA Koblenz (MA), Nl Widenmann KO 8/5/2, Widenmann an Tirpitz, 29. 8. 14.

pa viel stärker als eine Art Ersatzmarkt, als Wirtschaftsraum, mit dessen Hilfe man England unter permanenten Druck setzen konnte. Vollends nach dem Verlust der Marneschlacht bekam für diese Gruppe Mitteleuropa als Kriegsmittel entscheidende Bedeutung, nicht so sehr als primäres Kriegsziel. Auch Tirpitz strebte ein Mitteleuropa an und unterschied sich darin von den Ansichten Ballins – vermißte er doch in dessen Kriegszielprogramm den »wünschenswerte(n) größere(n) Zusammenschluß des europäischen Kontinents in Zollfragen«. Die Prämisse für einen solchen Wunsch sei natürlich der »militärisch durchschlagende Erfolg« [49]. Den mitteleuropäischen Gedanken in dieser Form erörterte auch der Kreis um den Reichskanzler.

Riezler berichtete am 29. August 1914 von den Gedanken des Kanzlers, die Gegner wirtschaftlich und finanziell zu schwächen, anstatt ihr Gebiet zu annektieren. Etwas später, am 2. September 1914, empfahl Arthur v. Gwinner in der Sitzung der Mittwochsgesellschaft, die wirtschaftliche Vorherrschaft Deutschlands in Mitteleuropa zu stabilisieren, statt eine Politik der Annexionen zu beginnen, und in ähnlicher Richtung hatte sich Walther Rathenau im August geäußert. Diese Vorstellungen Gwinners und Rathenaus berührten sich mit ähnlichen Zielsetzungen einer kleinen Gruppe vorwiegend katholischer Industrieller um August Thyssen und Peter Klöckner, einflußreicher Parlamentarier wie Erzberger und Friedrich Naumann (Oktober/November 1914), die die deutsche Hegemonie über Mitteleuropa so durchgeführt sehen wollten, daß mit Einschluß Frankreichs und Belgiens (unter Verzicht auf Annexionen) im Westen und Polens im Osten ein einheitliches Wirtschaftsgebiet geschaffen würde, dem sich Österreich-Ungarn und die Balkanstaaten anschließen müßten. Eine Tagebucheintragung Riezlers vom 4. September 1914 spielte ebenfalls auf den Zusammenschluß Europas an:

»Es ist doch der Untergang Europas, wenn Europa bei dieser Gelegenheit keine mögliche Form der Dauer und Gemeinsamkeit findet. Aber wie das machen – die Militärs haben den blinden Glauben an die Dampfwalze, ganz veraltete Annexionsideen, wirtschaftlich machen sie die haarsträubendsten Dinge: zerstören Städte und wollen dann Kontribution einziehen. [50]«

Anfang September scheint sich der Kanzler endgültig für die von Rathenau und Gwinner vorgeschlagene Form der indirekten Herrschaft entschlossen zu haben. Dieser Gruppe, deren innenpolitisches Konzept mit einer maßvolleren Haltung gegenüber der Sozialdemokratie verbunden war, die man als »nationale Arbeiterpartei« in den monarchisch-konstitutionellen Staat einzubauen gedachte, neigte außer Bethmann Hollweg

49 A. Tirpitz, Deutsche Ohnmachtspolitik, S. 136, Tirpitz an Ballin, 6. 10. 14.
50 Zit. bei K. D. Erdmann, Zur Beurteilung Bethmann Hollwegs, GWU 15, 1964, S. 533.

auch einer seiner engsten Mitarbeiter, der Staatssekretär des Innern, Clemens von Delbrück, zu. Auch der Kaiser kann diesem Lager zugerechnet werden; denn Mitteleuropa in dieser Form war ja einer seiner alten Zukunftspläne [51]. Es ist dabei unerheblich, ob Bethmann Hollwegs Konzeption direkt unter dem Einfluß Rathenaus zustande gekommen ist, oder ob die ähnlich gerichteten Vorschläge Gwinners, Thyssens oder Erzbergers u. a. miteingewirkt haben. Wichtig allein ist, daß dieses als »maßvoll« empfundene Kriegszielprogramm die Gedanken und ökonomischen Interessen einer Gruppe von Industriellen widerspiegelte, die die Annexionspolitik nach alldeutschem, schwerindustriellem und militärischem Konzept ablehnten und dafür eine moderne, flexiblere Form der Machtausübung anstrebten: indirekte Herrschaft durch wirtschaftliche und finanzielle Abhängigkeiten. Die Übernahme dieses Plans bedeutete indes nicht, daß der Kanzler die Minimalforderungen der Schwerindustrie im Westen – die Erwerbung der französischen Erzgebiete – und die Minimalforderungen der Agrarier im Osten nicht in sein Programm aufnahm – im Gegenteil. In diesem weiteren Sinne war das von Bethmann Hollweg konzipierte Septemberprogramm [52] eine echte Diagonale sämtlicher bestimmender Wirtschaftskräfte: den Bankiers bot es Mitteleuropa in der Form eines Zoll- und Wirtschaftsbundes, der Schwerindustrie die Erzgebiete und den Agrariern Aussicht auf Landerwerb im Osten.

Das große Memorandum des Kanzlers vom 9. September trug den Titel: »Vorläufige Richtlinien für unsere Politik beim Friedensschluß« und war nach den Präliminarien des August die erste ausgearbeitete Kriegszieldenkschrift der Reichsregierung, ein Kriegszielprogramm, nicht etwa ein augenblickliches Kriegsmittel oder ein eilfertig von Regierungsräten zusammengeschriebenes Elaborat [53]. Seine Entstehung verdankte es der Erwartung eines unmittelbar bevorstehenden deutschen Sieges im Westen. Im Anschreiben, mit dem Bethmann Hollweg es seinem Stellvertreter in Berlin, Delbrück, übersandte, sprach er davon, daß für einen bevorstehenden Friedensschluß im Westen gewisse Richtlinien aufgestellt werden müßten, selbst wenn man davon ausgehe, daß England »seine Bundesgenossen in einem Widerstand à outrance« festzuhalten versuchen werde. Im Mittelpunkt müsse das »wirtschaftliche Programm eines mitteleuropäischen Zollverbandes« stehen, über das er, der Kanzler, ja bereits »kurz nach Ausbruch des Krieges« mit dem Staatssekretär gesprochen habe. Das Programm selbst gliederte sich in zwei Teile: in einen Passus, der das »all-

---

51 Vgl. dazu oben Kap. 4, S. 94 f. und Kap. 7, S. 201 ff.
52 F. Fischer, Griff, S. 113 ff.; der Text wurde zum erstenmal vollständig veröffentlicht von W. Basler, Annexionspolitik, S. 381 ff. Zur Interpretation vgl. jetzt auch die Studie von W. Gutsche, Beziehungen, S. 115 ff.
53 So E. Zechlin, Friedensbestrebungen und Revolutionierungsversuche in: Das Parlament B 20/1963, S. 18. Ähnlich verharmlosend noch E. Zechlin, in: HZ 199, 1964.

gemeine Ziel des Krieges« umschrieb, und einen Passus, der die »Ziele des Krieges im einzelnen« behandelte. Das allgemeine Ziel umriß der Kanzler mit folgenden lapidaren Sätzen, wobei er fast wörtlich Formulierungen gebrauchte, die Riezler bereits als Willensmeinung Bethmann Hollwegs Ende August gewählt hatte:

> »Sicherung des Deutschen Reiches nach West und Ost auf erdenkliche Zeit. Zu diesem Zweck muß Frankreich so geschwächt werden, daß es als Großmacht nicht neu erstehen kann, Rußland von der deutschen Grenze nach Möglichkeit abgedrängt und seine Herrschaft über die nichtrussischen Vasallenvölker gebrochen werden.«

Für die Einzelziele beschränkte sich der Kanzler auf den Westen: Die militärischen Stellen müßten beurteilen, ob die Abtretung von Belfort, des Westabhangs der Vogesen, die Schleifung der Festungen und die Abtretung des Küstenstrichs von Dünkirchen bis Boulogne zu fordern sei. Wollte er hier die Entscheidung ganz den Militärs überlassen, so hatte der Kanzler über die weiteren Ziele selbst sehr genaue Vorstellungen. Auf jeden Fall sollte Frankreich das Erzbecken von Briey abtreten, »weil für die Erzgewinnung unserer Industrie nötig«; dazu sollte eine Kriegsentschädigung gezahlt werden, und zwar in solcher Höhe, daß es in den nächsten 15 bis 20 Jahren erhebliche Rüstungsausgaben nicht zu tragen imstande sei. Vor allem aber müsse Frankreich ein Handelsvertrag aufgezwungen werden, der das Land in

> »wirtschaftliche Abhängigkeit von Deutschland bringt, es zu unserem Exportland macht und uns ermöglicht, den englischen Handel in Frankreich auszuschalten. Dieser Handelsvertrag muß uns finanziell und industriell Bewegungsfreiheit in Frankreich schaffen, so daß deutsche Unternehmungen nicht mehr anders als französische behandelt werden können.«

Gegenüber Belgien waren Bethmanns Forderungen ebenso unmißverständlich. Die Angliederung von Lüttich und Verviers an Preußen und eines Grenzstrichs der Provinz Luxemburg hielt er für unabdingbar. Zweifelhaft schien ihm die Annexion Antwerpens mit einer Verbindung nach Lüttich. Auf jeden Fall aber müsse Belgien zu einem »Vasallenstaat« herabsinken, der dem Deutschen Reich in »etwa militärisch wichtigen Hafenplätzen ein Besatzungsrecht« zugestehe: hierzu müsse es seine Küste militärisch zur Verfügung stellen und »wirtschaftlich zu einer deutschen Provinz« werden. Die von Frankreich abgetrennten Küstengebiete, Teile mit vorwiegend flämischer Bevölkerung, könnten leicht dieser neuen deutschen Provinz Belgien angegliedert werden. Luxemburg endlich sollte deutscher Bundesstaat werden und Teile der jetzigen belgischen Provinz Luxemburg und eventuell ein Stück Frankreichs (»die Ecke von Longwy«) erhalten. Holland sollte ebenfalls in ein engeres Verhältnis zum Deutschen

Reich gebracht werden, und zwar in einer Form, die die wirtschaftliche und politische Oberherrschaft Deutschlands garantiere – »enger Zollanschluß« – vielleicht ein die Kolonien einschließendes »Trutz- und Schutzbündnis«, wenngleich dem Lande die äußerliche Unabhängigkeit belassen werden müßte. Die Abtretung von Antwerpen an Holland könne gegebenenfalls ins Auge gefaßt werden.

Die enge gedankliche Verbindung mit den Ideen Gwinners und Rathenaus zeigt die Forderung, die Länder im Westen (Belgien, Frankreich und Holland), im Norden (Dänemark, eventuell Schweden und Norwegen), im Süden (eventuell Italien), im Osten (Polen) und im Südosten (Österreich-Ungarn) – das heißt den Kern Mitteleuropas – unter deutscher Führung in einem mitteleuropäischen Zollverein zusammenzufassen:

> »Es ist zu erreichen die Gründung eines mitteleuropäischen Wirtschaftsverbandes durch gemeinsame Zollabmachungen, ... Dieser Verband, wohl ohne gemeinsame konstitutionelle Spitze, unter äußerlicher Gleichberechtigung seiner Mitglieder, aber tatsächlich unter deutscher Führung, muß die wirtschaftliche Vorherrschaft Deutschlands über Mitteleuropa stabilisieren.«

Zu Mitteleuropa unter deutscher Führung müsse Mittelafrika als koloniales Ziel treten; ein detailliertes Programm wurde hierfür noch nicht aufgestellt, ebensowenig gegenüber Rußland:

> »Die Frage der kolonialen Erwerbungen, unter denen in erster Linie die Schaffung eines zusammenhängenden mittelafrikanischen Kolonialreiches anzustreben ist, desgleichen die Rußland gegenüber zu erreichenden Ziele werden später geprüft.«

Mitteleuropa in Form eines Wirtschaftsverbandes, nicht eines Staatenbundes nach dem Rezept der Alldeutschen und Schwerindustriellen um Kirdorf, Stinnes, Beukenberg, Springorum, blieb – bei allen Modifizierungen im Laufe des Krieges, und ungeachtet des Widerstandes mancher Ressorts, die eine Abbröckelung der Agrar- und Industriezölle befürchteten [54] – das Kriegsziel der Regierung.

Gerade wegen der Widerstände der Ressorts wie der Interessenten aus Schwerindustrie und Landwirtschaft übertrug Bethmann Hollweg dem Staatssekretär des Innern, Delbrück, die Bearbeitung seines zollpolitischen Mitteleuropaplanes. Dieser wurde zudem angewiesen, die »Neugestaltung der wirtschaftlichen Verhältnisse Mitteleuropas« nur ganz geheim mit den Referenten der Ressorts zu behandeln und die Interessenverbände erst so spät wie möglich hinzuzuziehen. Vom Herbst 1914 an fanden zahlreiche

---

54 Vgl. dazu Clemens v. Delbrück, Die wirtschaftliche Mobilmachung in Deutschland, Berlin 1924, S. 124 ff.; F. Fischer, Griff, S. 310 ff. Überzeugte Anhänger der Zollunion waren zuerst allein Rechenberg und Schönebeck, dann auch Lusensky und Helfferich. Der Leiter der handelspolitischen Abteilung im RdI, Müller, nahm einen vermittelnden Standpunkt ein.

Konferenzen[55] statt, bei denen die verschiedenen Konzeptionen diskutiert wurden: 1. Zollunion – von Bethmann Hollweg, Helfferich, Schoenebeck und Lusensky gefordert – 2. Zollbund mit Präferenzzöllen ohne gemeinsamen Außentarif – ein Gedanke, der von der Mehrheit der Ressortvertreter unterstützt wurde, wenn auch über die Form des Zollbundes keine Einigung erreicht wurde; 3. Beibehaltung der herkömmlichen Handelsvertragspolitik bei gleichzeitiger Aufgabe der Meistbegünstigung für bestimmte Waren – ein Vorschlag, dem Delbrück und auch Schoenebeck anhingen, sollte eine Zollunion nicht durchzusetzen sein[56].

Sicherlich wollte sich Bethmann Hollweg nicht mit einer einfachen Zollunion mit Österreich-Ungarn zufriedengeben, denn er benötigte zur Abrundung dieses Programms immer die Einbeziehung des russischen und des französischen Marktes. Das waren die entscheidenden Zielsetzungen des Septemberprogramms, ja geradezu der Sinn des Krieges.

Die gleichen Gesichtspunkte vertrat der Kanzler in einem Erlaß an Delbrück vom 22. Oktober 1914[57], als sich erneut die Möglichkeit abzuzeichnen schien, »daß einer unserer Gegner plötzlich zusammenbricht«. Wenn auch in diesem Schreiben der neuerliche Rückbezug auf die Einrichtung einer mitteleuropäischen Zollunion fehlt – am 17. Oktober hatte der Direktor der handelspolitischen Abteilung im Auswärtigen Amt, Johannes, in einer Denkschrift, die er Wahnschaffe zuleitete, noch einmal auf alle Schwierigkeiten ihrer Durchführung und besonders auf die Gefahr verwiesen, das Übergewicht Preußens könnte in einem auf Deutschland und Österreich-Ungarn beschränkten Wirtschaftsverband und dessen »Zollparlament« verlorengehen[58] – so kehren in diesem Schreiben die machtpolitisch wichtigsten Punkte wieder, die auch schon im Septemberprogramm formuliert worden waren. Hauptgedanke war, den französischen und den russischen Markt für den deutschen Handel und die deutsche Industrie zu öffnen. Zu diesem Zwecke wollte man die französische Wirtschaft durch die Abtretung des Erzgebietes von Longwy-Briey in ihrer Konkurrenzfähigkeit entscheidend schwächen, weil dann Frankreich und Belgien künftig ihre Erze von Deutschland beziehen müßten, eine Benachteiligung, die man durch eine Bindung der französischen Eisenzölle noch zu steigern hoffte. Rußland andererseits sollte ein langfristiger Handelsvertrag aufgezwungen werden, der auf eine Herabsetzung der russischen Industriezöl-

55 F. Fischer, Griff, S. 310 ff.
56 So E. Zechlin, Kabinettskrieg und Wirtschaftskrieg, in: HZ 199, 1964, S. 430 ff. Wiederaufgenommen in: Probleme des Kriegskalküls und der Kriegsbeendigung im 1. Weltkrieg, in: GWU 16, 1965, S. 76 ff. Egmont Zechlin scheint diesen Teil der Darlegungen in meinem Buch übersehen zu haben, sonst hätte er in der Auseinandersetzung mit mir 1964 nicht behaupten können, Bethmann Hollweg habe bereits im Oktober 1914 seine Mitteleuropa-Konzeption vom 9. September fallengelassen.
57 Zit. bei E. Zechlin, Kabinettskrieg und Wirtschaftskrieg, in: HZ 199 (1964), S. 438 f.
58 F. Fischer, Griff, S. 312.

le hinauslaufe. Auch dieses Kriegziel war alles andere als »bescheiden«: ein solcher Handelsvertrag – den die Russen ja gerade aufs äußerste fürchteten und ablehnten, wie aus den Diskussionen unmittelbar vor dem Krieg ersichtlich ist – hätte die weitgehende wirtschaftliche Abhängigkeit Rußlands vom Deutschen Reich bedeutet. Beide Ziele, im Westen wie im Osten, waren nur bei einem deutschen Siegfrieden durchzusetzen. Ja, selbst für einen dritten Fall, den Bethmann Hollweg angesichts der begrenzten militärischen Möglichkeiten der deutschen Marine immer nur mit Skepsis betrachtet hat, nämlich den eines »Sieges über England«, forderte er, das im einzelnen Erstrebenswerte zu durchdenken und vorzubereiten (koloniale Zollpolitik, Konzessionen für Unternehmungen im Orient, Verhinderung des Übergangs Englands zum Schutzzoll). Mitteleuropa war damit, wie Zechlin und Ritter unterstellen, keinesfalls »aufgegeben«, auch wenn sich die konkreten Besprechungen zunächst auf das engere Band mit Österreich-Ungarn beschränken mußten, solange Frankreich nicht besiegt war. Daß dem wirklich so war, zeigt der Fortgang der Konferenzen im Winter 1914/15 wie im Frühjahr und Sommer 1915.

Mitteleuropa war gerade nicht unter dem Gedanken des »Ersatz-Marktes« konzipiert, sondern von vornherein als die Basis für eine künftige wirtschaftliche Machtstellung, die auch der Konkurrenz Englands und Nordamerikas gewachsen war. Falkenhausen, der Vertreter des Preußischen Ministeriums für Landwirtschaft, Domänen und Forsten, Anhänger des »Zollbundes«, umriß dieses Ziel in geradezu klassischer Weise, wenn er als Ziel der deutschen Handelspolitik forderte[59]:

> »Den großen, in sich geschlossenen Wirtschaftskörpern der Vereinigten Staaten, des Britischen und des Russischen Reichs die Gesamtheit der europäischen, wenigstens der mitteleuropäischen Kontinentalstaaten unter deutscher Führung in gleicher wirtschaftlicher Geschlossenheit gegenüberzustellen mit dem doppelten Zweck: 1. den Gliedern dieser Gesamtheit – vornehmlich Deutschland – die Vorherrschaft auf dem europäischen Markte zu sichern, 2. im handelspolitischen Kampf mit jenen Weltreichen um die Bedingungen der Zulassung zu beiderseitigen Märkten die Gesamtwirtschaft des verbündeten Europa als einheitliche Macht ins Feld führen zu können.«

Auch Schoenebeck, der Referent Delbrücks und Vertreter der Zollunionsidee, wies darauf hin, daß man bei allen Verfahrensschwierigkeiten und Widerständen doch das »große Endziel« nicht vergessen dürfe:

> »Ein großes mitteleuropäisches Wirtschaftsgebiet zu schaffen, das uns unseren Platz im wirtschaftlichen Daseinskampfe der Völker behaupten läßt und uns davor bewahrt, gegenüber den immer geschlossener und mächtiger auftretenden wirtschaftlichen Weltreichen – Großbritannien mit seinen Kolonien, den Vereinigten Staaten, Rußland, Japan mit China – zur wirtschaftlichen Ohnmacht herabzusinken.«

---

59 F. Fischer, Griff. S. 315.

Voraussetzung eines so weitgespannten Ziels war natürlich, wie es Bethmann Hollweg gegenüber Delbrück am 16. September 1914 klar aussprach, »ein von uns zu diktierender Frieden unter dem Druck politischer Überlegenheit«, das heißt der militärische Sieg über Frankreich und über Rußland, nicht ein »Zusammenschluß... auf der Basis einer Verständigung gemeinsamer Interessen« [60].

Diese Zeugnisse und Begründungen schließen jede Interpretation aus, die »Mitteleuropa« allein als Kriegsmittel, als wirtschaftlichen Ersatzraum für die verlorengegangenen Überseegebiete verstehen will [60a]. Ein wie wichtiges Kriegsziel dies Mitteleuropaprojekt war, hat gerade Kurt Riezler wiederholt konstatiert. Er notierte am 18. April 1915 in seinem Tagebuch [61], daß eine derartige Neuordnung Europas allein die Gewähr für eine dauerhafte Stabilität des kontinentalen Staatensystems böte. Die Annexion fremder Gebiete beschwöre zu leicht die Gefahr neuer Auseinandersetzungen herauf. Belgien und Polen sollten deshalb zu wirtschaftlich abhängigen Vasallenstaaten umgebildet werden. Ein solches »mitteleuropäisches Reich deutscher Nation« – wie es Riezler formulierte – bedeute die »europäische Verbrämung unseres Machtwillens«, und kurz vor Ausbruch der russischen Februarrevolution am 11. März 1917 notierte er zusammenfassend [62]:

>»Die Politik des Reichskanzlers: das Deutsche Reich, das nach den Methoden des preußischen Territorialstaates allein in der Mitte Europas nicht Weltmacht werden kann... in einen Imperialismus europäischer Gebärde hineinzuführen, den Kontinent von der Mitte aus (Österreich, Polen, Belgien) um unsere stille Führung zu gruppieren.«

Der mitteleuropäische Zollverein – darüber gaben sich Bethmann Hollweg und sein Mitarbeiter Clemens von Delbrück keinen Illusionen hin – war aber nur zu erreichen gegen stärksten Widerstand der Schwerindustrie, der ostelbischen Agrarier und des Gros der Militärs. In einem Brief an Bethmann Hollweg, vier Tage nach dem Septemberprogramm verfaßt, analysierte Delbrück ganz offen die innenpolitischen Bedingungen eines europäischen Wirtschaftsverbandes, verwies dabei in aller Deutlichkeit auf die Verklammerung von Innen- und Außenpolitik, die Abhängigkeit außenpolitischer Entscheidungen von den Bedingungen innenpolitischer Machtgegebenheiten, und resümierte [63]:

>»Ein Zollverein, der den größten Teil Europas umfaßt, bedeutet einen Bruch mit unserer Wirtschaftspolitik und leitet einen Abbau der Zölle ein... Wäh-

60 DZA I, Rkz, Nr. 2476, Bethmann Hollweg an Delbrück, 16. 9. 14.
60a Es kann auch keine Rede davon sein, daß dieses Ziel »defensiver« Natur war, wie Gerhard Ritter es interpretieren will.
61 F. Stern, Bethmann Hollweg und der Krieg, S. 28.
62 Ibid., S. 29.
63 DZA I, Rkz, Nr. 2476, Delbrück an Bethmann Hollweg, 13. 9. 14, zit. bei F. Fischer, Griff, S. 312; vollständiger Text bei E. Zechlin, Friedensbestrebungen und Revolutionierungsversuche, in: Das Parlament B 20/1963, S. 44 ff.

rend wir bisher die ›nationale Arbeit‹ durch hohe Zölle und Tarifverträge mit allen europäischen Staaten zu schützen suchten, soll in Zukunft auf dem großen Gebiete von den Pyrenäen bis zur Memel, vom Schwarzen Meer bis zur Nordsee, vom Mittelmeer bis zur Ostsee in der Hauptsache das freie Spiel der Kräfte walten... Man wird für eine solche radikale Umwälzung zweierlei anführen können. Die Voraussetzungen, auf denen unsere bisherige Wirtschaftspolitik beruhte, liegen nicht mehr vor, wir kämpfen nicht mehr um die Herrschaft auf dem inneren Markt, sondern um die Herrschaft auf dem Weltmarkt, und den übermächtigen Produktionsmöglichkeiten der transatlantischen Welt kann nur ein zollgeeintes Europa mit dem nötigen Nachdruck gegenübertreten: wir sollten Gott danken, daß der Krieg uns den Anlaß und die Möglichkeit gibt, ein wirtschaftliches System zu verlassen, das den Höhepunkt seiner Erfolge zu verlassen im Begriff steht.«

Die Durchführung dieses Programms, dessen Inhalt sehr genau den neuen Imperialismus »europäischer Gebärde« (Riezler) zeigt, war aber von einer völlig neuartigen Parteikonstellation abhängig – von einem Frontwechsel der bürgerlichen Rechtsparteien, von einer Neuformierung des Liberalismus, sowie von einer Umformung der Sozialdemokratie zu einer »nationalen Arbeiterpartei« – und setzte, nicht zuletzt auch von seiten der Leiter der Ressorts, die Bereitschaft zum Umdenken voraus. Sich von der bisher verfolgten Politik des Hochschutzzolls abzusetzen, fiel vor allem dem preußischen Minister für Handel und Gewerbe, v. Sydow, dem preußischen Landwirtschaftsminister und Vertrauensmann der Konservativen und Schwerindustriellen, Clemens v. Schorlemer-Lieser, aber auch dem preußischen Finanzminister Lentze und dem Staatssekretär des Reichsschatzamtes, Kühn, äußerst schwer. Erst von daher lassen sich Delbrücks Bedenken interpretieren:

»Ich glaube nicht, daß es leicht sein wird, ohne die Möglichkeit einer vorherigen Propaganda und ohne tatsächliche Beweise für die Überständigkeit unserer bisherigen Wirtschaftspolitik eine Gefolgschaft für einen Systemwechsel in Deutschland zu gewinnen, und man wird sich darüber klar sein müssen, daß eine solche Politik nicht mit der Rechten und nicht ohne die Sozialdemokratie, jedenfalls nur mit einer liberalen Mehrheit durchzuführen sein wird.«

Diese Ausführungen Delbrücks machen deutlich, mit welchen innenpolitischen Hypotheken das Bethmann Hollwegsche Septemberprogramm von vornherein belastet war. Es setzte eine tiefgehende Umorientierung der die Regierung tragenden Parteien voraus. Auch von dieser Seite, um die Durchsetzung Mitteleuropas in der von ihm anvisierten Form möglich zu machen, müssen die Bemerkungen Delbrücks zur innenpolitischen Neuorientierung, speziell die Stellung zur Sozialdemokratie betreffend, interpretiert werden:

»Ich glaube, wir würden es vor dem deutschen Vaterlande nicht verantworten können, wenn wir nicht den Versuch machten, als Preis des Krieges, eine Reform der Sozialdemokratie nach der nationalen und monarchischen Seite anzubahnen.«

Auch wenn Bethmann Hollweg, der diese Meinung Delbrücks teilte, zusammen mit Wahnschaffe sich zunächst darauf beschränkte, ganz allgemeine Zusagen an die Sozialdemokratie für die Zeit nach dem Krieg zu machen, so waren schon allein diese Fühlungnahmen für die Konservativen und die Großindustrie ein Alarmzeichen.

Wie schon vor Kriegsausbruch verband sich für Konservative und Schwerindustrielle die Kritik an dem von ihnen als »schwächlich« empfundenen Kriegsziel des Kanzlers mit ihrer Kritik an seiner innenpolitischen Konzeption. Bethmann Hollweg mußte darum alles daran setzen, sich für seine Politik eine Mehrheit im Reichstag, im Preußischen Landtag, im Preußischen Staatsministerium wie auch in den Kreisen der Militärs zu schaffen. Aber sowohl die Gründung der »Freien Vaterländischen Vereinigung« 1915, als auch die des »Deutschen Nationalausschusses für einen ehrenvollen Frieden« 1916 waren ein Fiasko, denn es gelang Bethmann Hollweg nicht, mit diesen von ihm unterstützten Gründungen eine Umgruppierung der politischen Parteien und Verbände zu erreichen. Der von der Industrie, den Konservativen und den Alldeutschen getragene »Unabhängige Ausschuß für einen Deutschen Frieden« war weit erfolgreicher.

Als der Kanzler schließlich unter dem Eindruck der russischen Februarrevolution 1917 in der Wahlrechts- wie in der Kriegszielfrage den Linksliberalen, dem Zentrum unter Führung Erzbergers und den Sozialdemokraten entgegenkam, wurde er gestürzt, nachdem es den herrschenden sozialen Schichten gelungen war, die Oberste Heeresleitung unter Hindenburg und Ludendorff von der Untragbarkeit des Kanzlers zu überzeugen.

XXIV. KAPITEL

Der Blitzkrieg scheitert – die Illusionen bleiben

Die Neuordnung Europas unter deutscher Führung, wie sie im September-programm der deutschen Regierung umrissen war, setzte in allen Teilen einen entscheidenden deutschen Sieg im Westen voraus, der dann mit einer Kehrtwendung nach Osten eine ebensolche klare Entscheidung gegen Ruß-land ermöglichen sollte. Aber eben dieser Sieg, der die Hoffnung der poli-tischen und militärischen Führung und der Gesamtheit der Nation war und auf den die ganze rüstungstechnische und wirtschaftliche Kriegsvor-bereitung abgestellt war, blieb aus. »Das kurze, reinigende Gewitter«, das Bethmann Hollweg im Gespräch mit Bülow Anfang August in Aussicht gestellt hatte, erwies sich als Illusion; die Hoffnung des Kanzlers auf einen Krieg, der drei, längstens vier Monate dauern sollte, hatte getrogen. Mit dem Rückzugsbefehl an die deutschen Truppen am 10. September, mit dem Verlust der Marneschlacht, war der geplante Blitzkrieg gescheitert. Der Weltkrieg, der vier Jahre dauern sollte, begann. Es war ein Material- und Stellungskrieg, für den Deutschland nicht vorbereitet war.

Der Umschlag der Stimmung im Großen Generalstab zeichnet sich in den Briefen Moltkes sehr deutlich ab. Die militärischen Anfangserfolge, der Vormarsch durch Belgien und Nordfrankreich, die Tannenbergschlacht im Osten hatten nicht nur im Volk, sondern auch in der militärischen Füh-rung einen Optimismus geweckt, der bis Ende August sich ständig steigerte und das Erreichte überschätzen ließ, hielt man doch die Widerstandskraft der Franzosen schon für gebrochen. Der Gegenangriff der französischen Armeen und des englischen Expeditionskorps auf der gesamten Front vom 6. September an kam völlig überraschend, und das nun einsetzende Rin-gen wurde als der große Entscheidungskampf empfunden. Vom 8. und 9. September schrieb Moltke an seine Frau [1]:

---

1 Helmuth v. Moltke, Erinnerungen, Briefe, Dokumente 1877 bis 1916, Stuttgart 1922, S. 380 ff.

»Noch immer ist das große Ringen vor der gesamten Front unseres Heeres nicht entschieden. Es wäre furchtbar, wenn all dies Blut vergossen sein sollte, ohne einen durchschlagenden Erfolg.«

Am Abend dieses Tages äußerte er schon die Befürchtung, ob es überhaupt noch gelingen könnte, »mit unseren zusammengeschmolzenen Truppen... – das Gardekorps... soll fast bis auf die Hälfte seines Bestandes heruntergekommen sein –...noch einmal...einen Erfolg« zu haben. Am 9. September war für ihn der Umschlag da:

»Es geht schlecht... Der so hoffnungsvoll begonnene Anfang des Krieges wird in das Gegenteil umschlagen... wie anders war es, als wir vor wenigen Wochen den Feldzug so glanzvoll eröffneten... ich fürchte, unser Volk in seinem Siegestaumel wird das Unglück kaum ertragen können.«

Die »Entscheidungsschlacht«, auf die Moltke alles setzte, war zuungunsten Deutschlands ausgegangen. Die deutschen Truppen blieben größtenteils im Westen gebunden und konnten nicht, wie es vorgesehen war, nach Osten geworfen werden, um mit den Österreichern zusammen Rußland niederzuwerfen. Das war um so folgenschwerer, als die österreichischen Armeen nicht nur von den Serben, sondern auch in Galizien von den Russen in den Tagen der Marneschlacht, wie Moltke mit Sorge und Enttäuschung vermerkte, mit größten Verlusten zurückgeworfen wurden. Trotz örtlicher deutscher Siege in Ostpreußen und Teilerfolgen in Polen (Spätherbst) setzte sich die Kette der Rückschläge für die Österreicher fort, so daß am Ende des Jahres 1914 der Einbruch der Russen über die Karpaten nach Ungarn nur mit Mühe abgewendet werden konnte.

Auch die Hoffnungen Moltkes auf revolutionäre Aufstände in Rußland, die, wie er am 3. September an seine Frau schrieb, »uns von den moskowitischen Massen entlastet« hätten, hatten getrogen; die von der deutschen Diplomatie, vor allem auch vom Generalstab vorbereiteten Aufstände in Polen, der Ukraine, Finnland blieben aus. Die Rechnung auf einen Kriegseintritt Schwedens, Rumäniens, Bulgariens, der Türkei – die alle die Front im Osten entlasten sollten – ging ebenfalls nicht auf, ebensowenig die Hoffnungen auf eine – wenn auch nur symbolische – Beteiligung des italienischen Bundesgenossen, der französische Truppen an der Alpenfront und im Elsaß binden sollte. Und nicht zuletzt hatte sich die Erwartung zerschlagen, die Belgier würden ohne großen Widerstand den deutschen Durchmarsch zulassen. Erst im Blick auf all diese gescheiterten Hoffnungen erhalten die Worte Moltkes vom 8. September ihr volles Gewicht:

»Die ganze Welt hat sich gegen uns verschworen, es sieht so aus, als ob es die Aufgabe aller übrigen Nationen wäre, Deutschland endgültig zu vernichten. Die wenigen neutralen Staaten sind uns gegenüber nicht freundlich gesinnt. Deutschland hat keinen Freund in der Welt, es steht ganz allein auf sich angewiesen.«

Ein Ausbruch von Selbstmitleid, der in krassem Gegensatz zu den Bekundungen der Selbstüberschätzung in den vorangegangenen Jahren steht! So hatte noch kurz vor Kriegsausbruch General v. Loebell geäußert:

> »Lange dauert's nicht mehr, dann kommt's zum Kriege, und wird die Welt was erleben. In zwei Wochen werfen wir Frankreich nieder, dann machen wir kehrt, schlagen Rußland zu Boden, und dann marschieren wir zum Balkan und stiften dort Ordnung.[2]«

Die Armee – ein »zertrümmertes Werkzeug«

Der Nachfolger Moltkes, General Erich v. Falkenhayn, machte von Ende September den Oktober hindurch bis Mitte November den Versuch, die Entscheidung im Westen doch noch zu erzwingen, und zwar durch Umgruppierungen sowie Aufstellung und sofortigen Einsatz neuer Reservekorps. Auch dieser neue Großangriff, der in den Kämpfen um einen Durchbruch bei Ypern gipfelte, scheiterte unter schweren Verlusten, für die der Name Langemarck (12. November) ein düsteres Symbol geblieben ist. Am 18. November mußte sich Falkenhayn seine Niederlage eingestehen, die dem Verlust einer zweiten Marneschlacht gleichkam.

In den Briefen von Teilnehmern am Frankreichfeldzug 1914 spiegelt sich – jenseits aller so viel besprochenen Kritik an den Fehlern der militärischen Führung – der Kräfteverbrauch der deutschen Armee, die zwar einen rücksichtslosen Angriffsgeist bewies, aber auch unverkennbare Schwächen in der taktischen Ausbildung und in der Einschätzung der Defensivkraft des Gegners zeigte. Da heißt es [3]:

> »Gelitten haben unsere Divisionen schrecklich... allgemein ein Durchgehen der Truppen nach vorne. Stellungen wurden erstürmt, von denen es unglaublich ist, aber mit welchen Opfern!«

Oder:

> »Dem Leibregiment, das schon zweimal aufgefüllt worden ist, fehlen schon wieder 2000 Mann; das 3. Infanterieregiment hat von den 60 Offizieren, mit denen es ausgerückt ist, nur mehr 4; das 15. Infanterieregiment hatte, als ich es in Metz sah, noch 800 Mann. Unser Korps hat gegenwärtig deshalb auch keine Offensivkraft mehr und das Durchgehen nach vorne hört von selbst auf; sehr zum Schmerz des Kommandierenden...«

Und schließlich:

> »Der frische, fröhliche Krieg, auf den wir alle uns seit Jahren gefreut haben, ist anders ausgefallen als man dachte. Es ist ein Hinmorden der Truppen mit Ma-

---

2 Fr. Wilh. Foerster, Mein Kampf gegen das militaristische und nationalistische Deutschland, Stuttgart 1920, S. 121 Anm. 1.
3 DZA I, NL Gebsattel, Nr. 1, in der Reihenfolge: Th. Frhr. v. Karg-Bebenburg an Gebsattel, 20. 9. 14; derselbe an Gebsattel, 10. 10. 14; Th. v. Pölnitz an Gebsattel, 4. 12. 1914.

schinen, das Pferd ist beinahe überflüssig geworden ... Hier sind die wichtigsten die Pioniere ... Alle Theorie von Jahrzehnten hat sich als wertlos erwiesen, jetzt wird alles anders gemacht.«

Diesen Eindruck hatten nicht nur die Soldaten an der Front, sondern auch der Reichskanzler. Nach den Eröffnungen, die ihm Falkenhayn am 18. November gemacht hatte, schrieb er am nächsten Tag aus dem Großen Hauptquartier an Unterstaatssekretär Zimmermann [4]:

> »Unsere Verluste namentlich an Offizieren sind ungeheuer und vielfach nicht ersetzlich, die Stoßkraft der Truppe ist zwar noch vorhanden, aber doch abgeschwächt, eine Möglichkeit, dem Gegner das Gesetz des Handelns aufzuzwingen, ist nicht mehr wahrgenommen, die gegenwärtige numerische Überlegenheit unserer Gegner wird auf mindestens 200 000 Mann geschätzt, die französische und englische Heeresleitung sind ausgezeichnet, ihre Artillerie ist besser und wird besser verwendet als die unsere.«

Gleichzeitig zeigten unzählige Stimmen aus diesen Monaten, wie unbeirrt die von der Zensur geflissentlich getäuschte deutsche Öffentlichkeit (ja sogar die Mehrzahl der Militärs) an der Vorstellung vom nahen Entscheidungsschlag im Westen bzw. danach im Osten festhielt [5].

Der Generalstabschef Falkenhayn erachtete jedoch die Offensivkraft der deutschen Truppen als so weitgehend geschwächt, daß er bereits im Herbst zu Erzberger sagte, der Krieg sei nach der Marneschlacht »eigentlich verloren« [6], ja daß er im Dezember in einer Aussprache mit dem Reichskanzler [7] die Armee ein »zertrümmertes Werkzeug« nannte. Mit einem zertrümmerten Werkzeug aber ließ sich die Entscheidung im Westen und Osten im Sinne des ursprünglichen Plans nicht mehr erzwingen. So begann nun die Umstellung auf einen länger dauernden Krieg durch Neuaufstellungen von Truppen, durch die Umstellung der Wirtschaft auf die Kriegsbedürfnisse und schließlich – im Blick auf die Kriegführung selbst – durch jenes System von »strategischen Aushilfen« mit kurzfristigen Schwerpunktverlagerungen von Ost nach West und umgekehrt. Das alles konnte jedoch nicht verhindern, daß erst im Westen und dann auch im Osten der Bewegungs- in den Stellungskrieg, der Blitz- in den Zermürbungskrieg überging.

---

4 Bethmann Hollweg an Zimmermann am 19. 11. 14, zit. bei Scherer–Grunewald, L'Allemagne et les problèmes de la paix, Bd. I, 1962, S. 18.
5 Vgl. die Briefe im Nachlaß Gebsattel; bes. den Bericht des Bayr. Militärbevollmächtigten im Großen Hauptquartier, v. Hellingrath vom 6. 12. 14 an Gebsattel.
6 M. Erzberger, Erlebnisse im Weltkriege, Stuttgart 1920, S. 314.
7 Zit. bei G. Ritter, Staatskunst und Kriegshandwerk, Bd. III, 1964, S. 63.

Der Kanzler war Realist genug zu sehen, daß in dieser Lage nur ein Sonderfriede mit Rußland (auf den Falkenhayn und Tirpitz drängten) oder mit Frankreich – falls ein solcher zu haben sein würde – oder aber ein aus allgemeiner Erschöpfung geborener allgemeiner Friede auf der Basis des Status quo einen Ausweg bieten würde. Im ersten Falle hätte Deutschland noch die Möglichkeit gewahrt, wenigstens seine westlichen Kriegsziele durchzusetzen; im zweiten Falle hätte es der Welt bewiesen, daß auch eine noch so große Koalition nicht imstande sei, es auf die Knie zu zwingen. Als Realist, der er jetzt geworden war, mochte Bethmann Hollweg persönlich schon darin einen politischen Erfolg sehen, nur war er sich darüber im klaren, daß ein solcher Ausgang »dem Volke als durchaus ungenügender Lohn für so ungeheure Opfer erscheinen würde« [8].

Von größter politischer Tragweite war daher die Entscheidung des Reichskanzlers, der Nation die Bedeutung der Niederlagen an der Marne und bei Ypern zu verschweigen. Auf diese Weise hielt er zwar den Kampf- und Durchhaltewillen der Nation hoch, trug aber gleichzeitig wesentlich dazu bei, daß die Diskrepanz zwischen der politisch-militärischen Lage und den Kriegszielforderungen der wirtschaftlich und politisch führenden Gruppen sich ständig vergrößerte, so daß Bethmann Hollweg schließlich, wie er selber sagte, »den Petenten (der Kriegszieldenkschriften) die Wahrheit nicht mitteilen konnte« [9]. Der Reichskanzler hatte die schwierige Aufgabe, einerseits die »staatstragenden Schichten« davon zu überzeugen, daß er nicht der »Planmacher« sei, für den sie ihn hielten, und daß der Krieg nicht eher beendet werden würde, bis Deutschland eine unangreifbare Stellung als Weltmacht errungen hätte; andererseits mußte er die Sozialdemokraten bei der Stange halten, indem er den Verteidigungscharakter des Krieges betonte. Bethmann Hollweg versuchte den Widerspruch zu lösen und die auseinanderstrebenden Kräfte doch noch zusammenzuhalten durch seine die deutschen Kriegsziele verschleiernde Formel von den »Sicherheiten und Garantien«.

Doch damit konnte er auf längere Sicht keinen der beiden Teile der Nation zufriedenstellen. Gerade diejenigen Gruppen, die sich 1913 im »Kartell der schaffenden Stände« zusammengefunden hatten, beharrten auch nach Kriegsausbruch auf ihrer scharfen Opposition gegen die Außen- und Innenpolitik der Regierung. Zwei Dinge vor allem fürchteten die Vertreter von Landwirtschaft, Industrie, Handel und Hochschule, die sich als »die Nation« begriffen: einen »voreiligen Frieden« sowie Nachgiebigkeit

---

8 Bethmann Hollweg an Zimmermann, 19. 11. 14, abgedruckt bei Scherer – Grunewald, S. 18.
9 Zit. bei E. Zechlin, Deutschland zwischen Kabinettskrieg und Wirtschaftskrieg, in: HZ 199 (1964), S. 443 (Bethmann Hollweg im März 1915).

der Regierung gegenüber liberalen und sozialdemokratischen Forderungen (Abbau der Schutzzölle, Zugeständnisse in der Sozialpolitik, Abschaffung des Dreiklassenwahlrechts in Preußen) [10].

Positiv ausgedrückt hieß das: der Krieg sollte fortgeführt werden, um 1. Deutschland die unangreifbare Stellung als Weltmacht zu erringen, 2. das soziale und politische System des Deutschen Reiches zu erhalten und auszubauen. Trotz aller amtlichen Verschleierungsversuche der Regierung war immerhin so viel über die schwierige militärische Situation und über amerikanische Friedensvermittlungsversuche durchgesickert, daß die »nationalen« Kreise einen voreiligen Friedensschluß befürchteten. Damit wäre ihre außenpolitische, aber auch ihre innenpolitische Zielsetzung gefährdet gewesen. Ein »voreiliger Friede« mußte nämlich nach ihrer Auffassung den »Sieg der Demokratie« bringen. Durch eine großangelegte geheime wie offene Agitation gegen die »Flaumacher« versuchten sie, die Stellung des Kanzlers zu erschüttern, wobei es der sehr aktiven Führungsgruppe des Alldeutschen Verbandes gelang, auch die Konservative Partei, die sich zunächst aus gouvernementalen Gründen zurückhielt, für ihre Ziele zu gewinnen und ihr einzureden, Bethmann Hollweg könne die Sozialdemokraten zu sehr begünstigen [11]. Ja, man ging soweit, zu behaupten,

> »daß hinter dem Herrn Reichskanzler und seinem Stellvertreter im ganzen Deutschen Reich niemand mehr steht als Sozialdemokratie und Freisinn, trotzdem wird die entscheidende Stelle (der Kaiser!) in dem Glauben erhalten, er habe das ganze Volk hinter sich« [12].

Nun waren sich Bethmann Hollweg und sein Stellvertreter Delbrück zu diesem Zeitpunkt durchaus darüber im klaren, daß der Krieg nach der Marneschlacht mehr denn je zuvor nur mit Unterstützung der Sozialdemokraten zu führen sein würde und daß die Regierung Zugeständnisse machen müsse, um die Einheit der Nation, den Burgfrieden, zu erhalten. Gerade aber mit Rücksicht auf die nationale Opposition konnte der Reichskanzler in den Sondierungsgesprächen vom September und Oktober 1914 den Sozialdemokraten keine konkreten Zusagen machen. Delbrücks Rat folgend beschränkte er sich daher auf eine reine Hinhalte-Taktik [13]. Doch schon die bloße Tatsache seiner Sondierungen zwischen Reichsregierung und Sozialdemokraten in Verbindung mit den Nachrichten vom Fehlschlag des Krieges im Westen alarmierten alle konservativen, schwerindustriellen und alldeutschen Kreise aufs höchste, zeichnete sich hier doch die Gefahr

---

10 Vgl. hierzu jetzt vor allem D. Stegmann, Parteien und Verbände in der Sammlungspolitik 1887–1918, S. 443 ff.
11 DZA I, NL Gebsattel, Nr. 1, Schriftwechsel Claß–Gebsattel.
12 DZA I, NL Gebsattel Nr. 1, Gebsattel an Kessel, 13. 11. 1914.
13 Vgl. bereits Delbrück an Bethmann Hollweg, 13. 9. 14, abgedruckt bei E. Zechlin, in: Das Parlament, B 20/1963, S. 44 ff.

einer Neuorientierung, der »Sieg der Demokratie« ab. Das Mißtrauen der »nationalen Opposition« wuchs, je länger der Krieg dauerte und je lauter von seiten der Linken die Forderung auf Neuorientierung erhoben wurde. So verschärften sich unter der Decke des Burgfriedens die innenpolitischen Spannungen ständig, sie führten schließlich 1917, als der Kanzler seine Hinhaltetaktik aufgeben und konkrete Maßnahmen zur Neuorientierung der Innenpolitik ankündigen mußte, auch seinen Sturz herbei.

Was nun die außenpolitische Zielsetzung anlangt, so richtete sich der Vorwurf der Alldeutschen und der ihnen nahestehenden Gruppen vor allem gegen die mangelnde Präzisierung der deutschen Kriegsziele durch die Regierung. Ganz abgesehen von der Rücksicht auf das Ausland konnte Bethmann Hollweg aber keine präzise Auskunft über die Kriegsziele der Regierung geben, wollte er den Burgfrieden nicht gefährden. Das Septemberprogramm des Kanzlers zeigt heute, daß das Mißtrauen der Rechten gegen die außenpolitische Zielsetzung Bethmann Hollwegs unbegründet war. Und genügend andere Äußerungen beweisen, daß er auch nach dem Scheitern des ursprünglichen Kriegsplanes, worüber er sich weniger Illusionen machte als alle andern, am grundsätzlichen Ziel des Krieges festhielt. In einer Unterredung Mitte November mit dem Militärbefehlshaber in den Marken, Generaloberst v. Kessel, hat er zur Beruhigung der Alldeutschen und zur Mitteilung an die Parteiführer der »nationalen« Parteien im Preußischen Abgeordnetenhaus als Ziel der Reichsregierung deklariert[14]:

> »Das Ziel dieses Krieges ... ist nicht die Wiederherstellung des europäischen Gleichgewichts, sondern gerade die endgültige Beseitigung dessen, was bisher als europäisches Gleichgewicht bezeichnet wurde, und die Fundierung einer deutschen Vormachtstellung in Europa.«

Denselben Gedanken wiederholte Bethmann Hollweg wenige Tage später öffentlich in seiner bedeutsamen Reichstagsrede am 2. Dezember 1914[15]. Im Hinblick auf eventuelle Sonderfriedensverhandlungen mit Rußland oder mit Frankreich stellte er als den wahren Schuldigen am Kriegsausbruch England hin, das aus Neid auf die deutsche wirtschaftliche Leistung die »Einkreisung« vorbereitet und mit Hilfe seiner Ententegenossen den Krieg auf Deutschland »losgelassen« habe. Noch einmal forderte der deutsche Kanzler die Gleichberechtigung Deutschlands mit Großbritannien und lehnte die beiden Prinzipien englischer Macht, nämlich die unbestrittene Seeherrschaft und »das vielberufene Gleichgewicht der Kräfte auf dem Kontinent« ab. Noch einmal legte er das Kalkül seiner Vorkriegs-

---

14 DZA I. Nl Gebsattel, Nr. 1, Gebsattel an Kessel, 14. 11. 1914.
15 Bethmann Hollwegs Kriegsreden, hrsg. von F. Thimme, Stuttgart und Berlin 1919, S. 19.

politik bloß, auch wenn er in seiner Rede den harten Kern seiner Zielsetzung zu verhüllen suchte: Niemals habe er gehofft, so sagte er, den alten englischen Grundsatz der Balance of power »durch Zureden zu brechen«. Doch:

> »was ich für möglich hielt, war, daß die wachsende Kraft Deutschlands und das wachsende Risiko eines Krieges England nötigen könnten einzusehen, daß dieser alte Grundsatz unhaltbar, unpraktisch geworden und ein friedlicher Ausgleich mit Deutschland vorzuziehen ist«.

Der Kanzler hatte also von England ernsthaft erwartet, daß es freiwillig seine Stellung in der Welt zugunsten Deutschlands einschränke. Mit dieser Forderung war er mit dem Kaiser und großen Teilen des deutschen Bürgertums einig. Das zeigt auch ein Artikel des Zentrumsabgeordneten Erzberger im ›Tag‹ vom 6. Dezember 1914 [16]. Für Erzberger war diese Rede ein »Meisterstück in jeder Richtung«.

> »Sie sprach so ganz aus der Seele des Volkes. Frankreich leise streifend, Rußland kurz markierend, um dann mit der vollen Wucht unwiderlegbarer Tatsachen den welthistorischen Beweis zu erbringen, daß dieser Krieg Englands Krieg ist, und daß England den Krieg absichtlich gewollt. So denkt heute die deutsche Seele.«

Wie Erzberger weiter mitteilte, habe der Reichskanzler außerdem eine Aussprache mit den Vertretern sämtlicher Fraktionen gehabt, deren Inhalt zwar geheim sei, über die aber so viel gesagt werden könne, daß er von »Flaumacherei« nichts wissen wolle und nur »einen solchen Frieden« kenne, der »Gegenwart und Zukunft unseres Volkes sichert«. Die Kanzlerrede des 2. Dezember gehe in ihrer Wirkung noch über die des 4. August hinaus. Sie einige die Nation in dem unerschütterlichen Willen zur »Niederringung unserer Feinde«. Daß Bethmann Hollweg an einen freiwilligen Verzicht Englands auf seine Weltstellung glaubte, zumal wenn es nicht durch die deutsche Flotte, sondern durch einen von Deutschland (durch einen Sieg über Frankreich und Rußland) beherrschten Kontinent bedroht wurde, beweist, wie sehr auch er in den machtpolitischen Vorstellungen seiner Generation befangen war, für die eben 1870 nicht der Endpunkt, sondern Ausgangspunkt für eine deutsche Großmacht- und Weltmachtstellung bildete. Diese Zielstellung in der Welt zu erkämpfen, war Deutschland in den Krieg gezogen, und es war nicht bereit zurückzustecken, ehe dieses Ziel erreicht war.

Geschichtsphilosophisch verbrämt kamen gleiche Vorstellungen in einem Vortrag Moltkes vor der Deutschen Gesellschaft zum Ausdruck. Der glücklose Feldherr verband hier den Krieg als »Notwendigkeit der Weltent-

---

16 M. Erzberger, 4. August–2. Dezember, in: Der Tag v. 6. 12. 12.

wicklung« mit der deutschen »Kulturaufgabe«, die Menschheitsgeschichte weiterzuentwickeln [17]:

> »Die romanischen Völker haben den Höhepunkt ihrer Entwicklung schon über-schritten, sie können keine neuen befruchtenden Elemente in die Gesamtent-wicklung hineintragen. – Die slawischen Völker, in erster Linie Rußland, sind noch zu weit in der Kultur zurück, um die Führung der Menschheit überneh-men zu können. Unter der Herrschaft der Knute würde Europa in den Zustand geistiger Barbarei zurückgeführt werden. – England verfolgt nur materielle Ziele. Eine günstige Weiterentwicklung der Menschheit ist nur durch Deutsch-land möglich. Deshalb wird auch Deutschland in diesem Krieg nicht unterlie-gen, es ist das einzige Volk, das zur Zeit die Führung der Menschheit zu höhe-ren Zielen übernehmen kann . . . Dieser Krieg wird eine neue Entwicklung der Geschichte zur Folge haben, und sein Ergebnis wird der gesamten Welt die Bahn vorschreiben, auf der sie in den nächsten Jahrhunderten voranzuschreiten haben wird . . .«

Prägnanter formulierte diesen Gedanken der gleichfalls philosophierende Adlatus von Bethmann Hollweg, Kurt Riezler, in einer Tagebucheintra-gung vom 1. August 1916 [18]:

> Der »dreifache Sinn« des Krieges sei:
> »Verteidigung gegen das gegenwärtige Frankreich,
> Präventivkrieg gegen das zukünftige Rußland (als solcher zu spät),
> Kampf mit England um die Weltherrschaft.«

Dieser Hegemonialkrieg aber war, so wie er geplant war, am 10. Septem-ber, spätestens am 18. November 1914 verloren. Daß er trotzdem weiter-ging, und zwar als Krieg gegen drei, bald vier und schließlich fünf Groß-mächte, das lag, soweit es die Gegner betraf, daran, daß die Entente sich mit den Londoner Abmachungen vom 4. September (Verbot eines Sonder-friedens) zu einem Kriegsbündnis verfestigt hatte. Soweit es Deutschland betraf, lag es an der Entschlossenheit, mit der die politisch und wirtschaft-lich führenden Schichten an ihrer Vorstellung von der zukünftigen Stel-lung Deutschlands in der Welt festhielten und an ihrer Überzeugung, daß nur ein siegreicher Krieg ihre soziale und politische Machtstellung im Rei-che zu garantieren vermöge.

17 H. v. Moltke, Betrachtungen und Erinnerungen, Hamburg 1914, S. 11.
18 F. Stern, Bethmann Hollweg und der Krieg, Tübingen 1968, S. 30.

Abkürzungsverzeichnis

AA	Auswärtiges Amt
AA Bonn	Politisches Archiv des Auswärtigen Amts Bonn
ABl.	Alldeutsche Blätter
ADV	Alldeutscher Verband
AELKZ	Allgemeine Evangelisch-Lutherische Kirchenzeitung
BA	Bundesarchiv
BBC	Berliner Börsen-Courier
BD	British Documents on the Origin of the War
BdI	Bund der Industriellen
BdL	Bund der Landwirte
BMH	Berliner Monatshefte
BNN	Berliner Neueste Nachrichten
BT	Berliner Tageblatt
CC	Conservative Correspondenz
CdI	Centralverband deutscher Industrieller
DAGZ	Deutsche Arbeitgeberzeitung
DD	Die deutschen Dokumente zum Kriegsausbruch
DDF	Documents Diplomatiques Français
DHW	Deutsche Handelswacht
DI	Deutsche Industrie
DIZ	Deutsche Industriezeitung
DLZ	Deutsche Literaturzeitung
DNHV	Deutschnationaler Handlungsgehilfenverband
DNN	Danziger Neue Nachrichten
DTZ	Deutsche Tageszeitung
DVC	Deutscher Volkswirtschaftlicher Correspondent
DWZ	Deutsche Wirtschaftszeitung
Ehzg.	Erzherzog
FZ	Frankfurter Zeitung
GP	Große Politik der Europäischen Kabinette
GWU	Geschichte in Wissenschaft und Unterricht
HA	Hauptarchiv Berlin-Dahlem
HE	Hamburger Echo
HN	Hamburger Nachrichten
HuG	Handel und Gewerbe
JbbNSt	Jahrbücher für Nationalökonomie und Statistik
JbSW	Jahrbuch für Sozialwissenschaften
JlBl	Jungliberale Blätter
Kdr. General	Kommandierender General
Korr.d.BdL	Korrespondenz des Bundes der Landwirte
KZ	Kölnische Zeitung
LTbl	Leipziger Tageblatt
LVZ	Leipziger Volkszeitung

MA	Militär-Archiv
MdA	Mitglied des (preußischen) Abgeordnetenhauses
MdH	Mitglied des Herrenhauses
MdL	Mitglied des Landtags
MdR	Mitglied des Reichstags
NAZ	Norddeutsche Allgemeine Zeitung
NFP	Neue Freie Presse
NHZ	Neue Hamburger Zeitung
NL	Nachlaß
NlBl	Nationalliberale Blätter
NPrZ	Neue Preußische Zeitung (Kreuzzeitung)
ÖU	Österreich-Ungarns Außenpolitik
PAH	Preußisches Abgeordneten-Haus
PAR	Politisch-Anthropologische Revue
pr.	preußisch
PrJb	Preußische Jahrbücher
PSQ	Political Science Quarterly
R.A.	Reichsarchiv
RB	Reichsbote
RdI	Reichsamt des Innern
Rgbl	Reichsgesetzblatt
Rkz	Reichskanzlei
RMA	Reichsmarineamt
RSA	Reichsschatzamt
RT	Reichstag, und:
	Stenographische Berichte der Verhandlungen des Deutschen Reichstags
RWZ	Rheinisch-Westfälische Zeitung
Schr.VfSozPol	Schriften des Vereins für Sozialpolitik
SMH	Sozialistische Monatshefte
SPC	Sozialdemokratische Partei-Correspondenz
STA	Staatsarchiv
SuE	Stahl und Eisen
Tgl.R.	Tägliche Rundschau
VdEStI	Verein deutscher Eisen- und Stahlindustrieller
VMB des CdI	Verhandlungen, Mitteilungen und Berichte des Centralverbands Deutscher Industrieller
VSWG	Vierteljahresschrift für Sozial- und Wirtschaftsgeschichte
VZ	Vossische Zeitung
WTB	Wolffs Telegraphisches Büro
ZfG	Zeitschrift für Geschichtswissenschaft
ZfgSW	Zeitschrift für die gesamte Staatswissenschaft

Quellen- und Literaturverzeichnis

I. Für dieses Buch sind Materialien aus folgenden *Archiven* benutzt worden (Einzelnachweise befinden sich in den Fußnoten):
Deutsches Zentralarchiv I Potsdam; Deutsches Zentralarchiv II Merseburg; Politisches Archiv des Auswärtigen Amts Bonn; Bundesarchiv Koblenz; Staatsarchiv Dresden; Hauptstaatsarchiv Berlin-Dahlem; Public Record Office London; Institut für Zeitungsforschung Dortmund; Archiv der Handelskammer Hamburg.

II. *Quellenpublikationen:*
(Zeitungen und Zeitschriften im Abkürzungsverzeichnis)
Die amtlichen belgischen, deutschen, englischen, französischen, italienischen, österreichisch-ungarischen und russischen Akten zur Vorgeschichte.
Die deutschen Dokumente zum Kriegsausbruch. Vollständige Sammlung der von Karl Kautsky zusammengestellten amtlichen Aktenstücke mit einigen Ergänzungen. Hrsg. von Walter Schücking und Max Graf Montgelas. Neue durchgesehene u. vermehrte Ausgabe. 5 Bde. Berlin 1927
Bayerische Dokumente zum Kriegsausbruch und zum Versailler Schuldspruch. Hrsg. von Pius Dirr. 3. Aufl. München 1925
Deutsche Gesandtschaftsberichte zum Kriegsausbruch. Berichte und Telegramme der badischen, sächsischen und württembergischen Gesandtschaften in Berlin aus dem Juli und August 1914. Im Auftrag des Auswärtigen Amts hrsg. von August Bach. Berlin 1937
Geiss, Immanuel, Julikrise und Kriegsausbruch 1914. 2 Bde. Hannover 1963/1964
Kriegsrüstung und Kriegswirtschaft (Der Weltkrieg 1914–1918. Bearbeitet im Reichsarchiv) 2 Bde. und 1 Bd. Anlagen zum 1. Bd., Berlin 1930
Stenographische Berichte der Verhandlungen des Deutschen Reichstags 11., 12., 13. Legislaturperiode
Von Bassermann zu Stresemann. Die Sitzungen des nationalliberalen Zentralvorstandes 1912–1914, hrsg. von Klaus-Peter Reiß, Düsseldorf 1967
Akten zur staatlichen Sozialpolitik 1890–1914, hrsg. von Karl-Erich Born und Peter Rassow, Wiesbaden 1959
Protokolle der SPD-Reichstagsfraktion 1898–1918. Bearbeitet von Erich Matthias und Eberhard Pikart, 2 Bde., Düsseldorf 1966
Das Kriegstagebuch des Reichstagsabgeordneten Eduard David (1914–1918). In Verb. mit Erich Matthias bearbeitet von Susanne Miller, Düsseldorf 1965
Der Kaiser ... Aufzeichnungen des Chefs des Marinekabinetts Admiral Georg Alexander von Müller über die Ära Wilhelms II., hrsg. von Walter Goerlitz, Göttingen 1965
Regierte der Kaiser? Kriegstagebücher, Aufzeichnungen und Briefe des Chefs des Marinekabinetts Admiral Georg Alexander von Müller 1914–1918, hrsg. von Walter Goerlitz, Göttingen 1959
Walther Rathenau, Tagebuch 1907–1922, hrsg. von H. Pogge-von Strandmann, Düsseldorf 1967
Politische Dokumente von A. von Tirpitz. Aufbau der deutschen Weltmacht, Stuttgart und Berlin 1924
Politische Dokumente von A. von Tirpitz. Deutsche Ohnmachtspolitik im Weltkriege, Hamburg und Berlin 1926

III. *Darstellungen:*
(Es werden nur neuere Arbeiten von allgemeiner Bedeutung aufgeführt. Spezialliteratur in den Anmerkungen.)
Albertini, Luigi, The Origins of the War of 1914, 3 Bde., London/New York/Toronto 1952 (Originalausgabe: Le origini della guerra del 1914. 3 Bde., Milano 1942/43)
Born, Karl Erich, Staat und Sozialpolitik seit Bismarcks Sturz, Wiesbaden 1957

Born, Karl Erich, Deutschland als Kaiserreich (1871–1918), in: Handbuch der Europäischen Geschichte, hrsg. von Theodor Schieder, Bd. 6, Stuttgart 1968, S. 198–230

Carlgren, W. M., Neutralität oder Allianz. Deutschlands Beziehungen zu Schweden in den Anfangsjahren des Weltkriegs, Stockholm Studies in History, Bd. 6

Deutschland im Ersten Weltkrieg, hrsg. von Fritz Klein u. a., Bd. I, II, III, Berlin 1968/69

Epstein, Klaus, Matthias Erzberger und das Dilemma der deutschen Demokratie, Berlin, Frankfurt a. M. 1962 (amerik. Originalausgabe, Princeton University Press 1959)

Eschenburg, Theodor, Das Kaiserreich am Scheideweg. Bassermann, Bülow und der Block, Berlin 1929

Hantsch, Hugo, Leopold Graf Berchtold, 2 Bde., Graz, Wien, Köln 1963

Hallgarten, George W., Imperialismus vor 1914, 2 Bde., 2. Aufl., München 1963

Kehr, Eckart, Schlachtflottenbau und Parteipolitik 1894–1901, Berlin 1930

Kehr, Eckart, Der Primat der Innenpolitik. Gesammelte Aufsätze, Berlin 1965

Kriegsausbruch 1914 (Sonderdruck des Journal of Contemporary History. Vol. 1, No. 3, July 1966), München 1967

Molt, Peter, Der Reichstag vor der improvisierten Revolution, Köln und Opladen 1963

Poidevin, Raymond, Les relations économiques et financières entre la France et l'Allemagne de 1898 à 1914, Paris 1969

Puhle, Hans-Jürgen, Agrarische Interessenpolitik und preußischer Konservativismus im Wilhelminischen Reich, Hannover 1966

Österreich-Ungarn in der Weltpolitik 1900–1918 (Aufsatzsammlung hrsg. von Fritz Klein u. a.), Berlin 1965

Moderne deutsche Sozialgeschichte, hrsg. von U. Wehler (Neue Wissenschaftliche Bibliothek, Bd. 10), Köln 1966

Stegmann, Dirk, Sammlungspolitik 1897–1918. Parteien und Verbände in der Spätphase des Wilhelminischen Deutschland. Erscheint Frühjahr 1970 Köln

Stenkewitz, Kurt, Gegen Bajonett und Dividende, Berlin 1960

Thaden, Edward C., Russia and the Balkan Alliance of 1912, Pennsylvania University Press 1965

Trumpener, Ulrich, Germany and the Ottoman Empire 1914–1918, Princeton University Press 1968

Wernecke, Klaus-Dieter, Der Wille zur Weltgeltung. Außenpolitik und Öffentlichkeit in Deutschland am Vorabend des Ersten Weltkriegs, Düsseldorf 1969

Witt, Peter-Christian, Die Finanzpolitik des Deutschen Reiches, 1903–1913. Erscheint Frühjahr 1969 Lübeck–Hamburg (Historische Studien)

Zmarzlik, Hans-Günther, Bethmann Hollweg als Reichskanzler 1909–1914, Düsseldorf 1957

Personenregister

Aehrenthal, Alois Lexa Graf v., öu. Außenminister 1906–1912: 133 f., 206, 208 ff., 216, 226, 482

Ahlefeld, Hunold v., Vizeadmiral a.D., Direktor der Krupp-Werft AG Weser 196

Ahmed Wefik Pascha, türk. Staatsmann und Gelehrter 737

Albert I., König v. Belgien 1909–1933: 239 f., 313, 317 ff., 321 f., 573, 580, 625, 644

Albertini, Luigi, ital. Politiker und Historiker 672

Alexander III., Kaiser von Rußland 1881–1894: 315

Aliotti, Carlo Baron, ital. Gesandter in Durazzo 1914–1922: 589

Alten, Georg v., General und alldeutscher Militärschriftsteller 282

Alten, Marie v., 1. Vorsitzender des Dt. Frauenverbundes 161

Andrássy, Ludwig Graf v., ung. Innenminister 1906–1909: 422

Apponyi, Albert Graf v., öu. Kultusminister 1906–10, 1917: 422

Arndt, Paul, Nationalökonom 77

Arnim-Muskau, Traugott Graf v., freikonservativer Politiker, MdH 161

Arning, Heinrich Friedrich Wilhelm, Arzt und nationalliberaler Politiker, MdR 1907–1912: 450

Asquith, Herbert Henry, brit. Premierminister 1908–1916: 126

Auer, Erhard, sozialdem. Politiker, MdL Bayern 1907–1918: 158

Auer, Ignaz, sozialdem. Politiker, MdR 1877–1907: 51

Auffenberg, Moritz Ritter v., öu. Kriegsminister 1911–1912: 209

Winkel, Aus dem, Vorstandsmitglied des BdL 388, 390, 399

Avarna di Gualtieri, Guiseppe Herzog v., ital. Botschafter in Wien 1904 bis 1915: 587

Baare, Louis, Generaldirektor des Bochumer Vereins 22, 60

Baernreither, Josef Maria, öster. Handelsminister 1898: 369 f., 421, 596, 600 f., 637

Ballestrem, Franz Graf v., oberschles. Magnat, Zentrumspolitiker, MdR 1872–1906, MdA 1891–1903, MdH 1903–1910: 46

Ballin, Albert, Generaldirektor der Ha-

pag 36, 42, 71, 104, 118, 136, 178 A, 180 f., 191, 270 f., 336, 374, 445, 454, 649 ff., 658, 668, 699, 717, 723, 744 f., 766

Bardolff, Carl, Kanzleichef Erzherzog Franz Ferdinands 607 f.

Barnes, Harry E., am. Soziologe und Historiker 670

Bartels, Adolf, Literaturhistoriker 364 f.

Barthou, Louis, französischer Ministerpräsident 1913: 625

Basarow, Pawel Alexandrowitsch, russ. Militärattaché in Berlin bis Juli 1914: 563

Bassermann, Ernst, nationalliberaler Politiker, MdR 1893–1917: 36, 46 f., 59, 140 f., 149, 154, 164, 166 ff., 198, 200, 257, 262, 269, 325 ff., 329 ff., 336 f., 379, 385, 451, 453, 655 ff., 749, 758

Battenberg, Ludwig Alexander Prinz von, Erster Seelord 632

Bauer, Gustav, sozialdem. Politiker, MdR 1912–18: 751

Bauer, Max, Oberst 246

Bebel, August, sozialdem. Politiker, MdR 1867–1913: 47, 51, 154, 164, 168, 198

Bechly, Hans, Vorsitzender d. Deutsch-Nationalen Handlungsgehilfenverbands (seit 1911) 361

Beckmann, F., Agrarexperte 539

Below, Georg v., Verfassungs- u. Wirtschaftshistoriker 374, 376, 748

Below-Saleske, Konrad von, dt. Gesandter in Brüssel 321, 322, 330, 730

Benckendorff, Alexander Graf v., russ. Botschafter in London 1903–1917: 498, 552, 557 f., 628 ff.

Bendemann, Felix v., Admiral 160

Berchtold, Leopold Graf v., öu. Botschafter in Petersburg 1906–1911, Außenminister und Vorsitzender des gemeinsamen Ministerrats 1912–1915: 191, 202, 211 f., 217, 221 ff., 227, 229, 239, 250, 290, 291, 293 f. 298, 300 f., 304, 306, 308 f., 311 ff., 316 f., 420, 515, 574, 580, 587, 590 f., 596 f., 599, 601 f., 604, 606 ff., 686 f., 694 f., 697, 712, 715, 717, 724, 726, 728, 756

Berenberg-Goßler, Johann Frh. v., Hamburger Bankier 161

Bergen, Diego v., Legationsrat im AA 1911–1919: 433

A. Schaafhausenschen Bankvereins 166, 327

Fisher, Sir (ab 1909 Lord) John Arbuthnot, Erster Seelord der Admiralität 1904–1910: 615, 632

Flitner, dt. Arzt 363

Flohr, Justus, Direktoriumsmitglied des CdI 1912–1919, Generaldirektor der AG ›Vulcan‹ 336

Flotow, Hans v., dt. Gesandter in Brüssel 1910–1913, dt. Botschafter in Rom (Quirinal) 1913–1915: 109, 305, 587, 590, 722, 736

Flotow, Ludwig Frh. v., Botschaftsrat bei der öu. Botschaft in Berlin 1908 bis 1913: 211

Foch, Ferdinand, Marschall von Frankreich 614

Förster, Friedrich Wilhelm, dt. Pädagoge und Publizist 666

Fontane, Theodor 62

Forgach, Johann Graf v., öu. Gesandter in Belgrad 1907–1911, Sektionschef des k. u. k. Außenministeriums 1913 bis 1914: 311, 698, 729

Forrer, Ludwig, schweizer. Politiker, Bundespräsident, 1906 und 1912: 240

Forstner, Frh. v., pr. Leutnant 407

Francke, Ernst, Vorstandsmitglied der Gesellschaft für Soziale Reform 29, 71, 324, 374, 412

Franz Ferdinand, Erzherzog, öu. Thronfolger 210, 227 f., 239, 241, 246, 294, 308, 311 f., 315, 544, 573 f., 580, 592 f., 598, 602, 606 ff., 622, 683 f., 686

Franz Joseph I., Kaiser v. Österreich, König von Ungarn 1848–1916: 208, 228, 290, 304, 312, 314, 316, 544, 574, 576, 583, 591, 595, 602, 605, 687 ff., 691, 695, 697, 722

Freytag-Loringhoven, Hugo Freiherr v., preuß. General und Militärschriftsteller 79

Friedberg, Robert, nationallib. Politiker, MdA 1886–1917, MdR 1893 bis 1898: 745

Friedländer, Fritz, Schriftsteller 62

Friedländer-Fuld, Fritz v., dt. Industrieller 42

Friedrich II., König v. Preußen 1740 bis 1786: 583, 653

Friedrichs, H., Vorsitzender des BdI 336

Frymann, Daniel, Pseudonym für Claß, Heinrich

Fuchs, W., dt. Arzt und Publizist 273

Fürstenberg, Carl, Bankier, Geschäfts-

inhaber der Berliner Handelsgesellschaft 21 f., 42, 75, 136, 414, 518

Fürstenberg, Maximilian, Egon Fürst v., österr. Magnat und Politiker 408

Fuhrmann, Paul, nationallib. Politiker, MdA 1913–1918, MdR 1907–1912: 167 A., 328, 342

Gamble, Sir Douglas A., engl. Konteradmiral, Marineberater der türk. Flotte 1909–1910: 482

Ganz, Hugo, Wiener Korrespondent der ›Frankfurter Ztg.‹ 689

Gapon, russ. Priester 98

Gasser, Adolf, Schweizer Historiker 246, 565, 678 f.

Gebsattel, Konstantin Frh. v., General der Kavallerie, Vorstandsmitglied des Alldeutschen Verbandes 269, 348, 352, 359, 382, 402 ff., 657

Gehrke, Franz, dt. Nationalökonom 38, 335

Georg V., König von Großbritannien und Irland 1910–1936: 201, 221, 415, 486, 492, 630, 711, 716 A.

George, Stefan 68

George, Friedrich Frh. v., öster. Landesverteidigungsminister 1907–1917: 599

Gerard, James W., amerikan. Botschafter in Berlin 1913–1917: 744, 764

Gerlach, Hellmut v., Publizist und freisinniger Politiker, MdR 1903 bis 1907: 147, 167, 750

Gersdorff, Wigand v., Generalleutnant, Inspekteur der Landes-Insp. Dortmund 160 f., 363

Gerstenhauer, Max Robert, Publizist 365

Gibbon, Edward, engl. Politiker und Historiker 362

Giercke, Otto v., Jurist 748

Giers, Michail Nikolajewitsch, russ. Botschafter in Konstantinopel 1912–14: 215, 490 f., 498, 511, 514

Giolitti, Giovanni, ital. Ministerpräsident und Innenminister 1903–1905, 1906–1909, 1911–1914: 206, 243, 304 f., 429

Gobineau, Arthur Graf de, franz. Philosoph 65, 362 f.

Goethe, Johann Wolfgang v. 67, 273

Goltz, Pascha Kolmar Freiherr von der, pr. General, dt. Militärinstruktor in der Türkei 1883–1895, Vizepräsident des türk. Obersten Kriegsrats 1909–1913: 158, 160, 363, 376, 427, 483, 486 f., 489

Rogge, Generalmajor z. D. 406 A.
Rohrbach, Paul, baltendeutscher Publizist 82 ff., 324 f., 332, 341, 373 ff., 648
Roon, Waldemar Graf v., dt.-konserv. Politiker, MdH 150, 273
Roosevelt, Theodore, 25. Präsident der USA 1901–09: 101
Rosen, Friedrich, dt. Gesandter in Lissabon 1912–16: 443, 449 f., 455, 458
Rosenstern, F., Kaufmann 454
Russell, Lord Odo, brit. Botschafter in Berlin 1871–84: 86
Ruttke, Generalagent 365

Sabatier d'Espeyraut, Sekretär der frz. Botschaft in Petersburg 493
Sabler, russ. Vertreter in Sofia 508
Salandra, Antonio, ital. Ministerpräs. und Innenmin. 1914–20: 243
Salisbury, Robert Arthur Gascogne, Cecil Marquess of, engl. Premiermin. 1885–92, 1895–1902: 88 ff., 424
Salm-Horstmar, Otto Fürst zu, Präs. des Dt. Flottenvereins, MdH 353
Salomonsohn, A., Bankier, Geschäftsinhaber der Disconto-Gesellschaft und des A. Schaafhausenschen Bankvereins 22, 42, 60, 416, 742
Salza und Lichtenau, Frh. v., sächs. Militärbevollmächtigter in Berlin 1904 bis 1911, sächs. Gesandter in Berlin 1911–14: 99, 688 f.
Samassa, Paul, alldt. Politiker und Nationalökonom 347, 602
Samuel, Sir Marcus, engl. Ölindustrieller 435
San Giuliano, Antonino Marchese di, ital. Außenmin. 1905–06, 1910–14: 206, 212, 304 f., 587 f., 590, 607, 736
Sartorius v. Waltershausen, August Frh. v., Nationalökonom 527
Sasonow, Sergei Dimitrijewitsch, russ. Außenminister 1910–16: 112 f., 208, 214 f., 220 f., 224, 291, 295, 483, 491, 494 ff., 504 ff., 514 f., 552, 555 ff., 562, 602, 616, 618, 627 ff., 632, 704 ff., 714, 726, 728
Schaefer, Carl Anton, natlib. Publizist 644 f.
Schäfer, Dietrich, Historiker 161 f., 276, 374, 380, 581, 748
Schäfer, Th., Oberst a. D., Militärschriftsteller 581
Schäffle, Albert, öster. Handelsmin. 1871, Nationalökonom in Tübingen 25, 27 f., 72, 368
Schebeko, Nikolai Nikolajewitsch, russ.

Botschafter in Wien 1913–14: 724, 726, 728
Scheidemann, Philipp, sozialdem. Politiker, MdR 1903–18: 165, 665
Scheler, Max, Philosoph 748
Schemann, Ludwig, Rasseforscher, Biograph Gobineaus 362, 364
Schemua, v., Feldmarschalleutnant, öu. Generalstabschef 1912: 217, 224, 227 f.
Schewket Pascha, Mahmud, türk. Großwesir 1913: 484 f.
Schieder, Wolfgang, Historiker 672, 676
Schiemann, Theodor, Historiker und Publizist 29, 79 ff., 179, 283 A., 559, 759
Schiff, Martin, Direktor d. Nationalbank für Deutschland 336
Schiffer, Eugen, nat.lib. Politiker, MdA 1903–18, MdR 1912–17: 166, 745
Schifferer, Anton, Brauerei-Industrieller, nat.lib. Politiker, MdA 167 A.
Schiller, Friedrich 273
Schinckel, Max von, Geschäftsinhaber d. norddt. Bank und der Discontogesellschaft 22, 42, 60, 454
Schippel, Max, sozialdem. Journalist und Politiker, MdR 1890–1905: 356, 358
Schlenker, Max, Syndikus der HK Saarbrücken, Ausschußmitglied des CdI, Geschäftsführer der Südwestl. Gruppe des Vereins dt. Eisen- und Stahlindustrieller 396 f., 518
Schlieben, dt. Generalkonsul in Belgrad 370
Schlieffen, Alfred Graf v., pr. Generalfeldmarschall, Chef des Generalstabs 1891–1905: 79, 97 ff., 176, 190, 565 ff.
Schmidt, Robert, sozialdem. Politiker, MdR 1893–98, 1903–18, Gewerkschaftssekretär 751
Schmidt-Gibichenfels, Otto, Hrsg. der ›Politisch-Anthropologischen Revue‹ 274 f., 359
Schmoller, Gustav v., Nationalökonom 26 f., 29, 33, 37, 71 f., 156 f., 324, 327, 331, 412
Schoen, Wilhelm Frh. v., dt. Botschafter in Paris 1910–14: 109 f., 228, 330, 547, 729 f.
Schönaich-Carolath, Heinrich Prinz v., schlesischer Industrieller, natlib. Politiker, MdR 1881–1898, MdH 164, 749
Schoenebeck, v., Vortr. Rat im RdI 769 A., 770 f.
Schorlemer-Lieser, Klemens Frh. v., pr.

Fritz Fischer
Griff nach der Weltmacht

Die Kriegszielpolitik des kaiserlichen Deutschland 1914–18
Auf Grund der dritten Auflage völlig neu bearbeitete Sonderausgabe.
575 Seiten, Leinen DM 19,80

Ein frischer Wind wehte in die deutschen und ausländischen Gelehrten-
stuben, als dieses Buch 1961 erschien. Professor Fischer erntete Empörung, vor allem von konservativen Historikern, über die Zerstörung
der liebgewordenen Vorstellung von der schuldlosen Verstrickung
Deutschlands in den ersten Weltkrieg. Er erntete aber auch Beifall für
seine mutige Aufdeckung der deutschen Weltmachtpolitik unter Wilhelm II.

»Das Buch bedeutet eine Rebellion. Alte Vorstellungen sind zerschlagen. Die Forschung wird es, vielleicht widerwillig, als eine der grundlegenden Untersuchungen über diese Epoche anerkennen müssen.«
Paul Sethe

»Beim Studium vordem nicht ausgewerteter Archivakten entdeckte der
Hamburger Historiker Professor Dr. Fritz Fischer Pläne für ein gigan-
tisches Imperium Germanicum, was nicht etwa alldeutsche Extremisten,
sondern die maßgebenden deutschen Politiker unter Mithilfe der Großindustrie errichten wollten.« Der Spiegel

»... im Westen sollte die Grenze jenseits der Vogesen errichtet werden.
Belgien sollte zum Satelliten degradiert, das französische Erzbecken
von Longwy-Brie in das deutsche Reich aufgenommen werden. Antwerpen sollte Haupthafen für den süddeutschen Export und die Kanal-
küste zum Sicherungsgürtel des europäischen Herrschaftsbereiches
werden.
Die Kriegsziele im Osten, ebenfalls im Rausch eines nahen Sieges formuliert, sahen die Zurückdrängung Rußlands bis weit jenseits der Bug-
und der Dnjepr-Linie vor. Anlehnung oder Annexion der Randstaaten
sollten den Einflußbereich Deutschlands im Osten garantieren. Schon
taucht der Begriff der ›Umsiedlung‹, der ›Germanisierung‹ auf.«
Die Welt

Droste Verlag · Düsseldorf